L'état de la France

Un panorama unique et complet de la France

2000-2001

Si vous désirez être tenu régulièrement au courant de nos parutions, il vous suffit d'envoyer vos nom et adresse aux Éditions La Découverte, 9 *bis*, rue Abel-Hovelacque, 75013 Paris. Vous recevrez gratuitement notre bulletin *A La Découverte*.

Catalogage Électre-Bibliographie

CORDELLIER, Serge ; LAU, Élisabeth (dir.)
L'état de la France 2000-2001 (12e éd.)
Paris : La Découverte, 2000. - (L'état du monde)
ISBN 2-7071-3262-4
RAMEAU : France : conditions sociales : 1981-...
France : conditions économiques : 1997-...
France : politique et gouvernement : 1997-...
DEWEY : 309 : Études sociales et ethnographiques classées par régions et pays du monde
Public concerné : Tout public

L'état de la France

Un panorama unique et complet de la France

2000-2001

La Découverte

Éditions La Découverte, 9 *bis*, rue Abel-Hovelacque 75013 Paris

Rédaction

Coordination et réalisation

Serge Cordellier, Élisabeth Lau.

Ont participé à la conception de l'ouvrage

Pierre Concialdi, Serge Cordellier, Christine Daniel, François Gèze, Hervé Hamon, Norbert Holcblat, Élisabeth Lau, Françoise Milewski, Pascal Perrineau, Jean-Paul Piriou, Hugues Portelli, Francisco Vergara.

Rédaction

Isabelle Amrouni, CNAF, Université de Nancy-II.
Dominique Andolfatto, GREP, Université de Nancy-II.
Joël Anne, conseil en formation-développement.
Dominique Aubin, journaliste.
Bruno d'Aubusson de Cavarlay, statisticien, sociologie pénale, CNRS, CESDIP.
Paul Bachelard, géographe, Université François-Rabelais, Tours.
Olivier Balabanian, géographe, Université de Limoges.
Murielle Bauchet, chargée d'études à l'ENSP.
Guy Baudelle, géographe, Université de Rennes-II-Haute-Bretagne.
Marcel Bazin, géographe, IATEUR (Institut d'aménagement du territoire et de l'environnement de l'Université de Reims-Champagne-Ardenne).
Daniel Béhar, coopérative ACADIE.
Martine-Marie Bellanger, économiste, ENSP.
Catherine Bloch-London, sociologue, DARES.
Carole Bonnet, DREES.
Jean-Claude Bontron, agro-économiste, SEGESA.
Guy Bouet, géographe, Université de Limoges.
Jean-Yves Boulin, sociologue, CNRS, IRIS, Université Paris-IX-Dauphine.
Jean-Claude Boyer, géographe, Université Paris-VIII-Saint-Denis.
Geneviève Canceill, statisticienne, DARES.
Laurent Carroué, géographe, Université Paris-VIII-Saint-Denis.
Vincent Chatellier, INRA-LERECO, Nantes.
Jacques Chevallier, droit public et science politique, Université Paris-II-Panthéon-Assas.
Élie Cohen, sciences de gestion, Université Paris-IX-Dauphine.
Pierre Concialdi, IRES.
Christine Daniel, IGAS.
Jean-Paul Daubard, économiste-consultant.
Christophe Daum, anthropologue, Université Paris-VII, URMIS.
Jean-Luc Delpeuch, spécialiste des questions européennes.
Catherine Donnars, AFIP.
Olivier Donnat, DEP.
René Dosière, économiste, Université de Reims-Champagne-Ardenne.
Jean-Claude Driant, géographe-urbaniste, Institut d'urbanisme de Paris, Université Paris-XII-Val-de-Marne.
Gaël Dupont, OFCE.
Philippe Estèbe, coopérative ACADIE.
Jacky Fayolle, OFCE, Université Pierre-Mendès-France, Grenoble.
Sabine Ferrand-Nagel, économiste, IUT de Sceaux, ADIS, Université Paris-Sud.
Michel Freyssenet, sociologue, CSU-Iresco, GERPISA.
Bernard Fromentin, journaliste.
Jean-Jacques Gabas, économiste, Université Paris-XI-Orsay, président du GEMDEV.

Jean Gambier, responsable associatif.
Jean-Marie Gehring, géographe, Université de Metz.
Didier Gelot, économiste, DARES.
Jean-Claude Giacottino, Institut de géographie, Université de Provence.
Béatrice Giblin-Delvallet, géographe, Université Paris-VIII-Saint-Denis.
Solveig Godeluck, journaliste.
Pierre Grundmann, journaliste.
Franck Guérit, géographe, Université d'Orléans, CERCAR.
Hervé Hamon, économiste, Université Paris-IX-Dauphine.
Norbert Holcblat, économiste.
Nadia Jacoby, Université Paris-I-Panthéon-Sorbonne, CRIFES-MATISSE.
Yves Jean, géographe, Université de Tours.
Roger Jumel, agronome.
Richard Kleinschmager, géographe, Université Louis-Pasteur, Strasbourg.
Pierre Kramer, magistrat.
Morgane Labbé, démographe.
Yves Lacoste, géographe, directeur de la revue *Hérodote*.
André Larceneux, sciences économiques, IRADES-CNRS, Université de Franche-Comté.
Jacques Le Cacheux, OFCE, Université de Pau et des Pays de l'Adour.
Florence Lefresne, économiste, IRES.
Gilles Lepesant, géographe, CNRS.
René Leray, spécialiste des questions européennes, Notre Europe.
Olivier Liaroutzos, Céreq.
Daniel Lindenberg, politologue, Université Paris-VIII-Saint-Denis.
Guy Lœw, géographe, Université de Metz.
Christian Loisy, INSEE.
Robert Marconis, géographe, Université de Toulouse-Le Mirail.
Pierre Mazataud, géographe.
Jean-Dominique Merchet, *Libération*.

ADIS : Analyse des dynamiques industrielles et sociales ; **AFIP :** Association de formation et d'information pour le développement d'initiatives rurales ; **AFPA :** Association nationale pour la formation professionnelle des adultes ; **CERCAR :** Centre d'études et de recherches sur le cadre de vie et l'aménagement ; **Céreq :** Centre d'études et de recherches sur les qualifications ; **CESDIP :** Centre d'études sociologiques sur le droit et les institutions pénales ; **CEVIPOF :** Centre d'étude de la vie politique française ; **CNAF :** Caisse nationale des allocations familiales ; **CNRS :** Centre national de la recherche scientifique ; **CSA :** Conseil, Sondages, Analyses ; **CSEC :** Centre de sociologie de l'éducation et de la culture ; **CSU :** Cultures et sociétés urbaines ; **DARES :** Direction de l'animation de la recherche, des études et des statistiques (Emploi et Solidarité) ; **DEP :** Département des études et de la prospective (Culture et Communication) ; **DREES :** Direction de la recherche, des études, de l'évaluation et des statistiques (Santé et Solidarité) ; **ENSP :** École nationale de la santé publique ; **FNSP :** Fondation nationale des sciences politiques ; **GEMDEV :** GIS économie mondiale tiers-monde développement ; **GERPISA :** Groupe d'études et de recherche permanent sur l'industrie et les salariés de l'automobile ; **GREGAU :** Groupe de recherche en géographie, aménagement, urbanisme ; **GREP :** Groupe de recherches et d'études politiques ; **IEP :** Institut d'études politiques ; **IGAS :** Inspection générale des affaires sociales ; **INED :** Institut national d'études démographiques ; **INRA :** Institut national de la recherche agronomique ; **INRP :** Institut national de la recherche pédagogique ; **INSEE :** Institut national de la statistique et des études économiques ; **IRES :** Institut de recherches économiques et sociales ; **Iresco :** Institut de recherche sur les sociétés contemporaines ; **IRIS :** Institut de recherche interdisciplinaire en socioéconomie ; **Mire :** Mission Recherche ; **OFCE :** Observatoire français des conjonctures économiques ; **SEGESA :** Société d'études géographiques, économiques et sociologiques appliquées ; **TIDE :** Territorialité et identité dans le domaine européen.

Dominique Merllié, sociologue, Université Paris-VIII-Saint-Denis, CSEC.
France Meslé, démographe, INED.
Françoise Milewski, économiste, OFCE.
Claude Minni, statisticien, DARES.
Jean-Marie Monnier, économiste, MATISSE.
Bernard Morel.
Jean-Luc Outin, Mire, MATISSE.
Joël Pailhé, géographe, Université Michel-de-Montaigne-Bordeaux-III, TIDE-CNRS.
Bruno Palier, sciences politiques, CNRS-CEVIPOF.
Jean-Marie Pernot, IRES.
Éric Plaisance, sociologie de l'éducation.
Hugues Portelli, politologue, Université Paris-II-Panthéon-Assas.
Jean Praicheux, géographe, IRADES-CNRS, Université de Franche-Comté.
Thérèse Quesnot, consultante.
Jean Renard, géographe, Université de Nantes.
Henri Rey, CEVIPOF-FNSP.
André D. Robert, Université Louis-Lumière-Lyon-II, rédacteur en chef de la *Revue française de pédagogie* (INRP).
Marc Robichon, AFPA.
Stéphane Rozès, CSA-Opinion, IEP-Paris.
Christian Ruby, philosophe.
Claude Saint-Dizier, géographe.
Catherine Sauviat, IRES.
Martine Segalen, ethnologue, Université Paris-X-Nanterre.
Marion Segaud, sociologie urbaine, Université du Littoral-Côte d'Opale.
Stephen Smith, *Libération.*
Francis Soler, rédacteur en chef de la *Lettre de l'océan Indien.*
Jean Soumagne, géographe, Université d'Angers.
Pierre Tafani.
Françoise Thébaud, historienne, Université d'Avignon.
François Toujas, IGAS.
Carole Tuchszirer, économiste, IRES.
Jacques Vallin, démographe, INED.
Francisco Vergara, économiste et statisticien.
Catherine Vincent, sociologue, IRES.
Jean-Paul Volle, géographe, Université Paul-Valéry-Montpellier-III, GREGAU.
Pierre Volovitch, économiste, IRES.
Julien Weisbein, CEVIPOF, IEP-Toulouse.
Colette Ysmal, CEVIPOF-FNSP.

Statistiques

Francisco Vergara.

Cartographie

Bertrand de Brun, Anne Le Fur.
AFDEC, 25, rue Jules-Guesde
75014 Paris – tél. : 01 43 27 94 39
fax : 01 43 21 67 61.
e-mail : afdec@wanadoo.fr

Infographie

IES, Illustratek.

Graphisme

Conception de la couverture, maquette intérieure et création typographique :

Agence Achard-Sauvage
81, rue des Archives - 75003 Paris
tél. : 01 40 29 97 17 - fax : 01 40 29 04 94.
e-mail : achard.sauvage@wanadoo.fr

Les titres et les intertitres sont de la responsabilité de l'éditeur.

Par **Serge Cordellier** *et* **Élisabeth Lau**
Coordinateurs de la rédaction

Après un « trou d'air », la reprise économique s'est confirmée en 1999 et au premier semestre 2000, permettant une sensible décrue du chômage dans un climat d'euphorie boursière. Le capitalisme français a poursuivi sa mutation et sa large ouverture à l'international : multiplication des fusions-acquisitions, nouvelles normes de gouvernement des entreprises, décollage de la netéconomie...

L'amélioration du climat économique a engendré de nouvelles exigences de la part des citoyens, l'État étant sommé de mieux assumer ses responsabilités dans la redistribution et les réformes. Sur ce plan, si certaines modifications législatives ou constitutionnelles d'importance ont pu être menées à bien, au premier rang desquelles l'instauration de la parité, d'autres ont connu des grippages. Cela a particulièrement été le cas pour la Justice, l'administration fiscale, l'Éducation nationale ou la fonction publique. La réforme de l'État a rencontré des obstacles, conduisant à un remaniement du gouvernement de « gauche plurielle » fin mars 2000.

Les exigences des citoyens s'adressent aussi aux institutions internationales, comme l'ont montré les mobilisations en faveur de la biosécurité (concernant notamment les OGM – organismes génétiquement modifiés) ou le « sommet » de l'OMC (Organisation mondiale du commerce) de Seattle fin 1999.

Enfin, un an après la réalisation de l'Union monétaire, l'Union européenne se trouve placée devant de nombreux défis nouveaux, tant en ce qui concerne la réforme de ses institutions, son élargissement que la mise en place d'une Politique étrangère et de sécurité commune.

Comprendre les changements qui affectent la France d'aujourd'hui impose donc de les appréhender dans leur cadre réel, désormais beaucoup plus européen et beaucoup plus international.

C'est l'objectif que poursuit *L'état de la France*, afin d'aider ses lecteurs à juger et à agir avec discernement. Cet ouvrage replace les transformations les plus récentes dans le cadre d'évolutions de plus long terme, de tendances de fond. Il se distingue en cela des bilans annuels factuels, des chronologies commentées et autres compilations de presse. Il entend en effet aider à prendre du recul et se veut complémentaire des autres sources d'information, en particulier de la presse écrite et audiovisuelle.

Outre des analyses globales, *L'état de la France* offre des approches différenciées. Le regard porte ainsi non seulement sur les résultats macroéconomiques et sur

L'ÉTAT DE LA FRANCE EST LE SEUL OUVRAGE À TRAITER À LA FOIS DE LA SOCIÉTÉ FRANÇAISE, DE LA CULTURE, DE L'OPINION PUBLIQUE, DES RÉGIONS, DE L'ÉCONOMIE ET DE LA POLITIQUE.

les politiques publiques, mais aussi sur la vie régionale. Une attention particulière est égalementaccordée aux questions européennes et aux enjeux qui leur sont liés. Une section entière leur est consacrée. On pourra aussi lire au fil du livre, dans d'autres sections, plusieurs études se rapportant également à l'Europe.

Le fait de traiter ainsi certains grands défis en évitant de les enfermer dans une rubrique unique permet d'en éclairer les multiples facettes. Les problèmes de société font ainsi écho aux évaluations des politiques publiques ; les questions économiques renvoient aux questions sociales et aux choix politiques ; les débats sociétaux sont reliés à l'évolution des valeurs et des représentations, etc.

Ces diverses entrées possibles, autant que la richesse des contenus proposés, ont rendu indispensable l'existence d'outils de recherche et de « navigation » complétant la table des matières détaillée. C'est notamment la fonction de l'index thématique, qui comporte 2 500 entrées. Il permet une recherche exhaustive à l'intérieur de cet ouvrage et renvoie aussi à une sélection de plusieurs centaines d'articles publiés dans les précédentes éditions. De plus, de très nombreux renvois et corrélats indiqués au fil des textes facilitent la consultation.

L'état de la France doit son grand succès et sa réputation flatteuse aux compétences des auteurs qui y collaborent : sociologues, économistes, géographes, politologues, juristes, démographes… D'innombrables études de grande qualité sont en effet réalisées chaque année dans les domaines les plus variés, qui éclairent chacune tel ou tel aspect des transformations du pays. La plupart de ces travaux connaissent malheureusement une diffusion restreinte, qui dépasse rarement le cercle des spécialistes. Pourtant, leurs contenus sont susceptibles d'intéresser un public beaucoup plus large, si leurs auteurs acceptent de les rendre plus accessibles. C'est sur ce pari éditorial que repose *L'état de la France*. À sa rédaction sont en effet associés des chercheurs issus de très nombreux observatoires, centres d'études et instituts de recherche parmi lesquels l'IRES, le CEVIPOF, l'OFCE, la DARES, la DREES, l'INED, l'ENSP, le CNRS, la FNSP, l'INSEE… Aux lecteurs de juger du résultat.

Enjeux et débats

Clés d'interprétation

Modes et conditions de vie

La société française

Naître, grandir, vieillir

Cadre de vie

Culture et éducation

Créer, savoir, diffuser

Régions et territoires

Métropole et Outre-mer

Radioscopie de l'économie

Tendances et conjoncture

État et politique

Au-delà de l'actualité

La France, l'Europe, le monde

Des enjeux emboîtés

L'Union européenne

Relations extérieures

Annexes

Outils complémentaires

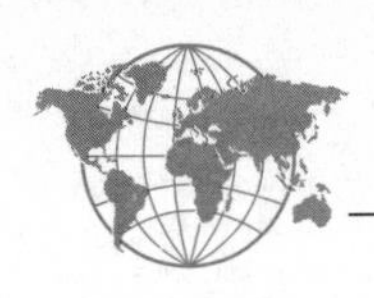

Chronologie

Une année en perspective

UNE SÉLECTION RAISONNÉE DES FAITS ET DES ÉVÉNEMENTS AYANT FAIT SENS DANS L'ANNÉE ÉCOULÉE.
CETTE CHRONIQUE COMPLÈTE LA CHRONOLOGIE RÉTROSPECTIVE DES PAGES 577 ET SUIVANTES.

Cette chronologie sélective couvre la période allant du 1er avril 1999 au 31 mars 2000. Elle prolonge la rétrospective des pages 577 et suivantes qui couvre les cinq années précédentes. Les dates en italique et entre crochets renvoient selon l'année à l'une ou l'autre de ces deux chronologies.

1999

16 avril. RPR. Philippe Séguin démissionne de la présidence du RPR deux mois seulement avant les élections au Parlement européen. Considérant ne pas avoir les moyens de maintenir l'unité du mouvement et en désaccord politique avec certains choix de Jacques Chirac, il préfère prendre du champ. Nicolas Sarkozy, au profil libéral accentué, assure l'intérim. Il conduira la liste RPR-DL aux européennes.

19-20 avril. Affaire des « paillotes ». Dans la nuit, un incendie criminel détruit une « paillote » (restaurant de plage) à l'enseigne « Chez Francis » près d'Ajaccio, en Corse. Soupçonnés, des gendarmes sont mis en examen et incarcérés, de même que le colonel Henri Mazères, chef de la légion de gendarmerie de Corse, pour « complicité ». Le 3 mai, le préfet de Corse Bernard Bonnet est placé en garde à vue et limogé par le gouvernement. Le chef d'état-major de la légion de gendarmerie en Corse affirme que les gendarmes incendiaires ont agi sur ordre du préfet.

1er mai. UE. Entrée en vigueur du traité d'Amsterdam (1997) modifiant le traité de Maastricht relatif à l'Union européenne (1992) : il donne des pouvoirs accrus au Parlement et crée un poste de Haut Représentant de la PESC (Politique étrangère et de sécurité commune), que le Conseil européen de Cologne attribue le 4 juin à Javier Solana, jusqu'alors secrétaire général de l'OTAN (Organisation du traité de l'Atlantique nord). Depuis l'adoption du traité de Maastricht, les conditions d'émergence d'une PESC n'ont jamais été réunies du fait du poids des traditions diplomatiques respectives, singulièrement françaises. La crise du Kosovo [*voir 10 juin*], concomitante de l'entrée en vigueur du traité d'Amsterdam, va permettre de lever un certain nombre d'obstacles et d'activer la coopération européenne, tant en matière diplomatique que militaire [*sur les conditions d'émergence d'une PESC, voir article p. 563*].

9 mai. Nouvelle-Calédonie. Élection des trois assemblées de province et formation du premier Congrès autonome (54 sièges) faisant suite à l'accord de Nouméa ratifié lors du référendum du 8 novembre 1998. À l'issue de ce scrutin, le RCPR (24 élus) forme le gouvernement en s'appuyant sur une dissidence du FLNKS [*voir articles p. 347 et 357*].

11 mai. Extrême droite. La justice tranche en sa faveur le litige qui oppose Jean-Marie Le Pen et son rival Bruno Mégret quant à la légitimité d'usage du nom Front national. La formation de B. Mégret va bientôt devoir s'appeler Mouvement national républicain (MNR). L'extrême droite sort affaiblie de sa scission [*voir article p. 464*].

10 juin. Histoire de France. L'Assemblée nationale qualifie enfin de « guerre » le conflit (1954-1962) qui a vu s'affronter indépendantistes algériens du FLN (Front de libération nationale) et armée française. Auparavant, cette guerre de décolonisation était officiellement considérée comme une opération de « maintien de l'ordre ». En 1962, les autorités françaises chiffraient le nombre de morts à 21 000 (dont 15 000 au combat) dans les rangs français et à 140 000 le nombre des maquisards algériens tués (auxquels il faut ajouter 100 000 autres morts, notamment civils et victimes des combats armés intra-algériens). Des historiens considèrent que ce chiffre est sous-estimé de moitié pour les victimes algériennes.

10 juin. Kosovo. Fin des bombardements de la Yougoslavie par l'OTAN (Organisation du traité de l'Atlantique nord). Ils avaient commencé le 24 mars, après l'échec des négociations de Rambouillet (6-23) puis de Paris (15 au 23 mars) sous l'égide de la France et du Royaume-Uni. L'objectif des organisateurs, en réunissant une délégation d'Albanais du Kosovo et de représentants de Belgrade, était d'aboutir à la confirmation de la souveraineté de la Yougoslavie sur le Kosovo tout en limitant celle-ci par concession d'une « autonomie substantielle » à la province. La France a pris une part active à cet engagement qui a esquissé une coopération militaire européenne [*voir article p. 566*]. Contrairement à la guerre du Golfe en 1991, l'intervention *Force alliée* au Kosovo a bénéficié de la compréhension ou de l'appui explicite de nombre d'intellectuels réputés critiques à l'égard de l'ordre international et des engagements extérieurs de la France [*voir article p. 452*].

13 juin. UE. Les élections au Parlement européen donnent pour la première fois la victoire à la droite, le Parti populaire européen (224) gagnant 23 sièges et devançant le Parti socialiste européen (180) qui en a perdu 34, et voient la percée des Verts (44 sièges). Le mauvais score des socialistes est notamment dû au très médiocre résultat des travaillistes britanniques qui ont perdu 31 sièges. Le scrutin est marqué par une très forte abstention (50,6 % contre 43,2 % en 1994). En France, la campagne électorale a été terne et bien peu « européenne ». L'abstention atteint 53 %. Pour la première fois, la gauche (« plurielle ») dépasse la droite (38,4 % contre 35,1 %), avec respectivement 21,9 %, 9,7 % et 6,8 % pour les listes Hollande (PS et alliés), Cohn-Bendit (Verts) et Hue (PCF). La droite présentait trois listes. Celle du parti présidentiel (RPR) allié à DL, menée par Nicolas Sarkozy, sort laminée avec 12,8 %, devancée par la liste « souverainiste » conduite par le dissident Charles Pasqua associé à Philippe de Villiers (13,2 %) et talonnée par la liste Bayrou (UDF) qui obtient 9,3 %. Après la crise du FN [*voir article p. 464*], l'extrême droite présentait deux listes (Le Pen, Mégret), dont les scores (respectivement 5,8 % et 3,3 %) sont très en deçà des 15 % obtenus aux régionales de mars 1998. À l'extrême gauche, la liste trotskiste LO-LCR obtient 5,2 %, talonnant celle du PCF [*voir la synthèse des tendances électorales, p. 466*].

14 juin. RPR. Au lendemain de l'échec magistral enregistré par la liste RPR-DL qu'il conduisait aux élections européennes [*voir 13 juin*], Nicolas Sarkozy démissionne de la présidence par intérim du RPR. Cofondateur du parti présidentiel, Charles Pasqua, qui conduisait avec Philippe de Villiers une liste « souverainiste », annonce qu'ils vont fonder un nouveau parti, le Rassemblement pour la France (RPF). La crise du parti présidentiel s'aiguise encore.

28 juin. Parité. Le Congrès approuve l'introduction dans la Constitution de la parité en politique, c'est-à-dire l'égal accès des femmes et des hommes aux assemblées politiques. En première lecture au Sénat, la droite avait refusé le texte initialement soumis. Elle avait fini par l'accepter le 4 mars. Cette réforme adoptée, il reste à agir domaine par domaine pour que les inégalités hommes/femmes soient mieux connues et corrigées [*voir article p. 24*].

2 juillet. Kosovo. Le Français Bernard Kouchner est désigné haut représentant de l'ONU au Kosovo.

5 juillet. Pétrole. TotalFina lance une OPE sur Elf Aquitaine. Le 18, c'est au tour d'Elf d'annoncer une contre-OPE. Après une bataille boursière, TotalFina l'emporte et absorbe sa rivale le 13 septembre. TotalFinaElf se hisse au quatrième rang mondial dans un secteur qui vient de connaître une vague de concentration [*sur les fusions et restructurations, voir article p. 415*].

9 juillet. Commission européenne. Présentation des 20 nouveaux commissaires après la démission collective de la précédente Commission le 16 mars [*voir p. 599*]. La composition de la nouvelle commission repose sur un équilibre gauche-droite tenant compte des résultats des élections récentes au Parlement européen [*voir 13 juin*]. La présidence est assurée par l'Italien Romano Prodi. Pascal Lamy, ancien directeur de cabinet de Jacques Delors à Bruxelles, est chargé du commerce extérieur de l'UE et le RPR Michel Barnier se voit confier la politique régionale et la réforme des institutions.

19 juillet. Affaires Tiberi. Le maire de Paris est mis en examen pour complicité de trafic d'influence dans l'affaire des HLM de Paris [*sur les affaires politico-financières voir Chronologie p. 577 et suiv.*].

20 juillet. Parlement européen. La Française Nicole Fontaine (UDF), candidate du Parti populaire européen (PPE, droite) est élue à la présidence du Parlement. Elle succède à l'Espagnol Enrique Baron Crespo (Parti socialiste européen).

11 août. Aluminium. Annonce de la fusion du français Pechiney, du canadien Alcan et du suisse Algroup en vue de former le premier groupe mondial. Le projet échouera cependant, la Commission européenne ayant l'intention de refuser l'autorisation à Pechiney d'y participer [*sur les fusions et restructurations, voir article p. 415*].

12 août. **Action syndicale.** Une équipe de militants de la Confédération paysanne et du Syndicat des producteurs de lait de brebis démonte un établissement McDonald's en construction à Millau (Aveyron). Ils réagissent ainsi à la taxation prohibitive imposée par les États-Unis sur le roquefort et d'autres produits européens en représailles de l'interdiction par l'UE d'importer de la viande de bœuf aux hormones. Le 17, cinq manifestants sont interpellés. L'un des organisateurs, José Bové, se livre plus tard et est emprisonné. Des manifestations sont organisées en sa faveur. En quelques jours, il va faire une percée médiatique très remarquée, incarnant le combat contre la « malbouffe » et la « mondialisation », effet qui culminera lors de la réunion de l'Organisation mondiale du commerce (OMC) à Seattle [*voir 3 décembre 1999*].

14 août. **Banque.** La double OPE lancée depuis le 9 mars par la BNP (Banque nationale de Paris) sur Paribas et la Société générale, elles-mêmes en voie de fusion par échange d'actions [*voir p. 598, 31 janvier*], aboutit, après une âpre bataille boursière, à la prise de contrôle de Paribas. La BNP ne sera pas autorisée à lever les titres minoritaires qu'elle avait acquis dans le capital de la Société générale [*sur les fusions et restructurations, voir article p. 425*].

30 août. **Distribution.** À la suite d'une OPE amicale lancée par Carrefour sur Promodès, les deux sociétés fusionnent, se classant par le chiffre d'affaires au premier rang national et au deuxième rang mondial [*sur les fusions et restructurations, voir article p. 415*].

8 septembre. **Michelin.** La manufacture multinationale de pneumatiques de Clermont-Ferrand annonce simultanément des résultats en progression de 20 % sur six mois et un plan de suppression de 7 500 postes en Europe, suscitant un large émoi. Le porte-parole de Michelin, Édouard du même nom, plaide une « erreur de communication », mais cet événement illustre plutôt à quel point les messages des grands groupes sont désormais davantage ciblés sur les actionnaires [*sur les nouvelles exigences des actionnaires dans le gouvernement d'entreprise, voir article p. 31*].

4 octobre. **OGM.** Le groupe américain Monsanto, spécialisé dans l'industrie du vivant et les biotechnologies annonce qu'il abandonne son projet de commercialisation de semences végétales rendues stériles au-delà de la première campagne par modification génétique (projet dit « Terminator »). Ce renoncement est une victoire pour les défenseurs du principe de précaution [*sur la biosécurité, voir article p. 126*].

13 octobre. **Vie à deux.** L'Assemblée nationale adopte définitivement la loi instituant le Pacte civil de solidarité (PACS) ouvert aux couples non mariés homosexuels ou hétérosexuels ou souhaitant simplement vivre en commun. Le PACS leur ouvre des droits, notamment en matière fiscale, patrimoniale, et de droits sociaux. Au Parlement, cette réforme a fait l'objet d'obstructions de la droite représentée en la circonstance par Christine Boutin. Sa croisade a collectivement nui à l'ensemble de l'opposition qui a été sur ce sujet perçue comme ultraconservatrice et hostile à toute décrispation de la société, en porte-à-faux avec les aspirations d'une partie de sa propre base électorale.

14 octobre. **Aéronautique.** Aérospatiale-Matra fusionne avec l'allemand Dasa. La nouvelle société European Aeronautic, Defense and Space Company (EADS) occupe le troisième rang mondial derrière Boeing et Lockheed Martin. EADS détient une position dominante dans Airbus Industrie [*sur les fusions et les restructurations, voir article p. 415*].

15 octobre. **MSF.** Le prix Nobel de la paix est attribué à l'ONG Médecins sans frontières, reconnaissance de la contribution des *French Doctors* à la prise en compte des questions humanitaires dans les relations internationales.

28 octobre. **Affaire de la MNEF.** Olivier Spithakis, ancien directeur général de la Mutuelle des étudiants de France, est mis en examen pour détournement de fonds publics, complicité de recel, faux et usage de faux. L'affaire de la MNEF menace de toucher plusieurs responsables socialistes de premier plan comme Jean-Christophe Cambadelis, « numéro deux » du PS, et Jean-Marie Le Guen, premier secrétaire de la fédération de Paris. Elle va aussi éclabousser le ministre des Finances Dominique Strauss-Kahn [*voir 2 novembre,* *et sur les affaires politico-financières, voir Chronologie p. 577 et suiv.*].

2 novembre. Affaire de la MNEF. Devant le risque d'une mise en examen dans l'affaire de la MNEF (Mutuelle nationale des étudiants de France), le ministre de l'Économie et des Finances, Dominique Strauss-Kahn, pièce maîtresse du dispositif gouvernemental de Lionel Jospin et figure rassurante pour les milieux d'affaires, démissionne. Il est remplacé par Christian Sautter dans une période où la reprise de la croissance gagne en vigueur.

26 novembre. NordLevo. Le gouvernement annonce l'autorisation aux infirmières scolaires de délivrer le NordLevo, pilule contraceptive dite « du lendemain » dans les lycées et les collèges en cas d'urgence et pour prévenir les risques de détresse.

3 décembre. OMC. La conférence de l'OMC (Organisation mondiale du commerce) réunie à Seattle (États-Unis) pour préparer l'ouverture d'un nouveau cycle de négociations sur le commerce international s'achève sur un échec. Les participants, réunis dans une ville en état de siège du fait de la présence de foules manifestantes, dénonçant l'absence de transparence de l'organisation et la « mondialisation », n'ont pu se mettre d'accord sur un cadre permettant d'engager les négociations. À l'affrontement UE-États-Unis s'ajoutait la position défensive et revendicative d'un grand nombre de pays en développement. Les manifestants ont trouvé avec ce « sommet » une caisse de résonnance mondiale pour leurs slogans. José Bové, le responsable de la Confédération paysanne au talent médiatique affirmé, aura joué un rôle identificateur d'importance dans ce travail de lobbying, prônant une « agriculture paysanne »et le respect des intérêts des producteurs des pays du Sud.

4 décembre. RPR. Au terme d'un scrutin interne au parti présidentiel, Michèle Alliot-Marie, députée-maire de Saint-Jean-de-Luz (Pyrénées-Atlantiques) est élue présidente du mouvement contre le candidat soutenu en sous-main par le président de la République, Jean-Paul Delevoye.

12 décembre. Marée noire. Au large de la Bretagne, le pétrolier *Erika* battant pavillon maltais fait naufrage, laissant échapper des nappes de fioul qui vont d'autant plus polluer le littoral que l'exceptionnelle tempête qui va déferler sur la France [*voir 26 et 27-28 décembre*] viendra compliquer la gestion du sinistre en dispersant le mazout sur une aire beaucoup plus large. Écologistes, élus locaux et associations de citoyens mettent en cause les responsabilités de la compagnie TotalFina (affréteur), de même que la faible efficacité des plans de prévention et de gestion de la catastrophe. Les carences de la réglementation internationale concernant le transport des produits pétroliers a donné des arguments convaincants aux partisans d'une plus forte régulation des échanges internationaux avec des normes de sécurité plus exigeantes.

13 décembre. Corse. Lionel Jospin reçoit à Matignon l'ensemble des élus de l'Assemblée territoriale corse. Il leur demande de s'entendre pour trouver une issue politique en mesure de rétablir la paix et d'assurer le développement de l'île. Plusieurs mouvements clandestins déclareront soutenir le processus. Une voie vers l'autonomie semble entrouverte [*voir article p. 229*].

14 décembre. Affaires Tiberi. Le tribunal d'Évry annule pour vice de forme la procédure ouverte contre Xavière Tiberi, l'épouse du maire de Paris (pour emploi fictif au conseil général de l'Essonne). Le parquet fait appel.

26 et 27-28 décembre. Tempête. D'une puissance exceptionnelle, une tempête déferle sur la France et une partie de l'Europe, provoquant près d'une centaine de morts et privant deux millions de foyers d'électricité. Le choc écologique est également important : 300 millions d'arbres sont fracassés en France. Le Nord-Est (Vosges, Lorraine, Champagne-Ardenne, Franche-Comté), Poitou-Charentes et l'Aquitaine sont les régions les plus touchées [*voir encadré p. 511*].

31 décembre. Conjoncture économique. L'année s'achève avec une croissance annuelle moyenne de 2,7 % (après 3,4 % en 1998 et 2 % en 1997) [*voir article consacré à la conjoncture, p. 366*]. Le tournant de l'année pour les chefs d'entreprise est placé sous le signe d'une confiance retrouvée dans un contexte d'euphorie boursière [*voir article p. 412*] et de décollage de la netéconomie en

France [*voir article p. 38*]. Certains croient pouvoir conclure de la décrue du chômage un prochain retour au plein emploi. Le débat est plus complexe [*voir article p. 50*].

2000

18 janvier. **Paritarisme.** L'assemblée générale du Medef (Mouvement des entreprises de France), annonce son intention de mettre un terme (au plus tard au 31 décembre) à sa participation à l' « ensemble des organismes paritaires de protection sociale tels qu'ils sont actuellement organisés ». Intervenant dans une période de tension avec l'État, motivée par la législation sur la réduction du temps de travail [*voir 19 janvier*], cette résolution qui vise, selon les termes patronaux, à une « refondation sociale », apparaît pouvoir ouvrir une longue négociation où seraient discutés les rôles de l'État et du marché dans la protection sociale [*voir article p. 46*].

19 janvier. **RTT.** Faisant suite à une première loi en date du 13 juin 1998, la seconde loi « Aubry »sur la réduction de la durée du travail (RTT) fournit un cadre de renégociation des normes du temps de travail pour les partenaires sociaux. Les enjeux de cette coproduction de normes dépassent l'objet de ces négociations [*voir articles p. 534 et p. 538*].

24 janvier. **CSM.** Un projet de réforme du Conseil supérieur de la magistrature devait être soumis au Congrès ce jour. Pourtant approuvé par le chef de l'État, ce projet a dû être retiré du fait de l'intention d'opposition des élus RPR. Par ce fait, le Congrès ne s'est pas réuni et n'a pas pu voter la modification constitutionnelle prévue le même jour pour le statut de la Nouvelle-Calédonie.

28 janvier. **Affaire « Cambadelis ».** Le « numéro deux » du PS est condamné à cinq mois de prison avec sursis et à 100 000 FF d'amende dans une affaire d'emploi fictif. Il se met en congé de son parti.

1er février. **Voisinage.** En Autriche, Wolfgang Schüssel, leader des conservateurs de l'ÖVP (Parti populaire autrichien) et Jörg Haïder, chef du FPÖ (Parti libéral autrichien, extrême droite), passent un accord de gouvernement. Cette alliance suscite une vive réaction chez les autres États membres de l'Union qui annoncent l'application de sanctions et la suspension des relations bilatérales avec Vienne.

18 février. **Affaires Dumas.** Les juges renvoient Roland Dumas, président de la Cour constitutionnelle et ancien ministre, devant le tribunal correctionnel pour complicité et recel d'abus de biens sociaux. Il finit par démissionner de la Cour [*sur les affaires politico-financières, voir Chronologie p. 577 et suiv.*].

24 février. **Hezbollah.** En visite au Proche-Orient, Lionel Jospin qualifie depuis Jérusalem le Hezbollah libanais de « terroriste », à la grande satisfaction de ses hôtes. Le 25, en visite à l'université palestinienne de Bir Zeit, il est pris à partie par des manifestants qui lui jettent des pierres. Jacques Chirac critique les manifestants et condamne l'écart que représente le propos du Premier ministre par rapport à la « politique arabe » traditionnelle de la France.

10 mars. **Corse.** Réunis pour adopter une position commune faisant suite au processus engagé par le Premier ministre [*voir 13 décembre*], les élus de l'Assemblée corse se divisent. Une motion majoritaire (26 voix) demande le maintien du statut territotial, l'autre (22 voix, dont celles des nationalistes) réclame la dévolution de pouvoirs législatifs (autonomie).

27 mars. **Remaniement.** Affaibli par la démission de Dominique Strauss-Kahn [*voir 2 novembre*] et par les difficultés rencontrées par Claude Allègre à l'Éducation nationale (qui mobilise contre lui une large part du corps enseignant), par Christian Sautter dans le projet de réforme de l'administration fiscale et par l'échec des négociations sur la RTT dans la fonction publique, Lionel Jospin remanie le gouvernement. Deux proches de l'ancien président Mitterrand font leur retour : Jack Lang à l'Éducation nationale et Laurent Fabius (ancien Premier ministre, 1984-1986) aux Finances. Un secrétariat d'État à l'économie solidaire est confié à Guy Hascouët (Vert). Michel Sapin prend en charge la Fonction publique en remplacement d'Émile Zuccarelli et Catherine Tasca la Culture, en remplacement de Catherine Trautmann. Ce gouvernement entend préparer les échéances politiques des élections de 2002 (législatives, présidentielles). - **Serge Cordellier** ■

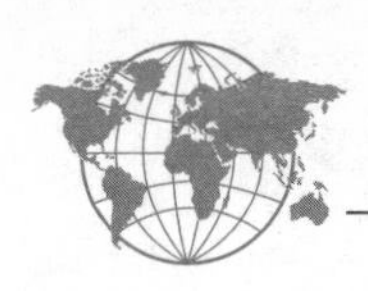

Enjeux et débats

Clés d'interprétation

Des réflexions
suscitées
par des
événements
de la période
ou par des
tendances
à l'œuvre.
L'occasion
de prendre
du recul
sur l'actualité
en resituant
les faits
dans leurs
contextes,
en croisant
les approches,
et en fournissant
des clés
d'interprétation.

Parité, inégalités et approches de genre

Françoise Thébaud
Historienne, Université d'Avignon

La dernière décennie du XXe siècle en France restera sans doute pour les politologues et les historiens du futur comme la décennie de la parité, définie comme l'égal accès des femmes et des hommes aux assemblées politiques. D'un séminaire du Conseil de l'Europe en 1989 à la réforme des articles 3 et 4 de la Constitution entérinée par le Congrès le 28 juin 1999, s'est développée une large mobilisation qui, portée par un réseau d'associations, transcendait les clivages politiques et idéologiques traditionnels. Cette mobilisation a suscité un débat contradictoire et transversal au féminisme et aux partis politiques, débat qui portait à la fois sur le bien-fondé de la parité – moyen d'en finir avec l'exclusion de fait des femmes du politique ou remise en cause de l'universalisme républicain, « communautarisation » de la société, enfermement des femmes dans leur biologie – et sur les procédures à mettre en œuvre, notamment l'inscription du principe et du terme dans la Constitution.

Mobilisation et débat – ce dernier paraissant parfois étonnant pour nos voisins européens – ont engagé les féministes sur le terrain politique (qu'elles avaient peu investi depuis trente ans), ont donné visibilité aux travaux de femmes politologues comme Janine Mossuz-Lavau ou Mariette Sineau, mais ont moins bousculé la science politique que l'histoire des femmes. Celle-ci a déplacé son axe prioritaire des rôles privés et du travail vers les formes de l'engagement civique des femmes et les modalités de leur exclusion-inclusion dans la cité. Les marchandages autour de la loi votée à l'Assemblée nationale le 25 janvier 2000 pour favoriser l'« égal accès des femmes et des hommes aux mandats électoraux et aux fonctions électives » ne doivent pas masquer la révolution politique et intellectuelle qui est en train de se produire.

Développer les approches de genre

La force de la parité aujourd'hui est de déborder la sphère du politique, de donner plus de poids à une critique de l'égalité abstraite et d'impulser une réflexion sur la mixité. De nombreux travaux de femmes sociologues (Margaret Maruani, Danièle Kergoat et d'autres rassemblées dans le MAGE [Marché du travail et genre] et le GEDISST [Groupe d'études sur la division sociale et sexuelle du travail]) ont montré que le genre structure toujours le marché du travail et que, malgré les lois d'égalité professionnelle et des politiques volontaristes de formation, les discriminations se recomposent derrière les apparentes avancées des femmes dans le monde du travail. Cantonnées dans un petit nombre de professions, elles sont en effet en moyenne moins rémunérées que les hommes et les premières victimes de la précarisation des emplois. Ces recherches ont soulevé aussi la question des violences au travail et contribué à l'adoption de textes contre le harcèlement sexuel.

Très développées à la fin des années quatre-vingt-dix, les recherches sur la violence ont étudié à la fois les formes quotidiennes de la violence masculine et les moments d'intense brutalité collective exercée contre les femmes, moments bien souvent liés à l'affirmation de l'appartenance nationale ou ethnique et à la volonté de marquer le corps de l'ennemi (guerres, épuration ethnique). Mais alors que la société tend aujourd'hui à reconnaître de nouvelles formes de violence – par exemple, le harcèlement moral au travail que peuvent subir hommes et femmes –, il n'est plus possible de considérer les femmes, même sur cette question, comme un groupe homogène. Le plus souvent victimes, elles peuvent aussi être actrices de violence, contre les enfants, contre des hommes ou d'autres femmes.

Domination masculine, inégalités hommes/femmes et différences entre les femmes structurent les approches de genre. Ainsi, les recherches sur le travail ont souligné des inégalités sociales entre les travailleuses et montré par exemple qu'il existe un temps partiel choisi et un temps partiel imposé, que la précarité touche surtout les femmes les moins diplômées des milieux populaires. Mais elles ont été moins attentives d'une part aux configurations territoriales contrastées de ces inégalités (Paris/province, ville/campagne, type de région, taille des communes), contrastes qui constituent une réalité sociale comme une piste à explorer, d'autre part au poids de la maternité dans les différences entre femmes. Alors que la maternité est un facteur majeur de discrimination entre les hommes et les femmes mais aussi entre les femmes, alors qu'une action contre l'inégalité professionnelle ne peut faire l'économie d'une réflexion sur les modèles familiaux et les politiques familiales – sur les effets de l'Allocation parentale d'éducation [*voir article p. 104*] par exemple –, il est temps de « repenser la maternité », de prendre en compte les expériences et les identités de mère et de père, de considérer les citoyens dans leur dimension parentale. Loin du naturalisme et du conservatisme, repenser la maternité ouvre sur la question fondamentale de la mixité.

La mixité, une valeur sociale

Terme classique du vocabulaire éducatif – les pédagogues et féministes du début du siècle employaient plus volontiers celui de coéducation –, la mixité tend aujourd'hui à déborder ce sens étroit pour signifier la reconnaissance que l'humanité est bisexuée et même, avec l'usage du pluriel ou le support d'un adjectif (mixité sociale, par exemple), qu'elle est traversée de multiples différences qui ne doivent pas induire hiérarchies et inégalités. En ce sens, elle est en passe de devenir une valeur sociale et un objet des sciences humaines, interpellée toutefois par la théorie «*queer*», qui propose une conceptualisation du genre comme « performance » et défend les pratiques transgenres.

L'éducation est bien évidemment le domaine sur lequel se sont le plus penchées les recherches sur la mixité, même si l'histoire s'est encore peu interrogée sur ses promoteurs et les contextes de sa diffusion dans les années soixante et soixante-dix. Les sociologues de l'éducation (Marie Duru-Bellat, Nicole Mosconi, Claude Zaidman, Christian Baudelot, Roger Establet...) ont montré que, par-delà l'explosion scolaire des filles qui caractérise l'ensemble du siècle et les conduit depuis les années soixante-dix à être plus diplômées que les garçons, la mixité institutionnelle ne s'est pas accompagnée d'une mixité des orientations, des programmes et du contenu scolaire.

À tous les niveaux de l'enseignement, les filières restent sexuées – les filles suivent massivement les formations professionnelles aux métiers du tertiaire, les classes littéraires de l'enseignement général, les cours de littérature, droit et sciences humaines à l'Université –, et la mixité, qui met en concurrence les deux sexes, a parfois eu pour effet pervers de renforcer ces caractéristiques. Les politiques volontaristes n'ont guère rencontré de succès, car les « choix » des filles sont une anticipation réaliste de ce qui les attend dans le monde professionnel et dans l'organisation familiale. Parallèlement, les programmes scolaires et plus généralement la culture scolaire restent majoritairement conçus en fonction des activités, des expériences et des productions masculines, tandis que les pratiques enseignantes – ce qui se passe

Références

AVFT (Association européenne contre les violences faites aux femmes au travail), *De l'abus de pouvoir sexuel. Le harcèlement sexuel au travail*, La Découverte, Paris, 1990.

M.-H. Boursier (sous la dir. de), « Q comme Queer », *Cahiers Gai Kitsch Camp*, n° 42, Lille, 1999.

C. Dauphin, A. Farge (sous la dir. de), *De la violence et des femmes*, Albin Michel, Paris, 1997 (Pocket, 1999).

EPHESIA, *La Place des femmes. Les enjeux de l'identité et de l'égalité au regard des sciences sociales*, La Découverte, « Recherches », Paris, 1995.

Y. Knibiehner (sous la dir. de), « Repenser la maternité ? », *Panoramiques*, n° 40, Arléa/Corlet, Paris/Condé-sur-Noireau, 2e trim. 1999.

M. Maruani (sous la dir. de), *Les Nouvelles Frontières de l'inégalité. Hommes et femmes sur le marché du travail*, La Découverte/Mage, « Recherches », Paris, 1998.

J. Mossuz-Lavau, *Femmes-hommes, pour la parité*, Presses de Sciences-Po, Paris, 1998.

F. Thébaud, *Écrire l'histoire des femmes*, ENS-Éditions, Fontenay/Saint-Cloud, 1998.

C. Zaidman (sous la dir. de), *La Mixité à l'école primaire*, L'Harmattan, Paris, 1996.

au quotidien dans la classe et peut être qualifié de « curriculum caché » – sont bien souvent et de façon inconsciente sexuées. L'enjeu est aujourd'hui à la fois qu'une pédagogie antisexiste vaille comme norme professionnelle et que le savoir nouveau produit par les approches de genre dans toutes les disciplines nourrisse la transmission d'une culture réellement mixte. Pour cela, ces approches ont besoin d'être reconnues et institutionnalisées, sans perdre leur inventivité. ■

Comment penser l'avenir de l'Union européenne ?

Jean-Luc Delpeuch

Toute tentative de réforme des institutions de l'Union européenne (UE) se heurte à la difficulté de décrire simplement son architecture, souvent présentée comme *sui generis*.

Alors que la déclaration Schuman du 9 mai 1950 concevait la Communauté européenne du charbon et de l'acier (CECA) comme une première étape vers la fédération de l'Europe, l'architecture institutionnelle que Jean Monnet esquissait à cette occasion n'était pas celle d'une Europe fédérale, mais celle d'une Europe supranationale unitaire. La Haute Autorité en était le moteur, exécutif indépendant des États membres, responsable devant une assemblée parlementaire à une seule chambre, l'Assemblée commune. Le premier schéma de J. Monnet ne comportait pas d'organe représentant les États : l'ancien secrétaire général adjoint de la Société des nations (SDN), qui avait expérimenté à ses dépens l'impuissance congénitale des organisations intergouvernementales, paralysées par le droit de veto, souhaitait tenir les gouvernements à distance de ce premier embryon d'Europe intégrée.

L'essence de la « méthode communautaire »

Lors de la négociation du traité de Paris (1951), J. Monnet concéda pourtant aux États la création du Conseil de ministres, chargé de contrôler les décisions de la Haute Autorité. Ce faisant, le premier architecte de la construction européenne redécouvrit, cent ans après Alexis de Tocqueville, le ressort fondamental du fédéralisme : recherche de *compromis* entre des institutions clairement supranationales et des institutions intergouvernementales, théorisant *a posteriori* les vertus de celle-ci sous le vocable de « méthode communautaire ». Évitant à a fois le centralisme bureaucratique et l'impuissance intergouvernementale, la méthode communautaire cherche, comme le fédéralisme, à concilier unité et préservation des diversités.

Depuis lors, l'Union européenne, construite par touches successives au fil des traités (Paris 1951, Rome 1957, Acte unique 1986, Maastricht 1992, Amsterdam 1997), révèle, sans jamais l'expliciter, la nature fédérale de son architecture : un ordre législatif autonome, élaboré par un législateur européen à deux chambres (l'assemblée des peuples qu'est le Parlement européen et l'assemblée des États qu'est le conseil de l'Union) ; un exécutif, la Commission européenne, politiquement responsable devant les députés élus au suffrage universel, qui votent son investiture et sa censure ; une juridiction suprême, la Cour de justice, dont les arrêts sont exécutoires sous peine de lourdes astreintes financières ; un chef de l'État collectif, le Conseil européen (qui réunit chefs d'État et de gouvernement), qui préside aux destinées de l'Union.

Reconnaître le caractère fédéral de l'Union ne suffit cependant pas à en décrire le fonctionnement. La combinatoire des relations entre institutions fédérales et États fédérés peut en effet jouer à l'infini : version plus intégrée et centralisée, à l'américaine, où la compétence des États est limitée ; version plus « coopérative », à l'allemande ou à la canadienne, où les États fédérés et leurs gouvernements jouent un rôle important dans la prise de décision au niveau fédéral, à la fois comme colégislateurs et comme conférence d'exécutifs, coordonnant leur action gouvernementale avec celle de l'exécutif fédéral. En l'état actuel, la fédération européenne est de type coopératif, avec un champ de compétences relativement étendu dans le domaine économique : marché unique, monnaie unique, concurrence, politiques communes en matière d'agriculture [*voir article p. 509*], de solidarité régionale [*voir article p. 165*], législations sectorielles, notamment en matière d'environnement, de transports, etc.

Mais plusieurs domaines de décision échappent encore à la logique fédérale et maintiennent l'Union à l'état d'organisation intergouvernementale dans ces matières : la politique extérieure et de sécurité commune [*voir article p. 563*] ; une partie des questions en matière de justice et d'affaires intérieures ; les révisions de la loi fondamentale de l'Union : celle-ci n'est pas une constitution *stricto sensu*, mais un traité international, modifiable uniquement à l'unanimité des États, sans que le Parlement européen et la Commission européenne aient voix au chapitre.

Le faux antagonisme élargissement/approfondissement

Or, le contraste devient de plus en plus flagrant entre la vitalité de l'Union dans les domaines communautaires régis par la logique du fédéralisme coopératif et son impuissance dans les matières qui demeurent dans le champ de la simple coopération intergouvernementale.

En ces matières, l'absence de compétence de l'exécutif européen et donc de responsabilité politique de sa part devant le Parlement européen rend impossible tout contrôle démocratique. Le monopole des appareils d'État y contribue à l'opacité et à la complexité. D'où le « déficit démocratique » souvent déploré. En outre, la contrainte de l'unanimité, qui divise par deux la probabilité du consensus à chaque nouvelle adhésion, devient totalement paralysante au fur et à mesure des élargissements : c'est ce qu'ont notamment révélé les crises de la Bosnie-Herzégovine (1992-1995) et du Kosovo (1999).

La généralisation de la dynamique communautaire à l'ensemble des compétences de l'Union est en définitive doublement nécessaire : pour assurer la viabilité démocratique de l'Union européenne et pour permettre son élargissement sans paralysie. Ce point est fondamental : contrairement aux idées reçues, non seulement il n'y a aucun antagonisme entre approfondissement et élargissement, mais les réformes nécessaires pour ces deux chantiers sont identiques.

Lors du Conseil européen d'Helsinki (10-11 décembre 1999), l'ordre du jour de la conférence intergouvernementale (CIG) chargée de procéder à la réforme institutionnelle, qui devait être conclue lors du sommet de Nice (18-20 décembre 2000), a été focalisé sur les « trois reliquats d'Amsterdam ». Or, outre qu'ils n'abordent pas les problèmes les plus fondamentaux, les éléments de ce programme renvoient à des questions mal posées.

1. *La réduction de la taille de la Commission*, réforme pourtant douloureuse pour les États, n'a pas une influence déterminante sur la gouvernabilité de l'exécutif communautaire. Le renforcement des prérogatives du président de la Commission dans le choix des commissaires européens et l'organisation du collège serait plus efficace : assisté de quatre ou cinq vice-présidents, un président disposant d'une grande autonomie dans la formation et l'animation de l'équipe peut la diriger efficacement sans que le nombre des commissaires constitue alors une difficulté réelle.

2. *La « repondération » des voix en faveur des grands États* n'est pas la méthode la mieux adaptée pour refléter la diversité des tailles : le critère démographique a davantage vocation à être pris en compte par le nombre des euro-députés ; les votes au Conseil doivent, en revanche, respecter une certaine parité, afin que le contrat demeure acceptable par les États les plus petits. Le système de double majorité simple (celle des États et celle de la population) proposé par la Commission pourrait néanmoins être une solution de compromis.

3. *Le passage de l'unanimité à la majorité qualifiée* est certes une réforme essentielle, mais les chefs d'État ont écarté de la prochaine négociation l'ensemble des domaines intergouvernementaux, limitant le débat sur l'abandon de l'unanimité à quelques politiques communautaires.

Plusieurs scénarios

Même si la CIG n'exclut pas d'aborder d'autres questions, notamment celles des coopérations renforcées, elle ne résoudra vraisemblablement pas les problèmes de fond auxquels l'Union est confrontée : déficit démocratique et impuissance. Dès lors, plusieurs scénarios sont envisageables pour l'avenir de l'Union. À Nice, sous présidence française, les États prennent acte de la modestie des résultats atteints. Dès lors, soit ils considèrent que l'élargissement à plus de deux ou trois pays n'est pas réaliste, au risque de déstabiliser les transitions démocratiques en Europe centrale et orientale, soit ils s'engagent dans un élargissement rapide, paralysant totalement l'Union dans les domaines intergouvernementaux, achevant ainsi de la décrédibiliser aux yeux de ses citoyens et du monde. Un troisième scénario est imaginable : c'est la construction d'une « Union politique » : élargir la responsabilité démocratique de l'exécutif communautaire à l'ensemble des politiques européennes, y compris la politique extérieure et de défense commune et constitutionnaliser la loi fondamentale de l'Union.

Une telle communauté politique peut-elle se construire entre quelques États seulement pour s'élargir ensuite au reste de l'Union ? Probablement pas. Et cela pour deux raisons essentielles. D'une part, la réticence à communautariser la politique extérieure et les questions institutionnelles sont à rechercher essentiellement du côté des appareils d'État : ceux qui négocient les traités ne sont pas prêts à partager le corps dur de leur pouvoir régalien, quel que soit le nombre des États appelés à devenir membres de l'Union politique ; d'autre part, une Union politique ne peut se construire qu'autour d'un projet politique clair ; or, le seul projet véritablement mobilisateur est la réconciliation de l'Europe avec elle-même : l'inaugurer sans la participation de tous les peuples qui détiennent la conscience européenne en partage, notamment ceux d'Europe centrale et orientale, n'aurait pas grand sens.

L'Union politique à trente membres est-elle réalisable ?

Le Conseil européen d'Helsinki (décembre 1999) a confié à une convention présidée par l'ancien président de la République allemand Roman Herzog, et composée de représentants du Parlement européen, des parlements nationaux et des États membres, la mission de préparer une « Charte des droits fondamentaux européens ». On peut imaginer que, lors du Conseil européen de Nice et sous la pression des opinions publiques, la Convention voie son mandat élargi à la préparation d'un projet de Constitution européenne : un texte court et solennel qui énoncerait les valeurs fondamentales de l'Union et clarifierait les relations entre ses institutions. Afin de rendre impossible toute dérive vers le centralisme et la technocratie, il rendrait opérationnel le principe selon lequel la Communauté a compétence uniquement dans les domaines où une action européenne est jugée plus efficace que des actions menées au seul niveau national. Le veto d'un seul État membre ne devrait pas entraver l'adoption initiale et la révision de cette Constitution. En parallèle, les négociations d'adhésion poursuivraient leurs travaux techniques dans le cadre juridique actuel. L'entrée en vigueur de la Constitution, se substituant au traité, aurait lieu lors de la première adhésion de pays avec lesquels la négociation a été engagée.

Quelle est la vraisemblance d'adoption de ce scénario ? Si l'invocation du fédéralisme n'est pas une revendication majoritaire en Europe, tous les sondages portant sur la citoyenneté européenne effectués pendant l'année 1999 ont témoigné de la popularité des éléments constitutifs de ce fédéralisme dans une forte majorité d'États membres, à l'exception notable du Royaume-Uni, du Danemark et de la Suède : gouvernement européen, armée européenne, président européen, Constitution européenne. De plus, l'absence d'un véritable ministre des Finances de l'Union nuit à la crédibilité de l'euro. De la même façon, le lancement à Helsinki du chantier de l'Europe de la Défense appellera la désignation d'un responsable démocratiquement contrôlé. Dans ce contexte, un nombre croissant de partis et de personnalités politiques, y compris en Europe centrale et orientale à l'image du président tchèque Vaclav Havel, se sont prononcés en faveur d'un pacte fondateur d'une Europe des citoyens.

La montée en puissance du Parlement européen, mise en évidence à l'occasion de la démission de la Commission présidée par Jacques Santer en 1999, est apparue de nature à contribuer à rendre ce scénario possible. Certes, le faible taux de participation aux élections européennes du 13 juin 1999 peut laisser planer un doute quant à la capacité de mobilisation de l'opinion publique européenne. Mais cette désaffection est-elle symptomatique d'un désintérêt pour le projet européen en général ou

Références

B. Barthalay, *Nous, citoyens des États d'Europe*, L'Harmattan, Paris, 1999.

Commissariat général du Plan, *L'Union européenne en quête d'institutions légitimes et efficaces, rapport du groupe présidé par Jean-Louis Quermonne*, La Documentation française, Paris, 1999.

J.-L. Delpeuch, « Quelles institutions pour une Europe à vingt-six ? », *in* M. Frybes (sous la dir. de), *Une nouvelle Europe centrale*, La Découverte, Paris, 1998.

J. Monnet, *Mémoires*, Fayard, Paris, 1976.

@ Sites Internet

Charte des droits fondamentaux : **http://db.consilium.eu.int/df**

Conférence intergouvernementale : **http://www.europa.eu.int/igc2000**

de la crise de confiance rencontrée par l'Union ? Les réactions des citoyens à l'occasion d'événements comme les crises en Bosnie, au Kosovo, en Tchétchénie (1999-2000), ou l'entrée du parti d'extrême droite de Jorg Haider au sein du gouvernement autrichien ont témoigné d'une capacité de mobilisation populaire réelle dès que l'identité européenne ou ses valeurs fondamentales apparaissent en jeu.

Cinquante ans après sa mise en chantier, l'intégration européenne apparaissait ainsi, au printemps 2000, une fois de plus à la croisée des chemins. Les solidarités tissées, de fait, par la construction communautaire ont prospéré, sans doute au-delà des espérances des « pères fondateurs ». Mais la préférence naturelle des appareils d'État pour une Europe des coopérations intergouvernementales a fait obstacle à la fois à la démocratisation de l'Union et à son élargissement. Le fossé s'est creusé entre l'Europe des États et celle des citoyens. Pour autant que la mobilisation de l'opinion publique y suffise, la clarification de l'architecture fédérale propre à la « méthode communautaire » permettrait de conjuguer les deux légitimités, étatique et populaire, pour édifier l'Union politique à l'échelle du continent. ■

Les nouveaux modes de gouvernement des entreprises françaises

Élie Cohen
Sciences de gestion, Université Paris-IX-Dauphine

Les changements intervenus dans le système financier français se traduisent à la fois par une transformation des structures de financement des entreprises et par une modification profonde des comportements d'épargne des ménages et des autres acteurs. Liés à de véritables mutations de l'« industrie financière », ces changements conduisent à l'expression beaucoup plus ouverte de leurs exigences de rendement par les actionnaires. Ils débouchent donc sur l'affirmation de nouveaux modes de gouvernement ou de « gouvernance » qui affectent aussi bien la pratique des entreprises françaises que le discours de leurs dirigeants.

Le modèle traditionnel de financement des entreprises françaises qui a prévalu jusqu'au milieu des années quatre-vingt reposait sur le recours privilégié à une combinaison d'autofinancement et de financement bancaire.

L'autofinancement permet aux entreprises dégageant des résultats satisfaisants de s'assurer une large autonomie par la conservation des surplus monétaires dégagés sur leurs propres activités. Il constitue traditionnellement le pivot du financement des entreprises en leur garantissant une base financière indépendante à laquelle des apports de fonds externes pourront venir s'articuler. En outre, l'autofinancement semble constituer une ressource sans coût puisqu'il n'impose apparemment aucune charge nouvelle de rémunération. Cette « gratuité » suppose cependant que les actionnaires acceptent de laisser les résultats à la disposition de l'entreprise sans exiger aucune contrepartie.

Le financement bancaire constituait quant à lui la ressource externe majeure en l'absence d'apports significatifs des marchés de capitaux : les banques et les autres établissements de crédit spécialisés constituaient le seul recours pour les entreprises qui souhaitaient réaliser des projets débordant leur capacité de financement interne.

Des changements dans la structure de financement des entreprises

Au milieu des années quatre-vingt, la réactivation du marché financier, c'est-à-dire de la Bourse, a permis l'élargissement progressif de l'appel à l'épargne publique, notamment grâce aux placements d'actions et d'obligations émises par les entreprises. Depuis 1914, le marché des capitaux avait conservé un rôle marginal dans le financement des entreprises à cause de l'étroitesse des flux de ressources financières qu'il drainait, mais aussi du fait d'un déséquilibre structurel dans l'allocation de ces ressources, orientées principalement vers la souscription de titres de la dette publique. Depuis 1980, il s'est affirmé de plus en plus comme un circuit de financement essentiel. S'il ne concerne pas toutes les entreprises, le marché des capitaux bénéficie aujourd'hui largement aux grandes unités cotées sur le marché officiel, notamment au Règlement mensuel, ainsi qu'à un nombre restreint d'entreprises petites ou moyennes cotées sur le Second Marché et sur le Nouveau Marché. La plupart des PME continuent cependant de relever du modèle de financement traditionnel et ne bénéficient pas d'une contribution significative par le marché.

Les changements ayant affecté les structures de financement des entreprises n'ont pu intervenir qu'à la faveur d'une transformation profonde des comportements d'épargne des particuliers et des modes de gestion de leurs excédents de trésorerie par les entreprises. Ils ont en outre exigé une large diversification des instruments et des circuits de collecte de l'épargne.

Les modalités d'affectation de l'épargne des ménages ont subi, dans la période récente, un basculement des formes traditionnelles, marquées par la prédominance des produits d'épargne liquide (notamment l'épargne sur livret) ou d'épargne contractuelle (épargne logement), vers une attitude plus ouverte à l'égard de l'investissement boursier. Si l'achat de titres en direct par des particuliers qui assurent eux-mêmes la gestion d'un portefeuille d'actions reste encore limité, le recours à la gestion collective assurée par des OPCVM (organismes de placement collectif en valeurs mobilières) tels que les SICAV (sociétés d'investissement à capital variable) ou les fonds communs de placement correspond désormais à une pratique de masse. Quant aux excédents de trésorerie des entreprises ils étaient traditionnellement orientés vers des dépôts à terme, l'acquisition de titres à court terme tels que des bons et, dans une certaine mesure, vers des obligations publiques. Aujourd'hui, les entreprises bénéficient d'une gamme largement diversifiée de produits de placement, tout en ayant elles-mêmes recours aux services d'organismes de gestion collective.

Nouvelles exigences des actionnaires

Si les entreprises ont pu bénéficier pour leur financement d'un apport accru de fonds fournis par les marchés de capitaux, elles ont dû également subir, en contrepartie, un certain nombre de contraintes imposées par ces marchés. En s'introduisant en Bourse, une entreprise trouve manifestement un élargissement de ses possibilités de financement. En outre, ses actionnaires y trouvent la possibilité de céder une partie de leurs actions à la faveur de l'introduction ; cette dernière leur fournit ainsi l'occasion de réaliser une partie du patrimoine qu'ils ont accumulé en investissant dans l'entreprise depuis sa fondation jusqu'à sa mise sur le marché.

Le marché financier apporte ainsi des possibilités d'actions nouvelles pour l'entreprise comme pour ses propriétaires initiaux ; mais il est aussi à l'origine de contraintes nouvelles. Il impose en effet aux dirigeants la gestion de la position boursière du titre, sous peine d'une dépréciation qui entraînerait pour l'entreprise de graves difficultés futures. Or une forte dépréciation de son action entraîne une véritable éviction de l'entreprise du marché du financement. En particulier, aucune nouvelle augmentation de capital ne peut être envisagée car il est peu probable que de nouveaux souscripteurs se bousculent pour acquérir les actions d'une société réputée servir des dividendes insuffisants ; d'autre part, les actionnaires en place hésiteront probablement à élargir des investissements jugés peu rémunérateurs.

En outre, une entreprise dont le titre est déprécié appauvrit ses actionnaires puisque la part de la capitalisation boursière détenue par chacun d'eux subit une décote. Enfin, une entreprise cotée à capital ouvert risque de connaître une réelle vulnérabilité capitalistique si ses actions se déprécient. Si son capital n'est pas correctement verrouillé, les actionnaires qui ne participent pas au groupe de contrôle peuvent être aisément séduits par des offres publiques ou privées de rachat ou encore par des ramassages de titres en Bourse, organisés par des groupes candidats à la prise de contrôle.

Dans une période d'effervescence boursière marquée par la multiplication des offres publiques d'achat (OPA) ou d'échange (OPE), amicales ou hostiles, émises par des groupes qui cherchent à prendre le contrôle des entreprises au capital dispersé, une telle menace est particulièrement sensible. Elle l'est d'autant plus que les actionnaires minoritaires n'affichent plus désormais une fidélité foncière à l'égard de « leur » entreprise. Ils tendent donc à répondre favorablement à des offres qui leur assurent un gain substantiel résultant de l'écart entre le prix d'offre et le cours habituellement atteint par leur action sur le marché.

En fin de compte, l'introduction en Bourse ouvre l'accès aux ressources procurées par le marché des capitaux ; mais elle se traduit en contrepartie par une mise sous tension des dirigeants. Ceux-ci se trouvent alors placés sous le contrôle vigilant des actionnaires dont la capacité d'intervention devient d'autant plus efficace qu'il ne s'agit plus seulement d'actionnaires individuels, mais d'investisseurs organisés dans le cadre de structures collectives telles que les fonds d'investissement ou les associations d'actionnaires. Du reste, cette pression exercée par les marchés prend également des formes incitatives : les actionnaires cherchent aussi à mobiliser les dirigeants en leur assurant des avantages en matière de rémunération ou de *stock options*, plans optionnels d'acquisition d'actions qui permettent aux dirigeants d'acheter des titres de « leur » entreprise à des conditions favorables.

Le nouveau rôle donné au marché des capitaux en matière de financement place les actionnaires dans une position favorable pour affirmer une exigence de rémunération de leurs apports.

Cette exigence peut être exprimée en termes de *rentabilité des actions* ; elle est alors traduite par la revendication d'un niveau requis de ROE (*return on equity*), c'est-à-dire de rentabilité des capitaux propres. Le seuil de 15 % de rendement sur lequel s'engagent nombre de grandes entreprises cotées correspond ainsi à une véritable norme assumée par les dirigeants de ces entreprises en réponse à l'exigence des actionnaires.

La « création de valeur actionnariale »

Mais cette exigence peut être traduite également en termes de « création de valeur actionnariale ». Le thème de la création de valeur actionnariale est souvent présenté comme l'expression d'une nouvelle règle du jeu et comme l'affirmation de nouveaux impératifs de gestion. En réalité, il ne fait que traduire, sous une forme particulièrement parlante, un impératif de rentabilité. La création de valeur actionnariale correspond en effet à la différence entre le *résultat économique* produit par les activités industrielles et commerciales de l'entreprise et le *coût des capitaux* qui inclut aussi bien les charges liées à la dette que celles qui sont liées à la rémunération des capitaux propres. Une entreprise apparaît capable de créer de la valeur actionnariale lorsqu'elle parvient non seulement à couvrir toutes les charges induites par ses activités industrielles et commerciales (son résultat économique est alors positif), mais également à faire face aux exigences de rémunération de ses prêteurs (intérêts et autres coûts induits par la dette) et de ses actionnaires en leur servant un taux de rémunération conforme aux normes de rentabilité prévalant sur le marché.

Enfin, les actionnaires expriment, au-delà de leurs exigences de rémunération, des exigences d'information. Ils imposent aux dirigeants un effort de communication dans la présentation de leurs projets et un effort de transparence dans l'animation des organes de direction de l'entreprise. L'exigence actionnariale débouche ainsi sur un véritable impératif de gouvernement d'entreprise.

La problématique du gouvernement d'entreprise (*corporate governance*) concerne la composition et le fonctionnement des principaux organes de direction de l'entreprise et notamment l'assemblée générale des actionnaires ainsi que le conseil d'administration. Le débat qu'elle suscite porte souvent sur les attributions, la composition et le mode de fonctionnement du conseil d'administration. Ainsi, la nomination d'administrateurs indépendants ou la limitation du cumul des mandats sont souvent présentées comme des dispositions permettant d'éviter une collusion entre administrateurs et dirigeants ; elles sont donc susceptibles de permettre au conseil d'administration d'assumer pleinement son rôle dans le contrôle de la gestion et de l'action des dirigeants. C'est aussi le cas pour la restriction des participations croisées dans lesquelles des entreprises qui détiennent des actions, l'une dans le capital de l'autre, échangent des administrateurs. En outre, la recherche d'un fonctionnement plus « professionnel » du conseil d'administration conduit à mettre en place des comités permanents chargés de prendre en charge plusieurs procédures importantes : le recrutement de dirigeants (comité de recrutement), la fixation de la rémunération des principaux cadres (comité des rémunérations) ou la supervision de la qualité de l'information fournie aux actionnaires (comité d'audit). Ces aménagements des règles du jeu capitalistique avaient, pour l'instant, surtout fait l'objet de recommandations ; ils peuvent entrer dans le champ de la loi avec la mise en œuvre des textes sur les « nouvelles régulations économiques ».

Mais, au-delà, la question du gouvernement d'entreprise est surtout révélatrice de la pression exercée par les actionnaires sur les entreprises pour obtenir que leurs intérêts y soient davantage pris en compte et défendus.

Enjeux rhétoriques et pratiques du gouvernement d'entreprise

La rigueur des exigences actionnariales est parfois présentée comme un simple prétexte, invoqué par les dirigeants pour justifier des décisions impopulaires telles que des licenciements, des fermetures de sites ou des cessions d'activités. Et il est vrai que les invocations répétées à la création de valeur pour l'actionnaire ou aux exigences de l'actionnaire peuvent paraître accréditer une telle appréciation. Pourtant, réduire les nouvelles exigences caractéristiques du gouvernement d'entreprise au statut de simples figures de rhétorique serait sans aucun doute abusif parce que ces exigences constituent l'expression d'une donne réellement nouvelle. Elles traduisent l'apparition de nouveaux acteurs qui imposent aux entreprises la prise en compte de leurs intérêts et qui disposent de moyens de pression suffisamment efficaces pour leur permettre de sanctionner les dirigeants jugés inefficaces ou trop peu diligents. Les nouvelles règles du gouvernement d'entreprise traduisent bien un impératif réel et non pas une simple figure du discours managérial.

Si le gouvernement d'entreprise est bien l'expression d'un certain mode de régulation des activités des dirigeants, il n'est cependant pas exempt de biais. En particulier, il peut se traduire par des erreurs d'estimation de l'exigence de rendement formulée par les actionnaires. Ainsi, l'affichage de la norme de 15 % de ROE fréquemment invoquée aujourd'hui traduit sûrement un objectif qui n'est pas soutenable durablement, compte tenu à la fois des perspectives de croissance de l'activité et des perspectives de progrès de la productivité. Il procède probablement d'une surestimation des exigences actionnariales et de l'aptitude des entreprises à y répondre, et risque de conduire à l'élimination d'activités économiquement utiles et susceptibles de trouver un équilibre financier, mais qui ne permettent pas d'atteindre une norme de rendement aussi élevée. L'application d'une exigence trop élevée en matière de ROE aurait ainsi un effet malthusien, en conduisant à la mise en œuvre de stratégies de recentrage sur un noyau restreint d'activité, à rentabilité exceptionnelle, et à la cession ou l'interruption d'activités moins rentables, même si elles assurent une rémunération des capitaux engagés et contribuent à la cohérence sur le long terme des stratégies industrielles des entreprises.

Enfin, d'autres parties prenantes de l'entreprise, également porteuses d'intérêts légitimes, disposent aussi de moyens de pression qui leur permettent d'imposer aux dirigeants des entreprises leur prise en compte. C'est le cas pour les salariés – dans un contexte de recomposition des relations sociales [*voir article p. 423*], pour les entreprises partenaires, pour les pouvoirs publics et pour plusieurs autres acteurs, individuels ou collectifs, concernés de façon directe ou indirecte par les activités de l'entreprise. Ainsi, depuis quelques années, les associations humanitaires ou écologistes se révèlent aptes à exercer une pression efficace pour imposer aux dirigeants la prise en compte des intérêts dont elles sont porteuses. Comme l'a montré la « marée noire » provoquée par l'*Erika*, la recherche d'une rémunération maximale des capitaux propres ne doit pas conduire à négliger les responsabilités de l'entreprise à l'égard des équilibres environnementaux, des impératifs éthiques, humanitaires ou civiques, sous peine de subir des effets en retour désastreux en termes d'image et, finalement, en termes d'efficacité commerciale et financière.

Il faut ainsi envisager le basculement d'une logique étroite du gouvernement d'entreprise, fondée sur la prise en compte du seul impératif actionnarial, vers des normes de gouvernance plus larges, prenant en charge selon des compromis équitables les intérêts essentiels des différentes parties prenantes concernées par le développement des entreprises. ■

(*Sur les transformations des entreprises et du capitalisme français, voir aussi articles p. 38, 412, 415, 419 et 425.*)

Mondialisation recherche idéologie dominante désespérément

Stéphane Rozès
CSA Opinion, IEP Paris

La mondialisation inquiète non pas tant par ses effets immédiats que parce qu'elle semble correspondre à l'épanouissement d'un capitalisme livré à lui-même et que ceux que les médias nomment les « nouveaux maîtres du monde » sont perçus comme peu soucieux de penser un projet de civilisation, ou de discipliner les lois du marché. Or, majoritairement, l'opinion considère que, sans régulation, celles-ci affaiblissent la démocratie. Elle ne peut qu'être confortés dans cette conviction par les critiques développées au sein même des institutions financières internationales sur les limites du libéralisme outrancier.

Fin 1999, à l'évocation de la « mondialisation », 55 % des Français se déclaraient « inquiets » et 6 % « hostiles ». Seule une personne sur quatre se disait « confiante » ou « enthousiaste » (respectivement 21 % et 5 %). Cette attitude traverse l'ensemble des catégories sociopolitiques : que l'on soit jeune ou vieux, de droite ou de gauche, cadre ou ouvrier, détenteur ou non d'actions, d'obligations ou d'autres produits de placement.

La mondialisation qui est perçue comme pourvoyeuse de « croissance » (86 %), d'« échanges culturels » (78 %) et de « commerce international » (78 %), mais aussi

Références

E. Heurgon, J. Landrieux (coord. par), *Prospective pour une gouvernance démocratique. Les citoyens face à la gouvernance*, Actes du colloque de Cerisy, Éd. de l'Aube, La Tour-d'Aigues, 2000.

S. Rozès, « Le désenchantement libéral », *in L'état de la France 1993-1994*, La Découverte, Paris, 1993.

S. Rozès, « Persistance du nouveau cycle idéologique marqué par le retour du social », *in L'état de la France 1999-2000*, La Découverte, Paris, 1999.

Sondage CSA-*Marianne* (sur la mondialisation, 8-10 nov. 1999).

Sondage CSA-*Courrier international* (dans six pays européens, oct. 1999).

comme responsable de l'« accroissement des inégalités et de la précarité dans les pays développés » (73 %) ou « du sous-développement » (62 %), suscite une critique plus inédite. À la veille du « sommet » de l'OMC (Organisation mondiale du commerce) de Seattle (fin 1999), trois Français sur quatre estimaient qu'elle « affaiblit la démocratie en rendant les gouvernements plus dépendants des marchés financiers » (73 %).

Une représentation dominante antilibérale

Au-delà de cette critique, le capitalisme suscite méfiance. Dix ans après la chute du Mur de Berlin, le terme de « capitalisme » évoque en effet quelque chose de « négatif » pour les Français (56 %), les Italiens (51 %), les Allemands (59 %) et même pour les Russes (52 %), les Hongrois (46 % contre 24 %), ou encore les Polonais (50 % contre 46 %). À l'Est, ce mot est perçu comme n'ayant pas tenu ses promesses après des décennies de privation de liberté et d'économie administrée. À l'Ouest, où il semble se déployer dorénavant avec trop peu d'égards pour la personne humaine, le défi communiste avait conduit les États à approfondir la démocratie et à améliorer la redistribution par un contrat social implicite : échanger la paix sociale contre l'État-providence et un système de régulation économique et sociale.

À l'intérieur du système démocratique, les catégories sociales dominantes avaient construit un discours idéologique visant à faire partager leur propre vision possible et souhaitable du futur. Face à l'idéologie communiste, le « libéralisme démocratique » et l'idéologie social-démocrate ont parfaitement tenu ce rôle et ils ont tendanciellement réalisé leurs promesses dans les pays capitalistes développés.

Les idéologies dominantes, celles des leaders d'opinion et des leaders économiques (à distinguer des représentations dominantes de l'opinion), ont ceci de civilisationnel qu'elles portent le souci de faire partager leurs intérêts particuliers pour les faire considérer au plus grand nombre comme l'« intérêt général ». Pour rendre leurs discours « appropriables » par le plus grand nombre, ces leaders se doivent de faire adopter leurs valeurs par l'État pour les intégrer politiquement dans la culture démocratique et économiquement dans les relations sociales. Or ce travail « civilisationnel » au sein du capitalisme semble remis en cause par l'affaiblissement économique des États-nations, la fin du défi communiste et le primat désormais accordé aux logiques financières et à la rentabilité immédiate au détriment des logiques économiques fondées sur le travail, les métiers et le long terme [*voir articles p. 31 et 423*]. Telle est la source du nouveau cycle idéologique à caractère « social », qui a succédé à partir de 1993 au cycle « libéral » qui avait marqué la décennie précédente. Les vecteurs apparents de la mondialisation/globalisation, le « modèle américain » et le monde de la finance suscitent la défiance, respectivement 70 % et 58 % des Français ne faisant pas confiance aux États-Unis ni aux marchés financiers pour que « la mondialisation aille dans le bon sens ».

Craintes pour la démocratie

La perte de centralité du pouvoir est un puissant motif de déstabilisation. Qui gouverne le monde et d'où gouverne-t-on ? À la question de savoir qui a le pouvoir en France, deux Français sur trois (61 %) estimaient en 1996 que « les marchés financiers » avaient plus de puissance que les « hommes politiques », les « chefs d'entreprise » ou « les citoyens ». Cela n'est pas pour autant synonyme de fatalisme : fin 1999, 45 % estimaient en effet que les gouvernements peuvent s'ils le veulent « changer la façon dont se fait la mondialisation » ou l'« aménager » (30 %). Seuls 20 % considéraient qu'ils ne peuvent plus réellement agir. Le « sommet » de l'OMC à Seattle, à l'occasion duquel de puissantes critiques de la forme de la mondialisation émanant des organisations non gouvernementales ont eu une résonance mondiale, a placé les gouvernements sous la pression de leur opinion publique. L'échec du « sommet » officiel a souligné le fait qu'il n'y a nulle fatalité, que les gouvernements et mouvements sociaux peuvent peser politiquement face aux « lois économiques ».

L'annonce, en 1999, de l'autodissolution de la Fondation Saint-Simon aura coïncidé avec ce changement de contexte. Interrogé sur la chaîne d'information *LCI* par le rédacteur en chef du *Monde* Edwy Plenel, l'intellectuel, éditeur et parrain de la Fondation Pierre Nora la définissait comme « la rencontre de gens qui avaient des idées avec des gens qui avaient des moyens ». Faut-il poursuivre la métaphore et considérer que ceux qui « ont des moyens », aspirés par le grand large d'une mondialisation qui l'a emporté dans les faits, n'ont plus besoin de ceux « qui ont des idées » qui avaient, avant la chute du Mur de Berlin, un principe de cohérence reliant la liberté, le marché, l'antitotalitarisme et la critique de l'exception républicaine ? Ceux qui « ont des moyens » se contentent à la place de l'idéologie d'un « c'est comme cela ». Le libre déploiement du marché, de moins en moins régulé par les États-nations, semble pourtant, pour l'opinion, remettre en cause la base même de la démocratie. Beaucoup aspirent à être considérés non plus seulement comme des consommateurs soumis au libre jeu des logiques financières, mais d'abord comme des citoyens. ■

Le décollage de la netéconomie en France

Solveig Godeluck

L'an 2000 s'est ouvert en grande fanfare à la Bourse, au palais Brongniart. Netvalue, Artprice, Multimania, Libertysurf, Fimatex ont fait une entrée remarquée à la Bourse de Paris. La plupart de ces jeunes sociétés Internet étaient encore quasi inconnues six mois plus tôt. Trois ans auparavant, la majorité d'entre elles n'existaient même pas. Elles sont nées en même temps que leur métier : mesure d'audience sur Internet, vente aux enchères et en ligne d'œuvres d'art, hébergement de pages Web et animation d'une « communauté virtuelle », prestation d'accès gratuit au réseau, courtage boursier électronique...

Ce sont les net-entreprises, les nouveaux acteurs de l'économie en réseau. On les repère à leur croissance fulgurante, qui leur vaut l'appellation de «*start-ups*», soit, en français d'académicien, « jeunes pousses ». Leur chiffre d'affaires est en général modeste, et leurs pertes se chiffrent en millions de francs – à quelques exceptions près. Malgré cela, les investisseurs se ruent sur ces « valeurs Internet ». Les valorisations atteignent le milliard de francs, sur la foi de profits futurs eux-mêmes fondés sur l'hypothèse que la croissance exponentielle de ces sociétés se poursuivra selon une dynamique exponentielle.

Un an plus tôt, s'introduire en Bourse avec des résultats financiers si désastreux eût été impensable. Et jamais les cours n'auraient bondi, comme ils l'ont fait à compter du début 2000, à la simple évocation d'un suffixe «.com » ou «.fr » – signalant une entreprise du secteur Internet. Mais à partir du moment où le géant américain des services en ligne America Online a avalé l'empereur des médias traditionnels Time Warner, en janvier 2000, les investisseurs français ont eux aussi eu les yeux rivés sur la netéconomie.

L'euphorie boursière [*voir article p. 412*] a témoigné de cette conjoncture porteuse. Mais elle représente également la quintessence de cette nouvelle économie centrée sur les réseaux. Née d'Internet, premier système de communications informatiques universel, la netéconomie se nourrit d'un cocktail de capital-risque, de stock-options et de marchés financiers. Pour le porteur de projet, cet enchaînement constitue une alternative séduisante au circuit traditionnel de la création d'entreprise. En d'autres temps, il eût fallu effectuer le parcours du combattant pour séduire un banquier. Le créateur aurait comprimé les salaires de ses collaborateurs en attendant de réaliser de vrais bénéfices. Finalement, la société serait entrée en Bourse à reculons, dix ans plus tard, pour financer une croissance « organique » lente et équilibrée. À moins qu'elle ne se passe tout simplement des marchés financiers, puisant dans le bas de laine familial.

« Business angels » et « capitaux d'amorçage »

Ce schéma n'a plus la cote. L'argent s'est mis à couler à flots sur les net-entrepreneurs français. Les investisseurs ont pris pour modèle le bouillonnement créatif de la Silicon Valley californienne. Le « capital-investissement » d'hier, une spécialité hexagonale, n'a certes pas disparu. Mais les « capitaux d'amorçage » lui volent la vedette. Au lieu de financer des entreprises qui ont déjà fait leurs preuves, les nouveaux investisseurs prennent des paris plus risqués, en misant sur une idée et une équipe embryonnaires. Des individus fortunés (les « *business angels* ») et des institutions financières respectables se lancent dans la profession de capital-risqueur, décomplexés par les

Référence

S. Godeluck, *Le Boom de la netéconomie*, La Découverte, Paris, 2000. *(Cet ouvrage est le fruit d'une enquête aux États-Unis et en Europe.)*

prévisions explosives de croissance de la population des internautes.

Parallèlement, la Bourse a continué à prospérer, tout se conjuguant pour faire affluer les liquidités sur les marchés. L'économie a été assainie pendant des années de maîtrise de l'inflation et des coûts. La libre circulation des capitaux a facilité l'installation des fonds de pension américains sur la place française [*voir article p. 423*], désertée par les épargnants du cru. Enfin, les Français eux-mêmes ont commencé à boursicoter en masse. Et l'apparition d'une nouvelle génération de courtiers en ligne, pratiquant des tarifs avantageux et proposant une masse d'informations spécialisées aux particuliers, n'y a pas été étrangère. Bref, les net-entrepreneurs comptent sur la Bourse pour payer leurs salariés – en bons de souscription pour la création d'entreprise, les fameux BSPCE –, puis pour financer leur « hypercroissance ».

Il manque pourtant un ingrédient pour que la netéconomie à la française développe un rôle d'entraînement aussi puissant qu'aux États-Unis. Outre-Atlantique, l'ensemble de l'économie a été profondément affecté par la restructuration des entreprises autour du réseau et l'ascension d'un nouveau média et canal de distribution. La situation de la France, début 2000, n'était pas comparable. La part des technologies de l'information dans le PIB, 5 % en 1997, y a certes dépassé celles de l'automobile et de l'énergie cumulées (sources INSEE). Mais cela n'a rien d'extraordinaire. D'une part, ces statistiques regroupent de nombreuses activités qui n'ont aucun rapport direct avec Internet. D'autre part, le développement de la netéconomie n'a pas encore eu d'incidence évidente sur l'emploi, sur la productivité ou sur la reprise de la croissance.

En fait, l'acculturation informatique n'est pas allée assez loin en France pour que le paysage économique se transforme en profondeur – même si celui-ci a commencé à changer. La France se classe parmi les pays méditerranéens, où le taux de connexion à Internet est faible et les services en ligne peu développés. Fin 1999, seuls 5,9 % des ménages français disposaient d'un accès au réseau à leur domicile (Médiamétrie/ISL). Cela représentait déjà un progrès considérable par rapport aux 4 % du début de la même année. Mais c'était peu en regard des pays nordiques et des États-Unis, dans lesquels plus d'un foyer sur cinq était déjà connecté. Néanmoins, les Français sont apparus s'équiper à un rythme soutenu, d'autant plus qu'à compter de 1999 les supermarchés ont bradé des ordinateurs à moins de 5 000 FF, les fournisseurs d'accès offrant pour leur part des abonnements gratuits à Internet.

Les terminaux de connexion seront à l'avenir tellement variés que manquer un train technologique peut tourner à l'avantage d'un pays inventif. La France a d'abord été handicapée par son attachement au Minitel – jusqu'à ce que le discours d'Hourtin de Lionel Jospin, en 1997, donne le signal du ralliement au réseau Internet. Son avenir est peut-être dans la téléphonie cellulaire sur Internet. À moins qu'il ne réside dans la « génération consoles », ces jeunes qui ont appris l'informatique grâce aux jeux vidéo, et pour qui le réseau n'est guère plus qu'un banal outil de communication... ■

La notion d'application de la loi n'est plus un repère fiable pour le juge

Pierre Kramer
Magistrat

La fin des années quatre-vingt-dix a été marquée par une fragmentation accélérée du droit, les grandes catégories classiques, droit civil et droit public, devenant inopérantes Désormais, il faut compter avec un droit de l'environnement, des transports, un droit aérien, un droit de la presse, du sport, de l'informatique, qui se subdivise en droit de l'Internet.. La liste est en expansion continue.

Face à cette atomisation des branches du droit, les fonctions de juge sont également de plus en plus spécialisées : juges des enfants, de l'application des peines, des affaires familiales, des tutelles, juge d'instruction, spécialisé en matière financière, juge de la détention, juge des référés... Les fonctions s'institutionnalisent par domaine de contentieux. Et sur ces divisions se calquent de nouvelles organisations professionnelles. Ainsi existe désormais une association de fait des Premiers présidents de cour d'appel, à laquelle répond une conférence des procureurs généraux, ces deux groupements échangeant, sous le regard étonné du directeur de cabinet du garde des Sceaux, des correspondances sur les vertus et les dangers de l'unité du corps... judiciaire.

Dans le même temps s'impose l'intrusion de normes internationales qui viennent remettre en question les certitudes internes. Un concept comme le « procès équitable », issu de la Convention européenne de sauvegarde des droits de l'homme, aussi appelée Convention européenne des droits de l'homme, et des cultures juridiques du Royaume-Uni et des États-Unis, a commencé à être invoqué devant les juridictions françaises. À l'occasion du procès des ministres, en avril 1999, dans l'affaire du sang de transfusion contaminé par le virus du sida, la motivation de l'arrêt de la Cour de justice de la République, qui dispense de peine l'ancien ministre de la Santé Edmond Hervé, se réfère à cette notion floue, en procédure, de procès équitable.

Justice, politique, médias

La période est apparue par ailleurs marquée par la rupture d'une conception selon laquelle la justice, l'appareil judiciaire, était très largement sous le contrôle du pouvoir politique. Le report intervenu au début de 2000 de la réforme constitutionnelle du Conseil supérieur de la magistrature (CSM), réforme qui devait justement clarifier les relations entre justice et pouvoir politique, n'aura été qu'un soubresaut. Sur le long terme, on tend à passer d'une situation de fusion et de dépendance entre les fonctions judiciaires et le pouvoir politique à une autonomie qui ne correspond cependant pas à une absence de contraintes pour le juge. Au même moment, la précision de ces repères s'estompe, et en particulier la référence à la loi n'est plus déterminante, compte tenu de l'évolution mouvante de son contenu.

Surgissent cependant de nouvelles références, supérieures, puisées dans l'ordre juridique international. Il en découle, dans un premier temps, un sentiment de confusion, et la nécessité, pour le dissiper, de motiver plus clairement les décisions des juridictions. Le passage de cet ordre juridique fondé sur des textes purement internes à un cadre s'appuyant sur des références plus éloignées amplifie ce sentiment de brouillage et de manque de visibilité.

Références

J. de Maillard, *Un monde sans loi*, Stock, Paris, 1998.
F. Ost, *Le Temps du droit*, Odile Jacob, Paris, 1999.
La Responsabilité pénale des décideurs publics, La Documentation française, Paris, 2000.
F. Rigaux, *La Loi des juges*, Odile Jacob, Paris, 1997.

@ **Sites Internet**
Cour européenne des droits de l'homme : **http://www.dhcour.coe.fr**
Legal News France : **http://www.legalnews.fr**
Ministère de la Justice : **http://www.justice.gouv.fr**

Enfin, ces mutations s'opèrent dans un temps où la justice est confrontée de plein fouet avec l'influence devenue considérable des médias. Si le phénomène n'est pas nouveau, son ampleur s'accroît. Les stratégies de communication des parties laissent le plus souvent les juges isolés et dépassés. Dans l'« affaire du sang contaminé », les personnes poursuivies ont fait diffuser dans les rédactions, dans le cadre d'un véritable plan média, un argumentaire rédigé par des professionnels de la communication pour contrer la démonstration des juges de la commission d'instruction. Or les juges n'ont à opposer à de telles entreprises qu'une culture de réserve et de silence, persuadés qu'ils sont qu'en principe les réponses se trouvent dans les dossiers de procédure. Encore conviendrait-il que l'audience demeure le lieu où le débat public se déroule. En réalité, ce débat est de plus en plus « délocalisé » dans les médias, avant même le procès.

L'ardoise magique des turpitudes

Subsistent deux obstacles à la montée en puissance du droit. D'une part, le risque d'épuisement des juges en charge d'un périmètre trop vaste à régir. À cet égard, c'est aussi aux juges de balayer devant leur porte. À vouloir trop contrôler, ils risquent l'asphyxie ; d'autre part, le risque de byzantinisme, avec pour conséquence la fragilisation des procédures, par l'excès même de recours possibles qui deviennent l'ardoise magique des turpitudes.

Le foisonnement des juridictions multiplie les contraintes à respecter. Ainsi, un jugement du tribunal de grande instance de Paris, appliquant la Convention européenne des droits de l'homme sur le délai raisonnable, a relevé le dysfonctionnement du service de la justice, à raison de la lenteur d'une procédure devant une chambre sociale. En février 2000, le Conseil d'État a condamné la publication par la Cour des comptes, dans son rapport annuel, de remontrances sur la gestion de fait d'une société qui facturait des prestations fictives à l'armée pour alimenter une caisse noire, alors que cette affaire n'avait pas encore été jugée. La Cour de cassation a sanctionné la procédure irrégulière suivie par une autorité administrative indépendante (AAI), le Conseil de la concurrence, dont le rapporteur, chargé de l'enquête, avait participé au délibéré. La Cour européenne des droits de l'homme (CEDH) a condamné la France à raison de manquements dans les procédures suivies par la Cour de cassation, pour non-respect du principe du contradictoire. Et les juristes en sont à se demander si la procédure suivie par la Cour de justice des communautés européennes (CJCE) peut être censurée par la Cour européenne des droits de l'homme... Le marché juridique des droits de l'homme est porteur et apparaît en passe de devenir l'Eldorado de délinquants en délicatesse avec la justice de leur pays. Nombreux sont ceux qui espèrent gagner sur le tapis vert des cours internationales après avoir judiciairement perdu localement.

Ainsi, non seulement les décisions sont de plus en plus complexes, en raison du nombre des options offertes au juge, mais encore les textes ne sont plus normatifs. L'insertion en tête du Code de procédure pénale du rappel du délai raisonnable en est un des exemples les plus récents. Mais le législateur avait déjà introduit « l'intérêt de l'enfant » comme principe directeur en droit de la famille, sans autre précision.

La notion d'application de la loi ne constitue plus pour le juge un repère fiable. Il est encerclé de contraintes molles, dont il lui appartient de reconnaître, cerner et définir les contours. Plus que jamais créateur de droit, le juge est interpellé sur ses décisions, sa responsabilité, ses motivations affichées ou masquées. Sa nouvelle légitimité n'est plus puisée dans l'élection de ceux qui le nomment, mais dans le réseau de normes qu'il applique et qu'il met en œuvre. ■

Comment la société « économise » les risques

Hervé Hamon

Économiste, Université Paris-IX-Dauphine

Alors qu'on allait entrer dans l'an 2000, la « marée noire » provoquée au large de la Bretagne par le naufrage du pétrolier *Erika* puis une tempête exceptionnelle [*voir encadré p. 511*] ont rappelé à quel point les sociétés restaient exposées aux aléas.

On s'assure depuis longtemps contre le risque de mourir dans un accident d'avion. On peut maintenant s'assurer contre celui, nettement plus fréquent, que l'avion arrive en retard... Cette anecdote a valeur d'illustration : naguère doté d'un statut d'exception, le risque tend à devenir banal, au fur et à mesure qu'il se loge dans les moindres interstices de la vie ordinaire, au point qu'on ne compte plus les situations et les comportements dits « à risque ». C'est d'ailleurs ce qui a incité le sociologue allemand Ulrich Beck à évoquer, dès 1986, dans un livre à succès non traduit en français, la « société du risque ». Un tel phénomène peut certes s'expliquer par l'ampleur et la rapidité des mutations socio-économiques dont la mondialisation et la déréglementation sont une composante, et qui ont pour effet objectif de multiplier, diversifier et disséminer les risques. Il tient aussi, sans doute, au fait que la sensibilité au risque s'accroît quand le niveau de vie s'améliore, l'information s'affine, la durée de vie s'allonge... Enfin, d'un point de vue plus anthropologique, on peut avancer que la disparition des grandes utopies, le reflux du « sens de l'Histoire » et l'érosion de l'idée selon laquelle le monde serait à construire et à vouloir ont fait émerger une nouvelle culture du temps et de la durée, pour les individus comme à l'échelle sociale : dans un univers perçu comme incertain, demain peut toujours borner l'horizon d'un projet, mais c'est d'abord un champ sans cesse renouvelé, bien que délimité, d'opportunités et de menaces. Vu d'aujourd'hui, demain est risqué.

Que le futur soit aléatoire n'implique pas qu'il soit imprévisible : un risque a une certaine probabilité de se réaliser, sans quoi on ne pourrait prétendre le prévenir. Or, dans nos sociétés, rien de ce qui a rang de réel, même simplement probable, ne saurait échapper à une « prise en compte » de nature économique. C'est ainsi que le traitement des risques, s'il revêt bien des formes, trouve aujourd'hui sa forme la plus achevée dans la *gestion des risques*, qui a ses institutions, ses techniques, ses praticiens, son savoir. Comme l'écrit François Ewald, professeur au CNAM (Conservatoire national des arts et métiers) et directeur de la recheche à la FFSA (Fédération française des sociétés d'assurance), dans la revue *Risques* (décembre 1999), « le risque n'est plus exogène aux sociétés industrielles. Elles le produisent et, dans le même temps, s'organisent autour de sa gestion ».

Deux grands mécanismes de gestion des risques méritent une attention particulière en raison des débats qu'ils suscitent et de l'importance de leurs enjeux : l'assurance et la finance des marchés dérivés.

La nouvelle donne de l'assurance

Dans son principe, l'assurance est un mécanisme simple, que résume bien la définition des Lloyd's : « La participation du grand nombre à l'infortune de quelques-uns ». Sa fonction est de *mutualiser les risques* (historiquement, au XIXe siècle, l'assurance s'est développée avec le mouvement mutualiste) en utilisant la loi des grands nombres, et plus généralement les méthodes de l'analyse probabiliste. Il s'agit donc, quelle que soit sa forme, d'un rouage important de la socialisation : « L'assurance n'est pas seulement une technique de gestion [...] du risque, elle est aussi une technologie politique » (F. Ewald).

C'est sans doute pourquoi l'assurance fait aujourd'hui, en France, l'objet d'un grand débat : qui doit assurer quoi ? et comment ? En effet, la protection sociale publique (dont les différentes branches assurent la couverture du risque maladie, le versement des retraites par répartition, l'indemnisation du chômage, etc.) connaît non seulement des difficultés financières [*voir article p. 546*] que le vieillissement démographique devrait aggraver à terme, mais une crise institutionnelle de la gestion paritaire de ses organismes par les syndicats de salariés et les syndicats patronaux [*voir article p. 46*]. À l'inverse, les compagnies d'assurances affichent de bons résultats financiers et une puissance non négligeable à l'échelle internationale : en 1998, AXA est devenu le premier assureur mondial et le premier groupe financier européen ; en 1999, ses bénéfices ont progressé de plus de 30 % ; au début de 2000, sa capitalisation boursière dépassait 300 milliards FF sur la place de Paris.

Le débat entre Sécurité sociale et assurance privée a une portée stratégique pour les évolutions de l'économie et de la société françaises, comme l'a bien compris la principale organisation patronale française, le Medef (Mouvement des entreprises de France), dont le vice-président délégué, Denis Kessler, préside précisément la Fédération française des sociétés d'assurances (FFSA). En effet, les compagnies d'assurances, qui sont par nature de gros collecteurs de moyens financiers et peuvent de ce fait jouer le rôle d'« investisseurs institutionnels », aspirent désormais à drainer massivement l'épargne longue des ménages, dont le potentiel de développement est considérable (plus de 3 500 milliards FF avaient, fin 1999, déjà été collectés au titre de l'assurance vie), afin de l'orienter vers les entreprises. Cette démarche globale de recomposition des risques, qui se réclame volontiers de la théorie microéconomique (par opposition à la macroéconomie, jugée trop étatique), s'appuie aussi sur des arguments empiriques : la variété croissante des « risques de l'existence » ne devrait-elle pas inciter les ménages à assurer de plus en plus, outre leur capital matériel, leur « capital humain », celui qui s'exprime dans la santé, la durée de vie, l'employabilité, etc. ? De plus, l'épargne ainsi constituée ne serait-elle pas bienvenue pour les entreprises françaises, qui manquent souvent de fonds propres après avoir été plongées trop brutalement dans l'univers des privatisations, déréglementations, restructurations ?... Enfin, l'État-providence est invité à reconfigurer ses interventions, et certains, n'oubliant pas que le risque est aussi un rapport social, se plaisent à rêver d'une « démocratie du risque ».

En toile de fond du débat stratégique engagé s'est développée une réflexion sur la complexité des risques, leur extension à de nouveaux champs (risques industriels, alimentaires...) et leurs évolutions. Ainsi D. Kessler remarquait-il, dans un article paru dans la revue *Commentaire* à l'automne 1999, que même les risques « traditionnels » tendent à changer profondément de *nature* (jusqu'en 1958, l'assurance maladie se traduisait surtout par des indemnités journalières pour perte de salaire ; en 1999, celles-ci ne représentaient plus que 4 % des dépenses, qui sont d'abord des dépenses de soins avant, peut-être, de devenir des dépenses de prévention...), de *fréquence* (vivre longtemps après 65 ans n'est plus un aléa, mais une quasi-certitude), et *d'origine* (ce qui nous arrive est de plus en plus perçu comme lié à nos comportements : le risque devient moins accidentel et exogène, plus progressif et endogène). Plus généralement, la perception d'une prolifération des risques fait surgir des questions fondamentales sur la responsabilité, le contenu et les contours du « principe de précaution », etc.

Le rôle central des marchés dérivés

L'activité économique est réputée favorisée par la flexibilité, mais elle a aussi besoin que les conditions de son développement dans le temps ne soient pas trop incertaines : comment se préparer à produire 100 tonnes de charcuterie dans 4 mois, si le prix d'achat du porc nécessaire *risque* d'avoir augmenté de 50 % ? Comment mettre en œuvre une stratégie de croissance qu'il faudra financer dans trois mois, si à cette date la valeur des actifs financiers dont on dispose *risque* d'avoir diminué de 20 % parce que, par exemple, ces avoirs sont constitués d'actions dont le cours a baissé, ou parce qu'il s'agit d'obligations dont la valeur a chuté en raison d'une montée des taux d'intérêt (quand les taux d'intérêt montent sur le marché de l'émission d'obligations nouvelles, les anciennes, moins bien rémunérées, perdent mécaniquement de leur valeur), ou encore parce que le portefeuille détenu est libellé dans une monnaie étrangère dont le cours a baissé ?

L'activité économique nécessite donc qu'on puisse se protéger de certains risques. Lorsque ceux-ci ne peuvent être « assurés », compte tenu de leurs particularités, l'analyse et la pratique économiques ont imaginé des mécanismes de *couverture des risques* revêtant la forme de mécanismes de marché. En effet, dès lors que les marchés de matières premières, les marchés d'actions, les marchés d'obligations et les marchés des changes, tous indispensables à la production, sont des marchés à risque, pourquoi ne pas concevoir des marchés du... risque sur ces marchés, donc des marchés « dérivés » ? Cette conception est au cœur de la « finance » moderne, discipline de traitement du futur.

Le premier marché dérivé a été le marché à terme du blé créé à Chicago à la fin du XIXe siècle, pour répondre au refus des assureurs de l'époque d'assumer le risque de prix encouru par les marchands de grains en raison du caractère indivisible de ce risque (quand le prix du blé monte, il monte pour tous les acheteurs à la fois...). Le principe en est simple : un boulanger industriel, redoutant une hausse du cours du blé, dont il sait qu'il devra renouveler le stock dans six mois, achète au cours d'aujourd'hui, sur le marché *à terme*, un volume standard de blé livrable dans six mois. À l'échéance, de deux choses l'une : ou le cours du blé a monté, conformément aux anticipations du boulanger, et celui-ci a évité une perte ; ou il a baissé, et le boulanger subit un simple manque à gagner, qui n'est pas une perte... Ainsi la couverture des risques élimine-t-elle le risque de gagner comme celui de perdre.

Par la suite, les marchés dérivés n'ont

cessé de se sophistiquer. En premier lieu, conçus pour ceux qui ont une « aversion pour le risque », ils ont dû, pour bien jouer leur rôle, s'ouvrir à ceux qui pratiquent une « gestion dynamique du risque », autrement dit la spéculation. D'autre part, leur champ d'intervention s'est élargi des matières premières à la matière financière dès 1950, et surtout à partir de 1972, quand l'instauration du flottement généralisé des monnaies, puis le recours à des politiques monétaires de régulation des taux d'intérêt et le mouvement de déréglementation financière ont avivé les risques financiers de cours, de taux, de change, etc. Par ailleurs, ils ont diversifié leurs modes de fonctionnement. (Certains marchés dérivés sont de gré à gré, et d'autres organisés. Les marchés à terme ferme, dont relève l'exemple du blé évoqué ci-dessus, se différencient des marchés à terme conditionnels que sont les marchés d'options, sur lesquels s'achètent et se vendent des... droits d'acheter et de vendre. Sur la place financière de Paris, il existe, pour le terme ferme, un Marché international de France [Matif], et pour les options un Marché des options négociables de Paris [Monep].) Enfin, les produits dérivés des actifs physiques et surtout financiers ont proliféré à l'infini, grâce aux « innovations financières » des mathématiciens, devenant ainsi de plus en plus dérivés, donc de plus en plus abstraits. La *Lettre de la BNP* de février 1999 estimait à 84 000 milliards de dollars l'encours nominal de produits dérivés de toutes natures, soit presque trois fois le PIB mondial...

Finance « virtuelle », la finance dérivée ? Difficile de répondre, car le risque est par nature virtuel, mais la gestion du risque a de fortes implications réelles. En tout cas, finance fascinante, parce que très abstraite dans ses rouages, exotique par ses acteurs (les *golden boys*), et pour le moins paradoxale – perverse ? – dès lors qu'elle a pour objet la coordination marchande de ceux qui veulent du risque et de ceux qui n'en veulent pas.

Une évolution importante s'est produite lorsqu'il est apparu que les instruments dérivés pouvaient permettre de gérer d'autres risques que les risques financiers, en particulier les risques d'assurance. Ainsi sont nés les *weather derivatives*, produits spécifiques qui permettent à ceux qui les achètent de se protéger contre des risques de température, d'enneigement, de pluviosité, etc. Demain, sans doute, d'autres champs d'application émergeront.

Est-ce à dire que l'assurance traditionnelle, si puissante aujourd'hui, serait menacée à terme dans son cœur technique (pour la simple vente de produits d'assurance, elle est déjà concurrencée par la grande distribution, les constructeurs automobiles...) ? L'assurance et la finance sont certes complémentaires. Mais s'il est vrai que les risques encourus par les entreprises et les particuliers seront à l'avenir de plus en plus lourds, de plus en plus indivisibles, et de moins en moins aléatoires car plus prévisibles [*voir ci-dessus*], alors les marchés dérivés pourraient se révéler plus aptes à les gérer que les compagnies d'assurances dont la prospérité suppose des risques indépendants et aléatoires, pour que joue la loi des grands nombres. Élargissant le propos, Yves Simon, professeur à l'université Paris-Dauphine, observe qu'« une société d'assurances est une institution qui joue un rôle d'intermédiaire financier. Depuis 1965 dans le monde et 1985 en France, le rôle des banques en tant qu'agent d'intermédiation a beaucoup perdu de son lustre. La finance directe, grâce à laquelle les emprunteurs s'adressent directement aux prêteurs en émettant des titres, a pris une place prédominante par rapport à la finance indirecte, celle qui recourt au crédit et à l'intermédiation bancaire. Ce qui est vrai des institutions de crédit l'est potentiellement des sociétés d'assurances. On imagine très bien, en effet, que de très grands assurés n'aient plus besoin de s'adresser à des sociétés d'assurances s'ils peuvent trouver sur le marché financier des investisseurs prêts à assurer directement des risques industriels colossaux qui auraient été préalablement divisés sous la forme de titres financiers ayant, par exemple, une valeur nominale de 500 ou 1 000 euros » (*Risques, op. cit.*, déc. 1999).

Après les mutuelles du XIXe siècle et les sociétés d'assurances au XXe siècle, les marchés du risque au XXIe siècle ? En tout état de cause, l'industrie financière du risque a de beaux jours devant elle… ■

Les vrais enjeux de la « crise du paritarisme »

Christine Daniel
IGAS

C'est bien l'avenir immédiat des institutions paritaires françaises qui est apparu en cause depuis que l'assemblée générale du Medef (Mouvement des entreprises de France) du 18 janvier 2000 a décidé de « mettre un terme à la participation de l'organisation patronale dans l'ensemble des organismes paritaires de protection sociale, tels qu'ils sont actuellement organisés », précisant toutefois que cette décision s'appliquerait au plus tard le 31 décembre 2000. Cette résolution est intervenue dans un climat de forte tension entre les pouvoirs publics et le Medef avec pour pomme de discorde les deux lois sur les 35 heures [*voir articles p. 534 et 538*] dont l'organisation patronale a contesté tant le bien-fondé que les modalités d'application. Cette contestation a pris un nouveau relief en septembre 1999, lors de la présentation du projet de loi de financement de la Sécurité sociale prévoyant que certaines institutions paritaires, en particulier l'UNEDIC (Union pour l'emploi dans l'industrie et le commerce), allaient être mises à contribution pour participer au financement de la loi sur les 35 heures [*sur la gestion de l'UNEDIC, voir p. 46*]. Le Medef comme les organisations syndicales ont violemment protesté contre cette intervention de l'État dans le fonctionnement des institutions paritaires et c'est à cette occasion que le Medef a annoncé son intention de se retirer de celles-ci, intention confirmée en janvier 2000 malgré la modification du projet gouvernemental.

Cette crise institutionnelle ne peut toutefois être réduite à un affrontement entre patronat et pouvoirs publics sur les 35 heures. Elle s'est en effet inscrite dans une histoire agitée du paritarisme français, régulièrement ponctué de crises institutionnelles et financières, et aujourd'hui en proie à une réelle crise de légitimité.

Des institutions paritaires en crise

Les institutions paritaires peuvent se définir comme des institutions autonomes de gestion de la protection sociale, auxquelles participent des représentants du patronat et des salariés. Mais le degré d'autonomie de ces institutions par rapport aux pouvoirs publics, ainsi que la participation du patronat et des syndicats à leur gestion varient fortement, à la fois selon les institutions et au cours du temps.

Fondés sur le principe de la démocratie sociale et de la gestion par les intéressés, les conseils d'administration des caisses de Sécurité sociale créés par les ordonnances de 1945 étaient en effet gérés à l'origine par une majorité de représentants des salariés (trois quarts des sièges), la présence patronale y étant minoritaire. Les syndicats, en particulier la CGT, vivent cette démocratie sociale comme un « droit ouvrier à gérer la Sécurité sociale ». Ainsi l'organisation institutionnelle de 1945 mettait-elle fortement en cause la place des institutions d'origine patronale, qu'il s'agisse des caisses héritées de la loi sur les assurances sociales de 1930 ou des régimes conventionnels spécifiques, créés notamment avant la guerre en faveur des ingénieurs.

Face à cette situation, le CNPF (Conseil national du patronat français, devenu depuis le Medef) va s'efforcer après 1945 de retrouver une place dans la gestion de la protection sociale. Il négociera ainsi avec les syndicats – principalement Force ouvrière – une couverture conventionnelle complémentaire, gérée par des institutions assurant une stricte parité numérique entre représentants patronaux et syndicaux : création de l'AGIRC (Association générale des institutions de retraite des cadres) en 1947 [régime de retraite complémentaire des cadres], de l'UNEDIC (Union nationale interprofessionnelle pour l'emploi dans l'industrie et le commerce) en 1958 [régime d'indemnisation du chômage complémentaire par rapport aux aides publiques aux chômeurs] et de l'ARRCO (Association des régimes de retraites complémentaires) en 1961 [régime de retraite complémentaire des ouvriers]. Pendant toute cette période, qui se prolonge y compris dans les années soixante et soixante-dix, la négociation collective apparaît comme « l'instrument qui doit traduire en progrès social le progrès économique », selon les termes mêmes de la confédération Force ouvrière. Cela revient à dire que les prestations décidées dans le cadre de la négociation entre patronat et syndicats vont toujours dans le sens d'une amélioration de la protection sociale des salariés.

Cette protection sociale complémentaire va entrer en crise dès la fin des années soixante-dix pour l'indemnisation du chômage. Crises financières à répétition d'abord, expliquées par la très forte sensibilité des dépenses d'indemnisation du chômage à la conjoncture. Crises institutionnelles ensuite, le CNPF dénonçant à deux reprises (en décembre 1978 et en novembre 1982) la convention d'assurance chômage. Ces crises se stabiliseront avec la définition en 1984 de deux régimes d'indemnisation du chômage : un régime dit d'assurance, géré par l'UNEDIC et financé par cotisations, un régime dit de solidarité, financé par l'impôt et dont les prestations sont définies par l'État. Ces crises inaugurent un nouveau mode de négociation collective, celui de « négociations donnant,donnant » selon les termes mêmes du négociateur patronal Yvon Chotard. Dès lors, les organisations syndicales gestionnaires du régime se trouvent placées devant une alternative très brutale : soit consentir à négocier certains avantages à la baisse, soit se retirer du jeu paritaire. De telles négociations sont donc radicalement différentes de celles qui avaient prévalu jusqu'alors dans le champ de la protection conventionnelle complémentaire – d'où résultaient toujours des avantages supplémentaires. Elles contribuent de ce fait à un affaiblissement de la légitimité des institutions paritaires auprès des salariés ou des chômeurs, comme en a témoigné le mouvement des chômeurs de décembre 1997, protestant contre certaines des décisions de l'UNEDIC.

Le rôle régulateur de l'État en question

Pour les institutions paritaires relevant de la Sécurité sociale, une première crise importante intervient à l'occasion des ordonnances de 1967. Ces ordonnances sur la Sécurité sociale instaurent une parité numérique entre patronat et syndicats au lieu de la prépondérance ouvrière décidée en 1945, et créent des caisses autonomes pour chacune des branches de la Sécurité sociale. Elles donnent lieu à de très fortes protestations de la CGT et la CFDT, qui considèrent qu'il s'agit d'une remise en cause des prin-

Références

C. Daniel, C. Tuchszirer, « Assurance, assistance, solidarité : quels fondements pour la protection sociale ? », *La Revue de l'IRES*, n° 30, IRES, Noisy-le-Grand, 1999.

D. Kessler, « L'avenir de la protection sociale », *Commentaires*, Paris, déc. 1999.

IRES, « Le paritarisme. Institutions et acteurs », *La Revue de l'IRES*, n° 24 (spéc.), IRES, Noisy-le-Grand, print.-été 1997.

Travail, Paris, aut.-hiv. 1994-1995 (dossier « Paritarisme »).

@Site Internet

Medef (Mouvement des entreprises de France) : **http://www.medef.fr**

cipes de la démocratie sociale de 1945. Par ailleurs, ces ordonnances prévoient également la possibilité pour les caisses – et tout particulièrement pour la Caisse nationale d'assurance maladie (CNAM) – d'adopter des mesures permettant d'assurer l'équilibre budgétaire. Dans les faits, les caisses n'assurent pas elles-mêmes ce rôle de régulation et, que ce soit pour la retraite ou pour la maladie, toutes les décisions financières sont prises par l'État. Le paritarisme n'est donc que de gestion, et non de décision comme en matière de retraites complémentaires ou de chômage.

Les représentants patronaux et syndicaux gestionnaires des caisses de Sécurité sociale ont une position ambiguë par rapport à cette intervention continue de l'État, la rendant nécessaire par leur absence de décision et la condamnant régulièrement. De ce point de vue, la résolution du Medef justifiant son retrait des institutions paritaires au motif d'une « intervention systématique, croissante et déresponsabilisante de l'État dans les systèmes de protection sociale » n'est pas nouvelle. La résolution n° 7, qui appelle à « un élargissement, un respect et une autonomie du champ du dialogue social et de la négociation collective », en constitue le pendant avec les deux exemples qu'elle cite, la formation professionnelle et la nature des contrats de travail, ce dernier domaine étant jusqu'alors traditionnellement réservé au législateur. Cette revendication d'une plus grande autonomie de la négociation collective rejoint une volonté plus large de l'organisation patronale de décentraliser la négociation au niveau de l'entreprise, là où les rapports de force lui apparaissent plus favorables. Elle implique à la fois une remise en cause de la place de la négociation collective interprofessionnelle (au fondement d'institutions paritaires comme l'AGIRC, l'ARRCO ou l'UNEDIC), mais aussi, plus largement, une contestation juridique de l'ordre public social, qui veut que toute négociation de degré inférieur ne puisse qu'améliorer une négociation de degré supérieur, la loi représentant en toute hypothèse un ensemble de règles s'imposant aux négociateurs sociaux.

La place du marché dans le système de protection sociale

Un autre facteur de crise du paritarisme s'explique par la volonté de développer une concurrence entre les institutions de protection sociale. Ainsi, la résolution n° 6 adoptée par l'assemblée générale du Medef du 18 janvier 2000 convie-t-elle les négociateurs à définir « les bases d'une nouvelle architecture de l'assurance maladie, reposant sur la responsabilité de l'ensemble des acteurs, et visant à en améliorer le rapport coût-efficacité ». Pour Denis Kessler, vice-président du Medef, ce principe d'efficacité doit s'entendre comme l'introduction d'une « concurrence tempérée » entre les assureurs de santé, une concurrence respectant à la fois l'obligation d'assurance et la définition de cahier des charges précis.

En matière de retraite, le Medef a défini comme objectif « un nouveau système de retraites contributives, évitant toute augmentation des cotisations, permettant la liberté de choix de l'âge de la retraite et l'accès à un étage facultatif de capitalisation ». De réelles divergences sont cependant apparues au sein même du Medef, révélées en particulier au moment du vote de la loi Thomas en 1997. En effet, plusieurs représentants patronaux, notamment au sein du patronat industriel, ont défendu le système de retraites complémentaires, à la fois parce que l'emprise de l'État y demeure faible – les abandonner reviendrait donc à accroître le rôle des pouvoirs publics – et parce que ces régimes ont démontré leur capacité à réformer à la baisse les rendements des retraites, sans que cela ne provoque de réactions majeures.

Au regard de ces enjeux, la façon dont la construction européenne a traité de la protection sociale constitue également un facteur d'évolution. C'est en effet largement autour des références à la libre circulation des personnes et à la construction d'un marché unique des biens et services qu'interviennent les arrêts de la Cour de justice européenne consacrés à la protection sociale. Ceux-ci sont généralement favorables au développement d'une plus grande concurrence entre offreurs de services.

L'assemblée générale du Medef visant à une « refondation sociale » du paritarisme n'aura fait qu'inaugurer un long processus de négociation. Une première réunion a eu lieu le 3 février 2000 entre les organisations syndicales et l'organisation patronale. Huit chantiers de négociation ont été définis : l'approfondissement de la négociation collective ; l'assurance chômage ; la santé au travail ; les retraites complémentaires ; la formation professionnelle ; l'égalité professionnelle ; le rôle de l'encadrement et la protection sociale. Dans tous ces domaines, le Medef a clairement défini ses objectifs. Face à lui, les organisations syndicales ont paru capables de faire alliance pour faire reculer des interventions financières de l'État dans les organisations paritaires, mais guère pour définir des objectifs clairs, susceptibles de réorienter un schéma de négociation défini par l'organisation patronale. La division syndicale française a toujours été une des limites du paritarisme, un accord entre le patronat et un seul syndicat suffisant pour dégager une majorité. Dans un contexte global de perte d'audience des syndicats, un tel fonctionnement apparaît de plus en plus contraire aux principes de la démocratie sociale. ■

(Voir aussi article p. 527 sur la négociation collective et celui p. 546 sur la réforme de la Sécurité sociale.)

Les conditions d'un retour au plein emploi sont-elles réunies ?

Françoise Milewski
Économiste, OFCE

À compter du milieu des années soixante-dix, la croissance européenne est demeurée faible ; en France, elle n'a atteint que 2,2 % en moyenne annuelle, malgré le rebond de 1987-1989, et 1,7 % seulement dans la décennie quatre-vingt-dix. Le redémarrage de 1999 [*voir article p. 366*] laisse-t-il augurer le retour à une forte croissance ? Quelques éléments peuvent alimenter une telle hypothèse mais il faut se montrer circonspect et se souvenir que, lors du rebond de 1987-1989, d'aucuns annonçaient la « fin de la crise », les plus prudents se demandaient si la crise était finie ou en passe de l'être, au nom des ajustements structurels réalisés entre le choc pétrolier (1973) et le contre-choc (1986).

Révolution technologique et politiques permissives

Deux raisons incitent à croire en la possibilité d'un rythme de croissance plus soutenu. La première tient aux innovations liées aux nouvelles technologies de l'information et de la communication (NTIC). On observe déjà, depuis le début des années quatre-vingt-dix, comment, aux États-Unis, la diffusion de celles-ci a soutenu la croissance, modéré l'inflation et donc permis d'éviter les tensions que les cycles antérieurs de croissance provoquaient. Elles ont largement contribué au développement de l'emploi, en particulier des postes qualifiés dans le secteur tertiaire. La création de nouveaux services et la diffusion de nouveaux processus de production et de gestion ont favorisé la productivité. On évoque désormais une « nouvelle économie » et un « nouveau régime de croissance ». L'existence d'un nouveau progrès technique majeur n'est plus contestée, mais il reste à évaluer précisément la part de ces changements structurels dans la forte croissance constatée en dix années. L'Europe a pris du retard en matière d'investissements en informatique et la consommation de produits de haute technologie y est plus faible qu'aux États-Unis. La phase de démarrage est cependant engagée, ce qui pourrait, si la tendance s'amplifie, susciter de nouvelles perspectives de croissance de l'activité et des emplois.

La seconde raison qui incite à l'optimisme réside dans les effets macroéconomiques de la politique économique. On peut espérer que celle-ci cesse enfin d'être restrictive, une fois opérés les ajustements pour l'entrée dans l'euro [*voir article p. 384*]. L'Europe s'était en effet fixé une contrainte forte et coûteuse pour supprimer les turbulences des taux de change internes. Les premières années 2000 peuvent être celles de la disparition de cette contrainte, c'est-à-dire de politiques économiques plus accommodantes, de bas niveaux des taux d'intérêt et d'utilisation des surcroîts de recettes fiscales à la relance. Au début de 2000, les politiques budgétaires nationales apparaissaient neutres en moyenne en Europe, les taux d'intérêt se situaient à un niveau normal au regard de la croissance et la baisse de l'euro favorisait les exportations [*voir article p. 443*]. La modération de l'inflation (même si la hausse du prix des matières premières a gonflé la hausse des prix) et l'existence d'un excédent de la balance des paiements courants apparaissaient pouvoir contribuer à infléchir durablement la politique économique. Les moyens d'une coopération entre les pays, réunis désormais en un seul marché intérieur, et entre les instruments de la politique économique, monétaire et budgétaires existent. Il reste à les mettre en œuvre dans le sens d'une politique de croissance. L'Europe est une entité capable d'autonomie. Sur le Vieux Continent, on s'extasie facilement devant la finesse de la politique conjoncturelle américaine, qui a su laisser se développer la croissance sans restriction, sans prévenir à l'avance les risques potentiels d'inflation, sans chercher à réduire le déficit public avant que la croissance n'apporte les surplus nécessaires à sa réduction, et désormais à sa disparition. Le réglage conjoncturel qui prévaut aux États-Unis peut aussi s'appliquer en Europe.

Ces deux facteurs (révolution technologique et politiques permissives) ne sont probablement pas indépendants. Les technologies actuelles sont porteuses de baisses durables des prix, ce qui peut éviter d'avoir à se soucier exagérément d'accélérations transitoires de quelques dixièmes de point du rythme de l'inflation ; et surtout, en sens inverse, la croissance de l'investissement en nouvelles technologies sera d'autant plus forte que rien ne viendra contrecarrer sa dynamique propre.

En Europe – et en France en particulier –, la croissance effective pourrait être supérieure à la croissance potentielle pendant plusieurs années, sans être limitée par les capacités de production, du fait du retard accumulé. La croissance peut donc être durable, mais sous conditions.

L'impact de la croissance retrouvée

Le taux de chômage, bien qu'il ait baissé, est resté très élevé : 10,3 % en France et 9,6 % dans la Zone euro en décembre 1999, l'Europe demeurant donc en situation de chômage de masse.

Le renouveau de croissance, s'il perdure, continuera de réduire le chômage, d'autant que le contenu en emplois de la croissance s'améliore. Certes, les créations d'emplois se sont accélérées à la fin de l'année 1999 et peuvent laisser entrevoir un infléchissement plus marqué ; mais il n'est pas à la hauteur des ruptures sociales existantes, issues d'un fort taux de chômage, d'un faible taux d'emploi et d'une forte hausse de l'emploi précaire. On se plaît alors à rêver... qu'il suffit de patienter. Pour la France, au rythme de 0,9 point en un an (de décembre 1998 à décembre 1999) comme au rythme prévu par les organismes internationaux (d'un ordre de grandeur similaire), il faudrait beaucoup de temps...

Le facteur démographique

Les évolutions démographiques permettraient d'anticiper un fort recul du nombre de demandeurs d'emploi, puisque la population en âge de travailler, qui augmentait de 150 000 personnes par an à la fin des années quatre-vingt-dix, n'augmenterait plus que de 100 000 personnes par an de 2000 à 2005, puis baisserait annuellement de 100 000 personnes à partir de 2006. L'arrivée à l'âge de la retraite des générations du *baby-boom* et le ralentissement des nouvelles entrées sur le marché du travail expliquent cette évolution. La population active suivrait les mêmes évolutions : ralentissement de croissance entre 2000 et 2005, puis baisse au-delà, dans l'hypothèse d'une tendance stable des taux d'activité [*voir article p. 428*].

La forte croissance du chômage dans les années quatre-vingt et quatre-vingt-dix s'expliquait par le déséquilibre existant entre, d'une part, le ralentissement de la croissance des effectifs, voire leur recul certaines années de faible croissance, et, d'autre part, la croissance maintenue à rythme élevé de la population active. Mécaniquement, si l'on projette le ralentissement puis le recul de la population active et le maintien du rythme 1999 de 350 000 créations nettes d'emplois par an, la France verrait son taux de chômage réduit de 0,8 point par an d'ici 2005, puis de 1,5 point par an au-delà. Le retour à un taux de chômage inférieur à 5 % serait donc possible entre 2006 et 2010. C'est, avec le retour de la croissance, l'autre motif qui fonde certains discours annonçant le retour du plein emploi.

Mais de telles projections sont mécaniques. D'abord parce que le parallélisme entre l'évolution de la population en âge de travailler et celle de la population active pourrait être perturbé : des créations d'emplois plus fortes et durables ramènent sur le marché du travail des personnes qui en ont été exclues parce que découragées de trouver un emploi ; déjà en 1999, la population active a augmenté de 200 000 personnes, au-delà du rythme tendanciel. D'ici 2005-2010, la population active effective pourrait croître au-delà de son potentiel démographique ; un éventuel report de l'âge de départ à la retraite contribuerait également à modifier la tendance.

Ensuite et surtout, même si l'on considère que les projections de la population active sont réalistes ou simplement crédibles à peu de chose près dans une perspective de long terme, il faut s'interroger sur leur impact sur la croissance. Le vieillissement de la population influencera dans le sens d'un ralentissement le potentiel de croissance à long terme : moindres revenus et moindre consommation ne peuvent que ralentir l'activité à moyen terme.

Enfin, les évolutions futures de la productivité, qui, comme la population, conditionnent la production à long terme, demeurent incertaines ; elles subissent les effets contradictoires d'un ralentissement lorsque les créations d'emplois se réalisent majoritairement dans le secteur tertiaire et d'une accélération lorsque la croissance économique s'accentue ; la mise en œuvre de la réduction du temps de travail à 35 heures est aussi porteuse de gains de productivité supplémentaires dans les entreprises.

Il ne suffit donc pas d'attendre. Une baisse significative du chômage ne peut être obtenue que par une accélération de la croissance, non par une baisse du nombre des actifs ; celle-ci n'aurait qu'un effet éphémère et trop lointain dans le temps. De plus, se contenter du rythme récent de croissance, en enrichissant son contenu en emplois, aurait le même défaut de reporter loin dans le temps l'obtention du plein emploi, et surtout considérerait le seul taux de chômage. Or, une amélioration effective du marché du travail concerne non seulement le taux de chômage mais aussi le taux d'emploi et le sous-emploi [*voir articles p. 428 et 438*].

L'amélioration constatée du contenu en emplois de la croissance ne repose pas seulement sur le développement du tertiaire ou sur un début de partage coopératif du temps de travail, mais aussi sur un partage inégalitaire par le temps partiel contraint et une montée de l'emploi précaire [*voir article p. 428*] (travailleurs hors norme, c'est-à-dire travailleurs à temps partiel, contrats à durée déterminée, intérimaires, stagiaires et contrats aidés) représentaient 25 % de l'emploi en 1999 contre 17 % en 1990. De plus, la reprise de la croissance économique, dans l'hypothèse la plus favorable, engendrera essentiellement des créations d'emplois qualifiés. L'exemple américain, où les disparités se sont accrues malgré la progression des effectifs, a illustré ce phénomène. Les déséquilibres du marché du travail ne seront donc pas résolus spontanément. Dans tous les cas, une politique économique favorable à la croissance, à l'emploi et à la formation demeure nécessaire. ■

Modes et conditions de vie

La société française

POPULATION,
FAMILLES
ET GÉNÉRATIONS,
CADRE DE VIE,
TRAVAIL ET SOCIÉTÉ,
SANTÉ,
CONSOMMATION…
LES GRANDES
TENDANCES
À L'ŒUVRE,
LES CHANGEMENTS
LES PLUS
SIGNIFICATIFS.
DE MULTIPLES
DONNÉES
STATISTIQUES,
DES GRAPHIQUES,
DES SCHÉMAS,
DE TRÈS
NOMBREUSES
RÉFÉRENCES
D'OUVRAGES
ET DE SITES INTERNET.

Naître, grandir, vieillir

Population
Grandes tendances

Jacques Vallin et France Meslé
Démographes, INED

Du recensement de 1946 à celui de 1999, la population française est passée de 40,5 millions d'habitants à 58,5 millions. En 50 ans, l'accroissement est de plus de 40 %. De toute son histoire, elle n'avait encore jamais connu un tel rythme d'accroissement. Dans un laps de temps équivalent, du recensement de 1901 à celui de 1946, l'accroissement n'avait été que de 4 % ! Il est vrai que cette période inclut les deux guerres mondiales, mais la croissance rapide des cinquante dernières années relève néanmoins d'un changement fondamental dans l'évolution à long terme. En effet, alors qu'au cours de la « transition démographique », la fécondité ayant baissé plus tard que la mortalité, la plupart des pays de l'Europe de l'Ouest avaient bénéficié d'importants accroissements de population, la France, où la fécondité avait baissé aussi tôt et au même rythme que la mortalité, était restée à l'écart de ce grand mouvement d'expansion. C'est ainsi que, beaucoup plus peuplée que l'Angleterre ou l'Italie à la veille de la Révolution, elle s'était retrouvée nettement distancée par ces deux pays à la veille de la Seconde Guerre mondiale. Et c'est seulement grâce à l'inversion des rôles observée après la guerre que les trois pays sont aujourd'hui à peu près à égalité [*figure 1*].

L'évolution de l'effectif de la population dépend des naissances, décès et migrations. L'accroissement de 18,4 millions enregistré du 1er janvier 1946 au 1er janvier 1999 provient, pour 13,8 millions, de l'excédent des naissances (41,6 millions) sur les décès (27,8) et, pour 4,6 millions, du solde migratoire. Pour mieux comprendre ce résultat, il importe donc de préciser comment ces trois facteurs du mouvement démographique ont évolué au cours des dernières décennies. Mais l'évolution des naissances, des décès et des migrations entraîne elle-même des changements dans la composition de la population par âge et dans sa répartition par nationalité qu'il convient aussi d'analyser.

Vers une stabilisation de la fécondité ?

Alors qu'il naissait en France à peine plus de 600 000 enfants par an dans les années trente, ce nombre s'est brusquement élevé à plus de 850 000 à la Libération, culminant à 869 000 en 1949. Après une légère régression, sans jamais tomber au-dessous de 800 000, il a atteint un second maximum en 1964, 874 000, mais a diminué ensuite pendant une dizaine d'années (720 000 en 1976), avant de se stabiliser autour de 750 000 dans les années quatre-vingt (744 000 en 1999).

Chaque année, cependant, le nombre de naissances dépend à la fois de la propension des couples à faire des enfants et du nombre de couples en âge de procréer. Pour simplifier, on mesure généralement la propension des couples à procréer en calculant des *taux de fécondité par âge*, rapports des nombres de naissances selon l'âge de la mère aux nombres de femmes de même âge. On mesure ainsi la probabilité, pour une femme d'un âge donné, d'avoir un enfant dans l'année. En faisant la somme de ces taux aux divers âges, on

Tab. 1

Excédents naturels et soldes migratoires intercensitaires (en milliers, depuis 1946)

Année de recensement	Pop. totale au 1er janv.	Accroiss. total	Naissances	Décès	Excédent naturel	Solde migrat.
1946	40 125	2 760	6 743	4 322	2 421	339
1954	42 885	3 537	6 511	4 125	2 386	1 151
1962	46 422	3 301	5 129	3 214	1 914	1 387
1968	49 723	2 877	5 132	3 287	1 905	972
1975	52 600	1 735	5 309	3 844	1 465	270
1982	54 335	1 968	6 156	4 325	1 831	411
1990	56 577	1 987	6 619	4 763	1 856	61
1999	58 494					

Tab. 2

Évolution de la part des groupes d'âge dans la population (depuis 1946, en %)

Groupe d'âge	Années		
	1946	1965	2000
	Sexe masculin		
0-19 ans	31,2	35,4	26,8
20-64 ans	59,4	55,4	59,9
65 ans et +	9,4	9,2	13,3
	Sexe féminin		
0-19 ans	27,9	32,4	24,4
20-64 ans	59,5	52,9	57,2
65 ans et +	12,6	14,7	18,4
	Sexes réunis		
0-19 ans	29,5	33,9	25,6
20-64 ans	59,4	54,1	58,5
65 ans et +	11,1	12,0	15,9

Tab. 3

Évolution de la population française selon la nationalité

	Français			Étrangers	Population totale
	de naissance	naturalisés	total		
1946	37 251	853	38 104	1 744	39 848
1954	39 948	1 068	41 016	1 765	42 781
1962	43 005	1 284	44 289	2 170	46 459
1968	45 713	1 320	47 033	2 621	49 654
1975	47 765	1 392	49 157	3 442	52 599
1982	49 160	1 422	50 582	3 714	54 296
1990	51 267	1 775	53 042	3 582	56 624

Source : recensements.

INDICATEUR	UNITÉ	1950	1970	1990	1999
Indicateurs de base					
Population totale[a]	*milliers*	41 647	50 528	56 577	58 494
0-19 ans	*milliers*	12 556	16 748	15 720	15 024
20-64 ans	*milliers*	24 364	27 306	32 986	34 249
65 ans et plus	*milliers*	4 727	6 474	7 871	9 221
Français de naissance	*milliers*	37 251[c]	45 713[d]	51 267[b]	
Naturalisés	*milliers*	853[c]	1 320[d]	1 775[b]	
Étrangers	*milliers*	1 744[c]	2 621[d]	3 582[b]	
dont CEE (12 pays)	*milliers*			1 300[b]	
Autres	*milliers*			2 282[b]	
Naissances	*milliers*	858	848	762	744
Décès	*milliers*	530	540	526	542
Excédent naturel	*milliers*	328	308	233	202
Solde migratoire	*milliers*	35	180	80	50
Taux bruts					
Taux brut de mortalité	*pour mille*	12,7	10,6	9,3	9,2
Taux brut de natalité	*pour mille*	20,5	16,7	13,4	12,7
Taux d'accroissement naturel	*pour mille*	7,8	6,1	4,1	3,5
Indicateurs synthétiques ou spécifiques					
Indicateur conjoncturel de fécondité[g]		2,93	2,47	1,78	1,77
Descendance finale[e,g]		2,54	2,29	2,08	[f]
Espérance vie à la naissance :					
Sexe masculin	*années*	63,4	68,4	72,7	74,8
Sexe féminin	*années*	69,2	75,8	80,9	82,3
Ensemble	*années*	66,4	72,1	76,8	78,6
Taux de mortalité infantile	*pour mille*	52,3	18,2	7,3	4,8

a. Au 1er janvier ; b. Au recensement de 1990 ; c. Au recensement de 1946 ; d. Au recensement de 1968 ; e. De la génération née 27 ans plus tôt (pour 1950 et 1970) ou 29 ans plus tôt (pour 1990) ; f. Non disponible ; g. Voir définition dans l'article p. 54 et ci-dessous.

obtient l'*indicateur conjoncturel de fécondité*, qui mesure ce que serait le nombre moyen d'enfants par femme si les taux de fécondité par âge observés au cours de l'année restaient toujours les mêmes. Cet indicateur permet de suivre précisément l'évolution de la fécondité du moment [*figure 2*].

Dans les années trente, il était de l'ordre de 2,1 enfants par femme. Au lendemain de la guerre, il s'est brusquement élevé à 3,0, sous l'effet du baby-boom. Contrairement à celui qui avait suivi la Première Guerre mondiale, celui-ci n'a pas été qu'un simple rattrapage des naissances qui n'avaient pas eu lieu pendant la guerre. La fécondité est en effet restée à un niveau relativement élevé (supérieur à 2,3) pendant trente ans, frisant même à nouveau les 3 enfants par femme en 1964 (2,9). Cependant, durant les années soixante-dix, elle tombe, pour la première fois dans l'histoire, à moins de 2 (1,8 en 1978). À partir de 1983, elle oscille entre 1,6 et 1,8 (1,77 en 1999).

Ni le baby-boom ni la baisse des années soixante-dix n'ont été de simples aléas conjoncturels. Chacun de ces deux mouvements a relevé de changements fondamentaux dans le comportement procréateur des couples. Cependant, l'image qu'en donne l'évolution de l'indicateur conjoncturel n'est pas parfaite car celui-ci combine les résultats durables de ces mouvements fondamentaux avec les effets provisoires de changements de calendrier dans la constitution des familles. Ainsi la pointe de fécondité des années 1946-1949 constitue-t-elle la part du baby-boom strictement due au rattrapage du retard imposé par la guerre : *grosso modo* des couples de 25-30 ans, empêchés de procréer pendant la guerre, le font après, en même temps que les nouveaux couples de 20-25 ans, et l'indicateur conjoncturel s'élève brusquement. Inversement, c'est sous l'effet d'un rajeunissement de l'âge au mariage et d'une avance prise par de jeunes couples dans la constitution de leur famille que celui-ci passe par un deuxième pic en 1964. Mais en contrepartie, dans les années qui suivent, la fécondité tombe à mesure que se résorbe cet effet de calendrier.

Pour rendre compte de la fécondité réelle des couples, indépendamment de ces effets de calendrier, on utilise généralement un autre indicateur, la *descendance finale*, obtenue en additionnant non plus les taux de fécondité par âge d'une année civile, mais les taux observés à chaque âge dans une génération de femmes durant toute sa vie féconde. Par exemple, au lieu d'additionner les taux à 15, 16, 17, ..., 50 ans de l'année 1991, pour obtenir l'indicateur conjoncturel de cette année-là, on additionne les taux à 15 ans en 1956, à 16 ans en 1957, à 17 ans en 1958, ..., à 50 ans en 1991, pour obtenir la descendance finale de la génération 1941. Théoriquement, pour connaître la descendance finale d'une génération, il faut attendre qu'elle ait terminé sa vie féconde, ce qui veut dire qu'en 1999 la génération la plus récente pour laquelle cet indicateur est définitivement connu est celle qui est née 50 ans plus tôt, soit en 1949. Cependant, la fécondité étant encore aujourd'hui très faible après 40 ans, on peut disposer d'estimations provisoires pour 15 années supplémentaires, ce qui permet actuellement de suivre l'évolution de la descendance finale jusqu'à la génération 1959.

Au prix de quelques hypothèses sur la poursuite des tendances actuelles, l'INED a même publié des estimations jusqu'à la génération 1967 [*pointillés de la figure 2*].

On ne devrait normalement pas placer sur un même graphique la descendance finale, qui est calculée par génération, et l'indicateur conjoncturel, calculé par année. On le fait cependant de manière assez habituelle en repérant les générations non pas par leur année de naissance, mais par l'année où elles atteignent l'âge moyen à la maternité (cet âge étant de 29 ans au milieu des années quatre-vingt-dix). Cela permet de voir qu'à l'évolution assez chaotique de l'indicateur conjoncturel correspond une trajectoire beaucoup plus régulière du comportement fondamental des couples. Mais on a dans le même temps la confirmation que ce comportement a changé. Alors que les générations de femmes nées au début du siècle avaient eu en moyenne 2,2 enfants, cette descendance finale s'est élevée à 2,6 pour les générations nées dans les années trente et s'est à nouveau abaissée à 2,1 pour les générations nées dans les années cinquante.

C'est en grande partie grâce à ce renouveau de la fécondité propre à une trentaine de générations que la population française

Fig. 1 Évolution démographique comparée 1740-1990[a]

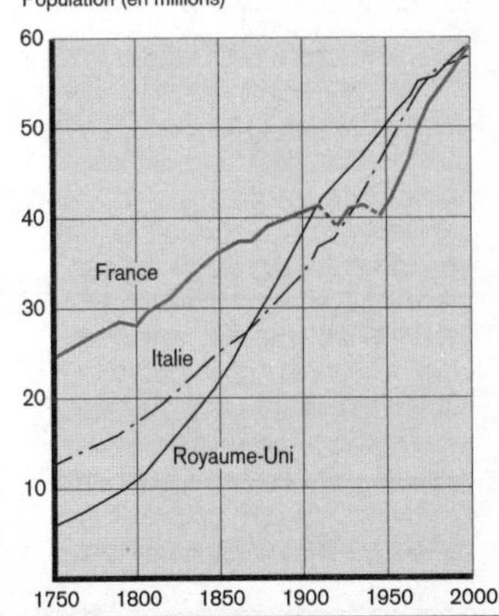

a. Territoires actuels.

a pu s'accroître plus rapidement que jamais depuis la Seconde Guerre mondiale. Mais ce mouvement exceptionnel a pris fin dans les années soixante-dix. À tel point que certains auteurs, les yeux rivés sur l'indicateur conjoncturel, voient aujourd'hui la France menacée de dépopulation. D'autres, cependant, estiment au contraire qu'elle est en voie de stabilisation, constatant que la descendance finale n'est pas encore tombée au-dessous de 2,1, seuil fatidique assurant le strict remplacement des générations (ce seuil tient compte du rapport de masculinité à la naissance et de la mortalité avant l'âge moyen à la maternité).

En réalité, la question est difficile à trancher. Il est vrai que l'indicateur conjoncturel est depuis le milieu des années soixante-dix constamment inférieur à 2 (le plus souvent proche de 1,8) et que si cette situation durait encore quelques années, la descendance finale le rejoindrait à ce niveau nettement inférieur au seuil de remplacement des générations, ce que montrent bien les extrapolations de la figure 2. Mais il se peut aussi que le niveau bas actuel de l'indicateur conjoncturel soit encore le résultat d'un changement de calendrier, l'évolution des comportements matrimoniaux et du rôle de la femme dans la société ayant entraîné un retard dans la constitution des familles.

En fait, tout se jouera dans les prochaines années : ou bien la constitution des familles ne souffre que d'un retard et, une fois le nouveau calendrier de la fécondité installé, l'indicateur conjoncturel va brusquement se relever et dépasser les 2,1 ; ou bien, au contraire, c'est d'une réelle réduction de la dimension des familles qu'il s'agit et c'est la descendance finale qui s'installera durablement au-dessous de 2 dans les générations nées dans les années soixante.

Certains éléments jouent en faveur de la première hypothèse, puisque depuis les années quatre-vingt les taux de fécondité au-dessus de 30 ans remontent et cela donne bien l'impression que les femmes de ces âges qui avaient retardé leur maternité la réa-

Fig. 2 Évolution des indicateurs de fécondité

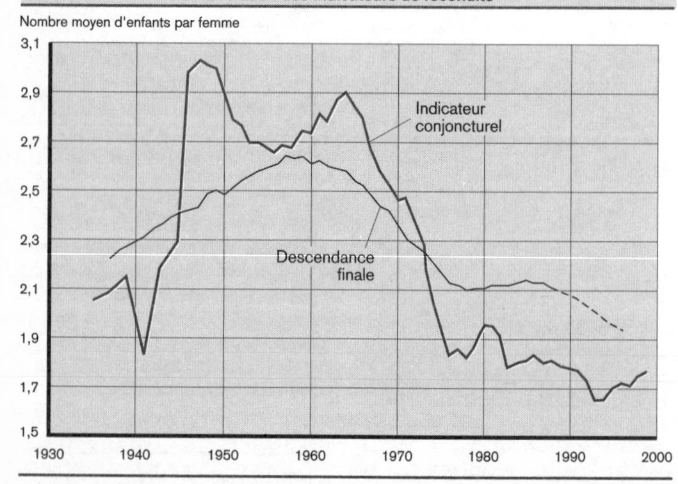

NB en pointillés : valeurs estimées par extrapolation des tendances récentes.

lisent plus tard. Cependant, les taux continuent à baisser aux jeunes âges, ce qui freine la remontée de l'indicateur conjoncturel, et la question est de savoir où s'arrêtera ce mouvement et quelles conséquences il aura pour la descendance des jeunes générations.

D'après les estimations de l'INED, la descendance finale des générations nées à la fin des années soixante s'établirait sensiblement en dessous de 2,1 enfants par femme, mais cette estimation repose sur une hypothèse que les dernières années de vie féconde de ces générations peuvent encore démentir.

Reprise de la baisse de la mortalité

L'accroissement exceptionnel de l'après-guerre tient aussi à la baisse rapide de la mortalité. Alors que dans les années trente on enregistrait chaque année environ 650 000 décès, ce nombre était tombé à moins de 550 000 à la fin des années quarante.

Comme pour la fécondité, on peut suivre l'évolution de la mortalité grâce à un indicateur synthétique, l'*espérance de vie à la naissance*, construit à partir des taux de mortalité par âge. Cet indicateur mesure, pour une année donnée, ce que serait la durée moyenne de vie d'une génération de nouveau-nés qui serait soumise à tous les âges aux taux de mortalité par âge observés cette année-là. De 1930 à 1960, l'espérance de vie à la naissance a beaucoup augmenté, passant de 54 à 67 ans pour les hommes et de 59 à 74 ans pour les femmes. Dans les dix années suivantes, les progrès ont été plus lents, mais leur rythme s'est à nouveau accéléré dans les années soixante-dix, l'espérance de vie passant selon le sexe de 68 et 76 ans en 1970 à 75 et 82 ans en 1999.

Au lendemain de la guerre, le progrès sanitaire s'était fortement accéléré avec l'arrivée des antibiotiques et la mise en place de la Sécurité sociale. La victoire contre les maladies infectieuses apparaissait complète et définitive et la mortalité infantile, qui autrefois constituait l'enjeu essentiel, se trouvait réduite à sa plus simple expression. Mais, en même temps, les possibilités de voir se poursuivre au même rythme la croissance de l'espérance de vie semblaient disparaître. Certains auteurs pensaient même que l'on approchait d'un plafond infranchissable. Durant quelques années, les faits ont semblé leur donner raison, puisque la décennie soixante a été marquée par un net ralentissement de la montée de l'espérance de vie. Pour le sexe masculin, ce ralentissement s'est même traduit par une quasi-stagnation. Avec les années soixante-dix, toutefois, le progrès a repris et il s'est poursuivi depuis à un rythme soutenu [*figure 3*].

Entre-temps, le succès remporté contre les maladies infectieuses a été relayé par une efficacité croissante de la lutte contre d'autres aspects de la pathologie qui paraissaient jusqu'alors hors d'atteinte : maladies cardio-vasculaires et cancers. Certes, dans les années cinquante et soixante, la mortalité due à certaines maladies cardio-vasculaires avait déjà commencé à reculer, mais ce mouvement n'avait qu'une faible portée eu égard à celui de la mortalité infectieuse. Il s'est accéléré dans les années soixante-dix et, au début des années quatre-vingt,

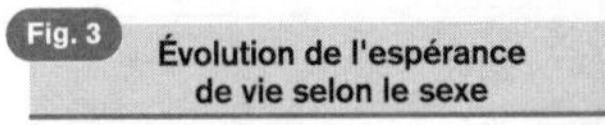
Fig. 3 Évolution de l'espérance de vie selon le sexe

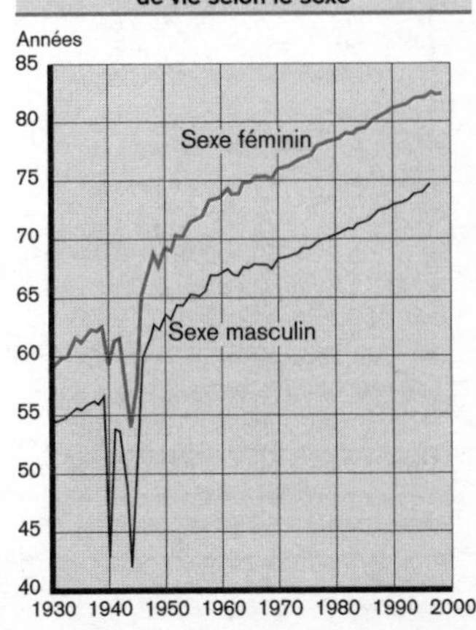

c'est la mortalité par maladies ischémiques du cœur, jusqu'alors en forte progression, qui à son tour est entrée dans la baisse et désormais toute la pathologie cardio-vasculaire est en recul.

La situation est moins nette pour les cancers. Pour certains d'entre eux, la mortalité a fortement diminué (estomac, utérus), mais, pour d'autres, elle continue à augmenter. Cependant, la lutte contre le tabagisme a enfin commencé à porter ses fruits puisque la mortalité par cancer du poumon, après avoir très fortement augmenté, a commencé à diminuer. De ce fait, la mortalité – tous cancers confondus – qui augmentait chez les hommes a elle-même amorcé un repli. Chez les femmes, elle reste nettement orientée à la baisse.

C'est parce que cette nouvelle étape du progrès sanitaire a été franchie plus tôt et plus nettement par les femmes que par les hommes que l'écart d'espérance de vie entre les deux sexes s'est accru jusqu'à la fin des années soixante-dix. Après avoir ensuite plafonné à 8,2 ans durant les années quatre-vingt, cet écart a commencé à se réduire dans les années quatre-vingt-dix (7,5 ans en 1999). Quoi qu'il en soit, depuis 1970 la reprise du progrès sanitaire est nette, tant pour les hommes que pour les femmes, et contrairement à ce qui se passe pour la fécondité, il n'y a aucun doute qu'il se poursuive encore assez longtemps.

Coup de frein sur l'immigration

Les flux migratoires sont beaucoup plus mal connus que le mouvement naturel des naissances et des décès car il n'existe pas de système d'enregistrement exhaustif des déplacements migratoires à l'entrée dans le pays, et encore moins à la sortie. On peut cependant obtenir une vue globale sur le solde migratoire en défalquant, d'un recensement à l'autre, l'excédent des naissances sur les décès de l'accroissement intercensitaire total [*tableau 1*]. On peut, à partir

Fig. 4 Soldes migratoires annuels[a]

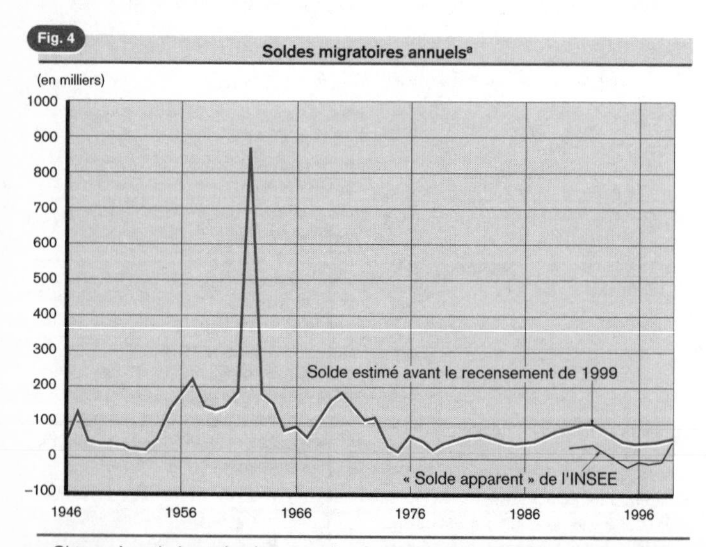

a. Obtenus à partir des estimations annuelles de population de l'INSEE et des naissances et décès enregistrés à l'état-civil.

Fig. 5
Pyramide des âges

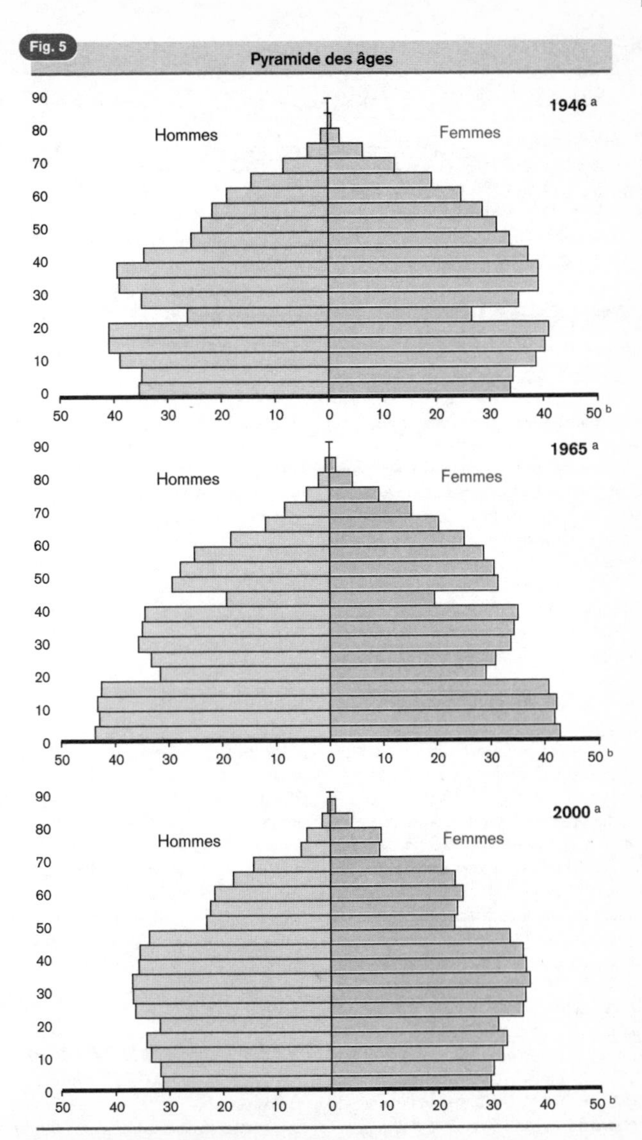

a. Au 1er janvier ; b. Proportion pour 1 000.

Références

« La France et sa population », *Cahiers français*, n° 259, La Documentation française, Paris, 1993.

INED, *27e rapport sur la situation démographique de la France*, Ministère de l'Emploi et de la Solidarité, Paris, sept. 1998.

INED, *Populations. L'état des connaissances. La France, l'Europe, le monde*, La Découverte, Paris, 1996.

J. Vallin, *La Population française*, La Découverte, « Repères », Paris, 1995 (3e éd.).

Voir aussi Index, mot clé « Population ».

@ **Site Internet**

INED (Institut national d'études démographiques) : **http://www.ined.fr**

de là, ajuster les évaluations annuelles, davantage sujettes à caution.

De longue date, la France est un pays d'immigration. Le phénomène a pris de l'ampleur dès le XIXe siècle, en raison même de la manière atypique dont ce pays a vécu la « transition démographique ». Alors que dans la plupart des pays européens le retard de la baisse de la fécondité sur celle de la mortalité a dégagé des excédents naturels exceptionnels et induit d'importants flux d'émigration, la France, où la fécondité a baissé aussi tôt et aussi vite que la mortalité, a été dès cette époque un pays d'immigration.

Le mouvement s'est amplifié au lendemain de la Première Guerre mondiale, d'importants contingents de Belges, Polonais, Italiens, Nord-Africains ou Indochinois venant compenser en partie l'hécatombe militaire. La crise économique des années trente et la Seconde Guerre mondiale ont certes mis en veilleuse ce phénomène séculaire, mais celui-ci est réapparu avec force après la Libération [*figure 4*], non plus tant pour compenser des pertes de guerre, plus modestes qu'en 1914-1918 (pointe de 1946-1947), mais, surtout à partir de 1954, pour répondre aux besoins en main-d'œuvre d'une économie en pleine expansion. Les arrivants vinrent cette fois pour l'essentiel d'abord d'Espagne et du Portugal, puis du Maghreb, d'Afrique noire et des Antilles.

La crise économique change à nouveau la situation. Certes, la fermeture des frontières décidée en 1974 et réaffirmée à plusieurs reprises depuis n'est pas totalement étanche, mais l'immigration a subi un sérieux coup de frein. Bien que la pression démographique soit à son comble au sud de la Méditerranée, le nombre des entrées en France n'a jamais dépassé, depuis, celui des sorties de plus de 100 000 par an [*tableau 1*].

Les résultats du recensement de 1999 pourraient même faire croire que le solde net de l'immigration est devenu presque nul au cours des années quatre-vingt-dix. Le solde annuel « apparent » estimé par l'INSEE après le dernier recensement oscille en effet autour de 0 [*figure 4*], avec un total cumulé 1990-1999 de seulement 61 000 immigrants nets [*tableau 1*]. Cependant, de l'aveu même de l'INSEE, cela provient d'une sous-estimation de la population au recensement de 1999 un peu plus forte qu'à celui de 1990. L'INSEE estime d'ailleurs à nouveau l'immigration nette à 50 000 personnes en 1999.

Vieillissement de la population

À tout moment, la répartition par âge d'une population dépend de la fécondité, de la mortalité et des migrations qu'elle a connues dans le passé. C'est sous l'effet combiné de l'évolution de ces trois phénomènes qu'elle se modifie avec le temps. La baisse de la fécondité, en faisant baisser le nombre des naissances, réduit progressivement la proportion de jeunes et fait donc « vieillir » la pyramide des âges. L'effet de la baisse de la mortalité est moins évident : quand il s'agissait autrefois, pour l'essentiel, de la baisse de la mortalité infantile, celle-ci tendait plutôt à « rajeunir » la population, mais depuis que la progression de l'espérance de vie dépend presque exclusivement de la baisse de la mortalité aux grands âges, elle contribue elle aussi au vieillissement démographique. Quant à l'immigration, elle tend à retarder ce phénomène de vieillissement dans la mesure où les arrivants sont le plus souvent de jeunes adultes. Si on ajoute à cela les marques profondes des deux guerres mondiales, on comprend que l'évolution récente de la pyramide des âges française soit assez complexe [*figure 5*].

La pyramide de 1946 est celle d'une population vieillissante sous l'effet de la baisse séculaire de la fécondité et marquée par les déficits de naissances des deux guerres mondiales. On retrouve de façon à peu près homothétique sa silhouette dans la partie haute de la pyramide de 1965 (au-dessus de 20 ans) mais, à cette date, la population française se trouve considérablement « rajeunie » par le baby-boom qui renforce les effectifs à la base de la pyramide. En 2000, les classes creuses de la Première Guerre mondiale sont au sommet de la pyramide, ce qui atténue fortement l'effet « vieillissant » de l'allongement de l'espérance de vie, mais déjà les classes pleines des années 1920-1924 dépassent 75 ans, prélude à une accélération prochaine du vieillissement. Celle-ci sera à peine atténuée par la montée des classes creuses de la Seconde Guerre (en partie compensées par l'immigration) mais massivement accentuée par celle des classes pleines du baby-boom qui atteindront 60 ans à partir de 2005. Dans le même temps, la base de la pyramide se trouve à nouveau en 2000 amoindrie par la baisse de la fécondité observée depuis 1965. Ainsi la population française vieillit-elle désormais à la fois « par le haut » et « par le bas ».

Si l'on s'en tient aux grands groupes d'âges [*tableau 2*], le changement de structure observé depuis 1946 n'est, globalement, pas très important. La proportion des plus de 65 ans est passée de 11 % à 16 %, tandis que celle des moins de 20 ans reculait de 30 % à 26 %. C'est parce que le baby-boom et l'immigration ont retardé l'échéance. Mais, quoi qu'il arrive du côté de la fécondité, le vieillissement démographique va, inéluctablement, s'accélérer dans les prochaines décennies sous le double effet de la montée des classes pleines et de la réduction de la mortalité aux grands âges. On voit dès aujourd'hui que le phénomène est beaucoup plus prononcé chez les femmes, qui ont davantage bénéficié que les hommes de l'allongement de la vie (la part des 65 ans et plus est pour elles passée de 13 % à 18 % au lieu de 9 % à 13 % pour les hommes).

Vieillissement démographique ne doit cependant pas être confondu avec vieillissement physiologique individuel. On est aujourd'hui à 65 ans moins « vieux » que jadis et si le vieillissement démographique appelle à coup sûr un réaménagement de la société, il ne doit pas être entendu automatiquement comme une calamité.

Diminution du nombre des étrangers depuis la fermeture des frontières

Le nombre d'étrangers résidant à un moment donné sur le sol français ne dépend pas seulement de l'apport migratoire passé mais aussi des naissances d'étrangers (diminuées des décès) et des naturalisations. Les différents recensements permettent de dresser un bilan [*tableau 3*].

De 1946 à 1982, le nombre total d'étrangers recensés en France est passé de 1,7 à 3,7 millions, l'immigration nette, grossie de son propre excédent naturel, l'emportant jusqu'à cette date sur les naturalisations. Depuis, au contraire, avec les effets de la fermeture des frontières (1974), les naturalisations l'emportent et le nombre des étrangers diminue. Si l'immigration ne reprend pas, l'érosion du nombre des étrangers s'accentuera sous l'effet cumulatif des naturalisations et de la réduction du nombre de naissances étrangères. La proportion actuelle (6 % de la population totale en 1990 – le résultat du recensement de 1999 n'est pas disponible), qui est plus modeste que certains voudraient le faire croire, ira en s'amenuisant. ■

Familles et générations

Grandes tendances

Martine Segalen

Ethnologue, Université Paris-X-Nanterre

Deux faits majeurs et contradictoires caractérisent la sociologie de la famille en ce tournant de siècle : si les mutations familiales telles qu'on les mesurait avec grande inquiétude dans les années soixante-dix à l'aide des taux de nuptialité, divortialité, fécondité, concubinage semblent maintenant achevées, tout le monde s'accorde à reconnaître la pluralité des formes familiales qui trahit la fragilité de la conjugalité ; par ailleurs, la conjoncture socioéconomique et démographique qui s'est mise en place depuis le milieu des années quatre-vingt dessine des liens familiaux intergénérationnels très actifs. Ces deux traits s'inscrivent dans un contexte idéologique valorisant la famille, laquelle reste en tête des valeurs chéries par la jeunesse, mais dans un contexte économique qui donne encore à douter de la continuité des processus de mobilité sociale ascendante.

Des formes familiales plurielles

Alors que le siècle s'est ouvert sur la morale triomphante de la famille bourgeoise, bien assise sur les certitudes d'un modèle familial unique dans lequel l'homme, tout-puissant au plan légal, incarnait les valeurs du *pater familias*, tandis que la femme se consacrait à la vie domestique (et sociale, selon les moyens dont disposait la famille) et à l'élevage et l'éducation des enfants, il s'achève sur la pluralité des formes conjugales. Aux côtés de couples formés devant la loi, une proportion importante de couples non mariés s'installent dans la durée (ou espèrent s'y installer). Le choix de l'union libre, sans hostilité à l'égard du mariage, signe la privatisation du sentiment amoureux. 40 % des premières naissances ont eu lieu hors mariage en France en 1999.

Le lien de couple, qu'il soit de l'ordre conjugal-légal ou qu'il relève du concubinage, est aujourd'hui très fragile. Les divorces concernent le tiers des couples mariés, et s'il est, par définition, impossible d'évaluer les ruptures d'unions informelles, celles-ci sont sans doute à peu près du même ordre. Les séparations débouchent alors soit sur des formes dites monoparentales (en grande majorité, des mères élevant seules leurs enfants), soit sur des recompositions familiales qui obligent les couples et leurs parentés à inventer de nouveaux liens avec les enfants issus de ces différentes unions.

Le prix de la liberté, d'un certain souci du « moi » avant celui du « nous », le rétrécissement de la notion de « vie privée » à celle de l'individu conduisent à des situations inconfortables : le lien conjugal est défait, mais le lien parental subsiste. Or ces deux liens ne sont pas du même ordre. Ceux de la conjugalité associent des partenaires égaux et libres de rompre d'un commun accord leur union, tandis que les liens parents-enfants sont en général indissolubles. Dans le cas de recompositions familiales s'observe un certain flottement dans les liens de filiation. Quel est celui qui prime, le lien biologique ou le lien social ? Quelle place donner au nouveau conjoint ou compagnon de la mère qui élève l'enfant au quotidien, si le père biologique ne le voit que rarement, sinon jamais ? Et comment se tissent les liens avec les grands-parents de

Tab. 1

Structure et composition des ménages (en 1986 et 1999, en %)

Caractéristiques des ménages	1986	1999
Ménages comprenant un couple (total)[a]	**63,5**	**60,4**
Homme et femme actifs	30,5	28,9
Homme actif, femme inactive	15,8	10,2
Homme inactif, femme active	2,5	3,2
Homme et femme inactifs	14,7	15,8
Familles monoparentales (total)[b]	**5,3**	**7,1**
Homme + enfant(s)	0,9	1,1
Femme + enfant(s)	4,4	6,0
Ménages d'une personne (total)[c]	**26,7**	**30,5**
Homme	9,1	12,2
Femme	17,6	18,3
Autres ménages[d]	**4,6**	**2,0**
Ensemble des ménages (milliers)	20 586	24 151

a + b + c + d = 100 %.
Source : INSEE, enquête « Emploi », tableau MEN 01.

Tab. 2

Comparaison européenne (1997)

Pays	Indicateur conjoncturel de fécondité[a]	% des naissances hors mariage	Taux brut de nuptialité	Divorces pour 1 000 habitants[b]	Espérance de vie (années)	
					Hommes	Femmes
UE (15)	1,44	24	5,0	1,8	74,1[b]	80,5[b]
France	1,71	39	4,9	2,1	74,2	82,1[b]
Allemagne	1,36	18	5,1	2,1	73,7	80,0
Royaume-Uni	1,71	37	5,4	2,9	74,3[b]	79,5[b]
Italie	1,22	8	4,8	0,6	74,9	81,3
Espagne	1,15	11	4,8	0,8	74,4[b]	81,6[b]
Suède	1,52	54	3,6	2,4	76,7	81,8
Suisse	1,48	8	5,5	2,3	76,1	82,2

a. Enfants par femme entre 15 et 44 ans ; b. 1996.
Source : Eurostat.

INDICATEUR	UNITÉ	1970	1980	1999
Part des femmes dans la population	%	51,2	51,2	51,3
État matrimonial (pop. 15 ans et +)				
Célibataires (100 %)	%	26,5[c]	27,7[d]	33,3[a]
Mariés (100 %)	%	61,9[c]	60,1[d]	52,3[a]
Veufs (100 %)	%	9,3[c]	8,9[d]	8,3[a]
Divorcés (100 %)	%	2,3[c]	3,3[d]	6,1[a]
Célibataires hommes (25-49 ans)	%	16,8	18,0	35,0[a]
Célibataires femmes (25-49 ans)	%	10,4	12,2	26,9[a]
Divorcés hommes (25-49 ans)	%	2,2	3,3	7,1[a]
Divorcées femmes (25-49 ans)	%	3,0	4,8	9,1[a]
Mariages	*milliers*	394	334	285
Taux brut de nuptialité	*g*	7,8	6,2	4,9
Âge moyen au premier mariage	*(hommes)*	24,4	25,2	30,0[a]
Âge moyen au premier mariage	*(femmes)*	22,4	23,0	28,0[a]
Divorces	*milliers*	39	81	116,2[a]
Taux de divortialité	*h*	11,8	22,3	38,0[e]
Divorcés se remariant				
Hommes divorcés	*% des mariages*	7,5[c]	10,6	17,2[a]
Femmes divorcées	*% des mariages*	6,7[c]	9,7	16,0[a]
Ménages d'une personne	*% des ménages*	22,0[c]	24,6[d]	30,4
Familles monoparentales	*% des ménages*	4,4	4,5	7,1
Cohabitation hors mariage	*% des couples*	3,6[c]	6,3[d]	16,5
avec enfant *(% des couples non mariés)*		• •	31,0[d]	46,0
Naissances hors mariage	%	6,8	11,4	39,0[a]
Taux d'activité et genre				
Taux masculin d'activité[b] (25-44 ans)	%	97,0[c]	97,2	94,7
Taux féminin d'activité (25-44 ans)	%	58,9[c]	65,2	79,1
Taux d'activité des femmes *(25-34 ans)*[i]	%	54,8	69,5	78,1
sans enfants *(0-17 ans)*	%	75,0	85,7	90,1
avec 1 enfant *(0-17 ans)*	%	60,5	76,5	83,9
avec 2 enfants *(0-17 ans)*	%	28,9	49,5	65,7
avec 3 enfants et + *(0-17 ans)*	%	13,4	19,7	39,9
Indices de fécondité				
Indicateur conjoncturel de fécondité	*j*	2,47	1,94	1,77
Descendance finale	*k*	2,51	2,31	2,08[m]
Structure des ménages avec couple		**1986**	**1990**	**1999**
Total	*milliers*	13 163	13 989	14 603
dont la femme				
est sans enfants	*% du total*	51,6	54,5	58,1
a 1 enfant *(0-17 ans)*	*% du total*	20,7	19,6	18,1
a 2 enfants *(0-17 ans)*	*% du total*	18,4	17,2	16,4
a 3 enfants et + *(0-17 ans)*	*% du total*	9,3	8,6	7,4

a. 1997 ; b. Y compris le contingent ; c. 1975 ; d. 1982 ; e. 1996 ; f. Non disponible ; g. Nombre de mariages pendant l'année pour 1 000 habitants ; h. Nombre de divorces pendant l'année pour 100 mariages ; i. Femmes avec conjoint ; j. Nombre d'enfants qu'aurait une femme pendant sa vie si, à chaque âge, elle connaissait le taux de fécondité de la période en question. Voir définition p. 56 ; k. De la génération née 28 ans plus tôt. Voir définition p. 54 ; m. 1988.
Sources : Recensements, INSEE (enquête « Emploi » et « Bilan démographique » 1999, *Bulletin mensuel de la statistique*).

ces multiples lignées ? Incapable d'imposer des normes, le droit est appelé de plus en plus souvent à gérer des conflits, renvoyant les individus à leurs incertitudes.

La diversité des structures familiales, que la société a aujourd'hui intégrée, est renforcée par la diversité des modèles d'éducation. Si tout le monde s'accorde à chercher l'épanouissement du tout-petit, les normes sont moins claires lorsque vient l'âge de la scolarité puis de l'adolescence. Balayés, les modèles autoritaires ; c'est d'une « démocratie familiale » qu'il faut parler, souvent inconfortable pour les jeunes à la recherche de repères, mais aussi pour les parents. Comment ceux-ci peuvent-ils tout à la fois accorder aux jeunes la liberté qui leur permettra d'épanouir leur personnalité et leur faire assumer les contraintes d'une réussite scolaire à laquelle les familles sont obsessionnellement attachées ? Et lorsque les valeurs, les manières d'être en famille qui s'expriment souvent dans les gestes les plus anodins – l'hygiène, les conduites vestimentaires, alimentaires, langagières, les manières de se tenir à table – divergent au sein des constellations familiales dans lesquelles les jeunes issus de familles recomposées circulent, le flottement devient insupportable.

Le droit en débat et l'adoption du PACS

C'est pour répondre à ces interrogations de fond que le gouvernement Jospin a confié à une équipe de sociologues de la famille et du droit, sous la direction d'Irène Théry, la tâche d'établir un état des lieux de la famille en France et de faire des propositions concrètes en matière d'aménagement du Code civil. Celles-ci concernent notamment le divorce, dont les procédures – dans certaines circonstances – pourraient être allégées, et la filiation, pour laquelle on propose d'organiser dans un cadre légal une participation du beau-parent à l'exercice de l'autorité parentale.

D'une tout autre veine est l'adoption du Pacte civil de solidarité (PACS), qui a été l'objet de débats enflammés au cours des années 1998-1999, considérée par les uns comme un « progrès de société », et par les autres comme une réforme « inappropriée », une « formule inadaptée aux besoins de la famille ». Un PACS, signé en préfecture, ouvre un contrat entre deux personnes, de sexe différent ou de même sexe, instituant entre elles une solidarité mutuelle et matérielle, et donnant des droits en matière fiscale, sociale et successorale.

Si ce pacte met un terme au déni juridique de l'existence des couples homosexuels, il constitue aux yeux de certains sociologues du droit une aberration juridique – ce pacte étant d'autant plus inutile que le concubinage de même sexe a été intégré dans le Code civil. De plus, on peut y voir un coup

Fig. 1 La solidarité sur trois générations

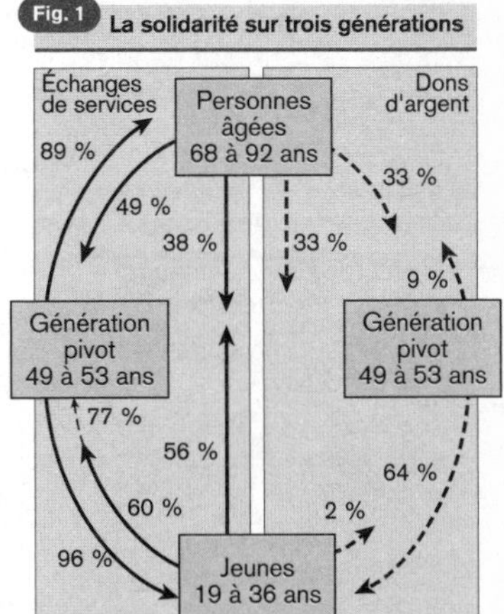

Exemple de lecture : « Dans la génération pivot, 9 % font des dons d'argent à leurs parents et 64 % à leurs enfants. »

Source : C. Attias-Donfut, « Le double circuit des transmissions », *in* C. Attias-Donfut (sous la dir. de), *Les Solidarités entre générations : vieillesse, famille, État*, Nathan, Paris, 1995.

porté au choix de l'union libre par les concubins, dont on sait qu'elle est fondée sur une idéalisation amoureuse, alors réduite à un simple contrat de bien. Par ailleurs, le PACS minore la notion de couple, puisque le principe de vie commune est absente du texte, ce que le Conseil constitutionnel n'a pas manqué de souligner. Au vu de ces critiques, la création d'une union spécifique pour les couples de même sexe apparaissait comme une formule possible, laissant les autres choisir entre mariage et concubinage, sans leur imposer cette troisième voie.

Même si ce droit est absent de la loi, le PACS a semblé ouvrir la voie à l'adoption pour les homosexuels. Cela explique la virulence des débats et pourrait alimenter, au-delà des clivages politiques et religieux, le « malaise dans la filiation » qui caractérise ce tournant de siècle. Les procréations médicalement assistées, à l'origine de ce malaise, semblent d'ailleurs des manipulations sans commune mesure avec les perspectives du clonage, propres à compromettre un peu plus encore l'édifice symbolique sur lequel repose le système de parenté.

Le recul de l'âge au mariage et à la première maternité

Les incertitudes de la vie privée se conjuguent à la précarité de la vie économique qui touche en priorité ces bâtisseurs de famille que sont les jeunes. Se vérifie, une fois de plus, et de façon tristement éclatante, le lien entre le familial et l'économique. La stagnation du nombre des mariages (autour de 280 000 par an) ne doit pas toujours être mise sur le compte d'une position idéologique – il serait d'ailleurs caricatural d'opposer des cohabitants qui refuseraient de s'engager à des époux qui choisiraient la pérennité –, mais aussi de la difficulté à obtenir un emploi stable donnant la clé d'accès à l'état d'adulte. Ainsi s'explique l'élévation de l'âge à la première naissance qui s'établissait, en 1997, en moyenne à 28 ans. Ce qui était autrefois la « grande arme contraceptive », selon l'expression de l'historien Pierre Chaunu, est aujourd'hui le signe de la prudence des jeunes couples.

Il est clair que le redressement d'une fécondité qui se situe aujourd'hui en France autour de 1,77 – parmi les taux élevés d'Europe – passe par un redémarrage du marché de l'emploi. Il est même assez remarquable que les jeunes couples mettent au monde des enfants dans le climat économique que connaît la France de la fin du XXe siècle. Peut-on y voir un signe encourageant ? Une autre cause de cet âge tardif à la première naissance est, de façon connexe, liée à l'engagement des femmes sur le marché professionnel. On ne soulignera jamais assez les effets du salariat qui, dans un premier temps, ont détaché la famille des processus de transmission patrimoniaux, puis, dans un second temps, ont produit un effet d'autonomisation des individus, permettant aux femmes de rompre les unions au sein desquelles elles ne pouvaient s'épanouir. Les jeunes femmes aspirent à travailler, à la fois pour cultiver leur « pré carré social », et pour contribuer aux ressources du ménage.

En trente ans, on est ainsi passé, de façon radicale, d'une situation à l'autre. En 1960, les jeunes femmes des classes sociales modestes quittaient leur emploi à la naissance de leur premier enfant, et les jeunes femmes de la bourgeoisie ne travaillaient pas. Aujourd'hui, l'emploi féminin a des effets contrastés sur la fécondité : ou bien les femmes parviennent à trouver un emploi et, dans ce cas, retardent la première naissance, ou au contraire, renonçant à en trouver un, procréeront relativement jeunes. Le problème de la garde des enfants en bas âge, avant qu'ils n'aient atteint l'âge de l'école maternelle, reste d'ailleurs une question scandaleusement non résolue. Plus exactement, la question est toujours posée en termes féminins, celui de la « conciliation » des tâches maternelles et du travail professionnel.

En règle générale, la condition féminine, dont on pouvait penser dans les années quatre-vingt qu'elle irait s'améliorant, recule. Les rôles conjugaux ont en définitive peu évolué. Les femmes constituent plus de la moitié des demandeurs d'emploi, celles qui sont diplômées travaillent de longues heures, ce qui rend difficile l'exercice de leur vie privée, et la réforme de l'AGED (Allocation de garde d'enfants à domicile) leur est préjudiciable. Celles-ci n'ont de toute façon pas fait de percée significative dans la hiérarchie des entreprises ; quant à celles qui sont moins dotées en capital scolaire, elles occupent les emplois les moins rémunérateurs ; 85 % des personnes travaillant à temps partiel sont des femmes.

Signe des temps, pour la première fois depuis les années soixante-dix, le taux d'activité des mères de deux enfants a diminué (en 1996 et 1997). Les spécialistes voient dans ce phénomène les effets d'une mesure de politique familiale : l'extension de l'Allocation parentale d'éducation (APE) à taux plein aux familles de deux enfants en 1994. L'amélioration du marché de l'emploi, qui a commencé à faire sentir ses effets à la fin de 1999, et dont les économistes ont assuré qu'elle devrait durer, pourrait contribuer à un renversement de cette situation.

Des relations très actives entre générations

Les effets de la crise durable de l'emploi qu'a connue la société française depuis les années quatre-vingt sur les structures conjugales sont donc considérables, mais ils se font sentir également sur les rapports entre générations. Ceux-ci se redessinent à la faveur d'une conjoncture sociodémographique inédite. L'allongement de la durée de vie rend aujourd'hui communes les familles à trois générations, voire quatre. Les personnes âgées connaissent avant le « quatrième âge », souvent dépendant, un « troisième âge » actif, en général en bonne santé et au cours duquel, grâce à l'État-providence, elles jouissent d'une retraite en moyenne confortable. Un nouveau groupe d'âge est en train de naître, cible des publicitaires et autres agents du marketing, les « seniors ».

Une enquête nationale conduite par la Caisse nationale d'assurance vieillesse (CNAV) en 1992, portant sur les échanges de toute nature entre trois générations, a montré la très grande fréquence des relations et des contacts (qui sont fonction bien évidemment des distances entre les lieux de résidence) ainsi que l'importance des flux d'échange, qu'ils concernent l'habitat, les dons ou les prêts monétaires, les services, etc. Les deux générations aînées ont bénéficié, l'une d'une revalorisation des retraites, l'autre des conditions généreuses des décennies cinquante à soixante-dix. Elles s'emploient ainsi à amortir les effets de la crise de l'emploi sur la jeune génération pour laquelle elles n'espèrent plus une ascension sociale comparable à celle qui fut la leur mais, à tout le moins, un maintien. Il est évident que les effets de cette crise sont atténués par les soutiens dont bénéficient les jeunes, qu'il s'agisse de les héberger après un faux départ et l'échec d'un premier « boulot », ou de se porter caution dans un contrat de location à un jeune ménage qui s'installe. L'enquête de la CNAV révèle l'importance du dispositif de l'État-providence, tel qu'il se manifeste à travers le système des retraites ou par le biais des prestations aux personnes âgées. L'intervention de l'État autorise à la fois l'indépendance des générations et les solidarités familiales : les transferts publics sont redistribués par le biais de transferts privés au sein des familles.

Le domaine de l'habitat, en général, est l'un de ceux qui se trouvent concernés au premier chef par ces solidarités familiales, puisque les Trente Glorieuses ont autorisé une majorité de Français à accéder à la propriété de leur logement. Ils y sont souvent parvenus avec l'aide des ascendants, et à leur tour leurs enfants en bénéficieront à titre d'héritage. Ces pratiques autour de l'habitat révèlent la nature de ces échanges fami-

Références

C. Attias-Donfut (sous la dir. de), *Les Solidarités entre générations. Vieillesse, famille, État*, Nathan, Paris, 1995.

C. Attias-Donfut, M. Segalen, *Grands-parents. La famille à travers les générations*, Odile Jacob, Paris, 1998.

L. Chauvel, *Le Destin des générations. Structure sociale et cohortes en France au XXe siècle*, PUF, Paris, 1998.

J. Commaille, *Les Stratégies des femmes. Travail, famille et politique*, La Découverte, Paris, 1993.

M. Gullestad, M. Segalen (sous la dir. de), *La Famille en Europe. Parenté et perpétuation familiale*, La Découverte, « Recherches », Paris, 1995.

J.-C. Kaufmann, *Sociologie des couples*, PUF, « Que sais-je ? », Paris, 1993.

H. Leridon, C. Villeneuve-Gokalp, « Couples et enfants. Les nouveaux liens familiaux », *Cahiers de l'INED*, Paris, décembre 1994.

C. Martin, *L'Après-divorce. Lien familial et vulnérabilité*, Presses universitaires de Rennes, Rennes, 1997.

M.-T. Meulders-Klein, I. Thery (sous la dir. de), *Les Recompositions familiales aujourd'hui*, Nathan, Paris, 1993.

A. Pitrou, *Les Solidarités familiales*, Privat, Toulouse, 1992.

L. Roussel, *La Famille incertaine*, Odile Jacob, Paris, 1989.

M. Segalen, *Sociologie de la famille*, Armand Colin, Paris, 1996.

F. de Singly (sous la dir. de), *La Famille : l'état des savoirs*, La Découverte, Paris, 1991.

F. de Singly, *Le Soi, le Couple et la Famille*, Nathan, Paris, 1996.

I. Théry, *Couple, filiation et parenté aujourd'hui. Le droit face aux mutations de la famille et de la vie privée*, Odile Jacob/La Documentation française, Paris, 1998.

Voir aussi Index, mots clés « Famille » et « Générations ».

@ Sites Internet

CNAV (Caisse nationale d'assurance vieillesse) : **http://www.cnav.fr**

INED (Institut national d'études démographiques) : **http://www.ined.fr**

liaux qui s'inscrivent bien dans la théorie de Marcel Mauss puisqu'il s'agit de donner, recevoir, rendre – mais de façon différée, et à une génération différente.

Particulièrement représentative de ces échanges familiaux, une nouvelle génération de grands-parents apporte un soutien considérable à leurs enfants en s'investissant dans la garde des petits-enfants, même s'ils sont toujours actifs sur le plan professionnel. La même enquête de la CNAV, soutenue par des entretiens qualitatifs, montre que 87 % des grands-parents gardent leurs petits-enfants sur une base régulière, hebdomadaire ou au cours des vacances. Les relations intergénérationnelles, qui se cristallisent autour des petits-enfants, sont particulièrement intenses parce que les deux générations partagent les mêmes valeurs.

Les liens entre famille et État

Si l'on a, dans les années soixante-dix, évoqué la « famille rempart » ou la « famille bastion » contre les supposées agressions de la vie publique, aujourd'hui les solidarités familiales font figure de contreforts face aux problèmes économiques. Ceux qui sont privés de ces liens sont doublement pénalisés, cumulant handicaps sociaux et économiques. Une enquête conduite par l'INED (Institut national d'études démographiques) portant sur des SDF (sans-domicile fixe) de la région parisienne a montré que le quart d'entre eux, à seize ans, ne vivait déjà plus avec leurs parents. Les liens familiaux par ailleurs si cruciaux pour aider les jeunes générations à s'intégrer dans la vie adulte et le marché de l'emploi comportent cependant un avers, dès lors que le regard se porte vers les personnes âgées dépendantes dont le nombre ne va cesser de s'accroître dans les prochaines décennies. Solidarités publiques et familiales se combinent, et si les familles soutiennent les personnes dépendantes, c'est souvent en complément des aides provenant de l'État. Il n'est pas certain que la diminution de tels transferts se verrait compensée par une augmentation des aides familiales ; bien au contraire, cela fragiliserait les familles les plus démunies. On peut observer d'ailleurs que ce que l'on nomme « soutien familial » est exercé en grande majorité par les femmes, ces femmes de la génération pivot, tiraillées aujourd'hui entre leur rôle de fille et de grand-mère, souvent au détriment de celui d'épouse, ce qu'elles sont encore.

Dans la mesure où les rapports entre générations s'épanouissent dans le cadre de transferts où public et privé se mêlent, on ne peut toucher aux uns sans affecter les autres. Ainsi, les débats autour de la retraite par répartition ou par capitalisation révèlent la crainte d'une remise en cause de la solidarité entre les générations. Chaque individu risquerait en effet de se voir placé devant un délicat arbitrage : dois-je épargner pour ma retraite ou dois-je plutôt financer les études des enfants ? Autant de questions qui montrent que la famille est profondément enclavée, lovée dans le social, le public, et que chacun, tout en étant père, mère, ou aïeul, est aussi un citoyen pris dans l'écheveau de politiques publiques. ■

Cadre de vie
Grandes tendances

Marion Segaud
Sociologie urbaine, Université du Littoral

Pour les aménageurs, le cadre de vie se confond avec le cadre bâti ; mais pour l'habitant, le cadre de vie, c'est le quartier, l'immeuble et même l'ambiance : tout ce qui concerne la vie autour du logement. L'amélioration du confort, constante en France depuis les années cinquante, est aujourd'hui dépassée dans les préoccupations des Français par les conditions du cadre de vie (en 1962, 28,9 % des logements possédaient une baignoire ou une douche et 40,5 % des WC intérieurs ; en 1990 ces équipements ensemble sont présents dans 93,5 % des logements ; le nombre moyen de personnes par logement est passé de 3,2 à 2,5 entre 1963 et 1992 ; le nombre de pièces par logement a augmenté de 3,2 à 4,0, ce qui conduit à une diminution du nombre de personnes par pièce principale de 1 à 0,6).

Les insatisfactions qu'un cadre de vie défectueux provoque et les conflits qui s'ensuivent sont relayés et amplifiés par les

Tab. 1

Qualité de l'environnement des ménages selon le type de commune, l'âge de la personne et le revenu[a] (en % des réponses, janvier 1996)

	Gêné par le bruit[b]	Gêné par la pollution[c]	Actes de vandalisme[d,e]	Vol ou cambriolage de voiture[d,f]	Cambriolage du logement[d]
Type de commune					
Commune rurale	23	14	16	7	2
Agglomérations (hors parisienne)	43	18	36	17	4
Agglomération parisienne (hors Paris)	55	19	46	25	5
Paris	56	26	44	25	5
Âge de la personne de référence					
Moins de 30 ans	53	16	36	24	4
De 30 à 50 ans	44	19	36	20	4
Plus de 50 ans	34	17	29	9	3
Niveau de vie					
Inférieur au premier quartile	38	20	34	12	3
Du premier au 3e quartile	42	17	34	20	5
Statut d'occupation du logement					
Propriétaire ou accédant	34	17	28	13	4
Locataire	49	18	40	19	4
Ensemble	**40**	**18**	**33**	**16**	**4**

a. Lire ainsi : « En zone rurale, 23 % des ménages sont gênés par le bruit alors que dans l'ensemble de la population 40 % des ménages sont gênés par le bruit » ; b. Une nuisance provoquée par le bruit peut provenir de la circulation, d'un aéroport, d'une voie de chemin de fer, des passants, de commerces aux alentours du logement ou encore du voisinage ou d'une autre source extérieure au logement ; c. Gêné par la pollution signifie que la pollution rend difficile d'ouvrir les fenêtres d'au moins une des pièces du logement ; d. Ces événements ont pu avoir lieu au cours des années 1994 et 1995 ; e. On entend par actes de vandalisme des détériorations ou des destructions de biens publics ou de parties communes d'immeubles (des halls, des parkings...) purement gratuites ; f. La proportion est calculée sur les seuls ménages disposant d'une voiture.

Source : enquête permanente sur les Conditions de vie des ménages, INSEE, janv. 1996.

médias, comme en témoignent l'impact plus grand des « sujets » concernant les quartiers dans les journaux télévisés et l'apparition de journaux télévisés plus locaux.

Les nombreuses tentatives d'innovations architecturales financées par l'État sont restées limitées. Elles correspondent souvent à des supputations de la part de certains spécialistes de marketing et concernent les tendances des modes d'habiter dans l'avenir. La détection, par exemple, d'un nouvel hédonisme qui s'inscrirait dans l'habitat a déclenché chez les concepteurs une réflexion « moderniste » sur la cellule logement. Le peu de succès de ces innovations peut s'expliquer, d'une part, parce que 91 % des Français se disent « satisfaits » de leur logement (sondage Sofres, 1994), d'autre part, parce que le cadre de vie est devenu une préoccupation majeure des années quatre-vingt-dix. Cela s'ajoute au fait que, la crise immobilière aidant, la demande solvable a permis pendant plusieurs années un choix qui portait sur l'ensemble des logements de la classe moyenne proposés en achat ou en location.

Le rôle de l'architecture dans le cadre de vie

La perception du cadre de vie s'élargit d'abord à l'architecture : il y a là un effet médiatique tout autant qu'une perception collective plus aiguë du cadre de vie. Les sondages montrent que l'architecture peut être de manière croissante associée au cadre de vie, mais que sa perception en tant que telle reste infraculturelle, 71 % des personnes interrogées ne pouvant pas citer le nom d'un seul architecte.

L'intégration de l'architecture au cadre de vie a un double sens : d'abord, les habitants ne perçoivent bien l'architecture qu'à travers cette intégration au contexte, ensuite la technostructure s'efforce de promouvoir l'amélioration du cadre de vie à travers l'architecture comme en témoignent les efforts du ministère de l'Équipement, du Logement, des Transports et du Tourisme pour populariser l'innovation architecturale ; les concours périodiques d'architecture nouvelle (PAN) le manifestent amplement.

Au niveau des habitants, les aspirations élargies et la perception plus aiguë du cadre de vie se focalisent surtout sur de nouveaux thèmes, apparus dans les années quatre-vingt, mais qui se diffusent aujourd'hui dans le public urbain en général : il s'agit de la mobilité, de la sécurité, de l'ambiance des quartiers [*voir tableau ci-contre*]. C'est sans doute en grande partie à cette concentration de l'attention des habitants sur le cadre de vie que l'on doit l'importance croissante prise par la politique locale. Un nouveau créneau s'est ouvert pour les promoteurs privés et publics : celui de « l'habitat sécurisé ». Grâce au progrès technologique, la domotique permet, au niveau individuel, de programmer et de gérer un certain nombre de pratiques domestiques (ouverture automatique des portes et des lumières, commande à distance, détection des risques d'incendie ou de fuites, etc.) ; au niveau collectif, organisée autour de l'évaluation des flux (des personnes, des énergies, de l'information), elle permet la gestion du cadre de vie et de la sécurité : surveillance vidéo des espaces dans et autour de l'immeuble, systèmes d'alarme, etc. Il faut aussi noter l'accroissement des impôts locaux depuis les années quatre-vingt, et les difficultés de solvabilité des communes, dues pour beaucoup à des projets d'aménagement et de développement mal maîtrisés et à une organisation financière déficiente ; en 1992, environ 40 % des villes de plus de 10 000 habitants étaient dans un équilibre budgétaire précaire [*Pumain, Godard, 1996*].

Le tramway, moyen de transport délaissé depuis des décennies en France, à part quelques résistants comme le *Mongie* entre Lille et Tourcoing, a fait à Nantes et à Strasbourg une rentrée spectaculaire comme transport en site propre, du centre vers la périphérie ou de périphérie à périphérie : dans la région parisienne après la Seine-Saint-Denis, les Hauts-de-Seine ont vu l'ouverture d'une nouvelle ligne ; ces exemples mis en place à la fin des années quatre-vingt ont été suivis par d'autres projets intéressant les villes moyennes (le même choix de transport a été fait au début de l'année 1997 à Bordeaux). Il s'agit d'un succès économique, social et politique ; on a attribué au tramway la réélection des maires socialistes de Nantes et de Strasbourg en 1995, donnant ainsi volontiers une coloration politique aux autres projets.

Ce mouvement vers des transports en commun renouvelés en ville correspond de toute évidence à une vision politique de l'alternance du pouvoir local : la gauche, plus « collectiviste », favorable aux transports en commun, la droite plus « individualiste », favorisant la circulation automobile. Néanmoins, les conditions objectives de la vie en ville, la valeur symbolique de plus en plus contestée de la circulation en voiture rendent peu à peu cette opposition gauche-droite moins discriminante. Le métro automatique est préféré dans d'autres villes. On

Références

C. Bachmann, N. Leguennec, *Violences urbaines*, Albin Michel, Paris, 1995.

P. Genestier (sous la dir. de), *Vers un nouvel urbanisme, faire la ville comment ? pour qui ?*, La Documentation française, Paris, 1996.

Institut français de l'environnement, *L'Environnement en France. Approche régionale. Édition 1996-1997*, La Découverte, Paris, 1996.

D. Lepoutre, *Cœur de banlieue. Codes, rites et langages*, Odile Jacob, Paris, 1997.

D. Pumain, F. Godart (sous la dir. de), *Données urbaines*, Anthropos, Paris, 1996.

M. Segaud (sous la dir. de), *Espaces de vie, espaces d'architecture*, Plan construction et architecture, Paris, 1995.

Voir aussi Index, mots clés « Cadre de vie », « Environnement », « Ville », « Banlieue » et « Habitat ».

@ Sites Internet

AIRPARIF (réseau de surveillance de la qualité de l'air en Ile-de-France) : **http://www.airparif.asso.fr**

CSTB (Centre scientifique et technique du bâtiment) : **http://www.cstb.fr**

Direction générale de l'Urbanisme, de l'Habitat et de la Construction : **http://www.equipement.gouv.fr/logement**

Ministère de l'Aménagement du territoire et de l'Environnement : **http://www.environnement.gouv.fr**

Union nationale des HLM : **http://www.union-hlm.org**

peut donc s'attendre à ce que les projets en gestation, avec leur côté spectaculaire, voient peu à peu le jour y compris dans des communes ou des agglomérations axées franchement à droite.

Des « villes en projets »

La loi de décentralisation et l'intimité politique croissante entre les fonctions politiques nationales et locales ont donné un nouveau visage aux projets municipaux. Ce mouvement, amorcé dans les années 1985-1990, s'est plutôt accentué parce que la lutte contre le chômage a revêtu, au niveau local, une importance liée au cadre de vie : à des populations jeunes, désœuvrées et politiquement instables correspondaient souvent des quartiers agités, des zones sensibles, toute une thématique où le cadre de vie entrait comme élément de dégradation physique et morale et donc de mécontentement en profondeur. Il n'est pas douteux – les politologues le confirment – que les victoires municipales de l'extrême droite (depuis Dreux en 1983 jusqu'à Vitrolles en février 1997) ont été pour beaucoup dues aux dégradations du cadre de vie et aux peurs qu'elles engendrent.

Cela explique les opérations spectaculaires destinées à magnifier l'image de la ville. Des villes moyennes comme Nîmes, Montpellier, Toulouse ou Dunkerque ont ainsi, depuis les années quatre-vingt, répandu dans les médias l'image de « villes en projets » et accrédité l'idée que des projets urbains d'une certaine ampleur peuvent servir de locomotives à l'activité locale. Les grands projets urbains (GPU) font d'ailleurs partie de la politique de la Ville.

La liaison entre cadre de vie et opérations d'aménagement a abouti, dans les années quatre-vingt-dix, à des projets urbains peut-être plus globaux (comme Euralille) et à la création d'un Club des maîtres d'ouvrage d'opérations complexes (regroupant une douzaine de membres) qui s'est donné comme tâche de réfléchir aux nouveaux aspects de l'aménagement. L'un des problèmes principaux posés par ces opérations d'envergure est celui de la modification du cadre de vie pour les habitants, toujours génératrice de conflits. La montée en puissance des recours indique bien les tensions existant entre citoyens et aménageurs, qu'ils soient privés ou publics. En matière d'urbanisme, le nombre de recours s'élevait à 2 600 en 1978, à 6 300 en 1986 ; en 1997, on estimait que la barre des 10 000 était largement franchie. La ZAC (Zone d'aménagement concerté) Rive gauche est un exemple du combat, mené sur une période longue, entre la mairie de Paris, celle du XIIIe arrondissement et le collectif des associations de défense des usagers, combat qui a abouti, fin 1998, à une redéfinition en profondeur du projet. Les associations de défense trouvent de nombreux prétextes pour déposer des recours : l'association Montsouris environnement conteste par exemple l'aménagement de la Zone d'action concertée Alésia-Montsouris sous le prétexte de la « dégradation de découverte archéologique » ; une partie d'un aqueduc gallo-romain aurait été démolie lors des premiers terrassements.

Mais les grandes opérations d'aménagement ne sont plus à l'ordre du jour, comme l'indique le changement de nom du Club des maîtres d'ouvrage (Club ville et aménagement) ; celui-ci oriente aujourd'hui sa réflexion sur toute intervention urbaine, qu'elle soit de construction proprement dite, de gestion de vides entre le bâti ou d'organisation des paysages. En 1996, les pays de l'Union européenne mettent sur pied un dispositif d'enquêtes permettant de tester régulièrement la qualité de vie et de recenser les troubles liés au cadre de vie. Ainsi pourra-t-on disposer dans les années qui viennent d'un ensemble d'indicateurs sociaux sur les problèmes d'environnement, de logement et de sécurité. Le cadre de vie apparaît ainsi comme une source d'arguments politiques donnant la clé de mouvements politiques locaux existants ou à venir.

L'apparition récente (en 1997 à Paris) de la circulation automobile alternée en cas de dépassement du seuil de pollution est une mesure peu signifiante quant aux effets qu'elle peut entraîner ; elle contraste en revanche vivement avec la terreur que suscite toute initiative des routiers, qui sont encore en France les maîtres de la pollution.

Le non-spectaculaire : rénovation et ravalement

Parmi les opérations non spectaculaires qui concernent le cadre de vie, il faut noter la poursuite du travail en profondeur que constituent les opérations de rénovation entreprises au sein du parc de logements public : le bilan de ces opérations est sans doute sans grand rapport avec les espérances suscitées, tant du point de vue des bailleurs que de celui des habitants. Ce travail a au moins le mérite de réhabiliter, outre des quartiers difficiles, l'idée même de l'entretien et du ravalement. Au-delà du spectaculaire, le bilan de ces opérations portant sur le cadre de vie marque l'importance d'un entretien quotidien patient, peu visible. Même si son impact est faible en ce qui concerne la vie sociale, l'entretien des espaces extérieurs et intérieurs dans certains ensembles s'institue en régies de quartier, sources d'emploi pour des résidents. L'approche « rénovation » qui se poursuit en France mérite, du point de vue du cadre de vie, plus d'attention que ne lui en accordent les pouvoirs publics. Parallèlement il faut mentionner les opérations, plus drastiques, de démolition d'immeubles qui, dans certaines communes, atteignent des records. (À Grande-Synthe, dans le Nord, on a démoli 1 860 logements entre 1982 et 1993.)

La pollution atmosphérique commence à devenir un élément important de la vie quotidienne des grandes agglomérations : les courbes de pollution sont affichées dans certains quotidiens, des panneaux recommandant aux automobilistes de réduire leur vitesse apparaissent et des opérations d'envergure, ponctuelles (journées sans voiture, circulation alternée), sont mises en place et généralement bien acceptées. Dans les années quatre-vingt-dix, c'est devenu un thème politique porteur, concrétisé par l'entrée des Verts dans les gouvernements de plusieurs pays européens. Cependant, la prolongation de l'état de pollution peut à plus ou moins long terme amener des inquiétudes au sein de la population ; l'accroissement des maladies de l'appareil respiratoire, déjà perceptible au niveau médical, est une menace d'autant plus redoutable que l'on pourra difficilement prendre des mesures efficaces pour y remédier.

La loi sur l'air ? Les lois et règlements en France suivent une courbe exponentielle ; pourtant, on ne respire pas des lois, mais de l'air… ■

(*Voir aussi article suivant.*)

Les nouvelles formes de la crise du logement

Jean-Claude Driant
Géographe-urbaniste

On a encore beaucoup parlé de la crise du logement au cours des années quatre-vingt-dix ; chaque année, en hiver, l'attention de l'opinion et des médias est mobilisée par le problème des sans-domicile fixe (SDF). Pour être comprise, cette situation doit être replacée dans les grandes tendances qui marquent l'évolution du logement en France.

Avec 398 résidences principales pour 1 000 habitants fin 1996, le parc de logements du pays n'est pas aussi abondant que celui de la plupart de ses voisins européens (420 en Allemagne en 1995, 404 au Royaume-Uni). Les efforts considérables de construction neuve déployés au cours des décennies soixante et soixante-dix ont résorbé la dramatique pénurie de l'après-guerre, mais le net ralentissement confirmé au cours des années quatre-vingt et quatre-vingt-dix (le rythme moyen est passé de 400 000 logements neufs par an en 1980-1981 à 285 000 en 1998-1999, avec près de 320 000 logements neufs, a été une année exceptionnelle) a contribué à relancer le débat sur les réponses à apporter aux besoins des ménages.

L'amélioration continue du confort et ses contreparties

L'amélioration du confort est l'une des conquêtes majeures des dernières décennies. Alors qu'à la fin des années soixante le parc dit inconfortable – logements ne disposant pas, à la fois, de toilettes intérieures et d'une baignoire ou d'une douche – représentait la moitié des résidences principales, ce taux était tombé à 4 % en 1996.

Parallèlement, la surface des logements croissait, pour atteindre une moyenne de 88 m² en 1996 (soit un gain de 3,2 m² en huit ans), alors que, dans le même temps, la taille des ménages continuait de baisser (2,5 personnes en 1996, contre 2,8 à la fin des années soixante-dix).

Ces évolutions ont d'abord résulté d'un profond renouvellement du parc, initié dès la fin des années cinquante, effet de la construction massive de logements sociaux, à vocation familiale et dotés de tous les élé-

Tab. 1

Comparaison internationale
Indicateurs de logement 1995

	Allemagne	Royaume-Uni	Italie	États-Unis	Japon[a]
Propriétaires occupants (en %)	39	67	70	65	60
Nombre moyen de personnes par logement	2,4	2,5	2,8	2,5	3,0
Surface moyenne des logements (m^2)	85	83	93	145	92
Nombre de résidences principales pour 1 000 habitants	420	404	353	368	325

a. 1993.
Sources : BIPE, 1997 ; INED, 1998.

Tab. 2

Évolution sur 40 ans

Indicateur	1955	1967	1978	1984	1988	1992	1996
Propriétaires occupants (en %)	35,0	44,9	46,8	50,7	53,6	53,8	54,3
Nombre moyen de personnes par logement	3,06	3,06	2,79	2,68	2,61	2,50	2,50
Surface moyenne des logements (m^2)	n.d.	n.d.	77	82	87,8	86,4	88,0
Logements ne possédant pas à la fois WC et installation sanitaire (en %)	87,2	48,6[a]	26,9	15,0	9,5	6,2	4,0
Nombre de résidences principales pour 1 000 habitants	312[b]	339[c]	349	370	379	386	398

a. 1970 ; b. 1954 ; c. 1968.
Sources : INSEE, recensements de population (1954, 1975, 1990) et Enquête nationale sur le logement (1955, 1967, 1970, 1978, 1984, 1988, 1992, 1996).

ments du confort moderne. Jusqu'à la fin des années soixante-dix, la construction neuve a déterminé l'essentiel des mutations du système. À partir de la décennie suivante, la fin de la pénurie quantitative a réorienté les efforts vers l'amélioration des logements existants. C'est ainsi que, par le jeu conjugué des démolitions, changements d'affectation, et surtout des travaux de mise aux normes, le parc ancien s'est rapidement hissé à un niveau de qualité équivalent à celui du parc récent. La sortie progressive du régime de la loi de 1948 illustre bien cette évolution : en douze ans, de 1984 à 1996, le nombre de logements concernés est passé de 708 000 à 337 000. La disparition du parc inconfortable a cependant supprimé une partie de l'offre de logements privés, souvent situés au cœur des villes, et à loyer relativement faible. Ces derniers jouaient un important rôle d'amortisseur de la demande des ménages à revenus modestes. L'effritement de ce « parc social de fait » (par référence au parc social « de droit », constitué par les habitations à loyer modéré – HLM), désormais limité à ses segments les plus insalubres, aura probablement été l'une des mutations majeures du marché intervenues

Références

F. Ascher (sous la dir. de), *Le Logement en questions*, Éd. de l'Aube, La Tour-d'Aigues, 1995.

J.-C. Driant, *Les Marchés locaux du logement. Savoir et comprendre pour agir*, Presses de l'École nationale des ponts et chaussées, Paris, 1995.

E. Edou, *Le Logement en France*, Économica, Paris, 1996.

J.-P. Lacaze, *Les Politiques du logement*, Flammarion, Paris, 1997.

« Les ménages et leurs logements au début des années quatre-vingt-dix », *Économie et Statistique*, n° 288-289, INSEE, Paris, déc. 1995.

M. Segaud, C. Bonvalet, J. Brun (sous la dir. de), *Logement et Habitat. L'état des savoirs*, La Découverte, « Recherches », Paris, 1998.

Voir aussi Index, mot clé « Habitat ».

au cours des années quatre-vingt. Elle a drastiquement réduit l'offre de logements accessibles aux plus défavorisés, même si certaines copropriétés récentes en voie de dégradation tendent aujourd'hui à jouer ce rôle.

Les avatars de l'accession à la propriété

Depuis le milieu des années cinquante, la France est devenue un pays de propriétaires : 35 % des ménages possédaient leur logement en 1955 ; ils étaient un peu plus de 54 % en 1996. La périurbanisation et le développement parallèle de la maison individuelle ont accompagné ce mouvement, valorisant à la fois un nouveau mode de vie urbain (l'espace, le jardin, l'indépendance vis-à-vis des voisins, et leurs contreparties en matière d'accès aux équipements et d'augmentation des coûts de transport) et la constitution d'un patrimoine familial, transmissible et perçu comme une garantie contre les aléas de la vie.

Les aides financières de l'État pour une accession sociale à la propriété ont joué un rôle considérable d'impulsion de cette importante mutation de la société française jusqu'au milieu des années quatre-vingt. La hausse des taux d'intérêt réels, la rigueur budgétaire, la maîtrise de l'inflation, la montée du chômage et la stagnation des revenus salariaux ont brutalement freiné le mouvement à partir de 1986-1987. L'accession à la propriété est devenue une entreprise coûteuse et risquée, dont la meilleure illustration a été l'attitude de plus en plus prudente des banques, excluant souvent du crédit immobilier les ménages dont la situation sociale et économique leur apparaît précaire.

Pour la première fois depuis l'après-guerre, le nombre d'acquéreurs de logements a connu une baisse au début des années quatre-vingt-dix, pour ne reprendre que très légèrement entre 1992 et 1996. Plus préoccupant encore, on a observé un véritable effondrement des sorties du parc locatif social vers l'accession à la propriété (moins 35 % par an entre 1988 et 1996, par rapport à 1985-1988).

Le remplacement, en octobre 1995, du Prêt aidé à l'accession à la propriété (PAP) par le Prêt à taux zéro a permis une relance de ce secteur en favorisant la construction neuve et en élargissant ses critères d'accessibilité aux ménages à revenus moyens.

Parallèlement, les grandes tendances sociodémographiques qui marquent la société française se traduisent par la croissance et la diversification des besoins de mobilité résidentielle. Formation de plus en plus tardive des couples stables, augmentation du nombre de divorces, allongement de la durée des études, vieillissement de la population, etc., chacune de ces tendances contribue à augmenter le nombre de moments de la vie où la nature des besoins en logement varie, faisant ainsi croître la propension à déménager. Ce sont le niveau et la stabilité des ressources qui déterminent la plus ou moins grande capacité à traduire cette propension en réalité, et à adapter les conditions de logement à la situation sociale et familiale du ménage.

Blocage sélectif de la mobilité résidentielle

Les Français sont donc inégaux face aux possibilités de mobilité résidentielle. Le rétrécissement de l'offre de logements bon marché, tous statuts confondus, limite considérablement l'accessibilité au parc existant, alors que la construction neuve, souvent trop chère, ne peut plus suffire comme réponse aux besoins nouveaux. Le parc HLM se trouve ainsi être de plus en plus le seul capable d'accueillir les ménages dont les ressources sont insuffisantes pour accéder au logement privé de bonne qualité et bien situé, avec pour conséquence principale une difficulté croissante à en sortir.

Cette « captivité » contribue fortement au développement de l'exclusion sociale et à la « crise des banlieues ». Les HLM se paupérisent et la précarité se concentre dans des quartiers « en impasse », pour lesquels les bailleurs ont de plus en plus de mal à trouver des locataires qu'ils jugent solvables. Ce blocage sélectif de la mobilité résidentielle illustre le fossé croissant entre une France performante, en mouvement permanent, et une autre, qui perd peu à peu toute perspective d'ascension sociale.

Les freins à la mobilité ont aussi pour conséquence de réduire l'offre disponible pour les ménages à faibles ressources qui cherchent à se loger.

L'équilibre financier de plus en plus fragile des gestionnaires HLM et l'exigence sans cesse réaffirmée de mixité sociale des quartiers imposent un meilleur partage du risque. C'est ce qui justifie la montée en puissance de nouveaux médiateurs entre logeurs et logés : les associations. De la loi Besson de 1990 à la loi d'orientation pour la lutte contre les exclusions de juillet 1998, en passant par le plan d'urgence de 1995-1996, leur rôle n'a pas cessé d'être renforcé par les pouvoirs publics.

Mais cette attention portée aux situations les plus difficiles ne doit pas masquer l'importance stratégique d'une réflexion globale sur les interrelations qui unissent tous les secteurs du logement. ■

(*Voir aussi l'article p. 504*)

Insécurité et délinquance
Du vrai chiffre à la confrontation des points de vue

Bruno d'Aubusson de Cavarlay
Statisticien, sociologie pénale, CESDIP

La médiatisation des questions d'insécurité et de délinquance ne porte pas à la prudence en matière de chiffres. Les statistiques du ministère de l'Intérieur, les plus souvent citées, donnent lieu à des prises de position très ambiguës. Leurs résultats sont mis à distance, voire accusés de cacher la réalité de la délinquance. En même temps, certains en tirent pourtant des conclusions sans nuance sur l'« explosion de la violence » ou sa « poussée exponentielle ».

Il existe trois sources principales de mesure relatives à la délinquance : les statistiques judiciaires, les statistiques policières, les enquêtes auprès des victimes. Même en laissant de côté les questions de précision et de fiabilité, aucune ne peut donner une vision globale de la délinquance et encore moins fournir un « vrai chiffre » à son propos.

Les statistiques d'activité des parquets et des juridictions sont peu utilisées en France, surtout en raison de leurs lacunes. Seul un chiffre global est disponible pour les affaires reçues annuellement au parquet. Plus détaillée, plus fiable, cette source aurait l'avantage de concerner l'ensemble des faits susceptibles de recevoir une qualification pénale et d'être traités comme tels. Cela rappelle qu'une définition générale de la délinquance reste nécessairement ancrée sur des catégories juridiques et que tous les faits dont est saisie la justice ne sont pas finalement considérés comme des infractions pénales. De là vient une distinction faite parfois entre « criminalité apparente » (ce qu'on enregistre à l'entrée du système pénal) et « criminalité légale » (ce qui a finalement été retenu par les juges).

Les chiffres de la police mesurent surtout l'activité policière

Les statistiques de police donnent plus de détail sur les infractions enregistrées. Parce que la police judiciaire intervient en amont de la justice, elles sont aussi perçues comme plus proches de la « réalité ». Or n'y sont comptés que les cas signalés au parquet par la police ou la gendarmerie. Les faits connus mais consignés seulement de façon interne (main courante) échappent à ce comptage. Dès lors, une variation statistique pour un certain type d'infraction peut traduire, en partie ou même seulement, une modification du signalement judiciaire des faits connus. À cet égard, le terme officiel de « faits constatés » est abusif, même s'il permet de rappeler que les faits non constatés par la police ne peuvent bien sûr pas être comptés. Les chiffres policiers couvrent un champ plus restreint encore. Par choix de méthode, en sont exclus des pans entiers de ce qui légalement relève de la délinquance : par exemple les infractions routières, quelle que soit leur gravité, ou les contraventions en général (infractions punies d'une amende de moins de 10 000 FF).

Abandonnant l'idée de rechercher à travers ces chiffres une mesure de la délinquance réelle, on peut, surtout en prenant du recul, les mobiliser pour connaître à la fois les grandes orientations de la demande adressée aux services de police (plaintes enregistrées) et les priorités données en termes de réponse (affaires élucidées, personnes mises en cause) ou d'action d'initiative. Il s'agit donc d'une lecture de la délinquance au travers de l'activité policière.

Partir du point de vue des victimes four-

Références

Association Pénombre, *Chiffres en folie. Petit abécédaire de l'usage des nombres dans le débat public et les médias*, La Découverte, Paris, 1999.

B. Aubusson de Cavarlay, « Mesurer la délinquance juvénile », *Regards sur l'actualité*, n° 238, La Documentation française, Paris, févr. 1998.

P. Robert, B. Aubusson de Cavarlay, M.-L. Pottier, P. Tournier, *Les Comptes du crime. Les délinquances en France et leur mesure*, L'Harmattan, Paris, 1994.

Ph. Robert, R. Zauberman, M.-L. Pottier, H. Lagrange, « Mesurer le crime. Entre statistiques de police et enquêtes de victimation (1985-1995) », *Revue française de sociologie*, n° XL-2, Ophrys, Gap, 1999.

@ **Sites Internet**

Association Pénombre : **http://www.unil.ch/penombre**

CESDIP (Centre de recherches sociologiques sur le droit et les institutions pénales) : **http://www.msh-paris.fr/cesdip**

Ministère de l'Intérieur (statistiques) : **http://www.interieur.gouv.fr/statistiques**

nit une autre approche. Les enquêtes réalisées en France font sortir le débat sur les statistiques de police des querelles sur le « chiffre noir » supposé exprimer la différence entre « criminalité réelle » et « criminalité apparente ». Reposant sur des questionnaires administrés à des échantillons représentatifs de la population française, les chiffres obtenus portent non seulement sur les faits relatés par les interviewés, mais aussi sur les suites qu'ils y ont données. On observe alors que le taux de déclaration à la police est très variable selon les faits. Si les vols portant sur des biens assurés (véhicules, cambriolages) sont assez systématiquement signalés, d'autres le sont beaucoup moins, en particulier les « agressions ».

Prendre en compte le point de vue des divers acteurs

Le changement de point de vue s'accompagne d'un élargissement des définitions. Les faits relatés par les victimes ne sont pas liés par des catégories juridiques aussi précises que ce qui est enregistré par les statistiques policières ou judiciaires. Répondre positivement à la question « avez-vous été victime d'agressions ou d'actes de violence ? » n'implique pas qu'un tel acte aurait été retenu dans une statistique encadrée par des catégories juridiques. Cela n'empêche pas bien sûr d'en comparer les résultats et surtout l'évolution, du moment que l'on ne prétend pas donner un chiffre plus vrai qu'un autre ou mesurer le « chiffre noir ». Ces résultats obtenus directement auprès des victimes individuelles sont supérieurs à ceux qu'affichent les statistiques administratives, mais il est d'ailleurs probable que ces enquêtes ignorent à leur tour des actes entrant dans les mêmes catégories juridiques et éventuellement dénoncés à la police (violences familiales, infractions subies sur le lieu de travail...), et les autres victimes (professionnels, institutions) ne sont pas concernées par principe.

La relativité des points de vue et l'intérêt de leur comparaison tiennent aussi à des questions plus techniques. Compter suppose le choix d'une unité et pour chaque source il y a le choix : la justice compte en affaires, en personnes (un individu pouvant être compté plusieurs fois dans la même année) ou en infractions sanctionnées ; la police compte des personnes ou des faits avec des conventions assez variables (un fait par infraction, ou par procédure, ou par auteur, ou par victime, ou par plainte...) ; les enquêtes en population générale comptent des victimes (des ménages ou des individus) et aussi des faits. Devant la complexité des situations concrètes, les conventions de comptage sont souvent extrêmement simplificatrices. C'est la loi du genre sans que cela soit un genre de mensonge. À condition toutefois que l'effet de ces conventions sur les résultats observés soit bien identifié par les utilisateurs.

Trop souvent justifiée au nom des impératifs de la communication, la simplification qui réduit les faits à un chiffre unique devient souvent démagogique dans le domaine de l'insécurité. Encore incomplètes, les sources d'informations chiffrées sur la délinquance permettent pourtant d'éviter ce défaut. Pour cela, l'analyse doit être modulée selon les types de délinquances et prendre en compte le point de vue des divers acteurs impliqués. ■

Travail et société

Grandes tendances

Michel Freyssenet
Sociologue, CSU-Iresco, GERPISA

La France vit toujours en ce tournant de siècle sur le souvenir des années cinquante et soixante au cours desquelles une forte croissance économique a permis le plein emploi et une ascension sociale pour de nombreux Français. Depuis le début des années quatre-vingt, le débat public porte sur les possibilités de retrouver une telle conjonction économique et sociale dans le cadre d'une économie devenue ouverte. Peut-on la reconstituer au niveau national ou au niveau européen, dans l'espoir de retrouver le plein emploi, ou bien faut-il prendre acte de la situation créée, et ne plus accorder au travail la place qu'il a prise dans nos sociétés ? La reprise économique et la baisse du chômage auxquelles on assiste en Europe depuis 1998 sont-elles le début d'un nouveau « cercle vertueux » de croissance ? Un bref retour en arrière est nécessaire pour répondre à ces questions.

Après s'y être opposés, les salariés de l'industrie ont accepté dans la première moitié des années cinquante les nouvelles formes de travail (salaire au rendement, parcellisation des tâches et mécanisation des lignes de production) en échange d'une croissance continue du pouvoir d'achat et de l'extension des droits sociaux. Les gains de productivité obtenus ont permis un partage de la valeur ajoutée nationale plus favorable aux travailleurs, offrant dès lors des débouchés croissants aux industries produisant des biens de consommation et d'équipement de masse. La spirale vertueuse de la croissance économique et du développement social était ainsi enclenchée. Elle n'a toutefois été possible que dans le contexte politique de la *pax americana*. Les États-Unis, pour faciliter la reconstruction de l'Europe, ne se sont pas opposés à des politiques économiques autocentrées, relativement à l'abri de la concurrence internationale.

Mais la réussite même de ce mode de croissance qualifié de « fordiste » a

Tab. 1

Emploi[a]

Type d'emploi	Agriculture	Industrie[d]	Services[c]	Autres services	Total
Emploi salarié (milliers)	286	5 137	8 387	6 338	20 153
dont :					
Temps partiel (%)	16,5	6,0	21,2	23,5	18,0
Apprentis (%)	3,8	2,4	1,1	–	1,4
Stagiaires[e] (%)	1,9	0,6	1,1	4,4	2,1
CDD[b] (%)	14,3	4,4	5,7	2,4	4,4
Intérim[f] (%)	–	–	5,3	–	2,2
Emploi non salarié (milliers)	681	577	1 229	283	2 770
dont temps partiel (%)	16,7	8,0	8,8	16,5	11,4

a. En janv. 1999 ; b. CDD : contrats à durée déterminée ; c. Hors éducation, santé, action sociale et administrations publiques ; d. Y compris bâtiment, génie civil et agricole ; e. Y compris « contrats aidés » ; f. Les intérimaires sont classés par convention dans les services quelle que soit la branche où ils travaillent.
Source : INSEE, enquêtes « Emploi ».

Tab. 2

Taux de chômage par CSP[a]

Catégorie socioprofessionnelle	1975	1985	1999		
			Total	Hommes	Femmes
Agriculteurs exploitants	0,2	0,5	0,5	0,6	0,5
Artisans, commerçants[b]	1,3	3,0	4,2	3,7	5,4
Cadres[c] et professions intermédiaires	2,0	4,0	5,6	4,9	6,6
Employés	4,5	10,8	14,1	13,5	14,3
Ouvriers[d]	4,1	13,7	15,1	13,7	20,7
Total	2,7	10,2	11,8	10,2	13,6

a. En mars (en %). Proportion de chômeurs par rapport à l'ensemble des actifs de la catégorie. La comparaison des données datant d'avant et d'après 1982 est approximative du fait du changement de nomenclature intervenu à cette date ; b. Et chefs d'entreprise ; c. Comprenant les professions libérales, les cadres de la fonction publique, les professions intellectuelles et artistiques, et les cadres d'entreprise ; d. Dont ouvriers agricoles.
Source : INSEE, enquêtes « Emploi ».

conduit à des tensions sur le marché du travail et à l'accroissement des charges d'investissement des entreprises, réduisant tendanciellement leur profitabilité. De 1955 à 1970, le volume de l'emploi est passé de 19 millions à 21 millions. Le transfert vers l'industrie de main-d'œuvre d'origine rurale, le recrutement de travailleurs étrangers, l'encouragement à l'emploi féminin n'ont pas suffi à compenser l'insuffisance du nombre de jeunes entrant dans la vie active (nés avant et pendant la guerre). Malgré une durée hebdomadaire de travail de 46 heures en moyenne annuelle pour les ouvriers, les employeurs manquaient de main-d'œuvre. Le chômage était inférieur à 2 %. Dans le même temps, le marché changeait. Les industries, organisées pour produire en masse un nombre limité de biens standardisés, devaient désormais offrir une plus grande variété.

Tab. 3

Emploi. Comparaison internationale*

Pays	Heures ouvrées par an[a]	Emploi à temps partiel	Croissance annuelle de l'emploi 1976-86	Croissance annuelle de l'emploi 1986-99	Taux de chômage[c]
États-Unis	1 957	13,4	2,1	1,5	4,1
Japon	1 871	23,6	1,1	0,8	4,6
France	**1 519**[b]	**14,8**	**0,0**	**0,5**	**10,6**
RFA	1 526	16,6	0,4	0,5	9,1
Royaume-Uni	1 702	23,0	– 0,1	0,9	5,9
UE	1 597	16,0	0,2	0,5	9,1

* Les décalages existant avec d'autres tableaux de l'ouvrage tiennent à des différences de source ou de méthode.
a. Salariés, y compris à temps partiel, 1998 ; b. 1997 ; c. Taux standardisé en oct. 1999.
Sources : OCDE, Paris ; Eurostat, Luxembourg.

L'essoufflement du mode de croissance « fordiste »

C'est dans ce contexte de baisse relative de rentabilité que le compromis social fondateur a été remis en cause par les salariés non qualifiés à partir de 1968. Ils refusent alors la perspective de demeurer OS (ouvriers spécialisés, c'est-à-dire non qualifiés) à vie. La révolte des étudiants en Mai 68 trouve rapidement un écho parmi eux. La France paralysée compte près de 10 millions de grévistes. L'incendie social est éteint non sans mal, notamment par d'importantes augmentations de salaires.

La brutale augmentation de la consommation qui suit Mai 68 conduit nombre d'entreprises à recruter à l'étranger les salariés dont elles ne disposent toujours pas en France. L'immigration est encouragée. Les entrées annuelles dépassent le seuil de 200 000 en 1969 et 1970. Quelques dirigeants, peu nombreux, comprennent alors qu'un pays dans lequel le niveau scolaire s'élève rapidement ne peut continuer à offrir des emplois peu qualifiés. Des tentatives de réforme du travail sont faites ici ou là, notamment par la constitution de groupes semi-autonomes ayant la charge de la fabrication ou du montage d'un produit complet. Il leur sera finalement préféré l'automatisation de la production, censée supprimer les tâches répétitives, et la réduction du temps de travail devant permettre aux salariés de mener hors travail des activités épanouissantes.

Depuis la fin des années cinquante, les États-Unis observaient le relèvement rapide de l'Europe et le décollage du Japon. Le président Richard Nixon, attribuant la capacité concurrentielle des produits manufacturés de ces pays aux parités fixes entre monnaies établies après la guerre, décide en 1971 le « flottement » du dollar en mettant fin à la libre convertibilité en or de celui-ci. Les pays producteurs de matières premières voient leur revenus s'effondrer. Les pays pétroliers, qui sont les mieux organisés, décrètent en 1973, à l'occasion d'événements politiques au Moyen-Orient, une forte augmentation du prix du baril de pétrole. C'est le premier « choc pétrolier » (les prix sont multipliés par trois en dollar constant). Le chômage monte à 4,1 % de la population active en 1975, soit 900 000 personnes. Beaucoup croient à un accident. Les salariés sont finalement plus lucides ou prudents. Le taux de départs volontaires des entreprises chute brutalement. L'absentéisme commence à régresser. Les conflits sociaux deviennent moins fréquents. Le recrutement de travailleurs à l'étranger est officiellement arrêté (en juillet 1974), et l'immigration prend dès lors essentiellement la forme du regroupement familial.

À partir de 1978, un constat s'impose :

la croissance est durablement ralentie et la concurrence s'exacerbe. Gouvernement et entreprises en déduisent que la croissance ne peut être retrouvée qu'en prenant des parts de marché aux autres. Les entreprises françaises croient alors que l'automatisation programmable va permettre d'élever d'un coup leur productivité, d'améliorer la qualité de leurs produits, de flexibiliser leurs appareils de production, tout en résolvant la crise du travail par la suppression du travail pénible et parcellisé et en créant des emplois qualifiés de conducteurs d'installations automatisées. D'importants investissements d'automatisation sont engagés. Le Premier ministre, Raymond Barre, recommande la désindexation des salaires sur le coût de la vie, un des fondements du compromis « fordiste ». De nombreuses voix patronales et parlementaires réclament en outre un assouplissement du droit du travail. Le volume de l'emploi plafonne à 21,5 millions, alors que la population active disponible augmente maintenant rapidement : non seulement les enfants du baby-boom sont là, mais les femmes de 25 à 39 ans entrent massivement sur le marché du travail. Le chômage atteint 6,4 % des actifs en 1980, soit 1,5 million de personnes. Un « actif » jeune sur sept est au chômage.

L'occasion manquée d'un nouveau compromis social

L'austérité salariale et les formes moins protégées d'emploi restent en fait encore plus proclamées que réelles. Le gouvernement craint la sanction des urnes. De fait, les salariés portent la gauche au pouvoir en 1981. La relance par la consommation décidée par Pierre Mauroy est un échec. Elle se fait dans un contexte de nouvelle contraction de la demande mondiale et d'intensification de la concurrence internationale, au profit notamment du Japon, provoquée par le second « choc pétrolier » (1979). Les variations du dollar ont conduit en effet à nouveau les pays producteurs à augmenter le prix du baril, qui fait plus que doubler en dollar constant entre 1979 et 1981. La balance commerciale se dégrade brutalement. Le gouvernement change précipitamment de politique économique. Acceptant la « contrainte extérieure » telle qu'elle s'est imposée à lui, il n'a plus d'autres politiques à court terme que d'essayer d'atténuer les effets sociaux de la restructuration des entreprises (il se résout à accepter celles du secteur public), et à long terme d'œuvrer à la construction européenne, dans l'espoir de reconstituer un jour à ce niveau géopolitique les enchaînements vertueux perdus. Il fait sien le théorème de l'ex-chancelier social-démocrate allemand Helmut Schmidt, selon lequel les réductions des effectifs d'aujourd'hui sont les profits et les investissements de demain et l'emploi d'après-demain. Le chômage monte à 2,6 millions en 1984. La désindexation des salaires individuels sur le coût de la vie devient générale et les possibilités d'emplois précaires sont facilitées.

De grandes entreprises, fortement endettées en raison des investissements en capacité et en automatisation qu'elles ont faits et de l'envolée des taux d'intérêt, doivent brutalement abaisser leurs coûts de production afin d'éviter la faillite. Elles se recentrent sur leurs activités principales après avoir cherché à se diversifier. Elles externalisent les productions qui ne sont pas indispensables à la maîtrise technique et commerciale de leurs produits. Elles procèdent surtout à des réductions d'effectifs, mais aussi, pour certaines, à des licenciements. Le moyen le plus fréquemment utilisé consiste à bloquer l'embauche et à faire partir en préretraite les travailleurs les plus âgés. Ce faisant, la France s'installe dans le chômage des jeunes.

L'automatisation programmable, dans laquelle les entreprises se sont lancées, n'a pas donné les résultats escomptés en termes de productivité, de qualité et de flexibilité. Elle n'a pas non plus créé autant d'emplois qualifiés que prévu. Les entreprises découvrent qu'elles doivent mobiliser leurs

INDICATEUR	UNITÉ	1975	1985	1998	1999
Population active					
Population active totale[a]	*milliers*	22 372	24 180	25 755	25 983
Agriculture	%	10,5	8,2	4,4	4,2
Industrie	%	37,6	32,3	24,9	25,0
Tertiaire	%	51,9	59,4	70,7	70,8
Taux d'activité[d]					
Hommes	%	72,4	67,7	62,0	62,0
Femmes	%	42,1	45,4	47,6	47,9
Population active occupée[c]	*milliers*	21 460	21 706	22 705	22 812
Chômage					
Chômeurs[f]	*milliers*	912	2 473	3 001	3 060
Ancienneté moyenne[g]	*mois*	7,6	15,0	16,0	14,8
Plus d'un an[g]	%	16,9	42,7	41,1	38,2
Plus de deux ans[g]	%	2,5	21,0	22,2	21,5
Taux de chômage standardisé[f]	%	4,1	10,2	11,8	11,8
Hommes	%	2,9	8,3	10,2	10,2
Femmes	%	6,1	12,9	13,8	13,6
De 15 à 24 ans	%	8,9	23,8	25,4	26,6
De 25 à 49 ans	%	2,9	7,6	11,2	11,0
50 ans et plus	%	2,7	6,9	8,4	8,5
Causes du chômage[g]					
Licenciement[h]	%	37,4	31,5	28,3	26,4
Statut précaire[i]	%	6,4	21,9	32,8	35,8
Indicateurs socioculturels					
Taux de syndicalisation	%	22,8	••	••	••
Conflits du travail *(jours perdus/an)*	*milliers*	3 693	1 226	455[w]	353[z]
Durée hebdomadaire du travail[t]	*heures*	42,1	39,5	38,8	••
Bacheliers	*milliers*	204	253	488[y]	••
Sections TS[l]	*milliers*	41,5	118,8	234	••
IUT	*milliers*	41,9	61,9	114	••
Formation professionnelle[q]	*milliards FF*	5,7[r]	40,2[k]	80,9[x]	••

a. Population active résidente totale, y compris militaires du contingent ; b. 1995 ; c. En mars ; d. Au sens du BIT, en mars, hors contingent ; e. En janvier ; f. Selon définition du BIT, en moyenne annuelle ; g. Enquête « Emploi » ; h. Perte d'un emploi salarié à durée indéterminée ; i. Fin contrat à durée déterminée ou fin d'intérim ; j. 1994 ; k. 1987 ; l. Sections techniciens supérieurs, évolution des effectifs (métropole) ; m. Instituts universitaires de technologie, évolution en effectifs (métropole) ; n. 1975-1976 ; o. 1980-1981 ; p. 1990 ; q. Dépense publique ; r. 1973 ; s. 1989 ; t. Salariés à temps plein ; u. sept. 1997 ; w. 1997 ; x. 1996 ; y. Session 1998, bac général, technologique, professionnel ; z. 1998.
Sources : INSEE, OCDE, Ministère des Affaires sociales et de l'Emploi.

salariés dans tous les secteurs, y compris les secteurs manuels, pour réduire leurs coûts, élever la qualité et diminuer les délais de livraison. Le travail en groupe, refusé jusque-là, apparaît maintenant à tous comme une formule efficace pour à la fois réduire les effectifs et « enrichir » le travail. Les salariés qui ont échappé aux compressions d'effectifs jouent dans l'ensemble le jeu, d'autant que leur acceptation s'accompagne parfois de reclassement et de nouvelles perspectives de carrière.

Un « nouveau compromis social » était alors envisageable : la participation des salariés à la réduction des coûts et à l'amélioration de la qualité contre une garantie de carrière et d'emploi. Les réorganisations engagées semblent même porter leurs fruits rapidement dans la seconde moitié des années quatre-vingt. Favorisée par la déréglementation financière, la « bulle spéculative » qui se forme dans les principaux pays industrialisés et le contre-choc pétrolier (division par trois du prix du baril en dollar constant) gonflent la demande. Les profits se rétablissent rapidement, les entreprises se désendettent, le chômage régresse même à 2,2 millions entre 1987 et 1990. Mais les entreprises, incertaines de l'avenir et ayant obtenu de nombreux assouplissements de la législation du travail, n'ont dans l'ensemble pas réembauché des salariés permanents, mais des intérimaires, des salariés à contrat à durée déterminée (CDD) et des stagiaires divers. Mieux encore, elles continuent durant cette période à réduire le nombre de salariés à contrat à durée indéterminée (CDI). Elles limitent strictement leurs investissements et préfèrent placer leurs capitaux sur les marchés financiers plus rémunérateurs, en attendant un avenir plus assuré. Les profits ne se sont pas transformés en investissement, contrairement au théorème d'Helmut Schmidt.

L'embellie est de courte durée. La « bulle spéculative » éclate en 1991, en France et ailleurs. Les entreprises se séparent alors de leurs salariés à statut précaire et présentent de nouveaux plans de restructuration. Elles ajustent ainsi rapidement leurs coûts de production pour demeurer profitables. Leur situation est financièrement « saine », mais le climat social se dégrade. Les salariés ne comprennent pas qu'ils soient à nouveau l'objet de compression d'effectifs, après avoir fait les efforts nécessaires pour rétablir les résultats de leurs entreprises. Le « compromis social » qui aurait pu se constituer est dès lors caduc. Une phase dépressionnaire s'engage. Les comptes publics et sociaux se dégradent très rapidement, en raison de l'insuffisance des rentrées fiscales et sociales. La contraction de la demande des ménages qui en résulte fait repartir de plus belle le chômage, qui dépasse le seuil des 3 millions en 1994.

La fin du travail ?

La contradiction entre les « mesures d'âge » prises depuis vingt ans pour permettre aux firmes de se restructurer et le chômage des jeunes devient éclatante. Environ un quart des « actifs » de moins de 25 ans étaient au chômage en 1996, alors qu'ils sont beaucoup plus diplômés que leurs aînés. La polarisation sociale entre une frange de la population qui échappe à la crise ou qui en tire parti et une autre qui la subit devient manifeste dans la distribution des revenus et les comportements de consommation. La menace de déclassement social perçue par les classes moyennes les font immédiatement réagir à toute tentative d'officialiser la dépréciation des diplômes. Toucher à l'École est vu comme une entreprise de démolition du dernier rempart contre la « fracture sociale ». La reconnaissance de cette fracture par le candidat Chirac lors de la campagne présidentielle de 1995 et l'affirmation qu'il n'y a pas de contradiction entre augmentation des salaires, préservation de la protection sociale et compétitivité nationale lui ont certainement valu son élection. Mais le report de l'application de ces belles paroles, après la priorité réaffirmée aux équilibres budgétaires, a vite dissipé ces illusions. Le refus exprimé par les Français, à travers la grève des cheminots de décembre 1995, que soit portée atteinte à la protection sociale, aux retraites et aux services publics, ainsi que les contraintes budgétaires liées aux accords de Maastricht ont conduit le gouvernement Juppé dans une impasse et entraîné la dissolution du Parlement. La victoire électorale de la « gauche plurielle » a montré qu'il existait des marges de manœuvre. Des choix budgétaires différents, une relance légère de la consommation, la création d'emplois-jeunes, un retournement du cycle économique ont relancé la croissance, permis à la France de satisfaire aux critères de Maastricht et enclenché une réduction lente mais continue du chômage. Mais les incertitudes quant à la durée de la croissance et aux effets du

Références

R. Boyer (sous la dir. de), *La Flexibilité en Europe*, La Découverte, Paris, 1986.

R. Boyer « Le capitalisme étatique à la française à la croisée des chemins », *in* C. Crouch, W. Streeck (sous la dir. de), *Les Capitalismes en Europe*, La Découverte, « Recherches », Paris, 1996.

R. Castel, *Métamorphose de la question sociale. Une chronique du salariat*, Fayard, Paris, 1995.

Y. Clot, *Le Travail sans l'homme ? Pour une psychologie des milieux de travail et de vie*, La Découverte, Paris, 1998.

M. Freyssenet, « La "production réflexive", une alternative à la "production de masse" et à la "production au plus juste" ? », *Sociologie du travail*, n° 3, Dunod, Paris, 1995.

M. Freyssenet, « Historicité et centralité du travail », *in* J. Bidet, J. Texier (sous la dir. de), *La Crise du travail*, PUF, Paris, 1995.

J. Freyssinet, *Le Chômage*, La Découverte, « Repères », Paris, 1991.

P.-N. Giraud, *L'Inégalité du monde*, Gallimard, « Folio », Paris, 1996.

A. Gorz, *Métamorphoses du travail : quête du sens*, Galilée, Paris, 1989.

A. Gorz, *Misères du présent, richesse du possible*, Galilée, Paris, 1997.

M. Maruani, *Travail et emploi des femmes*, La Découverte, « Repères », Paris, 2000.

M. Maruani, E. Reynaud, *Sociologie de l'emploi*, La Découverte, « Repères », Paris, 1993.

D. Méda, *Le Travail, une valeur en voie de disparition*, Aubier, Paris, 1995.

J. Rifkin, *La Fin du travail ?*, La Découverte, Paris, 1996.

Voir aussi Index, mots clés « Emploi », « Travail », « Chômage », « Réduction du temps de travail ».

@ Sites Internet

GERPISA (Groupe d'études et de recherches permanent sur l'industrie et les salariés de l'automobile) : **http://www.gerpisa.univ-evry.fr**

Ministère du Travail (DARES) : **http://www.travail.gouv.fr**

OIT (Organisation internationale du travail) : **http://www.ilo.org**

passage aux 35 heures hebdomadaires demeurent.

Certains en sont venus à penser que la quantité de travail répartissable non seulement n'est plus extensible, mais ne fera que se réduire, et qu'il convient de procéder à son partage général et drastique pour résorber le chômage de masse. La diminution ou la stabilisation des revenus individuels qui en découlerait pour ceux qui ont actuellement un emploi serait, dans cette optique, largement compensée par des activités répondant à des besoins non couverts et non soumis aux lois du marché, auxquelles tout un chacun pourrait se livrer durant le temps libre ainsi dégagé. Le travail ne serait plus la valeur centrale de la société. C'est cependant vraisemblablement ignorer que le capitalisme a besoin, pour se perpétuer, non seulement de révolutionner les conditions de production des biens qu'il produit déjà, mais aussi d'investir de nouvelles activités, antérieurement hors de son champ, comme cela a été le cas dans un passé récent pour les loisirs par exemple, au détriment des formules associatives ou collectives initiales. Il n'y a alors d'autres issues, tant que le rapport capital-travail demeure le rapport social dominant, que de rechercher au niveau européen un nouveau « bouclage » économique, ou bien une spécialisation de la France sur des produits nouveaux lui garantissant durablement des débouchés mondiaux croissants, si l'on exclut les solutions anglo-saxonnes d'instabilisation généralisée de l'emploi et des revenus, pour enclencher une nouvelle spirale vertueuse. ■

(*Voir aussi articles ci-dessous et p. 428, 435, 438, 534, 538 et 543.*)

Les enjeux socioculturels de la réduction du temps de travail

Jean-Yves Boulin
Sociologue CNRS, IRIS

Avec la loi du 19 janvier 2000, dite « loi Aubry II », la France s'est engagée dans un processus d'abaissement de la durée légale du temps de travail hebdomadaire à 35 heures. Plutôt qu'avec l'ordonnance de 1982 relative aux 39 heures et augmentant la durée des congés payés de quatre à cinq semaines, c'est avec la loi de 1936 sur les 40 heures et l'instauration de deux semaines de congés payés que la comparaison s'impose. Ce n'est pas tant l'ampleur de la réduction qui incite à faire le parallèle que les enjeux réels et latents sous-jacents à la nouvelle loi, ainsi que sa portée.

En 1936, un des enjeux de la loi était, comme aujourd'hui, de diminuer le chômage, mais il s'agissait surtout de donner à l'ensemble des salariés la possibilité d'accéder aux loisirs jusque-là réservés aux classes aisées. Si l'objectif assigné à la loi du 19 janvier est avant tout la contraction du chômage, la réussite d'une telle politique repose, de façon implicite, sur la construction d'une nouvelle culture du temps qui dépasse largement le cadre du temps de travail pour intégrer dans la réflexion et l'action la question des usages du temps et des modes de vie. Celle-ci est conditionnée par les modalités d'articulation entre temps de travail et temps hors travail, ainsi que par les formes de l'arbitrage entre temps et revenu qu'engendrera la mise en œuvre des 35 heures. Elle dépend également de la façon dont évoluera l'organisation sociale du temps. Pour comprendre cela, il convient de replacer la perspective des 35 heures dans le contexte d'évolution des enjeux qui ont structuré les orientations en matière de temps de travail depuis le début des années quatre-vingt.

Depuis 1982, deux enjeux ont – d'abord successivement, puis, à compter de 1993, avec la loi quinquennale sur l'emploi, et surtout 1996, avec la loi Robien, conjointement – structuré les politiques du temps de travail : la compétitivité des entreprises et l'emploi, la première étant recherchée à travers la réorganisation du temps de travail et l'abaissement du coût du travail, le second étant visé par la réduction de la durée du travail.

Partage du travail et compétitivité

L'analyse des évolutions révèle un processus d'instrumentalisation progressif de la question du temps de travail par rapport à ces objectifs, laissant de côté les aspects modes de vie qui avaient été mis en avant en 1982 avec l'institution de l'éphémère ministère du Temps libre. L'ordonnance de 1982 s'inscrivait dans une problématique de partage du travail à travers une diminution générale et homogène de la durée du travail. Elle offrait toutefois de larges possibilités d'aménagement du temps de travail aux branches professionnelles et/ou aux entreprises, possibilités qui n'ont guère été utilisées. La loi Séguin (1987) s'est clairement inscrite dans une perspective d'optimisation de l'efficacité productive des entreprises en donnant nettement la priorité aux aménagements du temps de travail. De réduction il n'a plus guère été question, jusqu'à la loi quinquennale sur l'emploi (1993) qui, si elle a surtout favorisé les réductions individuelles (temps partiel), a également rétabli le lien entre aménagement et réduction du temps de travail (article 38), ainsi que celui entre réduction du temps de travail et emploi (article 39).

La loi Robien a rendu ce dernier dispositif plus attractif, impulsant ainsi, pour la première fois depuis 1982-1983, une réelle dynamique de réduction du temps de travail. La nouvelle loi sur les 35 heures [*voir article p. 538*] s'inscrit dans cette même double perspective tout en cherchant un effet démultiplicateur sur les résultats attendus en termes d'emploi à travers la généralisation d'un processus considéré comme vertueux. Ce faisant, elle introduit une rupture par rapport à la période antérieure, tendant ainsi à rapprocher la France des autres pays européens qui ont connu un processus régulier de réduction de la durée du travail (Allemagne, Danemark, Pays-Bas). Cette réduction redevient le moteur des évolutions, le catalyseur du changement, la flexibilité devenant alors une contrepartie sujette à négociation entre les acteurs sociaux.

Ce renversement de perspective peut redonner à la question du temps de travail sa fonction de transformation sociale, de modification des rapports sociaux entre employeurs et employés, entre inclus et exclus du marché du travail, entre qualifiés et non-qualifiés, entre les hommes et les femmes, entre les âges. Pour cela, toutefois, il convient que la réduction de la durée du travail ne soit pas instrumentalisée par rapport aux seuls objectifs de l'emploi et de la compétitivité des entreprises. Ceux-ci ne trouveront tout leur sens et ne produiront les effets recherchés (contracter le chômage et moderniser le système productif) que s'ils sont articulés aux enjeux socioculturels liés aux transformations du temps de travail.

De ce point de vue, deux enjeux qui ne sont pas exclusifs l'un de l'autre, ni d'autres objectifs liés à la réduction du temps de travail, doivent être soulignés : le premier met l'accent sur la maîtrise par les individus de l'organisation et de l'articulation de leurs différents temps sociaux ; le second se situe à un niveau macrosocial et concerne l'organisation sociale du temps.

Flexibilité et autonomie

Le mouvement de diversification du temps de travail observable depuis le début des années quatre-vingt a été essentiellement dicté par des préoccupations d'efficacité productive. Il en résulte que le temps de travail et son organisation restent majoritairement subis et laissent peu d'autonomie aux individus : la multiplication des horaires décalés, l'extension du travail de fin de semaine, du travail de nuit, ainsi que les variations infra-annuelles des horaires demeurent largement dictées par l'employeur. Le travail à temps partiel lui-même, dont le développement est partout recherché dans l'espoir d'un impact sur le chômage, reste essentiellement contraint. Or la jouissance du temps libre est autant, sinon plus, dépendante de l'enchaînement des séquences temporelles dévolues au travail et aux autres activités – de son « emplacement » dans la journée, la semaine, le mois, l'année ou le cycle de vie ; de sa distribution entre les sexes – que de sa dimension quantitative. L'utilisation du temps dans la sphère familiale, dans les loisirs, dans l'espace public dépend fortement de la façon dont est organisé le temps de travail. Il ressort des rares travaux de recherches sur le sujet [*Anxo et alii, 1998*] que les modalités et formes de la réduction de la durée du travail doivent tenir compte des caractéristiques individuelles des salariés (sexe, situation familiale, âge, catégories socioprofessionnelles, etc.), ainsi que de l'environnement de l'entreprise (rural *versus* urbain par exemple). Trois éléments jouent un rôle central dans l'acceptation par les salariés des nouvelles formes d'organisation du temps de travail : l'ampleur de la réduction du temps de travail, ses modalités de mise en œuvre (quotidienne, hebdomadaire ou annuelle, impliquant le travail en horaires décalés du matin ou du soir, ou encore la nuit ou le week-end) qui interagissent avec les valeurs socioculturelles attachées aux différentes séquences temporelles, et la régularité des horaires, leur caractère prévisible (ce qui n'exclut pas la variation dans un cadre annuel par exemple, mais exige un délai de prévenance raisonnable).

Le message délivré par les enquêtes approfondies menées auprès des salariés est que la flexibilité doit être négociée. C'est dans ce cadre que les concepts de souveraineté sur le temps, de temps choisi, etc. trouvent toute leur force. Acquérir un ascendant, une maîtrise sur la structure de son temps passe par une plus grande latitude dans les choix individuels, c'est-à-dire par des aménagements qui tiennent compte des rapports sociaux dans le travail, de l'environnement socioculturel ou de la division sexuée du travail. Cela implique d'appréhender la question de la flexibilité également du point de vue des salariés. Dans cette perspective, l'affirmation d'un *droit* (au temps partiel, à l'absence, aux congés thématiques) ou encore l'idée de *compte épargne-temps* constituent une orientation favorable au développement de l'autonomie individuelle.

C'est de l'Europe du Nord qu'il convient ici de s'inspirer. Des dispositions légales y permettent en effet d'envisager une distribution du temps de travail sur le cycle de vie (le droit à l'absence en Suède – congé parental, congé formation, absences autorisées pour s'occuper des enfants malades – ou au Danemark avec la loi de 1993 instituant la possibilité pour tout salarié danois de partir en congé formation, parental ou sabbatique rémunéré sur une base variant entre 100 % et 60 % de l'indemnisation du chômage et sous condition de remplacement par un chômeur). Une telle approche suggère que le passage aux 35 heures ne doit pas prendre la forme d'une norme applicable à tous de façon indifférenciée, mais celle d'une référence qui peut recouvrir des modalités différenciées dans le cadre d'une flexibilité négociée se traduisant par des compromis intégrant les contraintes économiques des entreprises et les modalités d'articulation des temps sociaux des salariés.

L'organisation sociale du temps

Au-delà de cette approche qui suppose une régulation collective des choix individuels, la réduction du temps de travail soulève l'enjeu de l'organisation sociale du temps. Par organisation sociale du temps, il faut entendre le système d'articulation, d'interaction entre les diverses temporalités caractéristiques de chacun des champs du social. C'est de ce système d'interaction que résulte le paysage temporel de chaque société, de chaque ville. La généralisation des 35 heures est porteuse d'évolutions en profondeur qui vont toucher l'ensemble des secteurs de l'économie et des catégories sociales. Cela tend à indiquer que d'autres acteurs, notamment aux différentes échelles territoriales, sont interpellés, comme le laisse d'ailleurs entendre l'amendement adopté par les députés lors de la seconde lecture de la loi, sur la nécessité d'harmoniser les horaires des services publics en vue d'une meilleure conciliation

Références

D. Anxo, J.-Y. Boulin, M. Lallement, G. Lefevre, R. Silvera, « Recomposition du temps de travail, rythmes sociaux et modes de vie : une comparaison France-Suède », *Travail et Emploi*, n° 74, Ministère de l'Emploi et de la Solidarité, La Documentation française, Paris, janv. 1998.

S. Bonfiglioli, M. Mareggi (sous la dir. de), « Il tempo e la città fra natura e storia. Atlante di progetti sui tempi della città », *Urbanistica Quaderni*, suppl. al n° 107, Rome, 1997.

J.-Y. Boulin, R. Hoffmann (sous la dir. de), *New Paths in Working Time Policy*, ETUI, Bruxelles, 1999.

J.-Y. Boulin, U. Mückenberger, *Times in the City and Quality of Life*, BEST/European Foundation for the Improvement of the living and working conditions, Dublin, 1999.

P. Cahuc, P. Granier (sous la dir. de), *La Réduction du temps de travail. Une solution pour l'emploi ?*, Économica, Paris, 1997.

G. Cette, D. Taddéi, *Réduire la durée du travail – Les 35 heures*, Le Livre de poche, Paris, 1998.

École française d'excellence territoriale, « Temps et territoires », *Les Cahiers de l'École*, n° 1. IEP de Paris/École française d'excellence territoriale, Paris, déc. 1998.

« Emplois du temps », *Les Annales de la recherche urbaine*, n° 77, Plan urbain, Ministère de l'Équipement, du Logement, des Transports et du Tourisme, Paris, déc. 1997.

« Entreprendre la ville : nouvelles temporalités, nouveaux services », *Colloque de Cerisy*, Éd. de l'Aube, La Tour-d'Aigues, 1997.

J. Freyssinet, *Le Temps de travail en miettes : 20 ans de politique de l'emploi et de négociation collective*, Éd. de l'Atelier, Paris, 1997.

A. Gorz, *Misère du présent. Richesse du possible*, Galilée, Paris, 1997.

F. Guedj, G. Vindt, *Le Temps de travail, une histoire conflictuelle*, Syros, Paris, 1997.

R. Hoffmann, J. Lapeyre (sous la dir. de), *Le Temps de travail en Europe : organisation et réduction*, Syros/Institut syndical européen, Paris, 1995.

K.-H. Hörning, A. Gerhard, M. Michailow, *Time Pioneers : Flexible Working Time and New Lifestyles*, Polity Press, Cambridge (R.-U.).

J. Rigaudiat, *Réduire le temps de travail*, Syros, Paris, 1996.

D. Taddéi, « La réduction du temps de travail », *Rapport du Conseil d'analyse économique*, n° 1, La Documentation française, Paris, oct. 1997.

Voir aussi Index, mot clé « Durée du travail ».

entre vie professionnelle et vie familiale au sein des agglomérations. D'autres modalités de fonctionnement horaires que le temps strict du travail sont donc concernées par le processus : temps scolaire, des crèches, des activités socioculturelles et sportives, mais aussi temps des services marchands.

Cette hypothèse repose sur le constat que les usages du temps peuvent être facilités ou obérés par la façon dont se présente l'offre temporelle de services (transport, loisirs, activités socioculturelles) et, plus fondamentalement, par la façon dont est configurée l'articulation entre les différents systèmes horaires. Pour ce qui concerne les tendances relatives aux évolutions du temps de travail et des modes de vie, le phénomène essentiel à l'avenir résidera dans le fait que les individus auront, d'une part, plus de temps libre, d'autre part, une organisation du temps beaucoup plus fragmentée qu'aujourd'hui. Le phénomène qui va s'accélérer est celui de la diversification des temps travaillés et, en conséquence, une probable recomposition de l'articulation entre les temps sociaux. Dès lors, la désynchronisation des temps sociaux et des systèmes d'horaires devrait être au cœur de la transformation des structures temporelles sur un territoire donné. Ainsi, à la notion d'aménagement de l'espace s'ajoute celle d'aménagement temporel appliquée à un territoire donné, sous-tendue par les concepts de souveraineté sur le temps et de gouvernementabilité du temps : dans cette configuration, temps et espace ne peuvent plus être appréhendés séparément.

Cette approche, qui place le problème du temps en enjeu central du devenir des sociétés contemporaines, invite à une vision plus globale des politiques du temps. Elle indique que l'on ne peut développer une politique du temps de travail dans l'entreprise, qu'il s'agisse d'une politique dictée par des impératifs d'ordre économique (flexibilité) ou qu'elle réfère à une conception émancipatrice du temps de travail (temps choisi), en faisant abstraction des externalités, c'est-à-dire de l'interaction entre les décisions prises dans l'espace du travail et leurs effets sur l'ensemble de la société.

Une telle problématique a déjà trouvé des débouchés concrets, principalement en Italie, où les politiques temporelles se présentent comme une action publique territoriale visant à concilier les différents temps sociaux. Dans ce pays, les actions en matière de temps ont porté sur la mobilité au sein des agglomérations, la qualité des services publics, la protection et l'aménagement des espaces publics, l'égalité entre les genres... Conduites à l'initiative des municipalités en liaison avec les citoyens après le vote de la loi relative à la réforme des administrations publiques (loi 142 de 1990), elles sont appelées à être amplifiées après le vote, en décembre 1999, d'une loi instaurant des dispositions pour, d'une part, développer des congés longs (congé parental, congé formation), d'autre part, engager les collectivités territoriales dans la coordination des horaires des commerces, des services publics et des antennes périphériques des administrations locales, mais aussi dans la promotion des usages du temps qui aillent dans le sens d'une plus grande solidarité sociale. D'autres pays européens connaissent, quoique à un degré moindre, des développements similaires, notamment l'Allemagne, la Finlande ou les Pays-Bas, montrant ainsi que le temps des citadins et l'articulation entre les différents systèmes horaires s'instaurent en élément clé de l'aménagement urbain [*Boulin, Mückenberger, 1999*]. Plus récemment, quelques villes françaises (Saint-Denis, Poitiers) se sont inscrites dans une démarche identique. En ouvrant les bibliothèques le dimanche (Amsterdam), en modifiant les horaires des écoles ou des crèches (Bolzano, Helsinki, Brême), ou encore ceux des services publics (Rome, Hambourg), en engageant une réflexion sur l'ouverture des commerces de centre-ville durant la pause méridienne ou en se posant la question des rythmes de l'Université et des transports (Poitiers), ces initiatives s'inscrivent dans une démarche d'amélioration de la qualité de vie des citadins. Mais ce qui constitue le socle commun, c'est la nature à la fois transversale (articulation entre les différents temps sociaux) et participative (enquêtes auprès des citadins, forums, agoras, tables de négociation impliquant une grande diversité d'acteurs) du processus. Les femmes, qui vivent au quotidien la multiplicité et la difficile articulation des temps sociaux, jouent dans les deux cas un rôle central.

Ainsi émergent, un peu partout en Europe, la problématique de la ville ou des espaces ouverts 24h/24h, tout comme celle de l'articulation entre temps et espace dans les processus d'aménagement des espaces publics, notamment la spécialisation de certains espaces à certains moments de la journée/semaine/année. Ce type de problématique en recèle d'autres, relatives aux conflits de temps entre le citoyen/consommateur (le client, l'usager) et le citoyen/travailleur, mais aussi entre catégories sociales, entre les genres ou entre les générations : la problématique de l'économie de la nuit ou encore celle des mobilités différenciées (gains de temps contre lenteur) s'imposent ainsi comme objets d'analyse.

L'une des questions fondamentales est de savoir si un territoire est condamné à s'adapter aux transformations de son environnement économique et social (la course à la flexibilité), ou si les acteurs qui y vivent se mettent en capacité de produire des modalités de participation et des institutions génératrices d'une vision (articulant les dimensions économique, sociale, culturelle et politique constitutives de l'identité de ce territoire et de ses habitants) qui présiderait aux modalités d'agencement entre les différentes temporalités au sein d'un même territoire.

De temps pivot qu'il est encore dans une organisation sociale héritée de l'ère industrielle, le temps de travail tend à devenir un parmi les temps sociaux, tous étant porteurs d'identité, de lien social et d'habitus. C'est à un équilibre entre les différents temps sociaux qu'aspirent les individus, que ce soit en statique (que tous puissent vivre de leur travail tout en ayant du temps pour la vie familiale, sociale et pour les loisirs) ou en dynamique, c'est-à-dire sur l'ensemble du cycle de vie [*Boulin, Hoffmann, 1999*].

Ces deux enjeux, qui se profilent derrière la mise en œuvre des 35 heures, en conditionnent la réussite en même temps qu'ils constituent un levier pour engager des négociations susceptibles d'enrichir le dialogue social : les objets en sont multiples (l'emploi, l'évolution des salaires, la durée et l'organisation du temps de travail, l'amélioration de la vie quotidienne), les acteurs et le champ en sont élargis (la prise en compte des contraintes des usagers et les différents temps sociaux). ■

(Sur le temps de travail et le passage aux 35 heures, voir aussi notamment p. 538, 540, 541, 543.)

Les nouvelles tendances de la mobilité sociale

Dominique Merllié
Sociologue

Depuis 1964, tous les sept ou huit ans, l'INSEE effectue une enquête (dite « Formation, qualification professionnelle » – FQP) qui fournit les données statistiques les plus adaptées à l'étude de la « mobilité sociale », c'est-à-dire pour analyser le degré de dépendance ou d'indépendance des destinées sociales (saisies à travers l'activité professionnelle) par rapport aux origines sociales (saisies à travers la profession des parents ou d'autres ascendants). La série de ces enquêtes permet de voir comment l'évolution d'ensemble de la structure des emplois (diminution de longue date de la part des agriculteurs, croissance, jusque vers 1975, puis déclin de celle des ouvriers, augmentation du nombre d'emplois non manuels) affecte la transmission du statut social entre les générations.

La cinquième de ces enquêtes, réalisée en 1993, a porté sur un échantillon réduit de moitié par rapport aux précédentes, ce qui limite la précision des résultats et les comparaisons possibles. Ces données [*Merllié, Prévot, 1997*] permettent cependant de s'interroger sur les conditions dans

Tab. 1

Profession des hommes de 40 à 59 ans en fonction de celle de leur père (% en ligne)
Destinées sociales aux enquêtes de 1985 (1re ligne) et de 1993 (2e ligne)
(par groupes socioprofessionnels)

Profession du père \ Profession de l'enquêté		Cadre	Profession inter-médiaire	Patron	Employé	Ouvrier	Agriculteur	Ensemble
Cadre	1985	59,8	20,7	9,2	6,0	3,8	(0,5)	5,8
	1993	52,9	20,7	10,7	8,4	6,8	(0,5)	8,1
Profession intermédiaire	1985	31,8	31,3	10,0	8,8	17,9	(0,1)	8,8
	1993	35,5	30,1	8,8	9,6	15,3	(0,7)	10,2
Patron	1985	19,6	19,2	29,0	7,2	23,1	2,0	15,8
	1993	21,7	20,2	29,6	6,7	20,1	(1,6)	13,3
Employé	1985	22,8	31,7	9,7	13,9	21,6	(0,3)	8,8
	1993	22,2	32,2	7,4	11,0	27,0	(0,2)	10,7
Ouvrier	1985	7,7	22,0	9,8	10,2	48,9	1,4	34,9
	1993	9,8	24,3	8,7	10,7	45,7	(0,8)	37,5
Agriculteur	1985	5,0	12,0	8,8	6,8	33,7	33,8	22,1
	1993	10,3	14,5	7,7	8,0	34,9	24,6	16,8
Inconnue	1985	6,8	16,9	10,0	12,2	52,9	(1,0)	3,9
	1993	11,1	22,4	9,8	10,3	44,2	(2,2)	3,3
Ensemble	1985	15,4	20,7	12,6	9,0	33,8	8,4	100,0
	1993	18,9	23,2	11,4	9,4	32,2	4,9	100,0

Source : INSEE, enquête FQP – Formation, Qualification professionnelle – de 1993 (et 1985 pour le tableau 1). Champ : il s'agit des hommes de nationalité française (et français de naissance seulement pour 1985) actifs ou anciens actifs (sauf pour les tableaux 2 et 3 qui portent sur les Français des deux sexes actifs ou non).
Les % entre parenthèses correspondent à des effectifs faibles ou très faibles dans l'échantillon.
Contenu des groupes socioprofessionnels : les « agriculteurs » sont les exploitants (les patrons pêcheurs sont inclus dans ce même groupe). « Patrons » désigne les artisans, les commerçants et les chefs d'entreprise. Ces deux groupes ne comportent que des indépendants. Les autres groupes comportent principalement (mais non exclusivement) des salariés. Celui des « cadres » inclut notamment, avec les cadres des entreprises ou de la fonction publique, les membres des professions libérales, les artistes, les professeurs et membres des professions scientifiques. Celui des « professions intermédiaires » comprend, avec l'encadrement moyen des entreprises et du public, les instituteurs, les infirmières et professions paramédicales, les travailleurs sociaux, les techniciens, les agents de maîtrise. Les « employés » comprennent, avec les employés de bureau et de commerce, les grades inférieurs de l'armée et de la police et les personnels de service. Dans le groupe des « ouvriers », on compte aussi les emplois de la manutention et du transport, ainsi que les ouvriers agricoles.

lesquelles la crise de l'emploi durable et l'augmentation rapide des niveaux de scolarisation influent sur la mobilité sociale. Elles permettent aussi d'actualiser le constat fait lors de la première enquête sur la mobilité sociale réalisée en France (par l'INED, en 1948) d'un lien négatif entre la taille des familles et la mobilité sociale ascendante.

La transmission familiale du statut social est affectée par l'évolution d'ensemble des catégories sociales. Si l'on compare la situation des hommes âgés de 40 à 59 ans révélée par les enquêtes de 1985 et 1993

Tab. 2

Titulaires d'un diplôme égal ou supérieur au baccalauréat selon l'âge et l'origine sociale et selon l'âge et le sexe (%) (Français des deux sexes)

Profession du père	25-39 ans	40-49 ans	50-59 ans
Cadre	73,1	69,2	67,0
Profession intermédiaire	53,4	48,5	36,3
Patron	40,0	37,4	28,3
Employé	35,2	35,0	24,6
Agriculteur	28,4	16,0	9,6
Ouvrier	19,4	12,5	9,7
Inconnue	14,4	14,4	(9,1)
Hommes	30,9	29,0	20,9
Femmes	37,7	26,4	19,1
Ensemble	34,3	27,7	20,0

D'après INSEE, enquête FQP de 1993.
Voir notes en bas du tableau 1.

Tab. 3

Diplômes des 25-39 ans selon le diplôme le plus élevé obtenu par les parents (père ou mère, % en ligne) (Français des deux sexes)

Diplôme des parents / Diplôme des 25-39 ans	Aucun diplôme	CEP	BEPC	CAP BEP	Bac	Bac + 2	Supérieur à Bac + 2	Ensemble
Aucun ou CEP	25,7	7,9	9,5	35,4	11,6	6,7	3,2	56,5
BEPC, CAP, BEP	12,3	3,3	11,2	34,8	18,4	13,1	6,9	25,2
Baccalauréat et plus	6,4	1,9	8,4	11,5	20,2	22,6	29,0	17,3
Inconnu	28,5	(7,1)	(5,9)	43,5	(9,3)	(3,1)	(2,6)	1,0
Ensemble	19,0	5,7	9,7	31,2	14,8	11,0	8,6	100

D'après INSEE, enquête FQP de 1993.
Voir notes en bas du tableau 1.

Tab. 4

Taux d'accès direct (au premier emploi) à la catégorie des cadres selon l'âge pour les hommes (%)

	25-39 ans	40-49 ans	50-59 ans	Ensemble
Fils de cadre	26,3	40,7	39,8	33,1
Fils d'ouvrier	2,5	2,5	(1,1)	2,2
Ensemble des hommes	7,5	9,1	7,5	8,0

D'après INSEE, enquête FQP de 1993.
Voir notes en bas du tableau 1.

Tab. 5

Taux d'accès aux catégories ouvrier et employé parmi les salariés selon l'origine sociale et le diplôme (Hommes de 25 à 39 ans, en %)[a]

Profession du père \ Diplôme	Aucun ou CEP	Secondaire inférieur au bac	Bac et supérieur	Ensemble
Cadre	(75,0)	48,5	10,7	23,5
Profession intermédiaire	81,1	59,9	15,9	39,0
Patron	86,0	67,2	21,7	54,3
Employé	85,5	72,2	30,1	61,3
Agriculteur	93,0	79,6	22,0	71,7
Ouvrier	92,6	79,4	23,3	74,9
Ensemble	89,4	72,9	19,2	60,1

D'après INSEE, enquête FQP de 1993.
a. Le pourcentage complémentaire à 100 correspond au taux d'accès aux catégories cadre et profession intermédiaire.
Voir notes en bas du tableau 1.

Tab. 6

Destinée sociale des hommes de 25 à 39 ans selon la taille de la fratrie (% en ligne) (Groupe socioprofessionnel selon celui du père et le nombre de frères et sœurs)

Profession du père \ Profession de l'enquêté	Cadre	Profession inter-médiaire	Patron	Employé	Ouvrier	Agriculteur	Ensemble
Cadre[a]	39,8	34,6	(2,3)	11,4	11,4	(0,4)	11,8
	42,2	31,4	(3,5)	12,1	10,4	(0,3)	8,4
Profession intermédiaire[a]	26,2	37,8	(4,7)	13,5	17,8	–	21,0
	17,1	37,0	(3,7)	14,6	27,6	–	11,5
Patron[a]	15,0	27,8	17,9	11,2	26,6	(1,6)	12,9
	11,6	22,8	16,7	11,9	35,9	(1,0)	10,6
Employé[a]	13,3	28,3	(5,3)	26,0	27,1	–	13,2
	8,8	24,6	5,9	21,3	38,1	(1,2)	11,3
Ouvrier[a]	8,2	25,2	6,0	11,2	49,2	(0,2)	31,0
	4,1	17,0	3,8	10,9	63,7	(0,5)	46,4
Agriculteur[a]	(6,1)	17,3	–	(3,3)	27,3	46,0	7,1
	5,2	12,0	5,2	5,8	46,9	24,9	9,9
Ensemble[a]	17,8	28,7	6,4	12,9	30,6	3,6	100,0
(dont père inconnu)	10,3	21,5	5,6	12,2	47,3	3,0	100,0

D'après INSEE, enquête FQP de 1993.
a. La première ligne concerne les familles de 1 ou 2 enfants, la seconde les familles de 3 enfants et plus (ou de taille inconnue).
Voir notes en bas du tableau 1.

Références

M. Brésard, « Mobilité sociale et dimension de la famille », *Population*, V, n° 3, INED, Paris, juil.-sept. 1950.

C. Detour, H. Robert-Mace, C. Thiesset, « Mobilité sociale », *INSEE Résultats*, n° 402-403-404 et n° 405-406-407, Paris, juin 1995.

M.-A. Estrade, « Les inégalités devant l'école », *INSEE Première*, n° 400, Paris, sept. 1995.

M. Gollac, « Mobilité sociale : 60 % des fils de cadres sont eux-mêmes cadres », *in L'état de la France 94-95*, La Découverte, Paris, 1994.

D. Goux, É. Maurin, « Destinées sociales : le rôle de l'école et du milieu d'origine », « Démocratisation de l'école et persistance des inégalités », *Économie et Statistique*, n° 306, INSEE, Paris, 1997.

D. Goux, É. Maurin, « Origine sociale et destinée scolaire », *Revue française de sociologie*, XXXVI-1, Paris, janv.-mars 1995.

D. Merllié, *Les Enquêtes de mobilité sociale*, PUF, Paris, 1994.

D. Merllié, J. Prévot, *La Mobilité sociale*, La Découverte, « Repères », Paris, 1997 (nouv. éd.).

C. Thélot, *Tel père, tel fils ?*, Dunod, Paris, 1982.

L.-A. Vallet, « Quarante années de mobilité sociale en France », *Revue française de sociologie*, XL-1, Paris, janv.-mars 1999.

[*tableau 1*], on voit chez les fils d'agriculteurs diminuer encore la part de ceux qui sont agriculteurs, augmenter faiblement la proportion de ceux qui deviennent ouvriers et croître sensiblement le nombre des emplois non manuels, y compris de cadres. Les fils d'ouvriers sont également moins souvent ouvriers que huit ans plus tôt, du fait que la proportion des fils d'ouvriers a augmenté tandis que celle des ouvriers a diminué. Le privilège social qui se marquait par un taux élevé de cadres chez les fils de cadres tend à se réduire en même temps qu'augmentent la population des enfants de cadres et celle des cadres, dans un mouvement qui semble impliquer davantage de mobilité descendante et une dévalorisation du statut de cadre.

L'augmentation rapide des niveaux de scolarisation, qui suscite de grandes différences de diplômes entre les classes d'âge (plus encore chez les femmes que chez les hommes), n'a pas empêché que l'accès aux diplômes reste fortement lié au niveau social [*tableau 2*] et au niveau culturel des parents [*tableau 3*]. L'évolution de la scolarisation des enfants d'agriculteurs traduit une élévation sociale moyenne de cette catégorie, corrélative de la disparition des plus petits agriculteurs.

La crise de l'emploi semble par ailleurs affecter les conditions de la transmission du statut social. Ainsi, le taux d'accès direct (premier emploi) au niveau cadre paraît s'être dégradé, en particulier chez les hommes originaires de ce milieu, dans la génération la plus jeune [*tableau 4*].

Si le statut social reste fortement dépendant de celui des parents, tandis que l'accès aux diplômes augmente, peut-on penser que ceux-ci sont le moyen privilégié du maintien du statut dans les catégories supérieures et de la mobilité sociale ascendante dans les autres catégories ? L'analyse de la destinée sociale en fonction de l'origine sociale et du diplôme [*tableau* 5] permet de constater que le destin social des enfants des différentes catégories est fortement affecté par le diplôme (lecture horizontale du tableau). Ainsi, parmi les fils de cadres de moins de 40 ans n'ayant pas le baccalauréat, on compte plus d'employés ou ouvriers que de cadres ou professions intermédiaires. Cependant, l'efficacité sociale du diplôme, même pour l'accès aux catégories salariées (auxquelles est limité le tableau pour faciliter la comparaison), varie sensiblement selon l'origine (lecture verticale du tableau) : la probabilité d'appartenir plutôt au groupe ouvriers et employés, ou à celui des professions intermédiaires et cadres pour un niveau de diplôme comporte des variations sensibles selon l'origine sociale. Ainsi, parmi les salariés de moins de 40 ans ayant au moins le baccalauréat, on compte 11 employés ou ouvriers pour 89 cadres ou membres de professions intermédiaires chez les fils de cadres (déclassement non négligeable), mais ces proportions sont de 23 et 77 chez les fils d'ouvriers.

Dans une société où la taille des familles s'est considérablement réduite, on pourrait s'attendre à ce que la « prime » à la mobilité ascendante anciennement constatée [*Brésard, 1950*] dans les familles de taille réduite ne soit plus apparente. Pourtant, les tableaux sur la mobilité sociale en fonction du nombre de frères et sœurs continuent de faire apparaître des destinées sociales bien différenciées, sauf dans les catégories supérieures [*tableau 6*]. ■

Emplois-jeunes Le pari de la pérennisation

Didier Gelot
Économiste, DARES

Mis en place dès la fin 1997, le programme « Nouveaux services emplois-jeunes » [*voir encadré*] a pour objectif de favoriser l'émergence de services nouveaux ou de services répondant à des besoins sociaux non satisfaits. Le pari des pouvoirs publics réside dans la capacité des employeurs à engager un processus de professionnalisation des jeunes et de pérennisation des emplois au terme des cinq années de prise en charge par l'État (35 milliards FF en année pleine).

Ce programme a connu, dès son lancement, un rythme relativement soutenu de création d'emplois, permettant d'envisager que l'objectif de 350 000 postes créés puisse être, sinon atteint, du moins fortement approché. Fin 1999, plus de 220 000 emplois avaient été créés et plus de 200 000 embauches réalisées. Après une période au cours de laquelle l'Éducation nationale a été le principal recruteur, les collectivités locales et les associations ont pris le relais pour représenter bientôt plus d'un quart et d'un cinquième des recrutements. La part des associations a néanmoins tendu à augmenter, proportionnellement à la diminution relative des embauches dans les collectivités territoriales. L'Éducation nationale a embauché à elle seule un tiers des jeunes, les autres employeurs étatiques, établissements publics et Police nationale, ne contribuant que pour une part plus modeste à la réalisation de cet objectif (respectivement 9 % et 6 % des embauches réalisées).

Un profil relativement qualifié

Dispositif de création d'emplois dédié aux jeunes de moins de 26 ans, ce pro-

Tab. 1

Services dépassant 5 % de l'ensemble des emplois occupés (Flux cumulé au 31 décembre 1999, hors Éducation nationale et Police nationale)

Nature des services rendus	Homme	Femme	Total
Conseil et animation en environnement	6,8	3,3	5,1
Assistant aux personnes (hors handicapés et personnes âgées)	3,3	8,3	5,8
Animation socioculturelle	6,4	7,7	7,0
Animation sportive	12,5	4,2	8,5
Autre animation ou éducation	10,4	13,5	11,9
Médiation locale ou familiale	7,0	6,2	6,7

Sources : MES-DARES.

Tab. 2

Répartition des embauches selon le statut de l'employeur et la nature de l'activité (en %, hors Police nationale et Éducation nationale) Flux cumulés au 31 décembre 1999

	Collectivités territoriales	Établissements publics	Associations et fondations	Autres	Total
Éducation	7,7	10,9	10,4	1,7	9,2
Famille, santé, solidarité	14,8	29,5	16,4	20,2	17,9
Logement, vie de quartier	9,8	9,4	5,7	16,6	8,1
Transport	1,1	9,7	2,2	13,3	3,3
Culture	10,3	2,3	14,8	3,5	10,9
Justice	0,2	0	0,9	0,7	0,5
Sécurité	8	2,7	1,7	4,7	4,2
Environnement	24,8	7,9	7,1	7,6	13,7
Tourisme	3,4	1,7	5,6	3,9	4,2
Sport	4,4	1	22,3	1,6	11,9
Autres	15,5	24,9	12,9	26,2	16,1
Total	100	100	100	100	100

France entière.
Source CNASEA-DARES.

gramme ne vise pas l'insertion des jeunes au même titre que les mesures de formation en alternance ou que certains dispositifs ciblés sur les personnes non qualifiées. Cet objectif aboutit à un profil relativement qualifié des jeunes sous contrat : environ 40 % des bénéficiaires ont un niveau de formation supérieur au baccalauréat. Cette tendance résulte très fortement des recrutements opérés au sein de l'Éducation nationale qui embauche des jeunes ayant tous au moins le bac, ainsi que les associations (un jeune sur cinq a un niveau de formation supérieur à bac + 2). Cette répartition se traduit dans les rémunérations perçues. Les établissements publics et les associations distribuent des salaires en moyenne plus élevés que les autres employeurs (respectivement 43 % et 40 % sont supérieurs au Smic – Salaire minimum de croissance), alors que les rémunérations dans les collectivités locales ne dépassent ce niveau que dans un cas sur

Le programme « Nouveaux services emplois-jeunes »

Destiné à favoriser l'émergence de nouveaux services, le programme « Nouveaux services, emplois-jeunes » repose sur l'embauche de jeunes de moins de 26 ans pour des projets de développement d'activités par des employeurs du secteur non marchand (loi n° 97-940 du 16 octobre 1997). Les jeunes de 26 à 30 ans sans emploi non indemnisables par le régime d'assurance chômage ou reconnus handicapés sont également éligibles au programme. Sont habilités à conclure des conventions d'embauche les employeurs suivants : les collectivités territoriales (communes, départements, régions), les organismes privés à but non lucratif (associations, fondations, sociétés mutualistes...), les établissements publics (hôpitaux, HLM, La Poste...), ainsi que la Police nationale et l'Éducation nationale. Ce programme, contrairement aux autres dispositifs de la politique de l'emploi [*voir articles p. 534, 538*], ne repose pas sur une aide à l'embauche d'une personne en fonction de ses caractéristiques propres (âge, durée de chômage, bénéficiaires des minima sociaux, handicap...). Il est fondé sur une aide de l'État au poste de travail correspondant à 80 % du Smic (Salaire minimum de croissance) pendant 60 mois. Son objectif est d'encourager le développement d'activités d'utilité sociale créatrices d'emplois afin de répondre à des besoins nouveaux ou non satisfaits.

350 000 créations d'emplois ont été prévues sur la base d'appels à projet sélectionnés à partir d'un cahier des charges analysés par une commission départementale chargée de la validation des projets d'embauche. À l'exception de la Police nationale, qui recrute sur des contrats de droit public, les contrats de travail sont de droit privé, à durée indéterminée ou déterminée de cinq années. Les jeunes sont employés à temps plein, sauf dérogation expresse. Le salaire ne peut être inférieur au Smic pour un temps plein. - **D. G.** ■

Emplois-jeunes : flux trimestriels des embauches (cumul de chaque trimestre)

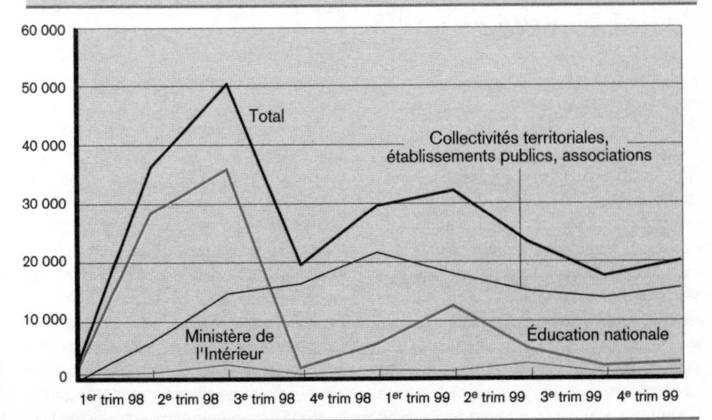

Références

« Emplois-jeunes et stratégies d'insertion par l'économique », table ronde avec Y. Lichtenberger, M. Théry, J.-P. Worms, S. Wuhl, *Esprit*, Paris, mars-avr. 1998.

C. Gelot, « Le programme nouveaux services emplois-jeunes vu par les employeurs et les jeunes », *Premières Synthèses*, n° 22.2, DARES, Paris, juin 1999.

B. Gomel, B. Simonin, « Les emplois-jeunes, un pari sur l'avenir pour tenter d'échapper au traitement social du chômage », *Le Banquet*, Paris, 2e sem. 1998.

C. Guitton, « Emplois-jeunes, la professionnalisation en débat », *Bref*, n° 158, Céreq, Marseille, nov. 1999.

cinq. L'Éducation nationale, ainsi que la Police nationale ont fait le choix de recruter uniquement au niveau du Smic.

Avec le niveau de rémunération, le statut de l'emploi (CDD ou CDI – contrat à durée déterminée ou indéterminée) constitue une des revendications fortes des emplois-jeunes. Alors que dans l'Éducation nationale et la Police les jeunes sont tous embauchés sous CDD et que, dans les collectivités territoriales, ils le sont à près de 98 %, ceux recrutés par les associations bénéficient pour la moitié d'entre eux d'un CDI. Au total, 85 % ont ainsi été recrutés en CDD, contribuant par là même à l'augmentation de salariés hors statut dans les fonctions publiques.

Des emplois de médiation sociale

Au-delà des caractéristiques des employeurs et du profil des bénéficiaires, le programme sera avant tout jugé sur la nature des services et sur les domaines d'activité exercée. Il sera aussi évalué sur sa capacité à professionnaliser les jeunes et les emplois et à pérenniser les postes au-delà de la période de prise en charge par l'État.

Hors Éducation nationale et Police nationale, les secteurs liés à la prise en charge des besoins sociaux les plus immédiats (santé, famille, solidarité) apparaissent en tête des domaines d'activité des « emplois-jeunes » (18 %). Viennent ensuite des domaines dont l'urgence semble moins immédiate mais qui n'en restent pas moins des secteurs traditionnels de l'intervention sociale. Le sport et la culture représentent près d'un quart des emplois occupés (respectivement 12 % et 11 %). La prise en compte des problèmes liés à l'environnement apparaît aussi comme un axe fort de développement du programme (14 % des embauches). Mais, dans tous les cas, ce qui domine c'est le caractère polyvalent des emplois plus que la nouveauté des tâches exercées. Celles-ci correspondent à des métiers très souvent liés à la médiation. Ainsi les tâches d'animation, de conseil, d'assistance ou d'accompagnement reviennent-elles souvent dans les appellations des métiers exercés, même si, au-delà des efforts de sémantique déployés par les porteurs de projet, percent des contenus d'emploi qui correspondent plus à une augmentation quantitative de tâches préalablement existantes qu'à une amélioration du contenu des emplois.

En matière de pérennisation des emplois, plusieurs possibilités sont ouvertes. L'Éducation nationale a clairement affiché que peu d'« aides-éducateurs » ont vocation à intégrer l'enseignement. À l'opposé, la Police devrait pouvoir sans trop de difficulté titulariser, par voie de concours, les « adjoints de sécurité ». En revanche, la situation apparaît plus complexe pour les autres secteurs. Si les collectivités locales pensent pouvoir bénéficier des départs en retraite pour recruter certains « emplois-jeunes », la pérennisation de la plus grande

Tab. 3

Caractéristiques des jeunes en « emplois jeunes » (flux cumulé au 31 décembre 1999)

	Éducation nationale	Police nationale	Collectivités territoriales	Établissements publics	Associations	Total
Part des femmes	73,0	31,1	43,8	59,4	49,3	56,0
Age						
– de 23 ans	35,7	37,7	26,5	21,6	23,0	29,3
23 à 25	58,6	49,3	45,2	46,9	44,0	49,8
26 et +	5,7	13,9	28,3	25,5	33,0	20,9
Niveau de formation						
< au Bac	0,3	40,1	35,3	24,8	20,54	18,9
Bac	59,2	45,5	31,0	36,0	34,6	42,5
Bac +2	27,5	11,7	17,8	23,0	22,2	22,5
> Bac +2	13,0	2,7	15,9	16,2	22,7	16,1
Situation antérieure						
Scolarisé ou étudiant	16,5	7,6	3,8	3,2	5,7	8,2
En formation	1,2	1,8	0,6	0,4	0,8	0,9
Militaires	15,6	9,1	0,9	0,6	1,1	5,8
Salarié	9,3	34,0	21,2	17,2	18,0	17,1
Demandeur d'emploi	54,6	46,7	72,2	77,4	73,1	66,3
Autres situations	2,8	0,8	1,3	1,2	1,3	1,7
Total	100	100	100	100	100	100

Sources : MES-DARES, Éducation Nationale, Police Nationale.

partie des salariés renvoie à la volonté des pouvoirs publics d'abonder le budget des collectivités. Dans les associations où la pérennisation des emplois dépend de la capacité financière des usagers à supporter le coût des prestations actuellement pris en charge par les pouvoirs publics, les difficultés sont certainement plus importantes encore que dans les autres secteurs. ■

Les effets pervers de l'Allocation parentale d'éducation

Carole Bonnet, *DREES*
Morgane Labbé, *démographe*

Si la croissance de l'activité féminine a été continue au cours de l'après-guerre, c'est surtout à partir des années soixante-dix qu'elle s'est accélérée, progressant aussi chez les femmes avec des enfants. À l'alternance entre interruption et reprise d'activité, caractéristique de la vie professionnelle des femmes, s'est alors substitué un modèle conciliant emploi et activité maternelle. Cette évolution s'est poursuivie dans les années quatre-vingt et quatre-vingt-dix à un rythme variant avec la taille de la famille. Au début des années quatre-vingt-dix, il ne subsistait plus de différences majeures entre les niveaux d'activité des femmes avec un ou deux enfants et celui des femmes sans enfant [*figure 1*]. L'exercice d'une activité professionnelle s'est généralisé.

C'est à rebours de cette tendance qu'à partir de 1995 le taux d'activité des mères de deux enfants enregistrait une baisse importante : alors qu'il s'élevait à 74 % en 1994 (d'après l'enquête « Emploi » réalisée par l'INSEE – Institut national de la statistique et des études économiques), il a progressivement diminué au cours des années suivantes pour atteindre 56 % en 1998. Cette baisse a résulté de l'extension, en juillet 1994, de l'Allocation parentale d'éducation (APE) aux parents de deux enfants dont l'un au moins âgé de moins de trois ans [*voir encadré*]. Cet impact spécifique a été confirmé par le fait que les taux d'activité des femmes avec un enfant, ou trois et plus, n'ont enregistré aucune inflexion comparable.

Cet impact de l'APE a été plus important que prévu. Le nombre restreint et rapidement stabilisé des bénéficiaires de l'APE de rang trois (156 000 bénéficiaires fin 1993) laissait penser à un succès « limité » de l'extension de l'allocation aux parents avec deux enfants. Pourtant, après une rapide montée en charge, on dénombrait en décembre 1998 350 000 bénéficiaires de la prestation au rang deux (contre 110 000 en décembre 1995), dont seulement 20 % à taux partiel. En 1998, le coût de l'allocation s'élevait à 11 milliards FF, soit 10 % du total des prestations familiales versées en métropole.

Présentée comme une mesure de politique familiale destinée à concilier vie familiale et vie professionnelle, l'APE s'est davantage apparentée à une mesure de politique de l'emploi. Elle a en effet conduit un grand nombre de femmes, environ une bénéficiaire sur deux, à se retirer du marché du travail. Cette incitation a toutefois été très sélective : elle a touché des femmes jeunes, peu qualifiées, et souvent en situation précaire sur le marché du travail (chômage, temps partiel, travail peu valorisant...).

Une amplification des écarts entre femmes qualifiées et non qualifiées

En dépit de l'augmentation globale de l'activité féminine, et avant même l'extension de l'APE, de grandes disparités subsistaient entre les femmes actives, principalement selon leur niveau de qualification. Les femmes peu qualifiées avec des enfants se retirent plus souvent du marché du travail. Leurs salaires sont en effet moins élevés et leurs perspectives de carrière moindres que ceux des femmes plus qualifiées. De surcroît, ces dernières ont davantage recours à des gardes d'enfants rémunérées. En 1990, les écarts entre les taux d'activité des femmes selon leur diplôme pouvaient atteindre 30 points [*Desplanques, 1993*]. En 1993, selon l'enquête « Emploi », les taux d'activité des femmes vivant en

L'Allocation parentale d'éducation (APE)

Créée en 1985 et destinée aux familles avec trois enfants, l'Allocation parentale d'éducation (APE) a été étendue, en juillet 1994, aux parents de deux enfants (99 % des bénéficiaires sont des femmes). Son principe est de fournir une allocation aux parents d'enfants en bas âge, qui ont déjà travaillé, mais souhaitent se consacrer à l'éducation de leurs enfants.

L'allocation, dite « de remplacement », doit compenser une partie de la perte de revenu liée à la cessation d'activité. Elle consiste en une prestation forfaitaire, non imposable, dont le montant s'élevait au 1er janvier 2000 à 3 076 FF mensuels. Elle est versée sans condition de ressources, jusqu'à ce que le cadet atteigne l'âge de trois ans. Dans le cas d'une activité à temps partiel, elle peut être octroyée à taux réduit. Pour en bénéficier, il faut avoir totalisé deux ans d'activité au cours des cinq dernières années, et que le plus jeune des enfants ait moins de trois ans. - **C. B., M. L.**

couple avec deux enfants (dont au moins un de moins de trois ans) différaient de 13 points selon qu'elles avaient achevé leurs études avant ou après 19 ans, critère utilisé pour distinguer les femmes « peu qualifiées » et les femmes « qualifiées » [*figure 2*]. Après la mise en place de l'APE de rang deux, c'est-à-dire l'extension de l'APE aux familles de deux enfants, cet écart a augmenté, atteignant 17,5 points en 1998. L'APE a ainsi eu un impact très différencié selon le niveau de qualification des femmes, accentuant un clivage social qui se résorbait lentement.

Cette discrimination de l'APE résulte en grande partie de son montant : 3 076 FF mensuels au 1er janvier 2000. Censée compenser une perte financière liée à l'interruption de l'activité salariée, cette prestation s'est révélée attractive pour les femmes ayant des bas salaires ou travaillant à temps partiel. Cet effet a été encore plus prononcé lorsque les femmes avaient des difficultés à faire garder leur enfant (petites agglomérations, milieu rural...).

Modification des trajectoires après la naissance du deuxième enfant

L'enquête « Emploi », mobilisée ici pour le calcul des taux d'activité, permet aussi de suivre des individus pendant trois années de suite sur le marché du travail [*Bonnet, Labbé, 1999*]. Ainsi, si l'on s'intéresse aux femmes en activité avant et après la naissance du deuxième enfant, il apparaît clairement que l'extension de l'APE a profondément modifié leurs trajectoires sur le marché du travail pendant les trois années suivant cette deuxième naissance. En 1994, avant l'élargissement

Fig. 1 Taux d'activité des femmes selon le nombre d'enfants (dont au moins un de moins de trois ans)[a]

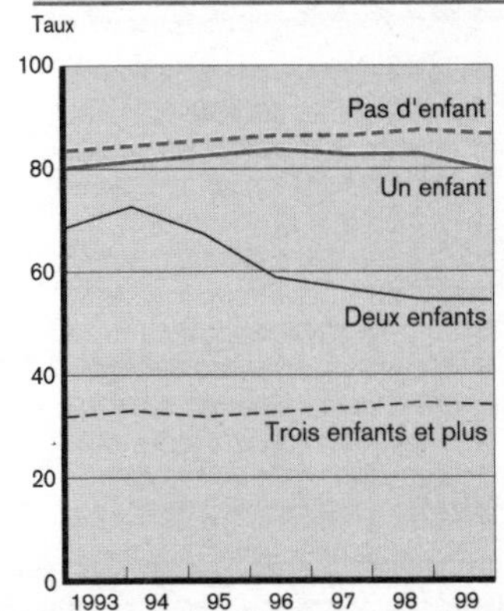

a. Champ : femmes âgées de 20 à 49 ans, vivant en couple.
Source : enquêtes « Emploi », INSEE, 1993 à 1999.

Tab. 1

Trajectoires des femmes en activité avant la naissance de leur deuxième enfant, durant les trois ans qui suivent cette naissance[a] (en %)

Trajectoires	Enfant né avant le 1er juillet 1994	Enfant né après le 1er juillet 1994	Variation
Activité durant trois ans	82	57	– 25
Activité à la fin des trois ans, mais inactivité au moins une fois	8	10	+ 2
Inactivité au bout des trois ans	10	33	+ 23
Total	100	100	

a. Les femmes dont le deuxième enfant est né après le 1er juillet 1994 peuvent prétendre à l'APE.
Source : enquête « Emploi », INSEE, 1993 à 1998.

de l'allocation, plus de huit femmes sur dix demeuraient en activité durant les trois ans suivant la naissance de leur deuxième enfant, et seules 10 % étaient en inactivité au bout de ces trois années [*tableau 1*]. Après, seules cinq femmes sur dix demeuraient continûment actives, alors que la proportion de mères en inactivité au bout des trois années d'observation était multipliée par trois, pour atteindre un tiers des femmes considérées.

La mise en place de l'APE de rang deux semble ainsi avoir incité les femmes non seulement à se retirer temporairement du marché du travail, mais aussi à interrompre leur activité pour une période longue, d'au moins

Fig. 2

Taux d'activité des femmes ayant au moins un enfant de moins de trois ans en fonction de leur âge de fin d'études[a]

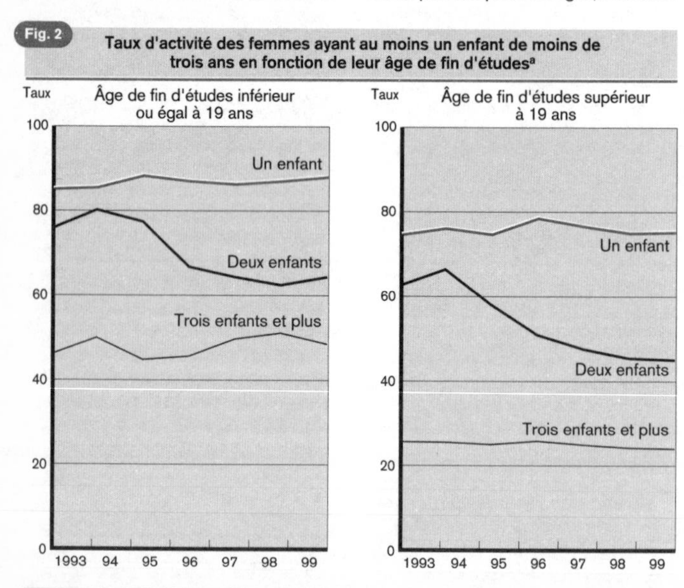

a. Champ : femmes âgées de 20 à 49 ans, vivant en couple.
Source : enquêtes « Emploi », INSEE, 1993 à 1999.

Références

C. Afsa, « L'activité féminine à l'épreuve de l'Allocation parentale d'éducation », *Recherches et Prévisions*, n° 46, CNAF, Paris, 1996.

C. Afsa, « Les effets ambigus de la loi Famille », *Informations sociales*, n° 58, INED, Paris, 1997.

L. Allain, B. Sédillot, « L'effet de l'Allocation parentale d'éducation sur l'activité des femmes », *in Politique familiale. Bilan et perspectives.* Thélot Villac, mai 1998.

C. Bonnet, M. Labbé, « L'activité des femmes après la naissance de leurs deux premiers enfants : l'impact de l'Allocation parentale d'éducation », *Études et Résultats*, n° 37, Ministère de l'Emploi et de la Solidarité/DREES, Paris, nov. 1999.

G. Desplanques, « Activité féminine et vie familiale », *Économie et Statistique*, n° 261, INSEE, Paris, 1993.

J. Fagnani, « L'Allocation parentale d'éducation : effets pervers et ambiguïtés d'une prestation », *Droit social*, n° 3, Paris, mars 1995.

J. Fagnani, « Retravailler après une longue interruption. Le cas des mères ayant bénéficié de l'Allocation parentale d'éducation », *Revue française des affaires sociales*, n° 3, Ministère de l'Emploi et de la Solidarité, Paris, 1996.

trois ans, de façon à bénéficier de l'ensemble des droits ouverts par la prestation.

Ces modifications de trajectoires apparaissent d'autant plus fortes que les femmes sont jeunes et peu qualifiées. Les femmes plus âgées et « qualifiées » se maintiennent toujours majoritairement sur le marché du travail après la naissance de leur deuxième enfant (à plus de 77 % contre près de 90 % avant l'instauration de l'allocation).

Ces sorties de l'activité, pour au moins trois ans, de femmes déjà vulnérables sur le marché du travail soulèvent la question essentielle de leur réinsertion. La plupart des études réalisées jusqu'à présent ont porté sur le nombre et les caractéristiques des femmes qui ont été incitées à quitter l'activité suite à la naissance de leur deuxième enfant [*Afsa, 1996 ; Sédillot, 1998*]. Très peu d'informations étaient en revanche disponibles, au début 2000, sur leur retour éventuel et les conditions dans lesquelles il s'opère.

La faveur dont a bénéficié l'APE auprès de ces femmes actives a de nouveau attiré l'attention sur le problème plus global de la garde des jeunes enfants lorsque la mère travaille. Pour offrir aux femmes un véritable choix, non contraint par des différences socioprofessionnelles, il serait souhaitable d'envisager la mise en place d'une prestation d'un montant supérieur, mais versée sur une plus courte durée (pour éviter d'écarter les femmes du marché du travail trop longtemps), qui pourrait, en outre, être accessible dès le premier enfant, pour lequel ces problèmes de garde se posent déjà. Une telle prestation favoriserait probablement l'articulation entre la vie familiale et la vie professionnelle sans être un frein à l'évolution de l'activité féminine. ■

Les informaticiens partagent leur savoir

Olivier Liaroutzos, *Céreq*
Marc Robichon, *AFPA*

Depuis près de vingt ans arrivent sur le marché des micro-ordinateurs dont la puissance double tous les deux ans. Dans le même temps, l'hybridation de l'informatique et des télécommunications a engendré une interconnexion universelle des machines, Internet. Cette conjonction rend possible la multiplication de services dits « en ligne », leur décloisonnement, et le court-circuit de services intermédiaires, tels que les librairies, les guichets bancaires ou les agences de voyages... La croissance démesurée de la capitalisation boursière de la netéconomie reflète un mouvement de réorganisation de certaines activités essentielles comme le commerce, la diffusion audiovisuelle ou le courrier. Faisant évoluer le comportement des consommateurs et des entreprises, ce mouvement devient moteur de la reprise économique. Les conditions sont alors réunies pour qu'apparaisse un cercle vertueux qui amplifie encore la diffusion de ces technologies.

Après avoir traversé une passe traumatisante de 1993 à 1996, l'emploi des informaticiens connaît donc une phase ascendante. L'usage des nouvelles technologies de l'information et de la communication (NTIC) se diversifie entre travail et loisirs, abolissant la frontière traditionnelle qui les séparait, et se diffuse au cœur de l'ensemble des professions. Un salarié sur deux travaillait avec un micro-ordinateur en 1998. L'accroissement du nombre des utilisateurs entraîne mécaniquement celui du nombre des professionnels chargés de les accompagner. Le nombre des informaticiens en France a atteint le cap de 400 000 en 1999 (d'après Syntec-Informatique, syndicat professionnel des sociétés de services en ingénierie et informatique). Les conséquences de cette croissance ne sont pas seulement quantitatives. La nature des interventions et du savoir-faire de l'informaticien se transforme en profondeur. Le renouvellement constant des matériels, des logiciels et des outils a cet effet paradoxal : la connaissance technique de plus en plus d'informaticiens est à la fois pointue et volatile, car vite périmée.

Se mettre au niveau des interlocuteurs

La compétence la plus stable est désormais de savoir s'inscrire dans la logique des personnes qui sollicitent les services. L'informaticien se met au niveau de ses interlocuteurs en vulgarisant son propre savoir et en appréhendant finement le contexte de son commanditaire. Il s'agit bien là d'une inversion du rapport entretenu avec les premiers informaticiens, dans lequel les usagers étaient sommés de se soumettre à la suprématie de la technique. Ces évolutions réagissent en profondeur sur la structure des métiers de base de l'informatique [*voir figure*], dont une figure emblématique pourrait bien être le métier de support technique à distance (support *help desk*). Voilà quelqu'un qui met son expertise à disposition d'un public à la fois omniprésent et très hétérogène. Il peut passer d'un dépannage trivial à la caractérisation d'un problème complexe qu'il fera résoudre par un spécialiste de niveau plus élevé. Cependant, l'informatique n'est pas à l'abri de nouvelles formes de taylorisme comme le montrent les conditions de travail du support help desk, proches, par la pénibilité, de celles des téléopérateurs travaillant en centres d'appel. *A contrario*, le rapprochement avec les utilisateurs explique l'atténuation fré-

Fig. 1 **Les métiers de base de l'informatique**

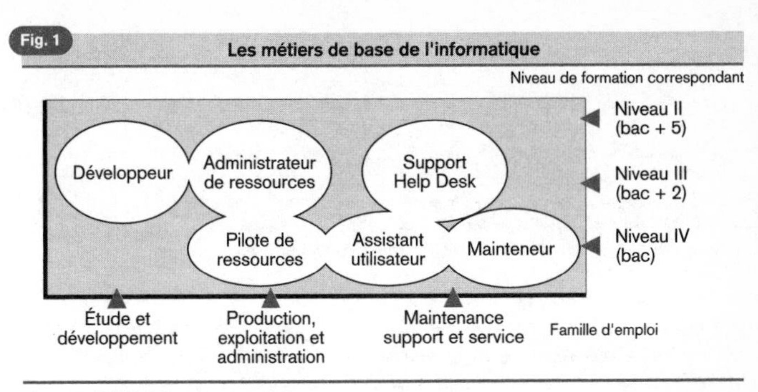

Source : AFPA-Céreq.

Fig. 2

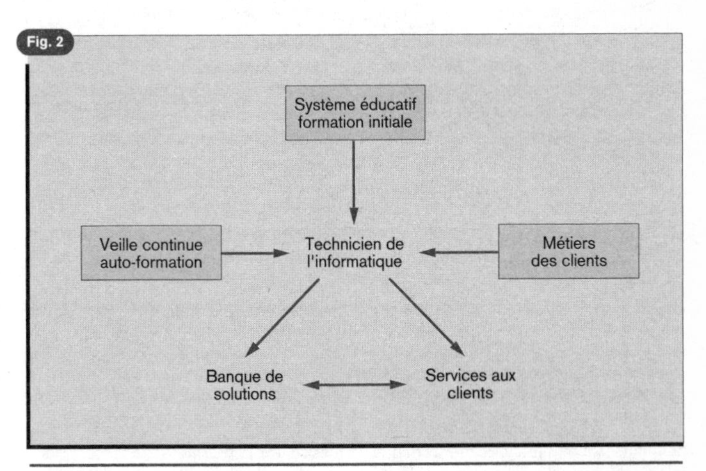

Source : AFPA-Céreq.

quente des distinctions entre conception et réalisation, entre pilotage et exécution. Ainsi, il n'est pas rare que le développeur exerce aussi des fonctions de chef de petits projets, voire de technico-commercial.

Ces évolutions se répercutent sur l'organisation des entreprises du secteur, en premier lieu sur celle des sociétés de services (SSII). En l'an 2000, le nombre d'informaticiens travaillant en SSII avoisinait pour la première fois celui des informaticiens à demeure chez les utilisateurs, qui de leur côté expérimentent des formes d'externalisation. De petites sociétés orientées produits ou services, innovantes et créatrices d'emplois, sont financées par des capital-risqueurs et visent à la fois une cotation en Bourse et le rachat par une structure plus importante, que cette dernière soit du secteur informatique ou financier. Ce mouvement continu provoque des vagues incessantes de concentrations et de fusions, avec

Références

Les Chemins de la prospective au travers des métiers de l'informatique, coll. du Commissariat général du Plan, Paris, janv. 1999.

M. Guillaume, « La révolution commutative », *Les Cahiers de médiologie*, n° 6, Gallimard, Paris, 1998.

O. Liaroutzos, M. Robichon, « La recomposition des métiers de base de l'informatique », *Bref*, Céreq, Marseille, juill. 1999.

« Les métiers de base de l'informatique », AFPA/DEAT, Neuilly-sur-Marne, nov. 1999 (publication interne).

@ **Sites Internet**

01-Informatique : **http://www.01-informatique.fr**

AFPA (Association nationale pour la formation professionnelle des adultes) : **http://www.afpa.fr**

Club informatique des grandes entreprises françaises : **http://www.cigref.fr**

Law manager : **http://www.lmi.com**

Syntec-Informatique : **http://www.syntec.fr**

comme objectif avoué la création de groupes de dimension européenne ou mondiale. Mais les métiers de l'informatique ne changent pas seulement sous la pression des usagers et des employeurs. Un phénomène de convergence des technologies bouleverse une division du travail fondée sur les domaines d'application. Les langages de programmation, les systèmes d'exploitation et les réseaux sont communs à l'industrie et à la gestion. Le même progiciel de gestion intégrée s'adapte à tous les secteurs d'activité. L'informatique et les télécommunications s'interpénètrent chaque jour un peu plus. Toutefois, la spécificité industrielle reste marquée quand les logiciels sont enfouis dans des équipements tels les téléphones portables.

Formation tout au long de la vie ?

Le système éducatif dans son ensemble, qu'il s'agisse de formation initiale ou continue, est tenu de participer à cette mutation. Bien qu'encore inégalitaire, la diffusion des outils informatiques dans la sphère domestique et scolaire familiarise très tôt les enfants avec leur usage. Les cursus d'enseignement informatique s'adaptent plus ou moins facilement à cette nouvelle culture générale, leur mission étant alors de transformer des savoirs ludiques en savoirs professionnels. Le système de formation initiale, à travers les BTS ou les DUT, a historiquement privilégié la famille de l'étude et du développement. Il prend cependant en compte, depuis 1998-1999, les changements intervenus dans le développement, ainsi que l'importance croissante des deux autres familles d'emploi, centrées sur l'administration et l'assistance. Pour sa part, la formation professionnelle pour adultes a restructuré l'ensemble de son offre à l'échéance 2000, afin de la rendre plus lisible pour ses publics et les employeurs.

Les professionnels de l'informatique se trouvent au cœur d'une dynamique d'échange des savoirs constitutive d'une expertise : dynamique qui préfigure peut-être une situation généralisable à bon nombre de salariés. L'informaticien consacre une part importante de son temps de travail, pouvant aller jusqu'au tiers et débordant largement de son temps de présence dans l'entreprise, à une veille technologique continue (lecture assidue de la presse spécialisée et de l'information technique en ligne, échanges permanents entre collègues et avec des spécialistes). En outre, chaque nouveau problème posé par un client vient enrichir une banque des solutions efficaces. Ses clients développent en effet une capacité de suggestion que l'informaticien cherche à valoriser. Il est heureux que ce dernier manipule avec aisance le multimédia et les hyperliens (moyens privilégiés de navigation sur le Web) qui favorisent cet accroissement en boule de neige de la connaissance. Mais l'on comprend que cette position de capteur de savoir requiert une disponibilité d'esprit impliquant un engagement souvent éprouvant pour ce salarié. Dans de telles conditions, l'exercice des métiers en informatique pourrait bien devenir une étape dans une carrière professionnelle, avant d'envisager une reconversion à d'autres métiers. ■

Santé
Grandes tendances

Martine-Marie Bellanger
Économiste, ENSP

Être en bonne santé suppose que des conditions soient réunies à la fois sur un plan individuel (conditions de vie, hygiène, alimentation) et sur un plan collectif (système de santé pour maintenir et améliorer l'état de santé, protection sociale pour la prise en compte des risques, intégration sociale). Aussi, dire que le système de santé doit être centré sur les besoins des usagers semble relever de l'évidence. Or cette orientation n'a pas pour autant dominé l'organisation du système. Il n'est pas exagéré de dire que la logique de l'offre de soins, face à une demande solvable, a plutôt été l'axe prioritaire des acteurs de santé (médecins, directeurs de services hospitaliers, tutelle) jusqu'au début des années quatre-vingt-dix. Au niveau hospitalier par exemple, cela se traduit par « le développement de plateaux techniques, le recrutement médical, le redéploiement interne en faveur des unités médicales et au détriment de la fonction hôtelière » [*Moisdon, 1995*].

Vers une approche globale

Porter une attention, même brève, sur l'évolution du ratio dépenses de santé/PIB n'est peut-être pas inutile. En effet, la part des dépenses de santé dans le PIB de l'ensemble des pays de l'Union européenne a augmenté à compter de 1980, à l'exception de l'Irlande et du Danemark [*figure 1*]. Toutefois, pour un certain nombre de pays, le ratio a tendu à se stabiliser à partir du début des années quatre-vingt-dix. En revanche, pour la France, la dépense nationale de santé [*voir lexique*] a augmenté davantage que dans la plupart des autres pays. Cela explique qu'elle occupe la deuxième position en 1996 (9,6 %) derrière l'Allemagne (10,7 %) pour la part du PIB consacrée à la santé. La politique de maîtrise des dépenses de santé en France a néanmoins commencé à faire sentir ses effets, même s'ils demeurent encore faibles.

Plusieurs facteurs explicatifs peuvent être rappelés. L'amélioration du niveau de vie est souvent considérée comme l'un des déterminants de la hausse des dépenses de santé. Le principe invoqué est plutôt simple, voire parfois « naïf », s'il est réduit

INDICATEUR		1970	1980	1994	1997
Espérance de vie à la naissance					
Sexe féminin	*années*	75,9	78,4	81,8	82,3
Sexe masculin	*années*	68,4	70,2	73,7	74,6
Principales causes de décès					
Tumeurs malignes	*milliers*	105	129	145	147
Maladies du cœur	*milliers*	100	137	124	127
Maladies vasculaires cérébrales	*milliers*	77	68	43	42
Mortalité périnatale	*%*	2,33	1,29	0,74	0,5
Système de soins					
CSBM[a] par hab.	*FF*[b]	3 460	6 599	11 002	13 343
CSMB[a]/PIB	*%*	5,2	6,8	8,8	8,8
Part de la médecine préventive	*% CMT*[c]	2,8	2,9	2,1	2,2
Effectif des médecins	*milliers*	62	104	160	175
Remboursement des dépenses médicales[d]	*%*	67	76,5	73,5	75,5
Couverture complémentaire	*% de la pop.*	49	69	83	83,0

a. Consommation de soins et biens médicaux ; b. En francs constants, calculés pour 1970 et 1980 sur la base 80 (francs 1980) et pour 1994 et 1997 sur la base 95 (francs 1995). Selon les services statistiques du ministère de la Santé, les modifications et révisions de la base 1995 induisent une baisse de la consommation de soins et biens médicaux de 0,2 point de PIB par rapport à la base précédente. Ces modifications n'ont toutefois que peu d'influence sur le profil annuel d'évolution des consommations de 1990 à 1997 dans chacune des deux bases. Les évolutions comparées entre elles sont similaires, seul change en effet le niveau des séries ; c. Consommation médicale totale, incluant la consommation de soins et biens médicaux (CSBM) et la médecine préventive ; d. Remboursement par la Sécurité sociale.
Source : Eco-Santé France 99.

au fait que, lorsque les revenus augmentent, les ménages demandent plus de soins médicaux. Viennent ensuite le progrès technologique, le vieillissement de la population. Les personnes âgées de 65 ans ou plus consomment en moyenne quatre fois plus de soins de santé que les autres. Ce dernier point doit cependant être nuancé. La progression de la demande de soins due à l'« effet de cohorte » va connaître un ralentissement à mesure que les générations auront rattrapé leur retard en termes d'habitudes de consommation [*Houriez, 1993*].

En outre, le haut niveau des dépenses de santé en France ne signifie pas une situation d'offre de soins homogène sur tout le territoire. Les décisions des acteurs qui se déploient au niveau local (par exemple, le choix d'installation de certains médecins spécialistes en milieu urbain, ou encore l'expansion de certains centres hospitalo-universitaires – CHU) peuvent conduire à des situations d'offre excédentaire dans certaines zones et, inversement, à des pénuries dans d'autres. L'agglomération parisienne et le Midi sont « surmédicalisés », le Nord et le Nord-Est industriels et certains départements ruraux du Centre et de l'Ouest, « sous-médicalisés » [*Vigneron, 1998*]. Dans ce contexte, de fortes inégalités de santé persistent entre catégories socioprofessionnelles, selon le sexe et selon l'âge, et d'importants écarts de mortalité existent entre régions. Ainsi, les départements du Nord-Pas-de-Calais restaient en 1996 ceux où la mortalité générale était la plus élevée de France [*voir carte p. 115*].

Face à ces constats d'inégalités de santé et d'offre de soins, le rapport du Haut Comité de la santé publique de 1994 soulignait la nécessité de profonds changements dans l'organisation du système de santé et de la protection sociale. La réforme Juppé intervenue en 1996 [*voir article p. 546*] a marqué un tournant dans la conception du système [*HCSP, 1998*].

Lexique

♦ La dépense nationale de santé

La dépense nationale de santé d'un pays représente « l'effort consacré à la fonction santé par l'ensemble des agents économiques. Elle comprend, outre les dépenses de soins et de biens médicaux, les dépenses de recherche, d'enseignement et de gestion du système de santé » [*SESI, 1998*].

♦ Les indices comparatifs de mortalité

« Les indices comparatifs de mortalité (ICM) permettent de comparer la situation des régions en éliminant les effets dus aux différences de la structure par âge des populations. L'ICM est le rapport, en pourcentage, du nombre de décès observés au nombre de décès attendus si les taux de mortalité pour chaque tranche d'âge avaient été identiques, dans chaque région, aux taux nationaux. Un ICM égal à 100 correspond à une mortalité globalement équivalente à celle de la France » [A. Fontaine, *Actualité et dossier en santé publique, 1997*].

♦ La consommation médicale totale

Les comptes de la santé prennent en compte la notion de consommation médicale totale qui se décompose en consommation de soins et biens médicaux et en médecine préventive. La consommation de soins et de biens médicaux recouvre les soins hospitaliers et en sections médicalisées, les soins ambulatoires, les médicaments, les appareils thérapeutiques et le transport des malades. - **M.-M. B.** ■

L'une des évolutions récentes les plus marquantes, tout au moins dans les principes énoncés, consiste à privilégier une approche globale de la santé et la prise en compte explicite de priorités de santé de la population.

L'échelon régional et l'enjeu d'une meilleure adaptation aux besoins des usagers

Au cours des années quatre-vingt-dix, la régulation décentralisée du système de soins s'est intensifiée. L'existence de fortes disparités régionales et la nécessité de maîtriser les dépenses de santé ont conduit les pouvoirs publics à des réformes dont les ambitions peuvent être ainsi résumées : « Une politique régionale de santé doit être centrée sur la santé des populations et ses besoins, avoir des objectifs précis, être capable de mobiliser les partenaires de santé et la population elle-même autour de ces objectifs, s'appuyer sur des outils opérationnels, traduire en actions les objectifs prioritaires » [*circulaire 97/731 du 20.11.1997*].

Dans cette optique, un certain nombre d'instances sont appelées à voir le jour avec pour axe principal « l'usager au centre du système ». Les unions régionales des médecins libéraux (URML), créées en 1993, apparaissent comme une instance de réflexion sur les besoins médicaux et le fonctionnement du système de santé. En 1996, les conférences régionales de santé ont été instituées et chargées de définir chaque année en séance publique les priorités de santé. Elles réunissent « les représentants de l'État, les collectivités territoriales, les organismes d'assurance maladie, des professionnels du champ sanitaire et social, des institutions et établissements sanitaires et médico-sociaux et des usagers ». Les ordonnances de 1996 ont renforcé le dispositif, mais maintenu la séparation traditionnelle entre le secteur hospitalier dépendant maintenant des agences régionales de l'hospitalisation (ARH) et celui des soins

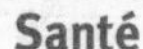

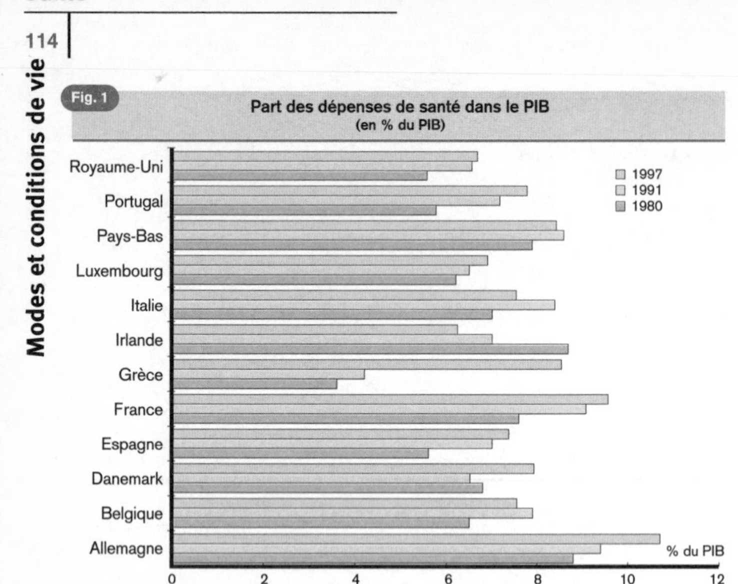

Source : © Éco-Santé OCDE 99.

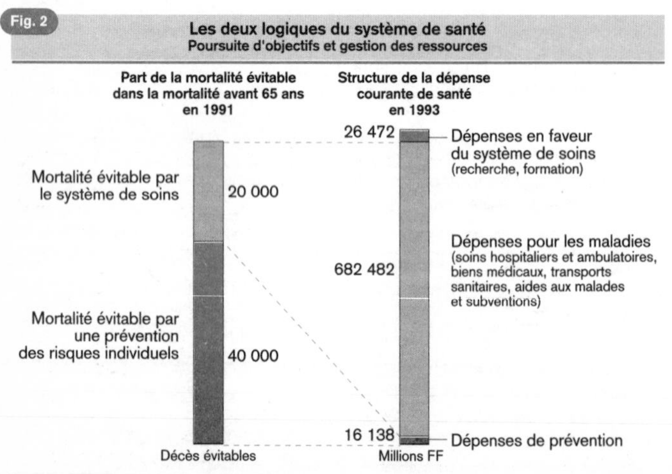

La part des efforts consacrés à la prévention des risques individuels est nettement inférieure à la part des gains en mortalité prématurée qu'elle pourrait permettre.

Source : *Revue trimestrielle HCSP* (dossier), Paris, 11 juin 1995.

Fig. 3

Taux comparatif des décès par département
(toutes causes, tous âges, 1990)

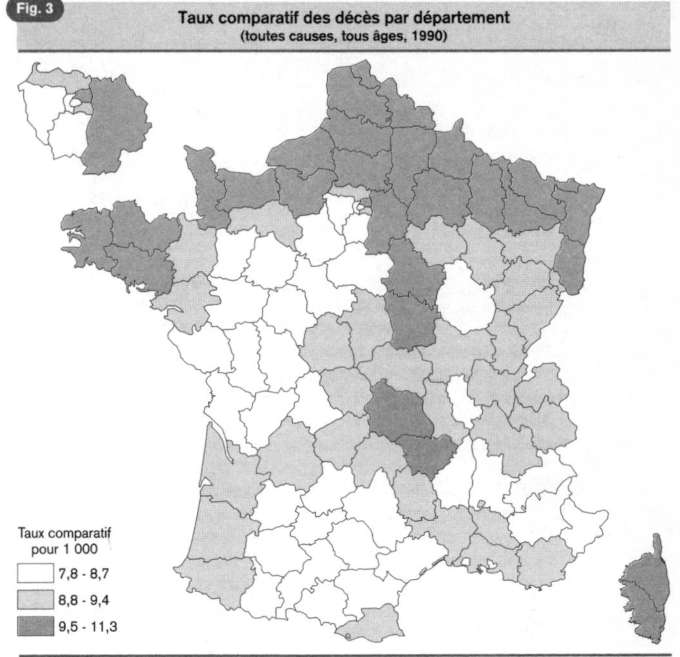

Source : Éco-Santé-régional, 1998.

ambulatoires rattaché aux unions régionales des caisses d'assurance maladie (URCAM). Toutefois, les schémas régionaux d'organisation sanitaire (SROS), qui sont la référence pour toute transformation de l'hôpital, proposent des orientations explicites en termes de coordination de soins. Cette coordination concerne les réseaux interhospitaliers, reposant sur une complémentarité entre les services ou les établissements et sur une réponse adaptée aux besoins de la population, et les réseaux ville-hôpital avec pour objectif déclaré de « faire pénétrer la médecine ambulatoire dans l'hôpital et faire sortir l'hôpital de ses murs ».

La création d'outils conçus à l'échelon régional et pour une meilleure satisfaction des usagers repose sur des éléments spécifiques comme la connaissance de la perception par la population de son état de santé, l'identification de ses besoins, de ses priorités. À ce niveau, des questions restent en suspens : la population est-elle réellement représentée dans le choix des priorités, et avec quelle implication ? Est-elle suffisamment informée pour se sentir prête à intervenir et de quelle information dispose-t-elle ?

Les déterminants de santé : alimentation, environnement, précarité...

Selon une étude comparative du Centre de recherche pour l'étude et l'observation

Références

B. Cassou, M. Schiff, *Qui décide de notre santé ? Le citoyen face aux experts*, Syros, Paris, 1998.

« Données sur la situation sanitaire et sociale en France », *Rapport du SESI*, Ministère de l'Emploi et de la Solidarité, La Documentation française, Paris, 1998.

« Géographie de la santé », *Actualité et dossier en santé publique* (revue trimestrielle du Haut Comité de la santé publique), n° 19, Paris, juin 1997.

Haut Comité de la santé publique, *La Santé des Français*, La Découverte, « Repères », Paris, 1998.

Haut Comité de la santé publique, *La Santé en France 1994-1998*, La Documentation française, Paris, 1998.

Haut Comité de la santé publique, *La Santé en France, Rapport général et annexes*, La Documentation française, Paris, nov. 1994 (2 vol.).

P.H. Keller, J. Pierret, *Qu'est-ce que soigner. Le soin, du professionnel à la personne*, Syros/Mutualité française, Paris, 2000.

Y. L'Horty, F. Rupprecht, A. Quinet, « Expliquer la croissance des dépenses de santé », Communication au colloque de l'Association d'économétrie appliquée à la santé, Lyon, 6-7 juillet 1998.

R. Lenglet, Bernard Topuz, *Des lobbies contre la santé*, Syros/Mutualité française, Paris, 1998.

V. Lucas-Gabrielli, F. Tonnellier, E. Vigneron, *Une typologie des paysages socio-sanitaires en France*, CREDES, Paris, 1998.

P. Mormiche, « Grandes tendances de la santé », *in L'état de la France 97-98*, La Découverte, Paris, 1998.

F. Pradeau, M.-C. Pradeau, « "100 pommes divisées par 15 harengs saurs"... ou ... du bon usage des statistiques hospitalières », *Gestions hospitalières*, Vitry-sur-Seine, déc. 1997.

Voir aussi Index, mot clé « Santé ».

@ **Site Internet**

CREDES : **http://www.credes.fr**

des conditions de vie (CRÉDOC), les opinions et perceptions par la population de son état de santé font apparaître entre 1992 et 1997 une nette satisfaction qui demeure stable. Cependant, l'état de santé de la population « dans les dix ans à venir » est perçu de manière moins optimiste, 30 % des personnes interrogées pensant qu'il ne s'améliorera pas. Cette évolution peut être rapprochée d'une perception plus pointue des risques liés à l'environnement : 81 % considèrent que la population est de plus en plus exposée à de multiples risques. En outre, le fait que les conditions sociales et de vie sont perçues comme déterminantes pour l'état de santé peut également expliquer ce moindre optimisme. Les enquêtes CRÉDOC de 1992 et de 1997 classaient l'alimentation et la pollution au premier rang des causes déterminantes de l'état de santé. En 1997, la précarité connaissait une évolution notable, 73 % des personnes se disant tout à fait d'accord pour considérer le rôle du chômage et 67 % le manque d'argent comme facteurs d'importance, cette évolution étant la plus significative chez les cadres et les personnes aux revenus les plus élevés (+15 %) [*HCSP, 1998*].

Dans cette même étude, 75 % des personnes interrogées affirmaient que l'alimentation et l'amélioration de l'environnement, la mise à jour des vaccinations, les campagnes d'information et de dépistage contribuent à la prévention. La part de la médecine préventive dans la consommation médicale totale [*voir lexique p. 113*], après avoir baissé de 2,8 % à 2,2 % entre 1970 et 1994, stagnait à 2,2 % en 1997, ce qui est très faible. La part des efforts consacrés à la prévention des risques individuels est nettement inférieure à la part des gains en mortalité prématurée (avant 65 ans) qu'elle pourrait permettre [*figure 2*]. La France est très en retard sur ce plan par rapport aux autres pays européens occidentaux.

Les attentes de l'usager à l'égard du système de santé

Les attentes de l'usager à l'égard du système de santé sont diverses. Elles recouvrent principalement l'accès et la qualité des soins, le droit à la sécurité et à l'information. La présence d'un hôpital rassure, et le maintien d'une structure de proximité est presque toujours plébiscité par la population. La proximité des services vise aussi à éviter qu'une partie de celle-ci, notamment les catégories les plus fragiles (personnes âgées, ménages aux revenus modestes, patients chroniques ayant besoin de soins répétés...), soit privée de soins à cause de la distance. Cette distance peut être mesurée en kilomètres, en temps d'accès ou en coût de transport. Même si la distance n'a pas le même effet selon que l'on dispose ou non d'un véhicule, le niveau d'éducation (la distance d'accès parcourue varie entre 33 kilomètres pour un niveau supérieur au bac contre 23 en moyenne), elle peut représenter un frein à l'utilisation du système de soins. Dans les communes rurales, où les distances d'accès aux consultations des généralistes et aux hôpitaux sont élevées, et où la proportion des personnes âgées est importante, se pose ainsi la question de l'aménagement du territoire.

Certains usagers sont d'ailleurs les premiers à tenir compte de la qualité : 40 % d'entre eux ne choisissent pas l'hôpital le plus proche, mais celui qui offre les meilleurs ratios proximité/sécurité, surtout pour la chirurgie (moins pour la maternité). Les choix budgétaires se fondent en comparant les avantages qu'offre un équipement de proximité et les inconvénients que présente une petite structure isolée, dont les personnels sont moins entraînés à certaines tâches et dont l'équipement apparaît insuffisant. Les modes d'accès aux soins engendrent des risques d'inégalité dans la prise en charge. Ainsi, selon que le niveau d'éducation et de revenus est plus élevé, les distances aux soins sont plus longues. Il y a en effet des possibilités plus larges d'accès à des soins et des services les plus spécialisés, les plus adaptés ou les plus renommés. À ce titre, on comprend parfaitement l'importance que peut jouer l'information dans les critères de choix. Un phénomène récent témoigne de l'importance de cette information auprès des usagers. La presse grand public présente en effet de plus en plus d'articles sur le système de santé et plus particulièrement sur les hôpitaux. Ces informations destinées au public contrecarrent l'idée selon laquelle les soins sont de qualité égale partout en France.

Les usagers du système de santé révèlent plus facilement leurs attentes. Corrélativement, face au problème récurrent des dépenses de santé, il devient urgent de considérer que la santé relève d'un devoir général qui incombe à la population elle-même. C'est une question centrale de santé publique. En d'autres termes, l'évolution de l'état de santé et du système de santé dépend aussi des choix individuels faits, en ce domaine comme dans d'autres, par des sujets libres [*voir article suivant*]. ■

(*Cet article a été conçu avec la collaboration de Murielle Bauchet.*)

La Couverture maladie universelle

Pierre Volovitch
Économiste, IRES

La Couverture maladie universelle (CMU) a été mise en place le 1er janvier 2000. Elle assure un accès aux soins totalement gratuit, sur seul critère de résidence « stable et régulière », aux personnes dont le revenu ne dépasse pas 3 500 FF par mois pour une personne seule (5 250 FF pour un couple, 6 300 FF pour un ménage de trois personnes...).

La CMU assure une couverture de base aux 150 000 personnes qui n'y avaient pas accès, soit par absence de droit, soit, le plus souvent, par incapacité à faire valoir leurs droits. Surtout, dans un pays où la couverture de base ne prend en charge que les deux tiers des dépenses en médecine de ville (médecin et pharmacie) et moins d'un tiers des dépenses dentaires, elle apporte une couverture complémentaire gratuite aux 6 000 000 de personnes les plus défavorisées.

Au nom de la stabilité des prélèvements obligatoires, il a été prévu que la mise en place de cette « avancée sociale » serait neutre pour les finances publiques. Il en résulte un financement complexe qui combine le recyclage des fonds que les départements utilisaient pour financer l'aide médicale et une taxe de 1,75 % sur le chiffre d'affaires des organismes de couverture complémentaire (mutuelles, institutions de prévoyance, sociétés d'assurance). Ces organismes verront leur contribution réduite de 1 500 FF pour chaque personne prise en charge. Sur la réelle neutralité du bouclage financier, tout le monde s'accorde pour considérer que le coût réel va surtout dépendre de l'ampleur du « rattrapage » que va entraîner la gratuité pour des populations qui, jusqu'ici, renonçaient aux soins pour des raisons financières. Plus au fond, la participation des organismes de couverture complémentaire au financement leur donne un moyen de peser sur les évolutions futures du dispositif.

Au-delà des 6 000 000 de personnes pour qui elle représente un réel progrès, la CMU va modifier le fonctionnement de l'ensemble du système de santé français.

La CMU met en place une « norme ». Les soins pris en charge par la CMU et leurs prix vont devenir une sorte de socle en dessous duquel aucune couverture complémentaire ne pourra descendre. La loi, complétée pour le dentaire et l'optique par les arrêtés ministériels de décembre 1999, fixe des niveaux de prise en charge assez élevés. Il est difficilement envisageable que des personnes, couvertes à titre onéreux, soient moins bien couvertes que les personnes qui bénéficient gratuitement de la CMU. La vitesse avec laquelle la « norme » CMU va se répandre sera intéressante à suivre. Pour l'avenir, rien ne garantit que l'actuelle relative générosité de la CMU sera maintenue. Les complémentaires, fortes de leur participation au financement du dispositif, ont déjà obtenu du ministre le principe d'un plafonnement des dépenses, que la loi ne prévoyait pas. Si la couverture apportée par la CMU devait se réduire, on verrait réapparaître les mêmes inégalités que celles provoquées par les politiques antérieures de déremboursement.

La CMU bouleverse le monde des organismes de couverture complémentaire. Les bénéficiaires de la CMU vont choisir librement leur complémentaire. La place respective des mutuelles, institutions de prévoyance et sociétés d'assurance va s'en trouver modifiée. On demande aux mutuelles, qui fonctionnent sur un principe de solidarité de « proximité » (professionnelle ou locale), de prendre en charge une solidarité nationale. Sont-elles capables

Références

« La Couverture maladie universelle », *Droit social*, n° 1, Paris, janv. 2000.

DREES, *Comptes nationaux de la Santé*, Ministère de l'Emploi et de la Solidarité, La Documentation française, Paris, 1999.

Rapports officiels

J.-C. Boulard, *Pour une couverture maladie universelle base et complémentaire, rapport au Premier ministre*, août 1998.

Haut Comité de santé publique, *La Progression de la précarité en France et ses effets sur la santé*, La Documentation française, Paris, 1998.

@ **Site Internet**

Ministère de l'Emploi et de la Solidarité : **http://www.sante.gouv.fr**

de prendre ce virage ? Au contraire, les sociétés d'assurance voient leur présence dans le monde de l'assurance maladie banalisée.

Le mode de rémunération des professions de santé. Les professionnels (au premier rang desquels les médecins) ont été les grands absents des négociations sur la CMU. Or, elle leur impose, au profit des bénéficiaires de la CMU, la pratique du tiers payant (le patient ne fait aucune avance de frais et le professionnel est payé par les organismes d'assurance maladie). Cette règle ne s'applique qu'aux bénéficiaires de la CMU, mais la pression sera forte pour qu'elle s'étende au-delà. Or, le corps médical français est historiquement hostile au tiers payant, dans lequel il voit une amorce de salarisation de son activité. Ainsi, alors que les RMIstes bénéficiaient déjà du tiers payant, à Paris seuls 20 % des spécialistes acceptaient effectivement de recevoir ce type de clientèle. N'y a-t-il pas risque de séparation entre les professionnels qui accepteront des bénéficiaires de la CMU et ceux qui les refuseront ? Qu'en serait-il alors de l'objectif de la loi de « permettre à tous d'accéder aux soins de tous » ? ■

(*Voir aussi l'article consacré à la réforme de la Sécurité sociale, p. 546.*)

Consommation
Grandes tendances

Christian Loisy
INSEE

Depuis quarante ans, la France a connu un développement économique important. Cela s'est traduit par un accroissement continu du revenu et de la consommation des ménages. Ainsi, le pouvoir d'achat moyen a plus que triplé entre 1959 et 1996 et la consommation moyenne a été multipliée par 3,3 en volume. Jusqu'en 1973, année du premier « choc pétrolier », le pouvoir d'achat et la consommation se sont accrus en volume de respectivement 5,4 % et 5,8 % par an. Le taux de croissance de la consommation en volume a ensuite diminué pour s'établir à 3 % en moyenne annuelle entre 1973 et 1981.

Si, à long terme, l'évolution de la consommation coïncide avec celle du pouvoir d'achat, à court terme les ménages peuvent jouer sur leur taux d'épargne pour consommer plus ou, à l'inverse, décaler dans le temps certaines dépenses. C'est ainsi qu'entre 1981 et 1987 les ménages ont systématiquement consommé plus que la seule évolution de leur pouvoir d'achat ne le leur permettait (+ 2,3 % contre + 1 % en moyenne annuelle). Au contraire, à compter de 1988, la consommation a plus faiblement augmenté que le pouvoir d'achat. L'évolution du taux d'épargne des ménages découle de celle de leur revenu et de leur consommation. Le taux d'épargne s'est ainsi continûment accru entre 1959 et 1978, passant de 14,6 % à 20,4 %. Il a ensuite régulièrement décru jusqu'en 1987, pour atteindre 10,8 %. L'épargne a ainsi joué un rôle traditionnel jusqu'au début des années quatre-vingt-dix, amortissant l'impact des fluctuations du revenu sur la consommation. Ensuite, en dépit de la faible augmentation du pouvoir d'achat, le taux d'épargne s'est accru jusqu'à atteindre 16,4 % en 1997 et 15,6 % en 1998, en nouvelle base [*voir encadré*].

On attribue généralement cet apparent changement de comportement des ménages vis-à-vis de l'épargne à deux types de phénomènes. Le premier type d'explication renvoie à la constitution par les ménages d'une épargne de précaution. Leurs revenus futurs devenant plus incertains du fait de la montée du chômage et de l'incertitude sur l'avenir des retraites, les ménages auraient décidé d'épargner une part plus importante de leurs revenus présents pour se prémunir. Le second type d'explication impute la hausse du taux d'épargne aux effets de la libéralisation financière. L'épargne serait devenue plus sensible aux niveaux des taux d'intérêt réels, très élevés depuis 1990. Les ménages auraient ainsi sacrifié leur consommation présente au profit d'une consommation future nettement accrue. La libéralisation financière aurait également été à l'origine d'un cycle endettement-désendettement des ménages lié à une expansion de l'offre de crédit à partir de 1986, puis à sa contraction à partir de 1991. Ces deux phénomènes permettent d'expliquer assez fidèlement l'évolution du taux d'épargne depuis 1990.

Moindre poids des dépenses d'alimentation et d'habillement

La croissance en niveau de la consommation s'est accompagnée d'une modification de sa structure par grands postes. En volume, les dépenses d'alimentation ont été multipliées par deux entre 1960 et 1996, soit une croissance nettement moins élevée que celle de la consom-

La consommation dans la nouvelle base de la Comptabilité nationale

Les comptes nationaux sont désormais établis selon le nouveau système européen de comptabilité. Deux concepts de consommation sont distingués : d'une part, la *dépense de consommation* finale, qui regroupe les dépenses consacrées par les ménages à l'acquisition de biens et services. Il s'agit d'une consommation nationale, c'est-à-dire réalisée par les résidents, sur ou hors le territoire national. Celui-ci inclut désormais les quatre départements d'outre-mer. D'autre part, le système de comptabilité nationale définit l'agrégat de *consommation effective* des ménages, qui regroupe l'ensemble des biens et services utilisés par les ménages, quel qu'en soit le mode de financement. La dépense de consommation ne retrace, quant à elle, que les biens et services dont le coût d'acquisition est directement supporté par les ménages. L'écart entre les deux notions est constitué par les remboursements de Sécurité sociale, les aides au logement, les dépenses de la collectivité en éducation et santé...

En 1998, la dépense de consommation des ménages s'élevait à 4 658 milliards FF et la consommation effective à 5 916 milliards FF (en francs courants). Les coefficients budgétaires mentionnés dans l'article sont calculés, sauf indication, par rapport à la consommation effective.

L'année de base des comptes est désormais 1995. Les volumes sont disponibles en prix de 1995 ou en prix de l'année précédente. Enfin, la notion de revenu disponible est modifiée, ce qui entraîne notamment une hausse du taux d'épargne des ménages. - **C. L.** ■

mation globale. Ce phénomène est classique pour des biens de première nécessité. Ainsi, la part de la consommation finale consacrée à l'alimentation, qui s'élevait à 33 % en 1960, n'en représentait plus que 26 % en 1970. En 1998, l'alimentation (y compris boissons alcoolisées et tabac) représentait 14,5 % de la consommation effective des ménages et 18,4 % de leur dépense de consommation [*voir encadré*]. Par ailleurs, depuis les années soixante, la consommation alimentaire a été influencée par plusieurs phénomènes : le développement du travail féminin a réduit le temps consacré à la préparation des repas et favorisé le développement des produits transformés et plus sophistiqués (conserves, plats cuisinés). Parallèlement, l'accroissement de l'équipement électroménager des ménages – notamment réfrigérateurs et combinés réfrigérateurs-congélateurs – a permis le développement des produits surgelés, dont la consommation par personne a été multipliée par trente depuis 1970. L'offre de ce type de produits, dont la première apparition remonte à 1963, s'est élargie, avec une gamme de plus en plus complète proposée dans les magasins spécialisés ou d'alimentation générale. À cela s'est ajoutée l'influence croissante des préoccupations d'ordre nutritionnel. Les produits à base de protéines remplacent les produits de base tels que la pomme de terre, le sucre, le pain et les corps gras. La consommation de fruits et de légumes, après avoir stagné dans les années soixante-dix, a de nouveau augmenté. Enfin, plusieurs phénomènes ont favorisé la modification des modes d'achat : le développement de l'automobile (plus des trois quarts des ménages possédaient au moins une voiture en 1997, contre 30 % en 1960), l'apparition en 1963, puis le développement des hypermarchés pratiquant des prix bas, la substitution des conditionnements par lots aux conditionnements individuels. Ces changements ont engendré un nouveau

INDICATEUR	UNITÉ	1970	1980	1995[h]	1998[h]
Consommation nationale	*a*	71	100	100	105,2
Épargne brute des ménages (*% revenu dispon.*)		18,7	17,6	16,3	15,6
Taux d'équipement des ménages					
Automobile (*% des ménages*)		57,6	69,3	78,5[k]	
Lave-linge (*% des ménages*)		56,9	79,5	89,4[k]	
Téléphone (*% des ménages*)		14,9	66,3	95,5[k]	
Télévision (*% des ménages*)		70,4	90,1	94,8[k]	
Lave-vaisselle (*% des ménages*)		2,4	16,6	35,3[k]	
Coefficients budgétaires[b]					
Alimentation, boissons, tabac	%	24,5	21,4	14,7	14,5
Habillement[c]	%	9,6	7,3	4,4	4,2
Logement, chauffage, éclairage	%	15,3	17,5	19	19,2
Meubles, art. ménagers, entretien	%	10,2	9,5	5,1	5,1
Services médicaux et de santé	%	7,1	7,7	3	2,9
Transports et communications	%	13,4	16,6	13,2	13,1
Loisirs, enseignement, culture	%	6,9	7,3	7,3	7,3
Hôtel, café, restaurant	%	–	–	6,2	6,6
Autres biens et services[d]	%	13	12,7	6,4	6,6
Dépense de consommation des ménages	%	–	–	79,3	78,7
Dépense des APU[f] et des ISBLSM[g]	%	–	–	20,7	21,3
Consommation effective des ménages	%	–	–	100	100

Évolution de la consommation[e]		**70-80**	**80-90**	**95-98 (base 95)[i]**
Alimentation, boissons, tabac	%	1,9	1,4	0,5
Habillement[c]	%	1,5	0,7	1,3
Logement, chauffage, éclairage	%	4,1	2,8	1,6
Meubles, art. ménagers, entretien	%	3,1	0,8	1,9
Services médicaux et de santé	%	5,3	6,4	3,4
Transports et communications	%	5,5	2,6	2,4
Loisirs, enseignement, culture	%	4,7	4,2	3,1
Hôtel, café, restaurant	%	–	–	1,3
Autres biens et services[d]	%	3,6	2,1	1,5
Consommation nationale	%	3,5	2,6	–
Dépense de consommation des ménages	%	–	–	1,6
Dépense des APU[f] et des ISBLSM[g]	%	–	–	2,0
Consommation effective des ménages	%	–	–	1,7

a. Base 100 en 1980 pour 1970 et 1980 ; base 100 en 1995 pour 1995 et 1998 ; b. Pourcentages de la consommation totale des ménages ; c. Y compris chaussures ; d. Y compris Hôtel, café, restaurant en 1970 et 1980 ; e. En % d'évolution annuelle moyenne ; f. Administrations publiques ; g. Institutions sans but lucratif au service des ménages ; h. Nouvelle base en francs courants ; i. En volume au prix de l'année précédente ; k. 1994.
Sources : INSEE-Comptabilité nationale pour les évolutions de niveau et de structure de la consommation et les revenus ; INSEE-enquêtes quadrimestrielles de conjoncture auprès des ménages 1994 pour les taux d'équipement en biens durables.

comportement du consommateur, qui désormais fait des courses plus importantes mais moins fréquentes. Plus de 60 % des achats alimentaires sont désormais effectués dans des grandes surfaces.

Pour leur part, les dépenses en articles d'habillement ont plus que doublé en volume entre 1960 et 1998 bien que leur poids dans le budget des ménages ait lui aussi sensiblement diminué (de 11 % à 4,2 % [*voir*

Tab. 1

Structure de la consommation des ménages (coefficients budgétaires en %, 1993)

Pays	Produits alimentaires boissons et tabacs	Articles d'habillement chaussures	Logement éclairage chauffage	Meubles art. ménage dépenses d'entretien courant	Services médicaux dépenses de santé	Transports communications	Loisirs spectacles enseignement culture	Autres biens et services
Allemagne	15,1	7,1	19,6	8,5	15,1	15,3	9,2	10,1
Autriche	19,0	8,5	18,5	7,8	6,0	16,1	7,5	16,6
Belgique	17,2	7,7	17,7	10,2	12,3	12,7	6,2	16,0
Danemark	20,8	5,2	28,8	6,1	2,2	15,4	10,4	11,1
Espagne	20,0	8,1	13,0	6,5	4,7	15,3	6,6	25,8
Finlande	23,0	4,6	24,8	5,8	5,3	14,4	9,6	12,5
France	18,0	5,9	20,6	7,3	10,0	15,5	7,3	15,5
Grèce	36,4	7,7	13,5	7,4	4,2	14,7	5,3	10,9
Irlande	35,2	6,8	12,3	6,9	4,1	13,1	11,9	9,8
Italie	20,2	9,1	16,9	9,1	7,1	11,6	8,8	17,2
Luxembourg[a]	18,2	5,7	19,8	10,8	7,3	19,9	4,1	14,2
Pays-Bas	14,8	6,8	19,0	6,9	13,1	12,6	10,2	16,6
Portugal[a]	30,2	9,3	7,0	8,3	4,5	14,9	7,4	18,4
Royaume-Uni	20,6	5,9	19,5	6,6	1,7	17,1	10,2	18,3
Suède	19,9	5,8	32,9	6,6	2,3	15,7	9,5	7,2
Europe des 15	**18,7**	**7,1**	**19,0**	**7,8**	**8,8**	**14,8**	**8,6**	**15,3**
Norvège	21,6	6,7	24,4	6,2	2,6	16,6	9,6	12,3
Suisse	25,9	3,9	21,1	4,5	11,6	11,7	10,1	11,1
Canada	15,7	5,2	24,7	8,7	4,6	14,3	11,2	15,6
Japon	19,9	5,8	20,8	5,9	11,3	9,7	10,7	16,0
États-Unis	11,4	5,9	18,1	5,8	17,8	14,0	10,3	16,5

a. 1992.
Source : Eurostat, Luxembourg (base 80).

encadré]). Après la fièvre des achats en quantité constatée dans les années soixante, les ménages ont porté leur choix vers des articles de qualité. Plus récemment, le plafonnement du pouvoir d'achat a incité les ménages à rechercher le meilleur rapport qualité/prix. L'offre s'est adaptée à ce phénomène. Les super et hypermarchés ont développé leurs gammes à des prix compétitifs, le nombre de magasins franchisés s'est accru. Le phénomène des soldes s'est amplifié. Les consommateurs attendent ces périodes pour renouveler leur garde-robe et accéder ainsi à des articles de qualité à des prix réduits.

Le logement, premier poste budgétaire

Depuis 1991, les dépenses liées au logement occupent la première place dans le budget des ménages. En volume, elles ont presque quintuplé entre 1960 et 1997. Par ailleurs, l'augmentation des loyers a été plus rapide que celle de l'indice général des prix, bien que l'écart se soit récemment réduit. Ces facteurs expliquent l'augmentation de la part budgétaire du logement, qui est passée de 10 % en 1960 à 19,2 % en 1998 [*voir encadré*]. Ces dépenses regroupent les loyers payés par les locataires, les dépenses de petit entretien, le chauffage et

Références

X. Bonnet, E. Dubois, « Peut-on comprendre la hausse imprévue du taux d'épargne des ménages depuis 1990 ? », *Économie et prévision*, n° 121, 1995.

Données sociales 1996. La société française, INSEE, Paris, 1996.

« Extrait des tableaux et des comptes de la nation 1995 », *INSEE Résultats*, INSEE, Paris, 1996.

N. Herpin, D. Verger, *La Consommation des Français*, La Découverte, « Repères », Paris, 1991 (nouv. éd.).

N. Herpin, D. Verger, « Consommation : un lent bouleversement de 1979 à 1997 », *Économie et Statistique*, n° 324-325, INSEE, Paris, 1999.

G. Mermet, *Tendances. Le nouveau consommateur*, Larousse, Paris, 1996.

« La nouvelle base de la Comptabilité nationale », *Économie et Statistique*, n° 321-322, INSEE, Paris, 1999.

R. Rochefort, *La Société des consommateurs*, Odile Jacob, Paris, 1995.

R. Rochefort, *Le Consommateur entrepreneur. Les nouveaux modes de vie*, Odile Jacob, Paris, 1997.

P. Sicsic, J.-P. Villettelle, « Du nouveau sur le taux d'épargne des ménages ? », *Économie et prévision*, n° 121, 1995.

« 35 ans de consommation des ménages », *INSEE Résultats*, INSEE, Paris, 1995.

Voir aussi index mot clé « Consommation ».

@ **Site Internet**

INSEE : **http://www.insee.fr**

l'éclairage. Elles comprennent également les loyers fictifs, c'est-à-dire les loyers que paieraient les propriétaires et accédants s'ils étaient locataires de leur logement. En revanche sont exclues les dépenses liées à l'achat et au gros entretien, considérées comme un investissement des ménages et non comme une consommation.

L'augmentation des dépenses de logement traduit les améliorations du confort des logements et l'accroissement considérable du parc depuis les années soixante. La croissance maximale a été atteinte entre 1968 et 1975 (280 000 logements par an). Cette période correspond à l'arrivée à l'âge adulte de la génération du *baby boom*. Par ailleurs, l'accession à la propriété a été soutenue jusqu'au début des années quatre-vingt par l'existence d'un taux d'inflation élevé. En volume, les dépenses d'équipement du logement ont plus que doublé en trente-cinq ans. Toutefois, leur part budgétaire a régressé (de 11 % en 1960 à 5,1 % en 1998). Après une phase d'équipement intensif dans les années soixante et au début des années soixante-dix, la part des achats de biens durables, notamment des meubles et des appareils électroménagers, a diminué. Cette évolution est notamment due à un effet de saturation de la demande, quelque peu modéré par l'apparition de nouveaux produits (sèche-linge, fours à micro-ondes…), et sans doute à la diminution des mises en chantier de logements.

Désormais, 99 % des ménages possèdent un réfrigérateur, et 89 % un lave-linge (chiffres 1994). Les appareils électroménagers apparus plus récemment sur le marché se sont diffusés moins rapidement. En 1995, le taux d'équipement en congélateur était de 50 % et celui en lave-vaisselle de

35 %. Les ménages ruraux habitant plus loin des commerces et disposant de logements plus vastes que les citadins sont les mieux équipés en congélateur (plus des deux tiers), ainsi que les familles de quatre personnes et plus (60 %). La possession d'un lave-vaisselle est liée au revenu du ménage, à sa taille et au travail extérieur de la femme. Les autres biens se répandent plus lentement, 15 % des ménages étaient équipés d'un micro-ordinateur, 24 % d'un sèche-linge et 47 % d'un four à micro-ondes en 1996.

Vive augmentation des dépenses de santé

Les dépenses de santé ont quant à elles été multipliées par huit en volume entre 1960 et 1997. Leur coefficient budgétaire est passé de 5 % en 1960 à 10,3 % en 1997. Le contenu de ce poste s'est sensiblement modifié dans la nouvelle base des comptes. Désormais, la notion de consommation finale est remplacée par deux nouveaux concepts : d'une part, les *dépenses de consommation*, à la charge des ménages, d'autre part, la *consommation* effective, qui regroupe l'ensemble des biens et services utilisés par les ménages quel que soit leur financement. En 1998, la dépense de consommation de santé des ménages représentait 2,9 % de la consommation effective et les remboursements de l'ensemble des biens et services de santé, 8 %. L'offre de soins plus abondante, l'augmentation de l'espérance de vie, l'amélioration de la protection sociale et les progrès techniques sont les principaux facteurs qui ont contribué à cette évolution. L'accroissement en volume de la consommation médicale, qui mesure à la fois le nombre d'actes et la structure des dépenses (consultation chez un spécialiste ou un généraliste par exemple), a toujours été supérieur à celui de la consommation globale, exception faite de quelques années marquées par la volonté des pouvoirs publics de modérer ces dépenses.

Les dépenses de transports et communications ont été multipliées par 4,5 en volume depuis 1960. Elles représentaient 11,6 % de la consommation finale et 13,1 % de la consommation effective en 1998. Elles comprennent les transports individuels (achats de véhicules, entretien, carburants...), qui représentent environ 80 % du poste, et les transports collectifs de tous types (SNCF, RATP, régies d'autobus, compagnies aériennes). En 1997, plus des trois quarts des ménages possédaient au moins une automobile, contre 30 % en 1960. Les Parisiens sont toutefois nettement moins équipés (50 %), en raison sans doute des difficultés de la circulation et du stationnement et de la densité du réseau de transports collectifs. Le multiéquipement est en progression et reste très lié au revenu. Les goûts des Français en matière automobile ont évolué. Les consommateurs se sont tournés vers des véhicules de milieu de gamme au détriment des grosses cylindrées tandis que le développement de l'activité féminine a favorisé la croissance des petites cylindrées. Les dépenses de télécommunications ont été en trente-cinq ans multipliées par plus de quinze en volume. Le téléphone s'est rapidement répandu dans les années soixante-dix (95 % des ménages en sont aujourd'hui équipés). Récemment, la croissance de ce poste a été soutenue par l'engouement des ménages pour la téléphonie mobile (11,2 millions d'abonnés fin 1998 contre 5,8 millions fin 1997).

Entre 1960 et 1997, les dépenses de culture et loisirs ont presque quintuplé en volume. Leur poids dans le budget des ménages s'élevait à 7,5 % de la consommation effective en 1998. La croissance de ce poste est liée à celle des biens d'équipement. Ainsi le téléviseur équipe-t-il 95 % des ménages et le magnétoscope plus de la moitié (1994). La possession d'un téléviseur est moins fréquente chez les jeunes célibataires (75 %) ou chez les cadres (92 %) que chez les ouvriers (97 %). Si ce phénomène peut s'expliquer pour les premiers par des revenus moins élevés, il s'agit de toute évidence, pour les seconds, d'un choix délibéré. En dépit d'un taux d'équipement proche de la saturation, le marché continue de progresser en raison de l'équipement des résidences secondaires et surtout du multiéquipement des résidences principales. Un foyer sur quatre possède deux postes ou plus. L'essor de la télévision et du magnétoscope a été favorisé par la baisse des prix de ces biens au cours des années quatre-vingt. Il contraste avec la désaffection des salles de cinéma et de spectacles tandis que la croissance des achats de livres et périodiques est restée relativement modérée.

Le poids budgétaire des autres biens et services et des hôtels-cafés-restaurants s'est accru, passant de 11,7 % en 1960 à 12,5 % de la consommation effective des ménages en 1998. Bien que les volumes aient presque triplé depuis 1960, cette évolution est due en grande partie à un accroissement des prix plus sensible que pour la consommation totale. Ce poste est composé de produits aussi divers que la coiffure, les soins personnels, l'horlogerie-bijouterie, les hôtels-cafés-restaurants... La parfumerie, produit de luxe, s'est fortement développée dans les années soixante, avec l'accroissement du pouvoir d'achat. L'offre, qui initialement s'adressait exclusivement aux femmes, s'est diversifiée, s'étendant aux hommes et plus récemment aux enfants. La bijouterie s'est répandue à des couches de la population plus jeunes grâce à l'élargissement de la gamme des prix et à son implantation dans les grandes surfaces. Tout en gardant leur caractère de produits de luxe, les bijoux sont devenus des articles de mode.

Enfin, la nouvelle base des comptes retrace désormais la dépense de consommation des administrations publiques, c'est-à-dire les dépenses individualisables des administrations. Celle-ci représentait en 1998 plus de 20 % de la consommation effective des ménages [*voir encadré*]. ■

(*Voir aussi figures 5, 6 et 7 p. 376 sur le revenu, la consommation et l'épargne des ménages, ainsi que tableau 3 p. 378.*)

Biosécurité
Un défi démocratique

Roger Jumel
Agronome

Après l'échec des conférences sur la biosécurité de Carthagène en février 1999 puis de Vienne en septembre 1999 et faisant suite à la Conférence des Nations unies sur l'environnement et le développement (CNUED) de Rio de Janeiro (1992), rien ne laissait présager que la réunion tenue du 24 au 29 janvier 2000 à Montréal sur le commerce mondial des organismes génétiquement modifiés (OGM) connaîtrait une autre fin. Cependant, la communauté internationale y a reconnu que les OGM sont potentiellement porteurs de risques écologiques. Ces organismes sont obtenus en greffant à une plante des gènes provenant d'un autre organisme. Ainsi, une variété de maïs a pu recevoir d'une bactérie un gène qui lui permet de résister à un insecte parasite. Le risque existe que cette plante transgénique provoque des allergies quand elle est consommée par l'homme. Cette défense contre les insectes peut aussi renforcer leurs résistances aux insecticides. Plus généralement, on peut craindre que les plantes génétiquement modifiées ne disséminent dans la nature des gènes de résistance aux ravageurs des cultures, aux herbicides et aux antibiotiques. Enfin, ce mode de sélection diminue la biodiversité, car il tend à réduire le nombre de variétés cultivées. C'est pourquoi la conférence de Montréal, dans son « protocole sur la biosécurité », a édicté des principes devant limiter l'usage des OGM. Comment expliquer un tel fiasco pour les promoteurs de l'utilisation des OGM en agriculture ?

Au nom du secret industriel, les firmes agrochimiques et commerciales ont entretenu l'opacité sur leurs stratégies, méprisant le souci d'information des citoyens au nom de la maîtrise des connaissances scientifiques et des progrès à venir. Elles ont ainsi tenté d'imposer aux agriculteurs les semences de ces plantes transgéniques (dont une contenant le gène dit « Terminator » qui la rend stérile dès la génération végétale suivante). Ceux-ci semblaient bien près de les accepter, de même que les gouvernements. Les pressions exercées par certaines organisations agricoles en France (comme l'Assemblée permanente des chambres d'agriculture et l'Association des producteurs d'oléagineux), de même que les tergiversations du gouvernement en avaient été l'illustration.

Pourtant, les crises précédentes auraient dû servir de signal d'alarme. Les affaires de l'encéphalopathie spongiforme bovine (ESB, dite « maladie de la vache folle »), les bouffées sporadiques de listériose, la crise, en Belgique en mai 1999, du poulet nourri de sous-produits dangereux (affaire des « poulets à la dioxine ») avaient mis en évidence deux enjeux.

Boîte noire

D'une part, le consommateur occidental, qui ne craint plus les disettes, est devenu extrêmement sensible à la qualité et aux méthodes de fabrication de son alimentation. D'autre part, la production agroalimentaire, du champ de l'agriculteur, de son étable, au supermarché, apparaît comme une « boîte noire ». On ne sait pas ce qui s'y passe, on ne connaît pas ce qui y entre. Ainsi des vaches ont-elles pu être nourries avec des farines animales issues de cadavres d'animaux malades. Ainsi pouvait-on incorporer dans la nourriture des poulets des huiles de friture mélangées avec des huiles industrielles. Ainsi les boues des abattoirs étaient-elles traitées pour en extraire les protéines ensuite réincorporées dans des aliments du bétail industriels. Et tout cela au nom de la recherche du coût minimum, au détriment de la santé publique.

L'explosion de l'ancienne alliance

L'alliance entre les agriculteurs, chargés de produire au moindre coût, la recherche, censée participer à l'élaboration de systèmes de production plus efficaces et plus sûrs, et les gouvernements, garants de l'intérêt général, a explosé. La recherche du profit maximal par les firmes agroalimentaires, la soumission croissante de la recherche à leurs impératifs, la reconnaissance du marché et l'abandon de leurs prérogatives par les gouvernements au bénéfice des vertus supposées du marché en sont les causes. En plus d'être confrontés à une alimentation industrielle aux contenus et aux modes d'élaboration inconnus, la « malbouffe », les consommateurs citoyens se sont aperçus que les lieux de débat traditionnels n'existaient plus, que les relais avec les décideurs étaient coupés, les décisions les concernant étant désormais prises hors des instances nationales ou au sein de firmes mondiales.

Ces crises ont cependant montré qu'il était possible de débattre et de décider différemment. En France, auparavant, le gouvernement, sur la question des OGM, était conseillé par la Commission du génie biomoléculaire composée seulement de chercheurs engagés dans des recherches génétiques et qui étaient à la fois conseillers et donneurs d'ordres. Sous la pression, la composition de cette commission a été élargie.

Références

H. Atlan, *La Fin du tout génétique*, INRA Éditions, Versailles, 1999.

A. Apoteker, *Du poisson dans les fraises, Notre alimentation manipulée*, La Découverte, Paris, 1999.

D. Benoit-Browaeys, *De la vache folle aux aliments transgéniques*, Castells Éditions, Paris, 1999.

D. Dron, J.-L. Pujol, *Agriculture, environnement, qualité oblige*, Ministère de l'Aménagement du territoire et de l'Environnement, coll. « Rapports officiels », Paris, 1999.

G. Le Fur, P. Rouvillois, *La France face au défi des biotechnologies : quel enjeu pour l'avenir ?* (rapport au Conseil économique et social, 7 juil. 1999), les Journaux officiels, Paris, 16 juil. 1999.

V. Le Roy, « La dissémination d'OGM : la prudence est-elle possible ? », *Les Dossiers de l'environnement de l'INRA*, n° 12, Paris, 1996.

« OGM. Essor des biotech et principe de précaution », *Courrier de la Planète*, n° 46, Montpellier, juill.-août 1998.

G. Paillotin, D. Roussel, *Tais-toi et mange*, Bayart, Paris, 1999.

S. Petitjean, « La crise de la vache folle », *Les Dossiers de l'environnement de l'INRA*, n° 13, Paris, 1993.

J. Rifkin, *Le Siècle Biotech. Le commerce des gènes dans le meilleur des mondes*, La Découverte, Paris, 1999.

Les craintes, le refus des OGM par de nombreux citoyens, par certains producteurs agricoles et par des chercheurs ont amené le Parlement à organiser une « conférence citoyenne ». Ainsi, un panel de 26 citoyens tirés au sort a été réuni les 20 et 21 juin 1998 à l'Assemblée nationale. Ils ont pu interroger des spécialistes des OGM, des journalistes et des agriculteurs et ont émis un avis très prudent. Malgré une certaine impréparation et le rôle limité qui lui avait été dévolu, elle a montré que d'autres formes de débat étaient concevables lorsque la précaution s'impose.

Une dimension internationale

Consécutivement à l'ESB et aux pandémies de listériose, le gouvernement a institué une Agence française de sécurité sanitaire des aliments (AFSA), organisme indépendant des administrations et chargé d'assurer la veille sanitaire en matière alimentaire et de conseiller le gouvernement sur les mesures à prendre. Auparavant, ces missions étaient assurées pour partie par les groupements de défense sanitaire du bétail, organismes agricoles surtout soucieux de la santé des animaux, et pour partie par les services de contrôle de plusieurs ministères, dont celui de l'Agriculture. Celui-ci, juge et partie, devait à la fois défendre les intérêts des agriculteurs et ceux des consommateurs. Pour cette raison il a d'ailleurs retardé la création de l'AFSA jusqu'à obtenir d'en partager la tutelle avec le ministère de la Santé.

En matière de prophylaxie et de veille sanitaire, tous les pays développés n'ont pas suivi le même chemin. Ainsi, au Royaume-Uni, jusque dans les années quatre-vingt, existait un système totalement public de contrôle et de veille sanitaire. Effet du libéralisme prôné par Margaret Thatcher, il fut ensuite démantelé et ses missions furent confiées à des organismes privés soumis à la concurrence. Cela les a conduits à retarder le plus possible la révélation de l'infestation des bovins par le prion de l'ESB et à continuer à les exporter. Le Royaume-Uni comme la Belgique ont entrepris désormais de créer une agence sanitaire indépendante.

La contestation des OGM a également révélé l'aspect mondial de ces problèmes, introduisant d'autres enjeux tels que la capacité des pays les moins développés à préserver une certaine forme d'indépendance. La mise en exergue de la « malbouffe », médiatisée en France par José Bové (Confédération paysanne) et par de nombreuses ONG (organisations non gouvernementales), par la constitution, notamment grâce à Internet, d'une esquisse d'« internationale » des opposants à la mondialisation de l'alimentation, a contribué à l'échec du « sommet » de l'OMC (Organisation mondiale du commerce) à Seattle qui devait préparer un nouveau cycle de négociations (le « Round du Millenium »). Cette opposition, qui a également pesé sur les décisions prises à Montréal, a démontré qu'à l'échelle mondiale d'autres lieux de débat peuvent être construits.

Si la leçon a semblé tirée quant au passé, il n'en est pas de même pour la prévention. En France, la majeure partie des boues des stations d'épuration continue à être épandue sur les terres agricoles. Il s'agit en effet du moyen connu le plus efficace au point de vue environnemental de se débarrasser de ce qui constitue « malgré tout » un bon amendement organique. Cependant, des riverains se plaignent des épandages ; des industriels de l'alimentaire refusent les cultures provenant des champs d'épandage ; la Fédération nationale des syndicats d'exploitants agricoles (FNSEA) négocie un système d'assurance couvrant les risques pour leurs champs. Mais les effets à terme de l'accumulation des métaux lourds apportés lors des épandages mériteraient un débat public. ■

Culture et éducation

Créer, savoir, diffuser

Œuvres de l'esprit
Pratiques culturelles
Engagement des intellectuels
Éducation
Formation continue
Transmission des savoirs et des valeurs

Idées et culture

L'année intellectuelle Une fin de siècle prometteuse

Daniel Lindenberg
Politologue, Université Paris-VIII-Saint-Denis

À compter du milieu des années quatre-vingt-dix, on a vu s'opposer, du moins dans la représentation médiatique des choses, une gauche intellectuelle « réaliste » et une gauche qui s'autoproclame volontiers « morale », fustigeant le libéralisme débridé de la « *World Company* » et les « trahisons » de la « fausse » gauche, devenue, après juin 1997, une gauche gouvernementale. Il s'agit davantage d'une mise en scène des débats que de leur réalité. Il suffisait de passer des empoignades à propos du mouvement social de novembre-décembre 1995 aux anathèmes lancés lors du mouvement des immigrés sans-papiers pour constater la permutation des acteurs dans le jeu de rôles « réalistes » *versus* « moraux ». Contre le « néolibéralisme », la « mondialisation » ou « Maastricht » est donc revenu le temps des clubs et des fondations. Tandis que la « libérale-libertaire » Fondation Saint-Simon (1983-1999) tirait sa révérence, il apparaissait chaque jour plus clairement que le déclin des deux grandes idéologies de la France contemporaine, le communisme et le gaullisme, créait une situation de deuil interminable, propice aux projets idéologiques les plus biscornus. Ainsi s'est présentée, très brièvement et à grand fracas, une étrange constellation à l'enseigne du « national-républicanisme ».

Vie et mort des nationaux-républicains

Issus d'horizons politiques très divers, les nationaux-républicains étaient apparus dans le sillage du référendum sur le traité de Maastricht de septembre 1992. La défense de la nation et de l'État solidaire était leurs tables de la Loi. Ils avaient en commun avec la nouvelle extrême gauche [*voir Philippe Raynaud, « Les nouvelles radicalités. De l'extrême gauche en philosophie », Le Débat, n° 105, mai-août 1999*] l'horreur des Américains et de la mondialisation. La débâcle du marxisme contraignit toutefois les intellectuels d'extrême gauche à revenir à... Jules Michelet (1798-1874). Quant aux néorépublicains, leurs appels pathétiques (« Républicains, n'ayons plus peur ! ») ont été totalement oubliés à l'heure où une vague de barbarie déferlait à nouveau sur l'Europe.

Les plus authentiques d'entre eux se sont réinvestis dans les débats autrement actuels sur la souveraineté et le « droit d'ingérence ». À trop parler de République, de façon presque intemporelle, on risque d'inciter, à la faveur de l'éternel débat sur la continuité de l'État (« affaire Papon »), à chercher si cette République est aussi immaculée qu'il y paraît du point de vue des droits de l'homme. Ainsi l'historien Gérard Noiriel a-t-il publié en novembre 1999 d'iconoclastes *Origines républicaines de Vichy* (Hachette-Littératures), dans lesquelles il s'oppose, comme dans son précédent ouvrage, aux tendances récentes dominantes de l'historiographie, avec le risque de reporter sur l'idée républicaine la diabolisation (succédant à l'indulgence relative) qui est le lot du régime de Vichy dans l'opinion commune. Ce que Jürgen Habermas nomme l'« usage public de l'Histoire » conduit à des tentations multiples.

La nostalgie du communisme n'est plus ce qu'elle était

La guerre du Kosovo (24 mars-10 juin 1999) a été l'un de ces moments de vérité où les « masques tombent ». Derrière les faux nez « républicains » ou antiaméricains, c'est le deuil impossible du communisme qui est apparu chez certains. Les défenseurs des Serbes, en dehors de quelques « dinosaures » défendant la « politique étrangère de la France » version de Gaulle ou Mitterrand, étaient surtout des soldats perdus du bolchevisme, défendant la dernière dictature communiste en Europe. Reste que cette passion nostalgique concerne de moins en moins de monde, fût-ce « à la gauche de la gauche ». Beaucoup de ceux qui avaient longtemps conservé leurs attaches communisantes, trotskisantes ou maoïsantes ont, à l'occasion des événements balkaniques, constaté qu'il était possible, sans se renier, d'approuver une guerre – sinon toujours sa conduite effective, du moins son principe – dans laquelle les États-Unis ont pris une part déterminante. Alain Joxe, Edwy Plenel, Alain Brossat, Jean-Yves Potel, Oresto Scalzone (figure historique de la mouvance « opéraïste » en Italie), une grande partie des militants du très tiers-mondiste Cedetim (Centre d'études et d'initiatives de solidarité internationale) ne se sont pas laissé fléchir sous prétexte qu'ils « feraient le jeu » de l'ennemi du genre humain...

Trop longtemps, ceux qui avaient soutenu la « juste lutte » d'un peuple aux prises avec une domination étrangère ou une sanglante dictature semblaient agir comme s'ils étaient tenus d'approuver, une fois la victoire acquise, tout ce que faisaient les hommes ou le parti censés avoir dirigé la lutte. À propos de l'Algérie, chacun avait pu voir combien sortir de ce comportement réflexe avait été long et difficile... Longtemps, il avait fallu soutenir inconditionnellement le FLN (Front de libération nationale), ignorer Messali Hadj (leader historique du nationalisme algérien renié et combattu par le FLN qui l'a escamoté de l'histoire officielle) ou encore Abane Ramdane (dirigeant politique du FLN, assassiné par ses pairs en pleine guerre), rester aveugle devant le pillage du pays par la nomenklatura... Dans le cas du Kosovo, c'est dès le lendemain de la défaite serbe qu'au sein même du « Comité Kosovo » (qui n'était, le fait est déjà remarquable, le pseudopode d'aucun parti politique) un débat a éclaté sur l'action de l'UCK (Armée de libération du Kosovo) dans la province libérée. Certains ont exprimé à haute voix [*voir Olivier Mongin, Antoine Garapon, « L'après-guerre du Kosovo », Esprit, novembre 1999*], sans remettre en cause leurs engagements antérieurs, ni établir de fausses symétries, leurs craintes au sujet du comportement de l'UCK, ou de certains de ses chefs, eu égard à la liberté d'expression, la démocratie, le droit des minorités serbe et tsigane. Ce serait un autre symptôme de sécularisation pour une intelligentsia française toujours tentée par les substituts du sacré (peuples infaillibles, héros immaculés, violence salvatrice).

Questions de droit « cosmopolitique »

Le thème d'un véritable droit « cosmopolitique » affleure partout, de Paul Ricœur à Jacques Derrida en passant par les traductions des philosophes d'outre-Atlantique (Will Kymlicka, John Rawls, Michael Sandel, Michael Walzer), non sans provoquer les remarques acérées de ceux qui pensent qu'avant de « dépasser » l'État-nation, il faut dans bien des cas le construire (Pierre-André Taguieff, Paul Thibaud) !

Ce débat, occulté depuis l'échec de la SDN (Société des nations), a resurgi au bout d'un demi-siècle. Loin d'être une disputation métaphysique sur l'irréductibilité du mal, voire la présence de Satan dans l'histoire (voir l'historien du soviétisme Alain Besançon), qui en ferait un problème soustrait au juridico-politique ordinaire, il semble de plus en plus reconnu que la question des exterminations de masse et autres crimes contre l'humanité, déjà abordée immédiatement après le génocide arménien de 1915, en soit partie intégrante. Y a-t-il, par ailleurs, abus, dans l'espace public, des notions de génocide et de négationnisme ? Il est tentant de le croire, les crimes, certes affreux, commis en 1999 au Kosovo ou au Timor oriental, étant immédiatement affectés du stigmate absolu, alors qu'il existe des notions plus pertinentes comme celles de « massacres de masse » ou « massacres administratifs », dont les génocides avérés sont sans doute la version la plus systématique. Un mode de discussion perdure qui ramène toute tentative de discussion historique, c'est-à-dire d'interprétation des faits, à la négation de ces derniers. C'est sur eux sans doute que les historiens, au premier rang desquels Pierre Vidal-Naquet, enseignent à tenir bon. La « prolifération des scènes de repentir et de pardon » qu'évoque J. Derrida [*voir « Le siècle et le pardon », Le Monde des débats, décembre 1999*] n'est probablement pas sans liens avec le traitement irrationnel de la mémoire, promue au statut de religion sans dieu. Shmuel Trigano en a fait la démonstration pour ce qui concerne le génocide juif [*L'Idéal démocratique à l'épreuve de la Shoah, Odile Jacob, 1999*]. Cependant, de nombreux intellectuels tentent de mettre de l'ordre dans un domaine où les passions se liguent avec l'ignorance pour entretenir un état de confusion extrême. C'est le grand mérite de J. Derrida et des auteurs réunis par Catherine Coquio [*Penser les camps, parler des génocides, Albin Michel, 1999*] que d'avoir entrepris de le faire.

L'exemple des enjeux de mémoire et des accusations croisées de « négationnisme » et de « lynchage médiatique » n'est pourtant pas le seul où transparaît l'incertitude qui affecte aujourd'hui les règles du débat intellectuel. Sur un terrain plus profane, les passions se sont déchaînées, dans le milieu généralement plus feutré du cinéma, à propos des droits et des limites de la critique. Le réalisateur Patrice Leconte a dénoncé les pratiques de ce qu'il appelle le « triangle des Bermudes » (*Libération*, *Le Monde*, *Télérama*). Un manifeste a circulé, les intéressés ont répondu avec la même violence que leurs accusateurs, tout comme cela avait déjà été le cas lors de la polémique sur l'art contemporain, au début de la décennie quatre-vingt-dix. Un milieu qui s'était autocélébré comme une pointe avancée de la « gauche morale » lors des mouvements de « sans-papiers » de 1996-1997, donc à propos d'un enjeu extérieur, s'est retrouvé déchiré s'agissant du fonctionnement même du métier, les uns incriminant les autres pour leur élitisme, leur parisianisme, leur intolérance, leur corporatisme, etc.

Des droits de l'homme au retour du surhomme ?

La réflexion des intellectuels ne s'est pas uniquement mobilisée au sujet du droit d'ingérence et des apories du droit des peuples à disposer d'eux-mêmes, ou de leurs intérêts de « producteurs culturels ». Les progrès de la science et singulièrement de la biologie avaient déjà été en 1998 [*voir L'état de la France 1999-2000*] l'un des enjeux de la querelle autour du roman de Michel Houellebecq *Les Particules élémentaires*. Le romancier était accusé par certains de ressusciter l'eugénisme, c'est-à-dire une gestion autoritaire des modifications génétiques, voire de l'espèce humaine, considérée comme un « stock » à améliorer, voire à épurer. Les possibilités du clonage ou des biotechnologies ont renouvelé la question, quelque peu oubliée depuis un demi-siècle, à cause de la version nazie de l'eugénisme. La question est désormais de savoir s'il faut être pour le progrès sans états d'âme (en éliminant bien des questions de la bioéthique, qui, pour les nouveaux chantres de la science émancipatrice, ne sont que des arguties), ou si, pour éviter des dérives biocratiques (voir Nietzsche ou Alexis Carrel), il faut considérer que tout ce qui est possible (en termes de manipulation génétique) n'est pas pour autant souhaitable. Les auteurs de science-fiction, dont M. Houellebecq et le romancier « noir » Maurice Dantec se sont manifestement inspirés, ont posé le problème avec le plus de talent. Il est vrai qu'il est plus aisé de se faire comprendre en parlant de « cyberpunks » et de « neuromanciens » (c'est le titre d'un roman de science-fiction de Will Gibson) qu'en pastichant laborieusement *Ainsi parlait Zarathoustra* ou *Le Meilleur des mondes*. La leçon peut porter ailleurs. ■

L'évolution des pratiques culturelles des Français

Olivier Donnat
DEP, Culture et Communication

Les résultats de l'enquête de 1997 sur les pratiques culturelles des Français [*voir tableau p. 136*] ont confirmé le profond renouvellement de leurs rapports à l'art et à la culture. La plupart des évolutions constatées depuis 1989, date de la précédente enquête, prolongent celles des années soixante-dix et quatre-vingt : les Français ont continué à s'équiper en matériels et produits audiovisuels et à consacrer à leur usage une part croissante de leur temps ; la baisse du nombre de livres lus s'est poursuivie tandis que le succès des bibliothèques, déjà sensible dans les années quatre-vingt, s'amplifiait avec la création de nombreuses médiathèques ; la fréquentation des autres équipements culturels a légèrement progressé sans que les caractéristiques des publics concernés évoluent ; enfin, la pratique des activités artistiques en amateur a continué à se diffuser.

L'irrésistible progression de l'audiovisuel

De même que les années quatre-vingt avaient été marquées par la diffusion du magnétoscope, de la télécommande, du baladeur et de la platine laser, les années quatre-vingt-dix l'ont été par la généralisation de ces équipements, par la montée du multiéquipement en téléviseurs et l'arrivée du micro-ordinateur. En se diversifiant, les pratiques audiovisuelles domestiques ont conquis une importance croissante dans la vie des Français, au point d'occuper plus de place que le travail dans leur emploi du temps : en moyenne, ils passent plus de 43 heures par semaine à regarder la télévision et à écouter la radio, des disques ou des cassettes.

Dans ce domaine, les réflexions se sont souvent centrées sur la question de la télévision, celle-ci ayant été perçue par beaucoup, dès ses débuts, comme une menace pour l'écrit et le livre. Elles ont souvent, de ce fait, ignoré ou minoré l'importance du « boum musical », dont on mesure la véritable portée plus de quarante ans après l'arrivée des tourne-disques et du rock : les Français sont aujourd'hui près de trois fois plus nombreux (40 % en 1997 contre 15 % en 1973) à écouter des disques ou des cassettes au moins un jour sur deux. Cette progression de l'écoute fréquente de musique – encore plus spectaculaire si l'on prend en compte la radio – a surtout profité aux genres musicaux appelés tour à tour « pop music », « rock », puis « musiques actuelles » ou « musiques amplifiées ». Force est de reconnaître en effet que la musique classique et même le jazz ont assez peu profité de ce mouvement (en 1997, 18 % des Français

PROPORTION DE FRANÇAIS ÂGÉS DE 15 ANS ET PLUS QUI...	1973	1981	1989	1997
Équipement audiovisuel et fréquence d'usage				
... possèdent dans leur foyer :				
au moins un téléviseur	86	93	96	96
plusieurs	a	10	24	45
un magnétoscope	a	2	25	72
une chaîne hi-fi	8	29	56	74
un appareil non hi-fi	53	53	31	33
un lecteur de CD	a	a	11	67
un baladeur (« walkman »)	a	a	32	45
... regardent la télévision :				
tous les jours	65	69	73	77
plus irrégulièrement	22	21	17	14
jamais	12	9	10	9
(durée moyenne d'écoute TV) [b]	16 h	16 h	20 h	22 h
... écoutent disques ou cassettes :				
au moins un jour sur deux	15	31	32	40
plus irrégulièrement	51	44	41	36
jamais	4	25	27	24
Les rapports au livre				
... possèdent des livres dans leur foyer	73	80	87	91
... sont inscrits dans une bibliothèque	13	14	17	21
(dont bibliothèque municipale)	7	8	13	15
... ont, dans les 12 derniers mois :				
acheté au moins 1 livre	51	56	62	63
lu au moins 1 livre	70	74	75	74
lu de 1 à 9 livres	24	28	32	34
lu de 10 à 24 livres	23	26	25	23
lu 25 livres et plus	22	19	17	14
ne sait pas	1	2	1	3
Les sorties et les visites culturelles				
... sont allés, dans les 12 derniers mois aux spectacles suivants au moins 1 fois				
Danses folkloriques	12	11	12	13
Danse classique, moderne ou contemporaine [b]	6	5	6	8
Cirque	11	10	9	13
Music hall, variétés	11	10	10	10
Opérette	4	2	3	2
Opéra	3	2	3	3
Concert de rock ou jazz [b]	6	10	13	13
Concert de musique classique	7	7	9	9
Théâtre joué par des professionnels	12	10	14	16
... ont visité au moins une fois, dans les 12 derniers mois, un ou une :				
Exposition temporaire (peinture ou sculpture)	19	21	23	25
Musée	27	30	30	33
Monument historique	32	32	28	30

a. La question n'était pas posée ; b. La formulation de la question n'était pas strictement identique dans les quatre enquêtes.
Sources : DEP (ministère de la Culture), enquêtes « Pratiques culturelles », 1973, 1981, 1989, 1997.

ont cité la musique classique parmi les genres de musique écoutés le plus souvent, contre 16 % en 1973), les générations nées après guerre ayant tendance à rester fidèles aux genres musicaux de leur jeunesse.

Les mutations technologiques qui ont rythmé l'essor de l'audiovisuel ont par ailleurs accentué la porosité des frontières entre culture et loisirs. A-t-on suffisamment pris la mesure des changements provoqués par la télécommande et la souris de l'ordinateur ? Le fait de disposer de telles « armes » permettant de passer instantanément de l'émission ou du site Internet le plus culturel au jeu ou au téléfilm le plus stéréotypé a contribué à dissiper les différences entre le monde de l'art et celui du divertissement qui cohabitent et, mieux, s'interpénètrent dans la « culture de l'écran ».

Enfin, l'augmentation spectaculaire des pratiques audiovisuelles domestiques ne s'est pas accompagnée d'un repli sur le domicile : les Français sortent davantage le soir qu'au début des années soixante-dix – pour aller au restaurant ou chez des amis notamment –, expriment une préférence plus nette pour les activités d'extérieur et sont plus nombreux à faire partie d'une association (en 1997, 37 % des plus de 15 ans appartenaient à une association contre 28 % en 1973).

Lecture, livre et littérature : de nouveaux enjeux

Les évolutions intervenues dans le domaine de la lecture sont complexes. La lecture de journaux a connu une baisse spectaculaire et régulière – 36 % des Français de 15 ans et plus lisent tous les jours un quotidien contre 55 % en 1973 –, en partie au profit de celle de magazines qui, depuis 1989, s'est maintenue à un niveau élevé et a même progressé chez les jeunes, notamment pour les magazines ou revues scientifiques et de loisirs. Par ailleurs, les contacts avec le livre sont devenus plus fréquents : 9 % des Français n'ont pas de livre à leur domicile, contre plus d'un quart en 1973, 63 % en ont acheté un au cours des 12 derniers mois contre 51 % en 1973, et surtout la proportion d'inscrits en bibliothèques municipales a plus que doublé (15 % contre 7 % en 1973). En dépit de cela, la quantité de livres lus a baissé régulièrement du fait de l'effritement du nombre de grands lecteurs, notamment parmi les hommes. Ainsi, la proportion de Français ayant lu 25 livres et plus au cours des 12 derniers mois a régulièrement chuté depuis 1973, passant de 22 % à 14 %.

Le livre, au fur et à mesure de sa diffusion, avec le succès des livres de poche et des ventes en grande distribution, s'est globalement banalisé en tant qu'objet : il a perdu de sa fascination pour ceux qui n'en étaient pas familiers ainsi qu'une partie de son pouvoir distinctif chez les jeunes. Parallèlement, l'essor des médias électroniques lui a fait perdre son hégémonie comme moyen d'accès au savoir et vecteur d'enrichissement personnel. La lecture, pour sa part, en tant qu'activité librement choisie en dehors de toute contrainte scolaire ou professionnelle, subit depuis longtemps la concurrence d'autres activités de loisirs (télévision, sport, musique, jeux vidéo, voyages...). Elle est, en raison notamment de l'allongement de la durée des études, associée plus que naguère au monde scolaire et/ou professionnel, et rencontre, de ce fait, des difficultés croissantes à s'inscrire dans le temps de loisirs, vécu majoritairement comme celui du délassement, du plaisir et de la convivialité, notamment dans les jeunes générations. Enfin, la place de la littérature a tendance à décliner en raison du succès déjà ancien des sciences humaines et d'une diversification des genres, liée à la montée d'une approche plus utilitaire de la lecture : le cercle des personnes qui s'intéressent à la vie littéraire – qu'on ne doit pas confondre avec celui des forts lecteurs – a tendance à se solidifier autour d'un noyau de plus en plus homogène, comprenant une forte proportion de personnes ayant un rapport professionnel au livre (enseignants, biblio-

Références

L. Dirn, *La Société française en tendances 1975-1995*, PUF, Paris, 1998.

O. Donnat, *Les Français face à la culture. De l'exclusion à l'éclectisme*, La Découverte, Paris, 1994.

O. Donnat, *Les Pratiques culturelles des Français. Enquête 1997*, La Documentation française, Paris, 1998.

F. Dumontier, H. Valdelièvre, « Les pratiques de loisirs vingt ans après 1967/1987-88 », *INSEE Résultats*, n° 3, INSEE, Paris, 1989.

@ Sites Internet

Centre national de la culture : **http://www.cnc.fr**

Département des études et de la prospective (DEP), ministère de la Culture et de la Communication : **http://www.culture.gouv.fr**

Mediamétrie : **http://www.mediametrie.fr**

thécaires, professionnels du livre et de la culture en général).

Fréquentation en augmentation, persistance des écarts

La fréquentation des équipements culturels est dans l'ensemble supérieure à ce qu'elle était en 1973. La plupart des sorties et visites culturelles ont vu leur taux de fréquentation progresser, à un rythme inférieur à celui des bibliothèques et des médiathèques mais néanmoins significatif, notamment dans le cas des concerts de rock ou de jazz – que l'enquête de 1973 ne distinguait pas –, des musées et des expositions temporaires.

Toutefois, les écarts entre milieux sociaux n'ont nullement été réduits. Il n'y a pas eu de « rattrapage » des catégories de population les moins investies dans la vie culturelle : dans la plupart des cas, les taux de fréquentation des cadres et professions intellectuelles supérieures et, dans une moindre mesure, des professions intermédiaires restent nettement plus élevés que ceux des autres groupes sociaux. La légère tendance à la hausse enregistrée à l'échelle de la population française renvoie plus au gonflement des catégories de population les plus familières des équipements culturels (les cadres et professions intellectuelles supérieures, les professions intermédiaires et les étudiants notamment) ou à une intensification de leur rythme de fréquentation qu'à un réel élargissement des publics.

Un tel constat est partiel, car il ne prend pas en compte la diversification des usages des équipements liée à l'élargissement de l'offre. Au sein même des établissements culturels, en effet, l'intérêt pour l'art et la

Les enquêtes « Pratiques culturelles des Français »

Le département des études du ministère de la Culture et de la Communication a réalisé l'enquête « Pratiques culturelles des Français » en 1973, 1981, 1989 et 1997. Le dispositif a, à chaque fois, été identique : sondage auprès d'un échantillon représentatif de la population française de 15 ans et plus, échantillon stratifié par régions et catégories d'agglomération, méthode des quotas avec comme variables le sexe et l'âge de la personne interrogée ainsi que la catégorie socioprofessionnelle du chef de ménage, interrogation en face à face, au domicile de la personne interrogée. La taille de l'échantillon était la suivante : 2 000 individus en 1973, 3 000 en 1981, 5 000 en 1989 et 3 000 en 1997. Les résultats de chaque enquête ont été publiés à la Documentation française, avec un descriptif détaillé de la méthode d'enquête en annexe.

culture prend aujourd'hui des formes beaucoup plus variées qu'il y a trente ans : l'augmentation par exemple de la fréquentation des bibliothèques, devenues pour certaines médiathèques, apparaît très liée à la diversification des services offerts (développement de l'offre en matière de presse et de supports audiovisuels, enrichissement des collections destinées aux enfants...) ; de même, la programmation des lieux de spectacle a souvent gagné en éclectisme en s'ouvrant progressivement au jazz, à la danse contemporaine ou, plus récemment, au « nouveau » cirque, et l'éventail des musées et des monuments historiques s'est considérablement élargi du fait de la patrimonialisation d'objets ou de lieux considérés auparavant comme ordinaires. Surtout, ces dernières années ont vu l'essor de formes de participation à la vie culturelle « hors les murs », des spectacles de rue aux sons et lumières, en passant par les visites de quartiers historiques et les festivals.

La diversification des rapports à l'art et à la culture

Il devient difficile, quand on s'intéresse aux comportements des Français en matière de théâtre, de ne retenir que le chiffre de 16 % correspondant à la proportion de ceux qui déclarent avoir assisté à une représentation jouée par des professionnels au cours des douze derniers mois, alors que, au cours de la même période, 29 % ont assisté à un spectacle de rue et que les deux tiers de ces derniers ne font justement pas partie des premiers. De même, les chiffres relatifs à la fréquentation des musées et des monuments historiques ne traduisent pas l'importance des visites patrimoniales au sens large du terme. En effet, si 30 % des Français déclarent avoir visité au cours des douze derniers mois un monument historique, autant ont visité – « ne serait-ce que de l'extérieur » ou sans avoir acquitté de droit d'entrée – un édifice religieux, un château ou un quartier touristique, ce qui peut conduire à considérer qu'en réalité six Français sur dix ont, au total, « visité » un lieu de patrimoine dans l'année.

L'augmentation de la pratique d'activités artistiques constitue un autre facteur important de diversification des modes d'accès à l'art et la culture. De plus en plus d'enfants, d'adolescents mais aussi d'adultes sont amenés à découvrir l'art par la pratique en amateur : la proportion par exemple de Français de 15 ans et plus pratiquant en amateur la peinture, la sculpture et la part de ceux qui font de la musique ou du chant avec des amis ou une organisation ont doublé depuis 1973, passant respectivement de 5 % à 10 % et de 4 % à 10 %. La diffusion de ces activités – qui est également sensible dans le domaine de la danse ou de l'écriture – est porteuse de réels enjeux culturels. En effet, la pratique en amateur, même si elle apparaît sans grande valeur artistique lorsqu'on lui applique les critères en vigueur pour juger de la production des professionnels, est souvent investie de fortes aspirations en matière d'expression de soi et de recherche d'authenticité et, à ce titre, porteuse d'identité, personnelle ou collective.

Enfin, l'arrivée dans les foyers des appareils audiovisuels et la diversification des programmes ont permis de « transporter » l'art et la culture à domicile et favorisé l'émergence de nouvelles formes d'appropriation des images, des sons mais aussi plus récemment du texte : des cinéphiles collectionnant les vidéocassettes aux visiteurs de musées virtuels sur Internet, en passant par les mélomanes traquant le son « pur » dans les dernières innovations technologiques, nombreux sont les exemples qui montrent que la rencontre avec les grandes œuvres de l'art et de l'esprit ne passe plus systématiquement par la fréquentation d'un équipement culturel ni n'est plus réservée à un temps ou à un espace particulier. ■

Les intellectuels et l'engagement vingt ans après la disparition de Sartre

Christian Ruby
Philosophe

Vingt ans après le décès de Jean-Paul Sartre, qu'en est-il de l'engagement des intellectuels ? Si le siècle des Lumières a légué aux intellectuels européens l'impératif d'exercer la critique de la raison afin de favoriser la réduction des injustices, Sartre est souvent considéré comme le dernier intellectuel engagé. Que reste-t-il donc des légitimations invoquées pour justifier les interventions publiques ?

En France, à partir de 1898, l'affaire Dreyfus fixe une sorte de modèle de l'engagement. L'intellectuel signe des pétitions au nom de « la justice », du « peuple ». Ces manifestations le classent alors « à gauche », dans l'espace politique. Des hommes prestigieux se sont engagés au cours du XXe siècle : André Gide, Louis Aragon, André Malraux, Albert Camus, etc. Mais Jean-Paul Sartre a certainement cristallisé la figure même de l'intellectuel engagé, susceptible de dénoncer l'aliénation des hommes et de réclamer leur émancipation.

Il eut assurément des raisons de défendre des engagements : l'Europe n'avait-elle pas cédé au fascisme, n'était-elle pas aux prises avec son colonialisme, secoué par les guerres d'Indochine et d'Algérie ? La préface de Sartre à la réédition par François Maspero, en 1960, de l'ouvrage de Paul Nizan *Aden Arabie* (1932) rappelle que l'intellectuel a pour « mission » de s'opposer aux pouvoirs inadmissibles au nom de la justice universelle. Dans des veines différentes, Sartre n'a cessé de la pratiquer jusqu'à sa mort, comme compagnon de route du Parti communiste, enfin lors de la création des journaux *La Cause du Peuple* et *Libération*, puis de la rédaction, avec Pierre Victor et Philippe Gavi, de l'ouvrage *On a raison de se révolter* (1974).

Pourtant, en février 1968, Michel Foucault déclarait que Sartre était le « dernier philosophe » de la « tradition » des engagements (*Magazine littéraire*).

De l'intellectuel universel à l'intellectuel spécifique

Sartre avait, certes, déjà été attaqué sur l'efficacité de ses engagements (par Vladimir Jankélévitch). Cette fois, la remise en cause porte sur le rôle de justicier attribué à l'intellectuel. Soulignant en Sartre « le magnifique et pathétique effort d'un homme du XIXe siècle pour penser le XXe siècle » (*Arts*, 15 juin 1966), Foucault redéfinit la fonction de l'intellectuel. Ce dernier n'a plus à agir au nom de l'universel et de la totalité. D'ailleurs, l'idéal de totalité, dans sa version marxiste, est désormais confondu avec le totalitarisme ! Non seulement l'intellectuel doit penser le singulier, mais il ne doit s'exprimer qu'au nom de sa spécificité.

Foucault oppose ainsi l'intellectuel universel et l'intellectuel spécifique. Ce dernier ne parle plus au nom d'entités abstraites (le Droit, le Prolétariat, etc.). Il refuse d'énoncer le sens unique d'une histoire universelle. Avant de parler, il doit mesurer ses moyens et ses compétences, au lieu de chercher à intégrer toutes choses les unes dans les autres (*L'Ordre du discours*, 1971). Il doit, de plus, participer à la constitution d'hétérotopies, ces liens entre exclus, aux marges de la société, capables d'engendrer des modes d'existence inédits.

À partir de 1975, les critiques s'amplifient. On se moque de la position des intel-

Références

J. Bouveresse, *Prodiges et vertiges de l'analogie*, Raisons d'agir, Paris, 1999.

J. Duval, Ch. Gaubert, F. Lebaron, D. Marchetti, F. Pavis, *Le « décembre » des intellectuels français*, Liber-Raisons d'agir, Paris, 1998.

B.-H. Lévy, *Idées fixes*, Le Livre de poche, Paris, 1994.

B.-H. Lévy, *Le Siècle de Sartre*, Grasset, Paris, 2000.

C. Prochasson, A. Rasmussen, *Au nom de la Patrie. Les intellectuels et la Première Guerre mondiale, 1910-1919*, La Découverte, Paris, 1996.

A. Renaut, *Sartre, Le dernier philosophe,* Le Livre de Poche, Paris, 2000.

C. Ruby, « L'intellectuel et l'injustice », *Regards sur l'actualité*, n° 177, La Documentation française, Paris, janv. 1992.

J.-P. Sartre, *La Responsabilité de l'écrivain*, Verdier, Lagrasse, 1998.

J.-F. Sirinelli, *Intellectuels et passions françaises*, Fayard, Paris, 1990.

« Splendeurs et misères de la vie intellectuelle », *Esprit*, Paris, mars-avril 2000.

@ **Sites Internet**

Académie de tous les savoirs : **http://www.telerama.fr**

Bibliothèque de France : **http://gallica.bnf.fr**

lectuels engagés et de leurs liens avec « la gauche ». Un adage ironique : « Mieux vaut avoir tort avec Sartre que raison avec Aron », précise que beaucoup veulent désormais dénouer la collusion entre les intellectuels et le marxisme, déjà dénoncée par Raymond Aron (*L'Opium des intellectuels*, 1968).

Peut-on demeurer indifférent au Goulag soviétique qu'un Soljénitsyne décrit si vivement ? Intervenir, oui, mais au nom de quoi ? Prenant source dans le XVIIIe siècle, la valeur des droits de l'homme occupe une place centrale, convertie en mobile d'une éthique des intellectuels. Un nouvel intellectuel émerge, en effet, qui veut intervenir au nom d'une « éthique de la responsabilité » (de la mesure des conséquences) plutôt que d'une « éthique de la conviction » (de l'engagement). André Glucksmann (*La Cuisinière et le Mangeur d'hommes*, 1975) et Bernard-Henri Lévy (*La Barbarie à visage humain*, 1977) prétendent ainsi aiguillonner la société face aux drames humains ignorés.

Deux écueils au moins guettent ces intellectuels. D'abord, ils risquent d'intervenir sous le coup d'une simple émotion personnelle, sollicitant parfois un narcissisme apprécié par les médias. Ensuite, en postulant que ces droits existent par nature, ils s'empêchent d'examiner comment les hommes déclarent leurs droits.

Une capacité de pression et d'alerte

Les incertitudes liées au dessin d'une nouvelle perspective globale, acceptable par tous, sans tomber dans les rets de l'engagement soumis à une « cause », ne peuvent cependant constituer un motif de retrait hors de l'espace public. De surcroît, les intellectuels constatent qu'il est possible, ne serait-ce qu'au nom de leur savoir, de faire pression sur les décisions. Ils constituent d'ailleurs entre eux des réseaux de connivence efficaces, que la sociologie de Pierre Bourdieu met au jour, avec pertinence.

Ces réseaux sont mobilisables lorsque des humains sont en péril. La légitimation des interventions au nom des droits de l'homme et la sollicitation potentielle des réseaux favorisent l'édification d'une morale de l'urgence qui peut aller jusqu'à l'exaltation d'un devoir de substitution (si un individu ne peut affirmer sa dignité, substituons-nous à lui pour faire valoir ses droits).

D'une façon générale, l'intellectuel ne doit-il pas donner l'alerte lorsqu'il constate que des résistances méritent d'être opposées aux injustices ? En mars 1997, des cinéastes, des artistes ont tenu à le rappeler publiquement en s'engageant dans le mouvement des immigrés « sans papiers ». C'est sans doute pour avoir valorisé cette capacité d'alerte en faveur de la paix que l'association Médecins Sans Frontières (MSF) a reçu le prix Nobel le 15 octobre 1999.

En somme, les intellectuels découvrent qu'ils doivent se laisser aller à des rencontres, à des interpellations qui engagent la pensée, les surprises du réel les obligeant à se déprendre des automatismes de pensée. ■

Éducation et formation

Grandes tendances

Éric Plaisance
Sociologie de l'éducation

Comment, au-delà de l'actualité politique de l'éducation et de la formation, qualifier l'évolution du système éducatif ? Quels sont les véritables nouveautés apparues au cours des années quatre-vingt et quatre-vingt-dix et les prolongements possibles pour les années à venir ?

Depuis les années soixante, l'augmentation des effectifs scolarisés dans le secondaire pose des problèmes majeurs d'adaptation des structures, de la pédagogie, de la formation des enseignants, etc. Or la grande nouveauté des années quatre-vingt aura été la forte augmentation de l'accès des jeunes au niveau du baccalauréat (niveau IV de formation comprenant toutes les sortes de bac : général, technologique, bac et brevet professionnels). Exprimé par rapport à la génération correspondante, le taux d'accès est passé de 34 % en 1980 à 56 % en 1990, 70,6 % en 1994 et se stabilise aux environs de 68 % en 1997 et en 1998. Ont effectivement obtenu le bac ou équivalent : 26,4 % en 1980, 45 % en 1990, 63 % à partir de 1994 (61,1 % pour le bac proprement dit en 1999). On peut attribuer cette progression spectaculaire à de multiples facteurs : la volonté politique (l'objectif des « 80 % d'une génération au niveau bac », formulé en 1985 par le ministre de l'époque, Jean-Pierre Chevènement), les modifications internes du système éducatif visant à diminuer les redoublements de classe et à reculer les paliers d'orientation, les souhaits des familles et des jeunes de se préserver des risques de chômage par un diplôme plus élevé.

On note cependant une légère régression des accès au niveau bac ou équivalent à partir de 1994, qui semble indiquer un tassement de la progression. D'un côté, le « pic » de 1994 était dû à la diminution des redoublements en classe de première, favorisant l'entrée en terminale. D'un autre côté, les passages vers les terminales générales diminuent, alors qu'ils augmentent vers les terminales professionnelles, menant au bac professionnel. On assisterait donc à un rééquilibrage au profit du professionnel, accentué par le développement de l'apprentissage.

Dévalorisation des niveaux de formation inférieurs

La formulation d'objectifs en termes de niveaux de formation entraîne cependant à la fois la valorisation des niveaux hiérarchiques les plus élevés et la dévalorisation des niveaux de formation inférieurs et, en l'occurrence, des formations professionnelles des ouvriers et des employés de niveau V (Certificat d'aptitude professionnelle – CAP –, Brevet d'études professionnelles – BEP). De fait, les taux d'accès d'une génération au niveau V (seconde, CAP et BEP) ont nettement augmenté de 1980 à 1990 (passant de 80 % à 92 %), puis ont eu tendance à diminuer jusqu'en 1997-1998. Le taux se situait aux environs de 93 % en 1998-1999 et cette nouvelle hausse était due aux formations dispensées par l'Éducation nationale (seconde générale et technologique, préparation au BEP).

La loi sur l'enseignement de 1989 (dite « loi Jospin ») s'inquiétait déjà des « 20 % restants » (par rapport aux « 80 % niveau bac ») et fixait comme objectif de conduire d'ici à dix ans l'ensemble d'une classe d'âge au minimum au niveau du CAP et du BEP. Il est vrai que les années quatre-vingt ont connu une rénovation des formations techniques et professionnelles : création du bac professionnel en 1985 (accueil, à ce niveau, de 13 % d'une génération en 1998-1999) ; transformation des CAP et des BEP dès 1983 et articulation de ceux-ci à des « référentiels » de compétences ; instauration de formations complémentaires d'initiative locale, officialisées en 1985. Cependant, ce sont surtout les nouveaux rapports noués entre le système éducatif et les entreprises qui ont été marquants : séquences éducatives en entreprise incluses dans le cursus des lycées professionnels, conventions de jumelage école-entreprise, etc.

De manière générale, le modèle de l'alternance a pris le pas sur les attitudes de méfiance réciproque entre le monde de la production et le monde scolaire. Plusieurs types d'évolution sont toutefois possibles : soit la poursuite de la valorisation des formations générales et le développement des formations professionnelles élevées (techniciens et ingénieurs) pour des secteurs industriels de pointe, au détriment des autres formations professionnelles (ouvriers et employés), soit l'élévation de l'ensemble des formations initiales sur une échelle hiérarchique continue, ouvrant vers les progressions et les mobilités en cours d'emploi [*Tanguy, 1991*].

L'augmentation du nombre des titulaires du baccalauréat entraîne, dans un système éducatif où ne s'exerce pas une sélection à l'entrée des universités (le projet Devaquet de 1986 avait suscité une opposition très vive des lycéens et des étudiants), une augmentation des effectifs universitaires en 1er cycle. En 1998-1999, un peu moins d'un million et demi d'étudiants étaient inscrits dans les 90 universités françaises en métropole et outre-mer (IUT – instituts universitaires de technologie – compris), soit 1 424 400 étudiants, formant ainsi 67 % de l'ensemble des effectifs de l'enseignement supérieur.

Le taux d'accès des bacheliers dans l'enseignement supérieur subit cependant une diminution progressive qui s'est confirmée en 1997. Les bacheliers généraux et technologiques poursuivaient leurs études dans l'enseignement supérieur (dès la rentrée suivante) dans la proportion de 96 % en 1993, mais de 93 % en 1998. De manière générale, on constate une baisse des flux d'entrée des bacheliers dans l'enseignement supérieur, et principalement des titulaires de bacs technologiques. Sa croissance (encore plus sensible dans les filières courtes des STS – sections de techniciens supérieurs) s'est ralentie en 1994 dans les disciplines générales, puis s'est confirmée dans d'autres disciplines. Les effectifs de l'enseignement supérieur ont donc augmenté fortement au début des années

INDICATEUR	UNITÉ	1970	1980	1995	1998
Effectifs d'élèves, d'étudiants et d'apprentis					
Élèves (public + privé)	*milliers*	11 896	12 502	12 706	11 810
Maternelle	*milliers*	2 213	2 383	2 635	2 393
Primaire	*milliers*	4 799	4 610	4 183	3 944[a]
Collège	*milliers*	2 920	3 137	3 430	3 287[b]
Lycée professionnel	*milliers*	650	773	729	708[c]
Lycée général et technologique	*milliers*	848	1 102	1 537	1 477
Apprentis	*milliers*	232	241	306	352
Étudiants	*milliers*	854	1 176	2 170	2 089,5
Préparation aux grandes écoles	*milliers*	32	39	76	80[d]
Sections TS (techniciens sup.)	*milliers*	30	67	230	234
IUT (instituts univers. de technologie)	*milliers*	24	54	103	114
Universités (sans IUT)	*milliers*	637	793	1 469	1 263
Écoles d'ingénieurs	*milliers*	30	37	51	83
Écoles de commerce	*milliers*	9	18	53[d]	51
Autres (paramédical, etc.)	*milliers*	92	168	287[d]	264,5[e]
Niveaux et diplômes					
Génération au niveau bac	*%*	17	34	67,9	68
Nombre de bacheliers	*milliers*	167	222	459[h]	488[f]
Pourcentage d'une génération	*%*	21	29	61[h]	61,5
Nombre de licenciés	*milliers*	40	42	117,5	133,7[g]
Nombre de doctorats	*milliers*	1,1	1,5	9,2	10,8[g]
Nombre de diplômes d'ingénieurs	*milliers*	8,8	11,7	21,8	22,8[g]
Établissements (public + privé)					
Nombre d'écoles	*milliers*	74,5	67,6	61,8	58,5
Nombre de collèges	*milliers*	5,2	6,4	6,9	6,7
Nombre de lycées	*milliers*	5,6	4,6	2,7[i]	4,3
Personnels de l'Éducation nationale					
Total	*milliers*	650	735	1 212,2	1 080[h]
Non enseignants	*milliers*	179	222	315	287[h]
Enseignants	*milliers*	471	513	896,8	796[h]
dont instituteurs et professeurs des écoles	*milliers*	241	292	775,2[g]	303[h]
professeurs second degré	*milliers*	201	280		367[h]
universitaires	*milliers*	28	41	72,8	76[h]
Dépense intérieure d'éducation[i]		**1974**	**1986**	**1993**	**1998**
Dépense totale[i]	*milliards FF*	95,9	319,3	507,7	607,3
dont (en % du PIB)		6,3	6,6	7,3	7,1
Tous ministères	*%*	66,0	64,6	61,7	61,0
Collectivités territoriales	*%*	15,7	17,3	21,2	21,9
Autres administrations publiques	*%*	0,3	0,8	0,7	0,7
Entreprises	*%*	4,9	5,3	5,3	5,8
Ménages	*%*	13,2	12,1	11,0	10,6
Total	*%*	100,0	100,0	100,0	100,0
Dépense par élève[j]	*FF*	21 677	28 026	32 925	36 865

a. Dont classes d'adaptation, d'initiation, classes spéciales 1er degré (59,7) ; b. Dont enseignements « adaptés » du 2e degré (118,7) ; c. Non compris 2e degré agriculture (152,7) ; d. Dont préparations « intégrées » à certaines écoles d'ingénieurs (2,6) ; e. Dont IUFM (79,8) ; f. Session 1998, bac général, technologique et professionnel ; g. En 1997 ; h. Public seulement (1997-98), personnels titulaires et non titulaires. Non compris les contrats des aides-éducateurs mis en place à compter de fin 1997 (au nombre de 55 560 en 1998-1999) ; i. À prix courants ; j. À prix constants de 1998.
Source : Ministère de l'Éducation nationale, Comptes de l'éducation.

Tab. 1 **Comparaison internationale**

Pays	Dépense d'éducation (1994)		Scolarisation des jeunes enfants (1995)	
	en % du PIB[a]	par étudiant[b] (dollars)	Taux de scolarisation à 3 ans (%)[c]	Durée moyenne (en années)[d]
France	6,4	28 130	100	3,4
Allemagne	6,0	46 170	47	2,4
Royaume-Uni	–	25 840	45[e]	0,6
Italie	4,8	20 150	–	–
États-Unis	6,6	–	34	2,0
Japon	4,9	–	58	2,5

a. Total des dépenses de sources publique, privée et internationale en faveur des établissements, ainsi que subventions publiques aux ménages (dépenses consacrées à la seule formation initiale, hors formation continue); b. Dépenses cumulées par étudiant pendant la durée moyenne des études dans l'enseignement supérieur (ce dernier terme désigne l'enseignement qui a lieu après le secondaire et inclut aussi bien les enseignements universitaires proprement dits que d'autres formations, courtes ou professionnelles, ou encore l'université ouverte ou à distance; c. Taux net de scolarisation à 3 ans, public et privé; d. Nombre d'années passées dans l'éducation « préscolaire » et dans l'enseignement primaire, public ou privé, jusqu'à l'âge de 6 ans inclus; e. Dont 4 % au niveau primaire.

Pays	Espérance de scolarisation pour un enfant de 5 ans (1995)	Taux de scolarisation à l'âge de 20 ans[b] (1995)		Taux d'accès à l'enseignement de niveau universitaire[c] (1995)
		Dans le secondaire	Dans le supérieur	
	en années[a]	en %	en %	en %
France	16,3	15	41	33
Allemagne	16,2	31	15	27
Royaume-Uni	15,3	10	29	43
Italie	–	–	–	–
États-Unis	15,8	2	34	52
Japon	14,8	–	–	–

a. Nombre hypothétique d'années d'études qu'un enfant de cinq ans peut espérer suivre jusqu'à 29 ans (calculs reposant sur le nombre d'individus scolarisés, aussi bien à temps plein qu'à temps partiel); b. Taux de fréquentation des établissements publics et privés (temps plein ou temps partiel). Le supérieur inclut les enseignements universitaires proprement dits et d'autres formations, courtes ou professionnelles; c. Pourcentage d'élèves terminant cette année leur scolarité et qui accéderont à un enseignement de niveau universitaire au cours de leur vie, si les taux de fréquentation actuels restent inchangés.
Source : *Regards sur l'éducation. Les indicateurs de l'OCDE*, 1997.

quatre-vingt-dix, puis ont eu tendance à se stabiliser et enfin à régresser à partir de 1995. Dans les seules universités, on estime que les effectifs ont régressé d'environ 75 000 étudiants de 1995 à 1998. Ces phénomènes sont dus à la fois à la réduction des taux d'obtention du baccalauréat, à l'évolution démographique et peut-être aussi à un moindre attrait pour les études universitaires.

Tab. 2

Résultats des élèves français en mathématiques et en sciences

Catégorie d'élèves	Ensemble des élèves en fin de secondaire[a] (comparaison sur 21 pays)		Élèves en section spécialisée (terminale S) (comparaison sur 16 pays)	
Discipline	Mathématiques	Sciences	Mathématiques	Sciences
Score français moyen[b]	523	487	557	466
Rang français	7	13	1	13

a. Fin du secondaire en France : classes terminale et 2e année de BEP (Brevet d'études professionnelles) ; b. Moyenne internationale des scores = 500, écart type = 100.
Source : enquête internationale IEA/TIMSS, 1994-95 (International Association for the Evaluation of Educational Achievement/Third International Mathematics and Sciences Study).

« Démographisation » ou démocratisation ?

Au total, les effectifs de l'enseignement supérieur étaient de 2 089 500 étudiants en 1998-1999 (France métropolitaine). Après la période de massification de l'enseignement secondaire amorcée dans les années soixante et en voie d'achèvement, on assiste donc aujourd'hui à la massification de l'enseignement supérieur dans son versant universitaire. Selon les projections, 70 % des sortants du système éducatif devraient avoir le niveau bac et plus en 2004.

La progression des effectifs dans les niveaux supérieurs du système éducatif entraîne-t-elle *ipso facto* une démocratisation des études ? Vieille question, il est vrai, puisqu'elle était déjà posée à propos de l'accès dans le secondaire dans les années soixante (enquêtes de l'Institut national d'études démographiques – INED) et que les réformes de ces mêmes années ont été prises au nom d'une égalisation des chances des élèves [*Prost, 1986*]. Elle reste pourtant d'actualité, d'une part du fait des transformations du système, d'autre part du fait des précisions apportées dans la mesure des phénomènes. Depuis les années soixante, les enfants des milieux populaires sont plus souvent présents aux niveaux élevés de la scolarité (accès en classe de seconde, au baccalauréat, à l'université). En même temps, cette « démocratisation » est loin d'être uniforme : les sections d'enseignement les plus prestigieuses et qui ouvrent vers les meilleurs professions renforcent leur caractère élitiste ; inversement, les sections les plus dévalorisées sont de plus en plus populaires. Ce serait une subtile « distillation fractionnée » de la population scolaire démocratiquement admise à l'entrée en 6e [*Prost, 1986*].

Les recherches sur les années plus récentes [*Langouët, 1994*] confirment ces paradoxes : un mouvement vers la démocratisation s'observe dans les mécanismes d'orientation du collège, mais se réduit dans le lycée, et les enfants de cadres supérieurs consolident ou, tout au moins, maintiennent leur avance par rapport aux autres catégories sociales. L'analyse du recrutement social de grandes écoles (Polytechnique, Normale sup, École nationale d'administration – ENA –, Hautes études commerciales – HEC) de 1950 à 1990 tend aussi vers l'hypothèse de la coexistence d'une école de masse, où les inégalités se réduisent, et d'une sélection des élites qui se perpétue [*Euriat, Thélot, 1995*]. Ces grandes écoles sont ici des lieux de reproduction non seulement des privilèges culturels mais surtout du pouvoir et des positions sociales dominantes, bref de la constitution d'une « noblesse d'État » [*Bourdieu, 1989*]. De plus, les actions de formation professionnelle continue (FPC) destinées aux adultes, malgré leur importance quantitative (elles concernent plus de 8 millions de stagiaires en 1994), ne permettent pas de réduire fondamentalement les inégalités : les taux d'accès des salariés à la formation continue sont plus élevés pour les cadres que pour les ouvriers non qualifiés, surtout s'il s'agit de grandes entreprises.

La notion de « démocratisation » elle-même est cependant l'objet de plusieurs réévaluations critiques. Elle ne peut être réduite à une simple « démographisation », c'est-à-dire à une croissance quantitative de l'ensemble des effectifs scolaires, mais doit résulter d'une véritable évaluation, selon plusieurs types de critères, de la présence relative des enfants de milieux populaires à des niveaux de plus en plus élevés de scolarité. Ainsi, le maintien dans des sections scolaires dévalorisées d'enfants de milieux populaires peut en faire des « exclus de l'intérieur », pour reprendre une formule de Pierre Bourdieu et Patrick Champagne. Pour d'autres sociologues, la problématique de la démocratisation, souvent couplée avec celle de l'égalité des chances, était posée au moment où l'État pouvait encore se porter garant d'une possible standardisation nationale des réussites. Dans le contexte social des années quatre-vingt et quatre-vingt-dix, marquées par la montée du chômage, ces garanties se sont défaites au profit de « logiques » multiples, souvent concurrentes, et qui ne se réduisent plus à la logique républicaine universaliste. Avec cet éclatement des références, les établissements scolaires doivent ainsi construire des compromis « locaux » [*Derouet, 1992*].

De plus, il a été démontré que les établissements scolaires (principalement les collèges du second degré) n'influençaient pas uniformément les destins scolaires des élèves : certains de ces établissements sont plus « performants » que d'autres, à milieu social identique, et présentent une « valeur ajoutée ». On repère alors des « effets établissement » qui se surajoutent aux variables sociales et individuelles et qui peuvent accentuer ou non les phénomènes d'inégalités [*Cousin, 1998*].

Offres scolaires et nouveaux usages

L'existence du secteur public d'enseignement et du secteur privé, surtout catholique, est une donnée ancienne du système éducatif français. L'usage de ces secteurs par les familles introduit cependant des paramètres nouveaux. Contrairement à l'idée répandue d'une opposition radicale, les « transferts » entre les deux sont devenus de plus en plus importants : plus de quatre élèves sur dix utilisent au moins temporairement le privé, ce qui correspondrait à environ 50 % des familles [*enquête 1993-1994 – Langouët, Léger, 1997*]. Les transferts d'un secteur à l'autre sont principalement des voies de recours en cas d'échec scolaire, notamment au niveau du secondaire (en primaire, l'aspect religieux joue encore). L'usage de tel ou tel secteur a donc tendance à s'exercer moins en fonction de choix confessionnels ou politiques qu'en fonction de nécessités pragmatiques liées à la réussite des élèves : pour certains, ce serait le signe de nouvelles attitudes « consommatrices » d'école ou encore la manifestation de « stratégies » familiales. Ces mêmes questions peuvent être posées à propos de l'usage des établissements publics : des familles, généralement socialement privilégiées, adoptent des pratiques d'évitement d'établissements pour « choisir » celui qui leur semble plus « convenable ». Dans certains quartiers ou banlieues populaires, la ségrégation sociale peut donc se renforcer, par un double jeu de stratégies résidentielles et d'usage social de l'école.

Parallèlement, les dispositions officielles prises en matière de politique éducative dans les années quatre-vingt ont connu un net infléchissement par rapport à la tradition d'égalité républicaine. Au lieu de mesures égales pour tous sur l'ensemble du territoire, l'État a adopté des mesures sectorielles, définies en fonction de critères géographiques. La politique des « zones

Références

P. Bourdieu, *La Noblesse d'État. Grandes écoles et esprit de corps*, Minuit, Paris, 1989.

M. Cacouault, F. Œuvrard, *Sociologie de l'éducation*, La Découverte, « Repères », Paris, 1995.

P. Champy, C. Étévé (sous la dir. de), *Dictionnaire encyclopédique de l'éducation et de la formation*, Nathan, Paris, 1997 (2e éd.).

B. Charlot (sous la dir. de), *Le Rapport au savoir en milieu populaire. Une recherche dans les lycées professionnels de banlieue*, Anthropos, Paris, 1999.

O. Cousin, *L'Efficacité des collèges. Sociologie de l'effet établissement*, PUF, Paris, 1998.

J.-L. Derouet, *École et justice. De l'égalité des chances aux compromis locaux ?* A.-M. Métailié, Paris, 1992.

Direction de la programmation et du développement, *L'État de l'École*, n° 9, Ministère de l'Éducation nationale, de la Recherche et de la Technologie, Paris, 1999.

F. Dubet, D. Martuccelli, *À l'école. Sociologie de l'expérience scolaire*, Seuil, Paris, 1996.

M. Duru-Bellat, A. Henriot-Van Zanten, *Sociologie de l'école*, Armand Colin, Paris, 1999 (2e éd.).

« L'école dans la ville », *Annales de la recherche urbaine*, n° 7, 1997.

M. Euriat, C. Thelot, « Le recrutement social de l'élite scolaire en France. Évolution des inégalités de 1950 à 1990 », *Revue française de sociologie*, XXXVI, Paris, 1995.

O. Galland, M. Oberti, *Les Étudiants*, La Découverte, « Repères », Paris, 1996.

A. Van Zanten (sous la dir. de), *La Scolarisation dans les milieux difficiles : politiques, processus et pratiques*, INRP Paris, 1998.

A. Henriot-Van Zanten, É. Plaisance, R. Sirota (sous la dir. de), *Les Transformations du système éducatif. Acteurs et politiques*, L'Harmattan, Paris, 1993.

G. Langouët, *La Démocratisation de l'enseignement aujourd'hui*, ESF, Paris, 1994.

G. Langouët, A. Léger, *Le Choix des familles. École publique ou école privée ?*, Fabert, Paris, 1997.

H. Peyronie, *Instituteurs : des maîtres aux professeurs d'école. Formation, socialisation et « manière d'être au métier »*, PUF, Paris, 1998.

A. Prost, *L'enseignement s'est-il démocratisé ?*, PUF, Paris, 1986.

J.-M. de Queiroz, *L'École et ses sociologies*, Nathan, Paris, 1995.

L. Tanguy, *Quelle formation pour les ouvriers et les employés en France ?*, La Documentation française, Paris, 1991.

J.-P. Terrail (sous la dir. de), *La Scolarisation de la France. Critique de l'état des lieux*, La Dispute, Paris, 1997.

C. Thelot, *L'Évaluation du système éducatif*, Nathan, Paris, 1993.

Voir aussi Index, mots clés « Éducation » et « Formation ».

@ Sites Internet

La Documentation française : **http://www.ladocfrancaise.gouv.fr**

Institut national de recherche pédagogique (INRP) : **http://www.inrp.fr**

Ministère de l'Éducation nationale, de la Recherche et de la Technologie : **http://www.education.gouv.fr**

d'éducation prioritaires » (ZEP), lancée à partir de 1981, est emblématique de cette orientation : « discrimination positive » en faveur de zones en difficulté, établissement d'un projet local par un ensemble de partenaires qui ne se limitent pas à l'école. Elle n'a pas été reprise avec la même vigueur qu'à l'origine, ayant plutôt tendance à faire partie des mesures diverses des politiques dites « de la Ville ». On dénombrait cependant 695 ZEP à la rentrée scolaire 1999, le plus souvent englobées dans des Réseaux d'éducation prioritaire (REP, au nombre de 770). Les ZEP et les REP accueillent respectivement 13,7 % et 16,3 % des élèves du premier et du second degré. Fondamentalement, l'État incite désormais les différents acteurs de l'éducation à construire des projets (pour les établissements scolaires, pour différentes actions éducatives, pour des zones scolaires en difficulté) et à fonctionner en partenariat, par exemple en établissant des conventions. Il s'agit d'une ouverture de l'école, en un sens, une importance nouvelle étant accordée au « local », mais où s'exercent cependant des pouvoirs sociaux, le plus souvent au bénéfice des classes moyennes et supérieures.

Les mesures de décentralisation, de leur côté, accordent des pouvoirs nouveaux aux collectivités territoriales. Certes, l'État reste maître d'œuvre pour la formation et le recrutement des personnels enseignants et pour la définition des programmes et des diplômes, mais, par la décentralisation, de nouvelles responsabilités ont été dévolues aux régions, qui élaborent un schéma prévisionnel des formations et, depuis la loi quinquennale pour l'emploi (décembre 1993), un plan de développement des formations professionnelles des jeunes. Les applications de cette politique, différentes d'une région à une autre, malgré le cadrage étatique dans ses instances dites « déconcentrées », témoignent précisément de cette latitude d'action.

Il n'en reste pas moins que, sur l'ensemble de ces dossiers, le pari de la formation plus longue et plus qualifiante des jeunes repose en grande partie sur la formation des personnels enseignants. Or, les besoins de recrutement pour les écoles et le second degré sont estimés à environ 33 700 chaque année durant la période 1999-2006. C'est aux instituts universitaires de formation des maîtres (IUFM), expérimentés en 1990, puis généralisés en 1991, que revient la responsabilité d'assurer ce renouvellement essentiel pour l'avenir du système éducatif. ■

(*Voir aussi article suivant, ainsi que l'article p. 501.*)

Comment rendre effectif le droit à la formation tout au long de la vie ?

François Toujas
IGAS

Rapport de Virville en 1996, livre blanc du secrétariat d'État aux Droits des femmes et à la Formation professionnelle en mars 1999, rapport Lindeperg en septembre 1999, les diagnostics et les propositions de réforme du système de formation professionnelle se sont multipliés. Pourtant, les acteurs semblent prisonniers des logiques qui ont présidé à la construction de l'architecture actuelle. En conséquence, l'adaptation nécessaire du cadre institutionnel et juridique de la formation professionnelle continue est restée en suspens.

La loi du 16 juillet 1971 sur la formation professionnelle contenait des principes autour desquels s'est construit un système original : l'obligation pour les employeurs de participer au financement de la formation professionnelle (plan de formation de l'entreprise, congé individuel de formation et formations en alternance) ; l'affirmation d'un droit à congé individuel de formation ; la gestion paritaire du système dans des organismes collecteurs de fonds mutualisés ; des éléments de rémunération et de protection sociale organisant un véritable statut du stagiaire de la formation professionnelle.

Plus fondamentalement, la loi engageait une politique ambitieuse, dont les finalités ont été rappelées en 1979 par Jacques Delors, inspirateur de la loi de 1971. Il s'agissait de permettre aux individus de faire face aux contraintes du changement économique et social en les aidant à réaliser leur reconversion professionnelle, de lutter contre les inégalités en instaurant une « seconde chance », d'inciter à la transformation du système éducatif pour qu'il puisse répondre aux exigences d'une société où l'éducation doit être présente tout au long de la vie, de donner à chacun les moyens de son épanouissement individuel. En outre, un droit à la qualification professionnelle au bénéfice de « tout travailleur engagé dans la vie active ou qui s'y engage » a complété l'ensemble en 1990.

Des réussites incontestables et des limites

En 1998, la France a consacré environ 140 milliards FF à la formation continue, soit 1,7 % de son PIB. Cet effort a été partagé entre l'État (41 %), les entreprises (39 %), les régions (un peu plus de 9 %), les autres administrations publiques dont l'UNEDIC (Union pour l'emploi dans l'industrie et le commerce, 9 %) et les ménages (moins de 2 %). Un actif sur trois bénéficie chaque année d'une action de formation. La formation professionnelle est considérée comme une condition de la compétitivité de nombreuses entreprises et comme un champ privilégié du dialogue social au niveau interprofessionnel national et au niveau des branches.

En 1997, les organismes paritaires collecteurs agréés (OPCA) ont récolté 17,4 milliards FF, dont 7,8 milliards FF au titre du plan de formation, 3,2 milliards FF au titre du congé individuel de formation et 6,4 milliards FF destinés à l'alternance. Les dépenses des entreprises de dix salariés et plus ont ainsi représenté 3,3 % de leur masse salariale en 1998 alors que le taux légal de participation était de 1,5 %.

Malgré cet effort, les limites et les dysfonctionnements du système de formation

Les 35 heures et la formation professionnelle, un recentrage sur l'entreprise

Les négociations sur la réduction du temps de travail [*voir article p. 538*] ont accru l'importance de l'entreprise et de l'établissement comme niveaux décisifs de la négociation sur l'organisation et les objectifs de la formation professionnelle, alors que ces thèmes relevaient plutôt, traditionnellement, de la négociation de branche ou interprofessionnelle nationale. Le niveau de l'entreprise n'est donc plus seulement celui de la mise en œuvre de la formation dans le cadre du plan de formation. Ce sont les conditions d'accès à la formation, les objectifs poursuivis en matière de formation professionnelle et, plus généralement, l'exercice concret du droit à la formation dans l'entreprise qui sont intégrés dans la négociation plus large sur le temps de travail.

Deux raisons majeures expliquent cette évolution. En premier lieu, la maîtrise des coûts salariaux et le temps libéré par la réduction du temps de travail conduisent à remettre en cause l'assimilation stricte du temps de formation à du temps de travail effectif dans le cadre du plan de formation de l'entreprise. Cette assimilation est réaffirmée pour les formations qui permettent aux salariés de s'adapter à l'évolution de leur emploi, mais la loi autorise désormais que les actions de formation destinées à « développer les compétences des salariés » se déroulent, après accord du salarié, hors du temps de travail effectif.

Ainsi, la réduction du temps de travail tend à intégrer la formation dans un concept plus large, et plus flou, de « gestion générale des compétences » qui, contrairement à la notion de qualification, n'est pas une construction paritaire mais un outil de gestion des ressources humaines.

En second lieu, la formation devient l'un des éléments clés des réorganisations du travail et du temps nées des 35 heures. Elle constitue un instrument de gestion pluriannuelle de la durée du travail dans l'entreprise. À titre d'exemple, les possibilités offertes aux salariés d'utiliser pour de la formation une partie de l'« épargne temps » accumulée dans leur compte épargne temps sont élargies depuis la seconde loi sur les 35 heures. - **F. T.** ■

pour les actifs occupés justifient une réforme en profondeur qui devrait être articulée avec celle des dispositifs de formation et d'insertion des demandeurs d'emploi, qui ne sont pas abordés dans le cadre de cet article.

Le système de formation professionnelle est peu efficace. Le déficit global de qualification de la main-d'œuvre en France en fournit une preuve incontestable. 4 actifs occupés sur 10 n'ont aucun diplôme à caractère professionnel ; seuls 50 % des actifs ayant un emploi exercent un métier en rapport avec leur formation initiale. Les efforts consentis n'ont pas suffi à compenser les carences de la formation initiale, ni à satisfaire les besoins de qualifications exigées par l'appareil de production.

L'accès effectif à la formation reste très inégalitaire. Il est majoritairement réservé aux salariés dont le niveau de diplôme initial est déjà élevé. 58 % des salariés n'ont jamais suivi de formation, ce taux atteignant 86 % pour les ouvriers non qualifiés. Ainsi, les actifs qui auraient le plus besoin d'avoir accès à la formation professionnelle continue en restent pour la plupart exclus.

Les formations dispensées ne sont pas assez qualifiantes. Le Congé individuel de formation (CIF) reste marginal. Il n'a représenté, en 1998, que 25 000 actions, dont la durée moyenne a été de 974 heures et

Références

J. Delors, D. Jeanperrin, « Une déception diffuse », *Droit social*, n° 2, févr. 1979.

« La formation professionnelle continue "revisitée" », *POUR*, n°162, GREP, Paris, juin 1999.

G. Lindeperg, *Les Acteurs de la formation professionnelle, pour une nouvelle donne, rapport au Premier ministre*, sept. 1999.

Secrétariat d'État aux Droits des femmes et à la Formation professionnelle, *La Formation professionnelle, diagnostics, défis et enjeux*, mars 1999.

M. de Virville, *Donner un nouvel élan à la formation professionnelle, rapport au ministre du Travail et des Affaires sociales*, La Documentation française, Paris, nov. 1996.

qui ont débouché à 80 % sur une certification. En revanche, sur les 800 000 actions de formation entreprises dans le cadre du plan de formation en 1998, d'une durée moyenne de 40 heures, seulement 5 % ont abouti à une certification. La formation professionnelle remplit donc mal son rôle d'élévation des qualifications et d'appui à la mobilité.

L'obligation qui pèse sur les entreprises est uniquement financière. Ainsi, une entreprise peut fournir un effort de formation très supérieur à l'obligation légale sans jamais avoir organisé un accès réel et effectif à la formation pour l'ensemble de ses salariés. En conséquence, le fonctionnement actuel de la mutualisation, loin de réduire les inégalités, les a accrues. Les salariés les moins exposés à la mobilité professionnelle contrainte et à la fragilisation de la relation de travail sont ceux qui accèdent le plus facilement à la formation. Inversement, les salariés dont le niveau de formation initiale est insuffisant ont une probabilité très faible d'accéder, en cours de vie active, à la formation, notamment qualifiante et certifiée.

Pour de nombreuses PME (petites et moyennes entreprises), l'obligation de dépenses est ressentie comme une contrainte fiscale et non comme un investissement. 30 % des entreprises environ se libèrent de leur obligation mais ne forment aucun stagiaire. À l'extrême limite, une entreprise peut totalement se libérer de ses obligations sans avoir formé un seul de ses salariés.

Enfin, l'importante rationalisation issue de la réforme des organismes collecteurs de 1994 et 1995 n'a pas totalement supprimé l'opacité du système de collecte des fonds, qui nourrit régulièrement les critiques sur la gestion paritaire.

Une refondation du système est nécessaire

La formation professionnelle doit aujourd'hui s'adapter aux modifications des relations de travail et constituer l'une des garanties autour desquelles se crée un nouveau rapport salarial.

L'exercice du droit à la formation s'est construit en référence à une appartenance durable des salariés à l'entreprise. Il doit aujourd'hui être réorganisé autour de l'accès effectif des personnes, quels que soient par ailleurs les changements de statut qu'elles connaissent, à l'entretien et au développement de leur qualification. Il est à cet égard remarquable que les demandeurs d'emploi aient, du point de vue de la formation, contrairement aux actifs employés, beaucoup d'obligations et peu de droits.

Dans les parcours professionnels, les acquis que chacun a tirés de l'expérience devraient être mieux pris en compte et largement validés.

Enfin, le mouvement de réduction du temps de travail constitue une opportunité pour mobiliser du temps supplémentaire à la réalisation d'actions de formation qualifiante. ■

Régions et territoires

Métropole et Outre-mer

AMÉNAGEMENT
DU TERRITOIRE
FISCALITÉ LOCALE
ALSACE
AQUITAINE
AUVERGNE
BOURGOGNE
BRETAGNE
CENTRE
CHAMPAGNE-ARDENNE
CORSE
FRANCHE-COMTÉ
ILE-DE-FRANCE
LANGUEDOC-
ROUSSILLON
LIMOUSIN
LORRAINE
MIDI-PYRÉNÉES
NORD-PAS-DE-CALAIS
BASSE-NORMANDIE
HAUTE-NORMANDIE
PAYS DE LA LOIRE
PICARDIE
POITOU-CHARENTES
PROVENCE-ALPES-
CÔTE D'AZUR
RHÔNE-ALPES
POM-DOM-TOM…

Décentralisation L'« acte II » est déjà joué

Daniel Béhar et **Philippe Estèbe**
Coopérative ACADIE

À l'occasion de la préparation du 12e plan, le gouvernement de Lionel Jospin s'est trouvé en butte à une double critique de la part des élus. Ces derniers ont dénoncé l'immobilisme institutionnel et le refus du gouvernement de faire évoluer l'apparent *statu quo* issu des lois sur la décentralisation de 1982-1983. Ils ont dénoncé aussi l'autoritarisme politique du gouvernement, notamment dans la négociation des contrats de plan. Les préfets de région auraient fait preuve d'une extrême rigueur. Cette double critique a débouché sur la revendication unanime d'un « acte II » de la décentralisation, clarifiant les compétences des pouvoirs locaux et simplifiant leurs relations avec le gouvernement. La commission présidée par l'ancien Premier ministre socialiste Pierre Mauroy, installée en 1999, allait devoir préciser la dramaturgie de cet « acte II ».

Si la question semble consensuelle, les réponses divisent les anciens et les modernes. Les anciens défendent le maintien en l'état du système local. La loi du 12 juillet 1999 relative au renforcement et à la simplification de la coopération, dite « loi Chevènement », incitant à la création de « communautés d'agglomération » se situe dans ce courant, soucieux de préserver l'intégrité des découpages hérités, notamment, des communes et des départements. Les modernes sont partisans d'une adaptation des territoires politiques aux nouveaux territoires « vécus ». La loi du 25 juin 1999 d'orientation pour l'aménagement et le développement durable du territoire, dite « loi Voynet », créant des contrats de « pays » et d'« agglomération » se situe dans ce camp.

Ainsi posé, le débat sur l'organisation des pouvoirs territoriaux n'a guère de chance de trouver une issue positive. Déjà, les tâches au sein des services de l'État sont apparues divisées : les directions de l'équipement se mobilisent autour de la loi Voynet, tandis que les préfectures mettent en chantier les dispositions de la loi Chevènement. La querelle des anciens et des modernes risque donc de se résoudre par la mise en application simultanée et cloisonnée des deux textes, au moins du côté de l'État.

Trois signes donnent à penser que la pratique de la gestion publique territoriale a cependant pris les devants par rapport aux réflexions institutionnelles, dans la grande tradition du pragmatisme français.

Compétition entre institutions pour gérer un territoire donné

Les collectivités territoriales comme les services de l'État se sont trouvés confrontés, dans les années quatre-vingt-dix, à une sorte de compétition politique. Alors que l'ancien modèle de gestion locale voyait se développer la compétition entre notables pour accéder, *via* l'intercession préfectorale, aux ressources financières, techniques et réglementaires du centre parisien, le nouveau modèle de gestion publique territoriale voit apparaître des confrontations « horizontales » visant à s'assurer un leadership politique sur un territoire ou un domaine donné, qui font éclater les cadres institutionnels établis.

L'existence d'une communauté urbaine, par exemple, ne garantit plus l'élaboration d'une politique d'aménagement et de développement à l'échelle des agglomérations.

Ainsi l'agglomération bordelaise, pourtant dotée d'une communauté urbaine, a-t-elle laissé passer plusieurs occasions, pendant que l'agglomération toulousaine, pourtant morcelée et conflictuelle, engrangeait en quinze ans des succès fructueux, tant en termes d'infrastructures (métro) qu'en termes d'implantations industrielles.

Les échelles soi-disant obsolètes du canton et du département ont trouvé ou retrouvé des pertinences inattendues : le cumul d'un mandat de conseiller municipal avec un siège de conseiller général permet à certains élus urbains de se tailler de véritables territoires à l'échelle des cantons urbains, ce qui, dans certaines grandes villes, leur confère un quasi-statut d'adjoint de quartier, disposant implicitement d'une délégation politique ; dans des territoires aussi métropolisés que l'Île-de-France, les départements apparaissent comme des échelons intermédiaires efficaces entre l'échelle régionale et les communes.

La répartition des compétences par blocs, issue de la loi Defferre de 1982, n'a pas résisté à l'épreuve des faits. Dans la pratique, toute institution, si elle en a les ressources, est susceptible d'intervenir dans n'importe quel champ thématique. Ainsi les régions ont-elles de manière très variable fait fructifier leurs compétences en matière de développement économique et d'aménagement du territoire : ce rôle se trouve souvent contesté par les grandes villes et par certains conseils généraux souhaitant occuper ce terrain.

Enfin, des objets territoriaux ont émergé, liés à un enjeu ou à une situation territoriale particuliers. Ils fédèrent des institutions locales autour d'une identité territoriale (conseil de développement du Pays basque) ou des efforts d'un « entrepreneur politique » (comité de développement du Val-de-Marne). Ce qui caractérise l'évolution de la pratique en matière de gestion publique territoriale, c'est donc bien la compétition entre les différentes institutions pour tenir une position dominante sur un territoire, quitte à bâtir un « territoire virtuel », comme c'est le cas pour nombre de démarches de pays.

Territorialisation des grandes politiques nationales

Dans le même temps, à la suite des contrats de plan État-Région et, sans doute, sous l'influence directe de la politique de la Ville, nombre de ministères ont entamé une large territorialisation de leurs principales politiques. Le ministère de l'Intérieur, avec les contrats locaux de sécurité, reconnaît, depuis 1997, un rôle central aux collectivités locales, aux côtés des services de police et de l'autorité judiciaire. Le ministère de l'Éducation nationale a proposé aux villes des contrats éducatifs locaux, destinés à agencer l'offre éducative périscolaire avec les contenus de l'enseignement dispensé dans les écoles primaires et, souvent, dans les collèges (compétence théorique des conseils généraux). Nombre de grandes villes en ont profité pour bâtir des projets éducatifs, véritables manifestes de politiques éducatives locales. Sans être aussi explicite, la loi contre les exclusions (juillet 1998) stipule que les politiques de santé publique, d'insertion et d'accès au logement peuvent trouver une coordination à l'échelle urbaine, ce qui confère de fait aux grandes villes un rôle d'animation par rapport à des thèmes d'obédience départementale (logement, insertion). Les services publics de l'emploi se trouvent eux aussi progressivement entraînés dans un processus de territorialisation.

Cette profusion contractuelle montre que l'enjeu territorial concerne désormais l'ensemble des politiques publiques, y compris les plus régaliennes (police et justice). Cette évolution de fond traduit bien la perte du monopole de l'État central dans la conception et la mise en œuvre des politiques nationales et l'accession des acteurs territoriaux au rang de coproducteurs des politiques publiques.

La formation du territoire

Avant le IXe siècle, on peut dire que la France n'existe pas encore. Parmi les diverses configurations géopolitiques qui se succèdent avant cette époque (les confédérations gauloises, l'Empire romain et les empires germaniques), aucune ne préfigure, pour le tracé de ses limites territoriales, celles du futur État français. C'est seulement au milieu du IXe siècle, lors du partage de l'empire de Charlemagne entre ses fils (traité de Verdun, 843), que le royaume de Charles le Chauve et de ses successeurs regroupe une grande partie de la France actuelle, à l'exception de la Bretagne et des régions orientales, de la Lorraine à la Provence, qui relevaient alors de la Lotharingie, puis du Saint Empire romain germanique.

L'originalité de l'évolution géopolitique de la France est que cette unification, très relative, d'une grande partie de son territoire (la suzeraineté du roi de France est reconnue par ses grands vassaux), imposée aux Xe et XIe siècles, n'ait pas disparu sous l'effet des péripéties dynastiques (au XIIe siècle, les rois anglais Plantagenêts parviennent à établir leur domination sur la moitié ouest de la France actuelle, avant d'être écartés, sauf d'Aquitaine, par la contre-offensive de Philippe Auguste) et sous le coup des révoltes des grands vassaux, préférant la suzeraineté moins contraignante du roi d'Angleterre (c'est, notamment, la guerre de Cent Ans, qui commence vers 1337).

Cette assez grande cohésion du royaume de France peut être expliquée, dans une large mesure, par la constitution précoce d'un ensemble culturel de parlers français qui prépare la formation d'une relative unité nationale de langue française. Au centre de l'Île-de-France, la petite plaine de France (entre Saint-Denis et Chantilly), fief du seigneur de France, est l'embryon du royaume. En dépit de multiples vicissitudes, Paris reste de fait sa capitale. La continuité géopolitique doit aussi beaucoup à l'influence de l'Église, qui favorisa le passage de la royauté élective à la monarchie héréditaire.

L'extension ancienne des parlers français ne coïncide pas avec les limites du royaume : s'ils s'étendent sur le sud de la Belgique actuelle (Wallonie), l'ouest de la Suisse actuelle et la Lorraine (partie du Saint Empire), qui ne sera rattachée au royaume qu'au XVIIIe siècle (1776), en revanche, à la fin du Moyen Âge, ils ne dépassent pas, vers le sud, la région de Bordeaux et le nord du Massif central ; au-delà commençaient alors les parlers de langue d'oc. Cette Occitanie, ensemble culturel qui s'étendait de l'Aquitaine à la Provence et aux Alpes du Sud, fut rattachée au royaume en plusieurs étapes : de façon sanglante, pour le comté de Toulouse et le Languedoc actuel, sous le prétexte de la croisade religieuse entreprise contre les hérétiques « albigeois » (au début du XIIIe siècle) ; par péripéties successorales et aristocratiques, pour la Provence (en 1481) ; par la victoire sur les Anglais à la fin de la guerre de Cent Ans, pour l'Aquitaine.

Aux XVIe-XVIIe siècles, l'expansion française va à l'encontre de celle de l'Empire espagnol qui, grâce à l'or et à l'argent des

Une fonction d'intercession territoriale décisive

Ces deux processus – déconnexion du statut institutionnel et du rôle politique d'une part, territorialisation des politiques nationales d'autre part – induisent une recomposition des fonctions territoriales. Jadis, le préfet était l'intercesseur entre la périphé-

Amériques, a établi son hégémonie de part et d'autre de l'isthme français et cherche à le prendre en tenaille. Mais ce trop vaste empire, qu'affaiblit l'inflation, ne parvient pas à maîtriser l'émergence des différents peuples qu'il englobe, et c'est la France, plus cohérente et centralisée, qui l'emporte. Le royaume de France, où l'autorité centrale domine de plus en plus celles des féodaux, s'étend alors à sa périphérie sur des entités politiques qui, pour la plupart, n'étaient pas de langue française, encore que celle-ci s'y fût propagée, surtout dans les villes, en raison du développement des relations commerciales et culturelles : si le rattachement de la Bretagne (en 1532) est l'effet de mariages dynastiques, celui de l'Artois et de la Flandre, de l'Alsace, de la Franche-Comté et du Roussillon au XVIIe siècle résulte avant tout des victoires militaires sur l'Espagne, et la paix dite « des Pyrénées » (en 1659) est significative de la politique des *frontières naturelles* que mène la monarchie française, les grandes montagnes et la vallée du Rhin devant être, selon elle, les limites du royaume, et ce quelles que puissent être les caractéristiques culturelles des populations annexées. L'achat de la Corse (1768), en revanche, à 200 kilomètres des côtes françaises les plus proches, n'a rien à voir avec les frontières naturelles et traduit une volonté d'expansion en Méditerranée.

A la fin du XVIIIe siècle, le cadre territorial de l'État français est bien proche de ses limites actuelles (Nice et la Savoie seront rattachés par référendum en 1860). Il englobe alors, autour d'une *partie centrale*, le Bassin parisien, où l'on parle français, une *partie méridionale*, où l'on parle occitan, et des *régions périphériques* culturellement différenciées, où l'on parle breton, flamand, allemand, italien, catalan et basque. C'est seulement vers la fin du XIXe siècle que la langue française se généralisera progressivement, sous l'effet de la politique de l'école primaire obligatoire. Mais c'est dès la fin du XVIIIe siècle que s'opère l'unification politique et administrative de l'État : la Révolution abolit les « privilèges », et notamment ceux qui faisaient l'autonomie des diverses provinces. Celles-ci disparaissent dans une opération géopolitique de la plus grande importance : la création en 1790 de quelque 90 *départements* qui, symboliquement, pour faire oublier les provinces et leurs originalités culturelles, reçoivent des noms de géographie « physique », ceux de montagnes et surtout de rivières. Ces départements, que maintiendront tous les régimes, sont avant tout les mailles du dispositif de maintien de l'ordre : leur configuration ayant été calculée de façon à permettre l'intervention des renforts de gendarmerie (à cheval), en moins de deux jours, à partir du chef-lieu où le préfet est relié directement (par télégraphe d'abord, celui de Chappe, de 1793 à 1823) au pouvoir central, à Paris.

En France, le dispositif géopolitique de base de l'appareil d'État, le département, est donc en place dès la fin du XVIIIe siècle et il n'a guère été modifié depuis, hormis la création en 1964 de cinq nouveaux départements pour subdiviser une agglomération parisienne devenue énorme en raison du centralisme économique et politique.- **Yves Lacoste** ■

rie et le centre. Plus tard, le député-maire s'est imposé comme médiateur obligé entre le local et le national. Désormais, les jeux semblent beaucoup plus ouverts. Le problème n'est plus seulement d'obtenir l'accès aux ressources financières des échelons supérieurs, mais aussi d'aboutir à des agencements gouvernementaux pertinents pour traiter des questions sociales, économiques ou territoriales qui ne se laissent plus enfermer dans une seule échelle. L'organisation des transports urbains ne peut ainsi plus se satisfaire des modes traditionnels d'organisation (autorités d'agglomération) et de financements (taxe perçue auprès des entreprises). Les déplacements ne se font plus à la seule échelle de l'agglomération. Aussi la construction de politiques « locales » de transports terrestres, pour les grandes villes notamment, ne peut-elle se concevoir qu'à différentes échelles, impliquant à la fois les autorités d'agglomérations, les départements (transports interurbains), les régions (TER) et les institutions nationales (ministère de l'Équipement, SNCF). Nul n'est en mesure d'être le seul maître d'ouvrage de tels agencements. En revanche, certains acteurs – villes, agglomérations, conseils généraux ou autres – jouent un rôle d'intercession, opérant les connexions qui s'imposent entre des opérateurs intervenant à diverses échelles.

Toutes les politiques publiques se trouvent saisies par cet enjeu d'articulation des échelles et de production d'agencements dont la pertinence est tout aussi horizontale (territoire d'intervention élargi) que verticale (articulation des échelles d'intervention). Cette fonction devient aussi essentielle que l'accès aux ressources financières. Bien souvent d'ailleurs, c'est la position d'intercesseur qui conditionne l'accès aux ressources, bien plus que la position institutionnelle. Certains conseils généraux, pour parer au risque que représente pour eux le développement des « pays », se posent d'ailleurs en organisateurs de ces démarches, interface obligée entre les projets de territoires et les instances nationales et européennes.

Grand désordre ou renouveau du gouvernement local ?

Face à ce foisonnement d'initiatives, certains réclament des réformes qui redonnent une relative lisibilité au système local. Cepen-

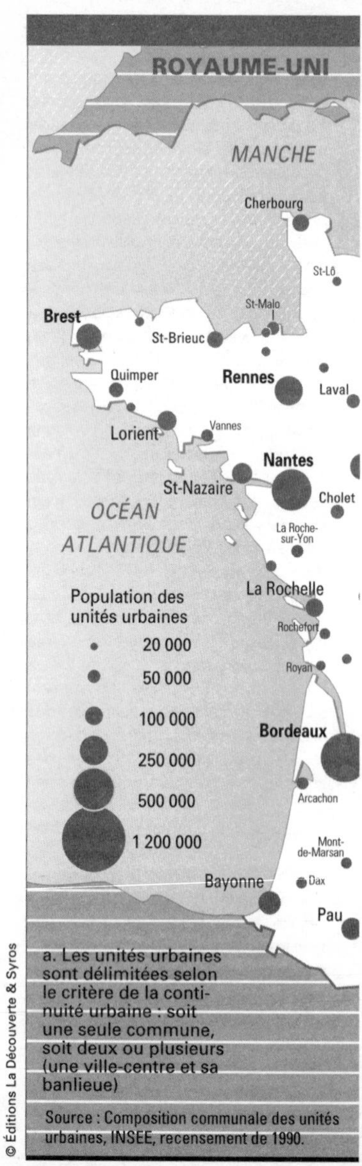

a. Les unités urbaines sont délimitées selon le critère de la continuité urbaine : soit une seule commune, soit deux ou plusieurs (une ville-centre et sa banlieue)

Source : Composition communale des unités urbaines, INSEE, recensement de 1990.

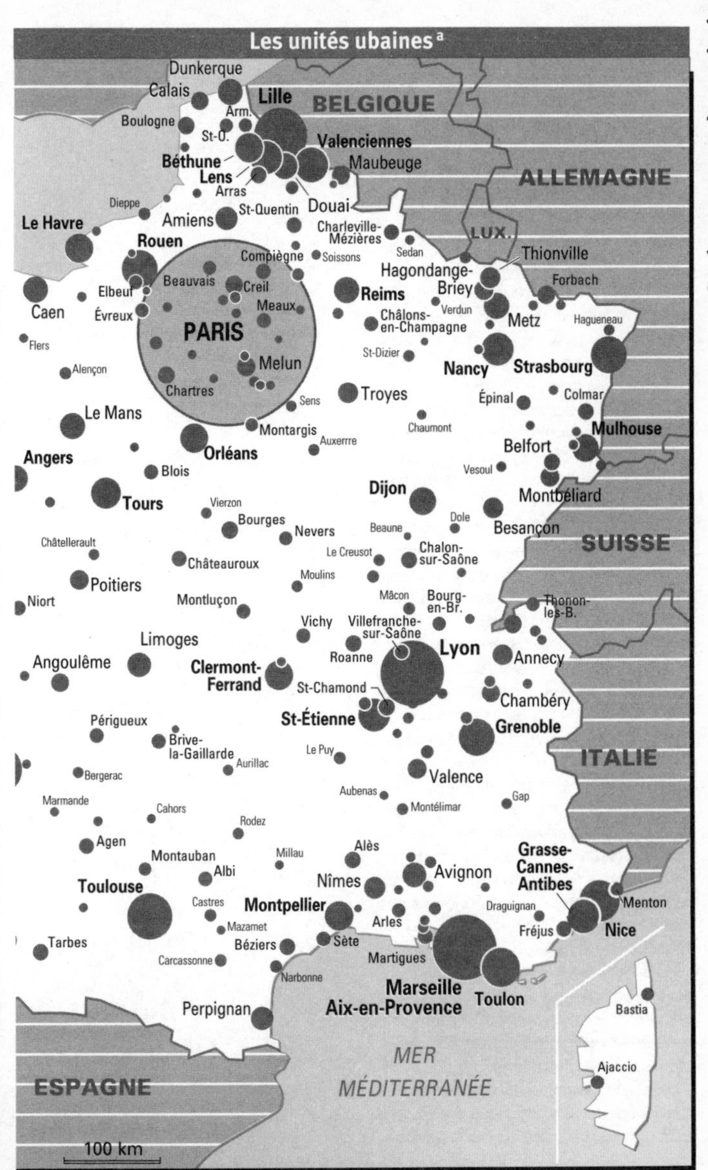
Les unités ubaines a
BELGIQUE
ALLEMAGNE
LUX.
SUISSE
ITALIE
ESPAGNE
MER
MÉDITERRANÉE
100 km
PARIS
Lille
Lyon
Marseille
Aix-en-Provence
Toulouse
Nice
Bordeaux
Strasbourg
Nantes
Rouen
Le Havre
Caen
Dunkerque
Calais
Boulogne
Arm.
St-O.
Béthune
Lens
Arras
Valenciennes
Maubeuge
Douai
Dieppe
Amiens
St-Quentin
Charleville-Mézières
Sedan
Compiègne
Soissons
Beauvais
Creil
Meaux
Elbeuf
Évreux
Melun
Chartres
Sens
Montargis
Reims
Châlons-en-Champagne
Verdun
Hagondange-Briey
Thionville
Forbach
Metz
Haguenau
Nancy
St-Dizier
Troyes
Épinal
Colmar
Chaumont
Mulhouse
Belfort
Montbéliard
Vesoul
Besançon
Flers
Alençon
Le Mans
Angers
Orléans
Blois
Tours
Auxerrre
Dijon
Dole
Beaune
Vierzon
Bourges
Nevers
Châtellerault
Châteauroux
Poitiers
Niort
Le Creusot
Chalon-sur-Saône
Moulins
Montluçon
Mâcon
Bourg-en-Br.
Thonon-les-B.
Vichy
Villefranche-sur-Saône
Roanne
Limoges
Angoulême
Clermont-Ferrand
St-Chamond
St-Étienne
Annecy
Chambéry
Grenoble
Périgueux
Brive-la-Gaillarde
Aurillac
Le Puy
Valence
Bergerac
Aubenas
Montélimar
Gap
Marmande
Cahors
Rodez
Agen
Montauban
Albi
Millau
Alès
Avignon
Grasse-Cannes-Antibes
Menton
Nîmes
Draguignan
Castres
Montpellier
Arles
Fréjus
Mazamet
Sète
Tarbes
Béziers
Carcassonne
Martigues
Narbonne
Toulon
Perpignan
Bastia
Ajaccio

dant, cette volonté de réforme peut sembler plus régressive que prospective. En effet, le fait de donner une structuration institutionnelle aux agglomérations peut constituer une sorte de retour en arrière par rapport aux innovations qui ont surgi de la pratique locale. Quels que soient les enjeux, les collectivités locales ont largement fait la preuve de leur capacité à s'en saisir et à concevoir les systèmes d'alliances pour les traiter. Tenter de figer le paysage politique territorial par l'instauration d'une autorité d'agglomération puissante risquerait d'ajouter une « couche de complexité » sans augmenter l'efficacité du système. Il peut paraître plus urgent de construire les espaces démocratiques où débattre des enjeux qui concernent diverses échelles.

Cette impossible stabilisation de l'échelle d'intervention redonne paradoxalement un rôle important à l'État.

Au plan procédural, l'État retrouve une légitimité pour mettre en débat les enjeux territoriaux : il dispose, avec les différents outils contractuels, de scènes publiques potentielles qu'il lui revient d'animer. Il peut devenir l'opérateur d'un développement de la démocratie locale, alors que les enjeux ne sont plus maîtrisables dans le seul cadre des territoires électifs préexistants.

Au plan substantiel, l'État reste (ou peut redevenir) le maître des échelles : il n'a pas d'échelle propre, sinon nationale ; il est à toutes les échelles. Le fameux « projet territorial de l'État » que le ministère de l'Intérieur demande à chaque préfet d'établir doit se situer dans cet espace et indiquer aux différents entrepreneurs politiques locaux une place possible de leur territoire dans l'imbrication des échelles, du local à l'Europe.

Dès lors, les lois dites « Chevènement » et « Voynet » peuvent apparaître comme les éléments d'un dispositif gouvernemental entérinant cet « acte II ». La loi Chevènement opère un compromis entre les revendications hégémoniques des maires des grandes villes et le souci des communes périphériques de préserver leur autonomie ;

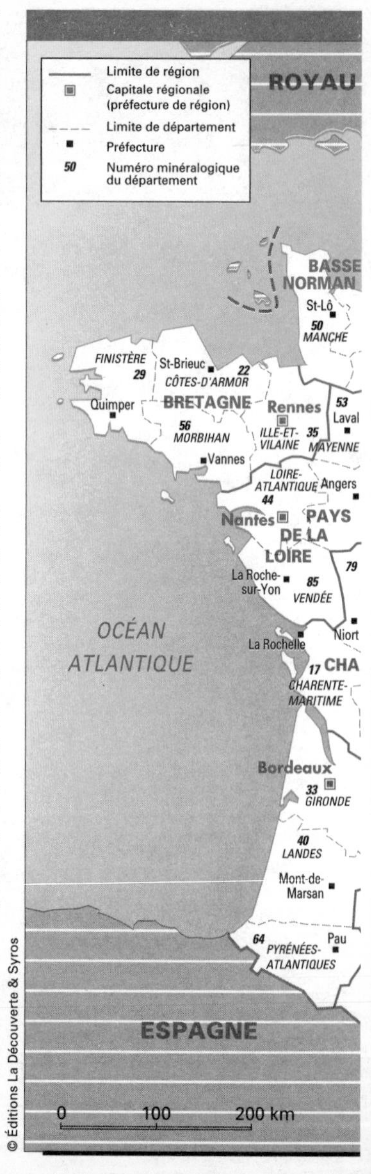

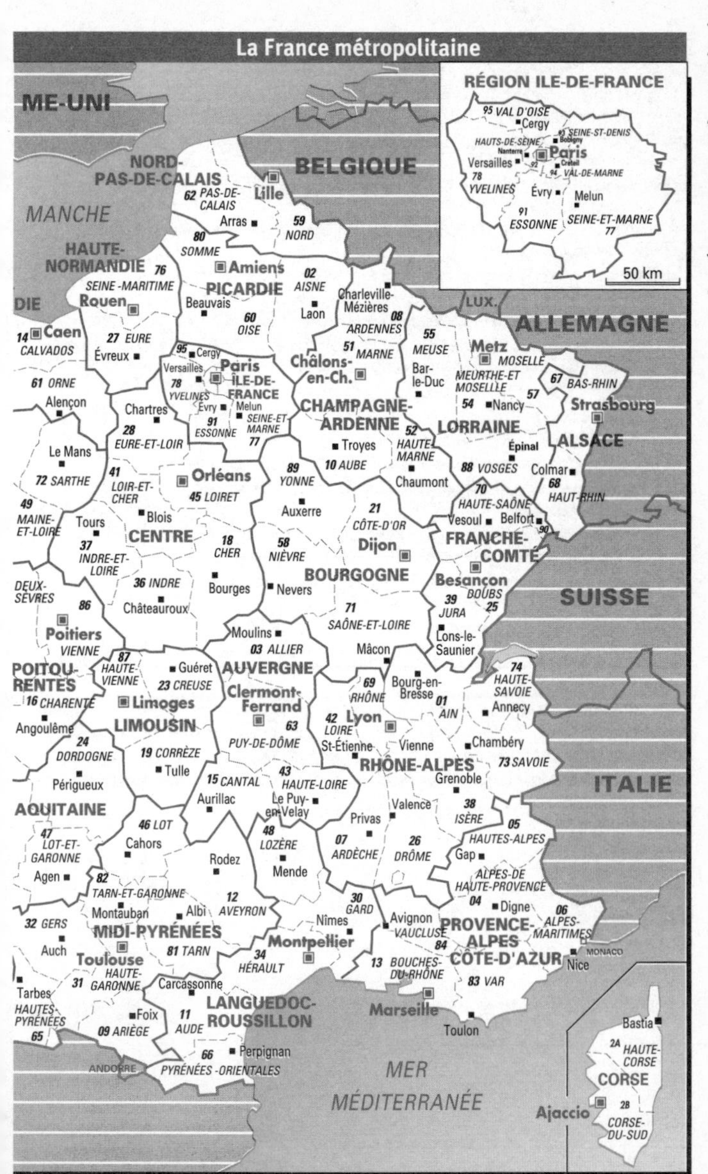
La France métropolitaine
RÉGION ILE-DE-FRANCE
95 VAL D'OISE
Cergy
HAUTS-DE-SEINE
93 SEINE-ST-DENIS
Bobigny
Nanterre
Paris
Versailles
92
Creteil
94 VAL-DE-MARNE
78
YVELINES
Évry
Melun
91
ESSONNE
SEINE-ET-MARNE
77
50 km
ME-UNI
NORD-PAS-DE-CALAIS
BELGIQUE
Lille
62 PAS-DE-CALAIS
MANCHE
Arras
59 NORD
80 SOMME
HAUTE-NORMANDIE
76 SEINE-MARITIME
Amiens
02 AISNE
PICARDIE
Rouen
Beauvais
Laon
Charleville-Mézières
08 ARDENNES
LUX.
ALLEMAGNE
60 OISE
14 Caen
CALVADOS
27 EURE
Évreux
51 MARNE
55 MEUSE
Metz
MOSELLE
Châlons-en-Ch.
Bar-le-Duc
MEURTHE-ET MOSELLE
67 BAS-RHIN
61 ORNE
Alençon
Chartres
ÎLE-DE-FRANCE
CHAMPAGNE-ARDENNE
54 Nancy
57
Strasbourg
28 EURE-ET-LOIR
LORRAINE
Le Mans
Troyes
10 AUBE
52 HAUTE-MARNE
Épinal
ALSACE
72 SARTHE
41 LOIR-ET-CHER
Orléans
45 LOIRET
89 YONNE
Chaumont
88 VOSGES
Colmar
68 HAUT-RHIN
49 MAINE-ET-LOIRE
Tours
Blois
Auxerre
21 CÔTE-D'OR
70 HAUTE-SAÔNE
Vesoul
Belfort
90
37 INDRE-ET-LOIRE
CENTRE
18 CHER
58 NIÈVRE
Dijon
FRANCHE-COMTÉ
BOURGOGNE
Besançon
DOUBS
25
DEUX-SÈVRES
36 INDRE
Bourges
Nevers
SUISSE
86
Châteauroux
71 SAÔNE-ET-LOIRE
39 JURA
Lons-le-Saunier
Poitiers
VIENNE
Moulins
03 ALLIER
Mâcon
POITOU-CHARENTES
87 HAUTE-VIENNE
Guéret
23 CREUSE
AUVERGNE
69 RHÔNE
Bourg-en-Bresse
01 AIN
74 HAUTE-SAVOIE
Annecy
16 CHARENTE
Limoges
Clermont-Ferrand
Lyon
Angoulême
LIMOUSIN
63 PUY-DE-DÔME
42 LOIRE
St-Étienne
Vienne
Chambéry
24 DORDOGNE
19 CORRÈZE
Tulle
RHÔNE-ALPES
73 SAVOIE
Périgueux
15 CANTAL
43 HAUTE-LOIRE
Grenoble
ITALIE
Aurillac
Le Puy-en-Velay
AQUITAINE
Valence
38 ISÈRE
Privas
05 HAUTES-ALPES
46 LOT
48 LOZÈRE
47 LOT-ET-GARONNE
Cahors
07 ARDÈCHE
26 DRÔME
Gap
Rodez
Mende
Agen
ALPES-DE HAUTE-PROVENCE
82 TARN-ET-GARONNE
12 AVEYRON
30 GARD
04 Digne
Montauban
Albi
06 ALPES-MARITIMES
32 GERS
Nîmes
Avignon
VAUCLUSE
84
PROVENCE-ALPES CÔTE-D'AZUR
MIDI-PYRÉNÉES
Montpellier
Auch
81 TARN
MONACO
Toulouse
34 HÉRAULT
13 BOUCHES-DU-RHÔNE
Nice
HAUTE-GARONNE
31
Carcassonne
83 VAR
Tarbes
HAUTES-PYRÉNÉES
65
Foix
09 ARIÈGE
11 AUDE
LANGUEDOC-ROUSSILLON
Marseille
Toulon
Bastia
2A HAUTE-CORSE
66 Perpignan
ANDORRE
PYRÉNÉES-ORIENTALES
MER MÉDITERRANÉE
CORSE
Ajaccio
2B CORSE-DU-SUD

Références

D.E. Ashford, « L'étude des relations entre gouvernement central et collectivités locales, un essai de recension », *Annuaire des collectivités locales*, CNRS-GRAL, 1994.

A. Bagnasco, P. Le Galès (sous la dir. de), *Villes en Europe*, La Découverte, coll. « Recherches », Paris, 1997.

Commissariat général du Plan, *Cohésion sociale et territoires*, La Documentation française, Paris, 1997.

P. Duran, J.-C. Thoenig, « L'État et la gestion publique territoriale », *Revue française de sciences politiques*, n° 46/4, Paris, août 1996.

J.-P. Gaudin (sous la dir. de), *La Négociation des politiques contractuelles*, L'Harmattan, Paris, 1996.

J.-J. Gleizal (sous la dir. de), *Le Retour des préfets ?*, PUG, Grenoble, 1995.

J. Leca, « Gouvernance et institutions publiques, l'État entre sociétés nationales et globalisation », *in* J.-B. de Foucault (sous la dir. de), *La France en prospective*, Odile Jacob, Paris, 1997.

@ Sites Internet

Assemblée des départements de France (ADF) : **http://www.departement.org**

DATAR (Délégation à l'aménagement du territoire et à l'action régionale) : **http://www.datar.gouv.fr**

Ministère de la Fonction publique, de la Réforme de l'État et de la Décentralisation : **http://www.fonction.publique.gouv.fr**

PUMA (Comité de la gestion publique et Service de la gestion publique de l'OCDE) : **http://www.oecd.org/puma**

Réseau Reflex : **http://www.acadie-reflex.org**

la péréquation de la taxe professionnelle symbolise alors la solidarité des agglomérations. La loi Voynet peut constituer un « mode d'emploi » de la loi Chevènement, donnant l'occasion à l'État de (re)trouver un rôle actif au sein du système local. Au printemps 2000, l'« acte II » de la décentralisation semblait ainsi bien engagé. ■

Une nouvelle donne pour la mise en œuvre des fonds structurels européens

Jean-Claude Bontron
Agro-économiste, SEGESA

Dès 1998, les nouvelles orientations de la Commission européenne pour l'après-2000 avaient été énoncées (*Agenda 2000*), portant sur un ensemble de réformes touchant à l'élargissement de l'Union à de nouveaux pays, à la maîtrise budgétaire et à l'aide structurelle aux régions défavorisées et aux groupes sociaux les plus fragiles. Le Conseil européen, réuni à Berlin fin mars 1999, a trouvé un accord politique sur ces réformes, dont les règlements et le budget ont été approuvés pour une durée de sept ans (2000-2006), après avis du Parlement européen, par un Conseil tenu le 21 juin 1999.

Le processus de préadhésion a été confirmé pour 10 pays (Bulgarie, Estonie, Hongrie, Lettonie, Lituanie, Pologne, Roumanie, Slovaquie, Slovénie, République tchèque), qui regroupent 105 millions d'habitants, dont le revenu moyen atteint à peine le tiers de la moyenne des quinze États membres actuels. Ils recevront dans l'intervalle 7 milliards d'euros (45,9 milliards FF) dans le cadre du soutien de l'ISPA (Instrument structurel de préadhésion). En revanche, les modalités de mise en œuvre de la politique de cohésion économique et sociale ont été assez profondément révisées dans le sens d'une plus grande concentration des aides structurelles, d'une simplification, mais aussi d'une plus large subsidiarité avec les régions et les États membres pour le choix des plans et des programmes. Les ressources financières mises à disposition des fonds structurels (Fonds européen d'orientation et de garantie agricoles [FEOGA-Orientation], Fonds européen de développement régional [Feder], Fonds social européen [FSE] et Instrument financier d'orientation de la pêche [IFOP]) qui étaient de 163 milliards d'euros (1 069 milliards FF) pour la période 1994-1999, sont passées à 195 milliards d'euros (1 279 milliards FF) pour la période 2000-2006 (à prix 1999 pour ces deux chiffres), ce qui, contrairement aux craintes initiales, correspond à une augmentation de près de 9 % des dotations annuelles aux États membres.

Les nouvelles zones bénéficiaires de l'objectif 1 [*voir encadré*], qui est le mieux

**Tab. 1 Politique structurelle européenne
Les financements pour 2000-2006[a]**

Pays	Couverture population (%)		Dotation
	objectif 1	objectif 2	millions d'euros
Belgique	6	12	1 829
Danemark		10	745
Allemagne	17	13	28 156
Grèce	100		20 961
Espagne	60	22	43 087
France	5	31	14 620
Irlande	37		3 088
Italie	34	13	28 484
Luxembourg		28	78
Pays-Bas		15	2 635
Autriche	3	25	1 473
Portugal	71		19 029
Finlande	21	31	1 836
Suède	5	14	1 908
Royaume-Uni	8	24	15 635
UE à 15	25	18	183 564

a. Tous fonds et tous objectifs confondus.
Source : Commission européenne.

Tab. 2

Politique structurelle européenne
Répartition régionale des populations éligibles et des dotations financières[a]

Régions	pop. 1999[b] Objectif 2	pop. 1999[b] Zone transitoire	% de la pop./ région	Dotation (millions d'euros)
Alsace	275,5	192,2	27,0	109,2
Aquitaine	1 399,6	614,8	69,3	534,1
Auvergne	855,0	355,9	92,5	347,5
Basse-Normandie	767,5	487,0	88,2	304,8
Bourgogne	697,0	218,9	56,9	278,6
Bretagne	1 173,6	678,9	63,7	459,1
Centre	622,5	122,4	30,5	226,3
Champagne-Ardenne	639,2	157,6	59,4	219,2
Franche-Comté	547,6	266,0	72,8	210,0
Haute-Normandie	929,8	402,7	74,9	311,9
Île-de-France	470,2	–	4,3	141,8
Languedoc-Roussillon	856,9	377,9	53,8	318,1
Limousin	422,5	112,2	75,2	187,2
Lorraine	1 154,2	390,8	66,9	410,0
Midi Pyrénées	1 256,2	336,0	62,4	493,6
Nord-Pas-de-Calais	1 833,7	1 629,4	86,7	606,3
Pays-de-la-Loire	1 141,9	905,5	63,5	439,0
Picardie	772,9	288,1	57,1	258,1
Poitou-Charentes	811,9	358,9	71,4	310,8
PACA	966,5	421,6	30,8	339,0
Rhône Alpes	1 201,8	685,2	33,4	468,5
Corse	–	260,2	100,0	181,0
Total	18 796,3	9 259,8	47,9	7 543,3

a. Fonds européen de développement régional (FSE) + Fonds européen d'orientation et de garantie agricoles (FEOGA-Garantie) zonés hors DOM (3 524 millions d'euros) ; b. En milliers.
Source : DATAR.

doté (près de 70 % du budget), ont été plus strictement définies et excluent désormais la plupart des régions de l'Europe du Nord et toutes les régions des capitales des pays du Sud, ce qui entérine d'ailleurs la réalité des progrès accomplis dans les précédents programmes. L'Irlande aura été le principal perdant de ce nouveau découpage qui a donné plus de poids aux difficultés industrielles qu'au déclin rural, si bien que l'Allemagne et le Royaume-Uni ont vu leurs dotations financières assez substantiellement revalorisées. La délimitation des zones éligibles au nouvel objectif 2 n'était pas encore achevée dans tous les pays au printemps 2000, mais les quotas démographiques attribués à chacun d'eux, qui sont passés de 25,2 % de la population de l'Union à 18 %, ont bien traduit la volonté de concentrer l'effort dans les régions qui en ont le plus besoin. L'objectif 3, qui s'applique à l'ensemble du territoire de l'Union, affiche clairement sa volonté de prendre en compte les conclusions du traité d'Amsterdam (1997) sur la nouvelle stratégie pour l'emploi. Sa dotation a d'ailleurs été substantiellement accrue, passant de 9,3 % à 12,3 % du budget global.

Dans le cadre de la simplification recherchée, quatre « initiatives communautaires » (au lieu de 13) ont été approuvées : Interreg (coopération transfrontalière, transnationale et interrégionale), Urban (réhabilita-

Les nouveaux objectifs structurels

Pour la période 2000-2006, trois objectifs prioritaires ont été assignés aux fonds structurels européens.

◆ **L'objectif 1** vise à promouvoir le développement et l'ajustement structurel des régions en retard de développement. Il s'applique à des régions de niveau NUTS II (Nomenclature des unités territoriales statistiques) dont le produit intérieur brut (PIB) par habitant est inférieur à 75 % de celui de la moyenne communautaire (calculé sur la période 1994-1996). Viennent toutefois s'y ajouter les régions « ultrapériphériques » (dont les départements français d'outre-mer) et les zones de très faible densité du nord de l'Europe qui bénéficiaient auparavant de l'objectif 6. L'objectif 1 couvre 22,2 % de la population de l'Union.

◆ **L'objectif 2** concerne la reconversion économique et sociale de zones dont les problèmes structurels relèvent de quatre types : mutations industrielles ou des services, déclin rural, zones urbaines en difficulté et zones en crise dépendantes de la pêche. Des critères précis, relatifs à l'éligibilité des territoires à chacun de ces types, ont été définis par le règlement et mis en œuvre dans l'exercice de zonage. L'objectif 2 couvre 18 % de la population de l'Union.

◆ **L'objectif 3** est principalement axé sur l'adaptation et la modernisation des politiques nationales et européenne de l'emploi, de l'éducation et de la formation. Il intervient sur l'ensemble des territoires en dehors de l'objectif 1 pour combattre le chômage, promouvoir l'insertion sociale, la formation continue, renforcer l'employabilité des actifs..., de manière à anticiper l'adaptation aux mutations en cours ou à venir.

Un régime de *soutien transitoire* a été instauré jusqu'en 2005/2006, pour les régions anciennement classées ne remplissant plus les conditions d'éligibilité aux nouveaux objectifs 1 ou 2. La part du budget leur étant consacrée est de 5,7 %.

Par rapport à la période précédente, les fonds structurels (Feder, FSE, FEOGA-Orientation, IFOP) conservent pratiquement les mêmes champs d'intervention. Toutefois, dans les zones hors objectif 1, les mesures de développement rural seront financées par la section Garantie du FEOGA.

La programmation des actions a été assez sensiblement modifiée dans le sens d'un partage plus clair et plus équilibré des responsabilités entre l'UE et les États. La Commission n'approuve plus que les orientations stratégiques des documents de programmation, laissant aux régions et États membres le soin d'adopter et de gérer les programmes opérationnels. - **J.-C. B.** ■

tion des villes et quartiers urbains en crise), Leader + (développement rural à partir de groupes locaux) et Equal (lutte contre les discriminations et inégalités sur le marché du travail). Elles bénéficient de 5,35 % du budget.

Un nouveau zonage pour la France

La mise en application de ces changements a donné lieu, au cours de l'année 1999 et du premier trimestre 2000, à une intense activité de négociation et d'arbitrage, d'une part avec la Commission pour l'élaboration des divers règlements, et d'autre part avec les instances régionales pour aboutir à la carte du nouvel objectif 2 et pour la préparation des documents de programmation (Docup) qui fixent les grandes lignes de l'action pour la période 2000-2006.

On peut en premier lieu observer que la France n'est plus concernée que par les DOM (départements d'outre-mer) dans l'objectif 1 (n'en font plus partie la Corse et les zones du département du Nord). Pour l'objectif 2, l'exercice du zonage a abouti à une forte rétraction des territoires éligibles, puisque la population anciennement classée aux objectifs 5b et 2 a été ramenée à 18,7 millions d'habitants au lieu de 24,7 millions, ce qui correspond à un recul de 25 %. Il s'agit là d'une évolution particulièrement difficile à gérer politiquement.

Après que la Commission a notifié à la France son plafond de population éligible, la négociation s'est déroulée en deux temps. La DATAR (Délégation à l'aménagement du territoire et à l'action régionale) a d'abord réparti le quota national entre les régions selon une méthode qui, pour respecter les principes de transparence et de concertation, a été présentée et débattue au Conseil national de l'aménagement et du développement du territoire, instance mise en place par la loi d'orientation pour l'aménagement et le développement durable du territoire (LOADDT), dite « loi Voynet », promulguée

Union européenne, zones éligibles à l'objectif 1

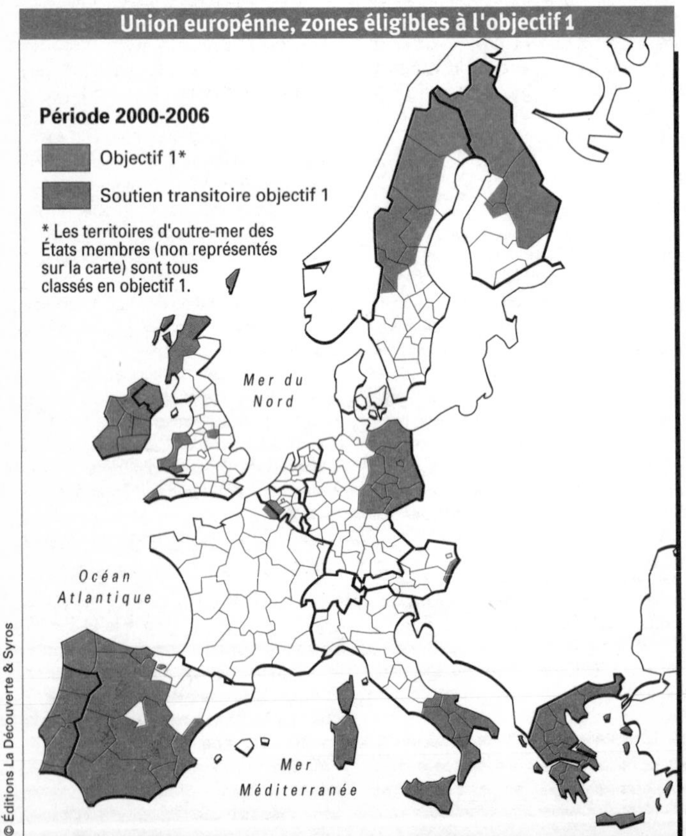

le 25 juin 1999. Elle conduit à une révision assez forte des anciens « équilibres », avec notamment l'apparition de zones éligibles dans l'Île-de-France et une plus forte baisse dans la France de l'Ouest qui, il est vrai, avait assez bien bénéficié du zonage précédent.

Au niveau régional, la négociation a été conduite dans un temps relativement court, sous l'autorité du préfet et en liaison avec les instances régionales de concertation, sur la base de critères et surtout en fonction des anciens zonages. Les stratégies des

Politique régionale communautaire

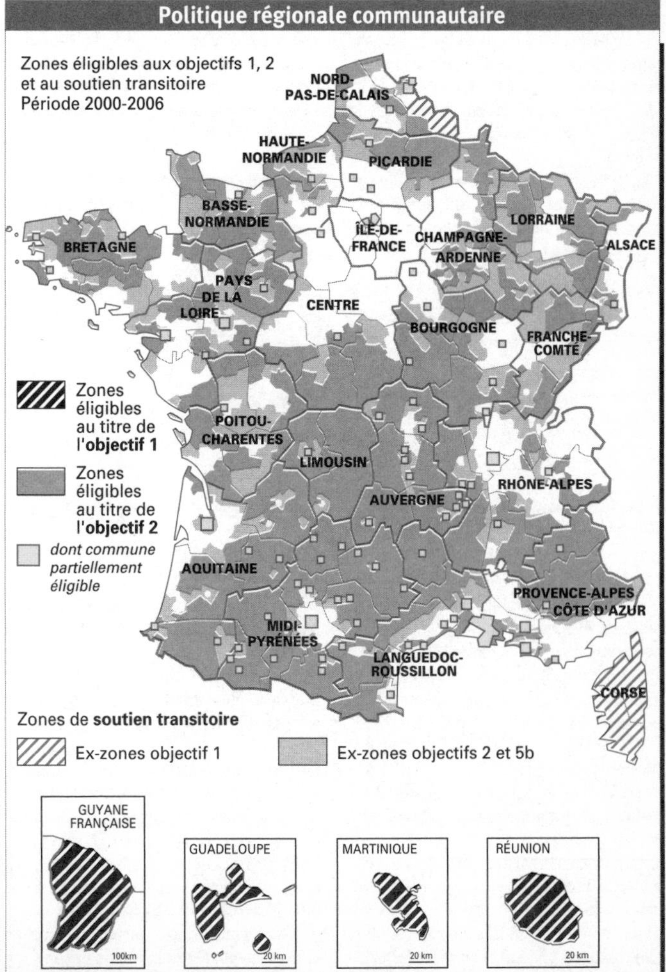

régions n'ont pas été toutes identiques, tant pour aborder la question de l'équilibre à trouver face aux fragilités rurales et industrielles, que pour introduire la nouvelle dimension urbaine des objectifs de l'Union, ou arbitrer entre les zones à « sacrifier » (celles dont les handicaps sont les plus forts ou celles qui sont capables de mobiliser les crédits). Cela a abouti à un zonage national [*voir carte*] fortement disséqué, de nombreuses communes n'étant que partiellement classées. Ce zonage s'apparente plus à l'addition de stratégies régionales qu'à une vision d'ensemble.

L'objectif de concentration voulu par Bruxelles est apparu passablement gommé par le fait que les zones qui bénéficient du soutien transitoire sont intégrées au même document de programmation que celles de l'objectif 2, ce qui, en réalité, conduit à élargir la zone d'application des fonds structurels. Les dotations financières en jeu sont importantes, près de 50 milliards FF devant ainsi être répartis entre les régions pour mettre en œuvre des actions programmées par les partenaires associés à la définition et à la réalisation de ces programmes (services de l'État et conseils régionaux, organismes socioprofessionnels...). ■

(*Voir aussi l'article p. 408 sur le Budget européen et celui p. 509 sur la Politique agricole commune.*)

La fiscalité locale a-t-elle un avenir ?

René Dosière
Économiste, Université de Reims-Champagne-Ardenne

En 2000, le produit de la fiscalité locale aura dépassé, pour la première fois, 500 milliards FF, soit près de 40 % du produit net de la fiscalité d'État. Entre 1994 et 1998, il a augmenté de 20,9 %. Sa place dans le total des prélèvements obligatoires a augmenté régulièrement : 5 % du PIB en 1992, 5,8 % en 1998, selon la nouvelle « base 95 » [*voir article p. 404*].

La fiscalité locale alimente quatre types de budgets (communes, structures intercommunales, départements, régions). Chaque collectivité fixe, de manière autonome, le montant de son prélèvement. Les communes perçoivent 50 % du total, les départements 29 %, les structures intercommunales 12 % et les régions 9 %. Le prélèvement fiscal des structures intercommunales a connu une vive croissance (en moyenne annuelle, + 8 % entre 1995 et 1999).

Sept impôts fournissent 90 % du produit de la fiscalité locale : la taxe professionnelle (38 %), la taxe foncière sur les propriétés bâties (18 %), la taxe d'habitation (16 %), la taxe départementale de publicité foncière et le versement transport (chacun 5 %), la taxe d'enlèvement des ordures ménagères et la vignette auto (chacun 4 %). La fiscalité locale provient à hauteur de 57 % des contributions des entreprises, ce qui la différencie de la fiscalité nationale.

Les impôts locaux sont de plus en plus supportés par le contribuable national, et non plus local. En 1999, l'État a versé aux collectivités, sous forme de compensations et de dégrèvements, 114 milliards FF, soit le quart de la fiscalité locale. Cette prise en charge résulte de l'incapacité des divers gouvernements à réformer le système fiscal local. Pour remédier aux inégalités majeures, il est plus facile de diminuer ou de supprimer un impôt local. Cependant, pour ne pas déséquilibrer les budgets locaux, l'État verse, en contrepartie, une compensation plus ou moins intégrale, qui aggrave d'autant le déficit du budget national.

Quel est l'avenir d'un système fiscal devenu de plus en plus compliqué et opaque ? La fiscalité locale devrait continuer à croître, même si, en 1998 et 1999, sa progression s'est réduite à 4 % l'an. En effet, les collectivités locales sont confrontées à des charges qui ne cessent d'augmenter : investissements réclamés par la population

Fig. 1 **Produit de la fiscalité directe locale**
(1998, FF/habitant)

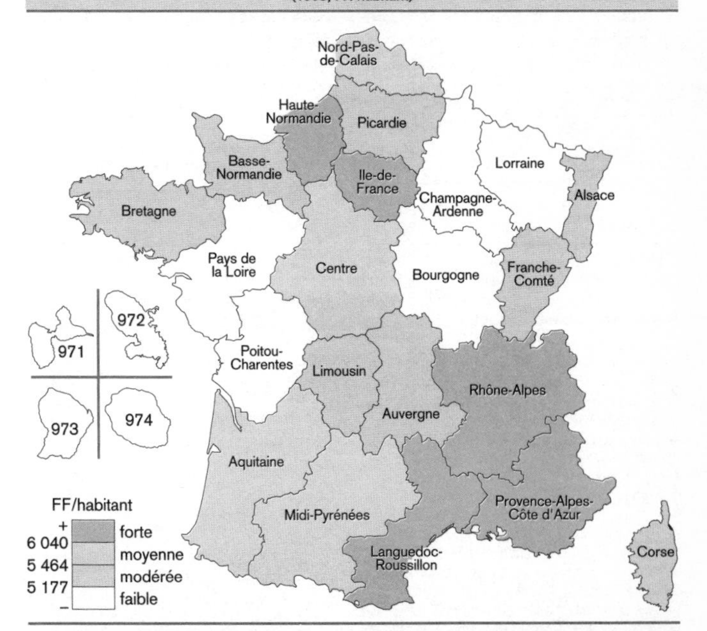

Carte établie par l'auteur à partir des données fournies par la Direction générale des impôts, et portant sur le produit des quatre taxes directes (rôles généraux), soit 75 % de la fiscalité locale totale. Les compensations versées par l'État sont prises en compte. La population considérée est celle du recensement de la population de 1999 (premiers comptages au 28 juin 1999). Cette carte fait apparaître des écarts géographiques significatifs entre les régions françaises, dont les explications sont complexes (urbanisation, niveau des équipements, nature des bases imposées). En matière de fiscalité locale, la diversité est la règle.

Tab. 1 **Prise en charge par l'État de la fiscalité locale (dégrèvements + compensations[a], en millions FF)**

1980	11 513	
1981	12 693	+ 10,2
1982	16 988	+ 33,8
1983	19 513	+ 17,7
1984	19 413	–
1985	28 412	+ 46,3
1986	31 105	+ 9,4
1987	38 098	+ 22,5
1988	41 198	+ 8,1
1989	42 116	+ 2,2
1990	51 151	+ 21,5
1991	58 370	+ 14,1
1992	68 383	+ 17,2
1993	70 802	+ 3,5
1994	75 727	+ 7,0
1995	85 142	+ 12,4
1996	87 363	+ 2,6
1997	91 359	+ 4,6
1998	95 725	+ 4,8
1999	113 700	+ 18,8
2000	130 500	+ 14,8

a. La prise en charge comprend la totalité des dégrèvements, et non les seuls dégrèvements législatifs, ainsi que les admissions ou non valeur dont le montant est disponible depuis 1998.

La prise en charge de la fiscalité locale par l'État correspond à une « nationalisation rampante » de l'impôt local. Longtemps limitée à la fiscalité directe, l'intervention de l'État s'étend également à la fiscalité indirecte (droits de mutations). En vingt ans, cette prise en charge a été multipliée par 10 et connaît un rythme de progression rapide (qui s'accentuera avec la « réforme » de la taxe professionnelle engagée et avec la diminution annoncée de la taxe d'habitation). En 1999, l'État supportait 40 % du produit de la taxe professionnelle (proportion devant passer à 2/3 au terme de la réforme), 35 % de la taxe foncière sur les propriétés non bâties, 23 % de la taxe d'habitation (35 % en 2000, compte tenu des baisses annoncées), près de 20 % pour le droit départemental d'enregistrement et taxe de publicité foncière.

(lycées, stades) ou imposés par les textes (assainissement, traitement des déchets ménagers), dépenses de personnel, dont la masse évolue au rythme de 5 % à 6 % l'an, transferts de charges imposés par l'État (par exemple dans le domaine de la voirie nationale ou de l'enseignement supérieur).

En second lieu, le citoyen-électeur n'est plus en mesure de contrôler, ni de freiner, la fiscalité locale. La multiplicité des décideurs, la diversité des exonérations, la complexité croissante de l'assiette, l'absence de démocratie dans les structures intercommunales – dont les dirigeants ne sont pas élus par la population mais désignés au sein des conseils municipaux – ne permettent plus d'identifier les responsables de l'impôt.

Toutefois, le cycle électoral qui s'annonce (élections municipales et cantonales en mars 2001, législatives et présidentielle au printemps 2002) devrait s'accompagner d'une modération fiscale. De plus, les diminutions

Tab. 2 **La Fiscalité locale en 1998 (milliards FF)**

Fiscalité directe dont	397,3
Taxe professionnelle	181,8
Taxe foncière bâtie	87,3
Taxe d'habitation	77,7
Taxe foncière non bâtie	7,5
TEOM[a]	19,4
Versement transport	23,6
Fiscalité indirecte dont	76,5
Droit départemental d'enregistrement	24,4
Vignette auto[b]	14,6
Cartes grises	8,1
Fiscalité Outre-Mer[c]	6,0
Autres	23,4
Ensemble de la fiscalité locale	473,8

a. Taxe d'enlèvement des ordures ménagères (et redevance) ; b. En 1999, le produit de la vignette passe à 20,2 milliards FF ; c. Octroi de mer et taxes sur les carburants.

Sources : tableau établi par l'auteur d'après les données de la DGI (Direction générale des impôts), de la DGCL (Direction générale des collectivités locales), du CLF (Crédit local de France). En 1999, compte-tenu d'une progression évaluée à 4,5 %, la fiscalité locale atteint 495 milliards FF.

Références

J. Bourdin, *Les Finances des collectivités locales en 1999*, Ministère de l'Intérieur/La Documentation française, Paris, 1999.

Les Collectivités locales en chiffres, 1999, Ministère de l'Intérieur/La Documentation française, Paris, 2000.

Dix ans de finances locales, 1986-1996, statistiques commentées, Crédit local de France, Paris, 1998.

R. Dosière, *La Fiscalité locale,* PUF, « Que sais-je ? », Paris, 1996.

R. Dosière, « Faut-il maintenir un système fiscal local ? », *La Gazette des communes, départements et régions*, n° 46, Paris, 6 déc. 1999.

Les Finances locales dans les quinze pays de l'Union européenne, Dexia, Bruxelles/Paris, 1997.

G. Gilbert, A. Guengant, *La Fiscalité locale en question*, Montchrestien, Paris, 1998 (2e éd.).

@ **Site Internet**

Crédit local de France : **http ://www.clf.fr**

d'impôt, largement évoquées au début de l'année 2000, allaient probablement concerner la fiscalité locale et plus spécialement la taxe d'habitation. Il est vrai que cette baisse, réelle pour le contribuable local, devrait se traduire par une hausse des prélèvements (ou une aggravation du déficit budgétaire), étant compensée par l'État, mais ce type de « vraie-fausse » baisse n'est pas nouveau. Ainsi en est-il de la taxe professionnelle, dont la diminution se poursuit, le législateur ayant décidé la suppression, sur cinq ans (1999-2003), de la masse salariale qui représente un tiers de la base imposable. Les entreprises concernées enregistrent une baisse de leur impôt local, sans que soient pénalisées les collectivités qui perçoivent une nouvelle compensation de l'État. Au total, cette « réforme » devrait coûter 50 milliards FF, montant de la compensation devant être versée aux collectivités en 2003. Les deux tiers du produit de la taxe professionnelle seront alors payés par le budget national.

Faut-il maintenir un système fiscal local ? Posée avec insistance en 1999, la question allait rester d'actualité en l'an 2000 avec la publication des travaux de la « commission Mauroy » pour relancer la décentralisation. Dans les années quatre-vingt, la gauche fondait la liberté des collectivités sur leur autonomie fiscale. Vingt ans plus tard, ce discours est repris par la droite, alors que de nombreux responsables de gauche expliquent – sans réellement convaincre – que l'autonomie des collectivités repose sur le niveau de leurs ressources, quelle qu'en soit l'origine. Le débat mérite d'être posé sur la place publique. ■

Les régions métropolitaines

En 1947 paraissait *Paris et le désert français*, un livre qui allait faire date et devenir le pont-aux-ânes des étudiants en géographie. Son auteur, Jean-François Gravier, réduisait la diversité territoriale du pays à sa géographie économique. Il opposait, de part et d'autre d'une diagonale Le Havre-Marseille, une France industrielle et riche et une France agricole, pauvre et sous-développée. Ce diagnostic prendra une dimension administrative avec la politique d'aménagement du territoire.

En 1956, les « régions de programme » sont instituées dans le cadre de l'exécution du IIe plan. A partir du IVe plan (1962-1965), les travaux régionaux sont intégrés aux travaux planificateurs. En 1964 sont institués les préfets de région et un embryon d'administration régionale. En 1982 (loi Defferre de décentralisation), les régions sont promues au titre de collectivités territoriales. Depuis 1986, les conseils régionaux sont élus au suffrage universel.

L'état de la France a toujours accordé une large place à l'étude des régions qui composent le territoire national. Un diagnostic complet est porté dans ce chapitre sur chacune des vingt-deux régions métropolitaines.

L'article principal porte sur la conjoncture récente : aménagement, vie politique, résultats économiques et « climat social ». On y trouvera aussi bien l'analyse des évolutions de la vie politique et sociale régionale que les projets d'équipement et d'aménagement en passant par la situation du chômage et des créations d'emploi, éléments parmi d'autres du climat social.

Un second article – présenté sur une double page – caractérise l'identité régionale, dans ses permanences comme dans ses mutations. L'approche est à la fois historique, géographique, sociopolitique et culturelle. Elle permet de cerner ce qui fait l'unité et la diversité de ces territoires, d'en évaluer les atouts mais aussi les handicaps.

Pour chaque région, ces deux articles sont complétés par un tableau statistique permettant de suivre l'évolution de nombreux indicateurs démographiques, culturels et économiques, ainsi que par un encadré d'informations institutionnelles, politiques et économiques. Une attention particulière est portée à l'étude des tendances démographiques. Treize indicateurs soulignent les évolutions enregistrées entre les recensements de 1982, 1990 et 1999, et le réseau urbain est analysé, avec les effectifs de population des principales agglomérations. En outre, une carte détaillée est présentée pour chacune des régions, ainsi qu'une bibliographie.

Des articles comportant des informations similaires sur les pays, départements et territoires d'outre-mer sont proposés dans le chapitre « La France d'outre-mer », p. 343 et suiv. ■

VOIR AUSSI :
ÉDIT. 1992 : PAGES 151 À 354 ;
ÉDIT. 93-94 : PAGES 209 À 368 ;
ÉDIT. 94-95 : PAGES 226 À 386 ;
ÉDIT. 95-96 : PAGES 236 À 394 ;
ÉDIT. 96-97 : PAGES 219 À 378 ;
ÉDIT. 97-98 : PAGES 231 À 391 ;
ÉDIT. 98-99 : PAGES 223 À 386 ;
ÉDIT. 1999-2000 : P. 203 À 371.

INDICATEUR*	UNITÉ	1982	1990	1999
Démographie				
Population	*milliers*	54 334	56 615	58 518
Densité	*hab./km²*	99,9	104,1	107,6
Taux de croissance	*% annuel*	0,47[b]	0,52[c]	0,37[e]
Accroissement naturel	*% annuel*	0,40[b]	0,41[c]	0,36[e]
Solde migratoire	*% annuel*	0,07[b]	0,10[c]	0,01[e]
Population 0-19 ans	*% du total*	28,8	26,5	25,8[i]
Population 60 ans et +	*% du total*	18,5	20,0	20,4[i]
Population étrangère	*% du total*	6,8	6,4	••
Population urbaine	*% du total*	74,4	74,0	••
Fécondité***		1,91	1,77	1,70[h]
Mortalité infantile	*‰ nais.*	9,4	7,3	4,7[h]
Espérance de vie	*années*	74,8	76,8	78,5[h]
Indicateurs socioculturels				
Nombre de médecins	*‰ hab.*	2,08	2,61	3,03
Diplômés (% des 25 –54 ans)				
Bac ou brevet professionnel	%	16,4[a]	29,3	••
Bac + 2 et diplômes supérieurs	%	7,8[a]	16,1	••
dont femmes		45,4[a]	48,9	••
Activité et chômage				
Population active	*milliers*	23 301	24 049	25 567[i]
Agriculture	% } *100 %*	8,7	6,3	4,2
Industrie	% } *100 %*	33,8	29,3	24,9
Services	% } *100 %*	57,5	64,4	70,9
Taux de chômage global	%	8,1	8,7	10,5[k]
Taux féminin	%	11,0	11,5	13,5[j]
Taux des « moins de 25 ans »	%	20,4	18,1	23,9[j]
Taux des « longue durée »	%	4,7	3,7	5,0[h]
Administrations publiques locales				
Ressources totales/hab.	*milliers FF*	5,6	9,7	11,4[f]
dont fiscalité locale/hab.	*milliers FF*	2,4	4,7	5,5[f]
Commerce extérieur				
Exportations	*milliards FF*	605,7	1141,2	1822,1
Importations	*milliards FF*	756,8	1266,5	1753,0
Produit intérieur brut				
PIB national	*milliards FF*	3 626,0	6 509,5	7 871,7[g]
Taux de croissance	*% annuel*	2,7[b]	2,5[c]	1,2[d]
Par habitant	*milliers FF*	66,5	114,7	134,8[g]
Structure du PIB				
Agriculture	% } *100 %*	4,8	3,5	2,4[g]
Industrie	% } *100 %*	33,3	30,3	27,4[g]
Services	% } *100 %*	61,8	66,1	70,1[g]

*Sources et définitions indicateurs utilisés : voir p. 175 et suiv. ; ** Lors des recensements de 1982, 1990, et 1999 ; ***Indicateur conjoncturel de fécondité (exprimé en nombre moyen d'enfants par femme).
a. 1975 ; b. 1975-1982 ; c. 1982-1990 ; d. 1990-1996 ; e. 1990-1999 ; f. 1993 ; g. 1996 ; h. 1997 ; i. 1998 ; j. Avril 1998 ; k. Déc. 1999 ; m. 1990.

Les statistiques régionales

Francisco Vergara
Économiste et statisticien

Pour chacune des 22 régions métropolitaines, un tableau d'une page présente l'évolution de 34 indicateurs sur dix-sept ans (1982, 1990 et 1999, années des trois derniers recensements). Une quatrième colonne permet de comparer la région avec la France métropolitaine dans son ensemble [*voir tableau ci-contre*].

Les données ont pour source l'INSEE (Institut national de la statistique et des études économiques), les douanes, les différents ministères et la base des données RÉGIO (Eurostat NewCronos) de l'Union européenne. Les définitions sont, pour la plupart, celles retenues dans le cadre du programme d'harmonisation des statistiques régionales poursuivi par l'Union européenne. Les chiffres de ce millésime de *L'état de la France* e sont donc pas toujours comparables avec les chiffres des éditions précédentes où les définitions étaient nationales.

Démographie

• La *population* indiquée est celle des recensements qui ont lieu au mois de mars. L'*accroissement naturel* est le taux de croissance de la population qui résulte des seules naissances et décès. Le *solde migratoire* est la différence entre le taux de croissance constaté et celui qui résulte de l'accroissement naturel. On peut l'attribuer aux migrations interrégionales et internationales (il ne peut être comparé au solde migratoire de la France qui résulte des seules migrations internationales). Les deux ensemble (accroissement naturel et solde migratoire) donnent le taux de croissance total [*sources 3, 13 et 14*].

• La *population étrangère* est celle des résidents dont la nationalité est autre que française. Sont considérées *urbaines* les « zones bâties » ayant au moins 2 000 habitants [*source 3*].

• L'indicateur de *fécondité* d'une année donnée (appelée aussi « somme des naissances réduites ») est le nombre moyen d'enfants que mettrait au monde au cours de sa vie entière une femme appartenant à une génération fictive (non soumise à mortalité ni émigration avant l'âge de 50 ans) qui aurait, à chaque âge, la fécondité de l'année et de la région considérées [*sources 1 et 2*].

• Le taux de *mortalité infantile* est le rapport entre le nombre de décès d'enfants de moins de un an et le nombre total de naissances vivantes pendant la période considérée [*sources 1 et 2*].

• L'*espérance de vie* à la naissance indique ce que serait la durée moyenne de vie des hommes et des femmes d'une génération fictive qui connaîtrait depuis la naissance (et pendant toute sa vie) les taux de mortalité de l'année et de la région considérées [*sources 1 et 2*].

Indicateurs socioculturels

• Le *nombre de médecins* est indiqué pour 1 000 habitants [*source 5*].

• *Diplômés*. Le chiffre indiqué correspond au pourcentage de la population des 25-54 ans possédant le diplôme (ou le niveau de diplôme) indiqué. La troisième ligne indique la part des femmes dans la population ayant le niveau « Bac + 2 » (DEUG, BTS, DUT...) ou un diplôme supérieur [*source 3*].

Activité et chômage

• Le chiffre de la *population active* est donné « au sens BIT » (Bureau international du travail). Il est assez différent de celui correspondant à la définition française « au sens du recensement » ; il comprend les actifs « occupés » et les actifs « chômeurs » [*source 6*]. Sont considérés comme «*occupés*» ceux qui ont travaillé au moins une

Principales sources utilisées

1. INSEE, « Les évolutions démographiques départementales et régionales entre 1975 et 1994 », *INSEE Résultats*, n° 600-601, févr. 1998.
2. INSEE, « La situation démographique en 1997 », *INSEE Résultats*, n° 682-683, déc. 1999.
3. INSEE, Recensements de 1975, 1982 et 1990.
4. INSEE, « Mortalité infantile par départements et régions, année 1996 », *Bulletin mensuel des statistiques*, déc. 1998, tableau R3, p. 148-149.
5. DREES (Ministère de l'Emploi et de la Solidarité), « Les médecins par département », collection *Études et statistiques*, n° 5, août 1999.
6. RÉGIO, Eurostat NewCronos, « Population active par âge et sexe » (tableau LF2ACT).
7. INSEE, enquête « Emploi », tableau « GEOG05 ».
8. INSEE, « Marché du travail, emploi (EMP) ; Taux de chômage régionaux », tableau T5, *Bulletin mensuel des statistiques*, séries trimestrielles paraissant en février, mai, août et novembre.
9. RÉGIO, Eurostat NewCronos, « Chômage de longue durée » (tableau UN2LTU) et « Taux de chômage au niveau NUTS 3 » (tableau UN3RT).
10. INSEE, « Les comptes régionaux des administrations publiques locales, 1983-1989 », *INSEE Résultats*, n° 277-278, novembre 1993.
11. INSEE, « Les comptes régionaux des administrations publiques locales, 1990-1993 », *INSEE Résultats*, n° 637, janvier 1999.
12. INSEE, « Les produits intérieurs bruts régionaux entre 1982 et 1996 », *INSEE Première*, n° 616, nov. 1998.
13. INSEE, « La population légale au recensement de 1999 », *INSEE Première*, n° 691, janv. 2000.
14. INSEE, « La population des régions (métropole). Recensement de la population de 1999 », *INSEE Première*, n° 664, juill. 1999.
15. Douanes (Département statistique), base de données « Béatrice ». Des renseignements détaillés sont disponibles sur Minitel. ■

heure pendant la semaine de référence. Parmi les autres, sont considérés comme «*chômeurs*» ceux qui cherchent activement un emploi et sont immédiatement disponibles pour le prendre si une opportunité se présente.

• La population active occupée dans l'*agriculture* comprend celle occupée dans la sylviculture et la pêche. La population active occupée dans l'*industrie* comprend celle travaillant dans le BTP et dans la branche énergie (qui comprend elle-même l'eau, le gaz et l'électricité). La branche des *services* comprend toutes les autres activités [*source 7*].

• Le *taux de chômage* est défini au sens du BIT [*source 8*].

• Le *taux de chômage féminin* est le nombre de chômeurs femmes divisé par la population active féminine (toujours au sens BIT). Le *taux de chômage des moins de 25 ans* est le nombre de chômeurs de cette catégorie divisé par la population active de la même tranche d'âge. Le taux de chômage des «*longue durée*» est le nombre de chômeurs sans emploi depuis plus d'un an, divisé par la population active totale [*source 9*].

Administrations locales

• Les *ressources totales* indiquées pour les administrations locales sont celles de toutes les administrations locales : Région, départements et communes. Elles comprennent les recettes fiscales, les revenus de la propriété et de l'entreprise et les transferts venant des autres administrations publiques, notamment de l'État central [*sources 10 et 11*].

• La *fiscalité locale* correspond aux taxes et impôts locaux [*sources 10 et 11*].

Commerce extérieur

• La *contribution de la région au commerce extérieur* de la France concerne les importations et les exportations hors du territoire national [*source 15*].

• Le produit intérieur brut (PIB) mesure la richesse créée dans la région en additionnant la valeur ajoutée créée dans les différentes branches [*source 12*]. ■

Les fiches d'information

Chaque article régional est accompagné d'une fiche d'information comportant des informations de base.

• *Population.* La variation indiquée cumule l'accroissement naturel et le solde migratoire (interrégional et international) de la région.

• *Unités urbaines.* [*Voir définition page suivante.*] Dans certains cas ont été précisées la population de la ville centre et celle des principales villes comprises dans la banlieue [entre crochets]. Sauf mention contraire, les chiffres sont ceux du recensement de 1999 (dans les limites de 1990, sans doubles comptes).

• *Composition du conseil régional.* Il s'agit de la répartition des sièges issue des élections régionales du 15 mars 1998. Des reclassements politiques, des démissions, suspensions ou exclusions peuvent avoir eu lieu ultérieurement. Les noms des présidents du conseil régional correspondent à la situation prévalant au 31 mars 2000.

• *PIB régional.* Le produit intérieur brut (PIB) mesure la richesse créée dans la région en additionnant la valeur ajoutée créée dans les différentes branches.

• *Taux de chômage.* Ce taux est établi sur la base de l'enquête « Emploi » de l'INSEE utilisant la définition BIT [*voir article p. 438*].

• *Spécialisations industrielles.* Cet indicateur mesure le poids *relatif* de telle ou telle activité régionale dans l'activité nationale. Cela explique que des activités qui, localement, peuvent apparaître importantes dans l'économie régionale ne sont pas toutes qualifiées comme « spécialisations industrielles » lorsqu'elles ne pèsent pas suffisamment dans l'activité nationale. C'est particulièrement le cas dans certaines régions peu industrialisées.

• *Principales livraisons agricoles.* Elles sont hiérarchisées en fonction de la valeur finale de la production. Le lait corres-pond non seulement à la production bovine, mais aussi ovine et caprine. *Source* : comptes départementaux de l'agriculture, SCEES, Ministère de l'Agriculture. ■

Sigles des partis

AD : Adhérents directs de l'UDF.
CAP : Convention pour une alternative progressiste.
CNIP : Centre national des indépendants et paysans.
CPNT : Chasse, pêche, nature, traditions.
DIV : Divers.
DL : Démocratie libérale (ex-PR).
DVD : Divers droite.
DVE : Divers écologistes (hors Verts).
DVG : Divers gauche.
EXD : Extrême droite (hors FN).
EXG : Extrême gauche.
FD : Force démocrate (ex-CDS).
FN : Front national.
FNUF : Front national pour l'unité des Français.
GE : Génération Écologie.
LCR : Ligue communiste révolutionnaire.
LO : Lutte ouvrière.
MDC : Mouvement des citoyens.
MDR : Mouvement des réformateurs.
MEI : Mouvement des écologistes indépendants.
MNR : Mouvement national républicain.
MPF : Mouvement pour la France.
MRG : Mouvement des radicaux de gauche (devenu PRG).
PC : Parti communiste.
PR : Parti républicain (devenu DL).
PRG : Parti radical de gauche.
PS : Parti socialiste.
RPF : Rassemblement pour la France.
RPR : Rassemblement pour la République.
UDF : Union pour la démocratie française.
Verts : Les Verts.

Les cartes régionales

Anne Le Fur, Bertrand de Brun
Cartographes, AFDEC

À chacune des 22 régions métropolitaines correspond une carte. Outre les principales régions naturelles et les repères géographiques classiques, celle-ci mentionne les préfectures et sous-préfectures, les principales villes, ainsi qu'un certain nombre d'infrastructures qui influencent la polarisation de l'espace régional et interrégional : réseaux de transport autoroutier et ferroviaire à grande vitesse, principaux ports et aéroports, villes universitaires...

La population des villes qui a servi à la hiérarchisation du réseau urbain pour les cartes correspond à celle des *unités urbaines.* Ces dernières sont délimitées selon le critère de la continuité de l'habitat. Elles représentent soit une seule commune (une ville isolée), soit deux ou plusieurs (une ville centre et sa banlieue). Les chiffres des fiches d'informations régionales sont – sauf indications contraires – ceux du recensement de 1999, dans les limites de 1990, sans doubles comptes [*voir aussi page précédente*]. ■

Légende

Frontière internationale

Limite régionale

NANTES — Préfecture de région

Limite départementale

Niort — Préfecture

Riom — Sous-préfecture

Réseau urbain,
taille des agglomérations
en milliers d'habitants (1990)

plus de 500 — 100 à 500 — 50 à 100 — 20 à 50 — 10 à 20 — 5 à 10 — moins de 5

Réseau autoroutier (ou assimilé)

Autoroute existante

Autoroute en construction

Réseau ferré à grande vitesse (TGV)

Ligne à Grande Vitesse

Ligne classique empruntée par les TGV *(trains à grande vitesse)*

Zone de relief, altitudes supérieures à 500 m

Aunis — Région naturelle

50 km

Échelle commune à toutes les cartes des régions
(sauf Ile-de-France)

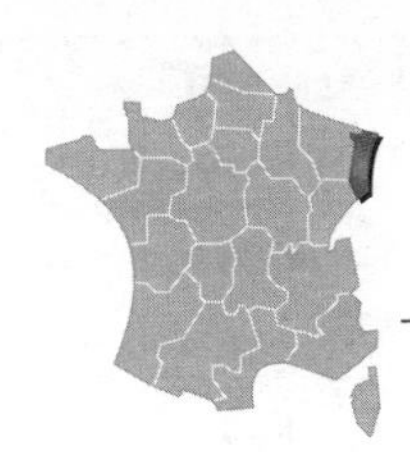

Alsace

Prospérité et dépendance

En 1999, l'actualité socio-économique alsacienne a été marquée par les effets spectaculaires de la tempête meurtrière du 26 décembre, qui a laissé 600 000 foyers sans électricité, occasionné d'innombrables dégâts matériels et dévasté les forêts alsaciennes, en particulier les forêts vosgiennes de la vallée de la Bruche et la grande forêt de Haguenau, forêt indivise de 13 500 hectares où près de 2 millions de mètres cubes de pins et de chênes ont été détruits.

Par ailleurs, au cours de l'année, l'État et les collectivités locales du Grand Est ont amorcé concrètement la mise en place du très attendu TGV-Est, d'un coût de 20,5 milliards FF. Le renforcement de la position de la métropole strasbourgeoise s'est poursuivi avec les ouvertures de grandes enseignes comme Virgin ou Ikéa et la décision d'Aventis (industrie du vivant), filiale commune des deux géants européens de la chimie, Rhône-Poulenc et Hoechst, de s'installer à Schiltigheim. La tradition industrielle de la région n'a pas été en reste. Volkswagen, ayant repris la marque Bugatti, a prévu d'investir plusieurs centaines de millions FF pour produire en séries limitées, à Dorlisheim au sud de Strasbourg, de nouvelles voitures Bugatti E 118. Dans le Haut-Rhin, Photo Print, filiale du groupe suisse Endress et Hauser, a choisi d'installer à Pulversheim une nouvelle unité de circuits imprimés avec 240 emplois à la clé. Le succès de la Peugeot 206, fabriquée à Mulhouse, a suscité près de 600 millions d'investissements, ce qui, conjugué avec l'application de la loi sur les 35 heures, a permis à 3 800 personnes de trouver un emploi sur le site alsacien de la firme sochalienne.

Les difficultés du groupe textile DMC dans le Haut-Rhin et du fabricant de chaussettes Kindy dans le Bas-Rhin ont persisté. Air Liberté, filiale de British Airways, a supprimé sa liaison Paris-Strasbourg, alors que les liaisons aériennes de la capitale européenne ont besoin d'être renforcées.

Dynamisme économique et chômage réduit

Les évolutions récentes ont conforté la bonne santé d'ensemble de l'économie régionale. Il convient toutefois de ne pas sous-estimer sa dépendance croissante à l'égard de centres de décisions extérieurs. En 1998, le nombre de travailleurs frontaliers culminait à 64 400, dont 34 002 vers l'Allemagne et 30 398 vers la Suisse. Une étude de l'INSEE (*INSEE Première*, juin 1999) a montré que le Bade-Wurtemberg et l'Alsace, les régions les plus industrielles de leurs pays respectifs avec cinq secteurs dominants identiques, se différenciaient par des salaires horaires bruts de 51 %, supérieurs outre-Rhin, un écart de revenus important, même si l'on tient compte des cotisations sociales et des impôts plus élevés en Allemagne. L'étude a également souligné une caractéristique commune aux deux régions : les femmes salariées ont un salaire moindre que leurs collègues masculins (inférieur de 26 % dans le Bade-Wurtemberg et de 28 % en Alsace, pour un écart moyen, en France comme en Allemagne, de 24 %).

INDICATEUR*	UNITÉ	1982	1990	1999	France entière 1999
Démographie					
Population**	*milliers*	1 566	1 624	1 734	58 518
Densité	*hab./km²*	189,1	196,2	209,4	107,6
Taux de croissance	*% annuel*	0,45[b]	0,46[c]	0,73[e]	0,37[e]
Accroissement naturel	*% annuel*	0,37[b]	0,46[c]	0,47[e]	0,36[e]
Solde migratoire	*% annuel*	0,08[b]	0,00[c]	0,26[e]	0,01[e]
Population 0–19 ans	*% du total*	29,2	26,4	26,1[i]	25,8[i]
Population 60 ans et +	*% du total*	16,4	17,7	18,1[i]	20,4[i]
Population étrangère	*% du total*	8,1	7,9	••	6,4[m]
Population urbaine	*% du total*	74,5	74,0	••	74,0[m]
Fécondité***		1,84	1,74	1,67[h]	1,70[h]
Mortalité infantile	*‰ nais.*	8,2	7,0	3,8[h]	4,7[h]
Espérance de vie	*années*	73,6	75,9	78,1[h]	78,5[h]
Indicateurs socioculturels					
Nombre de médecins	*‰ hab.*	2,11	2,73	3,06	3,03
Diplômés (% des 25–54 ans)					
Bac ou brevet professionnel	%	16,2[a]	27,8	••	29,3[m]
Bac + 2 et diplômes supérieurs	%	7,1[a]	15,0	••	16,1[m]
dont femmes	%	42,5[a]	46,2	••	48,9[m]
Activité et chômage					
Population active	*milliers*	689	758	776[i]	25 567[i]
Agriculture	% } *100 %*	4,6	3,1	1,9	4,2
Industrie	% } *100 %*	39,5	34,0	34,8	24,9
Services	% } *100 %*	55,9	62,9	63,3	70,9
Taux de chômage global	%	6,2	4,8	6,0[k]	10,5[k]
Taux féminin	%	8,7	6,9	8,2[j]	13,5[j]
Taux des « moins de 25 ans »	%	12,5	8,9	13,2[j]	23,9[j]
Taux des « longue durée »	%	2,6	1,7	2,3[h]	5,0[h]
Administrations publiques locales					
Ressources totales/hab.	*milliers FF*	4,7	8,4	10,2[f]	11,4[f]
dont fiscalité locale/hab.	*milliers FF*	2,0	4,3	5,2[f]	5,5[f]
Contribution de la région au commerce extérieur					
Exportations	*milliards FF*	34,2	80,8	111,0	1822,1
Importations	*milliards FF*	43,0	81,5	101,6	1753,0
Produit intérieur brut					
PIB régional	*milliards FF*	104,2	186,2	232,8[g]	7 871,7[g]
Taux de croissance	*% annuel*	3,2[b]	2,5[c]	1,9[d]	1,2[d]
Par habitant	*milliers FF*	66,4	114,3	136,4[g]	134,8[g]
Structure du PIB					
Agriculture	% } *100 %*	4,5	2,9	2,2[g]	2,4[g]
Industrie	% } *100 %*	38,4	38,0	35,4[g]	27,4[g]
Services	% } *100 %*	57,1	59,0	62,3[g]	70,1[g]

*Sources et définitions indicateurs utilisés : voir p. 175 et suiv. ; ** Lors des recensements de 1982, 1990, et 1999 ; ***Indicateur conjoncturel de fécondité (exprimé en nombre moyen d'enfants par femme).
a. 1975 ; b. 1975-1982 ; c. 1982-1990 ; d. 1990-1996 ; e. 1990-1999 ; f. 1993 ; g. 1996 ; h. 1997 ; i. 1998 ; j. Avril 1998 ; k. Déc. 1999 ; m. 1990.

Le taux de chômage (6,7 % au 2e trimestre 1999) est resté très en deçà des chiffres nationaux (11,3 %), avec une tendance au recul plus accentuée que dans l'ensemble du pays. Ces données globalement favorables recouvrent de fortes inégalités géographiques, les zones d'emploi de Strasbourg et de Mulhouse comptabilisant à elles seules plus de 57 % du total des chômeurs de la région. Les taux de 1999 tendaient à rapprocher progressivement la région de taux de chômage incompressibles. La migration frontalière et le tassement de l'évolution démographique aidant, une pénurie de main-d'œuvre, notamment de main-d'œuvre qualifiée dans le secteur industriel, en particulier dans les PME, risque d'apparaître, opérant un spectaculaire renversement du marché du travail régional.

Embellie démographique

Le dynamisme de l'économie régionale a été recoupé par les premiers résultats du recensement de population de 1999. De 1990 à 1999, la population s'est accrue de près de 110 000 personnes. L'Alsace a été la seule région à enregistrer une croissance annuelle moyenne de 0,73 %, nettement supérieure à celle de la période intercensitaire de 1982 à 1990 (0,46 %), et s'est démarquée de la croissance annuelle moyenne de l'ensemble du pays qui n'a pas dépassé 0,3 %. L'attractivité de l'Alsace à l'échelle française ne doit cependant pas masquer le fait que l'ouverture des frontières européennes met l'Alsace en contact ouvert avec les autres régions du Rhin supérieur suisses et allemandes. Leur dynamisme risque de conforter le diagnostic d'une étude commandée par le *Land* de Bade-Wurtemberg qui concluait, en 1999, à une répartition du travail dans l'espace rhénan supérieur dans laquelle l'Alsace serait un site d'accueil d'activités productives, du fait des disponibilités de terrain et du faible coût de sa main-d'œuvre, tandis que la rive droite verrait se développer les activités de services à forte valeur ajoutée et les centres de décision.

La vie politique régionale a été marquée par les élections européennes du 13 juin 1999 qui ont vu pour la première fois une liste socialiste (conduite par François Hollande) arriver en tête avec 17,6 % des voix, suivie par celles de François Bayrou (UDF, 15,2 %) et de Nicolas Sarkozy (RPR,

Alsace

Préfecture régionale : Strasbourg.
Départements [préfecture] : Bas-Rhin [Strasbourg], Haut-Rhin [Colmar].
Superficie : 8 280 km² (1,5 % de la France métropolitaine).
Population (recensement 1999) : 1 734 145 habitants (3,0 % de la pop. de la France métrop.).
Variation 1990-1999 : + 109 773 habitants.
Principales unités urbaines (1999, dans les limites de 1990) : Strasbourg (410 346), Mulhouse (229 973), Colmar (86 832), Haguenau (38 734), Saint-Louis (34 546), Thann-Cernay (28 885), Guebwiller (28 472), Sélestat (17 179), Saverne (14 969).
Composition du conseil régional (à l'issue des élections de mars 1998). Total sièges : 47, dont 9 « Gauche plurielle » (8 PS, 1 Verts), 1 DVE (MEI), 3 DIV (« Femmes d'Alsace »), 13 FN (avant la scission de 1999), 3 régionalistes DVD (« Alsace d'abord »). [Président : Adrien Zeller, réélu le 20.3.98].
PIB régional (1996) : 232,8 milliards FF (3,0 % du PIB national).
Taux du chômage en sept. 1999 : 6,5 % (France : 11,1 %).
Spécialisations industrielles : matériaux de construction et produits minéraux, matériels électriques et électroniques ménagers, métallurgie, chimie, construction mécanique, automobile, papier et carton, agroalimentaire, cuir et chaussures, textile et habillement.
Principales livraisons agricoles : vins, céréales.

Source : INSEE. Voir la signification des indicateurs p. 177.

Alsace : une identité en mutation

L'Alsace, région longtemps confinée dans le rôle de marge frontalière exposée aux vicissitudes de la politique internationale et aux risques d'éventuels affrontements militaires – elle avait été rattachée à l'Allemagne entre 1870 et 1918 –, a vu se transformer profondément son environnement politique et économique depuis la fin des années cinquante. Placée sur l'épine dorsale rhénane de l'Europe, lieu de confluence des cultures française et allemande, elle fait à bien des égards aujourd'hui figure de région laboratoire de l'intégration européenne.

Le peuplement de l'Alsace renvoie davantage par sa densité aux normes des régions rhénanes voisines qu'à celles des autres régions françaises. Si elle ne comptait que 1 734 145 habitants en 1999 (16e rang national), sa densité était de 210 habitants au km², soit le double de celle de la Lorraine voisine, ou le quadruple de celle de Midi-Pyrénées. Une telle densité reste toutefois inférieure à celle du Bade-Wurtemberg de l'Allemagne voisine, qui compte 259 habitants au km².

Les fortes densités rurales montrent par ailleurs la vivacité d'un milieu épargné par la désertification, qui ne connaît des problèmes de développement que dans les fonds de vallées vosgiens ou dans certaines zones du nord-ouest.

La petite taille du territoire alsacien (8 280 km²) et sa forme oblongue conduisent à un développement de type axial nord-sud, d'autant plus concentré sur la plaine que le Rhin et le massif des Vosges limitent les possibilités d'expansion est-ouest de la région.

À l'intérieur de la région, un lent déplacement de la population s'est opéré, des Vosges et de leur piémont vers la plaine, dont les agglomérations de Strasbourg, Colmar et Mulhouse sont les principales bénéficiaires. Strasbourg (264 000 habitants en 1999, 410 000 dans son agglomération) voit son rôle traditionnel de centre commercial, administratif et culturel amplifié par le poids international que lui confèrent les sièges de diverses institutions comme le Conseil de l'Europe, le Parlement européen ou la Cour européenne des droits de l'homme. Mulhouse (110 000 habitants, 230 000 dans son agglomération) diversifie son ancienne vocation industrielle à l'aide d'activités tertiaires et intègre son développement dans une région transfrontalière triangulaire l'associant à Bâle et Belfort-Montbéliard. Colmar (65 000 habitants, 87 000 dans son agglomération), centre administratif et judiciaire traditionnel, s'est affirmée comme la capitale de l'Alsace moyenne par un développement industriel récent. Toutefois, le tissu très dense des petites villes et des villages a maintenu une diffusion des hommes et des activités dans de vastes zones périphériques de ces trois centres, ce qui a limité l'extension des banlieues anonymes.

Des siècles durant, la prospérité de l'Alsace fut assurée par une riche agriculture. L'évolution récente de l'activité agricole est particulièrement marquée par la transformation des techniques de production. De 1970 à 1997, le rendement alsacien moyen à l'hectare est passé de 31 à 66 quintaux pour le blé et de 47 à 100 pour le maïs. Parallèlement, le nombre d'exploitations a chuté de 49 000 en 1963 à 15 500 en 1997 et la proportion des agriculteurs dans la population active est passée du cinquième au trentième. La petite taille des exploitations est une caractéristique alsacienne.

La présence de l'industrie est très ancienne, mais son véritable développement date de la seconde moitié du

XVIIIe siècle : la conjonction du surpeuplement rural et de l'esprit d'entreprise d'artisans protestants mulhousiens aidés par des capitaux suisses a permis le démarrage de l'industrie textile autour de Mulhouse ainsi que dans certaines vallées vosgiennes. Avec le lent déclin du textile, surtout après la Seconde Guerre mondiale, la production industrielle s'est concentrée dans de plus grandes unités autour des grands centres urbains de la plaine. Les secteurs industriels traditionnels de la mécanique, de la chimie, du cuir, de la chaussure et du textile, ainsi que l'activité minière (extraction de potasse au nord de Mulhouse) ont tous connu des difficultés. Grâce à l'automation des productions industrielles et au développement des services, l'Alsace compte un surcroît important d'actifs dans le tertiaire (63,4 % en 1998) par rapport à l'industrie (34,7 %).

Avec une participation de 38 % des firmes étrangères au capital des entreprises de la région, l'Alsace se place aujourd'hui de très loin en tête des régions françaises pour le niveau d'internationalisation de son capital. Ce phénomène, conjugué avec un volant de plus de 60 000 travailleurs frontaliers qui se rendent tous les jours en Suisse ou en Allemagne, traduit la forte déperdition de l'autonomie de l'économie régionale en même temps qu'il explique la relative faiblesse du chômage dans la région. Ces éléments sont des facteurs de la prospérité de la région, qui est la première région française pour le PIB par habitant (135 900 FF en 1996) après l'Ile-de-France.

La pratique de l'alsacien, dialecte allemand de type francique près de la frontière allemande, au nord de la région, et de type alémanique ailleurs, reste forte dans les milieux populaires des villes et dans les campagnes. Malgré la régression de son usage, notamment auprès des jeunes classes d'âge, le sentiment d'appartenance et d'unité régionales reste très vivace.

La vie politique régionale a longtemps été marquée par une domination écrasante des droites parlementaires qui s'est étiolée au cours de la décennie quatre-vingt. L'électorat de la gauche, surtout représentée par le Parti socialiste, s'est progressivement élargi au cours des années quatre-vingt avec un poids plus marqué dans le sud de la région ainsi qu'à Strasbourg et dans son agglomération. Les écologistes et surtout l'extrême droite ont aujourd'hui une audience importante qui contribue à complexifier le paysage politique régional.

La pratique religieuse reste importante, notamment du fait du statut concordataire maintenu après le retour à la France en 1918. Un cinquième environ de la population se réclame du protestantisme, implanté surtout dans le Bas-Rhin. Le judaïsme est surtout concentré dans les villes, particulièrement à Strasbourg (une des premières communautés françaises).

Marquée par une forte identité et des traditions vivaces, l'Alsace est confrontée depuis plusieurs décennies à de forts mouvements de modernisation de son économie et à une transformation de sa vie sociale et politique, notamment du fait de l'intégration européenne. Il en découle, pour certains, la tentation d'une conception frileuse de l'identité alsacienne, tournée vers le passé, qui réduirait à l'unité ses multiples composantes et nierait ce qui a toujours constitué la force de la région, son ouverture à l'extérieur. Le pari européen de l'Alsace est peut-être de maintenir une société régionale vivante avec ses fortes spécificités, dans une situation nouvelle de région européenne sans frontière.
- **Richard Kleinschmager** ■

14,6 %). Les scores de l'extrême droite se sont effrités, mais moins qu'au niveau national, Jean-Marie Le Pen conservant 8,5 % des suffrages en Alsace contre 5,6 % au niveau national. Les Verts ont reconquis une partie de leur forte influence régionale, rassemblant 12,1 % des suffrages, soit deux points de plus qu'au niveau national.

Sur le plan local strasbourgeois, le front uni des socialistes n'a pas résisté à l'ambition affichée par le maire de la ville, Roland Ries, de se présenter comme tête de liste aux élections municipales, en dépit de l'accord intervenu au moment de la prise de fonction ministérielle de Catherine Trautmann, redevenue conseillère de base au nom de la règle de non-cumul des mandats. Un compromis annoncé à la presse le 6 décembre 1999 stipulait que C. Trautmann conduirait la liste aux élections municipales de 2001, mais que R. Ries devien-

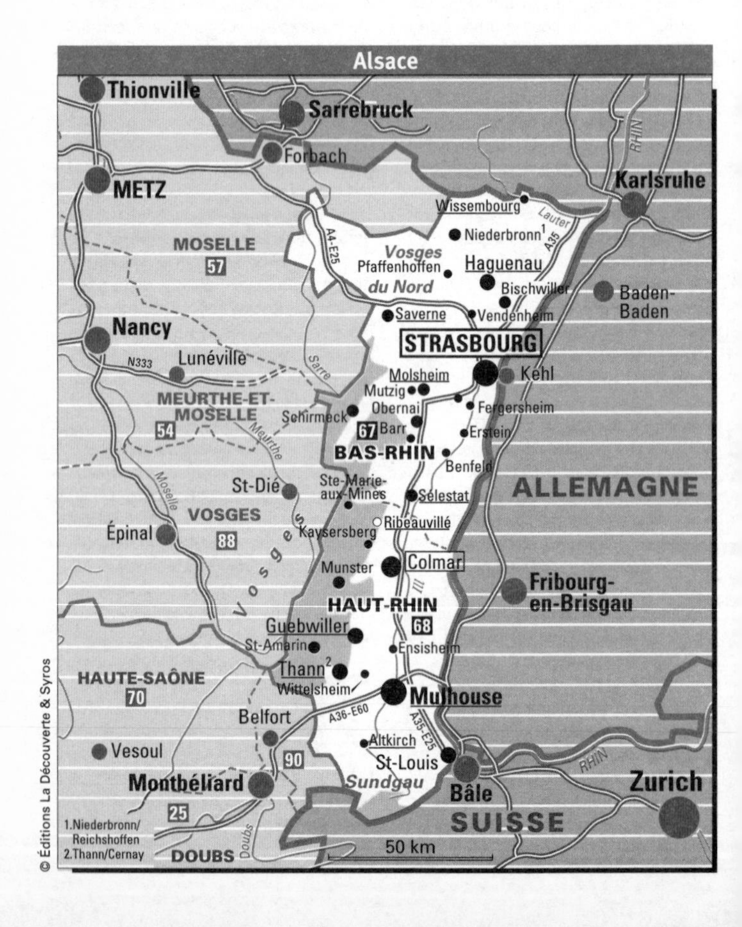

Références

P. Briant, B. Sinner-Bartels, « Bade-Wurtemberg : des salaires attractifs pour les Alsaciens », *INSEE Première*, Paris, juin 1999.

R. Grossmann, *Main basse sur ma langue*, La Nuée Bleue, Strasbourg, 1999.

A. Howiller, *Alsace 2001*, La Nuée Bleue, Strasbourg, 1998.

C. Keiflin, *La Campagne d'Alsace, dans les coulisses des élections régionales de mars 1998*, La Nuée Bleue, Strasbourg, 1998.

P. Klein, *La Question linguistique alsacienne de 1945 à nos jours*, Salde, Strasbourg, 1997.

R. Kleinschmager, *Strasbourg, une ambition européenne*, Anthropos, Paris, 1997.

H. Nonn, *Villes et aménagement régional en Alsace*, La Documentation française, Paris, 1999.

B. Vogler, M. Hau, *Histoire économique de l'Alsace*, La Nuée Bleue, Strasbourg, 1997.

@ Sites Internet

L'Alsace : **http://www.alsapresse.com**

Conseil régional : **http://www.cr-alsace.fr**

Les Dernières Nouvelles d'Alsace : **http://www.dna.fr**

Mairie de Mulhouse : **http://www.ville-mulhouse.fr**

Mairie de Strasbourg : **http://www.mairie-strasbourg.fr**

drait maire de la ville et C. Trautmann présidente de la communauté urbaine si la liste socialiste l'emportait.

Par ailleurs, des débats ont animé la scène politico-culturelle régionale autour de la question de la langue dialectale et de l'enseignement de l'allemand, ce débat clivant les diverses formations politiques, de même que la question de la mémoire de la guerre, en particulier celle des malgré-nous, ces incorporés de force dans la *Wehrmacht*, dont la cause est désormais défendue par les fils des acteurs de ce drame. À l'heure où s'aiguisent les effets de l'intégration européenne, qui modifie en profondeur les donnes de la vie économique et sociale de la région, ces questions placent, dans des visions parfois étroitement patrimonialistes, et souvent passéistes, celle du devenir de la région, aux avant-postes du processus d'intégration européen.

- **Richard Kleinschmager** ■

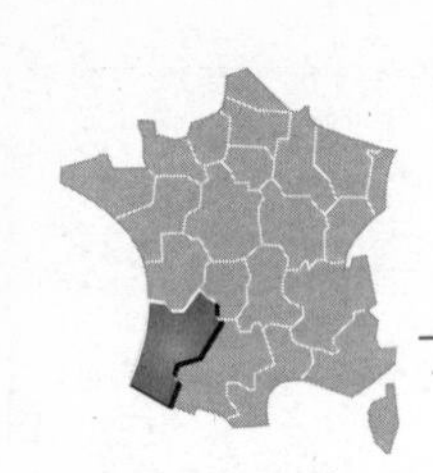

Aquitaine

Les Pyrénées-Atlantiques ont la vedette

Le problème du franchissement de la Garonne, qui fait de Bordeaux l'une des villes les plus embouteillées de France, a permis de réaliser l'union sacrée des élus. Un défilé a ainsi réuni Alain Rousset (PS), président du conseil régional, Philippe Madrelle (PS), président du conseil général de la Gironde, et Alain Juppé (RPR), maire de Bordeaux. C'est cependant le département des Pyrénées-Atlantiques qui retient l'attention dans le domaine politique.

La question de la constitution d'un « département du Pays basque » (et non d'un « département basque »), après que François Mitterrand en eut fait l'une de ses propositions en 1981, reste d'actualité. La manifestation du 9 octobre 1999 en faveur de ce projet a rassemblé à Bayonne plusieurs milliers de personnes, dont beaucoup venues de l'intérieur du Pays basque. Le profil d'un tel département a été tracé, après un sondage réalisé par le quotidien *Sud-Ouest*. Cela pourrait marquer une réhabilitation du département, ce qui semblerait contradictoire avec le thème de l'« Europe des régions » (les électeurs Verts, pourtant peu départementalistes, sont à 59 % favorables à la partition). Le département Pays basque aurait une population de 261 400 habitants sur 3 000 km^2, comprenant 21 cantons et 157 communes. Il représentait fin 1999 45 % de la fiscalité des Pyrénées-Atlantiques. Le Béarn, avec 336 700 habitants sur 4 645 km^2, comprenant 31 cantons et 386 communes, resterait, à l'échelle française, dans une position médiane. 57 % des personnes sondées au Pays basque sont pour la départementalisation, contre 39 % au Béarn. Ce dernier pourcentage, paradoxalement élevé, serait, selon certains, l'expression d'un ras-le-bol. Le clivage gauche-droite s'est trouvé malmené. Les sympathisants du PS se sont montrés favorables à 46 %, les positions d'André Labarrère, maire de Pau, depuis toujours opposé à la partition, et de Nicole Péry, élue de la Côte basque, étant apparues divergentes. Le RPR, fort de l'appui de nombreux maires de l'intérieur du Pays basque menés par Michel Inchauspé, a compté 54 % d'opinions favorables (Michèle Alliot-Marie ne s'est guère engagée sur ce terrain, la Côte basque restant globalement peu favorable, même si l'on murmure que Bayonne ferait une bonne préfecture). Les électeurs de l'UDF, avec 38 % d'opinions favorables, sont apparus pour le moins réservés, à l'image de François Bayrou, un Béarnais qui se verrait mal offrir la direction d'un département du Pays basque au RPR.

Dans l'Aquitaine dirigée par la « gauche plurielle », les Pyrénées-Atlantiques feraient-elles de la résistance ? F. Bayrou, président du conseil général, préside aux destinées de l'UDF. Par ailleurs, l'opposition parlementaire dans le département, version basque cette fois, a encore donné un leader national de poids, M. Alliot-Marie, députée-maire de Saint-Jean-de-Luz, ayant été élue à la tête du RPR le 5 décembre 1999. Dès le premier tour, elle devançait largement Jean-Paul Delevoye, candidat soutenu par l'Élysée, dans tous les départements aquitains. Dans les Landes, le succès prenait des allures de plébiscite avec un score de 84,4 % au premier tour, supé-

INDICATEUR*	UNITÉ	1982	1990	1999	France entière 1999
Démographie					
Population**	*milliers*	2 656	2 796	2 908	58 518
Densité	*hab./km²*	64,3	67,7	70,4	107,6
Taux de croissance	*% annuel*	0,58[b]	0,64[c]	0,44[e]	0,37[e]
Accroissement naturel	*% annuel*	0,05[b]	0,05[c]	0,02[e]	0,36[e]
Solde migratoire	*% annuel*	0,53[b]	0,59[c]	0,42[e]	0,01[e]
Population 0-19 ans	*% du total*	26,5	24,0	23,2[i]	25,8[i]
Population 60 ans et +	*% du total*	22,1	23,7	24,0[i]	20,4[i]
Population étrangère	*% du total*	4,4	4,1	••	6,4[m]
Population urbaine	*% du total*	65,5	65,5	••	74,0[m]
Fécondité***		1,70	1,57	1,51[h]	1,70[h]
Mortalité infantile	*‰ nais.*	9,5	8,0	4,4[h]	4,7[h]
Espérance de vie	*années*	75,5	77,4	78,7[h]	78,5[h]
Indicateurs socioculturels					
Nombre de médecins	*%o hab.*	2,09	2,61	2,97	3,03
Diplômés (% des 25–54 ans)					
Bac ou brevet professionnel	%	15,5[a]	28,1	••	29,3[m]
Bac + 2 et diplômes supérieurs	%	7,0[a]	14,6	••	16,1[m]
dont femmes	%	47,5[a]	50,4	••	48,9[m]
Activité et chômage					
Population active	*milliers*	1 055	1 124	1 319[i]	25 567[i]
Agriculture	% } *100 %*	17,5	13,6	7,6	4,2
Industrie	% } *100 %*	29,4	25,2	21,0	24,9
Services	% } *100 %*	53,1	61,2	71,4	70,9
Taux de chômage global	%	9,0	10,2	11,4[k]	10,5[k]
Taux féminin	%	13,3	14,2	15,3[j]	13,5[j]
Taux des « moins de 25 ans »	%	23,9	20,0	28,8[j]	23,9[j]
Taux des « longue durée »	%	5,2	4,4	5,1[h]	5,0[h]
Administrations publiques locales					
Ressources totales/hab.	*milliers FF*	5,4	9,3	11,0[f]	11,4[f]
dont fiscalité locale/hab.	*milliers FF*	2,3	4,4	5,2[f]	5,5[f]
Contribution de la région au commerce extérieur					
Exportations	*milliards FF*	20,6	46,4	64,8	1822,1
Importations	*milliards FF*	22,7	32,8	43,3	1753,0
Produit intérieur brut					
PIB régional	*milliards FF*	165,1	287,7	345,6[g]	7 871,7[g]
Taux de croissance	*% annuel*	3,6[b]	2,2[c]	1,2[d]	1,2[d]
Par habitant	*milliers FF*	61,9	102,6	119,8[g]	134,8[g]
Structure du PIB					
Agriculture	% } *100 %*	7,4	6,9	6,4[g]	2,4[g]
Industrie	% } *100 %*	35,8	27,1	23,9[g]	27,4[g]
Services	% } *100 %*	56,7	66,0	69,6[g]	70,1[g]

*Sources et définitions indicateurs utilisés : voir p. 175 et suiv. ; ** Lors des recensements de 1982, 1990, et 1999 ; ***Indicateur conjoncturel de fécondité (exprimé en nombre moyen d'enfants par femme).
a. 1975 ; b. 1975-1982 ; c. 1982-1990 ; d. 1990-1996 ; e. 1990-1999 ; f. 1993 ; g. 1996 ; h. 1997 ; i. 1998 ; j. Avril 1998 ; k. Déc. 1999 ; m. 1990.

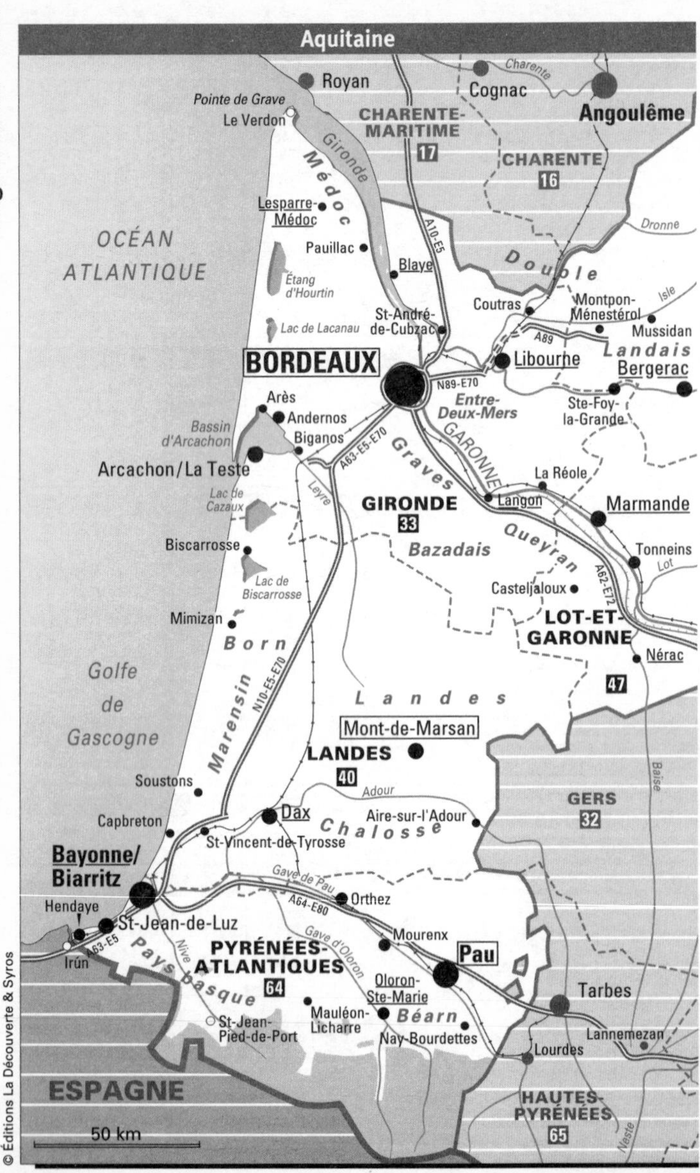
Aquitaine
Royan
Cognac
Charente
Angoulême
Pointe de Grave
Le Verdon
Gironde
CHARENTE-
MARITIME
17
CHARENTE
16
Médoc
Lesparre-
Médoc
Dronne
OCÉAN
ATLANTIQUE
Pauillac
Blaye
A10-E5
Double
Étang
d'Hourtin
Coutras
Montpon-
Ménestérol
Isle
Mussidan
Lac de Lacanau
St-André-
de-Cubzac
A89
Landais
BORDEAUX
Libourne
Bergerac
N89-E70
Arès
Andernos
Entre-
Deux-Mers
Ste-Foy-
la-Grande
Bassin
d'Arcachon
Biganos
A63-E5-E70
GARONNE
Graves
Arcachon/La Teste
La Réole
Leyre
Lac de
Cazaux
GIRONDE
33
Langon
Marmande
Queyran
Biscarrosse
Bazadais
Tonneins
Lot
Lac de
Biscarrosse
Casteljaloux
A62-E72
Mimizan
LOT-ET-
GARONNE
Born
Nérac
Golfe
de
Gascogne
N10-E5-E70
Marensin
47
Landes
Mont-de-Marsan
LANDES
40
Baïse
Soustons
Adour
GERS
32
Capbreton
Dax
Aire-sur-l'Adour
Chalosse
St-Vincent-de-Tyrosse
Bayonne/
Biarritz
Gave de Pau
Orthez
Hendaye
A64-E80
St-Jean-de-Luz
Gave d'Oloron
Mourenx
A63-E5
Irún
Pays basque
Nive
PYRÉNÉES-
ATLANTIQUES
64
Pau
Oloron-
Ste-Marie
Tarbes
St-Jean-
Pied-de-Port
Mauléon-
Licharre
Béarn
Nay-Bourdettes
Lannemezan
Lourdes
ESPAGNE
HAUTES-
PYRÉNÉES
65
Neste
50 km

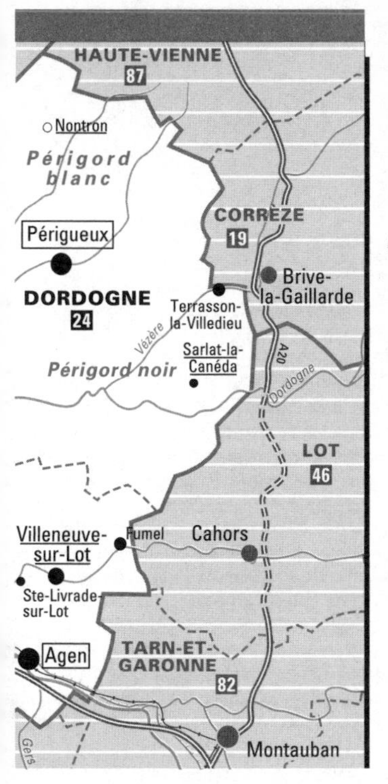

rieur même au pourcentage obtenu dans les Pyrénées-Atlantiques (81,3 %). En Gironde, le soutien d'Alain Juppé à Jean-Paul Delevoye (affiché modestement il est vrai) n'a pas empêché « MAM » de « virer » en tête (51,4 %) au premier tour, pour s'envoler au second. Dans le détail des choix militants, la relative bonne tenue d'un autre candidat, François Fillon, en Dordogne, a été interprétée comme une marque de l'identité gaulliste « républicaine et sociale », par opposition à la tendance « euro-libérale » symbolisée par Patrick Devedjian, qui a réalisé partout en Aquitaine des scores inférieurs à sa moyenne française.

Le pouvoir au bout du fusil ?

En Aquitaine, la liste de François Hollande (PS) est arrivée en tête aux élections européennes du 13 juin 1999, avec 24,4 % des suffrages exprimés, au quatrième rang parmi les régions françaises (précédée par le Limousin, Midi-Pyrénées et l'Auvergne, ce qui constitue un bel ensemble continu).

Aquitaine

Préfecture régionale : Bordeaux.

Départements [préfecture] : Dordogne [Périgueux], Gironde [Bordeaux], Landes [Mont-de-Marsan], Lot-et-Garonne [Agen], Pyrénées-Atlantiques [Pau].

Superficie : 41 308 km² (7,6 % de la France métropolitaine).

Population (recensement 1999) : 2 908 359 habitants (5,0 % de la pop. de la France métrop.).

Variation 1990-1999 : + 112 529 habitants.

Principales unités urbaines (1999, dans les limites de 1990) : Bordeaux (734 685, dont ville de Bordeaux [214 633], Mérignac [61 992], Pessac [56 087], Talence [37 210]), Bayonne (160 702), Pau (149 766), Agen (69 406), Périgueux (63 539), Dax (37 254), Mont-de-Marsan (36 653), Villeneuve-sur-Lot (29 272), Libourne (27 514).

Composition du conseil régional (à l'issue des élections de mars 1998). Total sièges : 85, dont 40 « Gauche plurielle » (8 PC, 1 MDC, 28 PS, 3 Verts), 8 CPNT, 15 UDF, 13 RPR, 9 FN. [Président : Alain Rousset, qui a succédé à Jacques Valade (RPR), le 20.3.98].

PIB régional (en 1996) : 345,6 milliards FF (4,4 % du PIB national).

Taux de chômage en sept. 1999 : 12,0 % (France : 11,1 %).

Spécialisations industrielles : pétrole et gaz naturel, cuir et chaussure, aéronautique et armement.

Principales livraisons agricoles : vins, volailles et œufs, céréales, bovins, lait, fruits.

Source : INSEE. Voir la signification des indicateurs p. 177.

Aquitaine : une identité en mutation

Aussi étendue que les Pays-Bas, l'Aquitaine est la troisième région de France métropolitaine par la superficie et la septième pour la population. La densité moyenne, 70 habitants au km², résulte à la fois de situations quasi désertiques, dans les Landes de Gascogne et dans la montagne pyrénéenne, et d'une occupation du sol très lâche en milieu urbain. La construction individuelle domine largement dans les périphéries des agglomérations, et les « échoppes », maisons sans étage de Bordeaux, s'étalent sur des quartiers entiers non loin du centre-ville.

La propension à la consommation d'espace est un aspect de l'identité aquitaine, de cette culture rurale dont la chasse est une des manifestations les plus évidentes. Le 1er mai est devenu une journée de lutte des chasseurs de tourterelles, et les listes Chasse, pêche, nature, tradition (CPNT) ont pris leur place dans le paysage politique aux élections européennes et régionales. Le rugby est un autre aspect de l'identité régionale, bien que, en nombre de licenciés, il arrive au troisième rang, après le football et le tennis. Cette image traditionnelle, entretenue avec complaisance par les médias comme par les élus, occulte par exemple le potentiel de recherche des universités de Bordeaux et de Pau.

Il en résulte, chez les décideurs, une vision de la région écartelée entre deux dimensions difficilement conciliables dans le discours, surtout lorsqu'il s'agit de faire apparaître les atouts d'une « région qui gagne » : d'une part, la tradition du bien-vivre, de la gastronomie, du sport, des plages et de la ruralité ; de l'autre, l'ouverture vers les technologies nouvelles d'une région qui aurait sauté l'étape de la révolution industrielle pour entrer dans l'ère de la communication et de la micro-informatique.

Constituée dans le cadre des « régions de programme », l'Aquitaine – avec ses cinq départements – n'est pas un ensemble historiquement délimité, malgré les efforts de justification déployés *a posteriori*. Ancrée dans l'aire occitane, la région n'inclut pas totalement la Gascogne. Son espace se structure à travers ses éléments centrifuges, dont le plus caractéristique est l'entité interrégionale des pays de l'Adour, avec le réseau des villes de Pau, Tarbes et Lourdes. Sans liaison autoroutière ou routière rapide avec Bordeaux, Pau se tournerait plus facilement vers Toulouse. Moins aiguë qu'en Espagne, la question basque demeure posée. Au nord de la région, l'influence limousine est manifeste, tandis que l'attraction bordelaise déborde sur la partie méridionale des deux Charentes. L'Aquitaine s'identifie aussi par ses « pays » : Périgord noir, Landes du Médoc, Agenais, Soule... mais reste un espace polarisé : l'importance de Bordeaux par rapport aux autres agglomérations est supérieure à son poids démographique, mais les aires de Pau et de Bayonne disposent d'une certaine autonomie due à leur éloignement de la métropole girondine, mais aussi à leur dissociation territoriale, aux deux extrémités d'un département à deux faces, basque et béarnaise (Pyrénées-Atlantiques).

Depuis 1975, la population s'accroît relativement plus vite que celle de la France (+ 0,42 % en moyenne annuelle entre 1990 et 1999 contre 0,35 % au niveau national). Cette croissance est essentiellement due au solde migratoire, car la population vieillit : les personnes âgées de 60 ans et plus (23,8 %) sont aussi nombreuses que les jeunes de moins de 20 ans (23,4 %) et le bilan naturel est juste positif. La balance migratoire est déficitaire pour les tranches d'âge inférieures à 40 ans et excédentaire chez les personnes âgées (retour au pays de retraités et d'actifs en fin de carrière). De plus, la fécondité est bien inférieure à la moyenne française (1,46 enfant par femme). Les familles nombreuses sont rares sauf, parfois, dans le Pays basque. Enfin, l'espérance de vie est supérieure au niveau national.

Les étrangers ne représentaient que 4,04 % de la population au recensement de 1990. Ils sont surtout portugais, marocains et espagnols. Dans l'entre-deux-guerres, Italiens et Espagnols ont contrecarré efficacement le déficit démographique. Héritage de cette période, le vieillissement de la population étrangère (13,9 % sont retraités), surtout dans la communauté italienne. Les étrangers ne connaissent pas de grandes concentrations dans les banlieues, mais se diffusent dans le monde rural de l'Agenais, du vignoble bordelais, du massif forestier landais, situation originale en France.

L'agriculture emploie 8 % de la population active. Ses spécialités renforcent l'image régionale (vin, huîtres, foie gras, asperge, fraise, pruneau) dans le cadre d'une agriculture duale, de petites exploitations fragilisées cohabitant avec des domaines viticoles, objets d'investissements nationaux et internationaux. Avant la Seconde Guerre mondiale, la région a accueilli des industries stratégiques sensibles : poudrerie, aéronautique (dans la banlieue de Bordeaux et en Béarn), activités de haut niveau technologique, aux salaires élevés et aux personnels « à statut ».

Des difficultés ont cependant été annoncées dans le secteur militaro-industriel, avec la perspective du « resserrement de l'outil industriel de défense ». Pendant ce temps, la crise s'est prolongée dans les secteurs industriels traditionnels comme celui de la chaussure, dans un tissu régional fragilisé par sa dépendance vis-à-vis des niveaux de décision externes. En fait, l'Aquitaine est plus sous-industrialisée que surtertiarisée, notamment dans la fonction publique, lorsqu'on met en parallèle le nombre d'emplois publics et celui des usagers potentiels. Les services marchands progressent, mais sont pour une bonne part de caractère saisonnier (le tourisme occupe 30 000 emplois nets).

La culture politique aquitaine s'est forgée dans la tradition radicale et le système des notables. Il en découle des pratiques orientées vers la recherche du consensus. Longtemps, le « système Chaban » a fonctionné comme une greffe moderniste sur un fonds notabiliaire. Avec son retrait de la vie politique reprennent des affrontements droite-gauche plus classiques. L'extrême droite est relativement importante dans le Lot-et-Garonne, et beaucoup plus faible dans les banlieues populaires de Bordeaux ; l'Aquitaine de gauche est dominée par le Parti socialiste dans les Landes et dans la banlieue bordelaise, tandis qu'en Dordogne le Parti communiste occupe des positions fortes. À droite, la dimension sociale du comportement électoral est manifeste à Bordeaux (hypercentre et beaux quartiers de l'ouest), tandis que dans le Pays basque se retrouve l'héritage d'une tradition conservatrice à l'intérieur et d'un effet de société sur la côte, traduit par une structure sociale diversifiée, avec la montée du salariat tertiaire, et par la progression de la gauche. L'opposition se retrouve aussi au niveau identitaire : les élus de l'intérieur sont majoritairement en faveur d'un département du Pays basque, perspective qui laisse sceptiques les maires côtiers.

L'identité régionale aquitaine s'affirme à travers ses éléments de tension territoriale. D'où une hésitation permanente sur les grands choix dans les rapports extérieurs, interrégionaux (la vieille rivalité Bordeaux-Toulouse perdure) ou internationaux : le concept d'Arc atlantique reste mal perçu dans ses implications aquitaines, et la construction d'un ensemble régional transfrontalier basque demeure problématique. - **Joël Pailhé** ■

Références

50 ans en Aquitaine. Bilans et perspectives, L'Horizon chimérique, Bordeaux, 1995.

J.-P. Augustin, *Surf atlantique. Les territoires de l'éphémère*, MSHA, Talence, 1994.

J.-P. Charrié, P. Laborde, *Dynamique des systèmes urbains et devenir de la façade atlantique*, Centre d'études des espaces urbains, Talence, 1993.

P. Delfaud, *Économie de la région Aquitaine*, Sud-Ouest, Bordeaux, 1996.

P. Duboscq, J. Pailhé, « Aquitaine », *in* Y. Lacoste (sous la dir. de), *Géopolitiques des régions françaises*, tome II, Fayard, Paris, 1986.

P. Laborde (sous la dir. de), *Bordeaux : métropole régionale, ville internationale ?*, La Documentation française, Paris, 1998.

@ Sites Internet

Chambre de commerce et d'industrie : **http://www.aquitaine.cci.fr**

Conseil régional : **http://www.cr-aquitaine.fr**

Sud-Ouest : **http://www.sudouest.com**

Université Bordeaux-III : **http://www.montaigne.u-bordeaux.fr**

Université Bordeaux-IV : **http://www.montesquieu.u-bordeaux.fr**

Université de Pau et des Pays de l'Adour : **http://www.univ-pau.fr**

Dépassant les attentes, la liste Chasse, pêche, nature, tradition (CPNT), animée par Jean Saint-Josse, élu local béarnais, a atteint 11,76 % des voix, dépassant la liste « souverainiste » Pasqua-Villiers (11,09 %). Nicolas Sarkozy (RPR) n'a, pour sa part, obtenu que 10,96 %, talonné par la liste UDF dirigée par F. Bayrou (10,76 %). Les « chasseurs » ont manifestement pris des suffrages à la gauche, notamment dans les terres du « communisme rural », où la liste de Robert Hue (7,11 %) a pu être jugée « parisianiste » par sa composition, même si elle comprenait des personnalités aquitaines comme Bernard Lubat et Jean Vautrin. Ils ont pu se sentir confortés dans leur rôle proclamé de « vrais défenseurs de la nature et de la ruralité » par le résultat des Verts (8,5 % dans la région, seulement 5,77 % dans les Landes). Même les milieux urbains ont boudé la liste de Daniel Cohn-Bendit.

L'extrême droite a connu un net recul (4,12 % pour Jean-Marie Le Pen et 2,27 % pour Bruno Mégret). Enfin, l'extrême gauche, avec 4,70 % des suffrages, est restée à un niveau faible, sauf dans les secteurs populaires de l'agglomération bordelaise (7,44 % à Lormont). La référence au mouvement social de novembre-décembre 1995 et la critique du gouvernement de la « gauche plurielle » n'ont guère été payantes.

La commémoration du cinquantième anniversaire des gigantesques incendies de la forêt landaise (82 morts en Gironde en août 1949) a permis de rappeler que la forêt est à l'origine de 27 000 emplois industriels directs et près de 100 000 en comptant les emplois induits. Le chiffre d'affaires réalisé (15 milliards FF) est aussi important que celui du vin de Bordeaux. Une pièce à ne pas oublier dans le puzzle de l'identité économique aquitaine.

La tempête du 27 décembre 1999 a été d'une violence inouïe : 5 morts, 100 000 hectares de pins décimés, la centrale nucléaire du Blayais (5 % de la production nationale) arrêtée à la suite de la montée des eaux dans l'estuaire de la Gironde. En Périgord, rural, aux dégâts forestiers se sont ajoutées les longues journées sans électricité. Il a fallu renouer avec d'anciennes habitudes, d'anciennes solidarités.

La reprise économique se confirme dans de nombreux secteurs

Avec un léger décalage, la région est entrée dans la spirale de la croissance. Les effectifs salariés ont augmenté, en 1998, de 3,14 % (+ 2,9 % en 1997). Cette croissance a concerné tous les départements, la Gironde arrivant en tête (+ 3,48 %), tandis que le Lot-et-Garonne a fermé la marche (+ 1,53 %). Ces différences sont causées par l'inégalité de l'évolution des branches d'activités. Des points forts traditionnels de l'appareil productif aquitain ont poursuivi leur repli (– 1,04 % dans le papier-carton et – 2,6 % dans le cuir et la chaussure), tandis que le bâtiment, l'agroalimentaire, la construction aéronautique, le bois connaissaient une reprise significative, n'atteignant cependant pas les chiffres des activités tertiaires, aussi bien associatives (+ 4,34 %), de services aux entreprises (+ 5,77 %), qu'informatiques (+ 11,58 %, 500 emplois pour la Gironde). Même l'habillement, stimulé par le succès du *sportswear* « mode de glisse » qui s'apparente à la vague du surf des côtes landaise et basque, a retrouvé des couleurs. Par ailleurs, le ralentissement de la croissance des services rendus aux entreprises doit être mesuré à l'aune de la diversité de la structure de cette branche, et en tenant compte de la récupération-consolidation de l'envolée de 1997 (+ 9,3 %), qui traduisait l'accélération de l'externalisation de l'économie aquitaine. - **Joël Pailhé** ■

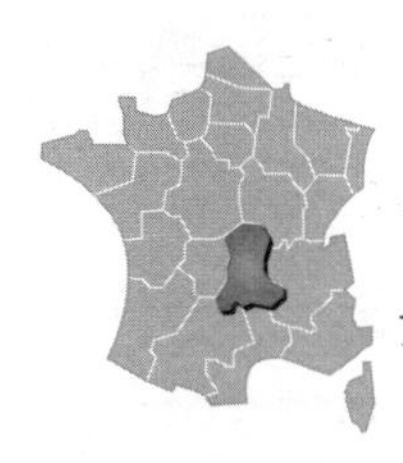

Auvergne

Michelin fait la une

En septembre 1999, l'annonce simultanée de bons résultats et de la suppression de 7 500 emplois en trois ans dans les usines européennes de Michelin a projeté la « firme de Clermont-Ferrand » sur le devant de la scène médiatique. Édouard, le plus jeune fils de François Michelin, devenu en avril 1999 le porte-parole officiel du groupe, a reconnu une erreur de communication. La formation de ce jeune patron, cogérant depuis 1991, s'était achevée aux États-Unis sous la houlette de Carlos Ghosn, le « costs killer » (récupéré depuis par Renault pour Nissan)... ce qui peut expliquer un certain déphasage avec la culture traditionnelle de la Manufacture. Les incidences locales de ce probable neuvième plan de restructuration n'étaient pas encore chiffrées au début de 2000, au moment où se poursuivaient les travaux de rénovation de l'usine mère.

La situation de Clermont ne peut pourtant pas être rapprochée de celle des villes sinistrées à la suite du déclin de l'activité dominante. Une série de grands chantiers (Centre d'expositions et des congrès, Centre du court métrage, extension du musée des Beaux-Arts, regroupements hospitaliers tant publics que privés sur de nouveaux sites, rénovation, extension ou création de stades et de zones industrielles de haute technologie) sont autant de signes positifs que confirme la « surchauffe » dans le secteur du bâtiment où il faut, de

INDICATEUR*	UNITÉ	1982	1990	1999	France entière 1999
Démographie					
Population**	milliers	1 332	1 321	1 309	58 518
Densité	hab./km²	51,2	50,8	50,3	107,6
Taux de croissance	% annuel	0,02[b]	– 0,11[c]	– 0,10[e]	0,37[e]
Accroissement naturel	% annuel	– 0,01[b]	– 0,06[c]	– 0,12[e]	0,36[e]
Solde migratoire	% annuel	0,04[b]	– 0,04[c]	0,02[e]	0,01[e]
Population 0-19 ans	% du total	27,0	24,1	22,7[i]	25,8[i]
Population 60 ans et +	% du total	21,5	23,7	24,5[i]	20,4[i]
Population étrangère	% du total	4,7	4,1	••	6,4[m]
Population urbaine	% du total	58,7	58,6	••	74,0[m]
Fécondité***		1,73	1,53	1,49[h]	1,70[h]
Mortalité infantile	‰ nais.	11,4	8,3	4,7[h]	4,7[h]
Espérance de vie	années	74,6	76,7	78,2[h]	78,5[h]
Indicateurs socioculturels					
Nombre de médecins	‰ hab.	1,82	2,28	2,61	3,03
Diplômés (% des 25–54 ans)					
Bac ou brevet professionnel	%	14,5[a]	25,9	••	29,3[m]
Bac + 2 et diplômes supérieurs	%	6,2[a]	12,9	••	16,1[m]
dont femmes	%	48,6[a]	51,0	••	48,9[m]
Activité et chômage					
Population active	milliers	578	565	538[i]	25 567[i]
Agriculture	% (100 %)	17,4	14,0	8,1	4,2
Industrie	% (100 %)	33,1	32,4	26,0	24,9
Services	% (100 %)	49,5	53,7	65,9	70,9
Taux de chômage global	%	7,7	9,7	9,4[k]	10,5[k]
Taux féminin	%	11,8	13,2	12,9[j]	13,5[j]
Taux des « moins de 25 ans »	%	23,0	23,5	22,5[j]	23,9[j]
Taux des « longue durée »	%	4,8	4,7	4,7[h]	5,0[h]
Administrations publiques locales					
Ressources totales/hab.	milliers FF	5,0	8,7	10,6[f]	11,4[f]
dont fiscalité locale/hab.	milliers FF	2,0	3,8	4,7[f]	5,5[f]
Contribution de la région au commerce extérieur					
Exportations	milliards FF	10,7	17,7	25,7	1822,1
Importations	milliards FF	5,9	11,8	17,8	1753,0
Produit intérieur brut					
PIB régional	milliards FF	71,2	119,5	142,7[g]	7 871,7[g]
Taux de croissance	% annuel	2,2[b]	1,8[c]	1,0[d]	1,2[d]
Par habitant	milliers FF	53,3	90,4	108,5[g]	134,8[g]
Structure du PIB					
Agriculture	% (100 %)	7,1	4,8	3,1[g]	2,4[g]
Industrie	% (100 %)	33,7	31,6	30,3[g]	27,4[g]
Services	% (100 %)	59,2	63,5	66,7[g]	70,1[g]

*Sources et définitions indicateurs utilisés : voir p. 175 et suiv. ; ** Lors des recensements de 1982, 1990, et 1999 ; ***Indicateur conjoncturel de fécondité (exprimé en nombre moyen d'enfants par femme).
a. 1975 ; b. 1975-1982 ; c. 1982-1990 ; d. 1990-1996 ; e. 1990-1999 ; f. 1993 ; g. 1996 ; h. 1997 ; i. 1998 ; j. Avril 1998 ; k. Déc. 1999 ; m. 1990.

surcroît, réparer les dégâts de la tempête du 27 décembre 1999. La création de 3 900 emplois en deux ans a endigué l'hémorragie de la capitale auvergnate qui avait perdu 10 000 habitants dans les années quatre-vingt. Le recensement démographique de mars 1999 a, de plus, fait apparaître un léger gain pour la ville.

Une région qui se dépeuple

En dehors de la région clermontoise et de l'est de la Haute-Loire, ce même recensement montre cependant l'ampleur du dépeuplement. Les pertes, très sensibles dans l'Allier, se sont accélérées dans le Cantal. La nécessité d'apports extérieurs est d'ailleurs admise par tous. Valéry Giscard d'Estaing (UDF), président du conseil régional, a insisté sur la diminution du chômage, à laquelle la Région a contribué en prenant à son compte les charges sociales des créateurs d'emplois, et espère l'arrivée d'entrepreneurs très qualifiés. René Souchon, président du groupe socialiste au conseil régional, considère pour sa part que la chute démographique impose une politique de repeuplement prioritaire et plus volontariste.

Quelques grandes entreprises atteignent une notoriété mondiale et fortifient leur haute qualification. C'est le cas de l'aciérie Aubert et Duval aux Ancizes, de Rhénalu à Issoire et de Limagrain qui, en février 2000, s'est associé au semencier allemand KWS pour conforter sa position en Amérique du Nord. Il en va de même d'affaires plus modestes comme Diétal (luminaires près des Ancizes), des PME de la plasturgie dans l'Yssingelais ou de LVMH à Saint-Pourçain. En revanche, les entreprises durement éprouvées depuis un quart de siècle ont peine à se maintenir : c'est le cas dans le Montluçonnais et dans l'Ambertois. Les villes thermales redoutent pour leur part les restrictions de l'assurance maladie.

Les projets de grands chantiers présentent aussi de forts contrastes. Celui du barrage de Chambonchard sur le haut Cher semble définitivement abandonné. En revanche, le second barrage de Naussac a été mis en service en octobre 1999. Le chantier de Vulcania (Centre européen du vulcanisme) a progressé avec un surcroît de précautions pour éviter de polluer des zones sensibles. C'est l'une des raisons avancées pour expliquer le doublement du devis initial. À l'aéroport de Clermont, qui assure désormais la desserte quotidienne de trente destinations, une seconde piste est à l'étude. Regional Air Lines, passée sous le contrôle d'Air France en janvier

Auvergne

Préfecture régionale : Clermont-Ferrand.
Départements [préfecture] : Allier [Moulins], Cantal [Aurillac], Haute-Loire [Le Puy-en-Velay], Puy-de-Dôme [Clermont-Ferrand].
Superficie : 26 013 km² (4,7 % de la France métropolitaine).
Population (recensement 1999) : 1 308 878 habitants (2,2 % de la pop. de la France métrop.).
Variation 1990-1999 : – 12 336 habitants.
Principales unités urbaines (1999, dans les limites de 1990) : Clermont-Ferrand (258 514), Vichy (60 188), Montluçon (59 930), Le Puy (42 608), Moulins (40 050), Aurillac (36 096), Riom (25 052).
Composition du conseil régional (à l'issue des élections de mars 1998). Total sièges : 47, dont 6 PC, 11 PS, 1 DVG, 3 Verts, 9 UDF, 8 RPR, 1 DVE (GE), 1 MPF, 3 DVD, 4 FN. [Président : Valéry Giscard d'Estaing, réélu le 20.3.98].
PIB régional (en 1996) : 142,7 milliards FF (1,8 % du PIB national).
Taux de chômage en sept. 1999 : 9,9 % (France : 11,1 %).
Spécialisations industrielles : caoutchouc, matières plastiques.
Principales livraisons agricoles : bovins, lait.
Source : INSEE. Voir la signification des indicateurs p. 177.

Auvergne : une identité en mutation

Dans l'imaginaire des Français, l'Auvergne correspond aux zones d'où sont partis en masse, jadis, ceux qui ont assuré les petits métiers de Paris. Beaucoup plus vaste que la région administrative qui porte son nom, elle s'étend sur une bonne partie du Massif central des manuels de géographie. Les tentatives de coopération interrégionale redonnent une certaine consistance à ces représentations. Celles-ci inspirent des constructions géopolitiques dont l'assise territoriale varie selon les intérêts électoraux de ceux qui s'en font les promoteurs. Ainsi, le Massif central des Giscard d'Estaing ignore le Morvan, les massifs du nord-est et ne déborde pas sur les piémonts ; dès 1941, il est présenté comme une entité politique possible où les populations seraient majoritairement attachées à des valeurs traditionnelles. Les hommes de gauche ont été plus sensibles à l'idée des « régions du Centre » ou d'« Espace central » associant le Berry et l'ouest de la Bourgogne à la zone montagneuse. En mai 1998, le projet de regroupement des régions Centre et Auvergne pour former une éventuelle circonscription lors des élections européennes a illustré la persistance de cette approche. Enfin, périodiquement, des aménageurs soutiennent que seules les régions plus favorisées du pourtour peuvent stimuler leur arrière-pays plus ou moins étendu dans un Massif central écartelé ; dans ces perspectives, l'Auvergne est rattachée à l'ensemble rhônalpin par le ministère de l'Équipement, l'INSEE, *FR3 « Rhône-Alpes-Auvergne »*, etc.

Au sein de la région, les habitants de l'Allier et de la Haute-Loire orientale refusent de se dire auvergnats. Pour eux, l'Auvergne est cantonnée dans son assise historique qui correspond au Cantal, au Puy-de-Dôme et à l'arrondissement de Brioude. Toutefois, les quatre départements de la région officielle – Allier, Cantal, Haute-Loire et Puy-de-Dôme – ont un long passé de relations communes. Pendant près de deux siècles, la plupart de leurs administrations ont été supervisées par des instances communes dont l'aire de compétence correspondait au ressort de la cour d'appel de Riom. Depuis les années quarante, les gouvernements ont consolidé ces limites. Le poids de la population qui vit dans ce cadre ne cesse de diminuer. De 4,3 % de la population française au début du XIXe siècle il tombe au-dessous de 2,2 % à la fin du XXe siècle. Les quatre départements, représentés sous la IIIe République par 21 députés, n'en élisent plus que 14. Dans une population où les plus de 50 ans forment près de la moitié du corps électoral, les manières de penser de ceux qui sont nés avant 1950 persistent durablement.

De l'Aurillacois au Vichyssois, la solidarité des petits groupes, et d'abord de ceux formés par les parents et alliés, allait de pair avec une méfiance accusée envers les grandes organisations hiérarchisées. On en trouve des traces dans la petite entreprise thiernoise, dans l'intensité de la vie associative, dans la survie des sections villageoises dont les biens collectifs doivent être nettement distingués des biens communaux. Relèvent de la même attitude la réticence face à tout ce qui vient de l'extérieur, les échecs d'implantation de grandes structures comme celle envisagée par Marcel Dassault à Thiers, la timidité de la Communauté d'agglomération de Clermont qui n'a pu regrouper l'ensemble des communes limitrophes qu'à la fin de 1999. On ne peut faire évoluer ce tempérament qu'en adoptant certaines de ses valeurs comme la discrétion, la ténacité, et en rejetant des hiérarchies jugées inutiles, des prébendes supposées injustifiées.

Édouard Michelin, le fondateur, eut jadis l'habileté de le comprendre : la « Grande Maison » s'est adaptée à la culture régionale bien plus qu'elle ne l'a influencée. Dans cette zone médiane, on récuse volontiers les doctrinaires et on vote pour des leaders proches et bien placés près du gouvernement... ou de celui qui a des chances de lui succéder. Le radicalisme a trouvé là, naguère, un terrain favorable. Dans la seconde moitié du XXe siècle, c'est le plus souvent un socialisme pragmatique qui en a recueilli la clientèle. Ce milieu est cependant plus sensible aux relations des élus qu'à leurs options philosophiques. Il en va différemment dans le Montluçonnais et le Velay.

La culture politique du Velay s'est épanouie lors de la Contre-Réforme. Près des zones « hérétiques », les jésuites ne parvenaient à reconvertir que les individus ou les couples qu'ils avaient détachés de la tutelle du groupe familial large passé globalement à la Réforme. Les individus isolés pouvaient donc plus facilement accepter un ordre qui fut longtemps celui de l'Église catholique, aujourd'hui relayé par des organismes civils. Si les chefs des droites vellaves se livrent parfois à des combats sans merci, périodiquement ils s'imposent l'union et, vus de loin, ils donnent l'impression d'un monde monolithique conservateur.

Le Montluçonnais est marqué par une tradition industrielle, amorcée dès le début du XIXe siècle par des maîtres de forges lorrains. Ceux-ci ont déraciné et déstructuré les grandes familles de métayers. Leurs descendants, isolés dans les cités ouvrières ou vivotant dans de trop petites « locatures », ont été réceptifs aux nouveaux réseaux de solidarité que proposait le Parti communiste des années trente. Après 1945, le PCF a pu accroître sensiblement son rôle. Il a fini par contrôler la mairie de Montluçon en 1977, au moment où s'amorçait ailleurs son déclin.

Malgré leur diversité, ces comportements offrent une commune résistance aux modèles « avancés ». Elle désespère ceux qui veulent « liquider les archaïsmes » sans satisfaire ceux qui rêvent d'en tirer parti dans une économie dominée par le tourisme. Si l'Auvergne ne semble plus une région vitale, ses ressources spécifiques sont loin d'être négligeables. Elle dispose d'un immense musée naturel des formes volcaniques qui, dans une large mesure, a échappé jusqu'à la fin du XXe siècle aux dégradations d'un tourisme intempestif. La valeur de certaines de ses richesses, comme l'eau, ne cesse de croître. La crise de la « vache folle » renforce l'intérêt pour ses pratiques d'élevage. Alors que la tradition industrielle nationale ne semble pouvoir s'épanouir que dans la haute technologie, la tradition régionale favorise le développement de produits de « bon usage » et de grande diffusion. Les performances des pneus Michelin en sont le plus bel exemple mais non le seul. Clermont a pu surmonter le handicap de la diminution de la moitié des effectifs du manufacturier. On redécouvre l'intérêt de la position centrale de la ville : plus que le carrefour autoroutier, c'est l'aéroport qui en exploite les avantages (on peut regrouper dans un même avion des passagers venant de villes différentes mais ayant une même destination).

Le mal insidieux qui menace l'Auvergne est le manque d'hommes. Il s'accuse au moment où s'accentue le départ des jeunes et où les tentatives de déconcentration s'effritent quand elles n'aboutissent pas à des relocalisations vers les régions parisienne ou lyonnaise. Faute de pouvoir imaginer une politique de repeuplement, l'évocation de ce mal reste relativement discrète. - **Pierre Mazataud** ■

Références

A. Gueslin (sous la dir. de), *Les Hommes du pneu. Les ouvriers Michelin (1940-1980)*, Éditions de l'Atelier, « Mouvement social », Paris, 1999.

A. Gueslin (sous la dir. de), *Michelin, les hommes du pneu. Les ouvriers Michelin à Clermont-Ferrand de 1889 à 1940*, Éditions de l'Atelier, « Mouvement social », Paris, 1993.

Massif central, l'esprit des hautes terres, Autrement, « France », n° 15, Paris, 1996.

P. Mazataud, « Auvergne », *in* Y. Lacoste (sous la dir. de), *Géopolitiques des régions françaises*, tome III, Fayard, Paris, 1986.

P. Mazataud, J. Damase, *L'Archipel de Clermont*, Éditions du Miroir, Clermont-Ferrand, 1998.

A. Simon, *Issoire et Neuf-Brisach, usines phares de l'industrie de l'aluminium*, Éditions du Miroir/Institut pour l'histoire de l'aluminium, Clermont-Ferrand, 1999.

@ **Sites Internet**

Agence de développement Auvergne : **http://www.ard-auvergne.com**

Click'in Auvergne : **http://clickin.gdebussac.fr**

Conseil régional : **http://www.cr-auvergne.fr**

Préfecture de région : **http://www.auvergne.pref.gouv.fr**

2000, a implanté son centre de maintenance sur ce site en 1999. Ainsi se trouve renforcé le « nœud aérien » (*hub*) clermontois, où les passagers pour une même destination arrivent de diverses provenances.

Géopolitique et intercommunalité

La diversité des tempéraments politiques de la région, soulignée par les élections européennes de juin 1999, a été à nouveau illustrée dans la création des nouvelles communautés territoriales, stimulée par la loi du 12 juillet 1999. Dans le Cantal, la communauté d'agglomération d'Aurillac, héritière d'un district habilement fondé par le maire PS d'alors, René Souchon (qui abandonnait 10 % des ressources de la ville principale aux autres communes), s'est élargie et dotée de toutes les compétences possibles. En 1999, elle était présidée par Yvon Bec (ex-PS), qui, en tant que maire d'Aurillac, a dû souvent faire face à l'opposition de R. Souchon dont il fut l'adjoint. L'appui du ministre de l'Intérieur, Jean-Pierre Chevènement, qu'il a rejoint dans le cadre du MDC (Mouvement des citoyens), a conforté son audience.

En Haute-Loire, le préfet Bernard Pomel a joué un rôle déterminant pour faire naître au forceps la communauté d'agglomération du Puy-en-Velay : elle englobe, à l'ouest, des communes rurales plutôt conservatrices et divise le bastion de gauche à l'est de l'agglomération. La résistance la plus vive est venue de communes qui, comme Saint-Germain-Laprade et Blavozy, étaient peu disposées à verser dans l'escarcelle commune le gros volume de taxe professionnelle collecté auprès de Merck Sharp and Dohme Chilbret (MSD) et de Michelin. Ce remodelage pourrait être lourd de conséquences : la liste du maire du Puy, Serge Mounier, ne l'avait emporté que de quelques voix sur la liste d'opposition de gauche en 1995.

Dans l'Allier, le poids des communistes, mobilisés par le projet d'un « pays » d'Allier et très réservés en général sur l'intercommunalité, a freiné le mouvement. Toutefois, à Montluçon, leurs élus se sont faits les champions d'une communauté d'agglomération englobant Saint-Victor, où la modestie du taux de la taxe professionnelle a attiré des entreprises importantes, et Commentry, où l'assiette de cette taxe équivaut aux deux tiers de celle de Montluçon. Conscients de cet avantage, les socialistes commentriens prévoient une communauté de communes gravitant autour de leur seule ville.

Dans le Puy-de-Dôme, le président du conseil général, Pierre-Joël Bonté (PS), a clairement annoncé que les aides du département seraient subordonnées à l'effort d'in-

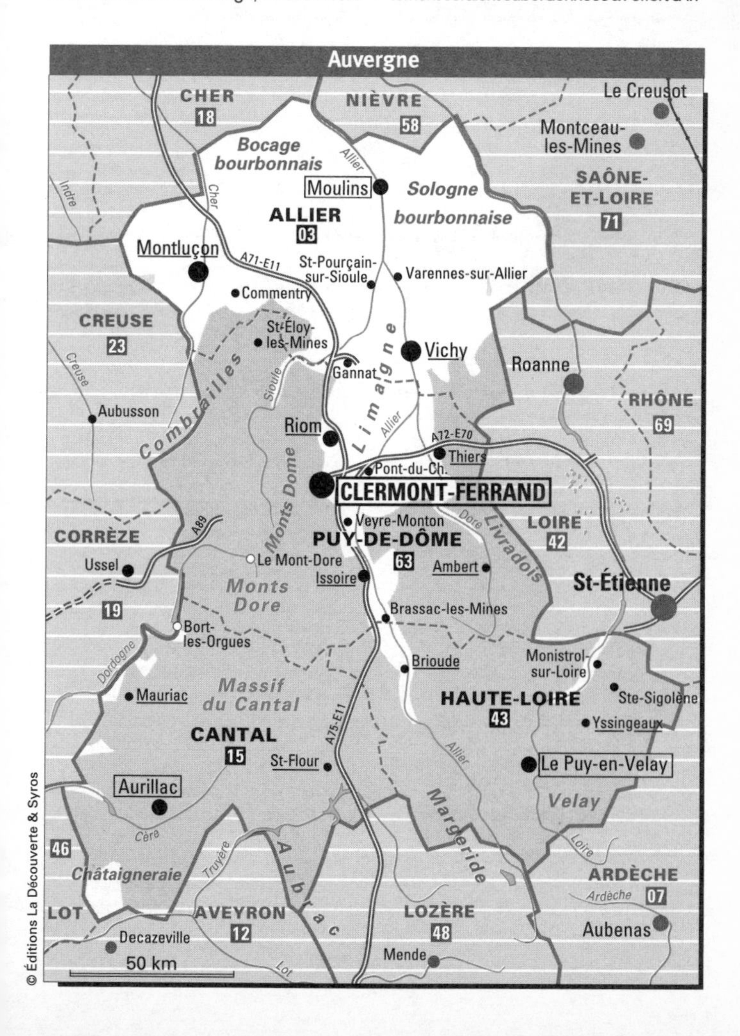

tercommunalité. Aussi bien, dès janvier 2000, plus de 71 % des communes étaient englobées dans des structures intercommunales à fiscalité propre. Ce succès est tempéré, dans la périphérie des petites villes, par l'éclosion de communautés qui ont vu le jour pour ne pas dépendre de la ville principale. Issoire connaît la situation la plus critique à cet égard. La communauté d'agglomération de Clermont englobe enfin les dix-huit communes de sa proximité immédiate, mais demeure très en deçà de cette région clermontoise dont la Manufacture Michelin avait été l'unificateur de fait jusque dans les années soixante-dix. - **Pierre Mazataud** ■

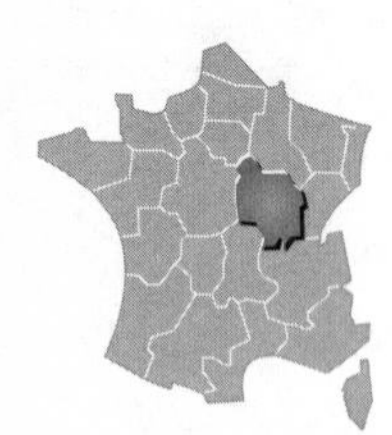

Bourgogne

Reprise économique et tragi-comédie politique

L'année 1998 avait été marquée par une embellie économique et, au niveau politique, par la tragi-comédie agitant le conseil régional après les élections du 15 mars. 1999 aura confirmé les deux phénomènes.

La reprise économique s'est confirmée, apaisant les inquiétudes suscitées par le fléchissement du second semestre 1998. Tous les indicateurs se sont améliorés, qu'il s'agisse de la confiance des chefs d'entreprise, de l'emploi (la proportion de chômeurs est passée en fin d'année sous la barre symbolique des 10 %), de la reprise de la construction, du commerce avec l'étranger, des résultats du tourisme ou du revenu agricole. Certes, les emplois créés sont largement précaires, la baisse du chômage des jeunes résulte partiellement des emplois-jeunes, le chômage des plus de 50 ans évolue peu, des « poches » de chômage demeurent dans les anciens bassins industriels et miniers du Creusot-Montceau-les-Mines et du Val de Loire et dans certains quartiers urbains, et des entreprises importantes de la région sont passées sous le contrôle de groupes étrangers (comme Amora acheté par Unilever, ou Peugeot Dijon par le japonais Koyo). Cependant, après des années de montée du chômage, le nombre d'emplois créés a augmenté, du fait des services mais aussi de la stabilisation des emplois industriels.

La Région ruine son crédit

La tragi-comédie qui a débuté en 1998 au conseil régional s'est poursuivie. Ceux qui avaient misé sur un dénouement rapide avaient sous-estimé l'habileté de Jean-Pierre Soisson (DVD), l'un des trois présidents de Région élus avec l'appui du Front national. Le président s'est employé à accréditer auprès de l'opinion et de ses partenaires l'idée d'un fonctionnement « normal » de cette instance. Pourtant, chaque session est l'occasion d'épisodes burlesques, suivis avec désolation par beaucoup, avec délectation par quelques-uns : éclatement du groupe du FN, ralliement de certains de ses membres à la droite classique, trahison de certains élus de l'UDF, vote des budgets

INDICATEUR*	UNITÉ	1982	1990	1999	France entière 1999
Démographie					
Population**	*milliers*	1 596	1 610	1 610	58 518
Densité	*hab./km²*	50,5	51,0	51,0	107,6
Taux de croissance	*% annuel*	0,23[b]	0,11[c]	0,00[e]	0,37[e]
Accroissement naturel	*% annuel*	0,16[b]	0,13[c]	0,04[e]	0,36[e]
Solde migratoire	*% annuel*	0,07[b]	– 0,03[c]	– 0,03[e]	0,01[e]
Population 0-19 ans	*% du total*	28,4	25,7	24,4[i]	25,8[i]
Population 60 ans et +	*% du total*	21,3	23,1	23,7[i]	20,4[i]
Population étrangère	*% du total*	5,6	5,2	••	6,4[m]
Population urbaine	*% du total*	58,2	57,4	••	74,0[m]
Fécondité***		1,91	1,74	1,64[h]	1,70[h]
Mortalité infantile	*‰ nais.*	10,0	7,0	4,6[h]	4,7[h]
Espérance de vie	*années*	75,1	77,1	78,4[h]	78,5[h]
Indicateurs socioculturels					
Nombre de médecins	*‰ hab.*	1,63	2,08	2,50	3,03
Diplômés (% des 25–54 ans)					
Bac ou brevet professionnel	%	13,5[a]	24,6	••	29,3[m]
Bac + 2 et diplômes supérieurs	%	6,0[a]	12,5	••	16,1[m]
dont femmes	%	46,2[a]	49,8	••	48,9[m]
Activité et chômage					
Population active	*milliers*	636	596	696[i]	25 567[i]
Agriculture	% } *100 %*	13,8	9,1	6,6	4,2
Industrie	% } *100 %*	33,4	28,6	28,0	24,9
Services	% } *100 %*	52,8	62,3	65,4	70,9
Taux de chômage global	%	7,5	8,8	9,6[k]	10,5[k]
Taux féminin	%	11,1	13,0	12,8[j]	13,5[j]
Taux des « moins de 25 ans »	%	19,2	20,5	25,0[j]	23,9[j]
Taux des « longue durée »	%	4,8	3,9	4,5[h]	5,0[h]
Administrations publiques locales					
Ressources totales/hab.	*milliers FF*	5,0	8,7	10,2[f]	11,4[f]
dont fiscalité locale/hab.	*milliers FF*	2,0	4,0	4,6[f]	5,5[f]
Contribution de la région au commerce extérieur					
Exportations	*milliards FF*	16,8	32,6	46,6	1822,1
Importations	*milliards FF*	9,9	22,6	29,3	1753,0
Produit intérieur brut					
PIB régional	*milliards FF*	95,5	163,8	190,5[g]	7 871,7[g]
Taux de croissance	*% annuel*	3,2[b]	2,2[c]	0,8[d]	1,2[d]
Par habitant	*milliers FF*	59,7	101,7	117,2[g]	134,8[g]
Structure du PIB					
Agriculture	% } *100 %*	9,4	7,2	5,1[g]	2,4[g]
Industrie	% } *100 %*	35,4	31,0	28,6[g]	27,4[g]
Services	% } *100 %*	55,3	61,8	66,3[g]	70,1[g]

*Sources et définitions indicateurs utilisés : voir p. 175 et suiv. ; ** Lors des recensements de 1982, 1990, et 1999 ; ***Indicateur conjoncturel de fécondité (exprimé en nombre moyen d'enfants par femme).
a. 1975 ; b. 1975-1982 ; c. 1982-1990 ; d. 1990-1996 ; e. 1990-1999 ; f. 1993 ; g. 1996 ; h. 1997 ; i. 1998 ; j. Avril 1998 ; k. Déc. 1999 ; m. 1990.

Bourgogne : une identité en mutation

Lorsque l'État décida, en 1965, de réunir quatre départements (Côte-d'Or, Nièvre, Saône-et-Loire, Yonne) correspondant imparfaitement à l'ancien duché puis à la province de Bourgogne pour constituer une région, seule l'histoire pouvait lui en fournir la justification. Depuis, les autorités successives qui ont dirigé la région se sont employées, non sans difficulté, à lui trouver une légitimité.

La Bourgogne, au passé brillant, n'a jamais eu d'unité géographique ; elle correspond à un espace qui a fluctué au fil du temps, recouvrant une zone de contact où des populations se sont constitué une histoire et une culture communes. Son territoire associe des fragments typés : une partie du couloir de la Saône et de celui de la Loire, le sud-est du Bassin parisien, le nord-est du Massif central, le sud du plateau de Langres, avec une diversité géologique visible dans les paysages (passant du bocage aux champs ouverts). Il en va de même de l'hydrographie, puisque la région se trouve à la convergence des grands bassins de la Loire, du Rhône et de la Seine.

Sur le plan économique, la Bourgogne est à la recherche de pôles et d'axes structurants : Dijon, sa capitale, est excentrée, l'espace régional écartelé entre les attractions parisienne et lyonnaise, ses liaisons internes très problématiques dans le sens est-ouest ; les axes de développement des activités se situent à la périphérie : le principal, sur la frange est entre Dijon et Mâcon, un deuxième le long de l'Yonne et un autre le long de la Loire, laissant le centre presque vide, autour du Morvan, le « massif central bourguignon », que se partagent les quatre départements.

Après une histoire économique brillante mais en grande partie révolue (métallurgie au bois, charbon de Blanzy et de La Machine, métallurgie de Schneider au Creusot, aciéries de la marine dans le Val de Loire), l'industrie bourguignonne est aujourd'hui très diverse, même si quelques secteurs d'excellence apparaissent, comme la métallurgie, la plasturgie, la pharmacie ou l'agroalimentaire. Plus du tiers des salariés travaillent dans l'industrie. Quant aux indicateurs économiques, ils se démarquent peu de la moyenne française, dont la région suit les fluctuations, en général en les amortissant. Les services se développent rapidement, mais n'ont pas encore atteint le niveau qualitatif des grandes régions européennes, notamment pour les services aux entreprises, et il n'est pas certain que la Bourgogne puisse y parvenir seule.

L'agriculture bourguignonne apparaît mieux « typée ». La vigne a fait la renommée de la Bourgogne, mais elle n'en occupe que 1 % de la superficie agricole, principalement sur la faille est du Massif central et des plateaux qui le prolongent, mais aussi sur des côtes bien orientées de l'Yonne et de la Nièvre. Elle a engendré une viticulture « nantie » en Côte-d'Or et une viticulture « paysanne » en Saône-et-Loire. Le reste de la surface se partage entre une zone d'élevage bovin extensif, qui occupe tout le sud-ouest en incluant le Morvan, à partir de la race charolaise qui a son berceau en Saône-et-Loire, et une zone de grande culture à l'est et au nord, sur les plateaux et la plaine de la Saône. Des bassins laitiers qui existaient il y a encore peu de temps, ne subsistent que quelques fragments, notamment en Bresse, et dans le Val de Saône.

Au-delà de la valorisation du patrimoine et du souvenir du passé industriel ou paysan , il faut inventer à partir de ces héritages une culture pour le temps présent. Dijon dispose d'équipements de qualité (théâtre, opéra, musée et, depuis 1998, un ambitieux auditorium), mais au rayonnement limité. C'est davantage dans des villes moyennes comme Chalon ou Nevers, qui avaient autrefois accueilli les premières maisons de la culture, que naissent de nouvelles initiatives (théâtre de rue, festival de jazz).

L'université de Bourgogne, partiellement décentralisée en dehors de Dijon, constitue un facteur d'unité régionale.

Sur le plan des traditions politiques, une partie de la région a été marquée par une culture de gauche, héritée des mineurs, des métallurgistes et des cheminots, y compris en milieu rural dans la Nièvre et le Mâconnais, une autre partie par la tradition libérale des bourgeoisies de Côte-d'Or et de l'Yonne. Plus tard, le mouvement gaulliste a rassemblé une partie de la droite, en concurrence avec ce fond libéral. Plus récemment le Front national a réussi des percées significatives, notamment autour de Sens et de Beaune, plaçant neuf élus au conseil régional en 1998, avant de se scinder.

Pour faire de l'ensemble bourguignon une région, il convenait d'abord d'en repérer les points forts : la position géographique de carrefour est une évidence, dans le cadre français et *a fortiori* dans celui de l'Europe. La Bourgogne est exceptionnellement bien desservie en voies de communication, au moins dans le sens nord-sud, qu'elles soient ferroviaires (TGV Paris-Lyon et bientôt Paris-Mulhouse), autoroutières (vers Paris, Lyon, la Champagne, la Lorraine, l'Alsace et l'Allemagne), ou fluviales (canal à grand gabarit vers la Méditerranée). Ces infrastructures amènent de l'activité, des localisations d'entreprises, du tourisme, mais aussi des nuisances et des pollutions. Une politique commune avec la Franche-Comté voisine permettrait de mieux tirer parti de l'axe de la Saône, qui sépare plus qu'il n'unit les deux régions, et de structurer une « métropole du Centre-Est » que pourraient constituer les deux villes complémentaires de Dijon et Besançon.

Accompagner la restructuration des activités affectées par les mutations économiques des années quatre-vingt était également un enjeu : les charbonnages dont le dernier puits a fermé en 1985 à Blanzy, clôturant plus d'un siècle d'activité minière ; la métallurgie du Creusot après le désengagement de Schneider puis de Creusot Loire en 1984 et celle du Val de Loire dans la Nièvre, SEITA et Hoover à Dijon en 1990 et 1993. Des politiques conjointes État-Région, accompagnées dans la dernière décennie par l'Union européenne, ont permis de limiter le coût humain, sans supprimer toutes les conséquences sociales pour les travailleurs et les collectivités locales. Aujourd'hui on peut considérer que l'essentiel des restructurations est réalisé, même s'il est prévisible que la reconversion de la Défense nationale et le freinage du nucléaire entraîneront de nouvelles perturbations.

L'aménagement du territoire réserve un troisième défi : comment diffuser dans l'intérieur le développement des axes périphériques, notamment vers les zones rurales et les petites villes qui constituent l'essentiel du territoire régional ? Comment éviter que certains quartiers urbains ne dérivent ?

Quel avenir attendre pour la Bourgogne dans l'ensemble européen au début du nouveau siècle ? La frange est de la région tirera à l'évidence parti du développement des flux d'échanges européens. Quant au reste de la région, moins favorisé par la géographie, il appartiendra aux pouvoirs publics de lui donner sa chance par une politique volontariste de développement. - **Jean-Paul Daubard** ■

à l'arraché, abstention de l'ancien président Jean-François Bazin (RPR), monnayage du ralliement des cinq élus sous l'étiquette « chasseurs » à la majorité, bouderie de la gauche... Le crédit que la Région s'était acquis grâce à des politiques souvent innovantes s'en est trouvé compromis.

Les partenaires de la Région se sont interrogés sur l'attitude à tenir face à cette assemblée qui autodétruit son image : le préfet de Région, qui avait jusqu'alors réduit ses relations avec la Région au minimum indispensable – la gestion des programmes en cours impliquant État et Région –, a été confronté

Bourgogne

Préfecture régionale : Dijon.

Départements [préfecture] : Côte-d'Or [Dijon], Nièvre [Nevers], Saône-et-Loire [Mâcon], Yonne [Auxerre].

Superficie : 31 582 km² (5,8 % de la France métropolitaine).

Population (recensement 1999) : 1 610 067 habitants (2,8 % de la pop. de la France métrop.).

Variation 1990-1999 : + 414 habitants.

Principales unités urbaines (1999, dans les limites de 1990) : Dijon (236 763), Chalon-sur-Saône (75 439), Nevers (57 515), Montceau-les-Mines (43 429), Mâcon (42 970), Auxerre (40 945), Le Creusot (37 530), Sens (36 675), Beaune (21 922).

Composition du conseil régional (à l'issue des élections de mars 1998). Total sièges : 57, dont 4 PC, 1 MDC, 1 PRG, 1 DVG, 2 Verts, 2 CPNT, 1 MDR, 8 UDF, 10 RPR, 1 MPF, 1 CNIP, 1 DVD, 9 FN (par la suite éclatés en deux groupes). [Président : Jean-Pierre Soisson (DVD, élu avec l'appui du FN), qui a remplacé Jean-François Bazin (RPR)].

PIB régional (en 1996) : 190,5 milliards FF (2,4 % du PIB national).

Taux de chômage en sept. 1999 : 10,2 % (France : 11,1 %).

Spécialisations industrielles : sidérurgie, parachimie et industrie pharmaceutique, construction mécanique, caoutchouc et matières plastiques, matériels électroniques et électriques ménagers, matériaux de construction.

Principales livraisons agricoles : vins, gros bovins, céréales.

Source : INSEE. Voir la signification des indicateurs p. 177.

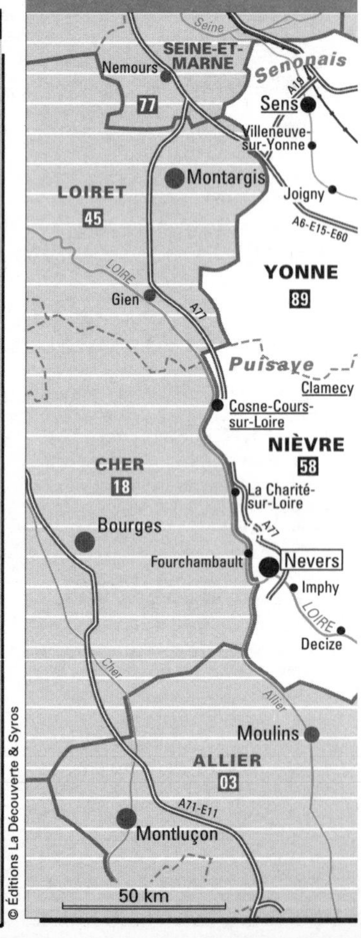

à des échéances pour lesquelles l'État avait besoin des élus : nouveaux zonages et programmes européens de l'objectif 2, contrat de plan État-Région 2000-2006, schémas de services de la loi sur l'aménagement et le développement durable du territoire... Quel que soit le résultat de sa démarche, les politiques partenariales dans les domaines de la formation ou de l'aménagement du territoire, pour lesquelles la Bourgogne était citée en exemple, semblent bien compromises.

L'un des domaines de ce partenariat est la politique de la Ville : la Bourgogne compte

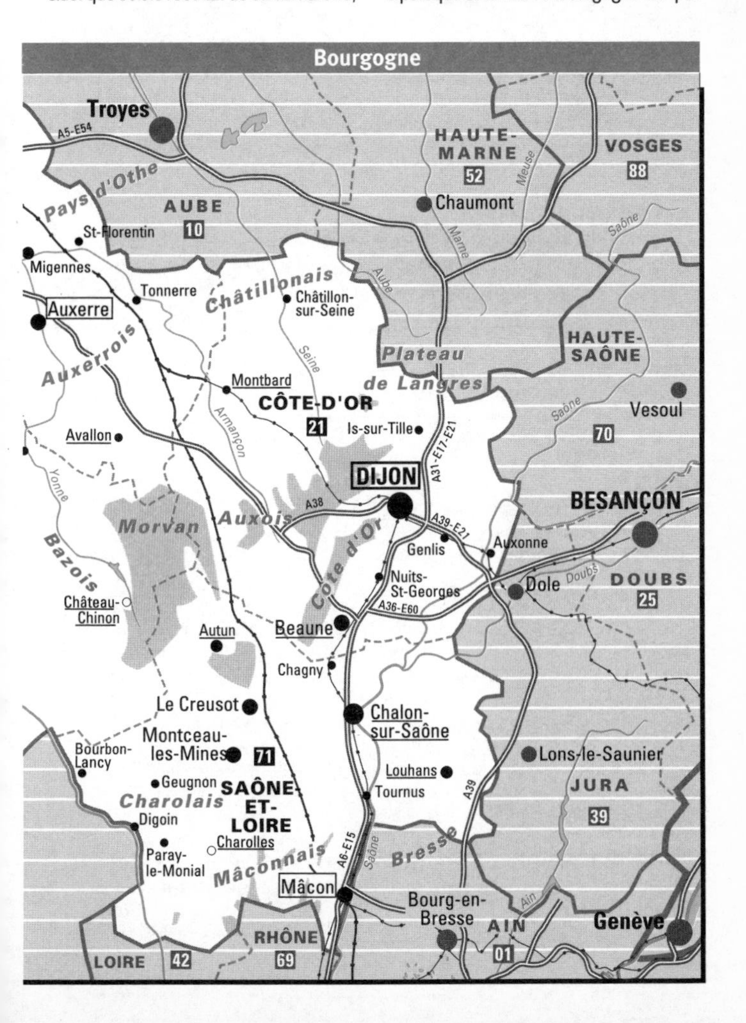

Références

Y. Baticle *et alii*, *La Bourgogne*, Horvath, Roanne, 1987.

C. Bonneton (éd.), *Bourgogne*, Christine Bonneton, Le Puy, 1985.

Conseil régional, *Le Plan de la Bourgogne*, sept. 1993.

INSEE-Bourgogne, *Dimensions* (cahiers mensuels et dossiers juridiques).

Dossier, n° 20 : « L'année 1997 en Bourgogne », juin 1998.

Tableaux de l'économie bourguignonne, éd. 1997.

A. Kleinclausz, *Histoire de la Bourgogne*, Slatkine, Paris, 1987.

F. Plet, « Bourgogne », *in* Y. Lacoste (sous la dir. de), *Géopolitiques des régions françaises*, tome III, Fayard, Paris, 1986.

Préfecture de région, *PDZR de Bourgogne : Document unique de programmation ; Évaluation intermédiaire* (avr. 1997).

@ **Sites Internet**

Comité régional du tourisme : **http://www.crt-bourgogne.fr**

Conseil régional : **http://www.bourgognedeveloppement.com**

Université de Dijon : **http://www.u-bourgogne.fr**

22 zones urbaines sensibles (ZUS), sur les 718 de l'Hexagone. Or, cette politique a marqué le pas, malgré les rappels du Conseil économique et social régional. En octobre 1999, la délégation interministérielle à la Ville s'est rendue en Bourgogne pour relancer les initiatives. Deux mois plus tard disparaissait brutalement l'ancien ministre Roland Carraz, maire (Mouvement des citoyens, MDC) de l'une des communes les moins bien loties, Chenôve, dans la banlieue sud de Dijon, qui incarnait la volonté républicaine de prendre en compte ces quartiers et de refuser leur stigmatisation. Les élus de l'agglomération dijonnaise ont dû entreprendre, conformément à la loi du 12 juillet 1999 sur la simplification de la coopération intercommunale (dite « loi Chevènement »), la transformation du district, qui ne gérait que les fonctions indispensables, en communauté d'agglomération beaucoup plus ambitieuse. Mais les tensions internes entre la zone nantie (la commune de Dijon hormis le quartier des Grésilles et la banlieue nord-ouest) et les quartiers défavorisés des communes du sud et de l'est, dont Chenôve, tensions doublées de clivages politiques, suscitent l'inquiétude quant au fonctionnement futur de cette institution. Par ailleurs, pour la première fois depuis sa création, l'université de Bourgogne (localisée majoritairement à Dijon) a enregistré une baisse de ses effectifs (de 1 680 étudiants sur 25 000).

Enfin, les résultats du recensement de mars 1999 ont indiqué que la population de la Bourgogne était globalement étale et que les mouvements de la population s'amortissaient ; la Nièvre et la Saône-et-Loire n'ont pas stoppé leur déclin démographique, alors que la Côte-d'Or et l'Yonne poursuivaient une légère croissance.

L'intercommunalité, moteur du développement rural

La Bourgogne rurale a enregistré une récolte record de céréales et d'oléagineux, une stabilisation du cours des bovins maigres à un niveau faible, et de ceux des grands crus à un niveau élevé. Les organisations agricoles ont frémi à l'annonce de l'écrêtement des aides européennes pour les plus grosses exploitations. Elles ont, en revanche, semblé prêter peu d'attention au lancement des contrats territoriaux d'exploitation (CTE) offrant pourtant des perspectives aux exploitations qui améliorent leurs pratiques et valorisent leurs produits. Les chasseurs ont pris connaissance fin 1999 du rapport sur la chasse demandé par le Premier ministre à leur député vétérinaire chasseur François Patriat (PS). La relance de Natura 2000, dispositif européen de protection d'espaces naturels sensibles, et ses conséquences sur l'utilisation de l'espace pour certaines activités, dont la chasse, sont également attendues. Au niveau des communes rurales, l'intercommunalité s'est développée, stimulée par les avantages financiers qui s'y attachent. Quelques territoires organisés en « pays », comme la Puisaye, l'Avallonnais ou l'Auxois, ont entrepris d'élaborer de véritables projets de territoire, dans une perspective de contractualisation avec l'État et la Région sur un programme de développement.

Malgré la tempête de fin d'année qui a égratigné certaines de ses forêts, c'est dans des conditions satisfaisantes que la Bourgogne a abordé le nouveau siècle, handicapée toutefois par l'absence d'ambition de certains Bourguignons et par la disqualification de son assemblée régionale. - **Jean-Paul Daubard** ■

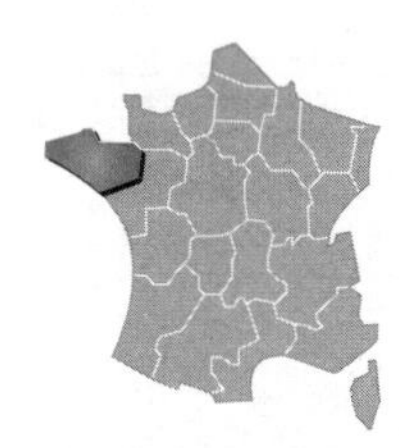

Bretagne

Marée noire et crise agricole

L'année 1999 s'est achevée dans l'angoisse d'une marée noire après le naufrage du pétrolier *Erika*, le 12 décembre, au large des côtes du Finistère qui ont fini par être touchées, avant que les nappes de fioul lourd ne viennent se répandre sur tout le littoral sud. Cette catastrophe a suscité une très grande émotion car la hantise de la marée noire est restée très vive depuis le désastre de l'*Amoco Cadiz* (1978), qui fut d'une tout autre ampleur (234 000 tonnes contre 28 000 tonnes). Mais cette fois la pollution a été plus sournoise en raison de l'éparpillement provoqué par les tempêtes de fin d'année. Dans l'ensemble, ces dernières ont cependant causé moins de dégâts que dans d'autres régions, même si certains massifs forestiers ont souffert.

Sur le plan économique, 1999 aura été dominée par les difficultés dans les secteurs porcin et avicole. Entamée dès l'automne 1998, la crise porcine s'est poursuivie toute l'année 1999, le cours de la carcasse tombant à son niveau le plus bas depuis vingt-cinq ans (6,25 FF le kg en moyenne). Elle a eu pour origines une surproduction européenne consécutive à la crise dite « de la vache folle » (encéphalopathie spongiforme bovine – ESB) et à la peste porcine néerlandaise, l'interdiction de subventions aux exportations sous la contrainte de l'OMC (Organisation mondiale du commerce), la fermeture du marché russe du fait de la crise financière, la concurrence américaine sur les marchés extérieurs et la faible valorisation des produits. Les pertes financières des éleveurs ont été considérables.

La question commerciale s'est doublée

INDICATEUR*	UNITÉ	1982	1990	1999	France entière 1999
Démographie					
Population**	*milliers*	2 707	2 796	2 906	58 518
Densité	*hab./km²*	99,5	102,8	106,8	107,6
Taux de croissance	*% annuel*	0,60[b]	0,40[c]	0,43[e]	0,37[e]
Accroissement naturel	*% annuel*	0,28[b]	0,22[c]	0,14[e]	0,36[e]
Solde migratoire	*% annuel*	0,33[b]	0,18[c]	0,30[e]	0,01[e]
Population 0-19 ans	*% du total*	29,8	26,7	25,3[i]	25,8[i]
Population 60 ans et +	*% du total*	19,6	21,9	22,8[i]	20,4[i]
Population étrangère	*% du total*	0,8	1,0	••	6,4[m]
Population urbaine	*% du total*	57,5	57,3	••	74,0[m]
Fécondité***		2,00	1,77	1,70[h]	1,70[h]
Mortalité infantile	*‰ nais.*	9,7	7,1	4,3[h]	4,7[h]
Espérance de vie	*années*	73,4	75,8	77,4[h]	78,5[h]
Indicateurs socioculturels					
Nombre de médecins	*‰ hab.*	1,73	2,28	2,72	3,03
Diplômés (% des 25–54 ans)					
Bac ou brevet professionnel	%	13,1[a]	28,3	••	29,3[m]
Bac + 2 et diplômes supérieurs	%	6,0[a]	14,3	••	16,1[m]
dont femmes	%	45,9[a]	49,5	••	48,9[m]
Activité et chômage					
Population active	*milliers*	1 116	1 276	1 256[i]	25 567[i]
Agriculture	% } 100 %	20,6	13,3	7,8	4,2
Industrie	% } 100 %	26,8	24,4	25,2	24,9
Services	% } 100 %	52,6	62,3	67,0	70,9
Taux de chômage global	%	8,4	8,3	9,9[k]	10,5[k]
Taux féminin	%	11,7	11,4	11,7[j]	13,5[j]
Taux des « moins de 25 ans »	%	22,4	19,4	22,8[j]	23,9[j]
Taux des « longue durée »	%	5,4	3,6	3,9[h]	5,0[h]
Administrations publiques locales					
Ressources totales/hab.	*milliers FF*	4,9	8,7	10,3[f]	11,4[f]
dont fiscalité locale/hab.	*milliers FF*	1,9	3,8	4,4[f]	5,5[f]
Contribution de la région au commerce extérieur					
Exportations	*milliards FF*	13,1	31,4	45,2	1822,1
Importations	*milliards FF*	12,2	27,2	38,3	1753,0
Produit intérieur brut					
PIB régional	*milliards FF*	148,6	256,5	321,1[g]	7 871,7[g]
Taux de croissance	*% annuel*	3,2[b]	2,2[c]	2,0[d]	1,2[d]
Par habitant	*milliers FF*	54,7	91,6	112,0[g]	134,8[g]
Structure du PIB					
Agriculture	% } 100 %	9,6	7,4	5,4[g]	2,4[g]
Industrie	% } 100 %	28,1	25,0	24,4[g]	27,4[g]
Services	% } 100 %	62,2	67,6	70,3[g]	70,1[g]

*Sources et définitions indicateurs utilisés : voir p. 175 et suiv. ; ** Lors des recensements de 1982, 1990, et 1999 ; ***Indicateur conjoncturel de fécondité (exprimé en nombre moyen d'enfants par femme).
a. 1975 ; b. 1975-1982 ; c. 1982-1990 ; d. 1990-1996 ; e. 1990-1999 ; f. 1993 ; g. 1996 ; h. 1997 ; i. 1998 ; j. Avril 1998 ; k. Déc. 1999 ; m. 1990

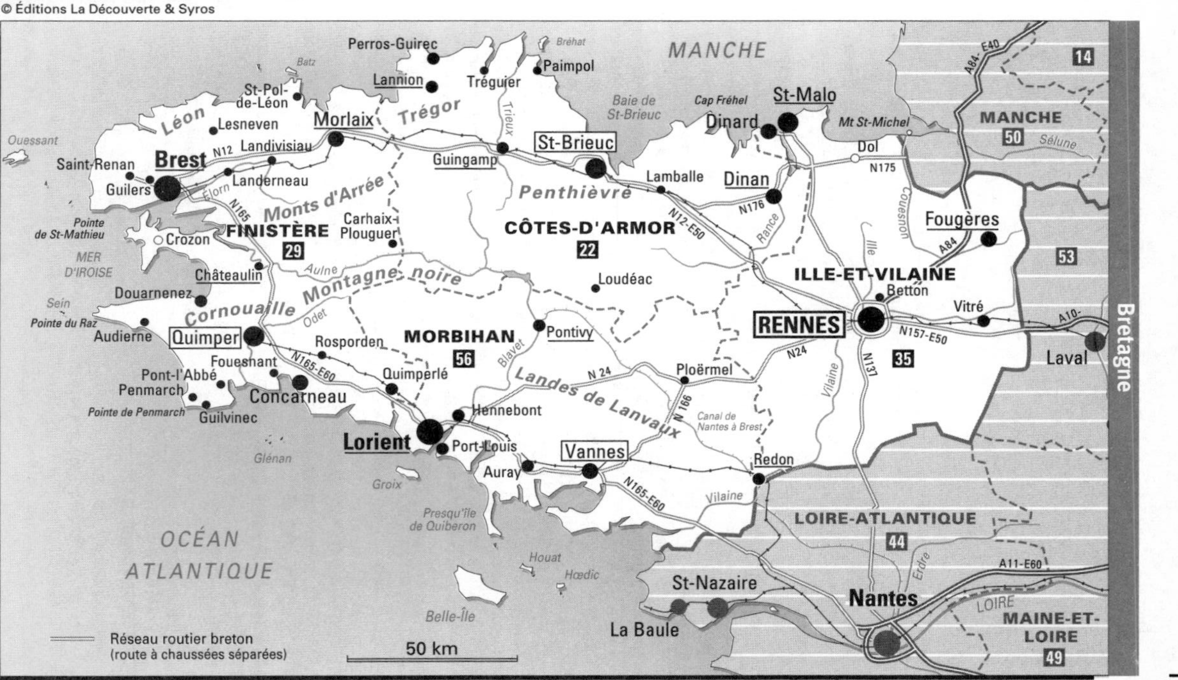
Bretagne
MANCHE
MANCHE
50
14
53
Laval
MAINE-ET-LOIRE
49
LOIRE-ATLANTIQUE
44
Nantes
St-Nazaire
La Baule
ILLE-ET-VILAINE
35
Fougères
Vitré
Betton
RENNES
Redon
Dol
Mt St-Michel
St-Malo
Dinard
Dinan
Cap Fréhel
Lamballe
Baie de St-Brieuc
St-Brieuc
CÔTES-D'ARMOR
22
Penthièvre
Loudéac
Paimpol
Bréhat
Tréguier
Guingamp
Perros-Guirec
Lannion
Trégor
Morlaix
MORBIHAN
56
Pontivy
Ploërmel
Landes de Lanvaux
Vannes
Auray
Hennebont
Port-Louis
Lorient
Quimperlé
Rosporden
Presqu'île de Quiberon
Houat
Hœdic
Belle-Île
Groix
FINISTÈRE
29
Monts d'Arrée
Montagne noire
Carhaix-Plouguer
Landivisiau
Landerneau
St-Pol-de-Léon
Lesneven
Batz
Léon
Brest
Guilers
Saint-Renan
Crozon
Châteaulin
Cornouaille
Douarnenez
Quimper
Concarneau
Fouesnant
Pont-l'Abbé
Penmarch
Guilvinec
Audierne
Glénan
Pointe de St-Mathieu
MER D'IROISE
Ouessant
Sein
Pointe du Raz
Pointe de Penmarch
OCÉAN ATLANTIQUE
Couesnon
Sélune
Ille
Vilaine
Rance
Trieux
Blavet
Aulne
Odet
Elorn
Erdre
LOIRE
Canal de Nantes à Brest
A84
A84-E40
A10
A11-E60
N157-E50
N137
N24
N175
N176
N12-E50
N166
N165-E60
N165
N12
50 km
Réseau routier breton
(route à chaussées séparées)

d'une polémique, de nombreuses voix s'élevant contre les élevages intensifs ayant contribué à la course à l'agrandissement, souvent sans respecter la réglementation environnementale sur les installations classées. De vives inquiétudes persistent en effet quant à la qualité de l'eau, toujours médiocre car polluée par des composés azotés.

La crise de surproduction de volailles et d'œufs, dont les livraisons ont crû de 35 % de 1991 à 1997, a, de même, provoqué la chute des cours et des revenus (– 30 % en un an). La fermeture du marché russe et de celui du Moyen-Orient, la réduction des aides à l'exportation, la méfiance des consommateurs vis-à-vis des poulets standards non labellisés, après l'affaire dite des « poulets à la dioxine » survenue en Belgique en 1998, et, enfin, la reprise de la consommation de viande bovine expliquent ces difficultés d'écoulement. Ces dernières ont provoqué la fermeture d'abattoirs à Châteaulin, Plouay et Carhaix (prévue en mars 2000), des restructurations d'ateliers de découpe et leur lot de licenciements à Languidic, Saint-Nicolas-du-Pélem, Briec, Plouray et Vannes.

Une crise de mévente légumière est intervenue en fin d'année, tandis que les producteurs de lait ont manifesté en février 1999 à Rennes, Plérin et Quimper contre la réforme de la PAC (Politique agricole commune). Parallèlement, de nouveaux établissements agroalimentaires ont ouvert à Guingamp, Rosporden, Baud, Guénin, Châteaubourg, Torcé, Saint-Jean-Brévelay, Trévé. Des extensions étaient en cours à Loudéac, Ergué-Gabéric, Laillé... Enfin, après trois ans d'incertitude, Saupiquet a décidé de maintenir une activité de transformation de poisson au Guilvinec.

Le dynamisme des télécommunications et de l'électronique

Hormis pour le secteur agricole, 1999 aura été favorable : le chômage a baissé plus vite qu'en France (– 11,8 % d'octobre 1998 à octobre 1999 contre – 9,6 % au niveau national), atteignant son taux le plus bas depuis 1993 (9,9 % en décembre). La création d'emplois salariés a connu sa plus forte hausse depuis dix ans (+ 3,1 %). Deux secteurs tirent l'économie : les télécommunications et l'électronique. Lannion a ainsi vu l'installation de plusieurs entreprises, notamment en recherche-développement (R-D) – Siemens, France Telecom, Algéty Telecom, Hermès Net, Eben Technologies... –, et le maintien de trois laboratoires issus du CNET (Centre national d'études des télécommunications). Autres signes positifs : l'installation de Detexis (électronique) à Brest, le doublement des créations d'emploi sur le technopôle de Rennes-Atalante (France Telecom, Mitsubishi), qui allait doubler ses surfaces, l'implantation de Cegetel à Rennes et d'une nouvelle usine Mitsubishi à Étrelles, le rachat par Guillemot de l'américain Hercules, inventeur de la carte graphique pour PC.

Les nouvelles étaient également bonnes dans l'automobile, avec le transfert de l'équivalent de 650 postes de travail de production d'Aulnay-sous-Bois et Poissy à l'usine Citroën de Rennes. L'équipementier japonais Sanden a commencé de construire une seconde usine à Tinténiac et devrait doubler ses effectifs d'ici 2001. Les espoirs sont apparus plus mesurés pour la Navale, qui évolue vers la construction et la réparation civiles en partenariat. La confirmation de la délocalisation de DCN-Ingénierie (Direction de la construction navale) à Lorient (180 emplois à terme en 2002), les records de 1999 pour Alsthom Leroux Naval à Lorient et la construction prévue de deux frégates, ouvrant deux ans de travail pour la DCN, ont conforté Lorient, tandis que les espoirs placés dans l'*offshore* ont partiellement déçu à Brest. La pêche a pour sa part poursuivi son redressement.

Sur le plan démographique, le recensement de mars 1999 a révélé le très grand dynamisme du bassin rennais et la forte attractivité des littoraux touristiques et résidentiels.

En matière d'aménagement, la réduction

des zones éligibles à la Prime d'aménagement du territoire a provoqué les protestations des élus, de même que la nouvelle carte des fonds structurels européens 2000-2006. La négociation du contrat de plan État-Région 2000-2006 a suscité de vives réactions, la Bretagne ayant reculé du 3e au 7e rang français pour la dotation par habitant (2 060 FF). Ses crédits routiers ont fortement baissé, compromettant la vieille revendication du passage en voie express de l'axe central de la Bretagne (N 164). En revanche, il a été décidé fin 1998 de contourner Le Mans par le TGV, ce qui devrait mettre Rennes à 1 h 30 de Paris. Le budget régional s'est efforcé de préparer l'avenir : plus forte contribution à la recherche, lancement, soutenu par les départements et 24 villes, du plus important réseau de télécommunication à haut débit d'Europe à destination des milieux hospitaliers, universitaires, scolaires et culturels, encouragement spectaculaire du rail.

Manifestations culturelles

Le refus de Jacques Chirac de réviser la Constitution pour permettre la ratification de la Charte européenne des langues régionales a provoqué de très vives critiques, y compris à droite, le président s'y étant lui-même déclaré favorable à Quimper en 1996. Déjà, l'interdiction par le tribunal administratif, en vertu de la loi Falloux, de la subvention régionale destinée à permettre la création d'un lycée Diwan (enseignement en breton) à Carhaix avait entraîné des manifestations – 5 000 personnes à Carhaix – et la demande renouvelée d'un statut public pour ce réseau d'écoles bretonnantes. Des attentats isolés de l'ARB (Armée révolutionnaire bretonne) ont peut-être signalé une nouvelle impatience d'une fraction active. Le budget de la culture du conseil régional a, pour sa part, connu deux spectaculaires hausses, qui ont permis l'installation d'un Office de la langue bretonne, tandis que la chaîne bilingue privée *TV Breizh* devait être lancée en août 2000.

La culture bretonne fait en effet recette, comme en témoigne le très gros succès des festivals : 450 000 visiteurs à l'Interceltique de Lorient, 250 000 spectateurs au festival de Cornouaille et 150 000 aux Vieilles Charrues de Carhaix, les festivals de musique accueillant près d'un million d'estivants. La

Bretagne

Préfecture régionale : Rennes.
Départements [préfecture] : Côtes-d'Armor [Saint-Brieuc], Finistère [Quimper], Ille-et-Vilaine [Rennes], Morbihan [Vannes].
Superficie : 27 208 km² (5 % de la France métropolitaine).
Population (recensement 1999) : 2 906 197 habitants (5,0 % de la pop. de la France métrop.).
Variation 1990-1999 : + 110 559 habitants.
Principales unités urbaines : Rennes (266 292), Brest (206 589), Lorient (116 174), Saint-Brieuc (85 849), Quimper (70 163), Vannes (51 759), Saint-Malo (50 675), Fougères (27 178), Concarneau (25 807), Dinard (25 006), Morlaix (24 949), Dinan (22 366), Lannion (20 992), Hennebont (18 807), Guingamp (17 506), Douarnenez (15 827), Auray (15 411), Vitré (15 313), Landerneau (14 281), Perros-Guirec (13 268).
Composition du conseil régional (à l'issue des élections de mars 1998). Total sièges : 83, dont 2 EXG (1 LO), 1 CAP, 34 « Gauche plurielle » (6 PC, 25 PS, 3 Verts), 17 UDF, 15 RPR, 1 DVE (GE), 1 CPNT, 5 DVD, 7 FN (par la suite éclatés en deux groupes). [Président : Josselin de Rohan (RPR), qui a succédé à Yvon Bourges (RPR) le 20.3.98].
PIB régional (en 1996) : 321,1 milliards FF (4,1 % du PIB national).
Taux de chômage en sept. 1999 : 10,5 % (France : 11,1 %).
Spécialisations industrielles : industries de la viande et du lait, construction navale, armement.
Principales livraisons agricoles : porcins, lait, volailles et œufs, bovins, légumes frais.
Source : INSEE. Voir la signification des indicateurs p. 177.

Bretagne : une identité en mutation

La Bretagne traditionnelle avait tous les traits d'une périphérie, c'est-à-dire d'une région éloignée des espaces développés. Alors qu'elle avait prospéré du XVe siècle au milieu du XVIIe siècle, grâce à un habile commerce maritime avec la péninsule Ibérique et l'Angleterre, et à un actif artisanat textile, la Bretagne fut délaissée par la révolution industrielle, en raison de l'éloignement des bassins houillers français. Il fut impossible de compenser cette difficulté par l'approvisionnement en charbon britannique à cause des guerres et du protectionnisme.

La péninsule bretonne a ainsi acquis progressivement les traits qui étaient encore les siens dans les années cinquante : enclavement routier et ferroviaire, prépondérance des activités agricoles et sous-développement industriel, inconfort des habitations, sous-équipement des ménages, fécondité élevée à l'origine d'une longue tradition d'émigration venant alimenter une importante communauté bretonne en région parisienne, forte identité régionale et enracinement des populations, intense pratique religieuse, influence des notables et des prêtres dans des campagnes au vote majoritairement conservateur, forte implantation de l'école privée dans cette ancienne terre de chouannerie. Ailleurs, d'aucuns se moquent alors de Bécassine, des coiffes et des chapeaux ronds, des crêpes et du biniou, s'étonnant de la persistance de la langue bretonne.

La Bretagne de l'époque oppose aussi classiquement à l'intérieur archaïque (*Argoat*, « pays des bois ») un littoral (*Armor*, « sur la mer ») plus actif, animé par ses ports de pêche, des flottes et arsenaux militaires et quelques stations balnéaires anciennes (Dinard, Perros-Guirec, Paramé).

Les années soixante marquent l'épanouissement d'une transformation multiforme et spectaculaire : élus et notables de tous bords refusent la fatalité du retard et de l'exode et forment, en 1951, le CÉLIB (Comité d'étude et de liaison des intérêts bretons) qui réclame des mesures à la hauteur de la « question bretonne ». Économique, celle-ci est aussi politique et culturelle : une minorité active réclame davantage d'autonomie et une reconnaissance de la langue bretonne, parfois par des attentats contre les « symboles de l'occupation française ». Parallèlement, le monde agricole se mobilise, lui aussi parfois violemment, contre les crises qui le secouent périodiquement. L'octroi d'un Plan breton d'aménagement et de modernisation dès 1953, suivi en 1969 d'un Plan routier breton, a fortement réduit l'enclavement. La décentralisation des années quatre-vingt et la reconnaissance officielle de la langue bretonne (notamment à l'école par la circulaire Savary de 1982 rendant légal l'enseignement des langues régionales) sont venues atténuer l'acuité de la question linguistique et culturelle, même si persiste la revendication du rattachement du département de la Loire-Atlantique, historiquement breton, à la Bretagne administrative.

C'est surtout le développement économique qui a assuré le « réveil » de la région. Favorisée par le désenclavement et les faibles coûts de main-d'œuvre, amorcée par l'installation d'une première usine Citroën à Rennes en 1954 et soutenue par l'action décentralisatrice de l'État, l'industrialisation a connu sa plus forte expansion dans les années soixante : s'implantent alors l'électronique dans le Trégor et une deuxième usine Citroën à Rennes. Depuis, la création de technopoles telles que Rennes-Atalante et l'arrivée de sous-traitants automobiles autour de Rennes ont renforcé ces deux secteurs qui côtoient d'importants arsenaux militaires (à Brest et à Lorient) et, surtout, le complexe agroalimentaire le plus puissant de France.

Ce dernier doit son importance à l'impressionnante croissance de la production agricole locale, qui a quadruplé de 1950 à 1985 : l'étroitesse des exploitations et le refus de l'exode ont stimulé la modernisation de l'agriculture, tandis que la Jeunesse agricole catholique (JAC) et les organisations paysannes véhiculaient une idéologie moderniste, bien reçue par des paysans instruits et ouverts à la coopération. L'agriculture, spécialisée dans l'élevage, est devenue dans les années quatre-vingt-dix la première pour les porcs (56 % de la production nationale), le veau (30 %), la volaille (40 %), les œufs (45 %) et les produits laitiers. La multiplication des bâtiments d'élevage hors sol, l'expansion des usines de transformation, la destruction par remembrement de milliers de kilomètres de haies du bocage traditionnel, l'usage intensif des engrais et des pesticides traduisent l'ampleur de la modernisation. Les firmes agroalimentaires et la grande distribution bretonne (Leclerc, Intermarché, Rallye-Géant) ont appuyé cette véritable révolution agricole.

Certaines particularités régionales s'effacent : les niveaux de vie et d'emploi sont désormais supérieurs à la moyenne française, le solde migratoire est positif depuis les années soixante, la fécondité s'est alignée sur la moyenne nationale, les mutations économiques et la périurbanisation, la plus intense du pays, ont atténué la domination démocrate-chrétienne au profit d'un vote plus versatile. La population sachant parler breton s'est réduite en 2000 à 240 000 personnes, le nombre des bretonnants âgés (230 000) diminuant plus vite que ne progresse celui des nouveaux, malgré le regain d'intérêt pour la culture régionale.

La modernisation a également atténué la différence économique entre l'intérieur et le littoral, au profit d'un déséquilibre entre le nord-ouest, affecté par les difficultés de l'industrie électronique et militaire et le vieillissement accentué de ses campagnes, et le sud-est porté par le dynamisme rennais et l'attraction touristique et résidentielle des côtes. Désormais, voies rapides et TGV assurent d'excellentes liaisons sur les axes majeurs, mais les transversales restent médiocres, à l'exception de l'autoroute des Estuaires aménagée en haute Bretagne.

La Bretagne doit à présent relever plusieurs défis. La remise en cause du modèle agro-industriel par la pollution des eaux oblige à trouver une voie combinant qualité des productions et respect de l'environnement, sous peine de menacer l'attractivité touristique. De son côté, le tissu industriel est dominé par quatre secteurs, dont la fréquente exposition aux retournements de conjoncture est d'autant plus visible qu'ils sont gros employeurs : construction automobile et navale, électronique-télécommunications et agroalimentaire. Un effort d'innovation devrait permettre d'en améliorer la compétitivité. Plus généralement, la péninsule bretonne redoute une nouvelle marginalisation sous le double effet de l'ouverture de l'Union européenne à l'Est et d'un mouvement de métropolisation qui avantage les grandes agglomérations dont la Bretagne est dépourvue. Aussi les acteurs bretons tentent-ils de développer les réseaux de coopération tels que l'Arc atlantique, association de régions de la façade occidentale de l'Europe.

Enfin, la Bretagne, autrefois composante essentielle du « croissant fertile », est confrontée au vieillissement de sa population par recul de la fécondité et arrivée de populations retraitées.- **Guy Baudelle** ■

Références

G. Baudelle, J. Chaussade, A. Chauvet (sous la dir. de), *La Façade atlantique. Stratégies et prospective de développement*, Presses universitaires de Rennes, Rennes, 1993.

C. Canevet, *Le Modèle agricole breton*, Presses universitaires de Rennes, Rennes, 1992.

C. Champaud, *À jamais la Bretagne*, Éd. régionales de l'Ouest, Mayenne, 1998.

A. Chedeville, A. Croix, *Histoire de la Bretagne*, PUF, Paris, 1993.

A. Croix (sous la dir. de), *Bretagne, images et histoire*, Apogée, Presses universitaires de Rennes, Rennes, 1996.

INSEE, *Tableaux de l'économie bretonne*, Rennes (annuel).

R. Le Coadic, *L'Identité bretonne*, Presses universitaires de Rennes/Terre de brume, Rennes, 1998.

P.-Y. Le Rhun (sous la dir. de), *Géographie et aménagement de la Bretagne*, Skol Vreizh, Morlaix, 1994.

G. Letellier (sous la dir. de), *L'Espoir breton du XXIe siècle*, Coop Breizh, Spézet, 1998.

J.-J. Monnier, *Le Comportement politique des Bretons*, Presses universitaires de Rennes, Rennes, 1994.

Y. Morvan, *Demain la Bretagne*, Apogée, Rennes, 1997.

M. Philipponneau, *Le Modèle industriel breton*, Presses universitaires de Rennes, Rennes, 1993.

« Quelle Bretagne voulons-nous ? », *ArMen*, n° 100, Douarnenez, janv. 1999.

J. Sainclivier, *La Bretagne de 1939 à nos jours*, Ouest-France, Rennes, 1989.

@ Sites Internet

Agence de coopération des bibliothèques de Bretagne : **http://www.hermine.org**

Bretagne économique : **http://www.bretagneeconomique.com**

Conseil régional : **http://www.region-bretagne.fr**

Économie : **http://www.bretagne.com**

Université de Haute-Bretagne : **http://www.uhb.fr/recherche/index.htm**

réouverture partielle du parlement de Bretagne, détruit par le feu en 1994, a aussi suscité une forte affluence.

Les projets de parcs naturels régionaux ont connu un sort variable : avis favorable pour le golfe du Morbihan, refus de l'État pour Brocéliande et vifs débats autour du parc marin d'Iroise.

Sur le plan politique, la mise en place des premières communautés d'agglomération (Saint-Brieuc, Lorient, Rennes) et l'organisation active en 21 « pays » devant passer contrat avec la Région en 2000, ont marqué une évolution importante. Les élections européennes du 13 juin 1999 ont confirmé l'implantation de la « gauche plurielle » : 41,4 % des voix contre 36,3 % à la droite, qui a reculé de six points dans le Finistère, où le PS est passé en tête. Les écologistes ont obtenu deux points de plus qu'au niveau national, avec une forte poussée dans les Côtes-d'Armor, très sensibles à la pollution agricole. L'extrême droite, divisée, a reculé d'un point par rapport à 1994. En revanche, l'équipe de Pierre Méhaignerie (UDF) a conservé la majorité après avoir remporté, en décembre 1999, l'élection cantonale partielle de Bruz, en Ille-et-Vilaine. - **Guy Baudelle** ■

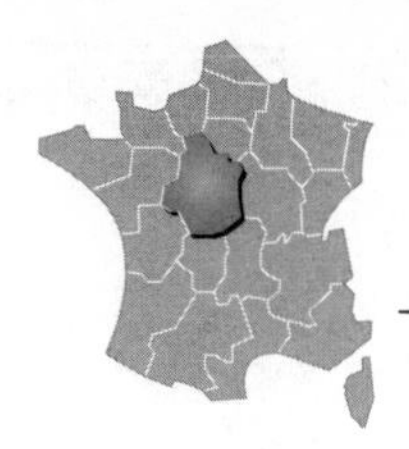

Centre

Stabilisation politique et économique

Le recensement démographique de 1999 a mis en évidence quatre processus essentiels dans la dynamique de la population du Centre. *Primo*, la croissance (+ 69 293 habitants) s'est révélée inégale géographiquement et de moindre ampleur par rapport à la période intercensitaire précédente (+ 0,32 % de taux de variation annuel de 1990 à 1999 contre + 0,58 % de 1982 à 1990). *Secundo*, le clivage s'est renforcé entre un ensemble regroupant le nord et l'axe ligérien, espace de développement entre le Bassin parisien et les régions de l'Ouest et du Sud-Ouest, et le sud, aux marges du Massif central : le département du Loiret a gagné 37 514 habitants, celui de l'Indre en a perdu 6 371 ; le département du Cher a basculé parmi les départements qui se dépeuplent (– 7131 habitants contre + 1 385 entre 1982 et 1990). *Tertio*, la croissance a profité aux plus grandes agglomérations, Tours et Orléans, qui jouissent d'une dynamique métropolitaine. *Quarto*, la périurbanisation a rendu attractives de nombreuses communes rurales. Se distinguent, d'une part, l'espace de la « renaissance rurale », principalement sous l'influence d'un « étalement urbain » (fortes migrations), et, d'autre part, un « rural profond » – par exemple celui de l'Indre – en déclin démographique, caractérisé par un fort déficit du solde naturel non compensé par l'arrivée de populations nouvelles.

Le conseil régional a lancé, au printemps 1999, une concertation sous forme de débats autour de différents thèmes du développement territorial. Un projet régional a été défini pour la période 2000-2010. Il traduit, après le changement de l'exécutif régional survenu en 1998 et l'élection de Michel Sapin (PS) à la présidence, la volonté d'obtenir « un territoire dynamique et solidaire, résolument ancré dans une dimension européenne ».

La gauche conforte ses positions

Autre source de satisfaction pour le conseil régional, son budget a été adopté le 19 mars 1999, sans recours au « 49-3 » régional : les quinze abstentions d'élus de droite (quatorze RPR, un UDF) ont mis fin à l'instabilité politique qui avait caractérisé, en 1998, l'assemblée régionale, élue avec une majorité relative de gauche (annulation du budget 1998 par le tribunal administratif d'Orléans, suite à une requête de l'opposition). Par ailleurs, les élections européennes du 13 juin 1999 ont vu le renforcement des positions régionales de la « gauche plurielle » – confortée à Tours et à Orléans et en réorganisation dans le Cher (le PS a devancé de plus de sept points le PCF à Bourges, bouleversant les équilibres à gauche) – au détriment de la droite parlementaire divisée (en Indre-et-Loire, l'addition des voix RPR-DL et UDF a marqué dix points de recul par rapport aux élections régionales de 1998) et de l'extrême droite (en Eure-et-Loir, le score cumulé des listes de Jean-Marie Le Pen et de Bruno Mégret a été inférieur de deux points à celui obtenu aux élections européennes de 1994 et de huit points par rapport aux élections régionales de 1998).

Sur le plan économique, l'année s'est inscrite dans la continuité de 1997 et 1998 : la croissance, liée à la consommation inté-

Centre

Préfecture régionale : Orléans.
Départements [préfecture] : Cher [Bourges], Eure-et-Loir [Chartres], Indre [Châteauroux], Indre-et-Loire [Tours], Loir-et-Cher [Blois], Loiret [Orléans].
Superficie : 39 151 km² (7,2 % de la France métropolitaine).
Population (recensement 1999) : 2 440 323 habitants (4,2 % de la pop. de la France métrop.).
Variation 1990-1999 : + 69 287 habitants.
Principales unités urbaines (1990) : Tours (282 155), Orléans (243 153), Bourges (94 731), Chartres (85 933), Châteauroux (67 090), Blois (65 132), Vierzon (35 049), Vendôme (22 338), Romorantin-Lanthenay (17 865), Châteaudun (17 817), Amboise (15 391), Saint-Amand-Montrond (13 961), Issoudun (13 859), Nogent-le-Rotrou (12 745), Nonancourt (11 305), Loches (10 198), Saint-Florent-sur-Cher (9 023), Argenton-sur-Creuse (8 767), Chinon (8 627).
Composition du conseil régional (à l'issue des élections de mars 1998). Total sièges : 77, dont 1 LO, 33 « Gauche plurielle » (9 PC, 20 PS, 1 PRG, 3 Verts), 1 CPNT, 14 UDF, 14 RPR, 1 DVD, 13 FN. [Président : Michel Sapin (PS), qui a remplacé Maurice Dousset (PR-UDF)].
PIB régional (en 1996) : 290,55 milliards FF (3,7 % du PIB national).
Taux de chômage en sept. 1999 : 9,9 % (France : 11,1 %).
Spécialisations industrielles : matériels électriques et électroniques ménagers, caoutchouc et matières plastiques, parachimie et industrie pharmaceutique, sous-traitance automobile.
Principales livraisons agricoles : céréales, vins, protéagineux.
Source : INSEE. Voir la signification des indicateurs p. 177.

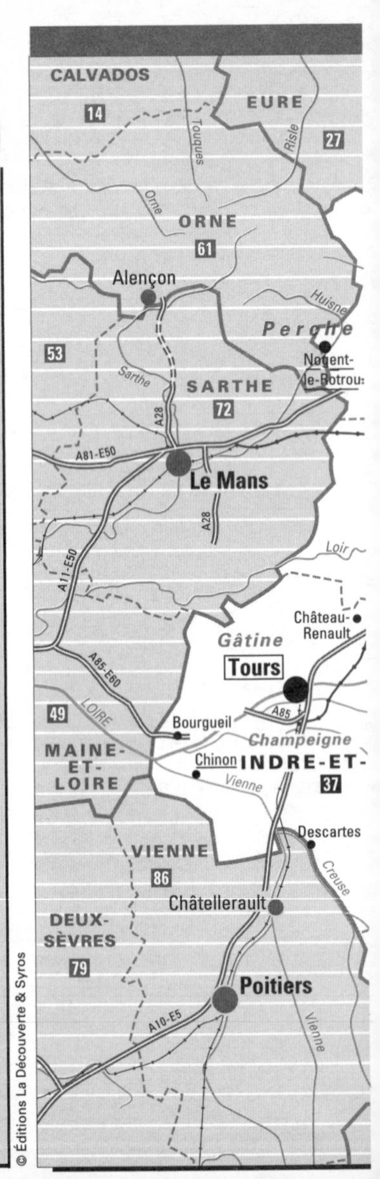

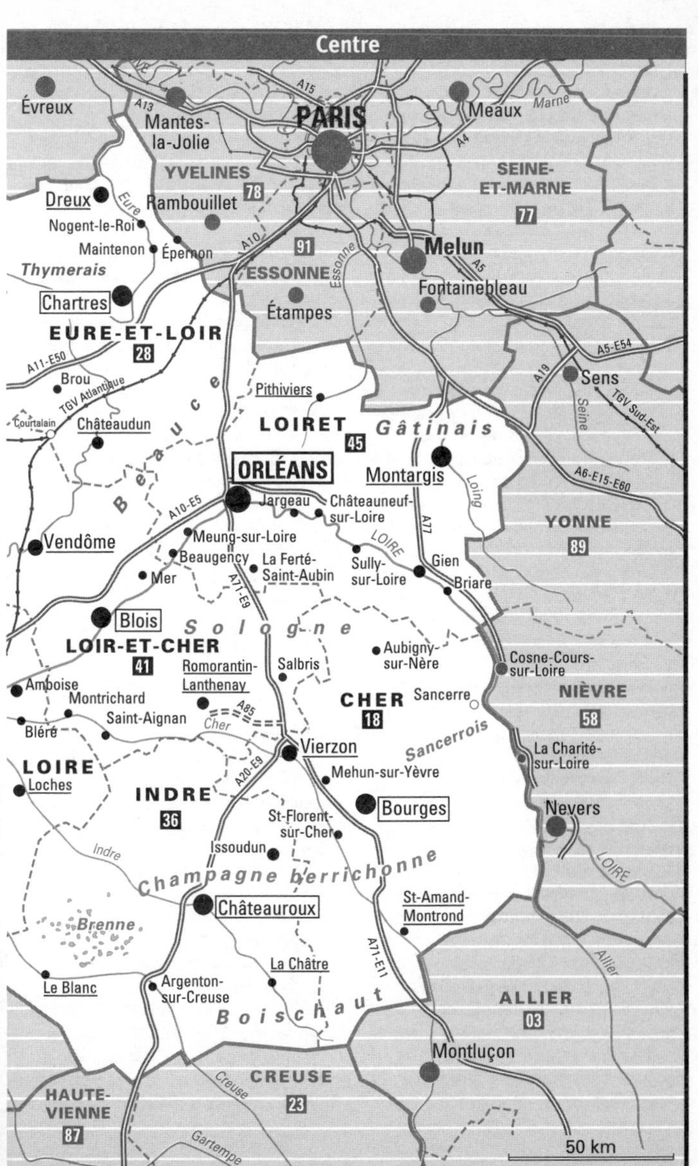
Centre
Évreux
Mantes-la-Jolie
PARIS
Meaux
Marne
YVELINES
78
SEINE-ET-MARNE
77
Dreux
Rambouillet
Nogent-le-Roi
Maintenon
Épernon
91
Melun
Thymerais
ESSONNE
Essonne
Fontainebleau
Chartres
Étampes
EURE-ET-LOIR
28
A11-E50
A5-E54
Sens
Brou
TGV Atlantique
Pithiviers
TGV Sud-Est
Seine
Courtalain
Châteaudun
LOIRET
45
Gâtinais
Beauce
ORLÉANS
Montargis
Loing
A6-E15-E60
Jargeau
Châteauneuf-sur-Loire
A10-E5
YONNE
89
Vendôme
Meung-sur-Loire
LOIRE
A77
Beaugency
La Ferté-Saint-Aubin
Sully-sur-Loire
Gien
Mer
A71-E9
Briare
Blois
Sologne
LOIR-ET-CHER
41
Aubigny-sur-Nère
Cosne-Cours-sur-Loire
Romorantin-Lanthenay
Salbris
Amboise
NIÈVRE
58
Montrichard
CHER
18
Sancerre
A85
Saint-Aignan
Cher
Bléré
Sancerrois
Vierzon
La Charité-sur-Loire
LOIRE
Loches
A20-E9
Mehun-sur-Yèvre
INDRE
36
Bourges
Nevers
St-Florent-sur-Cher
Issoudun
Indre
Champagne berrichonne
Châteauroux
St-Amand-Montrond
Brenne
Allier
La Châtre
A71-E11
Le Blanc
Argenton-sur-Creuse
ALLIER
03
Boischaut
Montluçon
CREUSE
23
Creuse
HAUTE-VIENNE
87
Gartempe
50 km

Centre : une identité en mutation

La région Centre est constituée de trois anciennes provinces, l'Orléanais, la Touraine et le Berry, dont l'intégration au domaine royal a été précoce (l'Orléanais au Xe siècle, le Berry pour l'essentiel au XIe et la Touraine au XIIIe). La proximité de la capitale a limité la survivance de particularismes culturels régionaux. Issue d'une construction administrative, la région a eu du mal à affirmer sa personnalité. La pression de l'Ile-de-France s'accroît, repoussant dans les départements voisins (Eure-et-Loir et Loiret) les populations souvent pauvres cherchant à s'intégrer dans le marché du travail multipolaire du sud de l'agglomération. Les besoins d'équipements, les projets d'une grande rocade autoroutière ont été transférés sur le nord de la région.

La Loire continue de structurer cet espace faiblement peuplé où la ruralité reste forte. Le tissu urbain est important : près des deux tiers de la population en 1999. Il progresse lentement (+ 0,2 % par an de 1990 à 1999) ; moins toutefois que l'espace rural régional qui, malgré le déclin du Berry, s'étoffe (+ 0,4 % par an). Les petites villes jouent un grand rôle, confortées par les routes et le rail, avec la lente émergence d'Orléans et de Tours. Peu à peu, de fortes relations entre villes (Orléans, Blois, Tours) de la Loire moyenne se sont imposées. Sur financement régional et avec la gestion SNCF, le train express région (TER) concrétise ces besoins de liaisons. Un accord avec les Pays de la Loire permet à Inter-Loire d'étendre la relation rapide d'Orléans à Nantes. La densité des petites villes du Val de Loire contraste avec le sud de la région, moins peuplé. L'axe ligérien regroupe plus d'un million d'habitants et constitue la colonne vertébrale de tous les projets d'aménagement.

La région fonctionne sur un mode tripolaire. À la concurrence Orléans-Tours s'ajoute la volonté de Bourges d'être la « capitale » du Berry. En fait, au nord, Chartres vit à l'heure parisienne et, au sud, l'Indre hésite, comme tout espace peu polarisé, entre les partenariats berrichon et ligérien. Le déclin du département se confirme de recensement en recensement (252 000 personnes en 1946, 231 000 en 1999). Le vieillissement des campagnes, qui se dépeuplent, ne permet pas le renouvellement urbain.

Dans une première couronne péri-parisienne qui englobe l'Eure-et-Loir et l'essentiel du Loiret, on assiste à une croissance démographique généralisée (+ 47 % en Eure-et-Loir de 1962 à 1990, + 58 % dans le Loiret), valorisant villes et bourgs. Au-delà se dessine l'axe de la Loire dont l'autonomie est plus grande et plus polarisée sur le chef-lieu en Indre-et-Loire. L'appel du marché du travail y est moins prégnant. Orléans garde l'ambiguïté d'une capitale régionale qui se trouve toujours plus intégrée à la dynamique parisienne. Dans le sud de la Touraine, la Sologne et l'ensemble du Berry, les espaces sont peu peuplés, démographiquement peu dynamiques. Ils se sentent menacés par un glissement vers la France du vide comme le Massif central voisin.

La région Centre reste marquée par la forte productivité de son agriculture et le dynamisme d'une industrie qui s'est renouvelée avec les décentralisations. Assurant 7,5 % de la production agricole française (chiffre 1990), elle est la première région céréalière de France et de l'UE. La réussite – exemplaire – beauceronne a contribué à la transformation rapide des systèmes de polyculture et polyculture-élevage fréquents sur les terres plus argileuses.

Le nombre des exploitations a continué à reculer (3 % par an). Leur taille moyenne est de 67 ha (42 ha pour la France).L'agrandissement des exploitations entraîne des embauches. Dans le

Berry, la métallurgie, importante au XVIIIe siècle, reposait sur l'utilisation du minerai de fer et du bois. Après l'ouverture des frontières vers 1860, seul le Cher, ayant accès au charbon de l'Allier et de la Nièvre, a pu se convertir. Vierzon est passé de la métallurgie à la mécanique agricole. Bourges, à partir d'une fonderie de canons installée en 1870, est devenu un centre d'armement diversifié. Dans le reste de la région dominent des activités industrielles de main-d'œuvre marquées par les crises sectorielles.

La modernisation de l'appareil industriel, amorcée dans l'entre-deux-guerres, a connu son plus net renouvellement avec les décentralisations d'activités de la région parisienne, à partir des années soixante. Plus du tiers des emplois industriels régionaux en dépendent. Un tiers de la population active travaille dans l'industrie. Cette industrie régionale est plutôt jeune et diversifiée, avec quelques secteurs bien représentés (pharmacie, caoutchouc, constructions mécaniques et électriques, énergie...). Le secteur tertiaire – plus de 60 % en 1998 – assure surtout le dynamisme des chefs-lieux. Orléans et Tours s'affirment par l'importance des services publics administratifs (notamment à Orléans) et le secteur santé. Les universités, Tours et son antenne de Blois, Orléans et ses antennes de Bourges et Chartres, regroupent environ 40 000 étudiants. Orléans, Blois et Tours donnent du poids à la vallée de la Loire, mais sans pouvoir d'entraînement pour le sud. Le tourisme, à forte composante étrangère, se développe dans la vallée de la Loire.

La région Centre a vu se dessiner, dans les années soixante, une coupure assez nette entre le sud de la région, qui votait à gauche avec une forte tradition communiste dans les campagnes du Berry, et le nord de la Loire, où les votes radicaux et socialistes ont régressé, notamment en zone rurale, au profit de la droite. Le fond laïque républicain allait de pair avec une faible pratique religieuse. L'évolution a été commandée par les flux démographiques : Eure-et-Loir et Loiret ont accueilli des migrants de l'Ouest dès 1950 et du reflux parisien après 1960. Si la Beauce s'est convertie au gaullisme dans la prospérité, le Boischaut ressemble au nord du Limousin et persiste dans ses votes à gauche qui sont en partie des votes de refus d'une évolution qui renforce sa marginalisation. À l'embourgeoisement des chefs-lieux de canton berrichons glissant vers la droite s'oppose l'évolution des petites villes de l'Eure-et-Loir et du Loiret investies par les ouvriers et la classe moyenne. Au niveau des villes chefs-lieux, Bourges a été perdu par les communistes au profit du RPR. Les cinq autres chefs-lieux sont tenus par les socialistes. À Tours, Jean Germain a créé la surprise en battant Jean Royer. Mais s'il existe des leaders départementaux, tels Jack Lang dans le Loir-et-Cher ou André Laignel dans l'Indre, la faible polarisation urbaine de la région n'a pas favorisé l'émergence d'un vrai patron, ni à droite, ni à gauche.

Les élections régionales du printemps 1998 se sont traduites par une poussée de la gauche. Cependant, la droite et le Front national restant majoritaires, Bernard Harang (UDF) avait été élu. Une partie de la droite, dont Renaud Donnedieu de Vabres (UDF-RPR), refusant cette alliance, la gauche plurielle a finalement élu président Michel Sapin (PS), ancien ministre de l'Économie et maire d'Argenton-sur-Creuse (Indre). Malgré les progrès électoraux des législatives et la victoire relative des régionales, la gauche est restée minoritaire en dehors des grandes villes. Les campagnes votent à droite, réduisant le poids de la gauche dans les conseils généraux et au Sénat. - **Paul Bachelard** ■

INDICATEUR*	UNITÉ	1982	1990	1999	France entière 1999
Démographie					
Population**	*milliers*	2 264	2 371	2 440	58 518
Densité	*hab./km²*	57,8	60,6	62,3	107,6
Taux de croissance	*% annuel*	0,72[b]	0,58[c]	0,32[e]	0,37[e]
Accroissement naturel	*% annuel*	0,26[b]	0,27[c]	0,20[e]	0,36[e]
Solde migratoire	*% annuel*	0,46[b]	0,31[c]	0,12[e]	0,01[e]
Population 0-19 ans	*% du total*	28,8	26,3	25,3[i]	25,8[i]
Population 60 ans et +	*% du total*	20,4	21,8	22,3[i]	20,4[i]
Population étrangère	*% du total*	5,0	4,9	••	6,4[m]
Population urbaine	*% du total*	65,0	64,8	••	74,0[m]
Fécondité***		1,88	1,75	1,66[h]	1,70[h]
Mortalité infantile	*‰ nais.*	8,2	7,8	4,6[h]	4,7[h]
Espérance de vie	*années*	75,9	77,7	78,9[h]	78,5[h]
Indicateurs socioculturels					
Nombre de médecins	*‰ hab.*	1,63	2,09	2,45	3,03
Diplômés (% des 25–54 ans)					
Bac ou brevet professionnel	%	13,3[a]	24,3	••	29,3[m]
Bac + 2 et diplômes supérieurs	%	5,8[a]	12,4	••	16,1[m]
dont femmes	%	46,9[a]	49,6	••	48,9[m]
Activité et chômage					
Population active	*milliers*	972	971	1 070[i]	25 567[i]
Agriculture	% } *100 %*	9,1	7,6	5,9	4,2
Industrie	% } *100 %*	40,7	33,2	28,9	24,9
Services	% } *100 %*	50,3	59,1	65,2	70,9
Taux de chômage global	%	6,8	8,6	9,3[k]	10,5[k]
Taux féminin	%	9,7	11,9	12,9[j]	13,5[j]
Taux des « moins de 25 ans »	%	17,2	18,5	21,8[j]	23,9[j]
Taux des « longue durée »	%	4,6	3,4	4,6[h]	5,0[h]
Administrations publiques locales					
Ressources totales/hab.	*milliers FF*	5,2	8,9	10,3[f]	11,4[f]
dont fiscalité locale/hab.	*milliers FF*	2,2	4,3	5,0[f]	5,5[f]
Contribution de la région au commerce extérieur					
Exportations	*milliards FF*	13,6	34,4	80,7	1822,1
Importations	*milliards FF*	16,0	36,0	76,6	1753,0
Produit intérieur brut					
PIB régional	*milliards FF*	139,9	249,1	290,6[g]	7 871,7[g]
Taux de croissance	*% annuel*	3,4[b]	2,6[c]	0,6[d]	1,2[d]
Par habitant	*milliers FF*	61,6	104,8	118,6[g]	134,8[g]
Structure du PIB					
Agriculture	% } *100 %*	9,1	6,0	3,1[g]	2,4[g]
Industrie	% } *100 %*	35,4	33,6	33,8[g]	27,4[g]
Services	% } *100 %*	55,6	60,4	63,1[g]	70,1[g]

*Sources et définitions indicateurs utilisés : voir p. 175 et suiv. ; ** Lors des recensements de 1982, 1990, et 1999 ; ***Indicateur conjoncturel de fécondité (exprimé en nombre moyen d'enfants par femme).
a. 1975 ; b. 1975-1982 ; c. 1982-1990 ; d. 1990-1996 ; e. 1990-1999 ; f. 1993 ; g. 1996 ; h. 1997 ; i. 1998 ; j. Avril 1998 ; k. Déc. 1999 ; m. 1990.

Références

P. Bachelard, « Centre », *in* Y. Lacoste (sous la dir. de), *Géopolitiques des régions françaises*, tome I, Fayard, Paris, 1986.

A. Boddaert, *La Loire déchirée. Le dernier fleuve libre d'Europe va-t-il être dompté ou défiguré ?*, La Nouvelle République, Tours, 1991.

Grand Bassin parisien-région Centre : horizon 2015, Préfecture de la région Centre, Orléans, 1992.

Indicateurs de l'économie du Centre, INSEE, Orléans.

J. Mirloup, « Approche de la région Centre en neuf chorèmes », *Indicateurs de l'économie du Centre*, n° 21, mars 1998.

J. Mirloup, *Le Centre. La naissance d'une région aux portes de Paris*, Bréal, Rosny-sous-Bois, 1984.

Le Nord de la région Centre face aux pressions de l'Ile-de-France : quels risques, quels atouts, quels acteurs ?, CCI Eure-et-Loir/CRCI Centre/CCI Loiret, 1993.

J. Verrière, J.-P. Branchereau, *L'Économie des régions Centre et Pays de la Loire*, Ellipses, Paris, 1984.

J. Verrière, *La Loire et Paris. La France essentielle, de Clovis à nos jours*, Flammarion, Paris, 1990.

@ **Sites Internet**

Conseil régional : **http://www.regioncentre.com**

Université de Tours : **http://web.univ-tours.fr**

Université d'Orléans : **http://web.univ-orleans.fr**

Ville de Blois : **http://www.blois-eco.com**

rieure et à la reprise, au second semestre 1999, des exportations, notamment en direction de l'Asie, s'est confirmée. Selon les indicateurs de la Banque de France, l'activité régionale « affiche des performances très supérieures à celles de l'année dernière ». Dans ce contexte, l'embellie s'est poursuivie sur le front de l'emploi : au deuxième trimestre 1999, l'emploi salarié a progressé de plus de 0,7 % par rapport à 1998, croissance essentiellement liée à la tertiairisation de l'économie (+ 2,1 % pour le secteur tertiaire, contre – 1 % pour celui de l'industrie, et – 0,1 % pour la construction).

Modification de la géographie économique

Toutefois, la période d'incertitudes économiques, déterminées par la crise asiatique de 1997 et par le ralentissement de l'activité observé durant les troisième et quatrième trimestres 1998, a perturbé la géographie classique de la dynamique économique régionale : le Loiret, département du nord de la région et premier bénéficiaire de la proximité parisienne, a enregistré un solde négatif pour ce qui est de la création de l'emploi salarié (– 0,4 %, dont – 1,2 % dans le secteur tertiaire), alors que le département de l'Indre, au sud, a affiché des résultats positifs (+ 1,5 %). Rapprochés du ralentissement de la croissance démographique du nord de la région, mis en évidence par le recensement, ces chiffres semblent confirmer les craintes, partagées par un certain nombre d'acteurs régionaux, d'un moindre dynamisme de l'hypercentre parisien en tant que moteur de l'activité régionale.

Le chômage a baissé (en décembre

1999, le taux de chômage régional était de 9,3 % contre 10,5 % au niveau national). Cette baisse a profité en priorité aux jeunes (– 14,5 % de demandeurs d'emploi chez les moins de 25 ans) et aux personnes inscrites dans une longue période de chômage (– 14 % chez les chômeurs inscrits depuis plus d'un an).

L'abandon définitif par le gouvernement Jospin du projet du barrage de Chambonchard, défendu par Éric Doligé (RPR, président de l'ÉPALA – Établissement public d'aménagement de la Loire et de ses affluents), a mis fin à une conception de l'aménagement de la Loire fondée sur le « tout-barrages » et faisant la part belle aux investissements lourds. Le nouveau plan Loire 2 (2000-2006) donne la priorité à la sécurité des riverains, à la restauration de la qualité de l'eau et des milieux naturels. Le débat suscité autour de cette réorientation, présentée comme un gage de bonne volonté envers les Verts, ne doit pas cacher une autre urgence, celle de la consolidation de plus de 130 km de digues « fragilisées » : 300 000 riverains résidant entre Nevers et Tours sembleraient menacés (*Le Monde* 19 février 1999).- **Franck Guérit** ■

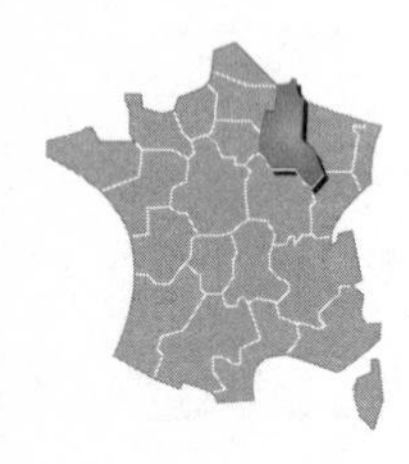

Champagne-Ardenne

Comment réagir pour enrayer le déclin ?

Les premiers résultats du recensement général de la population de mars 1999 sont tombés comme un sévère avertissement : la Champagne-Ardenne a été l'une des trois seules régions françaises à perdre des habitants. En 1999, elle comptait 1 342 328 habitants, soit 2,3 % de la population métropolitaine et 5 500 habitants de moins qu'en 1990 (– 0,05 % par an). La région a pourtant amélioré son attractivité en atténuant son déficit migratoire, passé de – 0,46 % par an en 1982-1990 à – 0,38 % par an en 1990-1999. Dans le même temps, l'accroissement naturel a fortement régressé, tombant de + 0,48 % à + 0,34 % par an. Le « croissant fertile » de la France du Nord ne semble plus exister. Les évolutions départementales sont de plus en plus contrastées : la Marne a poursuivi sa progression (+ 7 000 habitants, + 0,14 % par an) et l'Aube a retrouvé une courbe ascendante (+ 2 900 habitants, + 0,11 % par an), mais les Ardennes (– 6 200 habitants, – 0,24 % par an) et plus encore la Haute-Marne (– 9 200 habitants, – 0,51 % par an) se sont enfoncées dans le déclin. Contrairement à la période intercensitaire précédente, l'espace rural a connu un repli global (– 1,7 % par an), la croissance des aires périurbaines ne compensant pas l'hémorragie du « rural profond ». Les agglomérations urbaines rassemblent les deux tiers de la population. Reims a conservé le plus fort taux de progression (+ 0,36 % par an, 213 000 habitants), mais Troyes a retrouvé une évolution positive (+ 0,25 % par an, 125 500 habitants) tandis que Charleville-Mézières (65 700 habitants) et Châlons-en-Champagne (60 000 habitants) ont continué à perdre des habitants.

Une image de région riche qui s'estompe

Si la Champagne-Ardenne est restée au cinquième rang des régions françaises par son PIB par habitant, c'est la région où il a le moins progressé entre 1982 et 1996. Cela tient aux spécificités de l'appareil productif, au poids relatif d'une agriculture confrontée aux réformes successives de la Politique agricole commune (PAC) et d'industries traditionnelles en perte de vitesse. La grande culture est malgré tout restée productrice de revenus élevés grâce à la grande taille des exploitations. La région a été frappée de plein fouet par la tempête du 27 décembre 1999, qui a fait quatre morts, abattu des milliers d'arbres, dont ceux du jardin botanique de Châlons, endommagé de nombreuses toitures, et totalement détruit le célèbre moulin de Valmy, symbole de la République récemment restauré.

Du côté du vignoble, la « fièvre de l'an 2000 » a eu les effets escomptés, portant les ventes de champagne au record absolu de quelque 325 millions de bouteilles pour 1999 (chiffres provisoires). Les Français ont été les premiers acheteurs avec 185 millions de bouteilles, mais les exportations ont progressé encore plus vite, atteignant 43 % du total (90 millions de bouteilles vers l'Union européenne et 50 millions de bouteilles vers les pays tiers). Les coopératives ont poursuivi leur vigoureux essor de 1998 aux dépens des récoltants-manipulants.

La nécessaire diversification de l'appareil industriel est engagée. La métallurgie, premier secteur industriel régional, se réorganise, aiguillonnée par la sous-traitance automobile qui travaille en liaison de plus en plus étroite avec les constructeurs. Elle a accueilli de nouvelles firmes comme les équipementiers américains Delphi et Visteon dans les Ardennes, et ouvert sa gamme de productions en intégrant de plus en plus les matières plastiques ou le caoutchouc. Les puissantes agro-industries cherchent aussi à se diversifier en s'appuyant sur la recherche, orientée vers la transformation non alimentaire des substrats végétaux. À l'aval de l'agroalimentaire, le secteur de l'emballage-conditionnement, soutenu par

Champagne-Ardenne

Préfecture régionale : Châlons-en-Champagne.

Départements [préfecture] : Ardennes [Charleville-Mézières], Aube [Troyes], Marne [Châlons-en-Champagne], Haute-Marne [Chaumont].

Superficie : 25 606 km² (4,7 % de la France métropolitaine).

Population (recensement 1999) : 1 342 363 habitants (2,3 % de la pop. de la France métrop.).

Variation 1990-1999 : – 5 485 habitants.

Principales unités urbaines (1999, dans les limites de 1990) : Reims (213 200), Troyes (125 500), Charleville-Mézières (65 700), Châlons-en-Champagne (60 000), Saint-Dizier (36 900), Épernay (33 200), Sedan (28 000), Chaumont (26 900).

Composition du conseil régional (à l'issue des élections de mars 1998). Total sièges (au 1.1.2000) : 49, dont 1 LO, 3 PC, 13 PS, 1 Verts, 1 CPNT, 8 UDF, 10 RPR, 3 DVD, 9 FN. [Président : Jean-Claude Étienne (RPR), qui a succédé à Jean Kaltenbach (RPR), le 20.3.98].

PIB régional (en 1996) : 165,0 milliards FF (2,1 % du PIB national).

Taux de chômage en sept. 1999 : 10,8 % (France : 11,1 %).

Spécialisations industrielles : fonderie et travail des métaux, textile et habillement, matériels électriques et électroniques ménagers, industrie du verre, sidérurgie, industries agroalimentaires, caoutchoucs et matières plastiques.

Principales livraisons agricoles : vins, céréales, betteraves à sucre.

Source : INSEE. Voir la signification des indicateurs p. 177.

INDICATEUR*	UNITÉ	1982	1990	1999	France entière 1999
Démographie					
Population**	milliers	1 345	1 348	1 342	58 518
Densité	hab./km²	52,5	52,6	52,4	107,6
Taux de croissance	% annuel	0,10[b]	0,02[c]	– 0,05[e]	0,37[e]
Accroissement naturel	% annuel	0,51[b]	0,48[c]	0,34[e]	0,36[e]
Solde migratoire	% annuel	– 0,42[b]	– 0,46[c]	– 0,38[e]	0,01[e]
Population 0-19 ans	% du total	31,0	28,1	26,8[i]	25,8[i]
Population 60 ans et +	% du total	17,2	19,0	19,8[i]	20,4[i]
Population étrangère	% du total	5,4	4,8	••	6,4[m]
Population urbaine	% du total	62,9	62,2	••	74,0[m]
Fécondité***		2,02	1,81	1,72[h]	1,70[h]
Mortalité infantile	‰ nais.	10,8	8,0	4,3[h]	4,7[h]
Espérance de vie	années	74,5	76,4	77,7[h]	78,5[h]
Indicateurs socioculturels					
Nombre de médecins	‰ hab.	1,54	2,04	2,47	3,03
Diplômés (% des 25–54 ans)					
Bac ou brevet professionnel	%	12,4[a]	22,1	••	29,3[m]
Bac + 2 et diplômes supérieurs	%	5,4[a]	11,0	••	16,1[m]
dont femmes	%	46,4[a]	49,6	••	48,9[m]
Activité et chômage					
Population active	milliers	603	554	545[i]	25 567[i]
Agriculture	% (100 %)	6,6	8,9	8,4	4,2
Industrie	% (100 %)	39,5	32,6	26,8	24,9
Services	% (100 %)	53,9	58,5	64,8	70,9
Taux de chômage global	%	8,5	9,1	10,4[k]	10,5[k]
Taux féminin	%	11,8	13,1	14,3[j]	13,5[j]
Taux des « moins de 25 ans »	%	21,9	20,2	29,8[j]	23,9[j]
Taux des « longue durée »	%	5,3	4,1	5,6[h]	5,0[h]
Administrations publiques locales					
Ressources totales/hab.	milliers FF	5,0	8,6	10,4[f]	11,4[f]
dont fiscalité locale/hab.	milliers FF	2,1	4,0	4,8[f]	5,5[f]
Contribution de la région au commerce extérieur					
Exportations	milliards FF	17,1	30,2	43,7	1822,1
Importations	milliards FF	12,1	20,8	27,2	1753,0
Produit intérieur brut					
PIB régional	milliards FF	86,7	151,1	165,0[g]	7 871,7[g]
Taux de croissance	% annuel	2,5[b]	2,5[c]	– 0,3[d]	1,2[d]
Par habitant	milliers FF	64,3	112,1	122,0[g]	134,8[g]
Structure du PIB					
Agriculture	% (100 %)	14,2	13,6	7,9[g]	2,4[g]
Industrie	% (100 %)	34,7	33,3	30,4[g]	27,4[g]
Services	% (100 %)	51,1	53,1	61,7[g]	70,1[g]

*Sources et définitions indicateurs utilisés : voir p. 175 et suiv. ; ** Lors des recensements de 1982, 1990, et 1999 ; ***Indicateur conjoncturel de fécondité (exprimé en nombre moyen d'enfants par femme).
a. 1975 ; b. 1975-1982 ; c. 1982-1990 ; d. 1990-1996 ; e. 1990-1999 ; f. 1993 ; g. 1996 ; h. 1997 ; i. 1998 ; j. Avril 1998 ; k. Déc. 1999 ; m. 1990.

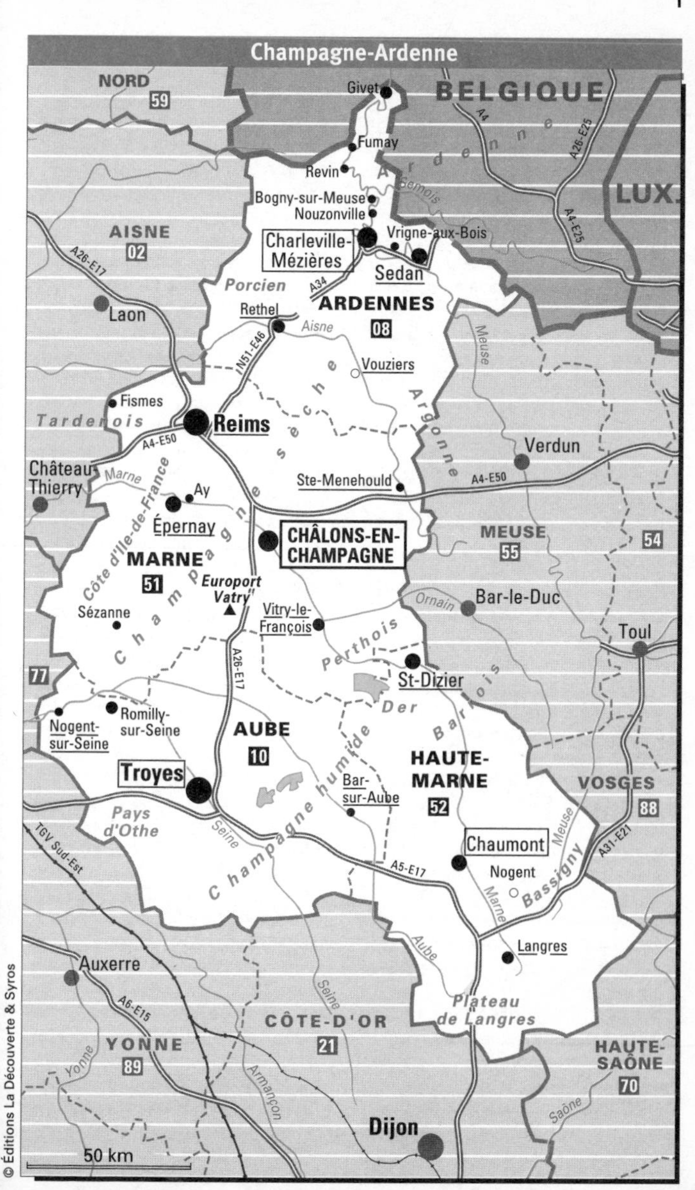
Champagne-Ardenne
NORD
59
BELGIQUE
LUX.
Givet
Fumay
Revin
Bogny-sur-Meuse
Nouzonville
Charleville-Mézières
Vrigne-aux-Bois
Sedan
Ardenne
Semois
AISNE
02
A26-E17
Laon
Porcien
A34
ARDENNES
08
Rethel
Aisne
N51-E46
Vouziers
Meuse
Argonne
Fismes
Tardenois
Reims
Champagne sèche
A4-E50
Verdun
Château-Thierry
Marne
Ay
Épernay
Côte d'Ile-de-France
Ste-Menehould
CHÂLONS-EN-CHAMPAGNE
MEUSE
55
54
MARNE
51
Europort Vatry
Sézanne
Vitry-le-François
Ornain
Bar-le-Duc
Perthois
Toul
St-Dizier
77
Der
Barrois
Nogent-sur-Seine
Romilly-sur-Seine
AUBE
10
Champagne humide
HAUTE-MARNE
52
Troyes
Bar-sur-Aube
VOSGES
88
Pays d'Othe
Seine
TGV Sud-Est
A5-E17
Chaumont
Nogent
Bassigny
A31-E21
Langres
Aube
Auxerre
A6-E15
Plateau de Langres
CÔTE-D'OR
21
YONNE
89
Yonne
Armançon
HAUTE-SAÔNE
70
Saône
Dijon
50 km

Champagne-Ardenne : une identité en mutation

Région de taille moyenne (1 342 300 habitants en 1999, soit 2,3 % de la population de la France métropolitaine sur 4,7 % de son territoire), la Champagne-Ardenne se classe souvent dans la moyenne par ses indicateurs socioéconomiques et ses résultats électoraux, mais cela cache de profondes disparités.

La Champagne historique s'est constituée autour de la plaine crayeuse, « champagne » céréalière devenue la Champagne par excellence, en y agrégeant une série de petits pays. L'ancienne province de 1789 était plus vaste que la région actuelle, englobant à l'ouest le Sénonais et une partie de la Brie, mais c'est à partir de la généralité de Châlons, complétée au nord par les principautés de Charleville, Sedan – longtemps place forte du protestantisme – et Carignan, que les députés de la Constituante ont découpé les départements actuels. À la rivalité multiséculaire entre Troyes, ville des comtes de Champagne, et Reims, ville des archevêques et des sacres royaux, confinée par la Révolution au rang de sous-préfecture, le XIXe siècle a ajouté l'émiettement entre plusieurs petits bassins industriels ayant chacun sa spécialité.

Si la Champagne-Ardenne fait figure de région « riche », avec un PIB par habitant (122 000 en 1996) qui la met au quatrième rang des régions de « province », elle le doit aux succès de son agriculture, résultat de trente années d'expansion (1950-1980) qui ont profondément transformé ses paysages ruraux.

La plaine crayeuse – la « Champagne pouilleuse » des XVIIIe et XIXe siècles – a paradoxalement profité de cent ans de dépopulation pour améliorer précocement ses structures agraires. De grandes exploitations ont ainsi pu défricher entre 1950 et 1970 quelque 135 000 hectares et développer la grande culture mécanisée des céréales, de la betterave à sucre et de la luzerne à déshydrater, à l'abri de l'efficace « parapluie communautaire ». La baisse de ces avantages depuis 1980 a conduit à diversifier les productions (colza, pois protéagineux, légumes de plein champ) et à mieux les valoriser par de puissantes agro-industries. Ce modèle de la « grande culture » s'est diffusé vers le Tardenois, le Perthois ou le Vallage tandis que les régions périphériques herbagères et forestières (Thiérache, Argonne, Ardenne, Bassigny) ont eu à pâtir des quotas laitiers.

Mais la Champagne doit avant tout sa célébrité à son vignoble, dont l'irrésistible expansion a porté en un demi-siècle la production de 30 millions à plus de 300 millions de bouteilles par an. Ce secteur est solidement organisé par le Comité interprofessionnel du vin de Champagne (CIVC) qui réunit, d'une part, les grandes maisons d'Épernay (dont le leader Moët & Chandon, intégré au groupe LVMH, assure 20 % des ventes) et de Reims et, d'autre part, les vignerons, petits viticulteurs vendant leur raisin au négoce ou aux coopératives et « manipulants » commercialisant leur propre champagne. Les vignes montent à l'assaut de la Montagne de Reims et de la Côte des Blancs et se multiplient dans le Sud-Est aubois.

Avec 34,1 % d'actifs dans le secteur secondaire contre 30,1 % pour la France en 1990, la Champagne-Ardenne a une coloration industrielle assez nette, mais la plupart de ses industries connaissent de sérieuses difficultés. La vieille métallurgie de la Marne moyenne et de la vallée de la Meuse dans les Ardennes est la plus atteinte. On cherche à réaménager les friches industrielles pour attirer de nouvelles activités comme la plasturgie. La coutellerie du Nogentais a mieux su intégrer les innovations techniques, de même que la bonneterie troyenne dominée par quelques grands groupes : Devanlay (marques Timwear, Lacoste, Jil), Valton (Petit Bateau) et Absorba. Les industries de seconde génération du « triangle marnais » Reims-Châlons-Épernay, édifiées après 1950 sur les ruines du textile lainier ou à la faveur de la décentralisation industrielle, souffrent de la domination des capitaux extérieurs et de la banalité de leurs fabrications.

Le tertiaire (66,3 % de la population active en 1998) reste insuffisamment développé, bien que la région ait joué un rôle pionnier dans la grande distribution avec les premières chaînes de magasins à succursales multiples à la fin du XIXe siècle. Aujourd'hui, commerces et services sont très inégalement distribués dans une armature urbaine imparfaitement hiérarchisée. La première cité champardennaise, Reims, qui reste une ville moyenne avec une population de 213 000 habitants seulement (1999), exerce son influence de pôle commercial, hospitalier et universitaire sur une aire fortement décentrée par rapport à la région, débordant sur la plus grande partie du département de l'Aisne (Picardie) mais s'arrêtant à Saint-Dizier et à l'entrée du département de l'Aube, solidement dominé par Troyes (125 000 habitants dans l'agglomération). Entre les deux, Châlons, redevenue « Châlons-en-Champagne », a renforcé son poids en tant que capitale administrative de la région (60 000 habitants). Charleville-Mézières (65 000 habitants) joue le rôle de relais de l'influence rémoise sur le département des Ardennes, tandis que le sud de la Haute-Marne, autour de Langres, est tourné vers Dijon.

Les institutions régionales ont eu quelque difficulté à transcender deux niveaux emboîtés de solidarités infrarégionales, ceux des départements et des « pays ». Les deux départements « périphériques » en perte de vitesse, les Ardennes et la Haute-Marne, s'opposent ainsi à l'Aube stabilisée et à la Marne qui poursuit son expansion, mais ces départements sont eux-mêmes fort hétérogènes. Ainsi, dans les Ardennes, la « vallée rouge » de la Meuse s'oppose vigoureusement au pôle conservateur rural du sud du département, mais leurs élus se retrouvent souvent pour affirmer la personnalité ardennaise vis-à-vis du centre marnais et aubois. L'orientation politique des microrégions peut d'ailleurs évoluer dans le temps : le vignoble, foyer révolutionnaire au début du siècle, a viré à droite avec sa prospérité nouvelle. Entre quelques villes ouvrières dont l'ancrage à gauche est remis en question (Saint-Dizier, Romilly-sur-Seine) et les campagnes les plus conservatrices (Nord-Est marnais), les villes principales présentent un équilibre politique fragile.

La Champagne-Ardenne est à la fois un élément de la « couronne » du Bassin parisien et une marge que l'on traverse – en allant de Paris vers un Grand Est dont la région est également partie prenante, mais aussi de la mer du Nord vers la Méditerranée, en empruntant des axes de communication de mieux en mieux aménagés ; le problème est de capter ces flux pour développer la fréquentation touristique. Cette région frontalière, jadis meurtrie par les invasions et les guerres, se retrouve aujourd'hui toute proche de Bruxelles et des débats communautaires et voisine d'une Wallonie qui connaît elle aussi bien des problèmes. Enfin, la Champagne-Ardenne, en tant qu'espace de faible densité (52,4 habitants au km^2 en 1999, soit la moitié de la moyenne nationale), peut offrir la qualité de vie de ses larges espaces ruraux ainsi que de ses villes moyennes au cœur de l'Europe industrielle et urbanisée. - **Marcel Bazin** ■

Références

Atlas de la région Champagne-Ardenne, INSEE-Champagne-Ardenne, Reims, 1998.

M. Bazin, « Champagne-Ardenne », *in* A. Gamblin (sous la dir. de), *La France dans ses régions*, tome I, SEDES, Paris, 1998 (2e éd.).

M. Bazin (sous la dir. de), « Géopolitique de la région Champagne-Ardenne », *Travaux de l'Institut de géographie de Reims*, n° 81-82, Reims, 1993.

E. Bonnet-Pineau, E. Grimbert, *L'Économie de la région Champagne-Ardenne*, Marketing/Ellipses, Paris, 1987.

R. Brunet, *Champagne-Ardenne, Pays de Meuse, Basse Bourgogne*, Flammarion, « Atlas et géographie de la France moderne », Paris, 1981.

« Champagne-Ardenne : identité, évolution », *Travaux de l'Institut de géographie de Reims*, n° 77-78, Reims, 1990.

J. Domingo, G. Dorel, A. Gauthier, *Champagne-Ardenne. Une région à la recherche de son identité*, Bréal, Rosny-sous-Bois, 1987.

J. Garnotel, *L'Ascension d'une grande agriculture, Champagne pouilleuse-Champagne crayeuse*, Économica, Paris, 1985.

Si la Champagne-Ardenne m'était comptée. Cinquante ans de vie économique et sociale en Champagne-Ardenne, 1945-1995, INSEE-Champagne-Ardenne, Reims/Châlons-en-Champagne, 1995.

l'ÉSIEC (École supérieure d'ingénieurs en emballage et conditionnement, créée à Reims au sein de l'université) et les centres de recherche, est en plein développement. Les 220 entreprises réunies dans l'association Packaging Valley assurent 10 % du chiffre d'affaires national.

Parmi les grands projets régionaux d'infrastructures, si la réalisation du TGV-Est demandera encore plusieurs années, la plate-forme multimodale de fret de l'Europort de Vatry est entrée en service le 21 janvier 2000.

Si la vie politique locale rémoise a été marquée par la démission au mois d'avril, pour raison de santé, de Jean Falala, maire (RPR) depuis 1983, remplacé à la mairie par son premier adjoint Jean-Louis Schneiter (UDF), la région a été moins bousculée que d'autres par les élections européennes du 13 juin. La droite a conservé son léger avantage sur la gauche (37,0 % contre 34,0 %), et en son sein la liste RPR sur la liste Pasqua-de Villiers, qui ne l'a devancée que dans l'Aube. Malgré un recul de 1,2 point, l'extrême droite divisée est restée 2,2 points au-dessus de sa moyenne nationale. La région a envoyé deux élues marmaises au Parlement européen, Adeline Hazan (PS) et Nicole Thomas-Mauro, villiériste.

Le contrat de plan État-Région, levier du développement

Dans ce contexte, les collectivités territoriales se sont préoccupées de mener avec l'État le jeu de la programmation. Malgré le décès, en décembre 1999, du préfet de Région Éric Degrémont, maître d'œuvre du processus du côté de l'État, les grandes lignes du contrat de plan État-Région 2000-2006 ont pu être présentées au début de février 2000. Sur un total de près de 7 milliards FF, le président du conseil régional Jean-Claude Étienne (RPR) a accepté d'apporter une participation régionale légèrement supérieure à celle de l'État (respectivement 2 479 millions FF et 2 409 millions FF, le reste étant réparti entre l'Union européenne, Voies navigables de France, les départements et les agglomérations). J.-C. Étienne a, de plus, proposé des contrats supplémentaires Région-départements et, le cas échéant, Région-agglomérations pour limiter les disparités du contrat de plan État-Région, ce qui serait une première en France. Les projets routiers se sont une nouvelle fois taillé la part du lion avec 2,4 milliards FF, comprenant entre autres la poursuite du « Y ardennais » ; les Aubois ont eu la satisfaction de voir enfin inscrite la modernisation de la voie ferrée Paris-Bâle avec son électrification jusqu'à Troyes. Un effort important a également été consenti en faveur de l'enseignement supérieur et de la recherche, avec l'extension de l'université de technologie de Troyes, la création de quatre départements d'IUT (instituts universitaires de technologie), la reconnaissance de la région comme tête de réseau nationale pour l'emballage-conditionnement et le soutien à cinq autres pôles de recherche.

Parallèlement, la dynamique de création de « pays » et « agglomérations », enclenchée par les lois Voynet et Chevènement, a suivi son cours à des rythmes très inégaux en fonction d'une pratique plus ou moins ancienne et plus ou moins cohérente de l'intercommunalité. L'organisation du développement touristique en « pôles », dont les contours coïncident souvent avec les « pays » en émergence, est un atout supplémentaire pour donner leur pleine efficacité à ces nouveaux périmètres de solidarité, nécessaires pour encadrer les efforts de réaction contre la stagnation démographique et économique. - **Marcel Bazin** ■

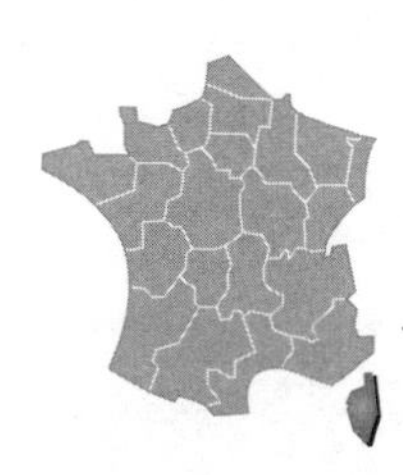

Corse

Donner du temps au temps... vers l'autonomie ?

Le 3 mai 1999, le préfet Bernard Bonnet était mis en examen pour l'incendie, le 20 avril 1999, d'un restaurant de plage construit illégalement au sud du golfe d'Ajaccio, « Chez Francis ». Ce sont les gendarmes, auteurs de cette mise à feu, qui l'ont accusé d'en être l'instigateur. Ainsi s'achevait la carrière insulaire du préfet chargé de la remise en ordre de la Corse par le gouvernement Jospin à la suite de l'assassinat de son prédécesseur Claude Érignac, le 6 février 1998. Cette affaire est apparue symptomatique de l'imbroglio insulaire : le préfet Bonnet, qui avait fait de la lutte contre les 200 « paillotes » et installations prohibées sur la côte l'une de ses priorités, avait vu se dresser contre lui une étonnante coalition menée par les dirigeants nationalistes de la Cuncolta indipendantista, Jean-Guy Talamoni et Paul Quastana, et par José Rossi (DL). Les enquêtes parlementaires diligentées à la suite de sa révocation allaient souligner non seulement des dérives déjà bien répertoriées de la société insulaire, mais aussi certaines pratiques des gouvernements successifs qui ont eu en charge le dossier corse depuis 1981 : négociations secrètes, achat de trêves pendant les périodes électorales, autorisation de « blanchiment » des bénéfices de l'« impôt révolutionnaire »... L'ar-

INDICATEUR*	UNITÉ	1982	1990	1999	France entière 1999
Démographie					
Population**	*milliers*	240	250	260	58 518
Densité	*hab./km²*	27,6	28,8	30,0	107,6
Taux de croissance	*% annuel*	0,90[b]	0,52[c]	0,43[e]	0,37[e]
Accroissement naturel	*% annuel*	– 0,01[b]	0,08[c]	0,04[e]	0,36[e]
Solde migratoire	*% annuel*	0,90[b]	0,44[c]	0,39[e]	0,01[e]
Population 0-19 ans	*% du total*	24,8	23,3	23,2[i]	25,8[i]
Population 60 ans et +	*% du total*	22,2	23,5	23,5[i]	20,4[i]
Population étrangère	*% du total*	10,8	9,9	••	6,4[m]
Population urbaine	*% du total*	58,4	58,6	••	74,0[m]
Fécondité***		1,81	1,66	1,43[h]	1,70[h]
Mortalité infantile	*‰ nais.*	7,3	7,7	3,8[h]	4,7[h]
Espérance de vie	*années*	75,1	76,6	78,4[h]	78,5[h]
Indicateurs socioculturels					
Nombre de médecins	*‰ hab.*	1,96	2,68	2,92	3,03
Diplômés (% des 25–54 ans)					
Bac ou brevet professionnel	%	••[a]	25,9	••	29,3[m]
Bac + 2 et diplômes supérieurs	%	••[a]	11,1	••	16,1[m]
dont femmes	%	••[a]	60,5	••	48,9[m]
Activité et chômage					
Population active	*milliers*	85	97	100[i]	25 567[i]
Agriculture	% } 100 %	13,4	8,3	6,1[h]	4,2
Industrie	% } 100 %	22,8	18,5	15,9[h]	24,9
Services	% } 100 %	63,8	73,2	78,0[h]	70,9
Taux de chômage global	%	9,3	9,7	11,9[k]	10,5[k]
Taux féminin	%	16,6	14,7	17,6[j]	13,5[j]
Taux des « moins de 25 ans »	%	22,5	19,1	24,9[j]	23,9[j]
Taux des « longue durée »	%	5,3	3,3	5,2[h]	5,0[h]
Administrations publiques locales					
Ressources totales/hab.	*milliers FF*	6,5	12,4	14,8[f]	11,4[f]
dont fiscalité locale/hab.	*milliers FF*	2,6	5,4	6,9[f]	5,5[f]
Contribution de la région au commerce extérieur					
Exportations	*milliards FF*	0,1	0,1	0,1	1822,1
Importations	*milliards FF*	0,2	0,4	0,9	1753,0
Produit intérieur brut					
PIB régional	*milliards FF*	12,9	22,3	27,8[g]	7 871,7[g]
Taux de croissance	*% annuel*	••[b]	2,2[c]	1,3[d]	1,2[d]
Par habitant	*milliers FF*	53,4	88,8	106,5[g]	134,8[g]
Structure du PIB					
Agriculture	% } 100 %	5,0	3,0	2,2[g]	2,4[g]
Industrie	% } 100 %	21,5	22,0	16,2[g]	27,4[g]
Services	% } 100 %	73,5	75,0	81,6[g]	70,1[g]

*Sources et définitions indicateurs utilisés : voir p. 175 et suiv. ; ** Lors des recensements de 1982, 1990, et 1999 ; ***Indicateur conjoncturel de fécondité (exprimé en nombre moyen d'enfants par femme).
a. 1975 ; b. 1975-1982 ; c. 1982-1990 ; d. 1990-1996 ; e. 1990-1999 ; f. 1993 ; g. 1996 ; h. 1997 ; i. 1998 ; j. Avril 1998 ; k. Déc. 1999 ; m. 1990.

restation, le 23 mai 1999, de l'équipe des assassins présumés du préfet Érignac aurait permis au gouvernement de dresser un efficace contre-feu au scandale si un nouveau cafouillage ne s'était produit : le tueur présumé, Yvan Colonna, fils d'un ancien député socialiste de Nice, a eu tout le temps d'échapper au dispositif policier.

L'échec du préfet Bonnet

L'action du préfet Bonnet avait pourtant débuté sous les meilleurs auspices. Les poursuites qu'il diligentait étaient, dans un premier temps, acceptées par la majorité des insulaires encore sous le choc de l'assassinat du préfet Érignac. En 1998, il avait contribué à freiner la spirale des passe-droits et des illégalités en tout genre dont la Corse est le théâtre : 800 marchés publics avaient été vérifiés (et 335 anomalies relevées), les déclarations d'impôt avaient été souscrites à 82 %, le retard des paiements de la TVA était tombé à 7 %, les amendes pénales acquittées à 57 % (contre respectivement 45 % et 7 % l'année précédente), le taux de refus des demandes d'allocation adulte handicapé (AAH) était passé de 10 % à 50 % (en proportion, l'île compte trois fois plus d'adultes reconnus handicapés, deux fois plus d'allocataires du RMI que la moyenne nationale). Surtout, le nombre d'attentats avait fortement chuté, passant en un an de 315 à 101. Le préfet a impulsé des enquêtes spectaculaires visant les pratiques de subventions et d'attribution de marchés à l'encontre de personnalités comme les sénateurs Paul Natali, Jean-Louis De Rocca Serra ou encore le député José Rossi. Mais dès la fin de l'année 1998, le climat s'était dégradé. La multiplication des procédures inquiétait l'appareil judiciaire : le procureur général auprès de la cour de Bastia, Bernard Legras, se déclarait incommodé par trop de précipitation et de rigorisme. La caisse de résonance de la presse nationale, en donnant une image à dominante mafieuse de l'île, avait resserré les liens des solidarités insulaires dans ce qui semblait, aux yeux d'un grand nombre, une agression injustifiée. Pourquoi, se demandait-on par exemple, mettre en examen les responsables de la filière agricole locale et leur financier, la caisse régionale du Crédit agricole (allouant 45 % des crédits en Corse et cumulant 2 milliards FF de créances douteuses), sans s'en prendre également aux responsables étatiques qui, de 1969 à 1996, ont organisé quatorze plans successifs d'allégement des dettes agricoles et accepté que l'on verse, de 1990 à 1998, 260 000 FF de subventions par exploitation, soit dix fois plus que sur le continent ?

Corse

Préfecture régionale : Ajaccio.
Départements [préfecture] : Corse-du-Sud [Ajaccio], Haute-Corse [Bastia].
Superficie : 8 680 km² (1,6 % de la France métropolitaine).
Population (recensement 1999) : 260 196 habitants (0,4 % de la pop. de la France métrop.).
Variation 1990-1999 : + 9 825 habitants.
Principales unités urbaines (1990) : Ajaccio (58 315), Bastia (52 446), Porto-Vecchio (9 307), Corte (5 693).
Composition de l'Assemblée territoriale (à l'issue des élections de mars 1999) : Total sièges : 51 dont 24 à la droite (liste Baggioni-Rossi [RPR-DL] : 17, liste Albertini [droite dissidente] : 3, liste Ceccaldi [divers droite] : 4), 19 à la gauche (liste Zuccarelli [« Gauche plurielle »] : 11, liste Renucci [socialiste dissident] : 5, liste Lucciani [divers gauche] : 3), 8 aux nationalistes (liste Talamoni [Corsica Nazione]). [Président : José Rossi (DL), qui a succédé à Jean-Paul de Rocca Serra (RPR)].
PIB régional (en 1996) : 27,8 milliards FF (0,4 % du PIB national).
Taux de chômage en sept. 1999 : 11,2 % (France : 11,1 %).
Spécialisations industrielles : néant.
Principales livraisons agricoles : vins.
Source : INSEE. Voir la signification des indicateurs p. 177.

Corse : une identité en mutation

La Corse est devenue française au XVIIIe siècle à la suite d'une guerre d'indépendance menée contre la république de Gênes. La France de l'Ancien Régime mit ces troubles à profit pour s'approprier militairement l'île en 1769. Une présence acceptée avec le temps, mais toujours contestée.

La Corse est défavorisée par son état insulaire et par ses sols diversifiés mais pauvrement dotés en facteurs productifs modernes. Le développement de l'île a connu des échecs successifs, imputables à des exodes répétés (260 196 habitants en 1999 pour 8 680 km^2), à des représentations qui valorisent peu le travail manuel, à un exode des capitaux et des compétences et à la survivance des jalousies (*invidia*).

La population comptait 101 457 actifs en septembre 1995 : 65 000 dans le tourisme, 23 000 dans le secteur public, 6 200 dans les collectivités locales. L'industrie, hors du secteur du bâtiment et des travaux publics (BTP), ne s'est jamais développée (6 % de l'emploi régional en 1995). L'agriculture traditionnelle et sa transformation extensive ont quasi périclité. Seul survit un étroit secteur compétitif autour des agrumes et de la vigne reconvertie dans les produits de qualité après les retraits forcés depuis 1975 (scandales et plasticages) des grandes exploitations qui étaient tenues par des rapatriés d'Algérie sur la côte orientale (surface occupée : 32 000 ha en 1970, 9 000 en 1990). L'activité essentielle est touristique ou paratouristique. Depuis les années soixante-dix, les activités touristiques reposent seulement sur deux mois de l'année (un million et demi de touristes en été). Le reste du temps, les dépenses des administrations prennent le relais. L'État dépense annuellement plus de 13 milliards FF en Corse et participe à la hauteur de 60 % aux ressources des ménages. Il investit deux fois plus par habitant que dans la mieux lotie des régions continentales. La dépendance à l'égard du continent ne cesse de croître (les exportations ne couvrent plus que 6 % des importations).

La Corse est une terre dominée par le clientélisme politique. Elle compte 360 maires entourés de leurs 4 200 conseillers municipaux pour 160 000 résidents français majeurs. La montagne est surreprésentée. Chaque fraction de la communauté de base a lié son sort à un « patron » dont elle contribue à grandir l'influence auprès des pouvoirs publics, ce dernier ayant la charge de protéger ses membres et de les aider à travers des pratiques d'assistanat et de placement généralisées. Ce patronage politique est héréditaire : le Parti radical de gauche (PRG) de Haute-Corse est dominé par deux dynasties républicaines (Giacobbi et Zuccarelli) qui bénéficient de mandats nationaux depuis 1880. Ces dernières années, la quatrième génération a accédé aux responsabilités. Émile Zuccarelli était député et maire de Bastia avant de devenir ministre de la Fonction publique dans le gouvernement Jospin, Paul Giacobbi est président du conseil général de son département. Camille de Rocca Serra, maire et conseiller général de Porto-Vecchio, fils, petit-fils, arrière-petit-fils de député, compte parmi ses ascendants, depuis le début du XVIIIe siècle, maréchaux, ministres, préfets. Ce « clanisme », assis sur des solidarités traditionnelles en recul, est aujourd'hui remplacé par un clientélisme de type individualiste tout aussi prébendier.

Ces « nouvelles » personnalités dominent les institutions régionales de la Corse : le président de l'Assemblée territoriale est le député de Corse-du-Sud José Rossi (DL) et son président de l'exécutif, Jean Baggioni, est l'un des principaux leaders RPR de Haute-Corse. En Haute-Corse, les « modernistes » Paul Patriarche, député, et Paul Natali, sénateur, combattent le clan Radical à droite.

Ce système clientélaire rencontre depuis les années soixante l'opposition d'une fraction grandissante de l'opinion publique locale. Les blocages rencontrés, les hésitations de l'État et les surenchères d'une aile clandestine l'ont radicalisé, provoquant la constitution de nouveaux partis et syndicats, autonomistes puis indépendantistes. Ils ont impulsé des luttes populaires avec succès. Ils se sont implantés aussi bien parmi les entrepreneurs que parmi les salariés (26 % des suffrages aux élections des prud'hommes en 1997). L'ampleur électorale de la percée nationaliste est indéniable (25 % des suffrages au second tour des régionales de mars 1992, 16,5 % et 22,75 % aux élections territoriales de 1998 et 1999.

Le Front de libération nationale de la Corse (FLNC) a multiplié les actions clandestines contre les « symboles » de l'« État français » (bâtiments, gendarmes, enseignants) et les « colonisateurs » (continentaux et pieds-noirs). Depuis 1976, date de sa fondation, il a mené plus de 10 000 actions armées. À partir de 1989, il a éclaté en trois tendances inégales : Resistenza (vitrine officielle : Accolta naziunalista Corsa), le FLNC-Canal habituel (vitrine officielle : Mouvement pour l'autodétermination – MPA) et le FLNC-Canal historique (vitrine officielle : Cuncolta indipendentista). L'« impôt révolutionnaire » et les destructions ont dégénéré dans et hors son propre mouvement, en devenant une activité lucrative de type prédateur. La violence a atteint des proportions que l'assassinat du préfet Claude Érignac, le 6 février 1998, a bien mieux révélées que toutes les statistiques. Depuis des années, une frange de clandestins ou d'activistes « socioprofessionnels » s'en prennent aux agents de l'État en toute impunité.

L'île est sortie à demi de l'État de droit (186 meurtres, dont un quart élucidés, de 1991 à 1995, soit le record français pour 100 habitants). L'État, quel qu'il soit, ne s'est jamais vraiment implanté. Au XIXe siècle, un accord tacite aboutit à un départ massif, et géré par les « clans » et l'administration, d'insulaires vers les colonies et le continent, à la préservation – jusqu'à la fossilisation – des communautés locales dans leurs traditions surtout politiques, au retour d'une fraction des émigrés comme retraités, dominant leurs communautés.

C'est cet accord qui, usé, a été remis en cause par le mouvement revendicatif. L'État a d'abord cherché par l'aide au développement à rapprocher la Corse du continent, en vain. Contesté de tous côtés, pour des motifs diamétralement opposés, il impulse désormais une solution institutionnelle, fondée sur un statut particulier (1982). Depuis, les gouvernements successifs en sont venus à négocier une présence étatique minimale à un prix toujours plus élevé.

La Corse est devenue une collectivité territoriale aux compétences particulières, gérée par une assemblée régionale épaulée par des assemblées consultatives et des offices spécialisés réunissant élus et professionnels. La région bénéficie d'une dotation globale et de la possibilité de saisir le Parlement national pour toute modification concernant ses propres institutions. - **Pierre Tafani** ■

Le zèle du préfet Bonnet en venait même à inquiéter certains de ses plus fermes soutiens, car il semblait paradoxalement qu'il renforçait ceux qu'il était censé affaiblir : profitant de l'annulation des élections à l'assemblée territoriale de 1998 pour fraudes électorales, les nationalistes ont réalisé lors du nouveau scrutin l'un de leurs meilleurs scores depuis 1981, avec 22,70 % des suffrages au premier tour. La Cuncolta indipendantista, désormais ouvertement indépendantiste (elle s'intitulait antérieurement naziunalista), obtenait 16,77 % des suffrages au second tour, le 14 mars 1999.

Amélioration de la situation économique

Après la période morose des années 1993-1996, la situation économique s'est améliorée. L'île a accueilli 5 050 000 passagers en 1998, soit 577 000 de mieux qu'en 1977 (précédent record : 4 700 000 en 1992). En 1998, en Corse-du-Sud, 1 648 emplois ont été créés, soit une augmentation record de 8,20 %, et 1 096 en Haute-Corse (5,33 % d'augmentation). L'île comptait désormais, en 1999, 20 000 entreprises selon l'INSEE (95 % ayant moins de 10 salariés). Des initiatives à vocation internationale se sont multipliées, comme le festival des voix à Calvi, celui du cinéma méditerranéen à Bastia ou encore la foire des produits du terroir à Bocognano.

L'été 1999 a été ponctué par plus de 600 incendies, sinistres correspondant au tiers des terres françaises brûlées dans l'année. L'accroissement de 10 000 résidents en dix ans (250 371 habitants en 1990, 260 164 habitants en 1999, + 3,9 %) n'a pas freiné la désertification intérieure (moins de 10 habitants au kilomètre carré dans les zones de montagne). Le recensement de 1999 a ravivé un souvenir fâcheux. Il a révélé que les chiffres ajacciens de 1991 avaient été surestimés de 6 000 personnes : Bastia 37 845 en 1991, 37 884 en 1999 ; Ajaccio 58 949 en 1991, 52 275 en 1999 puis 55 275 après une rectification ultime (?). L'art du dénombrement reste singulier en Corse, malgré l'important travail de mise à jour effectué par l'INSEE dans les années quatre-vingt.

Vers l'autonomie ou vers un nouveau marché de dupes ?

Le 25 novembre 1999, un attentat était commis en plein jour contre deux établissements publics, l'URSSAF (Sécurité sociale) et la DDE (direction départementale de l'agriculture). Il apparaîtra qu'ils ont été commis par des militants de Corsica Viva, sous le masque d'un nouveau groupe baptisé pour la circonstance « Clandestinu ». Le gouvernement Jospin recevait le 13 décembre 1999 tous les élus à Paris, y compris les nationalistes. Il proposait un processus à étapes, sans préalable, dont le contenu restait à déterminer lors de rencontres ultérieures. On comprend sa prudence : son changement de cap reprenait l'orientation de ses prédécesseurs socialistes en 1981 et 1989 ; dans les deux cas, espoirs, promesses, amnisties avaient sombré quelques mois plus tard avec reprise de violences sans précédent, assassinats à la clé. Cette nouvelle orientation a immédiatement relancé la polarisation du débat à l'assemblée territoriale entre, d'un côté, les « modernistes » favorables à l'*autonomie* de l'île, menés par le député DL José Rossi et son allié le nouveau chef de la Cuncolta, Jean-Guy Talamoni, soutenus par la majorité des socialistes, les amis de Charles Pasqua (ex-RPR), toutes les tendances nationalistes et ralliés par les sociaux-démocrates modernistes ajacciens partisans de Lionel Jospin et menés par le Dr Renucci, et, de l'autre côté, les conservateurs et les « prudents », regroupés en deux sous-ensembles, le premier autour du ministre de la Fonction publique, Émile Zucarelli (PRG), soutenu par les radicaux de gauche et les communistes, le second autour du président de l'Exécutif régional, Jean Baggioni, soutenu par le RPR et de nombreux maires.

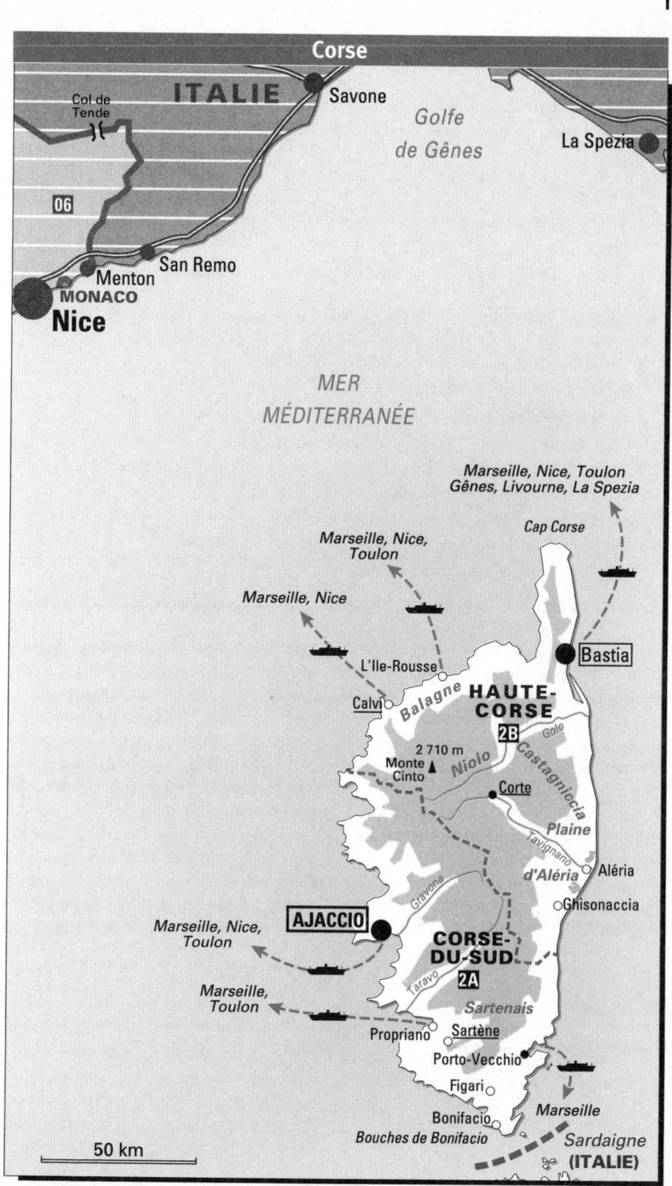
Corse
ITALIE
Savone
Col de Tende
Golfe de Gênes
La Spezia
06
San Remo
Menton
MONACO
Nice
MER MÉDITERRANÉE
Marseille, Nice, Toulon
Gênes, Livourne, La Spezia
Cap Corse
Marseille, Nice, Toulon
Marseille, Nice
L'Ile-Rousse
Bastia
Calvi
Balagne
HAUTE-CORSE
2B
Golo
2 710 m
Monte Cinto
Niolo
Castagniccia
Corte
Plaine
Tavignano
d'Aléria
Aléria
Ghisonaccia
Gravona
AJACCIO
Marseille, Nice, Toulon
CORSE-DU-SUD
2A
Taravo
Marseille, Toulon
Sartenais
Propriano
Sartène
Porto-Vecchio
Figari
Marseille
Bonifacio
Bouches de Bonifacio
Sardaigne (ITALIE)
50 km

Références

J.-L. **Andreani**, *Comprendre la Corse*, Gallimard/Le Monde, Paris, 1999.

J.-L. Briquet, *La Tradition en mouvement, clientélisme et politique en Crose*, Belin, Paris, 1997.

D. Bucchini, *De la Corse en général et de certaines vérités en particulier*, Plon, Paris, 1997.

R. Colonna d'Istria, *La Corse au XXe siècle*, France-Empire, Paris, 1997.

N. Giudici, *Le Crépuscule des Corses*, Grasset, Paris, 1997.

P. Poggioli, *Journal de bord d'un nationaliste corse*, Éd. de l'Aube, La Tour-d'Aigues, 1996.

F. Pomponi, *À la recherche d'un invariant historique : la structure claniste de la société corse*, collectif *Pieve a paesi*, Éditions du CNRS, Marseille, 1978.

G. Ravis Giordani, *Bergers corses*, Édisud, Aix-en-Provence, 1983.

J. Renucci, *La Corse*, PUF, « Que sais-je ? », Paris, 182.

P. Tafani, *Géopolitique de la Corse*, Fayard/La Marge, Paris/Ajaccio, 1986.

@ Sites Internet

Corsica on line : **http://www.corsica.cx**

Corsica Nazione : **http://www.corsica-nazione.com**

Préfecture : **http://www.corse.pref.gouv.fr**

Taravu : **http://www.sitec.fr/cybernet/taravu**

La motion des « conservateurs », qui propose surtout des moyens supplémentaires pour assurer le « décollage » économique de l'île, a obtenu la majorité absolue (27 voix) contre celle des modernistes (23 voix) qui prônent une disparition de quelques-unes des institutions prébendistes si caractéristiques de la Corse « clanique ». Elles ont été toutes deux présentées au chef du gouvernement qui se retrouve ainsi maître total du jeu, tout au moins en apparence. Car il est douteux que la modération des nationalistes dure longtemps, d'autant que leurs revendications d'abord centrales dans le débat ont été peu à peu marginalisées : une nouvelle amnistie, y compris pour les assassins du préfet Érignac, un regroupement des administrations et des institutions publiques insulaires, une nouvelle épuration des listes électorales, concernant cette fois-ci les continentaux de l'île, au moins dans les élections territoriales (le gouvernement Rocard avait évincé la plupart des Corses du continent des listes insulaires en 1991), et enfin une reconnaissance *de jure* du peuple corse. - **Pierre Tafani** ■

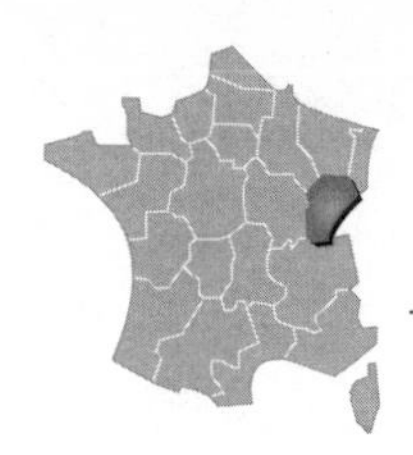

Franche-Comté

Intense activité avant les élections municipales

En Franche-Comté, le monde politique a connu, en 1999, quelques réajustements, résultats de problèmes ou de décisions personnelles, et un début de positionnement en vue des élections municipales de 2001, tant à droite qu'à gauche.

Les relations entre ses fonctions d'élu et de chef d'entreprise ayant été mises en cause à partir de 1995, André Cuynet (Démocratie libérale), conseiller général du Doubs et maire de Pontarlier, a été condamné le 27 octobre 1999 à cinq ans d'inéligibilité pour délit d'ingérence et prise illégale d'intérêt, trafic d'influence et faux dans des marchés publics. La mairie de Pontarlier est revenue à Patrick Genre (centre droit, non inscrit), ancien adjoint.

Désireux de prendre du recul, Georges Gruillot (RPR), sénateur et président du conseil général du Doubs, s'est effacé au profit de son dauphin Claude Girard (RPR), conservant cependant le poste de premier vice-président. Ancien député du Doubs, battu aux législatives de 1997 par Jean-Louis Fousseret (PS), Claude Girard était conseiller général depuis 1982, et vice-président rapporteur du budget depuis 1998 : une passation de pouvoir sereine.

La mairie de Besançon suscite la convoitise

Pour sa part, Robert Schwindt (démissionnaire du PS) a déclaré renoncer à un quatrième mandat à la mairie de Besançon. Serait-ce l'occasion pour la droite de gagner une place qui se refuse à elle depuis un demi-siècle ? Jean-Claude Duverget (RPR), leader de l'opposition municipale, a renoncé à

Franche-Comté

Préfecture régionale : Besançon.

Départements [préfecture] : Doubs [Besançon], Jura [Lons-le-Saunier], Haute-Saône [Vesoul], Territoire de Belfort [Belfort].

Superficie : 16 202 km² (3 % de la France métropolitaine).

Population (recensement 1999) : 1 117 059 habitants (1,9 % de la pop. de la France métrop.).

Variation 1990-1999 : + 19 783 habitants.

Principales unités urbaines (1999, dans les limites de 1990) : Besançon (127 452), Montbéliard (113 059), Belfort (79 369), Dole (30 363), Vesoul (28 810), Lons-le-Saunier (24 673), Pontarlier (20 626).

Composition du Conseil régional (à l'issue des élections de mars 1998). Total sièges : 43, dont 1 CAP, 1 PC, 3 MDC, 8 PS, 1 DVG, 3 Verts, 1 CPNT, 8 UDF, 8 RPR, 9 FN. [Président : Jean-François Humbert (PPDF-UDF), qui a succédé à Pierre Chantelat (PR-UDF)].

PIB régional (en 1996) : 134,2 milliards FF (1,7 % du PIB national).

Taux de chômage en sept. 1999 : 8,3 % (France : 11,1 %).

Spécialisations industrielles : automobile, construction mécanique, bois, ameublement, fonderie et travail des métaux, caoutchouc et matières plastiques.

Principales livraisons agricoles : lait, gros bovins.

Source : INSEE. Voir la signification des indicateurs p. 177.

INDICATEUR*	UNITÉ	1982	1990	1999	France entière 1999
Démographie					
Population**	*milliers*	1 084	1 097	1 117	58 518
Densité	*hab./km²*	66,9	67,7	68,9	107,6
Taux de croissance	*% annuel*	0,32[b]	0,15[c]	0,20[e]	0,37[e]
Accroissement naturel	*% annuel*	0,58[b]	0,49[c]	0,37[e]	0,36[e]
Solde migratoire	*% annuel*	–0,26[b]	–0,33[c]	–0,17[e]	0,01[e]
Population 0-19 ans	*% du total*	31,1	27,8	26,4[i]	25,8[i]
Population 60 ans et +	*% du total*	17,1	19,3	20,3[i]	20,4[i]
Population étrangère	*% du total*	7,4	6,2	••	6,4[m]
Population urbaine	*% du total*	59,9	58,1	••	74,0[m]
Fécondité***		2,10	1,79	1,76[h]	1,70[h]
Mortalité infantile	*‰ nais.*	9,3	7,1	5,3[h]	4,7[h]
Espérance de vie	*années*	75,0	77,1	78,8[h]	78,5[h]
Indicateurs socioculturels					
Nombre de médecins	*‰ hab.*	1,67	2,18	2,61	3,03
Diplômés (% des 25–54 ans)					
Bac ou brevet professionnel	%	13,9[a]	24,8	••	29,3[m]
Bac + 2 et diplômes supérieurs	%	6,1[a]	12,7	••	16,1[m]
dont femmes	%	46,7[a]	48,7	••	48,9[m]
Activité et chômage					
Population active	*milliers*	474	428	505[i]	25 567[i]
Agriculture	% } 100 %	10,2	5,7	4,7	4,2
Industrie	% } 100 %	49,4	42,8	35,8	24,9
Services	% } 100 %	40,4	51,5	59,5	70,9
Taux de chômage global	%	7,7	7,0	7,7[k]	10,5[k]
Taux féminin	%	11,7	10,9	11,1[j]	13,5[j]
Taux des « moins de 25 ans »	%	19,4	13,4	20,5[j]	23,9[j]
Taux des « longue durée »	%	4,4	2,8	3,4[h]	5,0[h]
Administrations publiques locales					
Ressources totales/hab.	*milliers FF*	4,6	8,4	10,2[f]	11,4[f]
dont fiscalité locale/hab.	*milliers FF*	1,9	3,8	4,7[f]	5,5[f]
Contribution de la région au commerce extérieur					
Exportations	*milliards FF*	17,8	34,9	44,1	1822,1
Importations	*milliards FF*	7,3	20,0	18,7	1753,0
Produit intérieur brut					
PIB régional	*milliards FF*	60,5	111,8	134,2[g]	7 871,7[g]
Taux de croissance	*% annuel*	1,5[b]	2,8[c]	1,3[d]	1,2[d]
Par habitant	*milliers FF*	55,7	101,8	120,2[g]	134,8[g]
Structure du PIB					
Agriculture	% } 100 %	4,7	4,0	3,1[g]	2,4[g]
Industrie	% } 100 %	41,3	41,9	38,6[g]	27,4[g]
Services	% } 100 %	54,0	54,1	58,3[g]	70,1[g]

*Sources et définitions indicateurs utilisés : voir p. 175 et suiv. ; ** Lors des recensements de 1982, 1990, et 1999 ; ***Indicateur conjoncturel de fécondité (exprimé en nombre moyen d'enfants par femme).
a. 1975 ; b. 1975-1982 ; c. 1982-1990 ; d. 1990-1996 ; e. 1990-1999 ; f. 1993 ; g. 1996 ; h. 1997 ; i. 1998 ; j. Avril 1998 ; k. Déc. 1999 ; m. 1990.

se présenter. Jean Rosselot (RPR), ancien député du Territoire de Belfort et vice-président du conseil régional, a avancé sa candidature. À gauche, quatre socialistes, dont les deux députés de Besançon, Paulette Guinchard-Kunstler et Jean-Louis Fousseret, semblaient sur les rangs. La présence d'un leader de notoriété nationale était souhaitée par un certain nombre de Bisontins. Manuel Vals (PS) a démenti avoir l'intention de se présenter, Pierre Moscovici (PS) s'est déclaré attaché à Montbéliard, tout en estimant impensable que la gauche perde Besançon... Avec des nuances liées à la présence locale de personnalités reconnues mais non éligibles, les résultats aux élections européennes ont reflété les grandes tendances observées au niveau national.

L'année 1999 a par ailleurs été marquée par une intense activité sur le plan social et en matière de programmation des actions de l'État et des collectivités territoriales.

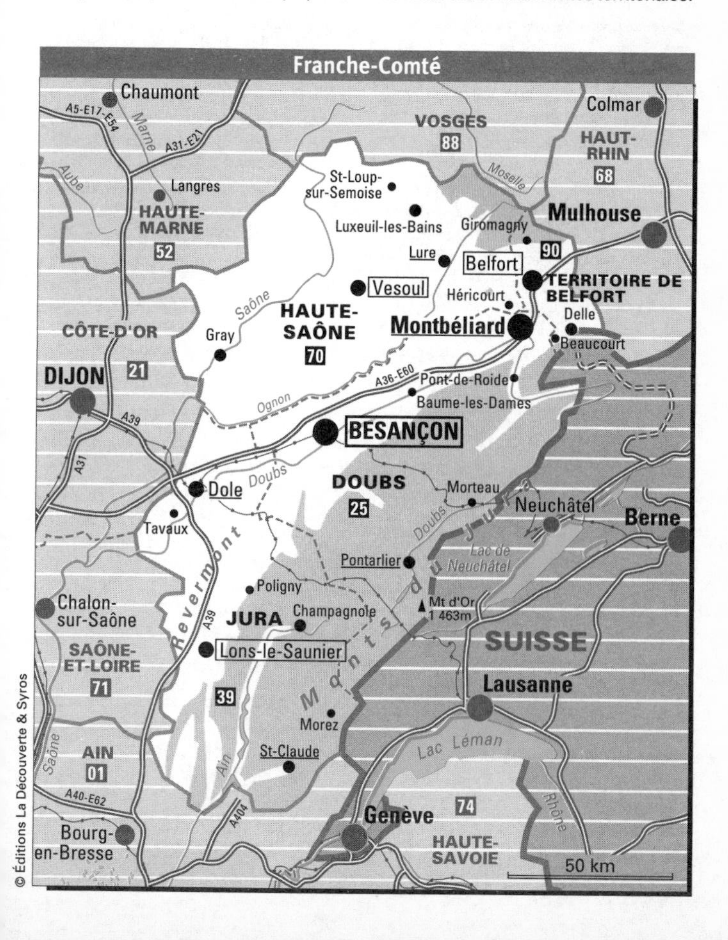

Franche-Comté : une identité en mutation

Sa taille, tout comme sa population font de la Franche-Comté l'une des plus petites régions françaises.

Entre les Vosges méridionales et les surfaces étagées du massif jurassien se développe un vaste éventail de plaines et de plateaux qui se resserre à l'est dans la Porte de Bourgogne et que structure un axe majeur, le long du Doubs, animé par les relations d'est en ouest vers la région parisienne, et du nord au sud, de l'Allemagne rhénane vers Lyon et les pays méditerranéens. Là passent les principales voies de communication (routes, autoroute, voie ferrée). Là devait être construit le canal Rhin-Rhône, projet abandonné en 1997. Là doit s'établir la future ligne TGV de l'Alsace vers Paris et vers le sillon rhodanien. C'est dans ce couloir étroit que se concentrent 60 % de la population, les principales villes et les entreprises industrielles les plus importantes (Peugeot, Alstom, Solvay). De part et d'autre se situent des pays surtout ruraux et agricoles, mais aux vocations diverses, qui tentent d'échapper à la marginalisation en se raccordant à l'axe central, ou en promouvant des liaisons alternatives (prolongement souhaité de l'A5 à travers la Haute-Saône) ou transfrontalières vers la Suisse. Le Jura bénéficie désormais de l'autoroute A39.

Sur les plateaux jurassiens s'est développé un élevage laitier à hauts rendements, avec troupeau sélectionné de race montbéliarde et forte valorisation du lait par la transformation fromagère en « comté », d'appellation contrôlée. De plus, les bois résineux donnent aux communes propriétaires une aisance certaine. Vignobles du Jura et charcuteries du haut Doubs ont acquis une renommée de qualité. D'où une volonté des « Montagnons » de préserver leur identité et leurs richesses, qui se conjugue avec le rôle majeur des organisations agricoles, coopératives et syndicats, l'empreinte du catholicisme et l'impact des partis conservateurs. Le bas pays, sans grande cohésion sociale et confronté à un exode rural important dans le nord de la Haute-Saône, reste plus diversifié et plus hésitant : il développe ici et là une céréaliculture, ou s'oriente vers l'ensilage de maïs et l'engraissement d'animaux à viande.

La Franche-Comté détient le record français pour le poids du secteur secondaire dans le PIB (35 % en 1998, contre 25 % en moyenne nationale). Elle abrite une industrie puissante, éclatée en bassins d'emploi fortement spécialisés, formant un réseau de mono-industries locales, de l'automobile aux jouets et aux meubles, de la montre aux pipes et aux lunettes. S'opposent ainsi une Franche-Comté d'urbanisme industriel dont le prototype est le pays de Montbéliard, fief de Peugeot, où quelques très grandes entreprises impriment fortement leur marque au paysage, à l'habitat et aux rythmes de vie, et une Franche-Comté de petites industries fondues dans un univers rural : horlogerie de Maîche et Morteau, meubles de Saint-Loup-sur-Semouse, productions localement diversifiées et performantes du Jura du Sud, lunettes, matières plastiques, jouets et travail fin du bois…

Conséquence de la spécialisation, les industries comtoises travaillent en grande partie pour l'exportation et sont, de ce fait, très sensibles à la conjoncture économique et à la concurrence étrangère. Elles ont traversé en quelques décennies des périodes difficiles : les restructurations drastiques ont sans doute fait de Peugeot à Sochaux une des usines robotisées les plus modernes d'Europe, mais au prix d'un délestage de près de 20 000 emplois. Aucune entreprise n'a échappé, à des degrés divers, depuis 1975, aux difficultés. La crise de l'industrie horlogère, qu'a illustrée au début des années soixante-dix l'affaire Lip à Besançon, a touché de plein fouet le haut Doubs et Besançon. Papeterie et textile ont rarement survécu. La mécanique et le travail des métaux ont dû opérer de fortes modernisations et reconversions, notamment vers les microtechniques.

Animée par un tissu dense de PME sous-traitantes, au marché très internationalisé, l'industrie microtechnique constitue une véritable vocation régionale aux yeux des pouvoirs publics et des collectivités territoriales. Ce domaine technologique s'est particulièrement développé autour de laboratoires de recherche de haut niveau sur lesquels la région compte pour assurer son avenir industriel. Cependant, la Franche-Comté apparaît d'autant plus tournée vers le secteur secondaire que le tertiaire est faible, dans des villes moyennes ou petites, même si la régionalisation, dans les années quatre-vingt, a sensiblement accru la part des services, notamment publics, dans la capitale régionale. L'université a été l'un des principaux moteurs de croissance de Besançon avec plus de 20 000 étudiants. C'est aussi sur elle que compte l'aire urbaine de Belfort-Montbéliard, notamment avec la création d'une université technologique.

Sur le plan politique, la Franche-Comté est globalement de tradition modérée, illustrée de longues années durant par le rôle consensuel d'Edgar Faure, qui présida aux destinées de la région presque sans interruption de 1972 à sa mort, en 1988. Aux scrutins nationaux, elle se situe légèrement plus à gauche que la moyenne française. Durant tout le début du siècle, la Franche-Comté a été radicale, hormis quelques secteurs des plateaux du Doubs. Mais, partagés entre deux luttes, contre le « péril clérical » et « la révolution sociale », les radicaux de l'avant-guerre se trouveront divisés. Dans le Doubs, beaucoup opteront pour une alliance à droite, alors que la tradition laïque voire anticléricale restera plus vive dans le Jura et surtout sur la bordure vosgienne de la Haute-Saône, où les radicaux de gauche ont mieux et plus longtemps résisté à la poussée socialiste, grâce à leurs réseaux de notables. Plus que Belfort tout en nuances et derrière Jean-Pierre Chevènement depuis 1973, le pays de Montbéliard, luthérien et anticlérical, est de tradition socialiste ; mais le poids patronal et les brassages de population consécutifs à l'essor industriel ont modulé les comportements. Le Parti communiste, qui y a longtemps trouvé une audience notable, s'est presque effacé depuis la fronde et l'exclusion de la fédération du Doubs en 1990. Dans le Jura, de tradition laïque, la gauche a souffert durant des décennies de dissensions entre socialistes et de l'absence de leader. Les écologistes y ont acquis un poids certain.

L'ouest de la Haute-Saône, et surtout le haut Doubs, imprégné de lointaine tradition catholique, sont des places fortes de la droite qui recueille volontiers 80 % des suffrages dans la « Petite Vendée » (cantons de Russey et de Pierrefontaine). Le vote à droite s'accompagne d'un lent affaiblissement des centristes et modérés de l'UDF au profit du RPR, qui détient désormais la plupart des pouvoirs acquis à la droite (conseils généraux, sénateurs, députés), hormis la présidence régionale, restée à l'UDF. Le Front national, qui avait beaucoup accru son audience dans le nord-est industriel et dans le sud du Jura autour de Saint-Claude et Moirans, a subi les effets de ses divisions nationales, en particulier par des dissensions entre ses représentants au sein de l'Assemblée régionale.

- André Larceneux, Jean Praicheux ■

Références

« Besançon : citadelle assiégée ou métropole en devenir ? », *Les Dossiers de l'IRADES*, Besançon, 1996.

J. Boichard, *Encyclopédie de la Franche-Comté*, La Manufacture, Lyon, 1991.

J. Boichard, *La Franche-Comté*, PUF, Paris, 1985.

O. Borraz, *Gouverner une ville : Besançon 1959-1989*, Presses universitaires de Rennes, 1998.

Les Élections municipales de 1995 en Franche-Comté, AIREL-Faculté de droit, Université de Franche-Comté, 1995.

Les Élections présidentielles de 1995 en Franche-Comté, AIREL-Faculté de droit, Université de Franche-Comté, 1995.

R. Fieter (sous la dir. de), *Histoire de la Franche-Comté*, Privat, Toulouse, 1977.

Images de Franche-Comté, Institut de géographie, Université de Franche-Comté (semestriel).

IRADES, *Dossier de référence Schéma 2005*, Région de Franche-Comté, 1991.

Y. Lequin, *Zoom, exploration méthodique, impertinente, exotique du devenir d'une région*, Cêtre, Besançon, 1990.

D. Mathieu, C. Mercier, A. Robert, « Franche-Comté », *in* Y. Lacoste (sous la dir. de), *Géopolitiques des régions françaises*, tome III, Fayard, Paris, 1986.

« Les métropoles régionales du Centre-Est », *Les Dossiers de l'INSEE Rhône-Alpes*, n° 118, INSEE, Lyon, juil. 1997.

@ Sites Internet

CIFP : **http://www.cifp-oref.org**

Conseil général, site du territoire de Belfort : **http://www.hrnet.fr/investinbelfort**

Université de Franche-Comté : **http://www.univ-fcomte.fr**

Ville de Besançon : **http://www.besancon.com**

L'Université du troisième millénaire (U3M) a particulièrement suscité les débats (programme national faisant suite à Université 2000).

L'ouverture à Belfort d'une Maison de l'information et de la formation (MIFE) a permis, en les regroupant dans un même lieu, d'améliorer la coordination entre différentes structures, dont la Mission locale pour l'emploi et l'Observatoire départemental de l'emploi et de la formation, et de construire un partenariat original en France avec la Cité des métiers. Le Territoire de Belfort s'est fortement mobilisé autour du programme « Nouveaux emplois/emplois-jeunes » avec un objectif quantitatif ambitieux (350 emplois-jeunes) et la volonté de participer au niveau national à l'évaluation du dispositif.

Un autre domaine a été ouvert avec la mission confiée par le Premier ministre Lionel Jospin à P. Guinchard-Kunstler sur la place des personnes âgées. Son rapport, intitulé *Vieillir en France*, a été remis en septembre 1999. Parallèlement, le Comité économique et social s'est aussi saisi de cette importante question. De son côté, en octobre 1999, le Coderpa (Commission départementale des retraités et des personnes âgées) du Doubs a organisé avec le CCAS (Centre communal d'action sociale) de Besançon un colloque sur ce thème. Une spécificité régionale s'affirme donc à travers un fort partenariat avec l'Université.

Priorité à la formation et à l'aménagement du territoire

Les résultats du recensement de mars 1999 ont fait apparaître une croissance assez limitée de la population fanc-comtoise (+ 0,18 % entre 1990 et 1999), et surtout une aggravation des disparités infrarégionales. La reprise économique a joué en 1999 moins fortement que dans le reste de la France (croissance de l'emploi de 2,6 % contre 3,3 % au niveau national, selon l'UNEDIC). Toutefois, des pénuries de main-d'œuvre ont commencé à se faire sentir, notamment dans l'industrie et le BTP (Bâtiment et Travaux publics). Au terme d'un intense débat public, le conseil régional a redéfini, en coordination avec le rectorat et les services de l'État, le Schéma prévisionnel des formations et le Plan régional de formation des jeunes (PRDF). Un colloque sur les jeunes en difficulté et des réunions organisées par aire de projet (découpage territorial que le conseil régional avait précédemment conçu) ont permis aux acteurs du système éducatif, des milieux professionnels et des collectivités territoriales de s'exprimer. Le contexte de baisse démographique, plus ou moins prononcée selon les aires de projets, a marqué des débats parfois vifs, en particulier dans le nord-est de la région. En tout état de cause, l'offre de formation restait à adapter, dans une région qui a toujours affirmé l'importance du lien entre formation et emploi.

En matière d'aménagement du territoire, l'État a poursuivi trois programmes en faveur de la vallée du Doubs, de l'aire urbaine de Belfort-Montbéliard et de l'agglomération de Besançon. Sur ces espaces, le préfet de Région, Claude Guéant, avait coordonné une concertation des acteurs locaux, ce qui avait permis au CIADT (Comité interministériel d'aménagement du territoire) de lancer, le 15 décembre 1998, en accord avec la DATAR (Délégation à l'aménagement du territoire et à l'action régionale) et les ministères concernés, un programme d'intervention important.

Le sujet le moins consensuel concernait les infrastructures de transport. De nombreuses divergences étaient apparues depuis longtemps sur les vocations de la liaison Rhin-Rhône.

Fin 1999, la branche est du TGV (Mulhouse-Petite Croix) en était au stade des études préalables à la déclaration d'utilité publique. Le débat public devait s'ouvrir en mars 2000 pour la branche sud. En désaccord avec les orientations régionales, François Jeannin, rapporteur du Schéma régional des transports, a démissionné du CESR (Conseil économique et social régional) le 6 juillet 1999. Un collectif « Pour un autre TGV » a été créé avec le soutien de Dominique Voynet, ministre de l'Aménagement du territoire et de l'Environnement. Les relations avec l'association « Trans Europ TGV », conduite par Jean-Pierre Chevènement, ministre de l'Intérieur, et Jean-Marie Bockel, maire de Mulhouse, ont parfois pris une tournure très polémique.

- **André Larceneux, Jean Praicheux** ■

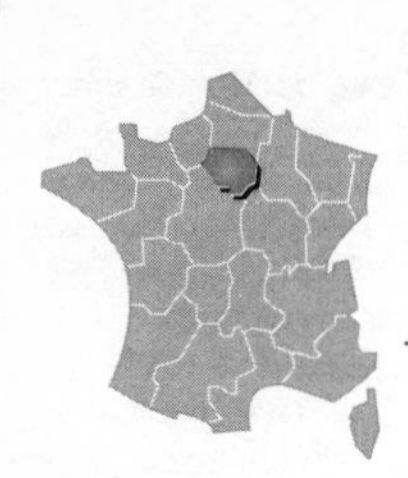

Île-de-France

Renouveau de la politique régionale

Malgré une majorité relative au sein du conseil régional d'Île-de-France, son président Jean-Paul Huchon (PS) a progressivement assis son pouvoir en impulsant une politique en nette rupture avec son prédécesseur de droite, Michel Giraud (RPR). Ainsi, le 24 février 1999, ont été lancés les « États généraux pour l'emploi », afin de préparer le budget 2000 et surtout la période 2000-2006 qui allait bénéficier d'une enveloppe de 96 milliards FF, dont 30 milliards FF au titre du contrat de plan État-Région. Trois priorités stratégiques ont été dégagées : l'éducation secondaire et universitaire (36 % des crédits), les transports (26 %) et l'emploi-développement économique (16 %). Afin de court-circuiter un éventuel blocage à l'assemblée régionale, J.-P.Huchon a directement négocié avec les présidents des conseils généraux, de gauche ou de droite.

De même, en septembre 1999, il a négocié une réforme du puissant Syndicat des transports parisiens (STP) qui coordonne les investissements et la politique tarifaire de la RATP, de la SNCF et des quatre-vingts transporteurs privés régionaux. Elle prévoit l'entrée du conseil régional au conseil d'administration afin qu'il prenne part aux décisions d'un organisme dont il finance 70 % des investissements.

L'État réinvestit dans la région

L'année 1999 a surtout vu se concrétiser le travail de réflexion engagé sur les rapports entre l'État et la Région-capitale. Ce processus a été facilité par la présence à la tête de la Région et à Matignon des mêmes partis. Il est aussi porté par la personnalité de Jean-Pierre Duport, longtemps préfet de la Seine-Saint-Denis, où il put prendre toute la mesure de la « crise des banlieues » avant de devenir préfet de Paris et de la Région après être passé au cabinet du ministre de l'Intérieur.

Le 4 janvier 1999, J.-P. Duport présentait un document intitulé « Stratégie de l'État en Île-de-France », qui définit deux axes fondamentaux. À l'échelle nationale, le vieux conflit Paris-Province est clairement tranché à travers l'affirmation que l'État doit aider la Région-capitale à « tenir son rang international » dans la compétition mondiale. À l'échelle régionale, il est affirmé que la puissance économique régionale ne doit pas masquer les clivages sociaux et territoriaux de plus en plus préoccupants. Cette démarche a été renforcée par la publication, par la DATAR (Délégation à l'aménagement du territoire et à l'action régionale) et la préfecture d'Île-de-France, d'un document s'intitulant *Pour une métropolisation raisonnée*.

L'évaluation, en mars 1999, du dispositif des Zones franches urbaines (ZFU), créé en 1996 par le gouvernement Juppé, a souligné le relatif échec de ce dispositif concernant 233 000 Franciliens pour neuf zones : faibles créations d'emplois (2 000 en 1997), beaucoup par simples transferts, et coût exorbitant (200 000 FF par emploi). Enfin, le 7 octobre 1999, la préfecture de Région a obtenu pour la première fois qu'une portion de l'espace francilien soit éligible aux

Fonds structurels européens au titre de l'objectif 2 pour la période 2000-2006. Le montant des aides communautaires prévu était de 1 milliard FF. Serait concerné un espace de 476 000 habitants à cheval sur la Seine-Saint-Denis (67 %), le nord des Hauts-de-Seine (13,5 %) et le sud du Val-d'Oise (19,5 %).

Stagnation démographique et perte d'attractivité

Avec 10,952 millions d'habitants en 1999, la région ne représentait plus que 18,7 % de la population nationale, bien loin des prévisions du Schéma d'aménagement régional qui tablait sur 11,34 millions en 2003. Le recensement de mars 1999 a fait apparaître une relative stagnation de l'essor démographique entre 1990 et 1999 avec un gain de 265 000 habitants (+ 2,5 %) contre + 3,6 % en France. Ce solde masque en fait un double mouvement. La région est restée jeune et féconde avec 783 000 naissances, soit 42 % de l'excédent naturel du pays, mais elle devient de plus en plus répulsive avec un solde migratoire négatif. 518 400 Franciliens sont partis, cinq fois plus qu'entre 1982 et 1990. Cela est dû aux évolutions de plus en plus sélectives du marché régional du travail et à d'importants dysfonctionnements internes qui dégradent le cadre de vie (prix du logement, transports, sécurité, scolarisation, pollution, bruit).

Paris (2,125 millions d'habitants) a officiellement perdu 27 000 habitants (– 1,7 %), au grand dam de Jean Tibéri et de certains élus d'arrondissements qui ont engagé une polémique publique avec l'INSEE (Institut national de la statistique et des études économiques) sur la qualité des opérations d'enquête. La première couronne a stagné à 4 millions d'habitants (+ 1,2 %) malgré la croissance des Hauts-de-Seine (+ 37 233 habitants, + 2,7 %), du fait des difficultés de la Seine-Saint-Denis (+ 0,1 %) et du Val-de-Marne (+ 0,6 %). En revanche, avec 86 % de la croissance régionale, la deuxième couronne a confirmé le proces-

Île-de-France

Préfecture régionale : Paris.

Départements [préfecture] : Paris [Paris], Seine-et-Marne [Melun], Yvelines [Versailles], Essonne [Évry], Hauts-de-Seine [Nanterre], Seine-Saint-Denis [Bobigny], Val-de-Marne [Créteil], Val-d'Oise [Pontoise].

Superficie : 12 012 km² (2,2 % de la France métropolitaine).

Population (recensement 1999) : 10 951 634 habitants (18,7 % de la pop. de la France métrop.).

Variation 1990-1999 : + 291 080 habitants.

Principales unités urbaines (1999, dans les limites de 1990) : Paris (9 480 707, dont ville de Paris [2 125 146], Boulogne-Billancourt [106 367], Argenteuil [93 961], Montreuil-sous-Bois [90 674], Saint-Denis [85 832], Versailles [85 726], Nanterre [84 281], Créteil [81 578], Aulnay-sous-Bois [80 021], Vitry-sur-Seine [78 613], Colombes [76 757], Asnières-sur-Seine [75 837], Champigny-sur-Marne [74 237], Rueil-Malmaison [73 469], Saint-Maur-des-Fossés [72 955], Courbevoie [69 694], Aubervilliers [63 136], Drancy [62 263], Neuilly-sur-Seine [59 848]), Melun (35 695), Meaux (49 421).

Composition du conseil régional (à l'issue des élections de mars 1998). Total sièges : 209, dont 3 LO, 86 « Gauche plurielle » (23 PC, 4 MDC, 43 PS, 2 PRG, 14 Verts), 1 DVE, 28 UDF, 43 RPR, 3 MPF, 9 DVD, 36 FN [avant la scission de 1999]. [Président : Jean-Paul Huchon (PS), qui a succédé à Michel Giraud (RPR)].

PIB régional (en 1996) : 2 289,2 milliards FF (29,1 % du PIB national).

Taux de chômage en sept. 1999 : 9,6 % (France : 11,1 %).

Spécialisations industrielles : parachimie et industrie pharmaceutique, matériels électriques et électroniques ménagers, imprimerie, presse, édition.

Principales livraisons agricoles : céréales.

Source : INSEE. *Voir la signification des indicateurs p. 177.*

INDICATEUR*	UNITÉ	1982	1990	1999	France entière 1999
Démographie					
Population**	*milliers*	10 073	10 661	10 952	58 518
Densité	*hab./km²*	838,6	887,5	911,7	107,6
Taux de croissance	*% annuel*	0,28[b]	0,71[c]	0,30[e]	0,37[e]
Accroissement naturel	*% annuel*	0,68[b]	0,77[c]	0,81[e]	0,36[e]
Solde migratoire	*% annuel*	−0,40[b]	−0,06[c]	−0,51[e]	0,01[e]
Population 0-19 ans	*% du total*	27,2	26,1	26,3[i]	25,8[i]
Population 60 ans et +	*% du total*	15,5	15,8	15,6[i]	20,4[i]
Population étrangère	*% du total*	13,3	12,9	••	6,4[m]
Population urbaine	*% du total*	96,7	96,2	••	74,0[m]
Fécondité***		1,84	1,82	1,74[h]	1,70[h]
Mortalité infantile	*‰ nais.*	8,6	7,3	5,2[h]	4,7[h]
Espérance de vie	*années*	75,6	77,5	79,3[h]	78,5[h]
Indicateurs socioculturels					
Nombre de médecins	*‰ hab.*	2,79	3,36	3,84	3,03
Diplômés (% des 25–54 ans)					
Bac ou brevet professionnel	%	24,3[a]	39,1	••	29,3[m]
Bac + 2 et diplômes supérieurs	%	12,8[a]	24,3	••	16,1[m]
dont femmes	%	46,2[a]	48,3	••	48,9[m]
Activité et chômage					
Population active	*milliers*	5 014	5 124	5 343[i]	25 567[i]
Agriculture	% } 100 %	0,5	0,3	0,5	4,2
Industrie	% } 100 %	29,0	25,4	19,1	24,9
Services	% } 100 %	70,5	74,3	80,4	70,9
Taux de chômage global	%	6,6	7,2	9,3[k]	10,5[k]
Taux féminin	%	7,7	7,8	11,0[j]	13,5[j]
Taux des « moins de 25 ans »	%	14,3	12,3	16,8[j]	23,9[j]
Taux des « longue durée »	%	3,6	3,0	4,4[h]	5,0[h]
Administrations publiques locales					
Ressources totales/hab.	*milliers FF*	7,0	11,4	13,3[f]	11,4[f]
dont fiscalité locale/hab.	*milliers FF*	3,4	6,2	6,9[f]	5,5[f]
Contribution de la région au commerce extérieur					
Exportations	*milliards FF*	137,6	232,0	353,0	1822,1
Importations	*milliards FF*	203,1	397,9	526,5	1753,0
Produit intérieur brut					
PIB régional	*milliards FF*	983,1	1 867,4	2 289,2[g]	7 871,7[g]
Taux de croissance	*% annuel*	2,3[b]	2,9[c]	1,1[d]	1,2[d]
Par habitant	*milliers FF*	97,3	174,8	207,3[g]	134,8[g]
Structure du PIB					
Agriculture	% } 100 %	0,5	0,3	0,2[g]	2,4[g]
Industrie	% } 100 %	30,7	27,7	23,0[g]	27,4[g]
Services	% } 100 %	68,8	72,0	76,8[g]	70,1[g]

*Sources et définitions indicateurs utilisés : voir p. 175 et suiv. ; ** Lors des recensements de 1982, 1990, et 1999 ; ***Indicateur conjoncturel de fécondité (exprimé en nombre moyen d'enfants par femme).
a. 1975 ; b. 1975-1982 ; c. 1982-1990 ; d. 1990-1996 ; e. 1990-1999 ; f. 1993 ; g. 1996 ; h. 1997 ; i. 1998 ; j. Avril 1998 ; k. Déc. 1999 ; m. 1990.

sus de desserrement. Les villes nouvelles sont restées particulièrement dynamiques.

La reprise économique amorcée en 1998 s'est traduite en 1999 par 6 milliards d'euros d'investissements (+ 31 %) dans l'immobilier. 2,3 millions de m² de bureaux, dont les trois quarts par rénovation, ont été commercialisés malgré une hausse de 12 % des prix, et 1,1 million de m² de locaux industriels (+ 41 %), dont 600 000 m² de locaux d'activités.

Dans Paris, alors que la restructuration des immeubles haut de gamme du Triangle d'Or dans les 8e, 9e et 17e arrondissements s'est accélérée, dans la ZAC Paris-Rive gauche, dont le démarrage fut particulièrement difficile, tous les droits à construire ont été vendus ou placés sous option (900 000 m²). Le 9 novembre 1999, Élisabeth Guigou, garde des Sceaux, a annoncé la possible création sur celle-ci d'une nouvelle cité judiciaire de 100 000 m² pour 2 milliards FF afin de répondre à la saturation du palais de justice de la Cité.

L'Île-de-France a été gravement touchée par la tempête exceptionnellement violente de la fin décembre 1999 avec plusieurs centaines de millions de francs de dégâts. Son patrimoine public et privé, en particulier certains grands monuments (Notre-Dame de Paris), ont été particulièrement atteints. les parcs, jardins et forêts (bois de Boulogne et de Vincennes, parc de Saint-Cloud, parc du château de Versailles...) voient de très nombreux arbres abattus. Ainsi, pour les seuls parcs et jardins de Paris, les destructions ont été évaluées à plus de 450 millions FF.

Grandes opérations immobilières en proche banlieue

Les principales opérations se sont donc reportées sur la proche banlieue. Alors que le pôle de La Défense restructurait ses tours et réclamait son prolongement à Nanterre, malgré les réticences de la municipalité communiste qui souhaitait garder l'initiative sur son territoire communal, deux nouveaux pôles se sont affirmés. Au sud, l'aménagement des anciens terrains de Renault-Billancourt (70 hectares) est resté en suspens, alors qu'une intense polémique publique entre élus, architectes et urbanistes s'est développée sur le devenir de l'île Seguin : opération spéculative résidentielle ou sauvegarde d'un patrimoine industriel exceptionnel ? Au nord, La Plaine-Saint-Denis a émergé comme une nouvelle opportunité à travers la création d'un grand pôle tertiaire. L'intervention massive de l'État (Stade de France, Musée national du sport, siège de l'Afnor – Agence française de normalisation) qui envisage d'y créer un Établissement public d'aménagement, la stratégie offensive des municipalités de Saint-Denis et Aubervilliers, dirigées par des maires communistes rénovateurs, et la création d'une vaste structure intercommunale, encore assez rare dans la région, ont permis de débloquer la situation.

En périphérie, la demande d'entrepôts pour la logistique a explosé au profit des villes nouvelles (Évry, Cergy, Marne-la-Vallée, Melun-Sénart) et des communes proches des axes autoroutiers, en particulier la Francilienne. Enfin, à Marne-la-Vallée, Euro Disney a lancé en avril 1999 son second parc de loisirs thématique, axé sur le cinéma.

Au-delà d'une forte abstention, les élections européennes du 13 juin 1999 se sont traduites, à gauche, par la bonne tenue du PS (21,9 %) et des Verts (9,7 %), alors que la liste LO-LCR a obtenu 5,1 % des voix au détriment du PC, tombé à seulement 6,7 %. À droite, la liste du RPF de Charles Pasqua a fait une percée remarquée à 13 %, devant le RPR (12,8 %) et l'UDF (9,2 %). Si l'extrême droite a obtenu 9 % des voix, elle s'est dispersée sur les listes du Front national de Jean-Marie Le Pen (5,6 %) et du Mouvement national de Bruno Mégret (3,2 %). Enfin, dans cette région très urbanisée, la liste du CPNT a paradoxalement obtenu 6,7 % des voix.

La vie politique régionale a été marquée par la préparation des élections municipales

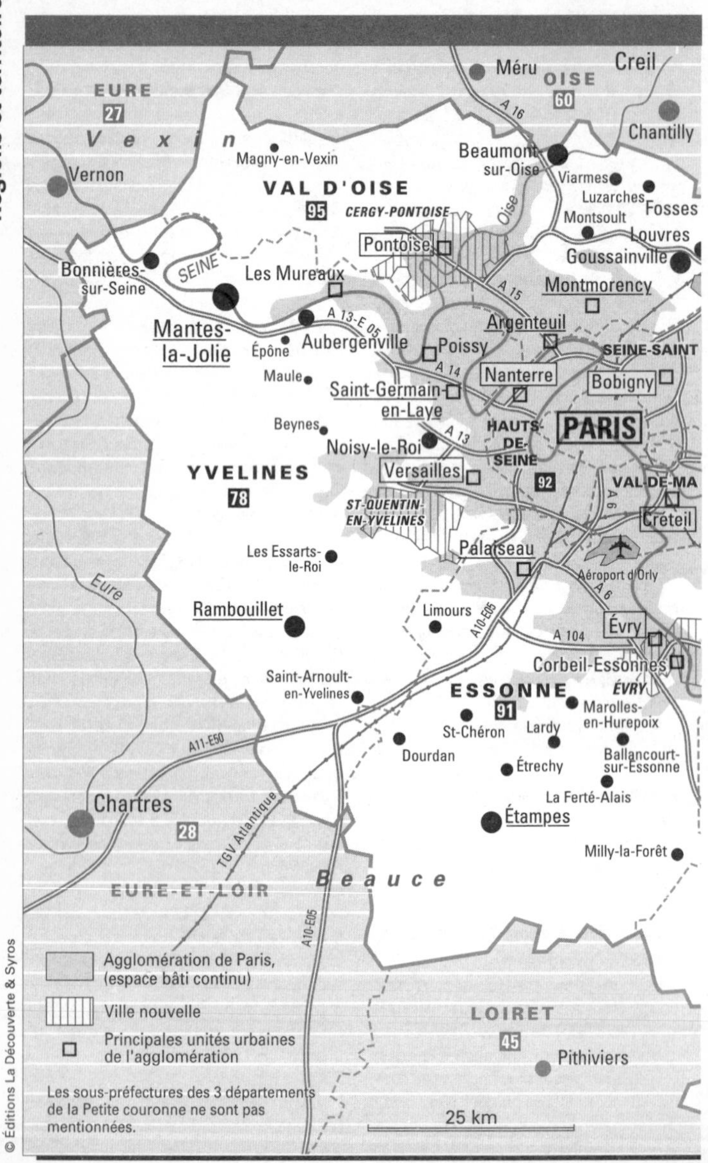
EURE
27
Vexin
Vernon
Magny-en-Vexin
VAL D'OISE
95
CERGY-PONTOISE
Méru
OISE
60
Creil
Chantilly
A 16
Beaumont-sur-Oise
Viarmes
Luzarches
Fosses
Montsoult
Louvres
Goussainville
Oise
Pontoise
Bonnières-sur-Seine
SEINE
Les Mureaux
A 15
Montmorency
Mantes-la-Jolie
A 13-E 05
Épône
Aubergenville
Poissy
Argenteuil
SEINE-SAINT
Maule
A 14
Nanterre
Bobigny
Saint-Germain-en-Laye
Beynes
HAUTS-DE-SEINE
PARIS
Noisy-le-Roi
A 13
YVELINES
78
Versailles
92
VAL-DE-MA
A 6
ST-QUENTIN-EN-YVELINES
Créteil
Palaiseau
Les Essarts-le-Roi
Aéroport d'Orly
A 6
Eure
Rambouillet
Limours
A10-E05
Évry
A 104
Corbeil-Essonnes
Saint-Arnoult-en-Yvelines
ESSONNE
91
ÉVRY
Marolles-en-Hurepoix
St-Chéron
Lardy
Dourdan
Ballancourt-sur-Essonne
A11-E50
Étrechy
La Ferté-Alais
Chartres
28
TGV Atlantique
Étampes
Milly-la-Forêt
Beauce
EURE-ET-LOIR
A10-E05
Agglomération de Paris, (espace bâti continu)
Ville nouvelle
Principales unités urbaines de l'agglomération
LOIRET
45
Pithiviers
Les sous-préfectures des 3 départements de la Petite couronne ne sont pas mentionnées.
25 km

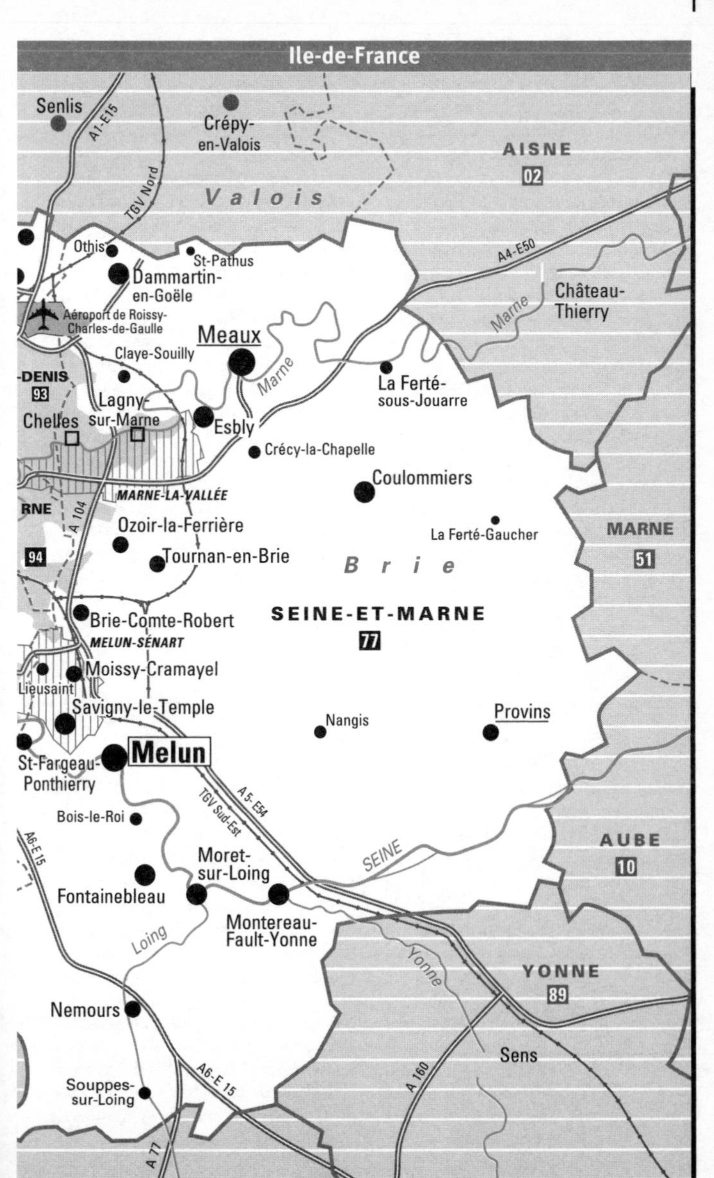
Ile-de-France
Senlis
A1-E15
Crépy-
en-Valois
AISNE
02
TGV Nord
Valois
Othis
St-Pathus
Dammartin-
en-Goële
A4-E50
Château-
Thierry
Aéroport de Roissy-
Charles-de-Gaulle
Meaux
Marne
Claye-Souilly
-DENIS
93
Marne
La Ferté-
sous-Jouarre
Lagny-
sur-Marne
Chelles
Esbly
Crécy-la-Chapelle
Coulommiers
MARNE-LA-VALLÉE
RNE
A 104
Ozoir-la-Ferrière
La Ferté-Gaucher
MARNE
94
Tournan-en-Brie
Brie
51
Brie-Comte-Robert
SEINE-ET-MARNE
77
MELUN-SÉNART
Moissy-Cramayel
Lieusaint
Savigny-le-Temple
Nangis
Provins
St-Fargeau-
Ponthierry
Melun
TGV Sud-Est
A5-E54
Bois-le-Roi
A6-E15
AUBE
10
SEINE
Moret-
sur-Loing
Fontainebleau
Montereau-
Fault-Yonne
Loing
Yonne
YONNE
89
Nemours
Sens
A 160
Souppes-
sur-Loing
A6-E 15
A 77

Ile-de-France : une identité en mutation

Entre la puissance parisienne et le pouvoir d'État, l'Île-de-France a eu toutes les peines du monde à affirmer son existence. Elle a longtemps connu un statut particulier : ainsi, le « district de la région parisienne » (créé en 1961) a eu à sa tête un « délégué général du gouvernement », auquel a succédé en 1966 un préfet de Région ; la réforme de 1972 n'a pas concerné la région parisienne, objet d'une loi spécifique en 1976, date à laquelle elle a pris le nom d'« Ile-de-France ».

Cette région regroupe 18 % de la population française sur 2,2 % du territoire : le découpage régional a isolé ici une grande agglomération urbaine et ses marges rurales les plus proches. S'il avait fallu tenir compte de l'influence effective de Paris, c'est tout le Bassin parisien qui aurait fait partie de la région-capitale, hypothèse rejetée pour des raisons d'équilibre démographique. Les régions contiguës vivent cependant largement dans l'orbite de l'Île-de-France, qui y a desserré des activités et y recrute une part croissante de sa main-d'œuvre.

La région actuelle est plus petite que l'Île-de-France historique, qui comprenait le sud des départements de l'Oise et de l'Aisne. Elle en résume les paysages caractéristiques : plateaux de faible altitude, buttes, relief en creux des vallées, s'élargissant parfois le long de la Seine en vastes plaines alluviales. Sa situation de confluence est de première importance, avec notamment les deux axes majeurs que sont la basse Seine et la vallée de l'Oise.

Dès le Moyen Âge, la localisation du pouvoir politique a amorcé un processus cumulatif qui a abouti au gigantisme actuel ; certes, l'espace agricole couvre encore la moitié de la superficie de la région (près de 7 000 exploitations, dont 60 % dépassent 50 ha) et les bois plus de 20 %, mais l'urbanisation a presque partout imposé ses rythmes et ses contraintes. Un flux quasi continu d'immigration explique la croissance de l'agglomération parisienne. Paris comptait près de 2 millions d'habitants en 1876 ; dans les limites actuelles, l'Ile-de-France représentait alors 3,3 millions d'habitants : ils étaient près de 11 millions en 1999, malgré un ralentissement de la croissance dans les années soixante-dix. L'augmentation de la population régionale résulte désormais d'un croît naturel toujours élevé dû notamment au poids des jeunes adultes et à la forte fécondité des familles étrangères, nombreuses dans la région.

Après une tendance au dépeuplement, la partie centrale de la région connaît maintenant une stabilisation de sa population (Paris : un peu plus de 2 millions d'habitants ; la « petite couronne », c'est-à-dire les Hauts-de-Seine, la Seine-Saint-Denis et le Val-de-Marne : 4 millions) ; la croissance porte donc uniquement sur la « grande couronne », qui comprend le Val-d'Oise, la Seine-et-Marne, l'Essonne et les Yvelines (près de 5 millions d'habitants).

L'attraction de l'Île-de-France sur les jeunes adultes résulte essentiellement de la qualité du marché de l'emploi. La fonction de capitale a donné un poids considérable au secteur public et parapublic, toujours très réticent à se décentraliser. Mais l'essentiel de l'emploi est dans le tertiaire marchand, appuyé sur la fonction financière et les services aux entreprises ; la Bourse, les sièges des grandes banques et des compagnies d'assurances, les médias nationaux, les sociétés de publicité, les bureaux d'ingénierie constituent des exemples parmi d'autres de la concentration des fonctions de décision et de conception dans la région-capitale. L'industrie elle-même comprend de moins en moins d'emplois manufacturiers : beaucoup d'usines ont disparu depuis les années soixante, notamment dans les départements actuels de la Seine-Saint-Denis et du Val-de-Marne. Il n'est donc pas étonnant que l'Ile-de-France regroupe à elle seule près de 40 % des cadres supérieurs français.

Le taux de chômage est plus faible, la durée du chômage sensiblement moins longue, le PIB par habitant supérieur à celui de la province. Pourtant, la concentration et le gigantisme ont leurs inconvénients, en particulier l'engorgement du système de transport et la spéculation foncière et immobilière, qui fait du logement un bien très coûteux. Or l'Île-de-France a ses pauvres, logeant dans des immeubles vétustes ou des grands ensembles mal desservis et mal équipés où les tensions socio-ethniques s'exacerbent. Le débat s'est polarisé sur les « immigrés » (plus du quart des chômeurs franciliens sont des étrangers), mais une frange de la population autochtone ne vit pas mieux, sans bénéficier des mêmes réseaux de solidarité.

La ségrégation spatiale atteint des proportions considérables, avec une double opposition : Nord-Est « prolétarien »/Sud-Ouest « bourgeois » et centre/périphérie ; les ménages des classes populaires sont rejetés hors de Paris, la proche banlieue reste marquée par l'opposition socio-politique entre les municipalités communistes, souvent de tradition industrielle, et les communes de résidence aisée où la construction de bureaux bat son plein ; la grande banlieue apparaît plus diversifiée, avec cependant un desserrement marqué des classes populaires, soit dans des HLM, soit dans des pavillons en accession à la propriété.

Globalement, l'élévation des qualifications et des revenus entraîne un glissement vers la droite de l'électorat francilien. Cependant, le poids du Front national et des écologistes a rendu difficile la constitution d'une majorité au conseil régional. Avant 1998, l'Île-de-France avait un président RPR, soutenu (avec de plus en plus de réticences) par une partie des écologistes. Cet appui ayant disparu après les élections de 1998, la gauche, associée aux Verts, a disposé d'une majorité relative. Non sans débats, le RPR et l'UDF ont donc laissé se constituer un exécutif minoritaire sous la présidence de Jean-Paul Huchon (PS). Il a toutefois beaucoup de difficultés à gérer la région. Il peut du moins s'appuyer sur le gouvernement central.

La région doit également composer avec les départements, ses partenaires quasi obligés dans de nombreux domaines d'intervention, des transports à l'action économique et à la protection de l'environnement. Seuls la Seine-Saint-Denis et le Val-de-Marne sont dirigés par la gauche (PC). Parmi les autres, la personnalité la plus affirmée revient aux Hauts-de-Seine, riche département présidé par Charles Pasqua (RPR), et à Paris. La capitale constitue toujours à l'intérieur de la région une sorte d'enclave qui, le plus souvent, négocie directement avec le gouvernement central. Tremplin pour la présidence de la République à l'époque de Jacques Chirac (RPR), la mairie de Paris a été, après son départ, secouée par les « affaires » et les dissensions à l'intérieur de la droite. Bien que Jean Tibéri (RPR) ait réussi à en conserver le contrôle, les élections municipales de 2001 s'annonçaient plus ouvertes qu'on ne l'aurait imaginé, avec une gauche revigorée par sa remontée aux élections municipales de 1995 et aux législatives de 1997. - **Jean-Claude Boyer** ■

Références

Atlas des Franciliens, I. *Population et logements*, II. *Âge, emploi, modes de vie, ...*, INSEE/IAURIF, Paris, 1991, 1992.

P. Beckouche (sous la dir. de), *Pour une métropolisation raisonnée. Diagnostic socioéconomique de l'Île-de-France et du Bassin parisien*, La Documentation française, Paris, 1999.

J.-C. Boyer, « L'Île-de-France », *in* M. Baleste *et alii*, *La France : 22 régions de programme*, Masson/Armand Colin, Paris, 1997 (3e éd.).

L. Carroué, « Banlieues, une ségrégation insupportable », *Alternatives économiques*, n° 169, Paris, mars 1999.

INSEE, *Île-de-France, tableaux de l'économie régionale, 1997-1998*, Montigny-le-Bretonneux, 1997.

C. Vallat et *alii*, *L'Île-de-France, lumière des terroirs, des savoirs, des pouvoirs*, Autrement, coll. « France », Paris, 2000.

@ **Site Internet**

Conseil régional : **http://www.cr.ile-de-france.fr/index.htm**

de 2001, avec pour principal enjeu la possible conquête de Paris par la « gauche plurielle ». En effet, la droite est restée déchirée par des luttes de clans alors que J. Tibéri, maire RPR de Paris, a officialisé sa candidature le 18 juin, malgré son total discrédit avec 8 % d'avis favorables selon un sondage du 10 mars. Handicapé par le retrait de Dominique Strauss-Kahn, ministre des Finances, touché par le scandale de la MNEF (Mutuelle nationale des étudiants de France), le Parti socialiste était cependant à la recherche d'une nouvelle tête de liste, alors que Daniel Cohn-Bendit, chez les Verts, a abandonné toute prétention locale.

Enfin, dans les Hauts-de-Seine, C. Pasqua, président du conseil général et cofondateur du Rassemblement pour la France (RPF) en novembre 1999, était de plus en plus en difficulté : alors que la justice enquêtait sur nombre de ses proches animant ses réseaux, la chambre régionale des comptes s'est montrée très critique, en mars 1999, sur sa gestion de la société d'économie mixte d'aménagement (Sem 92). - **Laurent Carroué** ■

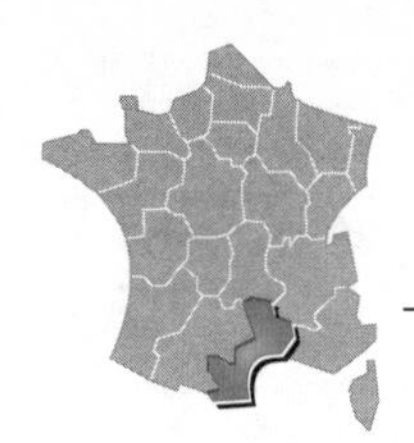

Languedoc-Roussillon

Catastrophes naturelles et embellie économique

Les élections européennes du 13 juin 1999 se sont déroulées dans une indifférence quasi générale en Languedoc-Roussillon. Plus agitées ont été les réunions du conseil régional. L'année 1999 s'était ouverte sur un débat peu amène à propos de l'attribution des subventions aux associations culturelles, notamment montpelliéraines. Censées devoir respecter « les principes de laïcité, de neutralité républicaine et l'institution régionale », les institutions culturelles étaient invitées à signer une convention jugée « inacceptable ». Faute de majorité, le président Jacques Blanc (DL) sut négocier un recul stratégique lui assurant le retour dans la majorité régionale des élus du Front national. Ce qui lui permit, quelques mois plus tard, de faire voter son budget sans difficulté.

Les débats relatifs à l'élaboration du schéma régional d'aménagement du territoire ne furent guère plus sereins. Adopté par 36 voix contre 31, ce schéma a souligné le besoin de « conforter les vocations majeures de la région pour satisfaire l'objectif de l'équilibre et de la qualité de vie ». Il dresse un catalogue d'actions visant à « réduire les écarts intrarégionaux » par une politique de développement de l'agriculture de qualité, des services, de la formation professionnelle, des nouvelles technologies, des PME-PMI, des transports ferroviaires (TGV et ligne Béziers-Neussargues). Les pactes territoriaux de croissance doivent apporter des réponses concrètes sur la base des « pays », fer de lance de l'aménagement régional. L'in-

Languedoc-Roussillon

Préfecture régionale : Montpellier.
Départements [préfecture] : Aude [Carcassonne], Gard [Nîmes], Hérault [Montpellier], Lozère [Mende], Pyrénées-Orientales [Perpignan].
Superficie : 27 376 km² (5 % de la France métropolitaine).
Population (recensement 1999) : 2 295 648 habitants (3,9 % de la pop. de la France métrop.).
Variation 1990-1999 : + 180 663 habitants.
Principales unités urbaines (1999, dans les limites de1990) : Montpellier (274 487), Perpignan (162 455), Nîmes (144 239), Alès (76 157), Béziers (75 466), Sète (65 908), Narbonne (46 509), Carcassonne (43 950).
Composition du conseil régional (à l'issue des élections de mars 1998). Total sièges : 67, dont 31 « Gauche plurielle » (20 PS, 8 PC, 1 MDC, 1 PRG), 10 UDF, 11 RPR, 1 DVD, 1 « Chasse, nature, ruralité », 13 FN (par la suite éclatés en deux groupes) [avant la scission de 1999]. [Président : Jacques Blanc réélu avec l'appui des élus FN le 20.3.98].
PIB régional (en 1996) : 228,95 milliards FF (2,9 % du PIB national).
Taux de chômage en sept. 1999 : 15,6 % (France : 11,1 %).
Spécialisations industrielles : métallurgie, électronique.
Principales livraisons agricoles : vins, fruits, légumes.

Source : INSEE. Voir la signification des indicateurs p. 177.

dustrie et la politique de la Ville n'occupent qu'une place réduite dans ce schéma refusé par tous les départements sauf la Lozère. En décembre 1999, J. Blanc dressait un bilan négatif de l'action de l'État, accusé de n'avoir ni tenu ses engagements antérieurs, ni répondu aux attentes suscitées par le contrat futur. De 2000 à 2006, alors que la Région n'a pas encore situé sa part d'engagement, l'État devrait dépenser un peu plus de 5 milliards FF, dont 2 milliards FF pour l'agriculture et les transports, 1,5 milliard FF pour l'enseignement et la formation, 350 millions FF pour l'aménagement du territoire, 300 millions FF pour l'environnement et 250 millions FF pour la politique de la Ville. En réalité, le développement économique et l'aménagement régional devraient nécessiter plus de 10 milliards FF de transferts d'ici 2006.

Les arbitrages de l'État devraient être importants concernant l'application de la loi du 12 juillet 1999 relative à la coopération intercommunale (dite « loi Chevènement »). Les futures communautés d'agglomération relèveront davantage des arbitrages des préfets que des volontés communales, tant les arrangements locaux font la part belle aux projets de communautés de communes face aux velléités jugées « expansionnistes » des villes-centres (Montpellier, Nîmes, Béziers, Perpignan, Sète ou Alès). Communautés de communes que la politique régionale des « pays », peu tournée vers la dynamique urbaine, ne peut que conforter.

Vie économique et sociale : un bon millésime

Malgré un léger ralentissement, le recensement de mars 1999 a montré que le Languedoc-Roussillon a enregistré la plus forte croissance démographique des régions françaises entre 1990 et 1999. Comptant 2,3 millions d'habitants, la région a gagné 1 million de personnes en quarante ans. La croissance démographique, 2,5 fois plus rapide que la moyenne française, est le résultat d'un solde migratoire très positif, quasi généralisé. Le Languedoc oriental, centré sur l'aire urbaine de Montpellier, profite le plus de ces apports. La région reste peu dense (85 hab./km^2), la moitié des communes comptant moins de 25 hab./km^2. Cependant, 50 % de la population se regroupe sur quelque 6 % de la superficie. Les aires urbaines progressent sur leurs marges : les communes périurbaines (+ 2,1 % par an) représentent quelque 800 000 habitants, les communes-centres (+ 0,5 % par an) environ 1,2 million.

Les indicateurs économiques positifs traduisent un retournement de la tendance. La consommation a stimulé la croissance. Bâtiment et travaux publics, commerce de gros et de détail ont maintenu leurs activités à la hausse. Les logements mis en chantier ont augmenté de 12 % en un an et la reprise a même été sensible dans l'industrie. La saison touristique a été classée « la

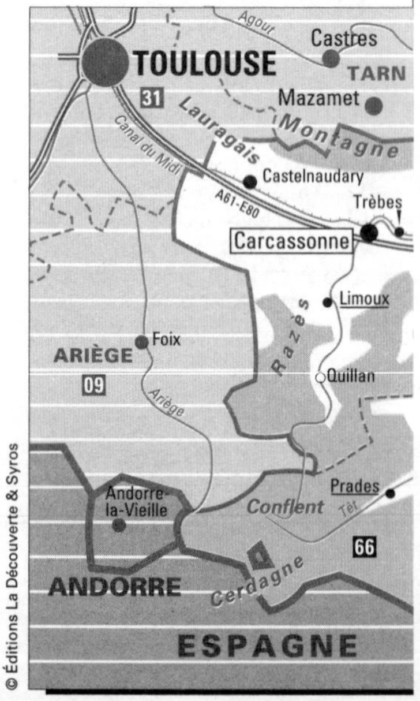

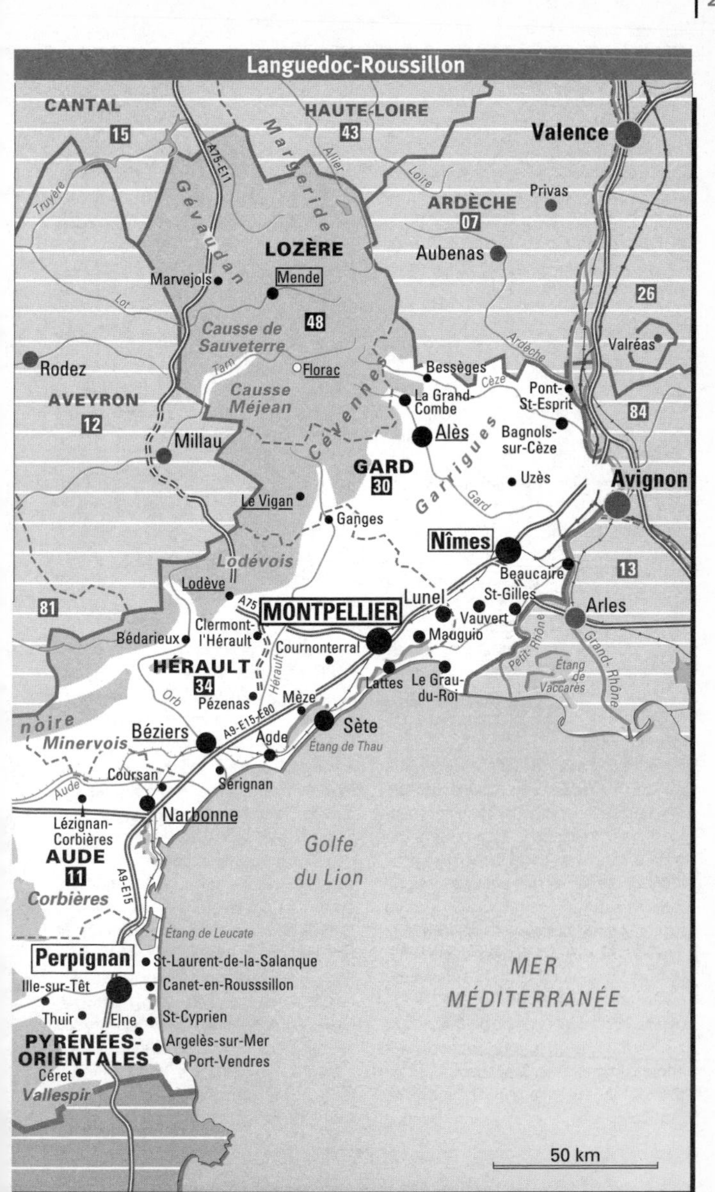
Languedoc-Roussillon
CANTAL
15
HAUTE-LOIRE
43
Valence
Margeride
Allier
Loire
Privas
ARDÈCHE
07
Truyère
Gévaudan
A75-E11
LOZÈRE
Aubenas
Marvejols
Mende
26
Lot
Causse de Sauveterre
48
Valréas
Rodez
Tarn
Florac
Ardèche
Bessèges
AVEYRON
12
Causse Méjean
Cévennes
Cèze
La Grand-Combe
Pont-St-Esprit
84
Millau
Alès
Garrigues
Bagnols-sur-Cèze
GARD
30
Uzès
Avignon
Gard
Le Vigan
Ganges
Nîmes
Lodévois
Beaucaire
13
Lodève
A75
Lunel
St-Gilles
81
MONTPELLIER
Vauvert
Arles
Clermont-l'Hérault
Mauguio
Bédarieux
Cournonterral
Petit-Rhône
Grand-Rhône
Étang de Vaccarès
HÉRAULT
34
Hérault
Lattes
Le Grau-du-Roi
Orb
Pézenas
Mèze
A9-E15-E80
noire
Sète
Minervois
Béziers
Agde
Étang de Thau
Coursan
Sérignan
Aude
Narbonne
Lézignan-Corbières
Golfe du Lion
AUDE
11
A9-E15
Corbières
Étang de Leucate
Perpignan
St-Laurent-de-la-Salanque
MER MÉDITERRANÉE
Ille-sur-Têt
Canet-en-Rousssillon
Thuir
Elne
St-Cyprien
PYRÉNÉES-ORIENTALES
Argelès-sur-Mer
Port-Vendres
Céret
Vallespir
50 km

Languedoc-Roussillon : une identité en mutation

« Languedoc » et « Roussillon » : la dualité témoigne d'au moins deux rattachements historiques, caractérisant une région de passage entre montagne et littoral, entre la vallée du Rhône et les terres d'un Haut-Languedoc centré sur Toulouse . Au sud, franchies les Pyrénées, Barcelone n'est qu'à 330 km de Montpellier.

L'espace languedocien est le résultat de permanences et d'inerties liées au système traditionnel de la rente foncière unissant la ville et la campagne. Il est surtout issu des mécanismes nouveaux, davantage fondés sur des logiques de consommation et de gestion que de production, qui structurent les rapports entre des villes concentrant l'essentiel des forces économiques. Le Languedoc-Roussillon affirme ainsi une nouvelle dualité, dépassant celle des villes et des campagnes, transgressant celle que le tourisme avait valorisée entre un avant- et un arrière-pays. Le temps est à la concentration des hommes au sein des aires urbaines. Celle qui court de Sète à la vallée du Rhône regroupe près de la moitié des Languedociens et attire les trois quarts des immigrants en région.

Terre de passage et d'accueil, le Languedoc-Roussillon a multiplié dans l'histoire refuges et bastions. Quatre décennies de croissance démographique reposant sur un solde migratoire très positif ont fait oublier qu'il fut, presque un siècle durant, secoué par de forts courants migratoires vers les villes et régions industrielles du Nord. Au recensement de 1999, la région comptait 2 300 000 habitants. Elle a gagné plus de 500 000 individus depuis 1975, dont plus de 180 000 depuis 1990, malgré un ralentissement des apports migratoires. Ceux-ci en font malgré tout la région la plus attractive de France. Plus de la moitié de la croissance démographique s'est reportée sur les agglomérations de Montpellier, Nîmes et Perpignan. Seulement 650 000 habitants vivent dans quelque 1 300 communes, le reste de la population se reportant sur environ 200 communes regroupées au sein d'une douzaine d'espaces urbains. Les concurrences entre villes voisines ont longtemps constitué des freins à un aménagement raisonné du territoire régional. Face aux exigences de l'économie moderne, elles s'atténuent et des coopérations sur des programmes d'action pourraient voir le jour entre Montpellier, Nîmes et Sète, Béziers et Narbonne.

L'agriculture, qui représente environ 45 000 emplois (6,3 % de la population active en 1999), a été modernisée. Ayant concentré en dix ans trois quarts des primes d'arrachage et 50 % des primes de restructuration, le vignoble de masse a laissé place à un vignoble de qualité grâce à une amélioration de l'encépagement et des techniques de vinification. En 1999, on comptait environ 300 000 hectares de vigne en production. Les vins de pays, les vins doux naturels et les AOC (appellations d'origine contrôlées) représentent 85 % des récoltes. Les fruits et légumes font l'objet de spécialisations dans le Gard et les Pyrénées-Orientales. En Lozère, les conditions climatiques favorisent les herbages et permettent un élevage bovin – lait et viande – largement déterminé par les accords européens. Dans le couloir audois, élevage porcin et grande culture du maïs, du sorgho, du tournesol et du blé dur sont souvent associés. La pêche, en mer et en étang, l'ostréiculture (étang de Thau), l'exploitation du sel, surtout à Aigues-Mortes, le thermalisme à Balaruc-les-Bains, les ports de Sète et de Port-La-Nouvelle sont les activités essentielles du littoral, hors tourisme.

Au 1er janvier 1999, le secteur secondaire, toujours faiblement représenté malgré une stabilisation de ses effectifs, ne comptait que 17,8 % de la population active (25 % des actifs au plan national). La reconversion des emplois liés aux industries extractives est achevée. Face à la crise, les industries du textile, de l'habillement et de la chaussure multiplient, sans grand succès, les plans de sauvegarde et de restructuration. Les industries agroalimentaires représentent une spécialisation régionale (18 % de l'emploi industriel en 1999), tandis que les industries des biens d'équipement sont sous-représentées (20 % des actifs industriels en 1999). IBM reste, malgré la forte réduction de ses effectifs, le symbole de l'électronique, de l'informatique et des industries modernes en Languedoc. Fortement liées à la recherche scientifique, ces industries, souvent de petite taille, se développent surtout autour de Montpellier et dans l'est de la région. Elles contribuent à la dynamique de création d'entreprises dont plus de la moitié se localisent dans les bassins d'emploi de Montpellier et de Nîmes. L'est, plus urbanisé, conserve son profil industriel, mais a changé de visage. Le bâtiment et les travaux publics emploient une cinquantaine de milliers de travailleurs, les restructurations, absorptions, liquidations ayant fortement pesé sur l'emploi depuis le début des années quatre-vingt.

Le secteur tertiaire, dont la croissance a été ininterrompue au cours des trente dernières années, occupe plus de trois emplois sur quatre, soit 580 000 actifs. Sa vitalité s'est traduite par une forte croissance des services marchands du secteur privé, alors que les services publics de l'administration, de l'éducation, de la santé et de l'action sociale représentent 40 % de l'emploi salarié régional. Le littoral, aménagé à la fin des années soixante, capte l'essentiel des flux touristiques, mais les villes du couloir représentent la moitié des nuitées de l'hôtellerie. Par ailleurs, un tourisme d'arrière-pays, lié à la découverte, à la gastronomie et aux activités culturelles, se développe peu à peu, soutenu par les collectivités régionales. La croissance démographique est le facteur essentiel de dynamisation de l'économie et notamment des activités tertiaires.

L'évolution du PIB place la région à la quatrième place nationale sur la période 1982-1994. Cependant, sa croissance par emploi et par habitant reste faible. En terme de création de richesse vive, le Languedoc-Roussillon occupe la dernière place nationale et la 145e sur les 196 régions européennes. La région manque d'emplois. Le chômage y est trop élevé et les activités qui s'y développent sont peu productives. La part de l'industrie continue à baisser et le tertiaire (qui représente les trois quarts de la création de la richesse) est trop dépendant de l'évolution de la population pour susciter un réel dynamisme régional.

Excepté en Lozère, traditionnellement à droite, le Languedoc-Roussillon s'est longtemps donné des majorités de gauche, radicale, socialiste ou communiste. L'image du Midi rouge, républicain et protestataire, même colorée de mitterrandisme, s'est toutefois transformée au cours des années quatre-vingt. L'épisode du basculement à droite aux élections législatives de 1993 a vite été oublié. Dès 1995, aux présidentielles, les partis socialiste et communiste ont réalisé de bons scores, mais le Front national aussi. La gauche a été rétablie aux législatives de 1997, ainsi qu'aux cantonales et aux régionales de 1998. Même si la gauche est majoritaire en voix et en sièges, la Région est restée à droite à la suite des accords sur un « programme de gestion » passés entre Jacques Blanc et le FN.
- **Jean-Paul Volle** ■

INDICATEUR*	UNITÉ	1982	1990	1999	France entière 1999
Démographie					
Population**	milliers	1 926	2 115	2 296	58 518
Densité	hab./km²	70,4	77,3	83,9	107,6
Taux de croissance	% annuel	1,05[b]	1,17[c]	0,91[e]	0,37[e]
Accroissement naturel	% annuel	−0,02[b]	0,07[c]	0,09[e]	0,36[e]
Solde migratoire	% annuel	1,07[b]	1,10[c]	0,82[e]	0,01[e]
Population 0-19 ans	% du total	25,9	23,9	23,8[i]	25,8[i]
Population 60 ans et +	% du total	23,3	24,6	24,6[i]	20,4[i]
Population étrangère	% du total	7,0	6,3	••	6,4[m]
Population urbaine	% du total	73,6	73,1	••	74,0[m]
Fécondité***		1,74	1,68	1,63[h]	1,70[h]
Mortalité infantile	‰ nais.	10,8	8,4	4,9[h]	4,7[h]
Espérance de vie	années	75,7	77,4	78,8[h]	78,5[h]
Indicateurs socioculturels					
Nombre de médecins	‰ hab.	2,47	2,90	3,27	3,03
Diplômés (% des 25–54 ans)					
Bac ou brevet professionnel	%	15,9[a]	30,1	••	29,3[m]
Bac + 2 et diplômes supérieurs	%	7,8[a]	15,7	••	16,1[m]
dont femmes	%	49,7[a]	51,2	••	48,9[m]
Activité et chômage					
Population active	milliers	732	811	896[i]	25 567[i]
Agriculture	% } 100 %	12,1	11,2	6,8	4,2
Industrie	% } 100 %	27,9	19,5	18,0	24,9
Services	% } 100 %	60,0	69,3	75,2	70,9
Taux de chômage global	%	10,3	12,4	15,2[k]	10,5[k]
Taux féminin	%	14,7	15,9	20,1[j]	13,5[j]
Taux des « moins de 25 ans »	%	27,0	26,9	28,6[j]	23,9[j]
Taux des « longue durée »	%	6,3	5,1	7,9[h]	5,0[h]
Administrations publiques locales					
Ressources totales/hab.	milliers FF	5,2	9,9	12,0[f]	11,4[f]
dont fiscalité locale/hab.	milliers FF	2,1	4,8	5,9[f]	5,5[f]
Contribution de la région au commerce extérieur					
Exportations	milliards FF	12,1	19,4	18,8	1822,1
Importations	milliards FF	21,9	30,5	30,6	1753,0
Produit intérieur brut					
PIB régional	milliards FF	102,6	186,8	228,9[g]	7 871,7[g]
Taux de croissance	% annuel	3,4[b]	3,0[c]	1,3[d]	1,2[d]
Par habitant	milliers FF	53,0	87,9	101,6[g]	134,8[g]
Structure du PIB					
Agriculture	% } 100 %	9,4	6,7	4,5[g]	2,4[g]
Industrie	% } 100 %	25,2	22,0	18,2[g]	27,4[g]
Services	% } 100 %	65,4	71,3	77,3[g]	70,1[g]

*Sources et définitions indicateurs utilisés : voir p. 175 et suiv. ; ** Lors des recensements de 1982, 1990, et 1999 ; ***Indicateur conjoncturel de fécondité (exprimé en nombre moyen d'enfants par femme).
a. 1975 ; b. 1975-1982 ; c. 1982-1990 ; d. 1990-1996 ; e. 1990-1999 ; f. 1993 ; g. 1996 ; h. 1997 ; i. 1998 ; j. Avril 1998 ; k. Déc. 1999 ; m. 1990.

Références

Atlas de l'eurorégion Catalogne, Midi-Pyrénées, Languedoc-Roussillon, RECLUS/INSEE, Montpellier, 1995.

Atlas permanent du Languedoc-Roussillon, RECLUS, Montpellier, 1990.

A. Berger, J. Catanzano, J.-D. Fornairon, J. Rouzier, *La Revanche du Sud*, L'Harmattan, Paris, 1988.

R. Brunet (sous la dir. de), *Montpellier Europole*, RECLUS, Montpellier, 1988.

« Le grand Sud-Est », *Repères synthèse*, n° 1, INSEE, Montpellier, févr. 1998.

G. Cholvy (sous la dir. de), *Histoire du Languedoc de 1900 à nos jours*, Privat, Toulouse, 1980.

L'Environnement en Languedoc-Roussillon 1998-1999, CRDP/Diren, Montpellier, 1998.

R. Ferras, *99 réponses... sur le Languedoc-Roussillon*, CRDP Languedoc-Roussillon, n° 27, Montpellier, 1998.

R. Ferras, « Languedoc-Roussillon », *in* Y. Lacoste (sous la dir. de), *Géopolitiques des régions françaises*, tome III, Fayard, Paris, 1986.

R. Ferras, J.-P. Volle, *Languedoc-Roussillon, région de la France du Sud et de l'Europe du Nord*, Bréal, Rosny-sous-Bois, 1989.

R. Ferras, J.-P. Volle *et alii*, *Languedoc méditerranéen*, Christine Bonneton, Paris, 1989.

Y. Gilbert, *Le Languedoc et ses images*, L'Harmattan, Paris, 1989.

Le Languedoc-Roussillon agricole et rural, DRAF, Ministère de l'Agriculture, Montpellier, 1996.

« Migrations, hier et aujourd'hui », *Dossiers*, n° 2, *Repères pour l'économie Languedoc-Roussillon*, INSEE, Montpellier, 1997.

Tableaux de l'économie du Languedoc-Roussillon, éd. 1998-1999, mise à jour *Repères*, n° 9, INSEE, Montpellier, oct. 1999.

« Zonages de l'action publique en Languedoc-Roussillon », *Repères synthèse*, n° 3, INSEE, Montpellier, mars 1999.

@ Sites Internet

CCI de Montpellier : **http://www.montpellier.cci.fr**

Centre universitaire Vauban de Nîmes : **http://www.vauban.agropolis.fr**

Conseil régional : **http://www.cr-languedocroussillon.fr**

Pôle universitaire européen de Montpellier : **http://www.cnusc.fr:8100/textes/pole_pres.hrml**

Université de droit et sciences économiques de Montpellier : **http://www.univ-montp1.fr**

Université Paul-Valéry-Montpellier-III (arts et lettres, langues, sciences humaines et sociales) : **http://www.univ-montp3.fr**

Université de Perpignan : **http://www.univ-perp.fr**

meilleure de la décennie », la fréquentation ayant connu un progrès de 13 %, notamment grâce à la clientèle étrangère. Avec 15 millions de touristes, dont près de 5 millions d'étrangers, plus de 105 millions de nuitées et un chiffre d'affaires de plus de 20 milliards FF, le tourisme emploie quelque 65 000 personnes, dont plus de 30 000 en été, et reste un gisement important d'emplois pour les jeunes.

En ce qui concerne la viticulture, les conditions climatiques de septembre ont terni les prévisions. La récolte a été de 16,5 millions d'hectolitres environ mais la vinification sera déterminante pour la qualité du produit. En 1999, près de 80 000 hectares étaient classés et les ventes des AOC (appellations d'origine contrôlées) Languedoc avaient progressé de 30 % en 1998. Cependant, le vignoble, objet de maintes spéculations, manque toujours d'une politique de communication mettant en valeur la mosaïque des terroirs et des appellations. Le 19 mars 1999, la France viticole défilait à Montpellier. Lors du sommet franco-italien de Nîmes, en septembre, puis en octobre à Perpignan, les agriculteurs ont manifesté violemment, rappelant que les productions régionales restaient très dépendantes des marchés. Le Languedoc exporte globalement peu (23 milliards FF en 1998, 1,3 % de la valeur des exportations nationales, 18e rang national), mais le vin représente 12 % de la valeur du total.

L'évolution du marché du travail

Au regard de l'emploi, la région comble peu à peu son retard. L'amélioration du marché du travail a été réelle : le chômage de longue durée et celui des jeunes ont diminué et les créations d'entreprises ont atteint un niveau historique. Le tertiaire et le secteur de la construction ont assuré l'essentiel de la croissance de l'emploi. En revanche, dans l'industrie, les effectifs ont continué à chuter avec la fermeture de la Cogema à Lodève et les difficultés persistantes des établissements de la vallée de l'Aude. Les offres d'emploi sont restées insuffisantes et trop orientées vers des emplois temporaires. Fin 1999, les demandeurs d'emploi étaient 153 000, contre 162 000 l'année précédente, et les offres d'emploi avaient progressé de 6 600 à 7 900. Toutefois, la région se singularise par un faible taux d'activité, un maintien dans l'emploi plus difficile, un recours au chômage plus élevé, une précarité plus fréquente.

L'année aura été placée sous le signe de l'eau. Tornades et tempêtes ont frappé plus de 350 communes. Au matin du 13 novembre, plus de 200 000 personnes étaient sinistrées, et 26 ont trouvé la mort dans les départements de l'Aude, de l'Hérault et des Pyrénées-Orientales. Oubliées les catastrophes de Nîmes en 1988, de Vaison-la-Romaine en 1992, de Puisserguier en 1996, et celles des années antérieures, oubliées la mémoire de l'eau et l'intensité des précipitations en climat méditerranéen ! Quelque 5 000 km^2 ont été dévastés dans la vallée de l'Aude, en Minervois, dans les Corbières et en Salanque. Les dégâts ont été estimés à près de deux milliards FF. Plus que tout autre événement, ce scénario d'apocalypse à l'échelle d'un département a marqué la fin du millénaire et soulevé de nombreuses interrogations quant à la gestion des territoires et la prévention des risques. - **Jean-Paul Volle** ■

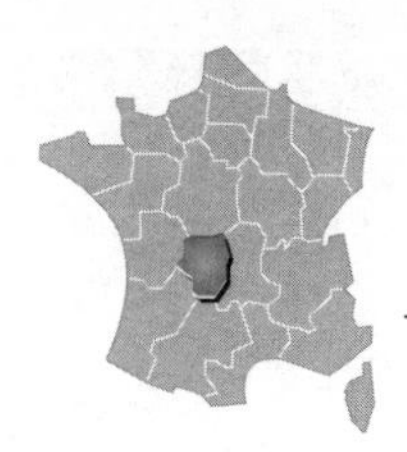

Limousin

Un déclin démographique record

Les premiers résultats officiels du recensement général de la population, publiés par l'INSEE le 6 juillet 1999, ont confirmé le déclin démographique du Limousin : comme en 1990, année du précédent recensement, c'est la région française qui a perdu le plus de population pendant la période intercensitaire. Alors que le Limousin comptait 738 726 habitants en 1975, 737 153 en 1982, 722 850 en 1990, il n'en comprenait plus qu'environ 711 000 en 1999, situation comparable à celle de l'Auvergne voisine.

Cette évolution démographique est la conséquence d'un solde naturel négatif, fruit d'un faible taux de fécondité (1,44 %) et d'un nombre élevé de décès induit par le vieillissement important de la population. Toutefois, le Limousin a accueilli de nombreux migrants, y compris dans les communes rurales, ce qui a atténué le déclin démographique. Aussi la diminution du nombre d'habitants a-t-elle été moins forte que ne le laissait supposer le solde naturel (– 6 850 habitants dans le département de la Creuse, pour un solde de – 9 064 ; – 5 800 en Corrèze, pour un solde naturel de – 8 700). Il reste que la région a du mal à retenir les jeunes de 18 à 25 ans et qu'elle accueille souvent, notamment dans les zones rurales, des personnes retraitées, en provenance notamment de la région parisienne.

Le recensement a également confirmé la concentration de la population dans les rares unités urbaines et le long des grands axes routiers. Ainsi, l'agglomération de Limoges (la ville et les communes qui jouxtent son territoire) comptait 188 985 habitants en 1999 (soit 53,46 % de la popula-

Limousin

Préfecture régionale : Limoges.
Départements [préfecture] : Corrèze [Tulle], Creuse [Guéret], Haute-Vienne [Limoges].
Superficie : 16 942 km² (3 % de la France métropolitaine).
Population (recensement 1999) : 710 939 habitants (1,2 % de la pop. de la France métrop.).
Variation 1990-1999 : – 11 911 habitants.
Principales unités urbaines (1999, dans les limites de 1990) : Limoges (173 000), Brive-la-Gaillarde (64 700), Tulle (18 400), Guéret (14 200), Ussel (10 753), Saint-Junien (10 700), Saint-Yrieix-la-Perche (7 252).
Composition du conseil régional (à l'issue des élections de mars 1998). Total sièges : 43, dont 2 ADS, 5 PC, 15 PS, 2 Verts, 2 CPNT, 4 UDF, 10 RPR, 3 FN. [Président : Robert Savy (PS), réélu le 20.3.98].
PIB régional (en 1996) : 75,7 milliards FF (1,0 % du PIB national).
Taux de chômage en sept. 1999 : 8,0 % (France : 11,1 %).
Spécialisations industrielles : matériaux de construction, matériel électrique et électronique, bois, meubles, porcelaine, travail des métaux, I.A.A., papier, carton.
Principales livraisons agricoles : bovins.

Source : INSEE. Voir la signification des indicateurs p. 177.

INDICATEUR*	UNITÉ	1982	1990	1999	France entière 1999
Démographie					
Population**	*milliers*	737	723	711	58 518
Densité	*hab./km²*	43,5	42,7	42,0	107,6
Taux de croissance	*% annuel*	−0,03[b]	−0,24[c]	−0,18[e]	0,37[e]
Accroissement naturel	*% annuel*	−0,36[b]	−0,39[c]	−0,40[e]	0,36[e]
Solde migratoire	*% annuel*	0,33[b]	0,14[c]	0,22[e]	0,01[e]
Population 0-19 ans	*% du total*	23,7	21,4	20,3[i]	25,8[i]
Population 60 ans et +	*% du total*	26,3	28,4	29,0[i]	20,4[i]
Population étrangère	*% du total*	2,8	2,8	••	6,4[m]
Population urbaine	*% du total*	51,2	51,4	••	74,0[m]
Fécondité***		1,56	1,42	1,44[h]	1,70[h]
Mortalité infantile	*‰ nais.*	8,5	6,6	4,6[h]	4,7[h]
Espérance de vie	*années*	75,6	77,3	78,8[h]	78,5[h]
Indicateurs socioculturels					
Nombre de médecins	*‰ hab.*	1,95	2,51	2,99	3,03
Diplômés (% des 25–54 ans)					
Bac ou brevet professionnel	%	12,6[a]	25,6	••	29,3[m]
Bac + 2 et diplômes supérieurs	%	5,2[a]	12,7	••	16,1[m]
dont femmes	%	48,9[a]	51,8	••	48,9[m]
Activité et chômage					
Population active	*milliers*	284	294	298[i]	25 567[i]
Agriculture	% } 100 %	18,0	13,6	9,8	4,2
Industrie	% } 100 %	27,0	27,7	23,8	24,9
Services	% } 100 %	55,0	58,8	66,4	70,9
Taux de chômage global	%	6,0	7,4	7,6[k]	10,5[k]
Taux féminin	%	8,8	10,4	10,5[j]	13,5[j]
Taux des « moins de 25 ans »	%	18,4	18,8	22,0[j]	23,9[j]
Taux des « longue durée »	%	4,6	3,3	3,4[h]	5,0[h]
Administrations publiques locales					
Ressources totales/hab.	*milliers FF*	5,2	7,9	9,6[f]	11,4[f]
dont fiscalité locale/hab.	*milliers FF*	1,9	3,9	4,7[f]	5,5[f]
Contribution de la région au commerce extérieur					
Exportations	*milliards FF*	2,4	4,7	7,6	1822,1
Importations	*milliards FF*	2,0	4,0	5,0	1753,0
Produit intérieur brut					
PIB régional	*milliards FF*	38,1	62,8	75,7[g]	7 871,7[g]
Taux de croissance	*% annuel*	3,0[b]	1,5[c]	1,0[d]	1,2[d]
Par habitant	*milliers FF*	51,6	86,8	105,3[g]	134,8[g]
Structure du PIB					
Agriculture	% } 100 %	6,7	4,0	1,7[g]	2,4[g]
Industrie	% } 100 %	32,0	30,0	26,3[g]	27,4[g]
Services	% } 100 %	61,3	66,0	72,1[g]	70,1[g]

*Sources et définitions indicateurs utilisés : voir p. 175 et suiv. ; ** Lors des recensements de 1982, 1990, et 1999 ; ***Indicateur conjoncturel de fécondité (exprimé en nombre moyen d'enfants par femme).
a. 1975 ; b. 1975-1982 ; c. 1982-1990 ; d. 1990-1996 ; e. 1990-1999 ; f. 1993 ; g. 1996 ; h. 1997 ; i. 1998 ; j. Avril 1998 ; k. Déc. 1999 ; m. 1990.

tion de la Haute-Vienne et 26,6 % de la population régionale) contre 182 948 en 1990 (51,7 % de la population départementale). De plus, l'autoroute A 20, l'Occitane, permet de réduire les temps de parcours entre le lieu de résidence et le lieu de travail, ce qui a favorisé l'installation de nouveaux habitants en dehors de la banlieue mais à proximité de Limoges. Les 73 communes qui, en Haute-Vienne, ont bénéficié d'un accroissement de la population sont d'ailleurs situées soit près de Limoges, soit à proximité de l'autoroute qui conduit vers la capitale régionale où existent emplois et/ou logements.

Ces résultats du recensement justifient la politique d'accueil conduite par le conseil régional et devraient jouer un rôle dans les relations État-Région à travers le contrat de plan 2000-2006.

Pour l'Europe avec la « gauche plurielle »

À l'occasion des élections européennes du 13 juin 1999, le Limousin a une nouvelle fois affirmé son ancrage à gauche. Avec, comme lors des autres élections, une participation supérieure à la moyenne nationale (53,65 %), les électeurs ont accordé 28,59 % de leurs voix à la liste dirigée par le député de Tulle François, Hollande, premier secrétaire du Parti socialiste, 10,53 %

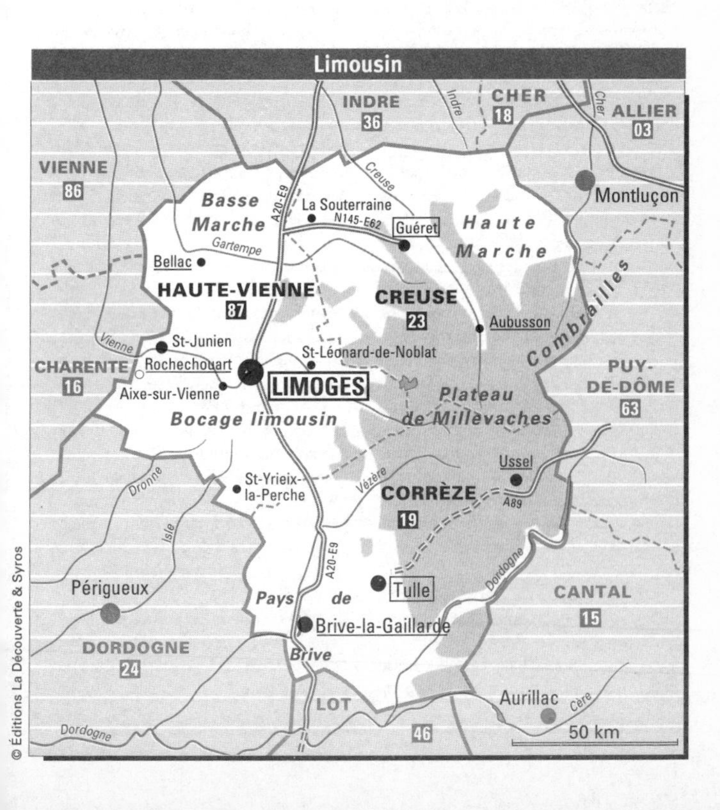

Limousin : une identité en mutation

Espace naturel situé au nord-ouest du Massif central, le Limousin est un carrefour, une terre de contacts entre la montagne et les plaines, entre les plateaux du Bassin parisien et de l'Aquitaine. Bastion avancé du Midi – Brive en est le « riant portail » – et de la langue d'oc dressé face au pouvoir centralisateur venu du nord et face à la langue d'oïl, c'était une marche au Moyen Âge, ce qui lui a valu une histoire mouvementée. Il s'agit désormais d'un « espace périphérique », éloigné des grandes régions économiques européennes.

Espace construit, dont les limites suggérées par la géologie et le relief correspondent assez bien aux limites historiques, il s'étend sur 16 942 km² et comprend trois départements (la Corrèze, la Creuse et la Haute-Vienne). Il fait partie d'un espace central qui n'a guère profité de la politique d'aménagement du territoire.

Les Limousins sont fiers de la qualité de leur environnement et du charme de leurs paysages, fruits d'une longue histoire agraire. Les caractères répulsifs du milieu naturel ont pourtant souvent été soulignés : un climat rude, frais et humide, et des sols pauvres ont fait de la région une terre à seigle et à pomme de terre.

Au XIXᵉ siècle, elle était considérée comme le pays de l'arbre et de l'eau, un pays beau et pauvre avec ses arbres du bocage paysan, alignés le long des cours d'eau ou regroupés en boqueteaux, mais sans véritables forêts. Les eaux des multiples ruisseaux, des rivières et des étangs, souvent créés au Moyen Âge, fournissaient l'énergie, des poissons, et irriguaient les prés.

Une véritable révolution paysagère a eu lieu au XXᵉ siècle : une vague forestière a submergé les hautes terres à l'est d'une ligne Bourganeuf-Tulle et les landes de bruyère ont commencé à disparaître. « Pays vert », vert tendre des prairies, vert sombre des résineux plantés et vert soutenu des essences feuillues, il est également un « pays bleu » constellé d'étangs et enrichi de vastes plans d'eau créés, pour la plupart, lors d'aménagements hydroélectriques.

Les campagnes restent pourtant ouvertes le plus souvent. Elles constituent un espace multifonctionnel où les habitants bénéficient d'une grande qualité de vie. Le déclin continu de la population et les conflits entre les usages du sol et ceux de l'eau font toutefois craindre une fermeture de cet « espace nature ».

Si, à la fin du XIXᵉ siècle, la région comptait près d'un million d'habitants, en 1999 ils étaient environ 710 000. La Grande Guerre, puis les besoins en main-d'œuvre des grandes villes et des régions industrielles ont provoqué une diminution massive de la population rurale (– 54 % en cent ans). Un bilan naturel très négatif, dû à une très faible fécondité (1,32 enfant par femme en 1996), a succédé à l'exode rural.

Depuis les années soixante, la population se concentre autour de Limoges et, désormais, le long de l'autoroute A20 et de la nationale 89 en Corrèze ; l'axe Limoges-Brive s'oppose au « désert limousin », même si la région demeure très rurale.

Longtemps terre d'émigration, le Limousin est devenu terre d'immigration. Aussi le solde migratoire est-il positif depuis les années soixante. Déjà « en mal de natalité », la région laisse pourtant encore émigrer trop de jeunes et accueille de nombreux retraités ; ces éléments se conjuguent pour en faire le territoire le plus vieilli d'Europe. Les « jeunes » (population de moins de 20 ans et jeunes adultes de moins de 40 ans) sont sous-représentés, conséquence à la fois de la faiblesse des taux de natalité et de fécondité et de l'émigration vers des zones offrant des emplois. Les personnes âgées (65 ans et plus) sont surreprésentées, conséquence de l'immigration des retraités et des progrès de l'espérance de vie. Alors que la population âgée ne regroupait que 8,5 % de la population limousine en 1906, elle en rassemblait 22 % en 1990 (en Corrèze et en Creuse, souvent plus de 30 %). L'accueil des hommes et des activités est devenu une priorité pour le conseil régional.

La qualité des produits caractérise l'agriculture, qu'il s'agisse de l'élevage bovin traditionnel, qui fournit une viande vendue sous l'appellation « Blason-Prestige », de l'élevage ovin, producteur de l'agneau Baronet, ou des pommes. Un label de qualité doit aussi être décerné au tourisme, activité économique majeure, ainsi qu'à la forêt.

Depuis la Libération, de nouvelles activités se sont développées, comme l'appareillage électrique (Legrand est le leader mondial en basse tension) et l'agroalimentaire. Dans la dernière décennie, l'emploi industriel a sérieusement diminué, nombre de secteurs connaissant de graves difficultés, tels les industries de main-d'œuvre (textile, cuir), l'armement et les industries de luxe (la porcelaine à Limoges, la tapisserie à Aubusson et à Felletin).

La concentration des hommes et des activités accentue le déséquilibre du réseau urbain : Limoges et le « bipôle » Brive-Tulle conquièrent progressivement l'espace aux dépens des autres villes. Limoges, la 22e ville française, aspire d'ailleurs à devenir la capitale d'un Centre-Ouest sans véritable métropole. Aucune ville n'atteignant 200 000 habitants, la mise en réseau des chefs-lieux de département semble être la voie recherchée par les élus.

L'« affaire de Limoges » (27 avril-18 mai 1848) qui fit surnommer la ville « Limoges la Rouge » et une éphémère Commune en septembre 1870 furent les premiers signes de l'ancrage à gauche du Limousin. Au cours de la seconde moitié du XIXe siècle, les idées socialistes trouvèrent un terrain favorable non seulement à Limoges, berceau de la CGT, mais aussi dans les campagnes. Depuis plus d'un siècle, le Limousin est marqué par un foisonnement d'associations et d'entreprises de structure coopérative ou mutualiste. Avec la création en 1881 de l'Union de Limoges, la « Rome du socialisme » devint une des capitales françaises de la coopération. Cette coopérative de consommation intervint aussi dans les domaines de l'éducation, de la santé ou du sport. Si, devenue Coop Atlantique, elle a beaucoup évolué, elle reste une structure commerciale puissante. La démarche mutualiste a également marqué la région : depuis les années 1890, trois pharmacies, un laboratoire d'analyses, une dizaine de fauteuils dentaires, etc. ont vu le jour en Haute-Vienne. En 1936, sur 14 députés, le Limousin désigna 11 socialistes, 1 communiste et 2 radicaux.

Alors que le conseil régional était le seul en France à être dirigé par un socialiste, Robert Savy, les élections législatives de 1993 avaient fait l'effet d'une bombe : la gauche n'avait plus qu'un seul député en Limousin ! Ce n'était sans doute qu'un simple accident : les élections du printemps 1997 ont donné une large majorité aux députés de gauche. De même, les élections de mars 1998 ont donné la majorité absolue à la « gauche plurielle » au sein du conseil régional (24 sièges sur 43).

Enfin, les élections sénatoriales de septembre 1998 n'ont pas modifié le paysage : un divers droite sortant et le maire RPR de Brive ont été élus en Corrèze, deux socialistes ont été élus en Creuse.

- **Olivier Balabanian, Guy Bouet** ■

Références

O. Balabanian, G. Bouet, *Le Guide du Limousin*, La Manufacture, Paris, 1994.

J. Bourdelle, *Limoges, 1870-1919. La mémoire ouvrière*, Pierre Fanlac, Périgueux, 1984.

A. Corbin, *Archaïsme et modernité en Limousin au XIXe siècle*, Rivière, Paris, 1975.

INSEE Limousin (10 numéros par an).

G. Mauratille, *Le Limousin*, Arthaud, Paris, 1987.

R. Morichon, *Histoire du Limousin et de la Marche*, 3 vol., Dessagne, Limoges, 1972, 1975, 1976.

J. Nouaillac, « Lemouzi », *Lemouzi*, n° 72 *bis*, Tulle, 1978.

M. Robert (sous la dir. de), *Limousin et Limousins, image régionale et identité culturelle*, Lucien Souny, Limoges, 1988.

@ Sites Internet

Bibliothèque francophone multimédia de Limoges : **http://www.bm-limoges.fr**

Conseil régional : **http://www.cr-limousin.fr**

ESTER (technopole de Limoges) : **http://www.tech-limoges.fr**

à la liste conduite par Robert Hue, secrétaire du Parti communiste, et 6,90 % à la liste des Verts. Au total, la « gauche plurielle » a obtenu 46,02 % des suffrages exprimés. Elle a d'ailleurs obtenu de bons résultats dans les trois départements : 43,07 % dans la Creuse, où la droite dirige le conseil général (dans ce département très rural, la liste de Jean Saint-Josse Chasse, pêche, nature et traditions [CPNT] a obtenu 8,82 % des voix), 45,25 % en Corrèze (la liste de F. Hollande est arrivée en tête à Brive, à Tulle et, de peu, à Ussel, chef-lieu de l'ancienne circonscription électorale de Jacques Chirac [RPR]), 47,67 % en Haute-Vienne (48,55 % à Limoges et 50,64 % à Saint-Junien, bastion traditionnel du PCF, où la liste PS a recueilli 25,52 % des voix alors que la liste conduite par R. Hue n'en a obtenu que 17,6 %).

Tandis que la gauche semble se renforcer dans le Limousin, la droite, divisée, peut redouter une reconquête de la Creuse par le PS, les querelles au sein de la droite creusoise étant manifestes. Elle peut craindre aussi, en Corrèze, que ne se confirment les résultats des élections législatives de 1997, où la gauche avait reconquis les deux sièges perdus en 1993. L'hégémonie du RPR dans le département (ce parti détient les villes de Brive, Tulle, Ussel, et le conseil général) est apparue de plus en plus menacée par la gauche depuis l'élection de J. Chirac à la présidence de la République en 1995.

Une mutation économique douloureuse

En 1999, l'agriculture a continué à subir la méfiance des consommateurs (aussi bien vis-à-vis de la viande bovine ou porcine que vis-à-vis des fromages) et de l'absence de plus-value accordée aux productions de qualité (viandes ou pommes). Le secteur secondaire a, pour sa part, connu une certaine embellie. Le dynamisme de la demande a en effet permis le redressement de l'activité industrielle, notamment dans le domaine des biens intermédiaires (48 % des effectifs de l'industrie régionale), qu'il s'agisse des produits minéraux, des composants électroniques, du papier-carton ou du bois. Des fermetures d'usines ont cependant été enregistrées (par exemple, à Bort-les-Orgues, une usine de confection de 112 salariés ou, au Palais-sur-Vienne, une usine de raffinage du cuivre de 260 salariés).

L'emploi en Limousin a connu en 1999, notamment au cours du dernier trimestre, une situation favorable : 79 % des contrats de travail ont été signés pour une durée indéterminée et le taux de chômage n'atteignait plus que 8 % de la population active (septembre 1999). Certes, des inégalités persistaient, avec un chômage des femmes supérieur de 4 points à la moyenne française et un taux de chômage des jeunes encore élevé (22,7 % de l'ensemble des demandeurs d'emploi contre 19,5 % pour la France).

Le technopôle ESTER (Espace scientifique et technologique d'échanges et de recherches), créé à Limoges en 1993, met en valeur les pôles de compétence du Limousin (céramique industrielle, électronique, biotechnologies, traitement de l'eau), favorise la coopération entre l'Université et l'industrie et soutient l'implantation et le développement de nouvelles entreprises (par exemple Sorevi – Société de revêtement sous vide –, devenue en 1999 leader en Europe dans le domaine des carbones durs amorphes pour des usages mécaniques). Dans un parc de 120 hectares, ESTER abritait, début 1999, 50 raisons sociales (680 emplois). Depuis cette date, un second immeuble de bureaux a été construit et de nouvelles entreprises se sont installées (le japonais NPK – spécialisé dans les marteaux-piqueurs – y a établi son siège pour ses filiales de l'Europe du Sud). L'installation d'un Centre européen de la céramique est envisagée : l'École nationale supérieure de céramique industrielle (ENSCI, ex-école de Sèvres décentralisée à Limoges) rejoindrait sur le site d'ESTER l'École d'ingénieurs de Limoges (ENSIL). Grâce aux 500 millions investis en six ans par Limoges, la Région et le département de la Haute-Vienne, ESTER est vraiment devenu le technopôle des entreprises.

À la fin de l'année 1999, les divers secteurs et domaines d'activités industrielles présentaient ainsi un niveau général de croissance stable ou en progression. En dix ans, les entreprises limousines ont doublé leur part dans les dépenses nationales de la recherche-développement (R-D), imitant en cela la multinationale Legrand qui a implanté sur le site d'ESTER le SITEL (Site industriel des technologies électroniques de Legrand) ; le technopôle est devenu le moteur et le vivier de la recherche limousine, base de la modernisation de l'économie régionale. - **Olivier Balabanian, Guy Bouet** ■

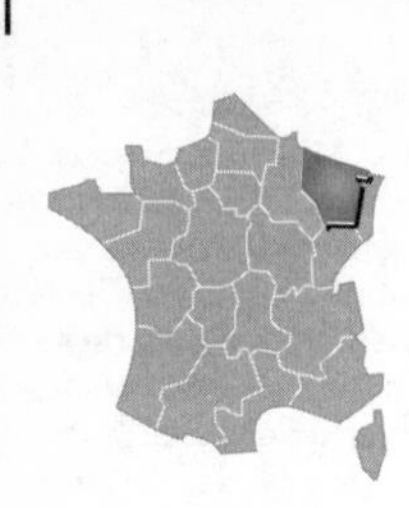

Lorraine

Des contrastes régionaux accentués

Après quinze années de déclin démographique, le recensement général de mars 1999 a fait apparaître que la Lorraine a connu pendant les années quatre-vingt-dix un gain de quelque 5 000 habitants. Ce croît est cependant modeste (+ 0,1 % par an), et classe la région en position médiocre, nettement en dessous de la moyenne nationale (+ 0,3 %). Les effets du ralentissement de l'émigration – le solde migratoire est passé de – 0,6 % par an de 1982 à 1990 à – 0,3 % de 1990 à 1999 – ont été en grande partie neutralisés par l'essoufflement du solde naturel, lié à la baisse de la fécondité. Cette situation démographique est à l'image de l'évolution économique et sociale.

Les industries traditionnelles ont continué à connaître une évolution négative de l'emploi : réduction d'un millier d'emplois par an dans les houillères, de plusieurs centaines dans la sidérurgie et le textile. Représentant encore 152 000 emplois en 1975, ces secteurs n'employaient plus que 30 000 actifs en 1999.

Le dynamisme industriel se trouve désormais dans d'autres secteurs, tels que le papier-carton, la plasturgie, la fabrication de meubles. C'est cependant l'automobile qui est devenue l'activité phare de l'industrie lorraine, passant d'à peine 6 500 emplois en 1970 à près de 20 000 en 1999. L'usine Citroën d'Ennery, au nord de Metz, occupe le premier rang mondial pour la fabrication de moteurs Diesel. Renault véhicules industriels (RVI), à Batilly, est la principale entreprise de l'ancien bassin ferrifère. La Smart, fabriquée à Sarreguemines-Hambach (1 800 employés pour l'ensemble du site de « Smartville »), a connu un destin plus mitigé et des difficultés à s'imposer sur le marché. D'où un climat social tendu, et une grève de sous-traitants à l'automne 1999.

Des activités industrielles dépendantes des capitaux étrangers

L'une des caractéristiques de ces industries est l'importance des capitaux étrangers. La sidérurgie lorraine connaît les effets de la mondialisation : association d'Usinor avec le belge Cockeril-Sambre en février 1999, cession d'Unimétal, d'Ascométal et de Sogérail à des partenaires étrangers, tels l'anglo-indien ISPAT, le britannique British Steel ou l'italien Lucchini. Cette internationalisation des capitaux se retrouve dans les autres branches industrielles. La région est demeurée l'un des pôles d'investissements étrangers. Bien qu'ayant permis la création de 2 500 emplois en 1999, cette participation n'est pas sans poser de problèmes. Ainsi la firme coréenne Daewoo-Electronics – contrôlant 1 300 emplois sur les sites de Mont-Saint-Martin, Villers-la-Montagne et Fameck – a-t-elle soufflé le froid et le chaud tout au long de 1999, annonçant la cession de ses activités à tel ou tel repreneur, voire la fermeture de certaines de ses usines, avant de garantir le maintien du plein emploi.

L'activité principale de la Lorraine est désormais le secteur tertiaire, employant 68 % des actifs. Le commerce, les transports et les services ont connu une augmentation de leurs effectifs en 1998 et 1999.

Si cette hausse est parfois restée modeste, et inférieure à la moyenne nationale, elle a été particulièrement sensible dans le domaine de la logistique, l'un des principaux gisements d'emplois (45 000 salariés) dans une région bénéficiant de nombreux atouts : situation géographique favorable, infrastructures de transport denses et diversifiées, centres de formation... Dans la longue liste des firmes étrangères récemment implantées en Lorraine, ou en voie d'implantation, se côtoient le belge Katoen Natie, l'allemand Bertelsmann, le britannique Multipart, les suédois Ikéa et ITT Flyght, les américains AGCO – Massey-Fergusson et General Electric Lighting...

Le bilan économique, contrasté, n'est pas parvenu à stimuler le marché de l'emploi : de septembre 1998 à septembre 1999, le rythme de création d'emplois dans la région (+ 1,4 %) est resté nettement inférieur au niveau national (+ 2,5 %). Quant à la faiblesse

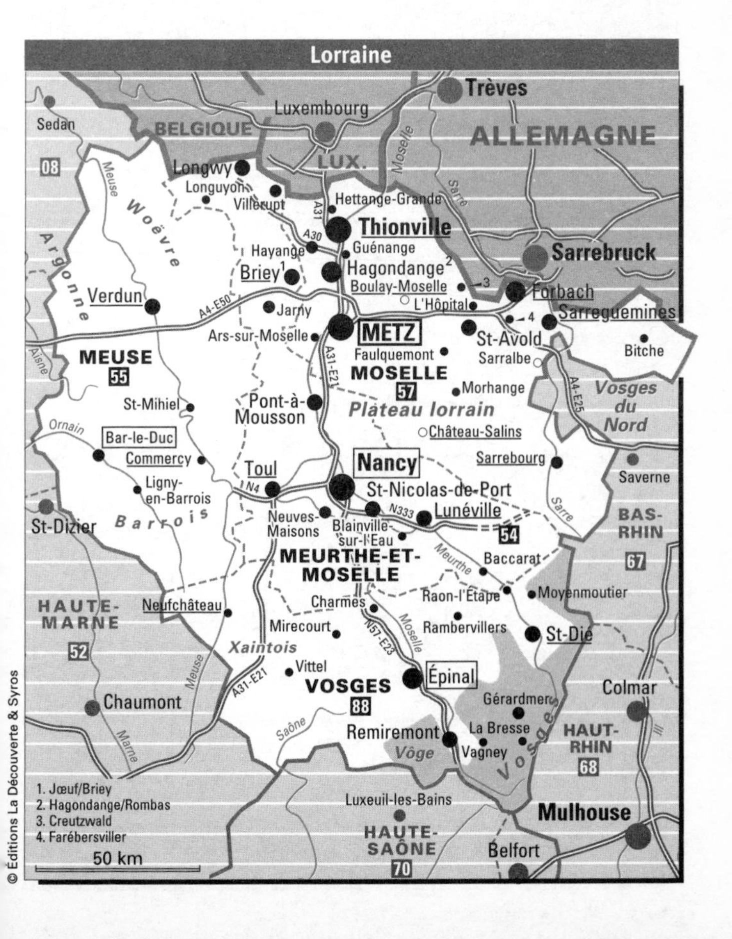

INDICATEUR*	UNITÉ	1982	1990	1999	France entière 1999
Démographie					
Population**	*milliers*	2 319	2 306	2 310	58 518
Densité	*hab./km²*	98,5	97,9	98,1	107,6
Taux de croissance	*% annuel*	−0,07[b]	−0,08[c]	0,02[e]	0,37[e]
Accroissement naturel	*% annuel*	0,51[b]	0,50[c]	0,34[e]	0,36[e]
Solde migratoire	*% annuel*	−0,58[b]	−0,58[c]	−0,32[e]	0,01[e]
Population 0-19 ans	*% du total*	30,6	27,6	26,5[i]	25,8[i]
Population 60 ans et +	*% du total*	15,8	18,5	19,7[i]	20,4[i]
Population étrangère	*% du total*	7,8	6,7	••	6,4[m]
Population urbaine	*% du total*	72,9	72,0	••	74,0[m]
Fécondité***		1,96	1,75	1,68[h]	1,70[h]
Mortalité infantile	*‰ nais.*	9,9	7,3	4,2[h]	4,7[h]
Espérance de vie	*années*	73,6	76,1	77,7[h]	78,5[h]
Indicateurs socioculturels					
Nombre de médecins	*‰ hab.*	1,85	2,25	2,76	3,03
Diplômés (% des 25-54 ans)					
Bac ou brevet professionnel	%	13,1[a]	23,5	••	29,3[m]
Bac + 2 et diplômes supérieurs	%	5,8[a]	12,2	••	16,1[m]
dont femmes	%	43,3[a]	46,6	••	48,9[m]
Activité et chômage					
Population active	*milliers*	900	920	952[i]	25 567[i]
Agriculture	% } 100 %	6,4	4,9	3,0	4,2
Industrie	% } 100 %	36,8	33,7	30,1	24,9
Services	% } 100 %	56,9	61,3	66,9	70,9
Taux de chômage global	%	8,1	7,9	9,4[k]	10,5[k]
Taux féminin	%	12,2	11,2	12,4[j]	13,5[j]
Taux des « moins de 25 ans »	%	20,3	19,5	25,1[j]	23,9[j]
Taux des « longue durée »	%	4,7	3,3	4,5[h]	5,0[h]
Administrations publiques locales					
Ressources totales/hab.	*milliers FF*	4,6	8,2	9,7[f]	11,4[f]
dont fiscalité locale/hab.	*milliers FF*	1,9	3,8	4,4[f]	5,5[f]
Contribution de la région au commerce extérieur					
Exportations	*milliards FF*	29,6	54,3	96,5	1822,1
Importations	*milliards FF*	35,5	55,0	79,9	1753,0
Produit intérieur brut					
PIB régional	*milliards FF*	135,3	223,9	265,8[g]	7 871,7[g]
Taux de croissance	*% annuel*	1,4[b]	1,7[c]	1,0[d]	1,2[d]
Par habitant	*milliers FF*	58,3	97,2	115,0[g]	134,8[g]
Structure du PIB					
Agriculture	% } 100 %	3,8	3,2	2,1[g]	2,4[g]
Industrie	% } 100 %	37,2	34,7	30,4[g]	27,4[g]
Services	% } 100 %	59,0	62,1	67,5[g]	70,1[g]

*Sources et définitions indicateurs utilisés : voir p. 175 et suiv. ; ** Lors des recensements de 1982, 1990, et 1999 ; ***Indicateur conjoncturel de fécondité (exprimé en nombre moyen d'enfants par femme).
a. 1975 ; b. 1975-1982 ; c. 1982-1990 ; d. 1990-1996 ; e. 1990-1999 ; f. 1993 ; g. 1996 ; h. 1997 ; i. 1998 ; j. Avril 1998 ; k. Déc. 1999 ; m. 1990.

relative du taux de chômage (9,4 % en décembre 1999), elle traduit l'importance des préretraites et l'impact du travail transfrontalier : 60 000 Lorrains travaillent au Luxembourg, en Allemagne et en Belgique.

La morosité sociale a marqué les élections européennes du 13 juin 1999. Si les résultats sont proches de la moyenne nationale – première place de la liste socialiste, score sensiblement égal des listes Pasqua « souverainiste » et Sarkozy (RPR-DL), bon comportement des Verts, recul du Parti communiste –, ils ont traduit une double originalité. D'une part, le taux d'abstention a atteint des chiffres impressionnants (61,4 % des inscrits en Moselle !) ; d'autre part, le vote protestataire a été particulièrement marqué, tant à gauche qu'à droite. Lutte ouvrière a dépassé le PC dans trois départements sur quatre, tandis que les listes issues du Front national ont parfois fait jeu égal avec la droite républicaine.

Une Lorraine florissante et une Lorraine exsangue

Ces particularismes, très nets à l'échelle locale, témoignent de la diversité de la région. Une Lorraine dynamique s'oppose de plus en plus à des aires en déclin. Le sillon mosellan et certaines régions frontalières appartiennent à la première catégorie, alors que les vieux pays industriels connaissent une reconversion difficile et que les zones rurales, du nord de la Meuse à l'ouest des Vosges, constituent un arc périphérique et fragile. Cet arc comprend les cantons les moins peuplés. La poursuite de l'émigration contribue à diminuer encore des densités de population déjà faibles. Exsangue, cette zone pose de difficiles problèmes d'aménagement. Le tourisme vert et les sports d'hiver ne jouent un rôle positif que très localement (montagne vosgienne, côtes de Meuse, Saulnois...) ; les élus du Sud meusien ont dû accepter l'installation à Bure d'un centre d'enfouissement des déchets radioactifs.

Dans les vieux bassins industriels, les reconversions sont restées trop modestes à l'exception du bassin houiller mosellan et du Pôle européen de développement de Longwy qui bénéficient de nombreuses aides financières et d'une situation géographique favorable car frontalière. Mais l'ensemble de ces anciens bastions industriels souffre d'un environnement dégradé.

En revanche, l'axe métropolitain Épinal-Nancy-Metz-Thionville a fait preuve d'une bonne santé démographique et économique. Ainsi la population a-t-elle augmenté. Celle de l'agglomération messine a connu une croissance de 4 % de 1990 à 1999,

Lorraine

Préfecture régionale : Metz.
Départements [préfecture] : Meurthe-et-Moselle [Nancy], Meuse [Bar-le-Duc], Moselle [Metz], Vosges [Épinal].
Superficie : 23 547 km² (4,3 % de la France métropolitaine).
Population (recensement 1999) : 2 310 376 habitants (3,9 % de la pop. de la France métrop.).
Variation 1990-1999 : + 4 650 habitants.
Principales unités urbaines (1999, dans les limites de 1990) : Nancy (331 320), Metz (200 610), Thionville (130 406), Hagondange-Briey (111 623), Forbach (92 922), Épinal (61 807), Longwy (40 198), Saint-Dié (28 076), Sarreguemines (27 735), Saint-Avold (27 534).
Composition du conseil régional (à l'issue des élections de mars 1998). Total sièges : 73, dont 1 LO, 4 PC, 18 PS, 2 DVG, 1 Verts, 8 UDF/DL, 12 RPR, 15 DVD, 12 FN (par la suite éclaté en deux groupes). [Président : Gérard Longuet (DL), réélu le 20.3.98].
PIB régional (en 1996) : 265,8 milliards FF (3,4 % du PIB national).
Taux de chômage en sept. 1999 : 9,9 % (France : 11,1 %).
Spécialisations industrielles : houille et charbon, sidérurgie, industrie du verre.
Principales livraisons agricoles : lait, céréales, bovins.
Source : INSEE. Voir la signification des indicateurs p. 177.

Lorraine : une identité en mutation

Région frontalière, la Lorraine a souffert de multiples conflits qui ont façonné ses paysages et ses mentalités, mais elle a aussi su profiter des échanges.

À la fin de l'Ancien Régime, la Lorraine était constituée de deux provinces : les Trois Évêchés (Toul, Metz et Verdun) réunis à la couronne de France en 1552 et les duchés rattachés seulement en 1766. La Révolution l'a découpée en quatre départements : la Moselle, la Meurthe, la Meuse et les Vosges. Moins d'un siècle plus tard, la défaite de 1870-1871 l'a divisée en deux : l'essentiel est resté français, mais la nouvelle Moselle a été annexée à l'Empire allemand.

Cette division a eu des conséquences multiples, toujours sensibles aujourd'hui. La législation de la Moselle a ainsi conservé des traits hérités de l'époque ancienne (Éducation nationale, droit des sociétés...). La rivalité entre les deux capitales s'est renforcée : d'un côté, Nancy, qui a largement dépassé Metz pendant la période 1871-1918, vitrine de la France, et de l'autre Metz, soumise à Strasbourg et corsetée de forts qui gênent son expansion.

C'est seulement après la Seconde Guerre mondiale qu'une « région lorraine » a pris forme. Au nord, une frontière linguistique millénaire alimente le particularisme de la Moselle germanophone, même si le dialecte francique est de moins en moins utilisé. Enfin, la querelle de clocher qui oppose Nancy et Metz n'est que partiellement réglée par la constitution d'une aire métropolitaine bicéphale. Le choix de Metz comme capitale régionale est un héritage de son ancienne importance militaire.

Bastion de la France face à la puissance allemande, la Lorraine, couverte de forts et de casernes, a donné l'image d'une terre nationaliste. De plus, de tradition catholique, fortement marquée par le paternalisme des grands industriels, elle a très souvent soutenu les forces conservatrices. Pourtant, son attachement à la République n'a jamais été remis en cause et nombre de ses grands hommes politiques en ont porté témoignage (Jules Ferry, Raymond Poincaré, Albert Lebrun). À la fois terre frontalière et région ouvrière, elle a été peu sensible aux thèses internationalistes et, de ce fait, s'est sentie plus proche de la démocratie chrétienne (MRP – Mouvement républicain populaire) et des syndicats réformistes (CFTC, CFDT) que de la SFIO (ancien Parti socialiste), du PC et de la CGT. Cependant, l'évolution politique, à partir de la fin des années soixante, allait à terme profiter au nouveau Parti socialiste tant et si bien qu'en 1981 ses habitants ont voté majoritairement pour le candidat de la gauche, François Mitterrand. Ainsi, la Lorraine dans son ensemble a perdu sa particularité politique pour s'aligner sur la moyenne nationale. Toutefois, au niveau local, la région reste essentiellement une « terre modérée ».

Cette tonalité d'ensemble ne saurait effacer des contrastes locaux. On peut, schématiquement, distinguer une Lorraine rurale, à l'ouest et à l'est, largement dominée par la droite ; des « bastions » de gauche traditionnels, deux socialistes autour de Bar-le-Duc et Saint-Dié, un communiste dans le pays du fer (bassin de Longwy) et, enfin, un axe central, d'Épinal à Thionville, où les situations locales sont très incertaines.

Les principaux éléments physiques de la région – relief et cours d'eau – s'ordonnent selon deux directions majeures : l'une méridienne, soulignée par les côtes de Meuse et de Moselle, par la ligne de crête des Vosges et par les principaux cours d'eau ; l'autre ouest-est, marquée plus discrètement par les percées qui trouent les côtes, longtemps de grande valeur stratégique. C'est sur ce canevas orthogonal que s'est établi le maillage des voies de communication déterminant, au centre de la Lorraine, le développement de carrefours importants (Toul-Nancy, Metz-Thionville). Pour l'essentiel, la région fait partie du Bassin parisien dont elle constitue le rebord oriental au très caractéristique relief de côte, qui se moule sur le massif vosgien.

L'agriculture s'est remarquablement modernisée avec de grandes exploitations céréalières à l'ouest et au centre (Barrois, Pays-Haut, Plateau lorrain).

L'exploitation du sous-sol a permis le développement d'une « vieille région industrielle », longtemps essentielle à l'économie nationale, mais aujourd'hui en pleine crise. C'est sur le sel, le charbon et le fer que se sont édifiés trois des quatre piliers de l'industrie lorraine traditionnelle. Le quatrième pilier, l'industrie cotonnière, a concerné essentiellement les vallées vosgiennes. Ce sont, au total, quatre bassins mono-industriels, n'ayant pas de véritable liaison les uns avec les autres, tous situés dans la moitié est de la Lorraine et tous affectés, à partir des années soixante, par une crise dramatique, qui expliquent que la région ait subi la plus forte hémorragie d'emplois industriels de toute la France. Ainsi, trop dominée par la grande entreprise, souvent nationalisée, et manquant d'un tissu dense de PME, la Lorraine est apparue comme l'archétype de la région industrielle en crise. Son image de marque, symbolisée autrefois par les casernes et les cheminées d'usines, souffre désormais de l'extension des friches industrielles. La reconversion amorcée au début des années soixante-dix, alors que s'achevaient les Trente Glorieuses, fut de ce fait très difficile et incomplète.

On comprend dès lors que le bilan migratoire, après avoir été fortement positif de 1946 à 1962, se soit totalement inversé jusqu'à en faire la région qui a proportionnellement vu partir le plus de ses enfants. Or ces derniers sont en grande partie de jeunes adultes cherchant un emploi. Ce sombre tableau doit cependant être nuancé, car les Lorrains ont choisi de valoriser d'autres atouts que ceux qui avaient fait leur prospérité ancienne. Ce sont la situation de la région, en bordure du grand axe européen de la mer du Nord à l'Italie ; sa position frontalière, favorable à l'accueil des capitaux nécessaires à la diversification industrielle ; son potentiel touristique, aux portes des concentrations urbaines de l'Europe rhénane ; la possibilité de mobiliser toutes les ressources humaines grâce à l'amélioration des formations scolaires et universitaires et à une meilleure liaison recherche-industrie. C'est, enfin, l'existence de pôles d'excellence des technologies nouvelles qui ont été créés au sein de deux technopoles (Nancy-Brabois et Metz 2000).

Ces atouts ont attiré les investisseurs étrangers. La Lorraine est désormais l'une des principales régions d'installation d'usines à capitaux étrangers, tout spécialement allemands (44 % des usines et 32 % des emplois). La réussite est telle qu'elle suscite parfois un malaise, provoqué par le fait que les capitaux allemands s'installent plus volontiers dans le nord de la région.

À une Lorraine organisée en grands bassins industriels distincts en voie de modernisation se substitue progressivement une région structurée par un axe métropolitain dominé par Nancy et Metz et ouverte sur l'Europe, l'amorce d'une région transfrontalière « Sar-Lor-Lux » (Sarre-Lorraine-Luxembourg). - **Jean-Marie Gehring, Claude Saint-Dizier** ■

Références

« Bilan 1998 : les fruits de la croissance », *Économie lorraine*, n° 187, INSEE, Nancy, juin 1999.

J.-C. Bonnefont, *La Lorraine*, PUF, Paris, 1984.

R. Frécaut (sous la dir. de), *Géographie de la Lorraine*, Presses universitaires de Nancy/Éditions Serpenoises, Nancy/Metz, 1983.

J.-M. Gehring, C. Saint-Dizier, « Géopolitique de la Lorraine », *in* Y. Lacoste (sous la dir. de), *Géopolitiques des régions françaises*, tome I, Fayard, Paris, 1986.

La Lorraine et ses zones d'emplois, INSEE, Nancy, 1995.

Région Lorraine, *IIIe plan lorrain : orientations stratégiques pour le développement et l'aménagement de la Lorraine – 1994-1998*, Metz, sept. 1993.

F. Reitel, *La Lorraine*, PUF, « Que sais-je ? », Paris, 1982.

F. Reitel, « La Lorraine », *in* A. Gamblin (sous la dir. de), *La France dans ses régions*, tome I, SEDES, Paris, 1998 (2e éd.).

R. Taveneaux (sous la dir. de), *Encyclopédie illustrée de la Lorraine*, 6 vol., Presses universitaires de Nancy/Éditions Serpenoises, Nancy/Metz, 1987-1994.

@ Sites Internet

CCI de la Moselle : **http://www.moselle.cci.fr**

CCI de Nancy : **http://www.nancy.cci.fr**

CCI de Saint-Dié : **http://www.saint-dié.cci.fr**

Conseil régional : **http://www.cr-lorraine.fr**

En passant par la Lorraine : **http://www.en-lorraine.com**

la commune de Nancy a repassé le seuil des 100 000 habitants. Il est prévu d'implanter dans cette zone les principales plates-formes logistiques régionales (Ikéa devait créer près de 300 emplois à La Maxe, près de Metz, Bertelsmann autant à Atton, à mi-chemin des deux métropoles, et davantage à Laxou, près de Nancy). L'attraction culturelle s'est confirmée grâce aux universités, aux technopôles et aux manifestations de prestige, comme la commémoration du centenaire de l'école de Nancy. Enfin, de grands chantiers d'urbanisme ont été lancés : rénovation du quartier Stanislas-Meurthe à Nancy, aménagement du quartier de l'Amphithéâtre à Metz, mise en valeur du front de Moselle à Thionville et à Épinal.

La grande affaire de politique régionale de 1999 a été la discussion du contrat de plan État-Région 2000-2006. Au pessimisme initial – seulement 4,5 milliards FF étaient accordés à la région en juillet – a succédé en fin d'année une certaine euphorie, lorsque la dotation est passée à 6,2 milliards FF, soit 2 715 FF par habitant (troisième rang des régions françaises). Les infrastructures d'équipement et de transport se taillent la part du lion (un tiers des investissements prévus). Le deuxième poste financier est toutefois occupé par les actions de reconversion des zones minières, avant même l'enseignement supérieur. L'avenir de la région passera par la prise en compte du legs du passé.

Enfin, il faudra panser les plaies causées par une tempête qui, le 26 décembre 1999, a provoqué en particulier la perte de 30 millions de m³ de bois (à savoir sept à huit années de production). - **Jean-Marie Gehring, Guy Loew** ■

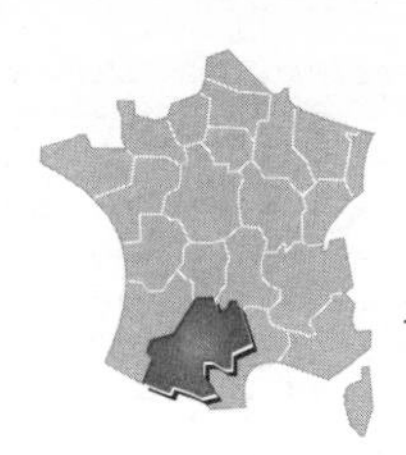

Midi-Pyrénées

Tributaire de décisions extérieures

Les premiers résultats du recensement de 1999 ont confirmé les tendances antérieures. La croissance démographique s'est poursuivie : depuis 1990, la région Midi-Pyrénées a gagné 118 000 habitants. Ce développement de la population, amorcé dans les années cinquante, lui a permis de retrouver pratiquement le nombre d'habitants qu'elle comptait en 1851. Les naissances équilibrent à peine les décès au sein d'une population globalement marquée par le vieillissement. C'est l'apport des migrations qui est désormais décisif, non seulement le retour de retraités au pays, mais surtout l'arrivée de jeunes actifs venant d'autres régions, attirés par le dynamisme toulousain.

En effet, l'essentiel de la croissance démographique bénéficie à l'aire urbaine de Toulouse, dont les 255 communes ont gagné 91 000 habitants. Cette expansion pose de redoutables problèmes d'aménagement de la métropole régionale, dont le nouveau schéma directeur, approuvé fin 1998, ne concerne qu'un périmètre étroit (63 communes). Tandis que la croissance périphérique se poursuit le long de grands axes de communication progressivement dotés de bonnes infrastructures routières ou autoroutières – vers Albi, Montauban, Foix et Pamiers, en particulier –, la commune-centre de Toulouse attire un nombre important de nouveaux habitants (+ 32 000 habitants, soit + 8,8 %), après une période de stagnation, voire de déclin. Elle profite de la qualité de ses équipements et de nombreuses opérations immobilières lancées

Midi-Pyrénées

Préfecture régionale : Toulouse.

Départements [préfecture] : Ariège [Foix], Aveyron [Rodez], Haute-Garonne [Toulouse], Gers [Auch], Lot [Cahors], Hautes-Pyrénées [Tarbes], Tarn [Albi], Tarn-et-Garonne [Montauban].

Superficie : 45 348 km² (8,3 % de la France métropolitaine).

Population (recensement 1999) : 2 551 687 habitants (4,4 % de la pop. de la France métrop.).

Variation 1990-1999 : + 121 024 habitants.

Principales unités urbaines (1999, dans les limites de 1990) : Toulouse (741 120), Tarbes (76 699), Albi (65 230), Montauban (54 000), Castres (45 325), Rodez (38 458), Mazamet (23 847), Cahors (23 120), Millau (22 838), Auch (21 800), Decazeville (17 044).

Composition du conseil régional (à l'issue des élections de mars 1998). Total sièges : 91, dont 2 LCR, 41 « Gauche plurielle » (21 PS, 9 PC, 9 PRG, 2 Verts), 38 Droite (14 UDF, 14 RPR, 10 DVD), 8 FN. [Président : Martin Malvy (PS), qui a remplacé Marc Censi (DL-UDF)].

PIB régional (en 1996) : 284,1 milliards FF (3,6 % du PIB national).

Taux de chômage en sept. 1999 : 11,6 % (France : 11,1 %).

Spécialisations industrielles : aéronautique et armement, cuir et chaussure.

Principales livraisons agricoles : lait, céréales, bovins, fruits.

Source : INSEE. Voir la signification des indicateurs p. 177.

depuis une décennie dans un vaste territoire communal offrant encore d'importantes opportunités foncières, sans trop accroître les densités.

Disparités démographiques et économiques

Dans le reste de la région, la situation est beaucoup plus inquiétante. Si le Tarn-et-Garonne semble profiter de l'expansion toulousaine, tandis que l'Ariège et le Lot parviennent à compenser un peu leur déficit naturel par un solde migratoire positif, partout ailleurs la stagnation ou le déclin l'emportent, même dans les principales agglomérations, souvent touchées par la crise de leurs activités : c'est le cas de Tarbes, Albi, Castres, Auch, Millau et même Rodez.

Le dynamisme toulousain repose sur un tissu productif profondément renouvelé, mais largement tributaire des activités aéronautiques et spatiales. Dans ces secteurs, les résultats récents incitent à l'optimisme. Trente ans après sa création, le consortium Airbus a vendu plus de 3 600 appareils : 420 ont été livrés en 1999, tandis que 476 commandes fermes étaient enregistrées, soit 55 % du marché des avions de plus de 100 places, nettement plus désormais que pour Boeing. Dans le domaine spatial, les résultats sont aussi encourageants : vingt ans après le premier tir d'une fusée Ariane, l'année 1999 s'est achevée avec le 125e tir réussi d'Ariane IV, tandis que pour son 1er vol commercial, en décembre, Ariane V mettait sur orbite le plus gros satellite scientifique européen.

Des inquiétudes demeurent cependant. L'industrie aéronautique européenne connaît une profonde restructuration. Privatisée, Aérospatiale forme désormais avec Matra Hautes Technologies un puissant groupe industriel, Aérospatiale-Matra. Celui-ci a fusionné avec l'allemand DASA, en octobre 1999 ; le rapprochement avec l'espagnol CASA a donné au nouvel ensemble ainsi constitué (EADS) 75,8 % des parts dans Airbus, laissant en situation minoritaire le partenaire britannique British Aerospace. Il reste à transformer le statut juridique d'Airbus pour faire de ce consortium un véritable groupe industriel. L'une des premières décisions à prendre concerne la fabrication d'un quadriréacteur long courrier, l'A3XX, d'une capacité de 480 à 650 passagers selon les versions. Si la décision de construire un tel appareil était prise, il conviendrait de décider de la localisation de la chaîne de montage : Toulouse a fait valoir ses atouts, tout en redoutant la concurrence de Hambourg

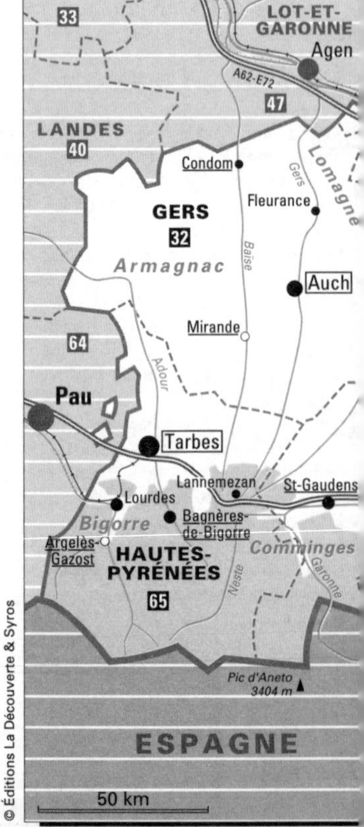

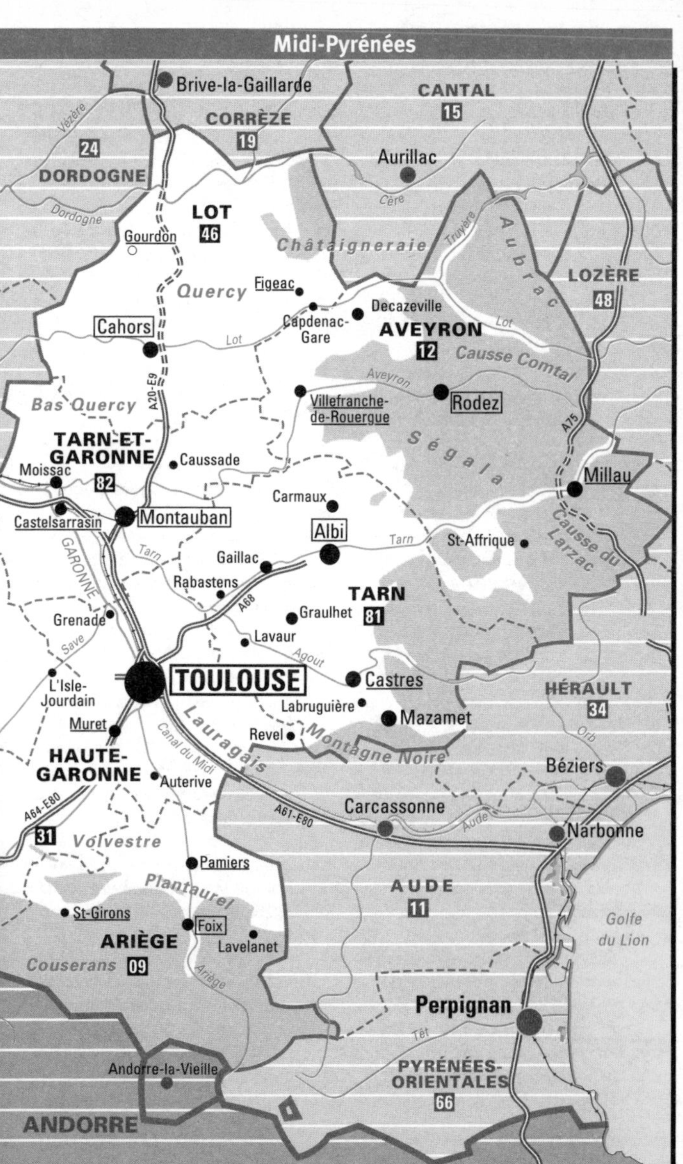
Midi-Pyrénées
Brive-la-Gaillarde
CORRÈZE
19
CANTAL
15
24
DORDOGNE
Vézère
Dordogne
Aurillac
Cère
LOT
46
Gourdon
Châtaigneraie
Truyère
Aubrac
LOZÈRE
48
Quercy
Figeac
Decazeville
Capdenac-Gare
Cahors
Lot
AVEYRON
12
Causse Comtal
Aveyron
Villefranche-de-Rouergue
Rodez
A20-E9
Bas Quercy
Ségala
A75
TARN-ET-GARONNE
82
Caussade
Moissac
Millau
Castelsarrasin
Montauban
Carmaux
Albi
Tarn
St-Affrique
Causse du Larzac
GARONNE
Gaillac
Rabastens
A68
TARN
81
Graulhet
Grenade
Lavaur
Save
Agout
TOULOUSE
Castres
L'Isle-Jourdain
Labruguière
Mazamet
HÉRAULT
34
Muret
Lauragais
Revel
Montagne Noire
Orb
HAUTE-GARONNE
Canal du Midi
Auterive
Béziers
A64-E80
A61-E80
Carcassonne
Aude
Narbonne
31
Volvestre
Pamiers
Plantaurel
AUDE
11
St-Girons
Foix
Golfe du Lion
ARIÈGE
Lavelanet
Couserans
09
Ariège
Perpignan
Têt
Andorre-la-Vieille
PYRÉNÉES-ORIENTALES
66
ANDORRE

Midi-Pyrénées : une identité en mutation

Avec ses huit départements, Midi-Pyrénées est la plus vaste des régions françaises. Des Pyrénées aux contreforts occidentaux du Massif central, ses paysages offrent une infinie variété : plateaux calcaires des causses du Quercy, ségalas du Tarn et du Rouergue, collines et coteaux du Lauragais et de Gascogne, grandes vallées alluviales…

Tous ces « pays » – plus ou moins dans l'orbite de la seule grande agglomération d'envergure nationale, Toulouse – ont connu, entre 1851 et 1954, un important exode rural, devenu exode régional, et une dénatalité précoce qui ont privé la région de 20 % de sa population. L'actuelle région Midi-Pyrénées est restée à l'écart de la révolution industrielle.

Pour enrayer ce processus de déclin, les notables locaux se firent les interprètes des « populations méridionales » auprès de l'État, dont on espérait aide et assistance. Cette attitude revendicative a favorisé les clientélismes de tous ordres et stérilisé les rares initiatives de modernisation. Dans ces pays précocement touchés par la déchristianisation, à l'exception de l'Aveyron et de certains cantons des Hautes-Pyrénées, l'école laïque et le radicalisme politique ont largement diffusé les idées républicaines et favorisé l'intégration culturelle et linguistique de la région dans l'ensemble national, ce qui accéléra l'affaiblissement de l'identité régionale et des références occitanes, longtemps défendues d'ailleurs par les forces conservatrices.

Longtemps attendues, les industries nées avec la guerre de 1914-1918 pour bénéficier de l'éloignement du front n'ont pas remis en cause des structures sociales que l'ancienne bourgeoisie foncière, affaiblie, ne dominait plus. La chimie, contrôlée par l'État (Office national industriel de l'azote – ONIA), et l'aéronautique qui s'efforça de se reconvertir dans des productions civiles (Latécoère), avant d'être pour l'essentiel nationalisée en 1936, ont plutôt renforcé le poids des classes moyennes. Leur statut excluait l'émergence d'une bourgeoisie d'affaires et favorisait le développement d'une population ouvrière proche des employés par ses comportements.

Dans le reste de la région, l'économie semblait bien léthargique. Une polyculture aux méthodes routinières, dominée par de petits propriétaires exploitants aux capacités de production limitées, s'était généralisée en s'adaptant aux conditions locales, plus tournée vers les céréales dans les plaines et les collines, plus orientée vers l'élevage sur les marges du Massif central et les Pyrénées. Reprenant souvent des traditions artisanales, quelques foyers industriels isolés vivaient sous la menace constante de la concurrence des productions venues d'autres régions de grande industrie. Charbon et métallurgie à Decazeville et Carmaux, textile et délainage dans le Sud-Est tarnais autour de Castres et Mazamet, mégisserie à Millau et Graulhet, travail de la laine à Lavelanet et dans le pays d'Olmes, arsenal et constructions électriques à Tarbes, électrochimie et électrométallurgie dans les vallées pyrénéennes… Tout cela se révélait insuffisant pour stimuler la croissance de villes trop petites et fixer dans la région les populations quittant les campagnes.

À partir des années soixante, la marginalisation de la région dans l'espace économique français a été stoppée et d'indéniables signes de dynamisme sont apparus. C'est de l'État qu'est venue l'impulsion décisive.

La promotion de Toulouse au rang des

métropoles d'équilibre, le renforcement de ses fonctions « régionales » avec la création de la région Midi-Pyrénées (1960) ont transformé cette ville en une agglomération de 741 000 habitants (recensement de 1999), qui contraste avec la faible population des villes secondaires : hormis Tarbes, Albi et Montauban, aucune autre agglomération ne dépasse en effet 50 000 habitants.

Dans le cadre de la politique de décentralisation conduite par la DATAR (Délégation à l'aménagement du territoire et à l'action régionale), Toulouse a vu s'installer de nombreux établissements travaillant dans le domaine de l'aéronautique et de l'espace : grandes écoles, CNES (Centre national d'études spatiales), Météorologie nationale... Ce potentiel volontairement accumulé par l'État dans l'agglomération a suscité, surtout à partir de 1980, d'autres implantations plus spontanées ou répondant à une politique plus offensive des collectivités locales.

Dans le sillage des grandes entreprises, une multitude de PME-PMI contribuent à l'émergence d'une technopole. Le phénomène est particulièrement net dans le sud-est de l'agglomération, alors qu'au nord-ouest s'est renforcé le pôle aéronautique.

La société toulousaine témoigne de ces mutations contemporaines par la place qu'y occupent désormais ingénieurs, techniciens et cadres, souvent venus d'autres régions, ce qui n'est pas sans conséquence sur la vie culturelle et les comportements politiques. Les notables traditionnels et leurs réseaux de clientèles se voient peu à peu bousculés par ces couches sociales nouvelles, soucieuses d'innovation, d'efficacité gestionnaire, et préoccupées par le rayonnement national et international de la ville.

Le dynamisme toulousain contraste avec les difficultés qui assaillent le reste de la région. De reconversions en restructurations, la plupart des autres foyers industriels ont vu leur potentiel gravement atteint (crise des charbonnages, fermeture de la sidérurgie à Decazeville, crise textile à Castres et Lavelanet...). L'avenir de l'agriculture – orientée vers la polyculture-élevage (lait et viandes) – dépend essentiellement de l'évolution de la politique agricole commune. La réduction des aides publiques condamnera sans doute à la ruine une majorité des exploitations régionales – les plus petites – et compromettra plus gravement encore les équilibres socio-écologiques de zones déjà fragiles, dans les secteurs de montagne en particulier.

Le maintien du dynamisme toulousain et sa diffusion dans une région dont le tissu économique et humain s'affaiblit dangereusement constituent un enjeu majeur. Or, en vingt ans, le déséquilibre s'est encore aggravé entre Toulouse et le reste de Midi-Pyrénées. Beaucoup dénoncent cette évolution. Cependant, l'essor de l'agglomération toulousaine est largement indépendant de son environnement régional. Autour des activités de pointe, il se nourrit essentiellement des relations que Toulouse a tissées avec d'autres grandes métropoles françaises et européennes. Il faut donc veiller à le maintenir en dotant l'agglomération des grands équipements indispensables au maintien de son attractivité. Comment éviter que ces investissements coûteux ne réduisent la part du reste de Midi-Pyrénées ? En ce domaine, le dialogue constructif entre Toulouse et les autres villes de la région n'est pas facile. Au-delà des plaidoyers pour de nécessaires solidarités, on n'échappe jamais à la tentation de revendications concurrentes, certes légitimes, mais fondées sur un certain « égoïsme territorial ». - **Robert Marconis** ■

INDICATEUR*	UNITÉ	1982	1990	1999	France entière 1999
Démographie					
Population**	*milliers*	2 325	2 431	2 552	58 518
Densité	*hab./km²*	51,3	53,6	56,3	107,6
Taux de croissance	*% annuel*	0,35[b]	0,56[c]	0,54[e]	0,37[e]
Accroissement naturel	*% annuel*	−0,01[b]	0,01[c]	0,05[e]	0,36[e]
Solde migratoire	*% annuel*	0,37[b]	0,54[c]	0,49[e]	0,01[e]
Population 0-19 ans	*% du total*	25,5	23,1	22,7[i]	25,8[i]
Population 60 ans et +	*% du total*	22,6	24,2	24,3[i]	20,4[i]
Population étrangère	*% du total*	4,9	4,3	••	6,4[m]
Population urbaine	*% du total*	60,4	60,9	••	74,0[m]
Fécondité***		1,62	1,55	1,55[h]	1,70[h]
Mortalité infantile	*‰ nais.*	9,6	7,1	3,9[h]	4,7[h]
Espérance de vie	*années*	76,0	78,1	79,4[h]	78,5[h]
Indicateurs socioculturels					
Nombre de médecins	*‰ hab.*	2,31	2,88	3,33	3,03
Diplômés (% des 25–54 ans)					
Bac ou brevet professionnel	%	15,9[a]	32,3	••	29,3[m]
Bac + 2 et diplômes supérieurs	%	7,5[a]	17,4	••	16,1[m]
dont femmes	%	48,3[a]	50,1	••	48,9[m]
Activité et chômage					
Population active	*milliers*	949	1 049	1 108[i]	25 567[i]
Agriculture	% (100 %)	19,9	13,0	7,1	4,2
Industrie	% (100 %)	27,9	25,2	22,9	24,9
Services	% (100 %)	52,2	61,8	70,0	70,9
Taux de chômage global	%	8,2	8,4	11,1[k]	10,5[k]
Taux féminin	%	12,0	11,8	13,9[j]	13,5[j]
Taux des « moins de 25 ans »	%	22,8	20,1	25,5[j]	23,9[j]
Taux des « longue durée »	%	3,9	3,6	4,7[h]	5,0[h]
Administrations publiques locales					
Ressources totales/hab.	*milliers FF*	5,0	9,5	10,8[f]	11,4[f]
dont fiscalité locale/hab.	*milliers FF*	2,1	4,4	5,0[f]	5,5[f]
Contribution de la région au commerce extérieur					
Exportations	*milliards FF*	24,8	48,1	113,8	1822,1
Importations	*milliards FF*	12,9	31,4	59,9	1753,0
Produit intérieur brut					
PIB régional	*milliards FF*	127,5	235,4	284,1[g]	7 871,7[g]
Taux de croissance	*% annuel*	3,4[b]	2,9[c]	1,7[d]	1,2[d]
Par habitant	*milliers FF*	54,6	96,6	113,1[g]	134,8[g]
Structure du PIB					
Agriculture	% (100 %)	7,8	5,0	3,3[g]	2,4[g]
Industrie	% (100 %)	30,5	26,8	25,0[g]	27,4[g]
Services	% (100 %)	61,7	68,2	71,7[g]	70,1[g]

*Sources et définitions indicateurs utilisés : voir p. 175 et suiv. ; ** Lors des recensements de 1982, 1990, et 1999 ; ***Indicateur conjoncturel de fécondité (exprimé en nombre moyen d'enfants par femme).
a. 1975 ; b. 1975-1982 ; c. 1982-1990 ; d. 1990-1996 ; e. 1990-1999 ; f. 1993 ; g. 1996 ; h. 1997 ; i. 1998 ;
j. Avril 1998 ; k. Déc. 1999 ; m. 1990.

Références

« Barcelone, Toulouse, horizon 2000 », *Villes et territoires*, n° 4, Presses universitaires du Mirail, Toulouse, 1991.

BIP (Bibliothèque informatique de publications), cédérom regroupant les publications de la direction régionale de l'INSEE depuis 1976, INSEE Midi-Pyrénées, Toulouse, 1998.

« Bordeaux-Toulouse, approches métropolitaines », *Sud-Ouest européen*, n° 2, Presses universitaires du Mirail, Toulouse, 1998.

Collectif Pambenel, « Midi-Pyrénées », *in* Y. Lacoste (sous la dir. de), *Géopolitiques des régions françaises*, tome II, Fayard, Paris, 1986.

C. Dupuy, J.-P. Gilly, *Midi-Pyrénées, dynamisme industriel et renouveau rural*, La Documentation française, Paris, 1997.

J.-C. Flamant, J.-C. Lugan, *Les Chemins de 2010, Midi-Pyrénées en prospective*, rapport de synthèse, Préfecture de région, 1992.

G. Jalabert, *Toulouse, métropole incomplète*, Anthropos, Paris, 1995.

R. Marconis, *Midi-Pyrénées XIXe-XXe siècles. Transports, espace, société*, Milan, Toulouse, 1986.

R. Marconis, « Toulouse », *in Atlas historique des villes de France*, Hachette, Paris, 1995.

R. Marconis, F. Pradel de Lamaze (sous la dir. de), *Représentations de Midi-Pyrénées. Atlas régional*, UTM/INSEE/Privat, Toulouse, 1995.

F. Pradel de Lamaze, *Midi-Pyrénées, de l'isolement à l'ouverture, 50 ans de cheminement (1945-1996)*, INSEE, Toulouse, 1997.

Tableaux de l'économie Midi-Pyrénées, TEMP 98, INSEE, Toulouse, 1998 (nouv. éd.).

Toulouse, Christine Bonneton, Paris, 1991.

@ Sites Internet

Centre de calcul interuniversitaire de Toulouse : **http://www.cict.fr**

Conseil régional : **http://www.cr-mip.fr**

Mairie de Toulouse : **http://www.mairie-toulouse.fr**

Midi net : **http://www.midinet.com**

où ont déjà été assemblés plusieurs types d'Airbus.

La dépendance de Midi-Pyrénées vis-à-vis de décideurs extérieurs est évidente. La région et sa métropole, Toulouse, ne peuvent que mettre en valeur leurs atouts pour faire pencher le choix à leur avantage. S'il est regrettable que le dynamisme toulousain ne se diffuse pas mieux, il serait désastreux de pénaliser la métropole pour « aider » le reste de l'espace régional. Dans les campagnes, en effet, l'inquiétude grandit aussi face à la mondialisation et à l'évolution de la PAC. Elle s'est manifestée de façon spectaculaire au mois d'août 1999, à Millau, quand, à l'appel de la Confédération paysanne, des agriculteurs ont « démonté » un MacDonald's en construction. L'un d'eux, José Bové, allait devenir la coqueluche des médias. Ces préoccupations devraient guider ceux qui auront à mettre en œuvre le contrat de plan État-Région 2000-2006, auquel l'État doit contribuer à hauteur de 5,5 milliards FF.

Toulouse sans Baudis

Les enjeux économiques et d'aménagement du territoire seront au cœur des joutes électorales. Le changement de majorité à la tête de la Région, reconquise par la gauche en 1998, laissait augurer de discussions plus âpres avec la ville de Toulouse, où rien ne semblait pouvoir ébranler une coalition municipale menée par Dominique Baudis (UDF). À l'issue de trois mandats successifs, celui-ci pouvait mettre à son actif d'importantes réalisations qui avaient doté la ville rose d'équipements à la hauteur de ses ambitions de métropole européenne. Les derniers « retards » étaient en passe d'être comblés, avec l'ouverture du nouveau théâtre de la Cité, du plus grand Zénith de France, que devraient suivre en 2000 l'ensemble d'art contemporain et, un peu plus tard, une grande médiathèque. Les enquêtes publiques ont également été lancées concernant le prolongement de la ligne A du métro et la création d'une deuxième ligne. D. Baudis a annoncé en janvier 2000 qu'il ne solliciterait pas de nouveau mandat municipal en 2001. En parrainant pour lui succéder Philippe Douste-Blazy, l'un des responsables nationaux de l'UDF et maire de Lourdes, il pouvait espérer pérenniser la majorité municipale en place. Cette nouvelle donne rend cependant quelque espoir à la gauche locale de reconquérir une ville votant systématiquement à son avantage lors des scrutins nationaux. Au moment où doit se décider la mise en place de structures intercommunales plus conformes à la réalité géographique de l'aire urbaine toulousaine, le choix des futures têtes de listes pour les élections municipales de 2001 à Toulouse concerne à l'évidence l'ensemble de l'agglomération. En effet, l'élu de la commune-centre devrait jouer un rôle essentiel au sein d'un ensemble urbain dont la banlieue a un poids démographique équivalent, mais où la plus grande des communes, Colomiers, ne compte pas 30 000 habitants. - **Robert Marconis** ■

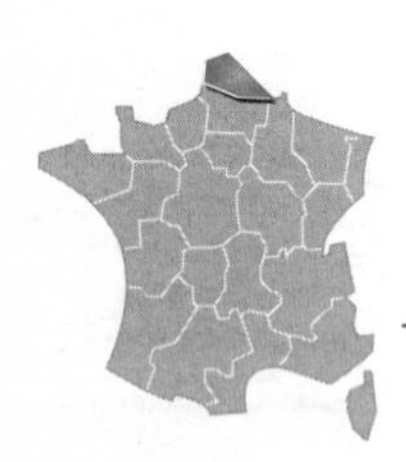

Nord-Pas-de-Calais

Un équilibre fragile

Les premiers résultats du recensement démographique de 1999 ont quelque peu déçu les responsables du Nord-Pas-de-Calais. En effet, la région ne compte pas encore quatre millions d'habitants. Pourtant, l'accroissement naturel (1,82 %) y est resté sensiblement plus élevé que la moyenne nationale, la région restant la plus féconde de France, mais il tend à baisser. De plus, le taux de mortalité y reste élevé (10 ‰). Aussi l'accroissement naturel compense-t-il à peine le déficit migratoire, même si celui-ci s'est ralenti (la région perdant en moyenne 17 000 habitants par an contre 20 000 en 1990). La métropole lilloise est de plus en plus attractive (+ 5,9 % entre 1990 et 1999). Elle n'a néanmoins gagné que 10 000 habitants, car Lille, comparée à Marseille (800 000) ou à Lyon (450 000), est beaucoup plus petite (182 000 habitants). Lille reste donc moins attractive que les grandes métropoles régionales. Autant de signes qui montrent que la situation régionale n'est pas encore rétablie.

INDICATEUR*	UNITÉ	1982	1990	1999	France entière 1999
Démographie					
Population**	milliers	3 932	3 965	3 997	58 518
Densité	hab./km²	316,7	319,4	321,9	107,6
Taux de croissance	% annuel	0,07[b]	0,10[c]	0,09[e]	0,37[e]
Accroissement naturel	% annuel	0,60[b]	0,64[c]	0,49[e]	0,36[e]
Solde migratoire	% annuel	−0,53[b]	−0,54[c]	−0,40[e]	0,01[e]
Population 0-19 ans	% du total	32,7	30,7	29,7[i]	25,8[i]
Population 60 ans et +	% du total	15,9	17,5	17,9[i]	20,4[i]
Population étrangère	% du total	5,0	4,2	••	6,4[m]
Population urbaine	% du total	86,8	86,2	••	74,0[m]
Fécondité***		2,26	1,99	1,87[h]	1,70[h]
Mortalité infantile	‰ nais.	11,8	8,1	5,1[h]	4,7[h]
Espérance de vie	années	72,2	74,5	76,0[h]	78,5[h]
Indicateurs socioculturels					
Nombre de médecins	‰ hab.	1,69	2,15	2,64	3,03
Diplômés (% des 25–54 ans)					
Bac ou brevet professionnel	%	12,5[a]	22,8	••	29,3[m]
Bac + 2 et diplômes supérieurs	%	5,2[a]	11,8	••	16,1[m]
dont femmes	%	42,0[a]	45,8	••	48,9[m]
Activité et chômage					
Population active	milliers	1 547	1 525	1 555[i]	25 567[i]
Agriculture	% } 100 %	4,5	3,5	1,7	4,2
Industrie	% } 100 %	41,4	34,4	27,0	24,9
Services	% } 100 %	54,1	62,0	71,3	70,9
Taux de chômage global	%	10,6	11,8	14,6[k]	10,5[k]
Taux féminin	%	14,1	15,5	18,5[j]	13,5[j]
Taux des « moins de 25 ans »	%	26,4	23,3	35,5[j]	23,9[j]
Taux des « longue durée »	%	6,9	5,4	7,4[h]	5,0[h]
Administrations publiques locales					
Ressources totales/hab.	milliers FF	5,1	9,0	10,5[f]	11,4[f]
dont fiscalité locale/hab.	milliers FF	2,2	4,0	4,6[f]	5,5[f]
Contribution de la région au commerce extérieur					
Exportations	milliards FF	60,8	100,4	160,5	1822,1
Importations	milliards FF	81,3	116,3	148,6	1753,0
Produit intérieur brut					
PIB régional	milliards FF	221,1	369,5	443,6[g]	7 871,7[g]
Taux de croissance	% annuel	2,0[b]	1,7[c]	1,1[d]	1,2[d]
Par habitant	milliers FF	56,1	93,2	110,8[g]	134,8[g]
Structure du PIB					
Agriculture	% } 100 %	3,2	2,1	1,4[g]	2,4[g]
Industrie	% } 100 %	38,8	33,3	30,1[g]	27,4[g]
Services	% } 100 %	58,0	64,6	68,5[g]	70,1[g]

*Sources et définitions indicateurs utilisés : voir p. 175 et suiv. ; ** Lors des recensements de 1982, 1990, et 1999 ; ***Indicateur conjoncturel de fécondité (exprimé en nombre moyen d'enfants par femme).
a. 1975 ; b. 1975-1982 ; c. 1982-1990 ; d. 1990-1996 ; e. 1990-1999 ; f. 1993 ; g. 1996 ; h. 1997 ; i. 1998 ; j. Avril 1998 ; k. Déc. 1999 ; m. 1990.

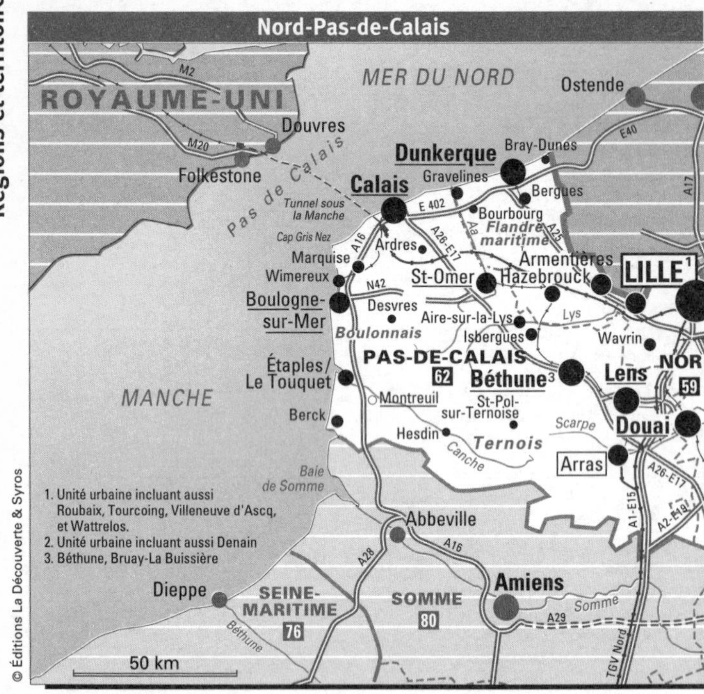

Comme dans d'autres régions, ce sont la métropole et le littoral qui attirent le plus de population. En revanche, certaines zones de l'intérieur ont continué de se dépeupler : le cœur du bassin minier autour de Lens, la vallée de la Sambre, le Cambrésis. L'augmentation sensible des crédits État-Région, dans le cadre du contrat de plan 2000-2006, était donc nécessaire (10,5 milliards FF, soit 10 % de plus que dans le contrat précédent). S'y ajoutent également les financements de la Région et de l'Union européenne. Un effort a été annoncé en faveur de la rénovation des logements miniers, dont l'achèvement est prévu en 2006. De plus, l'État a attribué à la Région six grands projets de ville, concernant Lille-Roubaix-Tourcoing, Maubeuge-Val de Sambre, Lens-Liévin, Valenciennes, Dunkerque et Boulogne-sur-Mer. L'ensemble des crédits pour cette période devrait donc atteindre de 25 à 28 milliards FF.

La Communauté urbaine de Lille, une structure prometteuse

La Cudl (Communauté urbaine de Lille) a fêté ses trente ans en 1998. Tous les responsables politiques, économiques et culturels de la région se sont unanimement félicités de son existence. Pourtant, à l'époque, cette décision imposée par l'État sans la moindre concertation avait suscité des réactions très hostiles. Néanmoins, le temps passant, les bénéfices de l'intercommunalité dans cette zone très densément peuplée qui doit faire face à une difficile reconver-

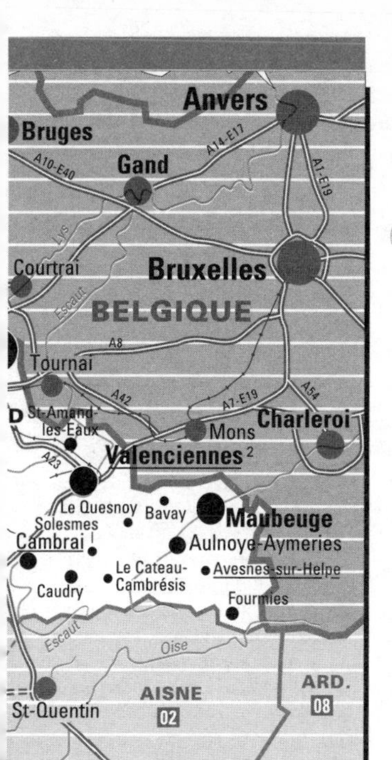

Yves Durand, maire socialiste d'une commune limitrophe de Lille, Lomme, a proposé une fusion de sa commune avec Lille, proposition refusée par ses électeurs. Au-delà de ces péripéties politiques locales, Lille, la plus petite des grandes villes françaises, est

sion industrielle sont apparus incontestables. La construction du métro, le VAL (véhicule automatique léger), inauguré en 1983, a ainsi été rendue possible. Une deuxième ligne, joignant Lille à Roubaix-Tourcoing, a d'ailleurs été ouverte en septembre 1999. En 2002, le VAL devrait atteindre la frontière belge. En 1999, le budget de la Cudl a atteint 8,3 milliards FF, dont 40 % ont été consacrés à l'investissement.

La Cudl est un outil convoité. Depuis sa création, il a été entre les mains des élus socialistes. Pierre Mauroy, maire PS de Lille, en était le président fin 1999. Il a cependant prévu de laisser la mairie en 2001, ayant choisi, pour lui succéder, Martine Aubry, ministre de l'Emploi et de la Solidarité au sein du gouvernement de Lionel Jospin.

Nord-Pas-de-Calais

Préfecture régionale : Lille.
Départements [préfecture] : Nord [Lille], Pas-de-Calais [Arras].
Superficie : 12 414 km² (2,3 % de la France métropolitaine).
Population (recensement 1999) : 3 996 588 habitants (6,8 % de la pop. de la France métrop.).
Variation 1990-1999 : + 31 530 habitants.
Principales unités urbaines (1990) : Lille (959 234, dont ville de Lille [363 653], Roubaix [172 142], Tourcoing [97 746], Villeneuve-d'Asq [65 320], Wattrelos [43 675]), Valenciennes-Denain (338 392), Lens (323 174), Béthune (261 535), Douai (199 562), Dunkerque (190 879), Maubeuge (102 772), Calais (101 768), Boulogne-sur-Mer (91 249), Arras (79 607), Armentières (57 738), Saint-Omer (54 642), Cambrai (48 133).
Composition du conseil régional (à l'issue des élections de mars 1998). Total sièges : 113, dont 7 LO, 12 PC, 2 MDC, 26 PS, 1 PRG, 1 DVG, 9 Verts, 2 CPNT, 15 UDF (liste Borloo-Nord), 20 RPR-UDF, 18 FN. [Président : Michel Delebarre (PS), qui a succédé à Marie-Christine Blandin (Verts) le 20.3.98].
PIB régional (en 1996) : 443,6 milliards FF (5,6 % du PIB national).
Taux de chômage en sept. 1999 : 15,2 % (France : 11,1 %).
Spécialisations industrielles : construction ferroviaire, industrie du verre, sidérurgie, textile et habillement, automobile, papier et carton.
Principales livraisons agricoles : lait, pommes de terre et betteraves, céréales.
Source : INSEE. Voir la signification des indicateurs p. 177.

Nord-Pas-de-Calais : une identité en mutation

Zone de contact entre la vaste plaine du Nord et le Bassin parisien, ouverte sur le détroit le plus fréquenté du monde qui unit la Manche à la mer du Nord, prolongement de l'immense ensemble urbain et industriel des pays de l'Europe du Nord, la région Nord-Pas-de-Calais se caractérise par sa forte densité : 320 habitants au km² au recensement de 1999 (moyenne France : 105,9).

La frontière avec la Belgique a eu un impact important sur l'économie de la région. Le développement de l'industrie textile à Roubaix et Tourcoing et dans la vallée de la Lys fut ainsi à ses débuts protégé par de hautes barrières douanières tout en bénéficiant de l'abondante et misérable main-d'œuvre paysanne flamande. Dans la vallée de la Sambre, les industriels belges se sont installés de l'autre côté de la frontière, pour atteindre le marché français. Le littoral est équipé de trois grands ports, Dunkerque, Calais, Boulogne-sur-Mer. Mais leur forte spécialisation (industrie, voyageurs et pêche) a contribué à l'isolement de chacun et ils furent longtemps assez mal reliés aux grands réseaux routiers et ferroviaires.

Le Nord est une grande région agricole intensive associée depuis longtemps à des industries agroalimentaires. Sa population agricole décroît. La superficie moyenne des exploitations augmente. La polyculture diminue rapidement, au profit de la spécialisation : les grandes exploitations céréalières (Artois, Cambrésis, Flandre) et, dans une moindre mesure, celles spécialisées dans l'élevage de bovins (Boulonnais, Audomarois, Avesnois, Thiérache) ; enfin, le maraîchage et l'aviculture sont en pleine expansion, soutenus par les industries agroalimentaires.

À partir des années soixante, les activités industrielles (mines, textile, sidérurgie) ont tour à tour connu de graves difficultés.

En 1960, 54 % de la population active travaillaient dans l'industrie, 49 % en 1975, 22 % en 1996. Le taux de chômage est depuis 20 ans supérieur à la moyenne française. Les effets de cette récession industrielle sont aggravés du fait des anciennes stratégies patronales. En effet, pour contrôler la main-d'œuvre et éviter les revendications salariales, chaque patronat local a imposé la mono-industrie, aussi, lorsqu'une crise survient, c'est toute la micro-région qui est dévastée. Le taux de chômage très élevé – 15,2 % en septembre 1999 – est dû aussi à l'arrivée d'un très grand nombre de jeunes sur le marché du travail – 33 % de la population a moins de 25 ans.

Les premiers puits de charbon ont été fermés dès 1952 ; le dernier l'a été en décembre 1990. Quarante ans pour supprimer 250 000 emplois, sans aucun licenciement, mais sans que les Charbonnages aient pu réussir la reconversion du bassin minier. Puis le textile a connu plusieurs crises sévères ; depuis les années soixante-dix, les fleurons de cette industrie, Motte-Bossut, La Lainière, disparaissent à Roubaix, à Tourcoing et dans les villes avoisinantes. Certains industriels se sont reconvertis dans la vente par correspondance (la Redoute, les Trois Suisses, Damart) et la grande distribution (groupe Mulliez), mais le dynamisme de ces deux secteurs ne compense pas les emplois perdus dans le textile. Plus moderne, plus productive, la sidérurgie sur eau dunkerquoise (Usinor) a passé l'obstacle de la crise mondiale de la branche, tandis que la sidérurgie valenciennoise sombrait après 150 ans d'activité (15 000 emplois perdus dans les années soixante-dix et quatre-vingt).

Les politiques de reconversion n'ont

pas été en mesure de faire face à l'ampleur de la crise industrielle. L'effort colossal pour la formation des jeunes et la reconversion des adultes n'a été engagé que dans les années quatre-vingt. Pendant des décennies, l'embauche facile et la faible qualification (sauf dans la sidérurgie) des emplois n'ont guère poussé les jeunes à se former. La très faible qualification des ouvriers, en particulier dans le textile, résulte d'une stratégie patronale, qui s'est longtemps résumée à de faibles investissements, une faible productivité, de faibles salaires.

Par ailleurs, la mosaïque que forment les villes spécialisées – ville du lin (Armentières), de la laine (Roubaix, Tourcoing, Cambrai), de la métallurgie (vallée de la Sambre), de la houille (Béthune, Lens-Liévin), de la sidérurgie (Valenciennois) – ne constitue pas un véritable réseau urbain hiérarchisé, même si le taux de population urbaine est très élevé. Aucune très grande ville ne s'impose, sauf Lille dont les élus ont eu quelque difficulté à faire reconnaître le rôle de capitale régionale. La région est la seule à avoir une métropole tricéphale Lille-Roubaix-Tourcoing, et même quadricéphale avec Villeneuve-d'Ascq depuis la fin des années soixante-dix.

Le PS est la première force politique de la région et le PC y a longtemps détenu de fortes bases. La géographie des forces de gauche est assurément liée à l'histoire sociale : région lilloise, bassin minier, vallée de la Sambre. Mais cette tradition ne doit pas masquer l'existence de forces politiques conservatrices historiquement implantées non seulement en milieu rural, Artois et Flandre, mais aussi en milieu urbain, Saint-Omer, Cambrai, Valenciennes. L'Église eut longtemps une très forte influence sur ces terres de la Contre-Réforme. Ensuite, elle chercha à encadrer les masses ouvrières et eut longtemps un poids considérable dans la vie sociale, en particulier dans les villes textiles, d'où la bonne implantation du syndicalisme chrétien. Quant aux forces socialistes, elles se sont longtemps caractérisées par leur recrutement ouvrier. Les relations entre parti et syndicats étaient très étroites. Les clivages sociaux ont été longtemps perceptibles dans le paysage urbain, courées du textile et corons des mines côtoyant les maisons de maître.

Au cours des années quatre-vingt, les rapports de force politiques ont évolué. Le déclin du PC, sauf dans le Valenciennois, a permis le renforcement des forces socialistes, surtout dans la partie ouest du bassin minier. La droite préserve ses zones de force. Mais, surtout, le Front national est désormais bien implanté dans la métropole nord, au centre du bassin minier et dans la vallée de la Sambre.

Depuis le début des années quatre-vingt, les « gens du Nord » voient leur espace régional changer fortement, les traces de l'épopée industrielle s'atténuant aussi bien dans l'espace que dans les mentalités. Chaque nouvelle étape de la construction de l'Union européenne (UE) accroît la possible transformation en eurorégion. Les équipements autoroutiers et ferroviaires (tunnel sous la Manche et TGV Paris-Lille-Londres) font de la région l'une des mieux desservies d'Europe. Lille pourrait alors pleinement jouer son rôle de métropole européenne. Néanmoins, il ne faut pas sous-estimer la barrière des langues, l'anglais et le néerlandais étant parlés par bien peu de Nordistes. Par ailleurs, les problèmes que pose la reconversion industrielle de la Wallonie sont similaires à ceux de l'ancien bassin minier du Nord-Pas-de-Calais, ce qui ne dynamise pas les coopérations de part et d'autre de la frontière. - **Béatrice Giblin-Delvallet** ■

Références

J.-L. Andreï, V. Dupuis, *Lille, métropole*, Ouest-France, Rennes, 1997.

Assises du bassin minier 1995-1996. *Les Actes des débats publics*, Conseil régional du Nord-Pas-de-Calais, Liévin, 1997.

Atlas Nord-Pas-de-Calais, INSEE Région Nord-Pas-de-Calais, Lille, 1995.

F. Damette, E. Vire, L. Godin, P. Beckouche, *La Région du Nord-Pas-de-Calais . Villes et système urbain* , Agence de développement et d'urbanisme de Lille métropole, Groupe huit, Tunis, 1997.

A. Demangeon, *Lille, métropole européenne,* DATAR, Paris, 1993.

F. Denieul, *Nord de Paris, Sud de Bruxelles,* Éd. de l'Aube, La Tour-d'Aigues, 1998.

La Métropole rassemblée : Lille, 1968-1998, Fayard, Paris, 1998.

D. Paris, *La Mutation inachevée. Mutation économique et changement spatial dans le Nord-Pas-de-Calais,* L'Harmattan, Paris, 1993.

P. Percq, *Une région pour gagner : la nouvelle aventure du Nord-Pas-de-Calais*, Éd. de l'Aube, La Tour-d'Aigues, 1997.

Des villes et des hommes. Le devenir de l'ancien bassin minier, Préfecture de la région Nord-Pas-de-Calais, Lille, 1995.

Profils de l'économie Nord-Pas-de-Calais, INSEE, Lille (4 numéros par an).

Tableaux économiques régionaux Nord-Pas-de-Calais, INSEE, Lille, 1998.

@ Sites Internet

CCI de Lille : **http://www.lille.cci.fr**

Chambre économique de la région lensoise : **http://www.nordnet.fr/jcel**

Conseil régional : **http://www.cr-npdc.fr**

La Voix/L'Étudiant : **http://www.lavoixletudiant.fr**

aussi celle qui pèse le moins dans son agglomération (plus d'un million d'habitants). La coopération de différentes communes de la Cudl est inéluctablement appelée à s'accroître. En effet, comme le stipule la loi Chevènement sur l'intercommunalité, la Cudl devrait voir ses pouvoirs renforcés, ce qui induit une gestion toujours plus étroite des 87 communes concernées.

Roubaix a fait la une des journaux avec l'ouverture en plein centre-ville (juillet 1999) d'un centre commercial réunissant des magasins d'usines sous l'enseigne Mac Arthur Glenn. Cette opération a permis d'accélérer la rénovation du centre urbain, qui bénéficie aussi des crédits importants du Grand projet urbain (GPU) – 325 millions FF de crédits engagés depuis 1995. L'objectif de cet outil expérimental de la politique de la Ville est de mettre un terme à la chute de la population et de faire revenir les classes moyennes dans treize quartiers particulièrement défavorisés de Roubaix, Tourcoing, Wattrelos et Croix. Certains contestant la limitation du GPU, il n'est pas exclu que le périmètre soit étendu à certains quartiers de Hem et surtout de Lille.

Désormais, la région Nord-Pas-de-Calais concentre près de 80 % des passagers et 50 % des camions du trafic transManche, dont l'essentiel passe par Calais, Dunkerque n'assurant plus aucune traversée et Boulogne-sur-Mer connaissant un trafic marginal. Toutefois, si Calais a capté le trafic passagers, elle n'a guère développé le trafic du fret. Les infrastructures portuaires et la qualité des services logistiques du port de Calais sont en effet loin de pouvoir concurrencer les ports belges et néerlandais.

Le littoral et l'effet transManche

La concurrence entre le lien fixe et les ferries a poussé les compagnies maritimes à s'adapter et à concentrer leurs activités sur Calais. Elles ont porté leur effort sur les navires, plus grands, plus confortables et plus nombreux et donc capables de transporter plus de voyageurs et plus de véhicules. De plus, les procédures d'embarquement et de débarquement ont été considérablement simplifiées. Cette adaptation indispensable a été rendue encore plus urgente par la suppression de la détaxe qui risquait de faire chuter brutalement le trafic lié à cet avantage fiscal, le prix très bas certains jours (10 FF par passager en 1999) étant largement compensé par les achats effectués à bord, lesquels représentent entre un tiers et la moitié du chiffre d'affaires des lignes, assurant ainsi leur rentabilité.

Il est difficile d'apprécier les conséquences de la mise en service du tunnel sous la Manche sur le développement économique du littoral. Le succès de la Cité Europe (immense centre commercial) semble incontestable, mais quelle part du commerce local a-t-elle captée ? La zone de chalandise du Calaisis s'en est-elle trouvée agrandie ? Le trafic sur la rocade littorale a été en constante augmentation, signe du désenclavement de ce secteur et du renforcement des échanges entre les trois agglomérations de Dunkerque, Calais et Boulogne-sur-Mer. Faut-il pour autant parler de coopération ? La diminution de l'écart entre le taux de chômage de la zone littorale et celui de la région est un signe encourageant.

Une croissance économique plus discrète qu'ailleurs

Toutefois, le taux de chômage régional est resté élevé (15,2 %), avec un maximum pour le Valenciennois (19,5 %). Le taux de chômage des jeunes de moins de vingt-deux ans (22 %) a encore nettement dépassé la moyenne française (15,6 %). La croissance économique s'est bien fait sentir dans la région (reprise des créations d'emplois), mais avec une ampleur moindre que dans le reste de la France. Les créations d'emplois ont été les plus nombreuses dans le secteur des services et se sont concentrées dans la métropole lilloise.

La persistance des difficultés économiques explique pour une part le résultat des élections européennes du 13 juin 1999. Le taux d'abstention a dépassé 50 % et, surtout, l'opposition à l'Europe, déjà marquée en septembre 1992 lors du référendum sur le traité de Maastricht, s'est confirmée. Les listes les plus opposées à la construction européenne – Lutte ouvrière, le Parti communiste et le Front national – ont obtenu des scores supérieurs à leurs scores nationaux dans l'ancien bassin minier. À la surprise de beaucoup, la liste Chasse, pêche, nature, traditions (CPNT) a obtenu 11,8 % des voix dans le Pas-de-Calais, essentiellement sur le littoral, les chasseurs de gibier d'eau ayant exprimé leur opposition à la loi Voynet.

Deux années de suite, des films tournés dans la région ont été récompensés par le festival de Cannes : *La Vie rêvée des anges* d'Érick Zonca en 1998, et *L'Humanité*. Ce long métrage de Bruno Dumont, réalisateur originaire du pays, a obtenu le grand prix du jury et les prix d'interprétation féminine et masculine. Depuis plusieurs années, la Région soutient financièrement, par l'intermédiaire du Centre régional des ressources audiovisuelles (Crrav), les films tournés là (notamment *Germinal*, *La Vie de Jésus* et les deux films déjà cités). Tous mettent l'accent sur les difficultés de vivre dans la région pour les plus fragiles et les plus démunis. Cependant, le fait que deux acteurs non professionnels natifs du pays aient obtenu les prix d'interprétation au festival de Cannes a rappelé le potentiel de la culture à sortir la région de ses difficultés, en attendant des films plus optimistes.
- **Béatrice Giblin-Delvallet** ■

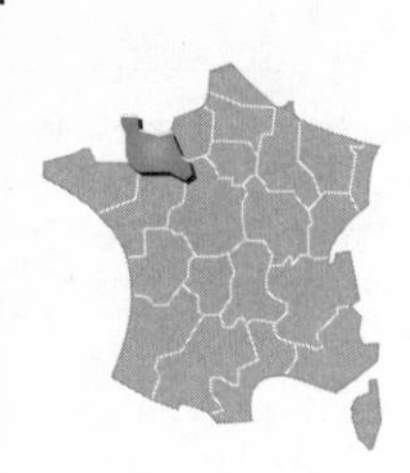

Basse-Normandie

Constats et programmations

Le débat sur le nucléaire a surgi en 1999 sous l'angle économique dans le Nord-Cotentin. L'annonce par le gouvernement allemand de Gerhard Schröder de l'abandon à terme de la filière nucléaire a conduit à imaginer le déclin du nucléaire et ses conséquences sur l'économie locale. En effet, la filière allemande représentait en 1999 20 % (6,5 milliards FF) du chiffre d'affaires de la Cogema. L'économie cherbourgeoise était sur la défensive. Les résultats du dernier recensement, arrêt de la croissance démographique et solde migratoire négatif, n'étaient guère encourageants.

Les élections européennes du 13 juin 1999 ont montré que les enjeux autour de l'environnement, de l'espace rural et des modèles de production raisonnés dans l'économie mondialisée allaient jouer un rôle déterminant. La liste Chasse, pêche, nature et traditions (CPNT) a obtenu plus de 15 % des suffrages. Les Verts (9 %) ont fait plus que retrouver leur influence passée. L'équilibre de la « gauche plurielle » normande pourrait changer.

Les menaces de listéria dans les camemberts, les troupeaux bovins sous séquestres à cause de la dioxine ont montré la sensibilité de l'opinion à la sécurité alimentaire et les risques économiques de l'application du principe de précaution [*voir article p. 126*]. Avec, en toile de fond, les menaces sur la qualité de l'eau et les luttes anti-porcheries dans le bocage, les Normands convergent sur les problèmes, mais les antagonismes se creusent : ils n'auront pas toujours le secours de l'interdiction nationale du bœuf anglais pour éluder les questions. La tempête du mois de décembre, qui a fait huit morts dans la région, a montré une autre facette de la population, celle de la solidarité.

La région ne se reconnaît pas dans l'aménagement du territoire

Ce contexte aura profondément marqué l'élaboration du contrat de plan État-Région 2000-2006. La loi sur l'aménagement du territoire qui instaure les « pays », la loi Chevènement qui fonde les communautés d'agglomération, la loi d'orientation agricole qui instaure les contrats territoriaux d'exploitation (CTE), Agenda 2000, qui modifie les zonages européens [*voir article p. 163*], les différents schémas régionaux (dont celui de la santé) qui restructurent les services publics, étaient propres à disperser les élus locaux. Les conseillers généraux du Calvados, sous la houlette de leur présidente, Anne d'Ornano (DL), ont envahi le bureau du préfet pour protester contre la réforme du zonage. À de rares exceptions près, la Basse-Normandie n'a pas d'identité de pays, et lorsque c'est le cas, elle ne correspond pas à l'idée que s'en fait la DATAR (Délégation à l'aménagement du territoire et à l'action régionale). Avec plus ou moins de bonheur, une quinzaine de « pays » étaient donc en train de voir le jour. L'exécutif régional, conduit par René Garrec (DL), a adopté une attitude attentiste mais aussi précautionneuse, d'autant que le rapporteur de la loi Voynet à l'Assemblée nationale n'est autre que Philippe Duron, député

INDICATEUR*	UNITÉ	1982	1990	1999	France entière 1999
Démographie					
Population**	*milliers*	1 350	1 391	1 422	58 518
Densité	*hab./km²*	76,8	79,1	80,9	107,6
Taux de croissance	*% annuel*	0,48[b]	0,37[c]	0,24[e]	0,37[e]
Accroissement naturel	*% annuel*	0,53[b]	0,46[c]	0,31[e]	0,36[e]
Solde migratoire	*% annuel*	−0,05[b]	−0,09[c]	−0,06[e]	0,01[e]
Population 0-19 ans	*% du total*	31,0	28,0	26,6[i]	25,8[i]
Population 60 ans et +	*% du total*	18,0	20,5	21,5[i]	20,4[i]
Population étrangère	*% du total*	1,6	1,6	••	6,4[m]
Population urbaine	*% du total*	54,0	53,2	••	74,0[m]
Fécondité***		2,01	1,79	1,73[h]	1,70[h]
Mortalité infantile	*‰ nais.*	7,2	7,1	4,3[h]	4,7[h]
Espérance de vie	*années*	74,9	76,7	78,0[h]	78,5[h]
Indicateurs socioculturels					
Nombre de médecins	*‰ hab.*	1,59	2,05	2,47	3,03
Diplômés (% des 25–54 ans)					
Bac ou brevet professionnel	%	11,8[a]	22,8	••	29,3[m]
Bac + 2 et diplômes supérieurs	%	5,3[a]	11,7	••	16,1[m]
dont femmes	%	47,1[a]	48,9	••	48,9[m]
Activité et chômage					
Population active	*milliers*	590	631	546[i]	25 567[i]
Agriculture	% } *100 %*	22,5	9,7	9,5	4,2
Industrie	% } *100 %*	32,1	31,0	24,7	24,9
Services	% } *100 %*	45,4	59,3	65,8	70,9
Taux de chômage global	%	9,0	8,1	9,8[k]	10,5[k]
Taux féminin	%	11,8	11,1	13,8[j]	13,5[j]
Taux des « moins de 25 ans »	%	25,0	17,6	27,8[j]	23,9[j]
Taux des « longue durée »	%	5,0	3,6	5,5[h]	5,0[h]
Administrations publiques locales					
Ressources totales/hab.	*milliers FF*	5,1	8,8	10,3[f]	11,4[f]
dont fiscalité locale/hab.	*milliers FF*	2,1	4,0	4,7[f]	5,5[f]
Contribution de la région au commerce extérieur					
Exportations	*milliards FF*	8,7	16,7	23,4	1822,1
Importations	*milliards FF*	6,8	14,5	24,3	1753,0
Produit intérieur brut					
PIB régional	*milliards FF*	71,7	130,9	163,6[g]	7 871,7[g]
Taux de croissance	*% annuel*	3,0[b]	2,9[c]	1,9[d]	1,2[d]
Par habitant	*milliers FF*	52,9	94,0	115,3[g]	134,8[g]
Structure du PIB					
Agriculture	% } *100 %*	9,2	6,3	4,3[g]	2,4[g]
Industrie	% } *100 %*	31,4	31,8	27,9[g]	27,4[g]
Services	% } *100 %*	59,4	61,9	67,8[g]	70,1[g]

*Sources et définitions indicateurs utilisés : voir p. 175 et suiv. ; ** Lors des recensements de 1982, 1990, et 1999 ; ***Indicateur conjoncturel de fécondité (exprimé en nombre moyen d'enfants par femme).
a. 1975 ; b. 1975-1982 ; c. 1982-1990 ; d. 1990-1996 ; e. 1990-1999 ; f. 1993 ; g. 1996 ; h. 1997 ; i. 1998 ; j. Avril 1998 ; k. Déc. 1999 ; m. 1990.

socialiste de Caen. La Région a décidé d'aider financièrement le lancement des « pays », mais leur état d'avancement semblait très inégal. C'est surtout autour des communautés d'agglomération que se sont cristallisés les conflits. À Cherbourg, un référendum d'initiative populaire a fait échouer de justesse la tentative de fondre la communauté urbaine en une seule commune. Cherbourg et Octeville ont néanmoins décidé de fusionner. À Caen, six maires de communes périphériques (les mieux dotées fiscalement !) se sont ligués pour refuser la communauté d'agglomération et la condescendance intéressée de Caen et d'Hérouville en interpellant directement une population agacée. À droite comme à gauche, la désignation à Caen de la tête de liste aux municipales de 2001 restait l'enjeu majeur.

Un Bas-Normand sur dix en dessous du seuil de pauvreté

L'amélioration de la situation de l'emploi salarié a été particulièrement nette et s'est accentuée au second semestre : le chômage est passé de 11,7 % à 9,8 % entre septembre 1998 et décembre 1999. Cependant, l'emploi précaire à temps partiel s'est développé, concernant 12 000 personnes en 1999 contre 6 000 en 1995. En

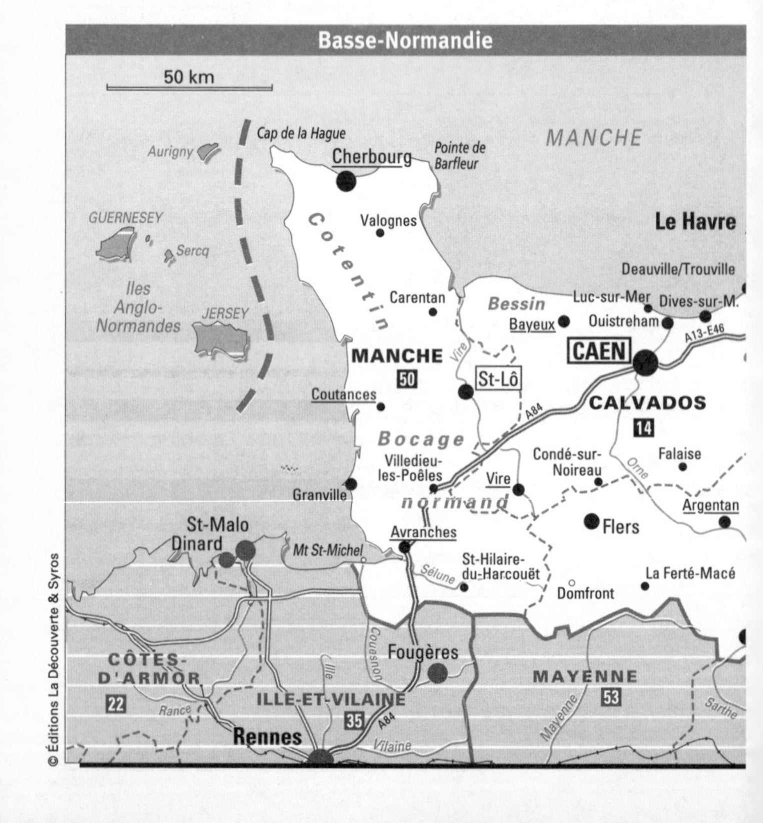

novembre 1999, une étude de l'INSEE a montré qu'une partie de la population salariée avait basculé en dessous du seuil de pauvreté. 10 % des Bas-Normands vivaient ainsi en dessous de ce seuil.

Paradoxalement, le contexte de reprise a révélé l'instabilité de l'emploi industriel. La disparition de Nomaï à Avranches a été symptomatique : entreprise informatique de pointe créée en 1993, elle a connu une forte croissance (105 emplois). Rachetée par Iomega, un groupe américain, en janvier 1999, le lancement d'un mini-disque innovant, le Click, ayant échoué, elle a fermé en octobre. Moulinex (petit électroménager), après trois ans de plans de restructuration, plombé par la crise russe, cherchait pour sa part son salut dans la filialisation. L'industrie bas-normande, qui fait vivre un salarié sur cinq, se caractérise par une externalisation croissante des sièges sociaux – 30 % des emplois sont dépendants d'une stratégie industrielle ou financière décidée ailleurs –, par un niveau de salaire inférieur à la moyenne nationale et par un taux d'encadrement plus limité.

Des « pôles d'excellence » se bâtissent qui associent les entreprises, la recherche, l'innovation, le transfert technologique et la formation : ainsi, dans la Manche, les savoir-faire liés à la maîtrise d'ambiance

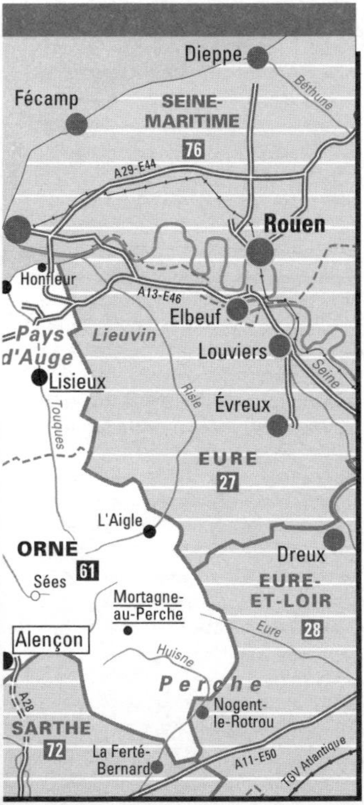

Basse-Normandie

Préfecture régionale : Caen.

Départements [préfecture] : Calvados [Caen], Manche [Saint-Lô], Orne [Alençon].

Superficie : 17 589 km² (3,2 % de la France métropolitaine).

Population (recensement 1999) : 1 422 193 habitants (2,4 % de la pop. de la France métrop.).

Variation 1990-1999 : + 30 875 habitants.

Principales unités urbaines (1999, dans les limites de 1990) : Caen (199 490), Cherbourg (88 590), Alençon (38 879), Lisieux (26 629), Saint-Lô (25 462), Flers (23 240).

Composition du conseil régional (à l'issue des élections de mars 1998). Total sièges : 47, dont 2 PC, 12 PS, 2 PRG, 1 Verts, 2 CPNT, 9 UDF, 10 RPR, 1 MPF, 2 DVD, 6 FN. [Président : René Garrec (DL-UDF), réélu le 20.3.98].

PIB régional (en 1996) : 163,6 milliards FF (2,1 % du PIB national).

Taux de chômage en sept. 1999 : 10,4 % (France : 11,1 %).

Spécialisations industrielles : matériels électriques et électroniques ménagers, industrie de la viande et du lait, construction navale et armement.

Principales livraisons agricoles : lait, bovins.

Source : INSEE. Voir la signification des indicateurs p. 177.

Basse-Normandie : une identité en mutation

Les Bas-Normands redécouvrent leur histoire. Ils savent que Guillaume de Normandie (XIe siècle) était bâtard et « conquérant parce que bâtard », que l'abbatiale de Wesminster est une œuvre normande, de même que le palais royal de Palerme, en Sicile. Quel rapport y a-t-il entre ce Normand du Moyen Âge, issu de brassages multiples, capable d'imposer son droit coutumier, son sens de l'administration, et celui du XXe siècle, dont l'image est plutôt celle d'un homme enraciné dans sa terre, attaché à ses « gens » et à ses biens, prudent dans ses paroles, méfiant de ce qui est nouveau et étranger ?

Paradoxale et complexe, la Basse-Normandie est une terre de diversité. Cette diversité est d'abord géographique. La partie occidentale repose sur le socle est du Massif armoricain. Elle comprend les zones herbagères du Cotentin, et le Bocage normand qui s'étend au sud jusqu'à la plaine d'Alençon. Ses reliefs arrondis offrent des conditions moins faciles au travail agricole que la Normandie sédimentaire, laquelle appartient géologiquement au Bassin parisien. Là sont les zones herbagères qui ont fait sa réputation : le Bessin, le pays d'Auge et, à l'est, le pays d'Ouche. Les plaines centrales (Caen, Argentan, Alençon) n'ont révélé leur fertilité qu'à la fin du siècle dernier, sous l'effet de techniques culturales introduites par des migrants belges. Cependant, la complexité géologique du substrat, l'hydrologie dense, les multiples zones de marais, l'alternance de bocages et d'openfields, le climat humide et tempéré en font une région tout en nuances. Les 450 kilomètres de côtes attestent plus encore cette diversité : de la baie du Mont-Saint-Michel à la pointe de la Hague, de Saint-Vaast-la-Hougue à l'estuaire de la Seine se succèdent baies, côtes rocheuses, plages, havres profonds, massifs dunaires. Ils témoignent aussi de cette longue histoire où l'éternel ennemi anglais est devenu l'allié libérateur.

Autonome pendant trois siècles, le duché de Normandie sera rattaché à la couronne royale en 1204. Au XVIIe siècle, les généralités consacreront l'administration à partir de Rouen et Caen : la Seine est devenue une séparation. À la Révolution, les trois départements, la Manche, l'Orne et le Calvados, vont naître sans rupture et entériner les découpages. La consolidation du centralisme royal puis républicain, la construction rayonnée des voies de communication (Paris-Cherbourg, Paris-Granville) et l'attraction de la capitale contribueront à rendre cette région dépendante et interstitielle. Au début des années soixante, Caen est impliquée dans une décentralisation industrielle devant capter l'exode rural qui engorge la région parisienne, tandis que le Nord-Cotentin accueille l'industrie nucléaire civile et militaire. Ainsi se tisse la problématique actuelle : la région, dont les limites reposent sur des racines historiques, ne s'est pas construit d'avenir commun avant le dernier quart de siècle. Faute d'une cohérence propre, l'avenir de l'est du Calvados se décide au Havre, tandis que le Sud-Manche se tourne vers Rennes. L'est de l'Orne est polarisé par la région parisienne, Alençon, au sud, se glisse dans le couloir de développement du TGV atlantique et le Nord-Cotentin, autour de Cherbourg, est marqué par son particularisme nucléaire. Après les décentralisations, Caen s'est développé sans irradier l'économie régionale.

Dans les années quatre-vingt, alors que se mettent en place les instances régionales, l'armature ville-campagne de la Basse-Normandie se dégrade : l'hémorragie de l'emploi agricole, la polarisation de l'emploi urbain, la généralisation du modèle de vie citadin transforment radicalement l'espace régional. De nombreux centres locaux perdent leur pouvoir d'attraction et leur capacité à maintenir les services de proximité : le Bocage central, le Bocage ornais, le Merlerault sont, au premier chef, concernés par cette évolution que les zonages politiques actuels ne parviennent pas à corriger. Les bassins de vie où se tissent les complémentarités, où les dynamiques collectives sont possibles, échappent massivement aux découpages administratifs actuels.

Les instances régionales mises en place à partir de 1982 se sont d'abord attelées au désenclavement. Il a été prévu de prolonger l'autoroute A 13 (Paris-Caen) jusqu'à Cherbourg. Depuis 1996, la ligne ferroviaire Paris-Cherbourg est électrifiée, tandis que la ligne Paris-Granville fait l'objet d'une salutaire modernisation. Deux axes autoroutiers nord-est/sud-ouest (l'autoroute des Estuaires et Calais-Bayonne) vont traverser la Basse-Normandie, modifier l'interdépendance des régions de l'Ouest et permettre un débouché sud aux ports bas-normands. Le Deauvillais Michel d'Ornano, ministre de l'Industrie de Valéry Giscard d'Estaing, avait lancé une orientation vers la recherche, en 1975, en implantant le GANIL (Grand accélérateur national d'ions lourds). Il sera imité par Louis Mexandeau, ministre (bas-normand) des PTT de François Mitterrand installant le SEPT (Service d'étude des postes et des télécommunications). La Région a, par ailleurs, accompagné la création de pôles de recherche, notamment dans l'imagerie médicale, l'intelligence artificielle, les matériaux supraconducteurs, les sciences de l'homme. Cette recherche publique en a précédé une autre, plus technologique et appliquée à l'industrie comme la plasturgie, l'industrie du vivant, la biologie appliquée. Le plan Université 2000, enjeu du troisième contrat de plan (1994-1999) est directement en prise avec cette stratégie régionale ; il a initié des délocalisations universitaires dans les principales villes de la région.

La vie régionale n'échappe ni aux rivalités ni aux clientélismes. En Basse-Normandie, pas d'enthousiasme collectif à la manière bretonne, pas de leader charismatique ni de visionnaire patenté ; l'élu n'y aime pas le débat public ; il se soumet aux campagnes électorales, mais ne descend pas dans l'arène. Le Calvados, plus urbanisé, épouse le plus souvent les majorités nationales ; la Manche et l'Orne, malgré l'érosion continue du vote conservateur, votent à droite. Le militantisme social d'inspiration chrétienne a familiarisé avec le vote de gauche une région où la culture catholique reste significative, malgré la disparition récente (1995-1997) des structures paroissiales traditionnelles.

En quinze ans, le paysage économique a profondément changé : le revenu par habitant a crû plus vite que la moyenne nationale (+ 2,5 % par an contre + 1,9 %). Les biens intermédiaires, l'agroalimentaire, le tourisme notamment ont tiré la croissance. Cela a pu, dans certains cas, faciliter le traitement des traumatismes industriels (métallurgie, transformation du lait et de la viande, électroménager, armement), malgré d'incontestables progrès dans les procédures de reconversion. Des univers entiers restent cependant à explorer et les retards d'hier sont de remarquables atouts : un littoral largement préservé, une agriculture qui a conservé ses productions traditionnelles, des réserves phréatiques intactes, une qualité paysagère exceptionnelle. La Basse-Normandie a un vrai rôle à jouer pour réinventer les relations ville-campagne ; il y va de sa cohésion. - **Joël Anne** ■

Références

J.-J. Bougy, C. Bougy, P. Brunet *et alii, Calvados : la Normandie par excellence*, Christine Bonneton, Paris, 1997.

Centre de recherches sur la vie rurale/Service de statistiques agricoles, *Atlas de l'agriculture normande*, Presses universitaires de Caen, Caen, 1995.

J.-M. Fournier, B. Raoulx, *Environnement, Aménagement, Société en Basse-Normandie*, Presses universitaires de Caen, Caen, 1999.

Le Guide économique de la Normandie 2000, Éditions du P'tit Normand, Rouen, 1999.

INSEE, *L'Économie bas-normande*, « Bilan 1998 », INSEE, Caen, 1999.

@ Sites Internet

Université de Caen : **http://www.unicaen.fr**

Conseil régional : **http://www.cr-basse-normandie.fr**

Centre des technologies nouvelles : **http://www.gravir.org**

issus de l'industrie nucléaire sont mis au service de l'industrie agroalimentaire. Un autre pôle se constitue autour de l'image et des technologies de l'information, alors que le pôle plasturgie à Alençon, le premier, teste avec succès le processus depuis douze ans. L'agriculture bas-normande, qui s'était lancée dans la production sous label, allait être aidée par un Institut de la qualité.

Le « couloir ferroviaire » Est-Ouest « Normandie-Vallée de Seine » devrait donner un débouché européen aux quatre ports normands concernés (Rouen, Le Havre, Caen et Cherbourg), et permettre à ce dernier de mener à bien le projet de liaison rapide transatlantique avec les porte-conteneurs de la société Fastship. 1999 a été riche de constats et de programmations, l'année 2000 allait-elle être celle des décisions répondant à l'impatience des acteurs ? - **Joël Anne** ■

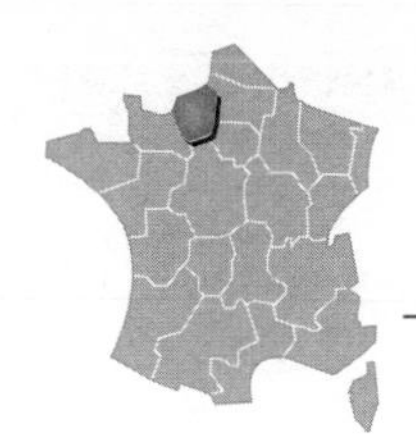

Haute-Normandie

Un contrat de plan 2000-2006 favorable

Les résultats du recensement, connus début 2000, ont montré une évolution divergente des deux principales villes de Haute-Normandie. Rouen est passée de 103 000 à 107 000 habitants, confirmant le redressement amorcé à partir de 1982, tout en restant loin du sommet atteint en 1911 (125 000 habitants). Le Havre, pour sa part, n'est pas parvenu à stopper son déclin et ne compte plus que 191 000 habitants, contre 196 000 en 1990 et 218 000 en 1975. Les autres villes à dominante industrielle et à forte concentration de logements sociaux comme Dieppe, Saint-Étienne-du-Rouvray et Grand-Quevilly ont connu elles aussi un net recul.

Le relatif dynamisme de Rouen sur le plan démographique correspond à la tendance générale des grandes villes françaises et ne doit pas faire illusion. Globalement, l'INSEE a constaté que le ralentissement démographique observé en France était « plus marqué » en Haute-Normandie. L'excédent naturel, qui était de 0,6 % par an entre 1982 et 1990, est tombé à 0,5 % et le solde migratoire, qui se situait tout juste en dessous de 0 %, est devenu franchement négatif (–0,2 %). Avec seulement 40 000 habitants supplémentaires depuis 1990, la Haute-Normandie appartient au « croissant nord » du pays, s'étendant de la Basse-Normandie à la Lorraine, qui est caractérisé par un solde migratoire négatif et une fécondité plutôt forte (1,79) mais en baisse.

Si les résultats du recensement ont été accueillis sans enthousiasme, il n'en a pas été de même du contrat de plan 2000-2006, pour lequel l'État s'est engagé à hauteur de

Haute-Normandie

Préfecture régionale : Rouen.
Départements [préfecture] : Eure [Évreux], Seine-Maritime [Rouen].
Superficie : 12 317 km² (2,3 % de la France métropolitaine).
Population (recensement 1999) : 1 780 192 habitants (3,0 % de la pop. de la France métrop.).
Variation 1990-1999 : + 42 945 habitants.
Principales unités urbaines : Rouen (384 960, dont ville de Rouen [106 592], Sotteville-lès-Rouen [29 553], Saint-Étienne-du-Rouvray [29 092], Le Grand-Quevilly [26 679], Le Petit-Quevilly [22 332]), Le Havre (247 357), Évreux (60 108), Elbeuf (54 062), Dieppe (42 202), Vernon (31 366), Fécamp (22 717), Barentin (20 757), Louviers (20 579).
Composition du conseil régional (à l'issue des élections de mars 1998). Total sièges : 55, dont 2 LO, 5 PC, 13 PS, 2 PRG, 3 Verts, 1 CPNT, 7 UDF, 7 RPR, 1 MPF, 4 DVD, 10 FN. [Président : Alain Le Vern (PS), qui a succédé à Antoine Rufenacht (RPR)].
PIB régional (en 1996) : 244,9 milliards FF (3,1 % du PIB national).
Taux de chômage en sept. 1999 : 13,1 % (France : 11,1 %).
Spécialisations industrielles : pétrole, chimie, fibres artificielles, industrie du verre, automobile, papier et carton, parachimie et industries pharmaceutiques, matériels électriques et électroniques ménagers.
Principales livraisons agricoles : lait, céréales, bovins.

Source : INSEE. Voir la signification des indicateurs p. 177.

INDICATEUR*	UNITÉ	1982	1990	1999	France entière 1999
Démographie					
Population**	*milliers*	1 655	1 737	1 780	58 518
Densité	*hab./km²*	134,4	141,0	144,5	107,6
Taux de croissance	*% annuel*	0,52[b]	0,61[c]	0,27[e]	0,37[e]
Accroissement naturel	*% annuel*	0,61[b]	0,64[c]	0,48[e]	0,36[e]
Solde migratoire	*% annuel*	−0,09[b]	−0,03[c]	−0,21[e]	0,01[e]
Population 0-19 ans	*% du total*	31,3	29,0	28,1[i]	25,8[i]
Population 60 ans et +	*% du total*	16,4	17,8	18,4[i]	20,4[i]
Population étrangère	*% du total*	3,4	3,2	••	6,4[m]
Population urbaine	*% du total*	70,7	68,8	••	74,0[m]
Fécondité***		2,10	1,87	1,79[h]	1,70[h]
Mortalité infantile	*‰ nais.*	9,4	7,5	4,5[h]	4,7[h]
Espérance de vie	*années*	74,1	76,4	77,4[h]	78,5[h]
Indicateurs socioculturels					
Nombre de médecins	*‰ hab.*	1,70	2,08	2,48	3,03
Diplômés (% des 25–54 ans)					
Bac ou brevet professionnel	%	12,7[a]	22,5	••	29,3[m]
Bac + 2 et diplômes supérieurs	%	5,7[a]	11,7	••	16,1[m]
dont femmes	%	45,5[a]	48,5	••	48,9[m]
Activité et chômage					
Population active	*milliers*	731	757	799[i]	25 567[i]
Agriculture	% } 100 %	5,8	6,7	2,4	4,2
Industrie	% } 100 %	40,2	33,5	30,4	24,9
Services	% } 100 %	53,9	59,8	67,2	70,9
Taux de chômage global	%	10,1	10,3	12,4[k]	10,5[k]
Taux féminin	%	14,1	13,9	15,3[j]	13,5[j]
Taux des « moins de 25 ans »	%	25,5	20,3	31,3[j]	23,9[j]
Taux des « longue durée »	%	6,5	5,0	6,5[h]	5,0[h]
Administrations publiques locales					
Ressources totales/hab.	*milliers FF*	5,7	9,7	11,5[f]	11,4[f]
dont fiscalité locale/hab.	*milliers FF*	2,6	4,8	5,8[f]	5,5[f]
Contribution de la région au commerce extérieur					
Exportations	*milliards FF*	38,6	72,5	109,9	1822,1
Importations	*milliards FF*	73,3	70,4	85,7	1753,0
Produit intérieur brut					
PIB régional	*milliards FF*	117,7	198,0	244,9[g]	7 871,7[g]
Taux de croissance	*% annuel*	2,8[b]	1,7[c]	1,8[d]	1,2[d]
Par habitant	*milliers FF*	70,9	113,7	137,3[g]	134,8[g]
Structure du PIB					
Agriculture	% } 100 %	3,9	3,0	1,7[g]	2,4[g]
Industrie	% } 100 %	39,8	41,4	42,4[g]	27,4[g]
Services	% } 100 %	56,4	55,6	55,9[g]	70,1[g]

*Sources et définitions indicateurs utilisés : voir p. 175 et suiv. ; ** Lors des recensements de 1982, 1990, et 1999 ; ***Indicateur conjoncturel de fécondité (exprimé en nombre moyen d'enfants par femme).
a. 1975 ; b. 1975-1982 ; c. 1982-1990 ; d. 1990-1996 ; e. 1990-1999 ; f. 1993 ; g. 1996 ; h. 1997 ; i. 1998 ; j. Avril 1998 ; k. Déc. 1999 ; m. 1990.

3,3 milliards FF. Avec cette nouvelle génération de contrats, la Haute-Normandie apparaît au 12e rang des régions françaises pour le montant de la participation de l'État par habitant (1 870 FF), alors qu'elle ne figurait qu'en 16e position (avec 1 297 FF) auparavant.

Projet Port-2000 et fin des chantiers du Havre

Ces chiffres sont d'autant plus flatteurs qu'ils ne prennent pas en compte la construction d'un ensemble de nouveaux quais à conteneurs au Havre, baptisé Port-2000, qui a obtenu le feu vert du gouvernement en 1998. L'État a prévu de financer ce projet à hauteur de 600 millions FF sur une facture totale estimée à 2,5 milliards FF. Les collectivités locales et l'Union européenne devraient être sollicitées pour verser 500 millions FF, le reliquat de 1,4 milliard FF restant à la charge du port auto-

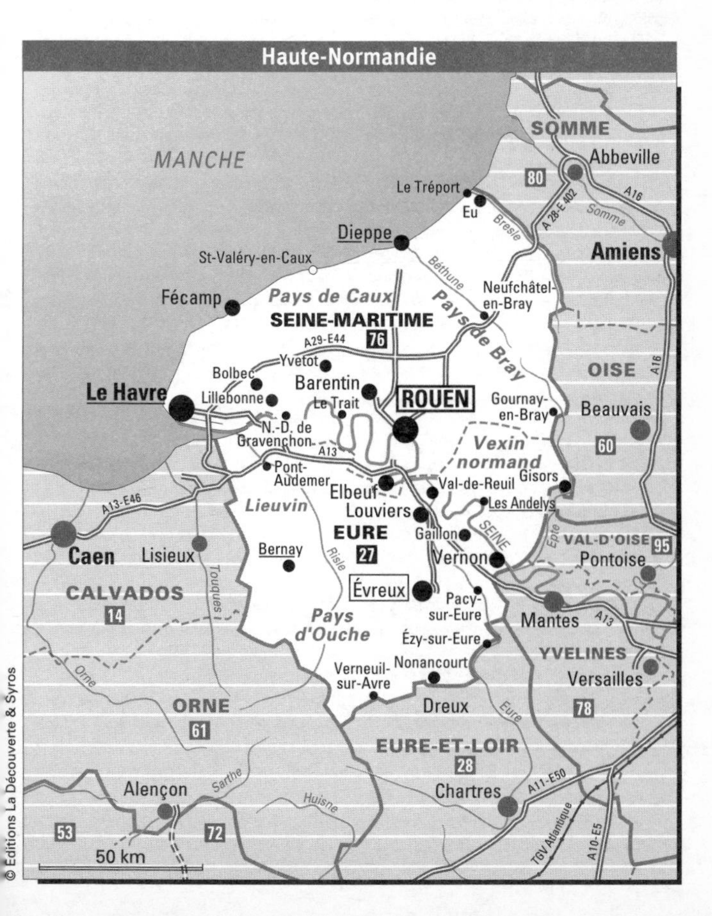

Haute-Normandie : une identité en mutation

Composée des deux seuls départements de la Seine-Maritime et de l'Eure, la Haute-Normandie a été inventée par l'État dans les années cinquante. La vallée de la Seine et les plateaux qui la dominent étaient considérés comme un ensemble cohérent qui constituait l'« axe privilégié » du desserrement de Paris et son débouché naturel vers la mer. Vues sous cet angle, les solidarités historiques qui liaient ce territoire à la Basse-Normandie voisine apparaissaient très secondaires.

L'intérêt de l'État pour la Haute-Normandie a culminé à la fin des années soixante avec la rédaction du schéma « Basse Seine », dont l'objectif était d'accompagner l'expansion attendue de Paris vers l'ouest. Mais ce document est vite devenu caduc avec la crise à partir des années 1974-1975, et le cadre régional retenu est alors apparu étriqué et sans réelle unité.

Morceau du Bassin parisien, cette région se présente sous la forme d'un plateau calcaire bordé par la Manche et entaillé par de nombreuses vallées dont la principale est le lit de la Seine qui concentre les trois quarts de la population. L'évolution démographique s'est faite au XXe siècle au profit de cet axe et au détriment des plateaux. La variété des paysages a induit des utilisations du sol très différentes : polyculture dans le pays de Caux, céréales dans la plaine de Saint-André, élevage dans le pays de Bray. Les activités agricoles et la pêche ne concernaient plus que 3,5 % des actifs en 1998, contre 16 % en 1962.

Déjà sensible dans les campagnes, l'éclatement l'est encore plus en milieu urbain. Deux grandes métropoles doivent coexister sur un petit territoire. Rouen, place de commerce depuis l'époque romaine et deuxième ville du royaume sous l'Ancien Régime, peut se prévaloir d'une histoire riche et de la plus grande diversité de ses fonctions. Le Havre, créé *ex nihilo* par François Ier au XVIe siècle, a pris son essor au XIXe siècle grâce à son port qui a misé sur le négoce du coton et du café, puis sur les échanges transatlantiques et enfin sur les trafics de pétrole et de conteneurs.

Cette absence d'unité géographique se conjugue avec une grande dépendance économique. Les capacités d'initiative de la bourgeoisie locale ont toujours été faibles, sauf dans le domaine du commerce international. Aux XVIIIe et XIXe siècles, le travail du coton et la métallurgie ont été favorisés par les Britanniques et les Alsaciens. Au XXe siècle, les usines à papier (Chapelle-Darblay), les raffineries de pétrole (Total, Shell, Esso, Mobil), l'industrie chimique (Exxon Chemical, Atochem, Hoechst, Thann et Mulhouse, CDF-Chimie...), l'automobile (Renault) et les centrales nucléaires ont dû leur implantation à la volonté de l'État.

Cet apport extérieur a permis à la région de disposer d'un tissu industriel très diversifié que les restructurations n'ont pas véritablement entamé, sauf dans les domaines de la construction navale et du textile. En 1998, la part de la population active employée dans le secteur secondaire était tombée à 30,0 % contre 44,6 % en 1975. Et si le chômage atteint des niveaux plus élevés qu'ailleurs, il faut y voir l'influence de la proximité de l'Ile-de-France qui limite le développement du secteur tertiaire.

Le poids élevé des industries de main-d'œuvre peu exigeantes en qualification et leur concentration dans la vallée de la Seine expliquent en grande partie les retards de la région en matière de formation et de communication. L'université de

Rouen n'a été créée qu'en 1964 et celle du Havre en 1984. De même, les nouvelles relations autoroutières vers le nord et le sud (A 28) et l'est (A 29 prolongée au sud par le pont de Normandie entre Le Havre et Honfleur) n'ont commencé à voir le jour qu'au cours de la seconde moitié des années quatre-vingt-dix. Quant à la liaison ferroviaire Paris-Normandie, dont la qualité de service n'a cessé de se dégrader depuis le début des années soixante-dix, sa modernisation ne devrait pas intervenir avant l'horizon 2005-2010.

L'environnement a payé ici un lourd tribut au développement, notamment dans la vallée de la Seine, et les élites locales ont pris tardivement la mesure du problème. La Haute-Normandie détient le record de France des installations industrielles à risque – une soixantaine – dont la présence joue parfois un rôle de repoussoir pour l'implantation d'industries légères ou d'activités tertiaires.

Sur le plan des mentalités, c'est encore la diversité. Après la Révolution, la déchristianisation a d'abord touché le pays de Bray et la région d'Évreux alors que la pratique religieuse a mieux résisté dans le pays de Caux. Au XIXe siècle, l'essor du prolétariat a accéléré le recul de l'Église dans les villes. Ces attitudes religieuses recoupent souvent la géographie électorale. Radicale dans les années trente, gaulliste dans les années soixante, socialiste dans les années quatre-vingt, la couleur politique de la Haute-Normandie, lors des élections nationales, s'identifie avec une étonnante constance à celle du pouvoir en place à Paris. Ce comportement « légitimiste » est toutefois compensé par une prime à l'opposition lors des scrutins locaux. À gauche, le PCF, qui s'appuie sur les concentrations ouvrières urbaines, a émergé comme premier parti à la Libération avec 29 % des suffrages. Il a connu un recul spectaculaire dans les années quatre-vingt (8 % aux présidentielles de 1988) et sa principale force, son implantation municipale, s'est réduite avec la perte du Havre en 1995. Le PS, distancé par les communistes au moment du Front populaire, n'est devenu hégémonique au sein de la gauche qu'en 1981. Ce parti, dont Laurent Fabius est devenu chef de file en 1977, avait réuni jusqu'à 38 % des suffrages lors des législatives de 1988 avant de connaître des oscillations importantes au cours des années quatre-vingt-dix. Il a conquis la mairie de Rouen en 1995 puis le conseil régional en 1998 et doit compter avec l'émergence des écologistes et de l'extrême gauche depuis le milieu des années quatre-vingt.

À droite, la politique est d'abord une affaire de notables locaux modérés qui s'appuient sur les campagnes conservatrices du pays de Caux notamment. Les gaullistes ont conquis un électorat populaire aux dépens du radicalisme et bousculé les indépendants et les centristes dans les années soixante. Ils ont ensuite perdu du terrain face aux amis de Jean Lecanuet, le sénateur-maire démocrate-chrétien de Rouen mort en 1993. Globalement, la droite traditionnelle n'a cessé de reculer au cours de la Ve République pour tomber à 28 % lors des législatives de 1997. Depuis le milieu des années quatre-vingt, elle a dû compter sur sa droite avec un puissant Front national qui a atteint un maximum de 16 % en 1997.

Région couloir, honnête succursale de l'Ile-de-France, ou région au destin propre ? Depuis que Paris s'est imposé comme capitale française, la Haute-Normandie est confrontée à cette difficile alternative. Elle ne peut trouver son identité qu'en valorisant les atouts qui font d'elle la frontière maritime du Bassin parisien.- **Dominique Aubin** ■

Références

M. Brocard, L. Lévêque (sous la dir. de), *Atlas de l'estuaire de la Seine*, Presses de l'université de Rouen, Rouen, 1996.

F. Gay, G. Granier, J. Garnier, *La Haute-Normandie, géographie d'une région*, Éditions du P'tit Normand, Rouen, 1986.

G. Granier, *L'Agglomération rouennaise, dossier documentaire*, SIVOM de Rouen, Rouen, 1992.

Y. Guermond, *La Haute-Normandie sur deux horizons*, RECLUS/La Documentation française, Paris, 1993.

Y. Guermond, « Haute-Normandie », *in* Y. Lacoste (sous la dir. de), *Géopolitiques des régions françaises*, tome II, Fayard, Paris, 1986.

Haute-Normandie, l'encyclopédie, MG éditions, Bourg-en-Bresse, 1997.

Le Livre blanc de l'agglomération Rouen-Elbeuf, Comité de pilotage, Rouen, 1992.

Le Livre blanc du Grand Havre, Agence d'urbanisme de la région du Havre, Le Havre, 1992.

C. Pourcin, *Atouts et potentialités des régions normandes*, Normandie-développement, Rouen, 1992.

Préfecture de la région Haute-Normandie, *2015, la Haute-Normandie dans le Grand Bassin parisien*, Rouen, 1991.

Région Haute-Normandie, *La Région en cartes*, Rouen, 1994.

@ Sites Internet

Conseil régional : **http://www.cr-haute-normandie.fr**

Normandie-développement : **http://www.normandydev.com**

Port du Havre : **http://sys-info@havre-port.fr**

Port de Rouen : **http://www.rouen.port.fr**

Préfecture de région : **http://www.normandnet.fr/prefecture**

nome. La finalisation du projet s'est toutefois heurtée aux plaintes de Bruxelles qui reproche à l'État français de ne pas assurer une protection suffisante de l'environnement dans l'estuaire de la Seine. L'UE a menacé de ne pas verser d'aides à Port-2000 si la France ne classait pas en réserve naturelle les espaces épargnés par l'industrie et les ports. Ces inquiétudes rejoignent celles des experts indépendants chargés de suivre les questions d'environnement relatives au projet. Dans leur premier rapport rendu public en septembre 1999, le comité d'experts a fait le constat d'une « longue dégradation, causée par la chenalisation et la pollution du fleuve » et souhaité que Port-2000 soit l'occasion d'une « prise de conscience collective ». Compte tenu de ces aléas, les procédures ont pris neuf mois de retard. Le lancement du chantier n'était plus envisagé avant le second semestre 2000.

En attendant la mise en service des installations prévue en 2003, les différents acteurs portuaires ont pris leurs marques. Les marins du remorquage se sont opposés à l'ouverture à la concurrence de leur profession. Les grutiers ont protesté contre l'implication du secteur privé dans les futures installations. Quant aux dockers, ils ont observé plusieurs jours de grève à l'automne 1999 pour exiger que les travaux de manutention sur les zones logistiques leur soient réservés. De son côté, le patronat a fait valoir que, les hangars étant privés, les entreprises étaient libres de choisir leur main-d'œuvre. L'issue de ce bras de fer est importante, ces zones logistiques étant appelées à se développer si Port-2000 tient ses promesses.

Toujours côté maritime, la ligne trans-Manche Dieppe-Newhaven a connu un redémarrage *a minima*, après le retrait de la compagnie britannique P & O Stena Line en janvier 1999. Son compatriote Hoverspeed Fast Ferries a en effet mis en service un catamaran rapide qui n'assure que des rotations saisonnières. Il a transporté 300 000 passagers en 1999 alors que le potentiel de la ligne dépasse un million. Pour relancer cette liaison, le conseil général de la Seine-Maritime n'excluait pas, fin 1999, de s'impliquer financièrement dans une modernisation du port de Newhaven, dont les installations étaient obsolètes.

L'état de l'économie

L'actualité liée à la mer a éclipsé le feu vert donné en septembre 1999 au projet de liaison ferroviaire rapide qui assurera une meilleure desserte des grandes villes normandes (Le Havre, Rouen, Caen). L'État et les régions Île-de-France, Haute-Normandie et Basse-Normandie se sont mis d'accord sur un schéma de principe et sur un calendrier de réalisation étalé sur la première décennie du siècle. Le projet comporte des aménagements de voies et le raccordement de la gare de Paris-Saint-Lazare au réseau Eole. Ces travaux, évalués à 4,5 milliards FF, devraient permettre aux Normands de gagner facilement les aéroports parisiens. Ce projet était très attendu dans la mesure où la desserte ferroviaire de la Haute-Normandie n'a bénéficié d'aucune amélioration significative depuis les années trente, à la différence de la plupart des autres régions désormais desservies par le TGV.

Sur le plan plus immédiat, l'état de l'économie s'est nettement amélioré en 1999 malgré la fermeture des Ateliers et chantiers du Havre (800 salariés) en mars 2000 et malgré la réduction des effectifs dans des entreprises comme De Carbon, Christofle et Schott. L'activité a notamment été stimulée par l'Armada du siècle, un rassemblement de grands voiliers qui a attiré en juillet 1999 de très nombreux visiteurs sur les quais de Rouen. Fin 1999, le taux de chômage de la région s'établissait à 12,4 %, contre 13,7 % un an plus tôt. Les responsables locaux estimaient début 2000 que cette amélioration ne serait pas stoppée par les conséquences de la tempête de décembre 1999, qui a causé la mort de trois personnes dans la région et des dégâts représentant plus d'un milliard FF pour le seul département de la Seine-Maritime - **Dominique Aubin** ■

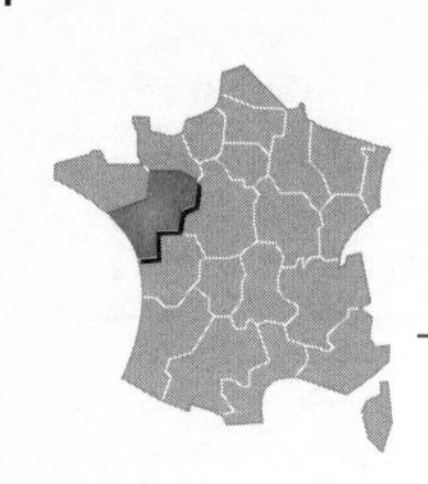

Pays de la Loire

Confirmation des fractures territoriales

La région Pays de la Loire a été relativement épargnée par les deux tempêtes de la fin décembre 1999. En revanche, le littoral a été touché de plein fouet par les nappes de fioul consécutives au naufrage du pétrolier *Erika* affrété par Total Fina.

Le secteur le plus atteint s'étend de l'embouchure de la Vilaine au pays de Monts, en particulier les côtes rocheuses entre Le Croisic et la baie de La Baule (la Côte sauvage). L'estuaire de la Loire a été épargné.

Les ostréiculteurs de la baie de Bourgneuf, les paludiers de la presqu'île guérandaise, ainsi que les pêcheurs ont subi de gros dommages difficiles à chiffrer, d'autant que les conséquences à venir sur la salubrité des eaux, la qualité des produits mais aussi sur leur image ne sont guère mesurables. Il en est de même des retombées négatives sur les activités touristiques. En outre, les chiffres d'affaires de ces activités sont mal appréciés par l'administration.

Les polémiques sur le montant des indemnisations, sur les priorités entre le sauvetage des oiseaux et celui des activités économiques, sur le degré d'imprévoyance des autorités, sur les avis non pris en compte des scientifiques font contraste avec la forte mobilisation et les solidarités nées de cet accident chez les citoyens.

Les résultats du recensement général de la population de mars 1999 ont souligné les fractures territoriales au sein des Pays de la Loire. S'ils ont réjoui les responsables nantais, ils ont laissé les responsables sarthois et mayennais dans l'expectative et inquiété ceux des Mauges et de quelques marges rurales. Les mouvements démographiques enregistrés ont confirmé les tendances. La natalité (12,6 ‰), qui était une force vive de la région et sa principale originalité, a beaucoup baissé. En revanche, les gens partent moins et sont beaucoup plus nombreux à s'installer dans la région, en particulier les cadres et techniciens dans les grandes agglomérations et les retraités sur le littoral. Avec 3 220 331 habitants, la région a conservé son rang, sa population ayant augmenté de 5,3 %.

Nantes semble être la grande ville française qui a les résultats les plus flatteurs. Avec une croissance de près de 10 % à compter de 1990, elle est passée de 245 000 à 269 000 habitants. Le district (21 communes) a atteint 548 000 habitants, l'ACRN (Association communautaire de la région nantaise, 37 communes) dépasse 608 000 habitants, progressant de 10,3 %. De nombreux sièges régionaux d'entreprises ont en effet élu domicile à Nantes depuis quelques années. Un grand nombre d'emplois dits « stratégiques » (ingénieurs et techniciens de haut niveau) ont accompagné ces installations.

Le dynamisme exceptionnel de l'estuaire

Le mouvement a gagné l'estuaire. Les succès à l'exportation des Chantiers navals de l'Atlantique, avec un carnet de commandes de quatorze paquebots et la perspective de plusieurs années de plein emploi (jusqu'à fin 2003), seuil jamais atteint, sus-

INDICATEUR*	UNITÉ	1982	1990	1999	France entière 1999
Démographie					
Population**	*milliers*	2 930	3 059	3 222	58 518
Densité	*hab./km²*	91,3	95,4	100,4	107,6
Taux de croissance	*% annuel*	0,82[b]	0,54[c]	0,58[e]	0,37[e]
Accroissement naturel	*% annuel*	0,63[b]	0,49[c]	0,37[e]	0,36[e]
Solde migratoire	*% annuel*	0,19[b]	0,05[c]	0,21[e]	0,01[e]
Population 0-19 ans	*% du total*	31,8	28,7	27,0[i]	25,8[i]
Population 60 ans et +	*% du total*	17,7	19,9	20,7[i]	20,4[i]
Population étrangère	*% du total*	1,4	1,5	••	6,4[m]
Population urbaine	*% du total*	62,8	62,5	••	74,0[m]
Fécondité***		2,10	1,81	1,79[h]	1,70[h]
Mortalité infantile	*‰ nais.*	9,5	6,6	5,3[h]	4,7[h]
Espérance de vie	*années*	75,2	77,4	78,8[h]	78,5[h]
Indicateurs socioculturels					
Nombre de médecins	*‰ hab.*	1,58	2,12	2,47	3,03
Diplômés (% des 25–54 ans)					
Bac ou brevet professionnel	%	12,5[a]	24,6	••	29,3[m]
Bac + 2 et diplômes supérieurs	%	5,4[a]	12,4	••	16,1[m]
dont femmes	%	45,8[a]	48,4	••	48,9[m]
Activité et chômage					
Population active	*milliers*	1 280	1 337	1 414[i]	25 567[i]
Agriculture	% } 100 %	14,1	10,1	6,6	4,2
Industrie	% } 100 %	35,2	32,4	30,4	24,9
Services	% } 100 %	50,7	57,5	63,0	70,9
Taux de chômage global	%	8,7	9,1	9,9[k]	10,5[k]
Taux féminin	%	12,0	12,6	13,4[j]	13,5[j]
Taux des « moins de 25 ans »	%	22,3	22,0	21,5[j]	23,9[j]
Taux des « longue durée »	%	5,8	4,1	4,7[h]	5,0[h]
Administrations publiques locales					
Ressources totales/hab.	*milliers FF*	4,9	8,8	10,3[f]	11,4[f]
dont fiscalité locale/hab.	*milliers FF*	2,1	4,1	4,8[f]	5,5[f]
Contribution de la région au commerce extérieur					
Exportations	*milliards FF*	18,2	40,9	80,8	1822,1
Importations	*milliards FF*	31,3	47,4	80,8	1753,0
Produit intérieur brut					
PIB régional	*milliards FF*	172,2	304,0	373,8[g]	7 871,7[g]
Taux de croissance	*% annuel*	3,5[b]	2,3[c]	1,7[d]	1,2[d]
Par habitant	*milliers FF*	58,6	99,3	118,1[g]	134,8[g]
Structure du PIB					
Agriculture	% } 100 %	8,2	5,9	4,4[g]	2,4[g]
Industrie	% } 100 %	36,3	31,8	31,3[g]	27,4[g]
Services	% } 100 %	55,6	62,3	64,2[g]	70,1[g]

*Sources et définitions indicateurs utilisés : voir p. 175 et suiv. ; ** Lors des recensements de 1982, 1990, et 1999 ; ***Indicateur conjoncturel de fécondité (exprimé en nombre moyen d'enfants par femme).
a. 1975 ; b. 1975-1982 ; c. 1982-1990 ; d. 1990-1996 ; e. 1990-1999 ; f. 1993 ; g. 1996 ; h. 1997 ; i. 1998 ; j. Avril 1998 ; k. Déc. 1999 ; m. 1990.

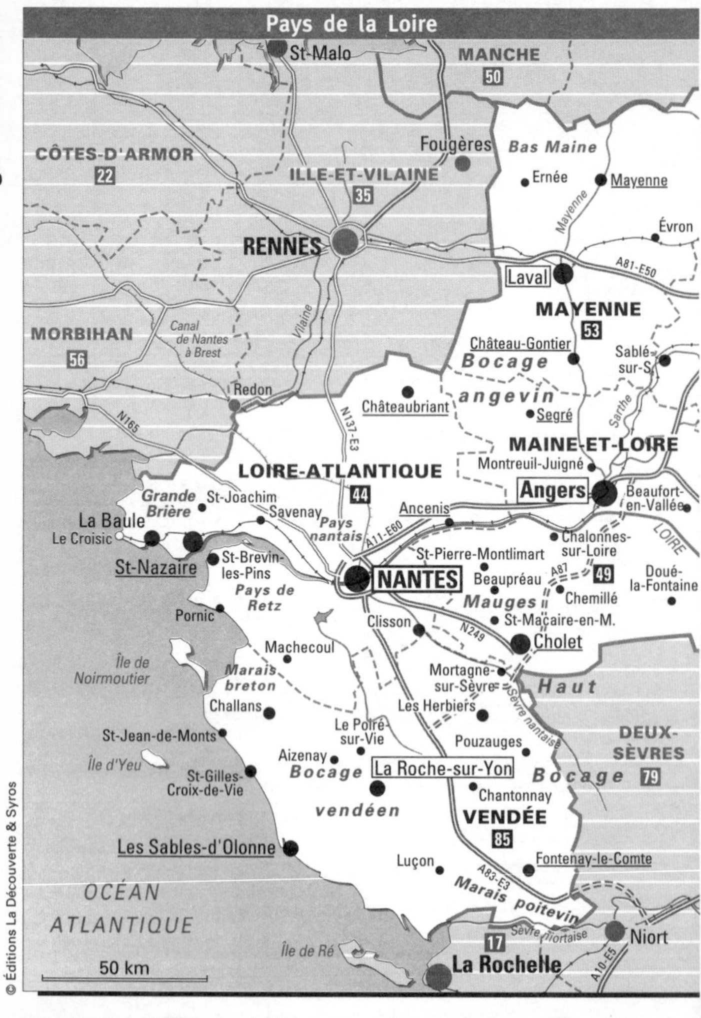

citent l'euphorie. L'afflux de main-d'œuvre autour de Saint-Nazaire, l'effet se répercutant sur les sous-traitants, pose des problèmes de logement. Il y aurait même pénurie dans certains corps de métiers.

Ces succès économiques rendent de plus en plus crédible un avenir commun pour l'ensemble de l'estuaire. La mise en place d'une conférence de ses maires en est l'illustration. L'idée d'une métropole reprenant

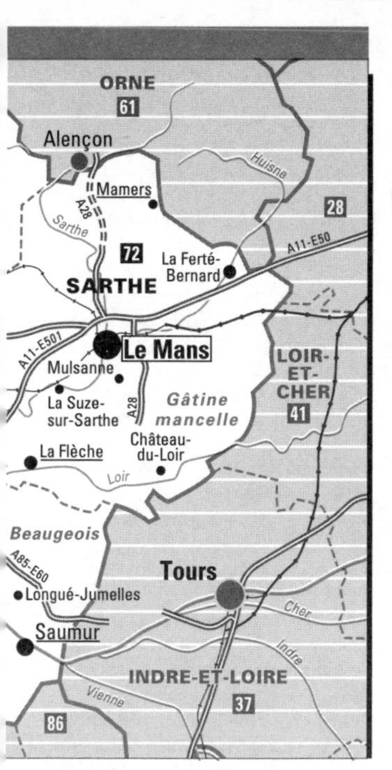

le périmètre du schéma directeur et d'aménagement de l'aire métropolitaine de 1970 fait son chemin. Ce n'est, il est vrai, que la concrétisation de l'OREAM (Organisme régional d'études pour l'aménagement de l'aire métropolitaine) Nantes-Saint-Nazaire créé en 1966. Cet ensemble métropolitain comptant 845 000 habitants en 1999, 350 000 emplois, 42 500 établissements et plus de 22 000 emplois stratégiques, se place au 5e rang des ensembles urbains français, derrière l'agglomération lilloise et avant celle de Toulouse.

Dotée d'une charte d'objectifs en 1994, d'un programme concerté d'aménagement et de protection de l'estuaire, du projet 2005 pour Nantes, inscrite dans le plan stratégique de la région voté au printemps 1999 à l'instigation du président François Fillon (RPR), la métropole nantaise, y compris Saint-Nazaire et le littoral, apparaît de plus en plus comme la locomotive des Pays de la Loire, voire du Grand Ouest. Le regrou-

Pays de la Loire

Préfecture régionale : Nantes.

Départements [préfecture] : Loire-Atlantique [Nantes], Maine-et-Loire [Angers], Mayenne [Laval], Sarthe [Le Mans], Vendée [La Roche-sur-Yon].

Superficie : 32 082 km² (5,9 % de la France métropolitaine).

Population (recensement 1999) : 3 222 061 habitants (5,5 % de la pop. de la France métrop.).

Variation 1990-1999 : + 162 949 habitants.

Principales unités urbaines (1999, dans les limites de1990) : Nantes (547 000, dont ville de Nantes [268 700], Saint-Herblain [43 668]), Angers (222 290, dont ville d'Angers [150 526]), Le Mans (191 212, dont ville du Mans [145 684]), Saint-Nazaire (136 886, dont ville de Saint-Nazaire [65 639]), Cholet (54 160), La Roche-sur-Yon (51 600), Laval (50 791), Saumur (29 857).

Composition du conseil régional (à l'issue des élections de mars 1998). Total sièges : 93, dont 1 LO, 32 « Gauche plurielle » (5 PC, 1 MDC, 15 PS, 1 PRG, 5 DVG, 5 Verts), 45 RPR-UDF-MPF, 1 CNIP, 5 DVD, 7 FN. [Président : François Fillon (RPR), qui a succédé à Olivier Guichard (RPR) le 20.3.98].

PIB régional (en 1996) : 373,8 milliards FF (4,7 % du PIB national).

Taux de chômage en sept. 1999 : 10,7 % (France : 11,1 %).

Spécialisations industrielles : cuir et chaussure, matériels électriques et électroniques ménagers, industrie de la viande et du lait, caoutchouc et matières plastiques, chantiers navals.

Principales livraisons agricoles : lait, bovins, volailles et œufs, porcins, céréales.

Source : INSEE. Voir la signification des indicateurs p. 177.

Pays de la Loire : une identité en mutation

La région des Pays de la Loire possède les principaux caractères de la France de l'Ouest, tant au point de vue des structures démographiques, économiques, sociales et religieuses qu'au plan des milieux naturels et des paysages. Née en 1956 du regroupement artificiel de cinq départements ayant chacun une forte identité, elle n'est ni une ancienne province, ni un ensemble parfaitement polarisé autour d'une grande métropole, mais une terre de rencontre entre plusieurs identités territoriales anciennes : Anjou, Maine, Poitou et Bretagne. Certains observateurs se refusent à la considérer comme une région à part entière.

Toutefois, plusieurs décennies de vie commune et la politique volontariste d'Olivier Guichard (RPR, président de la région de 1974 à 1998) ont été décisives. Le président est désormais un Sarthois : François Fillon (RPR). Les solidarités liées à la représentation politique, aux évocations historiques et les réalisations d'infrastructures de transport, ou les politiques contractuelles ont soudé les pièces du puzzle. Néanmoins, les tendances centrifuges demeurent, en particulier en Sarthe et en Mayenne. Longtemps, les populations de la région, sauf celles des marges est et sud, ont été plus rurales, plus fécondes, plus conservatrices, plus croyantes, en un mot plus « paysannes » que d'autres. D'où l'isolement des agglomérations urbaines dans ce vaste ensemble, qui a fortement marqué les comportements. Or, depuis le début des années soixante, on assiste à une banalisation et à un alignement des modes de vie sur les moyennes nationales. Longtemps somnolentes, les villes sont entrées dans une phase de croissance accélérée ; la très forte fécondité des populations n'est plus qu'un souvenir ; les gros bataillons de la paysannerie ont fondu. L'effet de mobilité gomme l'unanimisme politique. La région occupe très souvent une position moyenne dans les statistiques. Plus rurale que d'autres avec seulement 62,5 % de population urbaine en 1990 (France, 76,4 %), et plus d'agriculteurs (11,4 % des emplois), elle souffre de retards dans la formation et la qualification des emplois, mais elle possède des points forts en agroalimentaire, tourisme et qualité de vie. L'évaluation globale de la situation socio-économique peut se résumer ainsi : deuxième région agricole, quatrième région industrielle de France, elle est au onzième rang pour la recherche en terme d'effectifs et au dix-septième quant aux salaires moyens.

La région offre, au centre de la façade de l'Arc atlantique, une position qui a pu en faire autrefois une terre d'ouverture. Les enjeux contemporains tournent autour de la place et de la reconnaissance de la basse Loire, c'est-à-dire de l'ensemble de l'estuaire, comme « porte » sur l'Atlantique, et de la construction d'un véritable hinterland qui souderait l'ensemble des territoires de la région à sa métropole.

La croissance de la population régionale se ralentit, son bilan naturel se réduit, les jeunes actifs émigrent, elle accueille, en particulier sur le littoral, nombre de jeunes retraités, tandis que son solde migratoire devient négatif pour les trois départements intérieurs. La région n'est plus ce qu'elle était, un vaste réservoir de jeunes et de main-d'œuvre.

En revanche l'armature urbaine se consolide. Nantes n'écrase pas sa région, même si l'effet métropolitain s'exerce avec de plus en plus de force ; elle doit tenir compte d'Angers et du Mans, ainsi que d'un tissu dense de villes moyennes (Saint-Nazaire, La Roche-sur-Yon, Laval et Cholet) et petites qui irriguent l'ensemble des campagnes. La prospérité de Nantes a reposé à l'époque coloniale sur le fameux commerce triangulaire avec l'Afrique et les Antilles. Aujourd'hui, même si l'estuaire de la Loire (Nantes, Montoir, Donges et Saint-Nazaire) demeure le premier port de la façade atlantique, avec près de 29 millions de tonnes en 1999 contre 31,6 millions de tonnes en 1998, et si Nantes devance largement Bordeaux, l'essentiel du trafic repose sur les vracs liquides (pétrole).

Les reconversions, les difficultés ou les adaptations du vieux tissu industriel (pétrochimie à Donges, mécanique et industries agroalimentaires à Nantes), autour des activités de la basse Loire, les industries rurales de la confection et de la chaussure du Choletais, et la forteresse Renault du Mans ne doivent pas masquer l'étonnant dynamisme des chantiers navals de l'Atlantique à Saint-Nazaire et de l'Aérospatiale – les deux usines de Bouguenais et de Saint-Nazaire font de l'estuaire le deuxième pôle de l'aéronautique française après Toulouse – et les multiples innovations que l'on rencontre dans les nombreuses PME-PMI de la région, en particulier en Vendée, autour de l'agro-alimentaire, mais aussi des activités touristiques.

En agriculture s'opposent les secteurs des cultures spécialisées (vigne, maraîchage, horticulture) qui se portent bien, et les zones de polyculture-élevage, les régions laitières (Mayenne) ou encore celles tournées vers la production de viande (bocages vendéens), tandis que le « modèle beauceron » d'exploitations associant céréales et cultures industrielles gagne peu à peu la région à partir des marges orientales. Longtemps, ces espaces ruraux ont abrité une population agricole pléthorique, faite pour l'essentiel de fermiers et métayers sous la dépendance de grands propriétaires résidant en leurs châteaux, et de quelques « démocraties paysannes » (zones de petite propriété) localisées le long du Val de Loire ou sur les marges de la région. L'agriculture a connu ici plus qu'ailleurs une impressionnante évolution (modernisation, intensification, spécialisation). La conséquence en est l'effondrement du nombre des agriculteurs et une recomposition sociale qui s'accompagne nécessairement d'une recomposition spatiale au profit des gros bourgs et des petites villes. Cependant, le milieu rural est encore solide, les campagnes des Pays de la Loire, sauf de rares exceptions aux confins des départements, font encore partie de la « France du plein ».

Sur le littoral s'est construit, surtout depuis une trentaine d'années, une impressionnante façade balnéaire. De l'estuaire de la Vilaine à la baie de l'Aiguillon, le tourisme de masse a gagné l'ensemble des côtes, faisant de la Vendée le deuxième département d'accueil du pays. Les évolutions des pratiques et l'arrivée massive des retraités transforment peu à peu le littoral en un espace retraite qui n'est pas sans évoquer un processus de « floridisation ». Les comportements politiques en sont transformés. Les activités de pêche se sont concentrées et spécialisées à La Turballe, au Croisic, à Saint-Gilles-Croix-de-Vie, aux Sables-d'Olonne et à l'île d'Yeu, dans un contexte de réduction des flottes et des hommes embarqués.

Les héritages sociopolitiques n'ont pas tous été effacés et l'effet territorial joue encore dans ces sociétés longtemps faites d'enracinés. Ainsi, les vieilles querelles autour de l'école privée, de valeurs morales et culturelles constituent encore des enjeux dans cette France rurale de l'Ouest, même si le basculement idéologique à gauche d'une forte minorité de catholiques, l'urbanisation des modes de vie et la mobilité des populations gomment les particularismes et font que la région perd de ses spécificités. - **Jean Renard** ■

Références

Atlas des territoires. Pays de la Loire (1997-1998), INSEE/Préfecture de la région Pays de la Loire, Nantes, 1998.

G. Baudelle *et alii*, *La Façade atlantique. Stratégies et prospective de développement*, Presses universitaires de Rennes, Rennes, 1993.

A. Chauvet, *Porte nantaise et isolat choletais*, Herault, Maulévrier, 1987.

CNRS UA 915, *Atlas social des Pays de la Loire*, n°s 1 à 5, Université du Mans, 1985-1990.

J. Floch, *L'Agglomération nantaise : récits d'acteurs*, AURAN/Éd. de l'Aube, La Tour-d'Aigues, 1996.

M. Grassin, *Olivier Guichard*, Siloë, Paris, 1996.

P.-Y. Le Rhun, *Bretagne et Grand Ouest*, Skol Vreizh, Morlaix, 1988.

D. Luneau, *Pays de la Loire*, LEC Éditions/Hatier, Paris, 1998.

J.-C. Martin, *La Vendée de la mémoire (1800-1980)*, Seuil, Paris, 1989.

Y. Morvan (sous la dir. de), *L'Entreprise atlantique. Du local à l'économie monde*, IATT/Éd. de l'Aube, La Tour-d'Aigues, 1996.

« L'Ouest politique, 75 ans après Siegfried », *Géographie sociale*, n° 6, Université de Caen, oct. 1987.

J.-J. Régent (sous la dir. de), *Rue Kervégan : Nantes 1977-1998*, Ouest-France, Nantes, 1999.

J. Renard, *Géopolitique des Pays de la Loire*, ACL-Crocus, Saint-Sébastien, 1989.

J. Renard (sous la dir. de), « Nantes et son agglomération », *Cahiers nantais,* n° 33-34, Ouest-Éditions, Nantes, 1990.

J. Renard, « Pays de la Loire », *in* Y. Lacoste (sous la dir. de), *Géopolitiques des régions françaises*, tome II, Fayard, Paris, 1986.

Tableau de bord de l'économie des Pays de la Loire, Chambre régionale de commerce et d'industrie des Pays de la Loire, Nantes, 1996.

J.-J. Treuttel, *Nantes : un destin contrarié*, Hartmann, Paris, 1997.

@ Sites Internet

Conseil régional : **http://www.cr-pays-de-la-loire.fr**

Mairie de Nantes : **http://www.mairie-nantes.fr**

Université de Nantes : **http://www.univ-nantes.fr**

pement sur les sites de Nantes et de Saint-Nazaire de trois écoles d'ingénieurs, deux de l'Université (Isitem – Institut des sciences de l'ingénieur en thermique, énergétiques et matériaux – et Ireste – Institut de recherche et d'enseignement supérieur aux techniques de l'électronique) et la troisième privée (Isa-Igelec – Institut supérieur d'automatique et de génie électrique), en une école polytechnique universitaire a illustré cette marche en avant.

La traduction politique de ce phénomène s'est engagée avec le débat sur le mode d'intercommunalité. Les forces économiques (chambre de commerce) et la majorité des élus penchaient pour remplacer le district existant par une communauté urbaine et une taxe professionnelle unique (TPU) dans les meilleurs délais, forme la plus achevée d'intégration. Il restait à en définir le périmètre.

Sur le plan culturel, le projet le plus fédérateur a été la construction, à l'emplacement des anciennes usines LU (Lefevre-Utile) – dont on a reconstitué l'une des deux tours emblématiques –, d'une salle de spectacles, baptisée par Jean Blaise, son animateur, le « Lieu Unique », mais aussi « Lieu Utile » à l'ensemble de la population, et enfin « Lieu Utopique », dont un mur, le « grenier du siècle », devrait renfermer tous les objets que les habitants entendent laisser à leurs descendants. Chaque objet est mis dans une boîte scellée ne devant être ouverte qu'en 2100 ! Le succès de l'entreprise dépasse les espérances de ses promoteurs. Il faut également citer le projet nazairien de ville-port autour de la réutilisation de la base sous-marine.

Des zones de crise structurelle

En revanche, les signes de crise s'accumulent dans le Choletais voisin. Non seulement la progression démographique de ce qui était hier encore le bassin de plus forte natalité de tout l'Ouest a cessé, mais la déliquescence du tissu industriel se poursuit. Le dernier avatar en a été le redressement judiciaire du groupe GEP-La Fourmi. La stratégie de concentration des entreprises du Choletais avait reculé l'échéance. Mais Pindière, la SAC, Allemand et désormais GEP ont vu leurs effectifs fondre. En quelques mois, 1 200 emplois dans le secteur de la chaussure ont disparu. La confection ne va pas mieux. Depuis près de vingt ans, la récession touche le modèle choletais, plombé par les délocalisations.

Les résistances demeurent toutefois. Il suffit d'évoquer l'entreprise de meubles Gautier, au cœur du bocage vendéen. Ses ouvriers se sont mis en grève début septembre 1999 pour réclamer le maintien de leur directeur (Dominique Soulard), mis prématurément à la retraite par l'actionnaire principal, la Séribo. Ce fait-divers a rappelé la nature particulière des industries en milieu rural, nées après la guerre, dont la prospérité reposait jusqu'ici sur le consensus social. Ce n'est donc pas une coïncidence si la Vendée a vu se poursuivre la croissance des emplois industriels de + 5,2 % entre 1997 et 1998. On peut citer notamment l'installation aux Essarts du groupe LVMH pour la fabrication de maroquinerie de luxe (200 emplois) et celle, à Boufféré, du groupe parapharmaceutique Ponroy (150 emplois).

L'ombre de la métropole nantaise risque, d'après les élus des autres départements, de menacer leur développement. Ils l'ont fait savoir en réclamant une plus juste part des crédits dans le contrat de plan 2000-2006 en discussion à la Région. Les Angevins se sont montrés les plus combatifs et ont exigé un rééquilibrage en fonction du poids des populations et des activités, notamment dans le domaine de l'enseignement supérieur et de la recherche.

La stagnation démographique du Mans illustre les difficultés. La réduction des effectifs chez Renault ou dans les ateliers de la SNCF, la forte diminution du nombre des étudiants, les enjeux électoraux, tant à la mairie, avec le départ annoncé de Robert Jarry, qu'à la tête de la communauté urbaine, sont des signes convergents de crise et d'attentisme de cette ville située à moins d'une heure de Paris.

La répartition des fonds européens, le montant du contrat de plan, la région des Pays de la Loire recevant les crédits par habitant les moins élevés de France, sont aussi en débat. La rancœur est telle que le président François Fillon (RPR) et les cinq présidents des conseils généraux ont rompu les négociations de la Conférence régionale d'aménagement face à la baisse de 37,6 % des populations éligibles aux fonds européens, contre 24 % au niveau national. La négociation avec l'État a permis d'obtenir une enveloppe de 1 468 FF par habitant, jugée insuffisante par la majorité régionale. - **Jean Renard** ■

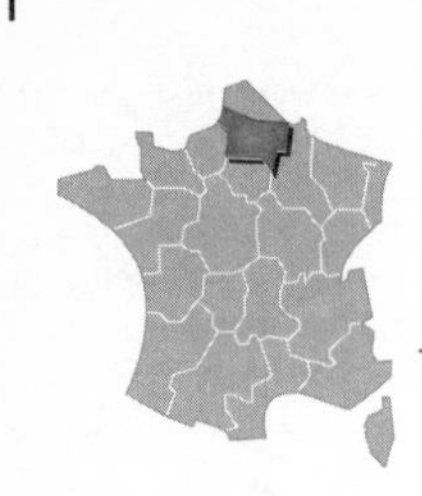

Picardie

La crise prendra-t-elle fin ?

Après l'effervescence née du scrutin régional de 1998, la Picardie s'étant dotée d'un président de conseil régional, Charles Baur (FD-UDF), élu avec l'appui du Front national, en 1999, l'exécutif régional a tenté de « rentrer dans le rang ». La négociation du contrat de plan État-Région, menée de manière feutrée, facile pour l'État, en a été la démonstration. Toutefois, la Somme s'est illustrée aux élections européennes du 13 juin 1999 par son vote massif en faveur du mouvement CPNT (Chasse, pêche, nature, traditions) en face duquel aucun parlementaire de ce département n'ose se dresser. Anachronisme du « cœur picard » de la Picardie ? Ce parti rallie des amateurs de nostalgies quasi féodales et des défenseurs des droits citoyens issus de la Révolution française composant une image locale et décalée des révoltes concomitantes contre l'Organisation mondiale du commerce (OMC). La même année, Amiens se voulait championne de l'Internet et accueillait des centres d'appels et de renseignements par téléphone, dont le développement est lié à celui des services en ligne sur Internet. Une banderole a été affichée en centre-ville avec le slogan : « Bill Gates serait fier de nous ! »

« Rééquilibrage » démographique

Derrière ces impressions de vitrine, la Picardie a pu commencer à réviser l'image qu'elle a d'elle-même grâce aux premières informations issues du recensement de 1999 ont dessiné une région moins écartelée entre le nord et le sud sur le plan démographique. En effet, des bassins importants du sud de la Picardie connaissent des difficultés sérieuses (Soissons, Creil). Par ailleurs, la Somme, et tout particulièrement Amiens, a retrouvé un certain dynamisme, qui la rapproche de l'Oise. En revanche, la « dévitalisation » s'est poursuivie dans tout le nord de l'Aisne (Saint-Quentin, Laon, Vervins). Parallèlement, l'écart entre communes rurales et communes urbaines s'est réduit, les communes rurales « attirant » moins d'habitants qu'entre 1982 et 1990, et nombre d'unités urbaines regagnant des populations perdues.

La baisse du chômage entre septembre 1998 et septembre 1999 a été plus accentuée dans la Somme (– 9,3 %) que dans l'Oise (– 7,6 %) et dans l'Aisne (– 5,7 %). Les bassins de l'Aisne semblent « défavorisés » par rapport à ceux de la Somme et de l'Oise, dont les situations globales se rapprochent, même si l'écart reste important. Fin septembre 1999, le taux de chômage moyen était de 12,5 %, supérieur de 1,4 % au niveau national, avec 11,2 % dans l'Oise, 13,2 % dans la Somme et 13,8 % dans l'Aisne.

Les grands outils de l'action publique locale ont été redéfinis durant l'année 1999 (contrat de plan État-Région) ou allaient l'être début 2000 (intervention des fonds structurels européens). Ces deux actes concernent la période 2000-2006 et ont fait l'objet d'intenses concertations entre élus et représentants de l'État. La négociation du contrat de plan État-Région est restée très marquée par la discussion de la programmation des

INDICATEUR*	UNITÉ	1982	1990	1999	France entière 1999
Démographie					
Population**	*milliers*	1 740	1 811	1 858	58 518
Densité	*hab./km²*	89,7	93,3	95,8	107,6
Taux de croissance	*% annuel*	0,51[b]	0,50[c]	0,29[e]	0,37[e]
Accroissement naturel	*% annuel*	0,51[b]	0,52[c]	0,45[e]	0,36[e]
Solde migratoire	*% annuel*	0,00[b]	−0,02[c]	−0,16[e]	0,01[e]
Population 0-19 ans	*% du total*	31,9	29,5	28,6[i]	25,8[i]
Population 60 ans et +	*% du total*	16,6	17,7	18,0[i]	20,4[i]
Population étrangère	*% du total*	4,6	4,2	••	6,4[m]
Population urbaine	*% du total*	62,0	60,9	••	74,0[m]
Fécondité***		2,05	1,91	1,80[h]	1,70[h]
Mortalité infantile	*‰ nais.*	9,7	8,7	6[h]	4,7[h]
Espérance de vie	*années*	73,8	75,6	76,8[h]	78,5[h]
Indicateurs socioculturels					
Nombre de médecins	*‰ hab.*	1,41	1,95	2,29	3,03
Diplômés (% des 25–54 ans)					
Bac ou brevet professionnel	%	12,6[a]	21,9	••	29,3[m]
Bac + 2 et diplômes supérieurs	%	5,6[a]	11,1	••	16,1[m]
dont femmes	%	45,7[a]	47,5	••	48,9[m]
Activité et chômage					
Population active	*milliers*	726	754	742[i]	25 567[i]
Agriculture	% } 100 %	9,6	5,6	3,9	4,2
Industrie	% } 100 %	42,7	37,3	30,3	24,9
Services	% } 100 %	47,6	57,1	65,8	70,9
Taux de chômage global	%	9,1	9,8	11,9[k]	10,5[k]
Taux féminin	%	12,7	14,2	17,2[j]	13,5[j]
Taux des « moins de 25 ans »	%	24,1	19,8	36,8[j]	23,9[j]
Taux des « longue durée »	%	5,3	4,4	5,8[h]	5,0[h]
Administrations publiques locales					
Ressources totales/hab.	*milliers FF*	4,8	8,3	9,7[f]	11,4[f]
dont fiscalité locale/hab.	*milliers FF*	2,1	4,0	4,6[f]	5,5[f]
Contribution de la région au commerce extérieur					
Exportations	*milliards FF*	23,2	43,9	65,4	1822,1
Importations	*milliards FF*	21,5	46,4	66,4	1753,0
PIB régional	*milliards FF*	99,9	172,1	205,0[g]	7 871,7[g]
Taux de croissance	*% annuel*	2,5[b]	2,2[c]	1,2[d]	1,2[d]
Par habitant	*milliers FF*	57,2	94,9	109,8[g]	134,8[g]
Structure du PIB					
Agriculture	% } 100 %	8,6	6,3	4,4[g]	2,4[g]
Industrie	% } 100 %	38,6	34,2	32,4[g]	27,4[g]
Services	% } 100 %	52,8	59,5	63,2[g]	70,1[g]

*Sources et définitions indicateurs utilisés : voir p. 175 et suiv. ; ** Lors des recensements de 1982, 1990, et 1999 ; ***Indicateur conjoncturel de fécondité (exprimé en nombre moyen d'enfants par femme).
a. 1975 ; b. 1975-1982 ; c. 1982-1990 ; d. 1990-1996 ; e. 1990-1999 ; f. 1993 ; g. 1996 ; h. 1997 ; i. 1998 ; j. Avril 1998 ; k. Déc. 1999 ; m. 1990.

infrastructures routières et la « montée » des revendications du département de l'Aisne, et de son président de conseil général et député Jean-Pierre Balligand (PS). La prise en compte du développement durable, l'organisation des territoires en « pays », prônée par la ministre de l'Aménagement du territoire, se sont peu traduites en chiffres ou en plans d'actions. Le programme U3M (Université du troisième millénaire), plus conceptuel, semble moins générateur de projets de bâtiments que son prédécesseur Université 2000. Le développement des nouvelles technologies de l'information et de la communication est un mot d'ordre partagé, mais reste peu maîtrisé par les pouvoirs publics qui, au mieux, l'accompagnent. Enfin, pour des raisons de politique régionale (la rupture étant profonde entre Gilles de Robien et Charles Baur, tous deux UDF) mais aussi pour des raisons de priorité dans l'expression en région de la solidarité nationale (Amiens retrouvant un certain dynamisme et des marges de manœuvre budgétaires après avoir été puissamment aidée par l'État et les fonds européens), le thème « Amiens capitale régionale » n'est plus un axe fort du contrat de plan. Ce dernier apparaît comme un compromis, visant une certaine remise à niveau des infrastructures et

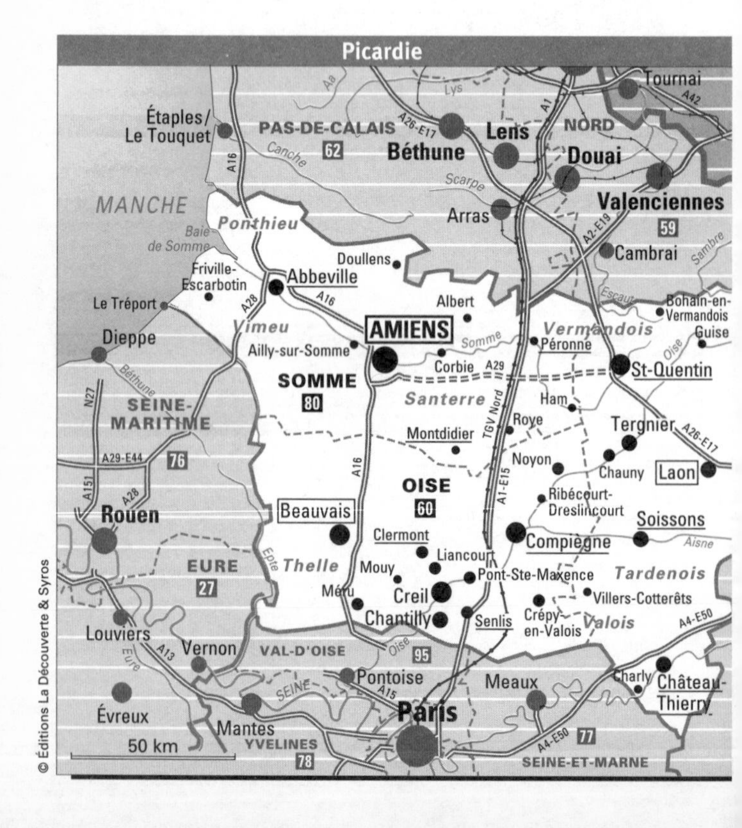

une meilleure convergence des politiques locales avec les priorités de l'État concernant l'emploi, la formation, l'enseignement supérieur, la recherche et la solidarité. Aucun grand dossier, pas même celui de l'accès par le fer à Roissy depuis les villes picardes, n'a été porté par les milieux politiques régionaux. Cette tentative de mise en cohérence des différentes collectivités avec l'État, si elle est poursuivie avec constance, pourrait cependant porter une certaine dynamique de développement. La région souffre en effet principalement d'une sous-qualification massive et d'un déficit chronique en matière de créations d'entreprises.

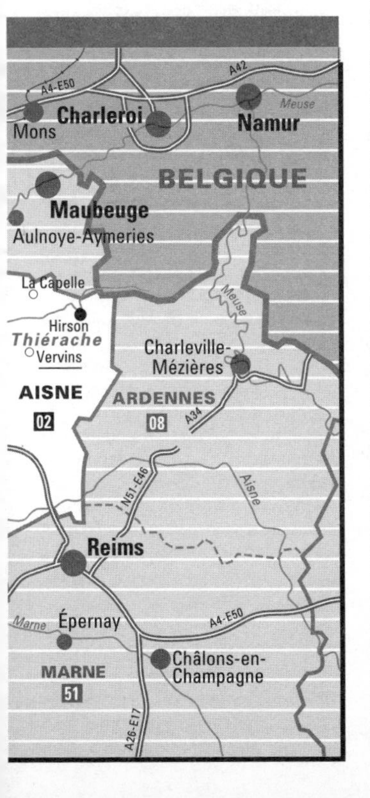

Mauvaises positions sociales et économiques

La diminution de 25 % des populations éligibles au titre de l'objectif 2 de la politique communautaire (reconversion des zones industrielles en déclin) a été ressentie comme une injustice dans une région qui

Picardie

Préfecture régionale : Amiens.
Départements [préfecture] : Aisne [Laon], Oise [Beauvais], Somme [Amiens].
Superficie : 19 399 km² (3,6 % de la France métropolitaine).
Population (recensement 1999) : 1 857 834 habitants (3,2 % de la pop. de la France métrop.).
Variation 1990-1999 : + 47 147 habitants.
Principales unités urbaines (1999, dans la limite de 1990) : Amiens (161 327), Creil (97 234), Saint-Quentin (69 287),Compiègne (67 770), Beauvais (59 018), Soissons (45 272), Chantilly (34 203), Laon (27 050), Abbeville (26 060).
Composition du conseil régional (à l'issue des élections de mars 1998). Total sièges : 57, dont 3 LO, 23 « Gauche plurielle » (7 PC, 2 MDC, 13 PS, 1 Verts), 1 CPNT, 9 UDF, 10 RPR, 11 FN. [Président : Charles Baur (FD-UDF), réélu avec l'appui des élus FN le 20.3.98].
PIB régional (en 1996) : 205,0 milliards FF (2,6 % du PIB national).
Taux de chômage en sept. 1999 : 12,5 % (France : 11,1 %).
Spécialisations industrielles : industries du verre, parachimie et industrie pharmaceutique, caoutchouc, matières plastiques, industries agro-alimentaires, métallurgie, chimie, fibres et fils artificiels, fonderie et travail des métaux, textile et habillement, construction mécanique, papier et carton.
Principales livraisons agricoles : pommes de terre et betteraves, céréales, lait.

Source : INSEE. Voir la signification des indicateurs p. 177.

Picardie : une identité en mutation

Comme beaucoup des régions françaises actuelles, la Picardie apparaît comme un assemblage par défaut de départements dont tout ou partie du territoire a été qualifié de « picard ». Il semble que la Picardie n'a jamais vraiment correspondu à un territoire défini : les approches linguistique, historique, géographique donnent chacune au moins une définition de cette région. Aussi, une identité régionale réelle ne saurait aujourd'hui se construire sur un passé commun. Mais est-il possible de construire un avenir commun aux habitants qui partagent le territoire nommé « Picardie » ? L'absence ressentie d'identité et d'unité régionales renvoie à une absence de projet des élites locales, sur des territoires qui souffrent en commun, mais selon des modalités différentes, de leur proximité avec l'Île-de-France et le Nord-Pas-de-Calais.

La Picardie est paradoxale : ouvrière mais sans grand centre urbain, elle est volontiers qualifiée de région rurale, ce qui ne donne pas une image fidèle d'une tradition industrielle forte, tournée vers des activités de main-d'œuvre, cause aujourd'hui de son taux de chômage très élevé, particulièrement chez les jeunes. Elle est donc aussi une région au dynamisme démographique incontestable, sans que cela lui confère un avantage comparatif dans les implantations d'entreprises puisque la population y affronte un manque de qualification et un chômage de longue durée endémiques. Sur le plan politique aussi, la région cultive son paradoxe, votant plutôt à gauche aux scrutins nationaux, plutôt à droite aux élections locales, et faisant la part belle aux extrémistes chasseurs ou du Front national, malgré des traditions ouvrières bien ancrées. En effet, le vote, jusqu'au milieu des années quatre-vingt, était relativement polarisé. Les zones rurales et les centres urbains administratifs votaient plutôt pour une droite dominée par les démocrates-chrétiens. Les zones industrialisées élisaient des candidats de gauche. Le Parti communiste, implanté parfois depuis 1936, dépassait les socialistes.

Pourtant, cette région porte en germe ce qui pourrait être un « modèle » de petite région européenne, à la dimension de ce qu'aux États-Unis on appellerait tout simplement... une ville ! Ses pôles urbains à taille humaine (Amiens, Abbeville, Laon, Soissons, Saint-Quentin, Beauvais, Creil et Compiègne), organisés en une couronne multipolaire, sont en passe d'être reliés entre eux à une distance d'une « heure-voiture ». À la périphérie se trouvent des « pays » ruraux et touristiques qui offrent au cadre de vie picard une exceptionnelle qualité. De plus, Roissy-en-France peut lui donner une porte d'accès internationale que beaucoup de régions lui envieraient. Amiens, la capitale régionale, illustre encore le paradoxe. Le sort qui lui a longtemps été réservé l'a tenue à l'écart des grandes infrastructures de communication (autoroute A1, TGV). Cela ne fit que renforcer le rôle subalterne de « terre de passage » que joue la région, après avoir été la terre des guerres qui a payé un très lourd tribut à la défense de Paris. Pourtant, Amiens, seule véritable grande agglomération avec 167 000 habitants, connaît une attractivité croissante et retrouve une courbe positive de créations d'emplois.

Creil est la deuxième agglomération de la région et la plus « parisienne », puisque reliée au RER. Les difficultés y sont très lourdes, entre les pressions qu'y exerce l'Île-de-France et la catastrophe économique de la fermeture des usines Chausson, après les réductions d'emploi intervenues chez Usinor (devenu Sollac) et PCUK (devenu ICI). Elle fonde beaucoup d'espoirs sur la création de la liaison ferrée Creil-Roissy, enjeu régional majeur.

Saint-Quentin marque le plus nettement le pas. La spécialisation industrielle de son bassin d'emploi, où dominent encore structurellement le textile et l'équipement, en fait l'agglomération qui a le plus grand défi à relever. Son raccordement avec Amiens a été réalisé en septembre 1998 par le rail et est en réalisation par autoroute ; il lui faut un nouveau schéma de développement. Seules deux autres villes correspondent à la définition actuelle d'une agglomération : Beauvais et Compiègne. Les autres centres urbains ont une population inférieure à 50 000 habitants.

La dispersion est d'ailleurs l'un des éléments marquants du paysage picard. Si le grand nombre de communes peut représenter un handicap pour une bonne administration et la qualité des projets de développement, il donne dans le même temps un charme incomparable à une région qui doit « se mériter ». Le littoral bénéficie depuis 1998 d'un fort regain d'intérêt lié à l'ouverture de l'A 16 jusqu'à Boulogne-sur-Mer (qui fut elle aussi picarde) et à la réalisation d'un aménagement touristique fondé sur un grand respect des sites, en particulier du massif dunaire du Marquenterre et de la Baie de Somme.

C'est bien de projets à long terme que les territoires de cette région ont besoin. Des territoires qui devront trouver les moyens de s'organiser à une échelle suffisante pour être reconnus comme des acteurs pertinents. Les « micro pays » constitués à l'initiative des aménageurs du conseil régional semblent, à cet égard, n'être qu'une étape dans un lent processus de découverte du développement local.

Sur le plan économique, la Picardie reste une région plus agricole et industrielle et moins tertiaire que la moyenne nationale. C'est l'une des premières régions productrices en matière agricole et agroalimentaire : première pour les betteraves et deuxième pour le blé et les pommes de terre. L'emploi agricole représente 6 % des emplois et près de 22 000 personnes travaillent dans l'industrie agroalimentaire. Les autres forces industrielles résident dans la chimie, la parachimie, le textile, les industries mécaniques, métallurgiques et électriques.

Les conditions d'habitat sont à l'image de la dualité ouvrière et rurale de la socio-économie régionale. Dans un parc de 740 000 logements recensés en 1990, on trouvait plus de propriétaires occupants qu'en moyenne nationale, mais plus d'inconfort et un parc HLM proportionnellement plus important.

Globalement bien desservie par la route, hormis la Thiérache et la ville de Soissons, la Picardie peut certes se traverser facilement mais aussi être explorée sur un réseau de voies nationales plus dense qu'en moyenne. Le réseau ferré est également plus dense qu'en moyenne nationale, même s'il est moins électrifié et ne dispose pas de connexion TGV.

C'est sur le plan social que le Picard peut légitimement revendiquer un retour de la solidarité nationale et européenne. Les questions de santé publique et de formation y sont particulièrement inquiétantes en comparaison des autres régions françaises.

La Picardie est aujourd'hui poussée à s'ouvrir sur l'Europe et les autres régions, à dépasser son statut d'« entre-deux » (Île-de-France et Nord-Pas-de-Calais) pour s'allier avec ses voisines de l'Ouest et de l'Est (Haute-Normandie et Champagne-Ardenne). Encore faudra-t-il qu'elle soit dotée de représentants fréquentables par ses partenaires potentiels. - **Jean Gambier** ■

Références

J. Darras (sous la dir. de), *La Picardie, verdeur dans l'âme*, éd. Autrement, Paris, 1993.

E.-P. Desire (sous la dir. de), *Picardie-Atlas/An Atlas of Picardy* (atlas bilingue), AERCP/Conseil régional de Picardie, 1989.

R. Fossier (sous la dir. de), *Histoire de la Picardie*, Privat, Toulouse.

Panorama Industries Picardie 1991-1992, Chambre régionale de commerce et d'industrie de Picardie, 1992.

Picardie, Christine Bonneton, Paris, 1987.

« La Picardie », *Hommes et terres du Nord*, numéro spéc., janv. 1993.

J. Sellier, « Picardie », *in* Y. Lacoste, *Géopolitiques des régions françaises*, tome I, Fayard, Paris, 1986.

@ Sites Internet

Conseil régional : **http://www.cr-picardie.fr**

Université de Picardie Jules-Verne : **http://www.u-picardie.fr**

accumule les mauvaises positions sociales et économiques (la totalité du territoire régional réunissait jusqu'alors les conditions statistiques d'éligibilité au plan européen). Le zonage décidé exclut la majeure partie du bassin d'emploi d'Amiens et n'intègre que quelques zones urbaines de l'agglomération creilloise et de Beauvais. La baisse a volontairement été limitée dans l'Aisne, surtout à Soissons.

Toutes les formes de l'intercommunalité sont montées en puissance sous la poussée de la loi sur l'intercommunalité du 12 juillet 1999, dite « loi Chevènement ». Le phénomène est important dans une région particulièrement morcelée en toutes petites communes. L'intercommunalité s'affirme y compris dans la prise en charge de la politique de la Ville, destinée à renforcer la cohésion sociale des agglomérations. Ainsi, Laon, Soissons et Saint-Quentin, Creil, Beauvais et Amiens devraient voir leurs contrats de ville devenir intercommunaux ; seuls ceux de Méru et Abbeville resteraient traités à l'échelle communale.

La Picardie de 1999 ne peut se réjouir très fortement du recul du chômage, d'importantes fragilités restant sensibles (Noyonnais, Soissonnais, Laonnois, Saint-Quentinois en particulier). La tempête de la fin de l'année 1999 a largement épargné la région. Cela aura permis aux Amiénois, nombreux à venir sur le parvis de la cathédrale, d'admirer leur Notre-Dame parée de ses couleurs d'origine par la magie de la lumière, et de s'intéresser un moment à la chose publique en découvrant un immeuble de logements de standing en construction au pied du chef-d'œuvre gothique ! - **Jean Gambier** ■

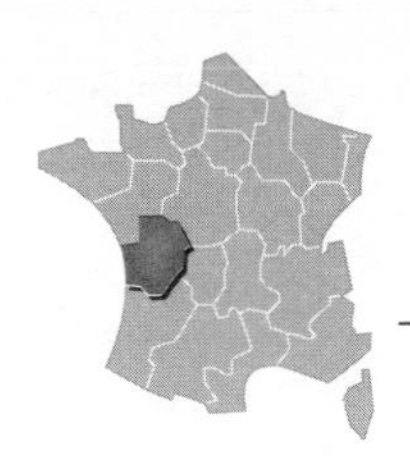

Poitou-Charentes

Tempête dévastatrice

La région Poitou-Charentes a été touchée de plein fouet par la tempête du 27 décembre 1999. Le bilan a été très lourd sur le plan humain (27 morts) et matériel. L'électricité a été coupée pendant plus de dix jours dans certaines communes de Charente et de Charente-Maritime, départements les plus touchés. La facture s'élèverait à 1,5 milliard FF : la conchyliculture, la pêche, le tourisme et la forêt ont été touchés. Le Marais poitevin, le littoral et les forêts ont particulièrement souffert, comme celles de La Braconne, en Charente, ou de Chizé, dans les Deux-Sèvres, détruites à plus de 65 %. Des mesures financières (600 millions FF) ont été votées par la Région et les départements pour la reconstruction ; l'État a été sollicité à hauteur de 1,2 milliard FF.

L'année 1999 a été par ailleurs caractérisée par l'effervescence, due notamment à Jean-Pierre Raffarin (DL-UDF), président du conseil régional, qui a lancé des Assises des territoires autour du projet régional « Poitou-Charentes 2010 ». Le contrat de plan État-Région 2000-2006 a recueilli l'assentiment de l'ensemble du conseil régional. Le partenariat a semblé équilibré : 5,7 milliards FF de l'État et de l'Europe, 5,6 milliards FF des collectivités de Poitou-Charentes. L'État a réservé une enveloppe de 3,750 milliards FF, soit 2 290 FF par habitant (une dotation supérieure de 10 % à la moyenne nationale). L'accent a été mis sur l'enseignement supérieur et la recherche, en relation avec le tissu économique, sur l'environnement, les infrastructures, le développement de l'emploi et de la formation.

Poitou-Charentes

Préfecture régionale : Poitiers.
Départements [préfecture] : Charente [Angoulême], Charente-Maritime [La Rochelle], Deux-Sèvres [Niort], Vienne [Poitiers].
Superficie : 25 810 km² (4,7 % de la France métropolitaine).
Population (recensement 1999) : 1 640 068 habitants (2,8 % de la pop. de la France métrop.).
Variation 1990-1999 : + 44 959 habitants.
Principales unités urbaines (1999 dans les limites de 1990) : Poitiers (118 800), La Rochelle (110 100), Angoulême (103 100), Niort (66 000), Châtellerault (36 000), Rochefort (36 000), Royan (31 100), Cognac (27 000), Saintes (26 800).
Composition du conseil régional (à l'issue des élections de mars 1998). Total sièges : 55, dont 4 PC, 15 PS, 1 PRG, 3 Verts, 1 DVG, 2 CPNT, 22 UDF-RPR-MPF, 2 DVD, 5 FN. [Président : Jean-Pierre Raffarin (DL-UDF), réélu le 20.3.98].
PIB régional (en 1996) : 175,5 milliards FF (2,2 % du PIB national).
Taux de chômage en sept. 1999 : 11,9 % (France : 11,1 %).
Spécialisations industrielles : papier et carton, industrie du bois et de l'ameublement, matériaux de construction et minéraux, cuir et chaussure.
Principales livraisons agricoles : vins, céréales, bovins, lait.
Source : INSEE. Voir la signification des indicateurs p. 177.

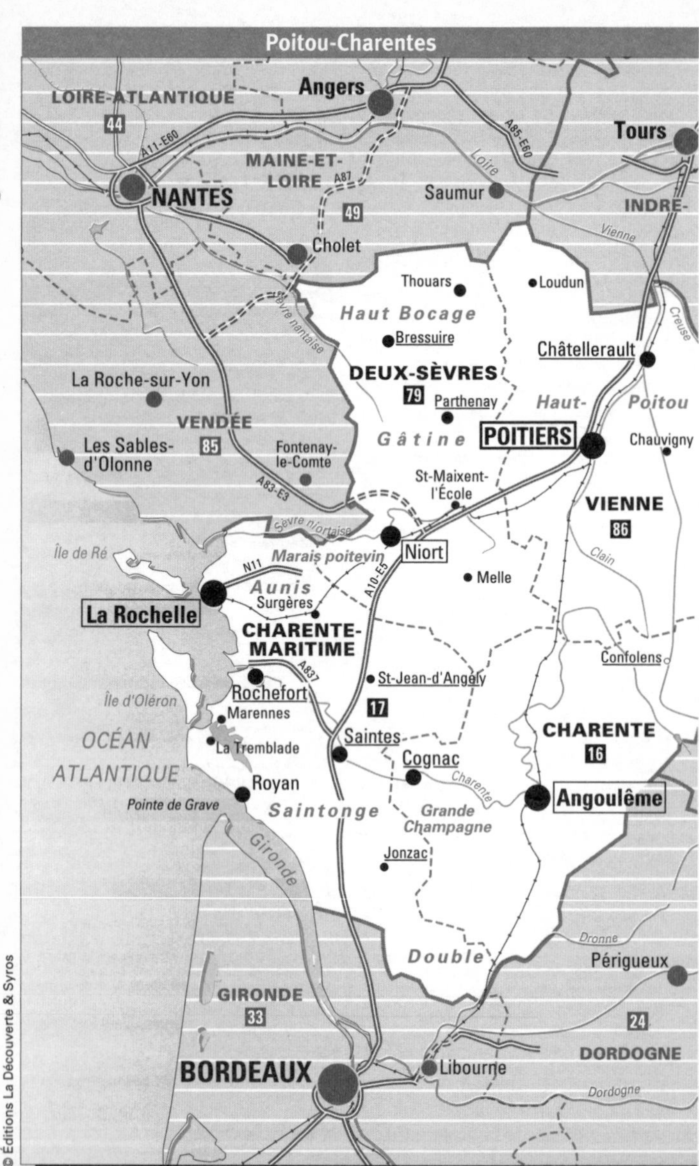
Poitou-Charentes
LOIRE-ATLANTIQUE
44
Angers
Tours
A11-E60
A85-E60
MAINE-ET-LOIRE
A87
Loire
NANTES
Saumur
49
INDRE-
Vienne
Cholet
Thouars
Loudun
Haut Bocage
Sèvre nantaise
Creuse
Bressuire
Châtellerault
DEUX-SÈVRES
79
La Roche-sur-Yon
Parthenay
Haut-
Poitou
VENDÉE
Gâtine
POITIERS
Les Sables-d'Olonne
85
Fontenay-le-Comte
Chauvigny
A83-E3
St-Maixent-l'École
VIENNE
86
Sèvre niortaise
Niort
Île de Ré
Marais poitevin
Clain
N11
A10-E5
Melle
Aunis
Surgères
La Rochelle
CHARENTE-MARITIME
Confolens
A837
St-Jean-d'Angély
Rochefort
Île d'Oléron
Marennes
17
CHARENTE
OCÉAN
ATLANTIQUE
Saintes
La Tremblade
16
Cognac
Charente
Royan
Angoulême
Pointe de Grave
Saintonge
Grande Champagne
Gironde
Jonzac
Dronne
Double
Périgueux
GIRONDE
33
24
DORDOGNE
BORDEAUX
Libourne
Dordogne

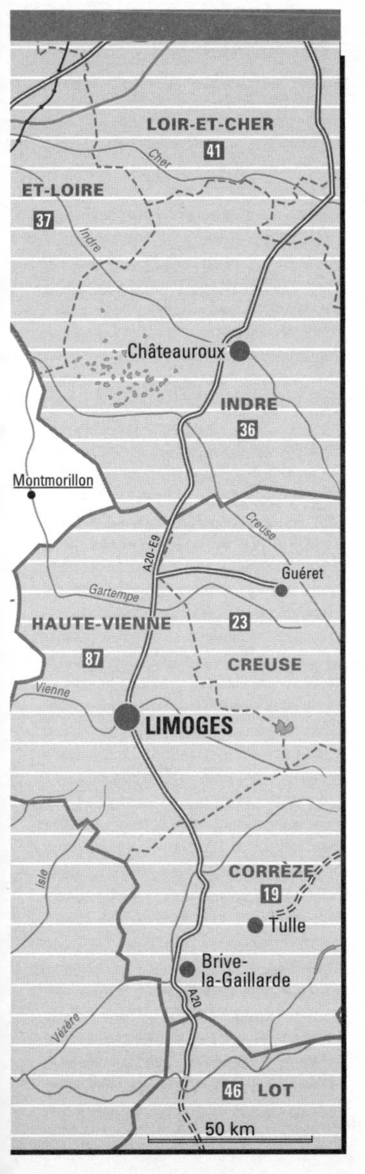

Les politiques des contrats de villes, d'agglomérations et de « pays » devraient être confortées. En 1999, la région comptait 28 « pays », 97 communautés de communes, 2 districts et 5 communautés d'agglomération.

Succès du PS et de CPNT

Les élections européennes du 13 juin 1999, avec une participation inférieure à 50 % des inscrits, ont été marquées par les scores élevés de deux listes : celle de François Hollande (PS) qui, avec 23,56 % des suffrages exprimés, a réalisé un score supérieur à sa moyenne nationale – notamment dans les Deux-Sèvres avec plus de 25 % des voix – et celle de Chasse, pêche, nature et traditions (CPNT) qui a confirmé son implantation régionale avec 11,92 % des voix ; elle a obtenu l'un de ses meilleurs scores nationaux en Charente-Maritime avec 16,91 % des suffrages exprimés. La liste souverainiste conduite par Charles Pasqua a réalisé un bon score (13,09 % des suffrages), sans atteindre le résultat de Philippe de Villiers en 1994 (14,44 %). Le RPR et l'UDF ont obtenu un faible résultat – respectivement 11,94 % et 9,07 % des voix – alors que la droite avait dominé les élections régionales de mars 1998. Si les Verts ont réalisé un score inférieur à la moyenne nationale (9,09 % des voix), ils sont arrivés en deuxième position derrière le PS à La Rochelle et ont obtenu 15,31 % des suffrages exprimés à Poitiers. Cela pourrait avoir des conséquences pour les municipales de 2001, tant les liens avec le PS sont parus tendus.

15e région par sa population (16e rang en 1990), avec 1 640 000 habitants en 1999, la région a gagné 45 000 personnes en neuf ans, soit une progression de 2,8 %, légèrement inférieure à la moyenne nationale. Cette croissance n'a pas été uniforme. Elle a reflété la poursuite de la polarisation et de la littoralisation : les agglomérations de Poitiers et de La Rochelle ont particulièrement progressé, entraînant l'accrois-

Poitou-Charentes : une identité en mutation

Taillé artificiellement par l'assemblage de quatre départements du Centre-Ouest – Vienne, Deux-Sèvres, Charente, Charente-Maritime –, Poitou-Charentes est en quête d'identité et d'unité.

En transition entre France du Nord et France du Midi, sans unité naturelle, c'est une zone de rencontre topographique entre Bassins parisien et aquitain, Massifs armoricain et central. Produit de l'histoire et du passage, la région se place sur l'axe qui va de l'Europe du Nord-Ouest vers la péninsule Ibérique *via* le seuil du Poitou.

Poitou-Charentes correspond à quatre anciennes provinces de faible poids : Poitou, Angoumois, Aunis, Saintonge ; s'opposaient, à la fin de l'Ancien Régime, les bons pays agricoles (terres « chaudes » sur calcaire) et les mauvais pays (terres « froides » cristallines) ; d'autres distinctions tenaient à l'accessibilité, à la culture et au dualisme religieux. La création des régions en 1972 avait été précédée d'une réflexion sur l'aire à attribuer aux deux métropoles de la France atlantique : Nantes et Bordeaux. Les départements du Centre-Ouest n'étaient qu'un enjeu. Finalement, un domaine a été ménagé pour Nantes, englobant la Vendée, morceau du Poitou historique. Bordeaux n'administre pas les Charentes, mais sa proximité pose problème. Ainsi est née (par soustraction) une région Poitou-Charentes que son nom même confirme comme hétérogène.

Sur le plan culturel, la région appartient à la France du Nord en matière linguistique, avec des dialectes poitevin et saintongeais (groupe d'oïl), mais se rattache au Midi par les types architecturaux traditionnels (la tuile ronde) et divers usages. Elle est aussi une mosaïque par ses traditions spirituelles. Terre historique d'enracinement de la Réforme, très marquée par les guerres du XVIe siècle, la région a conservé des minorités protestantes (sud des Deux-Sèvres et Charentes) aux forces déclinantes depuis un demi-siècle, avec l'exode régional et la baisse de la pratique religieuse. Fondé sur de puissantes racines rurales, sur les souvenirs de l'époque révolutionnaire (la Vendée) et de la résistance aux Inventaires de 1905, le catholicisme a souffert des changements sociaux et de la sécularisation.

Les traditions politiques se nourrissent des ferments religieux et spirituels. Les terres poitevines restèrent longtemps dominées par la droite à l'exception du sud des Deux-Sèvres et du sud-ouest de la Vienne où la conjugaison du protestantisme et du laïcisme a entretenu depuis le XIXe siècle une domination de gauche, comme dans les Charentes. Conservateurs contre radicaux : tel était le clivage dans cette région rurale jusqu'aux années cinquante, avec une certaine place du communisme dans les franges limousine et périgourdine après la guerre. L'urbanisation, le gaullisme, les scissions du radicalisme ont atténué les oppositions et nuancé les répartitions électorales. La plupart des villes et des cantons périurbains se sont orientés à gauche et au centre gauche à partir du milieu des années soixante-dix, tandis que la majorité des cantons ruraux « profonds » soutenaient centrisme et droite. L'opposition villes-campagnes est aujourd'hui plus vigoureuse que celle entre le Poitou et les Charentes.

Poitou-Charentes est une région de peuplement limité (63,5 hab./km^2) restée rurale. Le vieillissement démographique, préoccupant, affecte principalement les zones rurales « profondes » : est, zone centrale, centre-nord. Héritage d'un long passé agricole et de l'absence de participation à la première révolution industrielle, l'urbanisation reste modérée (51 %) et éclatée. Le réseau urbain actuel n'a pas de métropole, mais quatre villes moyennes correspondent aux départements ; et si Poitiers a été choisie comme capitale régionale, c'est dû à sa prééminence historique, universitaire et judiciaire. Sinon, son niveau démographique (118 800 habitants d'après les premiers résultats du recensement de 1999) est peu supérieur à ceux de La Rochelle (110 100) et d'Angoulême (103 100), tandis que le quatrième chef-lieu, Niort, est en retrait (66 000 habitants). En dessous, les petites villes sont très nombreuses et sont le lieu essentiel de la vie sociale. Les plus grandes agglomérations extérieures – Nantes, Bordeaux et, secondairement, Tours, Angers et Limoges – exercent leur influence sur Poitou-Charentes... sans compter Paris, à une heure trente de Poitiers par TGV depuis 1990.

L'économie reste marquée par l'agriculture et par la faiblesse industrielle. Le poids des branches industrielles dans le PIB est légèrement inférieur à la moyenne nationale (23,5 % contre 24,9 % en 1998), sauf pour le bâtiment-travaux publics, et pour l'industrie agroalimentaire où la région est en meilleure position. C'est le cognac qui représente la grande richesse ; exporté à plus de 90 %, ce produit sensible à la conjoncture internationale met en jeu toute une filière (agricole, industrielle et tertiaire). Spatialement, le reste du tissu industriel apparaît fragmenté ; les pôles sont rares, hormis Angoulême, où les branches traditionnelles (papeterie, arsenal de Ruelle) déclinent, le Bocage deux-sévrien, proche de Cholet, où l'industrie automobile prospère, et les centres dont l'essor remonte à l'apogée des décentralisations (Poitiers-Châtellerault, La Rochelle-Rochefort). L'activité portuaire manque de relations structurelles avec l'industrie : La Rochelle-Pallice, huitième port français en 1998, décharge hydrocarbures raffinés et bois et charge surtout des céréales. L'économie littorale s'enrichit d'une aquaculture importante (Marennes-Oléron est le premier bassin ostréicole français), mais fragilisée par l'essor touristique. Quant au secteur tertiaire, ses pôles sont Poitiers (université, administrations régionales, parc du Futuroscope), capitale régionale aujourd'hui moins contestée, Niort (sièges des sociétés mutualistes d'assurances MAIF, MAAF, MACIF) et le littoral touristique.

La constitution d'une politique régionale d'aménagement a été délicate à cause de l'habitude de tout attendre de « Paris », de l'éclatement des pays et de l'esprit de clocher. La région établit des dénominateurs communs en matière de grands équipements et veut susciter une image collective ; malheureusement, les soutiens nécessaires aux filières agricoles et à différentes activités en difficulté, l'aide aux « zones rurales fragiles » entraînent un émiettement des crédits.

Néanmoins, les grands investissements dans les réseaux de circulation, la maîtrise de l'eau et les nouvelles technologies peuvent renforcer les liens interdépartementaux. Déjà, les agglomérations principales, réunies en réseaux, sont plus solidaires. Toutes reliées par autoroute ou par voie rapide, elles ont bénéficié de l'aménagement de liaisons transversales. Ainsi, Poitiers est accessible commodément pour la majeure partie de l'espace régional. De même, les TGV desservent les quatre préfectures. Les liaisons devraient être améliorées pour Poitiers et Angoulême avec la construction, durant la décennie 2000, d'une nouvelle ligne « Aquitaine » de Tours à Bordeaux. Cherchant à influer sur les choix d'aménagement du territoire, progressivement, les différentes collectivités se font plus partenaires et moins concurrentes. - **Jean Soumagne** ■

INDICATEUR*	UNITÉ	1982	1990	1999	France entière 1999
Démographie					
Population**	*milliers*	1 568	1 595	1 640	58 518
Densité	*hab./km²*	60,8	61,8	63,5	107,6
Taux de croissance	*% annuel*	0,37[b]	0,21[c]	0,31[e]	0,37[e]
Accroissement naturel	*% annuel*	0,21[b]	0,12[c]	0,00[e]	0,36[e]
Solde migratoire	*% annuel*	0,16[b]	0,09[c]	0,31[e]	0,01[e]
Population 0-19 ans	*% du total*	28,3	25,1	23,5[i]	25,8[i]
Population 60 ans et +	*% du total*	21,6	24,1	25,2[i]	20,4[i]
Population étrangère	*% du total*	1,6	1,6	••	6,4[m]
Population urbaine	*% du total*	51,6	50,8	••	74,0[m]
Fécondité***		1,81	1,63	1,59[h]	1,70[h]
Mortalité infantile	*‰ nais.*	9,2	7,2	4,2[h]	4,7[h]
Espérance de vie	*années*	76,2	78,0	79,3[h]	78,5[h]
Indicateurs socioculturels					
Nombre de médecins	*‰ hab.*	1,69	2,25	2,66	3,03
Diplômés (% des 25–54 ans)					
Bac ou brevet professionnel	%	12,5[a]	23,8	••	29,3[m]
Bac + 2 et diplômes supérieurs	%	5,5[a]	11,5	••	16,1[m]
dont femmes	%	48,0[a]	50,5	••	48,9[m]
Activité et chômage					
Population active	*milliers*	606	643	720[i]	25 567[i]
Agriculture	% } *100 %*	17,5	11,4	8,8	4,2
Industrie	% } *100 %*	31,9	29,0	25,2	24,9
Services	% } *100 %*	50,6	59,6	66,0	70,9
Taux de chômage global	%	9,3	10,8	11,4[k]	10,5[k]
Taux féminin	%	13,6	15,6	13,3[j]	13,5[j]
Taux des « moins de 25 ans »	%	24,2	21,4	26,4[j]	23,9[j]
Taux des « longue durée »	%	5,6	5,2	4,9[h]	5,0[h]
Administrations publiques locales					
Ressources totales/hab.	*milliers FF*	5,1	8,7	10,3[f]	11,4[f]
dont fiscalité locale/hab.	*milliers FF*	2,1	3,9	4,7[f]	5,5[f]
Contribution de la région au commerce extérieur					
Exportations	*milliards FF*	12,4	24,4	28,1	1822,1
Importations	*milliards FF*	6,1	12,4	18,0	1753,0
PIB régional	*milliards FF*	84,0	144,2	175,5[g]	7 871,7[g]
Taux de croissance	*% annuel*	2,4[b]	2,1[c]	1,3[d]	1,2[d]
Par habitant	*milliers FF*	53,5	90,2	108,0[g]	134,8[g]
Structure du PIB					
Agriculture	% } *100 %*	10,0	8,1	4,7[g]	2,4[g]
Industrie	% } *100 %*	29,9	26,9	25,9[g]	27,4[g]
Services	% } *100 %*	60,1	65,0	69,4[g]	70,1[g]

*Sources et définitions indicateurs utilisés : voir p. 175 et suiv. ; ** Lors des recensements de 1982, 1990, et 1999 ; ***Indicateur conjoncturel de fécondité (exprimé en nombre moyen d'enfants par femme).
a. 1975 ; b. 1975-1982 ; c. 1982-1990 ; d. 1990-1996 ; e. 1990-1999 ; f. 1993 ; g. 1996 ; h. 1997 ; i. 1998 ; j. Avril 1998 ; k. Déc. 1999 ; m. 1990.

Références

S. Arlaud, « Poitou-Charentes », *in* A. Gamblin (sous la dir. de), *La France dans ses régions*, tome II, SEDES, Paris, 1994.

G. Bernard, D. Guillemet, J.-L. Nembrini, *Pour connaître la région Poitou-Charentes*, CRDP Poitiers/Région Poitou-Charentes, 1994.

IAAT, *Panorama de l'industrie en Poitou-Charentes*, Préfecture/Région Poitou-Charentes, Poitiers, 1999.

Y. Jean (sous la dir. de), « Nouveaux territoires du Poitou-Charentes », *Pays, agglomérations, intercommunalité*, n° 3, IAAT, Poitiers, 1999.

J. Luneau, « Poitou-Charentes », *in* Y. Lacoste (sous la dir. de), *Géopolitiques des régions françaises*, tome II, Fayard, Paris, 1986.

Norois, Revue géographique de l'Ouest (trimestriel), Poitiers (chronique annuelle sur Poitou-Charentes).

J. Soumagne, *Géographie du commerce de détail dans le centre-ouest de la France* (thèse), Poitiers, 1996.

@ **Sites Internet**

CCI d'Angoulême : **http://www.actufax.comcciang.html**

CCI de Niort : **http://www.niort.cci.fr**

CCI de Vienne : **http://www.poitiers.cci.fre**

Conseil régional : **http://www.cr-poitou-charentes.fr**

IAAT : **http://www.iaat@campus.univ-poitiers.fr**

Université de Poitiers : **http://www.univ-poitiers.fr**

sement de leur arrondissement (respectivement + 9,3 % et + 11,3 %). La Charente-Maritime a confirmé son pouvoir d'attraction, enregistrant un solde migratoire nettement positif, de près de 30 000 habitants. La Vienne a gagné 19 000 habitants, cumulant un solde naturel et un solde migratoire positifs. Grâce à son statut de capitale régionale, à la présence de l'université et au dynamisme économique du site du Futuroscope, à l'implantation de grands organismes de formation comme le CNED (Centre national d'enseignement à distance) et d'entreprises comme Cegetel, la population de l'agglomération poitevine a progressé. En revanche, l'espace urbain de Châtellerault comme les espaces ruraux de Civray et de Loudun ont perdu des habitants.

Les Deux-Sèvres ont perdu 1 600 habitants : le dynamisme des mutuelles n'a pas suffi à Niort, dont la population est restée presque stable (– 0,6 %). La seule zone ayant enregistré une progression est celle de Niort-Saint-Maixent-l'École, confirmant l'importance de la périurbanisation dans la région. Le déclin démographique a été particulièrement marqué dans les zones rurales de Gâtine et du Bocage. La Charente a, pour sa part, enregistré depuis 1992 davantage de décès que de naissances et un solde migratoire négatif.

Reprise économique généralisée

Tous les secteurs d'activité ont connu la croissance : biens intermédiaires, biens d'équipement, biens de consommation, BTP (bâtiment et travaux publics), commerce de gros et transports. Après une forte baisse en 1998, le chiffre d'affaires de l'industrie agroalimentaire a affiché une légère érosion (– 0,2 %). En revanche, le cognac a connu un rebond significatif (+ 4,5 %). Les entreprises ont différé leurs investissements productifs, se concentrant sur le rétablissement de leurs marges. Les effectifs ont peu évolué, sauf dans le secteur du commerce de gros (+ 4,8 %), le BTP (+ 4,5 %) et les transports (+ 9,5 %). Le 9 septembre 1999, la tranche 1 de la centrale nucléaire de Civaux est devenue productrice d'électricité.

Dans cette région rurale surtout composée de PME (petites et moyennes entreprises), l'année sociale a été marquée par les discussions et les tensions liées aux négociations de la réduction du temps de travail dans le cadre de la loi sur les 35 heures. Fin décembre 1999, près de 1 200 accords étaient signés, concernant 58 000 salariés et permettant de sauvegarder ou de créer plus de 4 500 emplois. Les chiffres phares ont concerné les Mutuelles de Niort, la Camif et la Macif, où les effets de la baisse du temps de travail se mesurent en centaines d'emplois gagnés.

L'accord de vente du Futuroscope a été signé le 25 février 2000 par René Monory, président du conseil général de la Vienne, et le groupe Amaury. L'assemblée départementale l'a unanimement approuvé. Créé par R. Monory, sur les fonds du département, le site a accueilli 25 millions de visiteurs depuis 1985. - **Yves Jean** ■

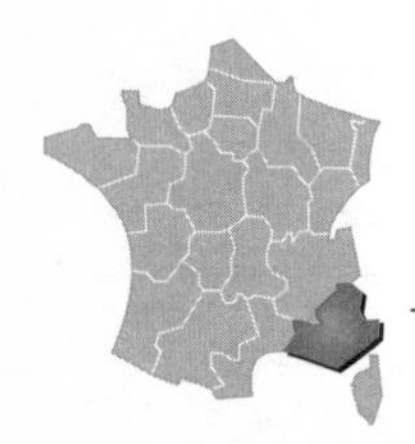

Provence-Alpes-Côte d'Azur

Fragiles équilibres politiques

C'est la fragilité des équilibres politiques apparus lors de l'élection, en mars 1998, de Michel Vauzelle (PS) à la présidence de la Région qui a marqué l'année 1999 en Provence-Alpes-Côte d'Azur (PACA). La gestion de la majorité relative (48 conseillers régionaux de la « gauche plurielle », après l'annulation par le Conseil d'État, en janvier 1999, de l'élection d'un conseiller régional socialiste, contre 37 conseillers régionaux de droite et 37 du Front national) est apparue d'autant plus difficile que les recompositions politiques à droite étaient largement entamées. Plus que l'éclatement du FN et la création du Mouvement national républicain (MNR) de Bruno Mégret, l'échec cuisant de celui-ci aux élections européennes, la perte de crédibilité croissante de celui-là et l'émergence du Rassemblement pour la France (RPF) n'ont pas tardé à avoir des conséquences tangibles. Dès l'automne 1999, on a assisté à l'adhésion au RPF et au groupe RPR d'un conseiller du FN, tandis que deux élus du MNR et l'un des porte-parole du FN rejoignaient les non-inscrits.

La droite tentée par des alliances douteuses

La perspective des élections municipales de 2001 n'a fait qu'accélérer ce processus que la droite examine, non sans complaisance. Ainsi le député des Bouches-du-Rhône, Jean-François Mattéi

(UDF-DL), a-t-il plaidé, en octobre 1999, pour la réintégration au sein de la droite traditionnelle des éléments de l'extrême droite, après « leur passage dans un sas de décontamination ». Comme l'a souligné M. Vauzelle, la région Provence-Alpes-Côte d'Azur semblait « en voie de peyratisation », allusion à Jacques Peyrat (RPR) qui avait gagné, en 1995, la mairie de Nice en passant du FN au RPR. Dès lors, la droite tout entière a cherché à contraindre l'exécutif régional à se plier à ses exigences. De plus en plus souvent, la droite est apparue mêler ses voix à celle de l'extrême droite pour remettre en cause certains projets présentés par l'exécutif.

Au Parti socialiste, dans les Bouches-du-Rhône, la démission de François Bernardini du poste de premier secrétaire de la fédération, en octobre 1999, après sa mise en examen dans l'affaire de la MNEF (Mutuelle nationale des étudiants de France), a engendré une grave crise, alimentée par la volonté du président du conseil général, Jean-Noël Guérini (PS), de se prémunir contre tout retour aux affaires de son prédécesseur. L'exécutif provisoire mis en place « avec et autour de M. Vauzelle et J.-N. Guérini » ne semblait pas devoir résister à l'examen attentif des « adhésions », exigé par le secrétariat national. Le RPR devait traverser, lui aussi, des moments difficiles. La forte influence de C. Pasqua dans les Alpes-Maritimes, le Var et les Bouches-du-Rhône, qui s'est confirmée lors des élections européennes du 13 juin 1999, s'est traduite par la mise en orbite du RPF, lequel récupère les déçus aussi bien du chiraquisme que de l'extrême droite. Avec Jean-Charles Marchiani, ancien préfet du Var, le RPF s'est trouvé un leader régional de stature nationale dont l'ambition déclarée est d'arracher la mairie de Toulon à Jean-Marie Le Chevallier (FN), disqualifié par de multiples scandales et une gestion hasardeuse. La droite libérale semblait provisoirement épargnée par ces crises, en raison de l'autorité conciliatrice du maire de Marseille, Jean-Claude Gaudin (DL), dont le rôle de leader est resté incontesté depuis l'échec de François Léotard (UDF) aux élections régionales.

Provence-Alpes-Côte d'Azur

Préfecture régionale : Marseille.

Départements [préfecture] : Alpes-de-Haute-Provence [Digne], Hautes-Alpes [Gap], Alpes-Maritimes [Nice], Bouches-du-Rhône [Marseille], Var [Toulon], Vaucluse [Avignon].

Superficie : 31 400 km^2 (5,8 % de la France métropolitaine).

Population (recensement 1999) : 4 506 151 habitants (7 % de la pop. de la France métrop.).

Variation 1990-1999 : + 248 244 habitants.

Principales unités urbaines (1999, dans les limites de 1990) : Marseille (1 263 521, dont ville de Marseille [798 430], Aix-en-Provence [134 222]), Nice (528 775), Toulon (455 795, dont ville de Toulon [160 639], La Seyne-sur-Mer [60 188], Hyères [51 417]), Grasse - Cannes - Antibes (354 784), Avignon (168 573), Fréjus (83 833), Martigues (71 554), Menton-Monaco (66 455), Arles (50 453), La Ciotat (44 162), Draguignan (41 542), Istres (38 993), Carpentras (45 806), Gap (36 263), Cavaillon (35 249), Orange (29 964).

Composition du conseil régional (à l'issue des élections de mars 1998). Total sièges : 122, dont 14 PC, 1 MDC, 26 PS, 3 PRG, 4 DG, 2 Verts, 19 UDF, 17 RPR, 2 DVD, 25 FN, 8 MNR, 3 non-inscrits. [Président : Michel Vauzelle (PS), qui a succédé à Jean-Claude Gaudin (PR-UDF) le 20.3.98].

PIB régional (en 1996) : 532,3 milliards FF (6,8 % du PIB national).

Taux de chômage en sept. 1999 : 14,5 % (France : 11,1 %).

Spécialisations industrielles : industrie chimique, construction navale, armement.

Principales livraisons agricoles : vins, fruits, légumes, fleurs et plantes.

Source : INSEE. Voir la signification des indicateurs p. 177.

Une situation socio-économique tendue

Ici, plus que dans d'autres régions françaises, les écarts de niveau de vie, les déséquilibres du peuplement, les diversités d'environnement économique sont particulièrement prononcés.

L'année 1999 s'est caractérisée par des situations de crise dans certains grands secteurs traditionnels (enneigement insuffisant dans les stations de ski, fruits et légumes, mine de Gardanne...), par des améliorations dans des secteurs en difficulté (port de Marseille, La Ciotat...), par le renforcement du dynamisme dans le domaine de la technologie (micro-électro-

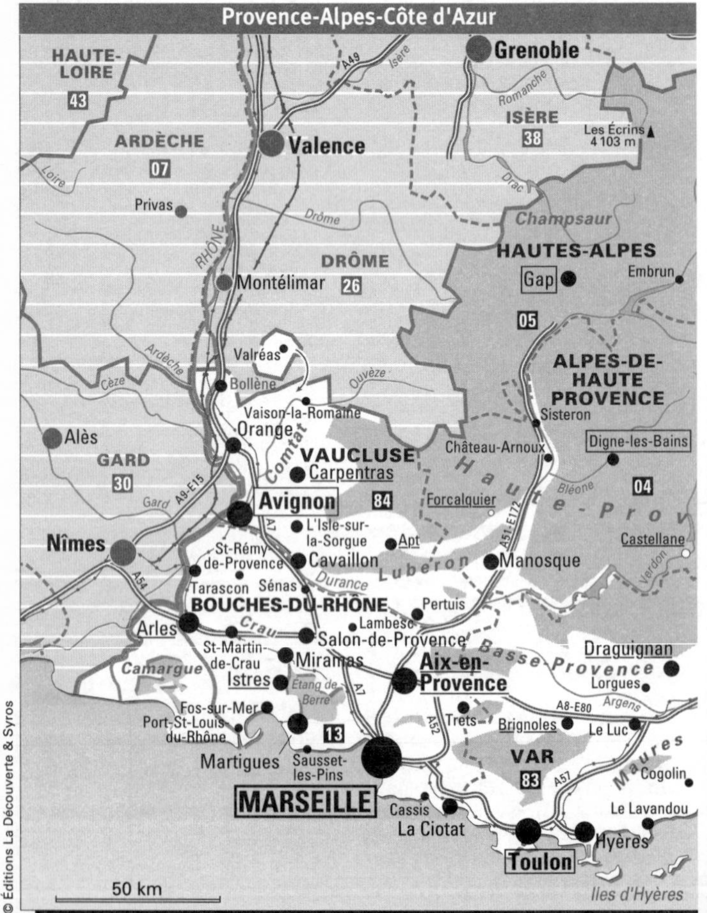

nique, télécommunications...). Le projet Euroméditerranée à Marseille s'affirme progressivement.

L'observation des vingt-cinq dernières années révèle que la région arrive en première place en termes d'attractivité démographique. Le recensement national de mars 1999 indique une population de 4,5 millions d'habitants en PACA, soit une croissance annuelle moyenne de 0,6 % à partir de 1990 (contre 0,9 % au cours des années quatre-vingt). Le ralentissement est essentiellement dû à un recul du solde migratoire, notamment dans les Alpes-Maritimes.

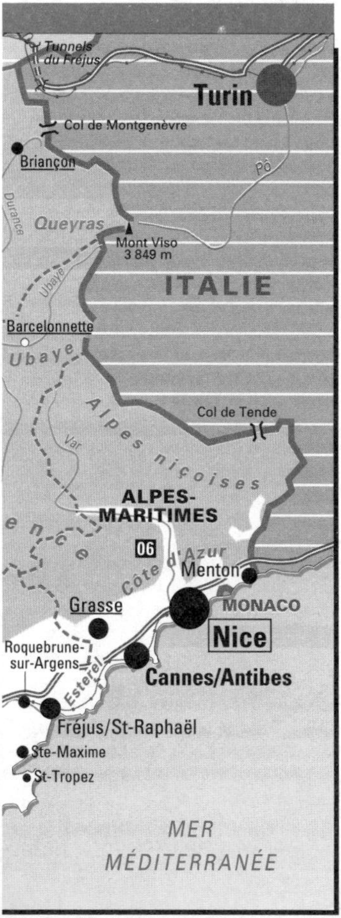

La région connaît, depuis plusieurs années, une montée inquiétante de la précarité économique et sociale. Le taux de chômage (14,1 % contre 10,5 % pour la moyenne française en décembre 1999), malgré une amélioration notable dans l'année, se situe largement au-dessus du niveau national. Avec plus de 122 000 bénéficiaires, la part des allocataires du RMI est presque deux fois plus élevée qu'au niveau national. Leur nombre augmente de près de 8 % par an.

La fragilité politique fortement médiatisée, ainsi que les tensions économiques et sociales ne doivent cependant occulter ni les changements intervenus depuis l'élection de M. Vauzelle, ni les évolutions engagées. La négociation du contrat de plan État-Région 2000-2006 a constitué le noyau de la nouvelle politique régionale. La région Provence-Alpes-Côte d'Azur avait été quelque peu « oubliée » par les deux précédents contrats de plan. La part de l'État dans les investissements régionaux était ainsi de 970 FF par habitant, à comparer aux 2 500 FF par habitant du Nord-Pas-de-Calais. Les conséquences ont été un très grand retard en matière d'équipements et d'infrastructures, des bassins d'activités en perdition, comme le bassin minier de Gardanne (Bouches-du-Rhône). Le nouvel exécutif régional a voulu lutter contre cette tendance dès sa mise en place. Ses interventions ont été couronnées de succès : l'enveloppe de l'État, qui avait été de 4,7 milliards FF lors du précédent contrat de plan (1994-1999), est passée à 7,3 milliards FF, soit l'équivalent de 1 700 F par habitant. En comptant les investissements de l'État hors contrat de plan pour la réhabilitation du patrimoine antique, la percée alpine du tunnel de

PACA : une identité en mutation

Provence-Alpes-Côte d'Azur est une région de contrastes : contrastes géographiques entre les plaines (la Camargue, la Crau, le Comtat Venaissin), les montagnes (Alpes et Préalpes du Sud), le littoral, les côtes des Maures et de l'Estérel ; contrastes entre espaces dépeuplés et espaces denses. La région regroupe des départements dépeuplés comme les Alpes-de-Haute-Provence et les Hautes-Alpes dont les densités de population sont de 20 habitants/km², et des départements fortement peuplés à densité de population comprise entre 130 et 346 habitants/km², comme les Bouches-du-Rhône, les Alpes-Maritimes, le Var, le Vaucluse. En termes de population, PACA est la troisième région et dispose de trois villes parmi les neuf plus peuplées de France : Marseille, Nice, Toulon, sans parler de l'ensemble Cannes-Grasse-Antibes, d'Aix-en-Provence, d'Avignon, de Salon, de Martigues... Depuis 1950, la croissance urbaine a été très forte, d'abord dans les villes-centres entre 1962 et 1968 ; puis dans les agglomérations et les communes périphériques depuis 1970.

Le dynamisme démographique de la région est largement dû à son solde migratoire positif. La Provence est historiquement une terre de migrations. Migrations internes à la région entre les zones sous-peuplées et le littoral, migrations nationales, en particulier de personnes âgées souvent aisées (alors qu'en France la part des plus de 65 ans est de 14 %, elle est de 21,5 % dans les Alpes-Maritimes, 17,7 % dans le Var...), migrations internationales en provenance du sud de la Méditerranée. En 1962, l'installation de près de 400 000 rapatriés d'Afrique du Nord, puis l'immigration maghrébine ont profondément modifié la population provençale. Cette dimension migratoire confère à la région une hétérogénéité de peuplement tout à fait singulière. La cohabitation des communautés est une donnée régionale historique, souvent marquée par des réactions de violence ou une marginalisation momentanée des nombreuses et très diverses minorités (italienne, arménienne, grecque...).

Cette diversité de peuplement a généré des processus de segmentation spatiale et toutes sortes de dualismes. Dualisme social entre des territoires où la richesse s'étale (Côte d'Azur, Var) et des poches de pauvreté dans certaines villes comme Marseille. Dualisme de qualification encore entre une fraction de la population hautement qualifiée et une autre dramatiquement sous-qualifiée. Dualisme, enfin, entre la vocation méditerranéenne réaffirmée et la volonté de s'intégrer au développement rapide du bassin Saône-Rhône.

Dans le domaine agricole s'opposent une agriculture pauvre en voie de disparition dans les zones de l'arrière-pays et de montagne (élevage ovin...) et une agriculture périurbaine moderne très intégrée à la société industrielle et spécialisée dans un certain nombre de productions (cultures sous serres sur l'étang de Berre, floriculture dans les Alpes-Maritimes, fruits dans le Vaucluse...).

Depuis les années soixante, on a assisté à une reconcentration de l'activité industrielle autour de quelques secteurs et sur trois aires : un noyau central autour de Marseille, dont le port reste un élément structurant majeur, et de l'étang de Berre qui regroupe 110 000 actifs ; le littoral de la Côte d'Azur, de Saint-Raphaël à Menton, avec 50 000 actifs ; la vallée du Rhône, avec 30 000 actifs. De plus en plus, le secteur industriel est marqué à la fois par un très fort déséquilibre entre de grandes unités de production et un tissu de petites entreprises essentiellement tournées vers un marché de proximité, et par une dynamique de développement des industries de haute technologie.

Les pouvoirs publics qui, au cours des décennies soixante et soixante-dix, avaient largement contribué à cette évolution, ont semblé par la suite se désintéresser de la région. Lors des deuxième et troisième contrats de plan État-Région, la contribution de l'État a été très faible, au point de faire de PACA la région la plus mal dotée. Cela s'est traduit par un retard important en matière d'infrastructures et d'investissements, qui n'est pas sans rapport avec le taux de chômage élevé (15 %) dans la région.

L'adaptation du port de Marseille (premier port français, troisième européen) aux conditions modernes du transport maritime a été engagée non sans de sérieuses difficultés sociales. La situation est désormais apaisée. Reste la question de l'hinterland que recherche le port de Marseille depuis plus d'un siècle. L'abandon par le gouvernement français du canal à grand gabarit Rhin-Rhône a suscité l'inquiétude de la communauté portuaire, la concurrence se jouant plus que jamais à terre. La création de plates-formes multimodales à Fos-sur-mer (Distriport) ou à Grans-Miramas, voire à Mourepiane, ne saurait être efficace que si le contournement ferroviaire de Lyon est réalisé dans les prochaines années.

C'est aussi dans ce cadre que s'inscrit le très grand projet d'Euroméditerranée, établissement public en charge de la modernisation économique, urbaine et sociale d'un espace de plus de 300 hectares au cœur de Marseille et en lien direct avec le port.

Ce qui caractérise le plus la région en matière économique est l'opposition historique qui existe entre l'activité tertiaire et touristique (et son prolongement, le BTP) et les activités industrielles. Avec 235 millions de nuitées par an, PACA est la première des régions françaises pour sa capacité d'accueil. Pour un quart, les touristes viennent de l'étranger. Cette situation et la volonté de développer les activités de haute technologie expliquent que, depuis plus d'un quart de siècle, l'image californienne fascine de l'est à l'ouest les responsables politiques et économiques de la région. Le potentiel universitaire et les capacités de recherche de la région sont très importants. Avec six universités, elle est le deuxième pôle de recherche publique après Paris. L'État a pris conscience des potentialités de la région et des retards accumulés. Le contrat de plan 2000-2006 allait être l'occasion d'amorcer une nouvelle période. L'ensemble des partenaires (État, Région, collectivités territoriales) ont décidé d'engager 20 milliards FF, dont 8 milliards FF en provenance de l'État. Le paysage régional devrait en sortir profondément bouleversé, en particulier en matière de transports ferroviaires collectifs métropolitains et d'infrastructures économiques.

De tradition républicaine et laïque, PACA connaît depuis quelques années de profondes transformations politiques. Après le basculement à droite de l'électorat des Alpes-Maritimes au cours des années soixante, puis du Var au cours des années soixante-dix et quatre-vingt, la région est secouée par la présence de plus en plus inquiétante d'une droite extrême (FN, MNR) qui occupe un espace politique incontournable. La victoire de la « gauche plurielle » aux élections régionales de 1998 a constitué l'amorce d'une dynamique de recomposition du paysage politique régional, que pourrait toutefois contrarier la recomposition engagée de la droite et de l'extrême droite. - **Bernard Morel** ■

INDICATEUR*	UNITÉ	1982	1990	1999	France entière 1999
Démographie					
Population**	milliers	3 965	4 258	4 506	58 518
Densité	hab./km²	126,3	135,6	143,5	107,6
Taux de croissance	% annuel	1,08[b]	0,89[c]	0,63[e]	0,37[e]
Accroissement naturel	% annuel	0,13[b]	0,22[c]	0,21[e]	0,36[e]
Solde migratoire	% annuel	0,95[b]	0,67[c]	0,42[e]	0,01[e]
Population 0-19 ans	% du total	26,0	24,1	24,2[i]	25,8[i]
Population 60 ans et +	% du total	21,7	23,2	23,5[i]	20,4[i]
Population étrangère	% du total	8,3	7,1	••	6,4[m]
Population urbaine	% du total	90,8	89,8	••	74,0[m]
Fécondité***		1,80	1,76	1,70[h]	1,70[h]
Mortalité infantile	‰ nais.	8,9	6,1	4,1[h]	4,7[h]
Espérance de vie	années	75,5	77,3	79,1[h]	78,5[h]
Indicateurs socioculturels					
Nombre de médecins	‰ hab.	2,75	3,43	3,70	3,03
Diplômés (% des 25–54 ans)					
Bac ou brevet professionnel	%	18,0[a]	31,2	••	29,3[m]
Bac + 2 et diplômes supérieurs	%	8,5[a]	16,5	••	16,1[m]
dont femmes	%	47,7[a]	50,6	••	48,9[m]
Activité et chômage					
Population active	milliers	1 589	1 726	1 892[i]	25 567[i]
Agriculture	% } 100 %	4,4	4,9	2,7	4,2
Industrie	% } 100 %	25,7	22,5	19,0	24,9
Services	% } 100 %	70,0	72,5	78,3	70,9
Taux de chômage global	%	9,9	10,8	14,1[k]	10,5[k]
Taux féminin	%	13,5	13,4	17,1[j]	13,5[j]
Taux des « moins de 25 ans »	%	23,2	21,0	25,7[j]	23,9[j]
Taux des « longue durée »	%	5,2	4,3	6,8[h]	5,0[h]
Administrations publiques locales					
Ressources totales/hab.	milliers FF	6,2	11,2	13,0[f]	11,4[f]
dont fiscalité locale/hab.	milliers FF	2,8	5,6	6,2[f]	5,5[f]
Contribution de la région au commerce extérieur					
Exportations	milliards FF	35,1	56,1	74,5	1822,1
Importations	milliards FF	76,7	79,2	85,4	1753,0
Produit intérieur brut					
PIB régional	milliards FF	251,9	450,2	532,3[g]	7 871,7[g]
Taux de croissance	% annuel	3,0[b]	2,5[c]	0,7[d]	1,2[d]
Par habitant	milliers FF	63,3	105,2	119,3[g]	134,8[g]
Structure du PIB					
Agriculture	% } 100 %	3,3	2,6	2,1[g]	2,4[g]
Industrie	% } 100 %	25,7	23,2	21,2[g]	27,4[g]
Services	% } 100 %	71,0	74,2	76,7[g]	70,1[g]

*Sources et définitions indicateurs utilisés : voir p. 175 et suiv. ; ** Lors des recensements de 1982, 1990, et 1999 ; ***Indicateur conjoncturel de fécondité (exprimé en nombre moyen d'enfants par femme).
a. 1975 ; b. 1975-1982 ; c. 1982-1990 ; d. 1990-1996 ; e. 1990-1999 ; f. 1993 ; g. 1996 ; h. 1997 ; i. 1998 ; j. Avril 1998 ; k. Déc. 1999 ; m. 1990.

Références

Club d'échanges et de réflexions sur l'aire métropolitaine marseillaise, *La Métropole inachevée*, Éd. de l'Aube, La Tour-d'Aigues, 1994.

A. Inglod, *La Région urbaine marseillaise à l'épreuve de la crise*, STRATES, Université de Paris-I, 1993.

B. Morel, *Marseille, naissance d'une métropole*, L'Harmattan, Paris, 1999.

M. Roncayolo, *Les Grammaires d'une ville. Essai sur la genèse des structures urbaines à Marseille*, EHESS, Paris, 1996.

J. Viard, *Marseille, une ville impossible*, Payot, Paris, 1995.

P.-P. Zalio, *Grandes familles de Marseille au XXe siècle. Enquête sur l'identité économique d'un territoire portuaire*, Belin, Paris, 1999.

@ Sites Internet

Conseil régional : **http://www.cr-paca.fr**

GRECAM (Groupe de recherche en économie quantitative d'Aix-Marseille) : **http://chess.cnrs.mrs.fr/grecam/Home.grecam.htlm**

LAMES (Laboratoire méditerranéen de sociologie) : **http://Coche@mmsh.univ-aix.fr**

MMSH (Maison méditerranéenne des sciences de l'homme) : **http://information@mmsh.univ-aix.fr**

Tende ou la traversée de Toulon, c'est 8 milliards FF que l'État devrait injecter dans l'économie régionale. La Région ayant décidé d'abonder à hauteur de l'investissement d'État et d'autres collectivités territoriales, comme les départements, ayant décidé de se joindre au mouvement, plus de 20 milliards FF devraient être investis d'ici 2006.

Par ailleurs, l'orientation des politiques a marqué un réel changement. L'effort le plus important concerne les transports ferroviaires collectifs. D'ici la fin du contrat de plan, de véritables réseaux rapides intra-métropolitains devraient être en activité dans les deux métropoles d'Aix-Marseille et de Nice. Dans d'autres domaines, des évolutions très marquées se dessinent, que cela concerne l'aide à l'agriculture, particulièrement handicapée durant les dernières années par la politique européenne, l'université, dans laquelle la Région veut s'investir avec vigueur, ou la politique de la Ville. D'autres chantiers ont été ouverts en faveur de l'emploi, de la politique territoriale et de la coopération décentralisée.

La « méthode Vauzelle » de concertation

Cette politique régionale a été préparée par une série de concertations qui fondent ce que certains appellent la « méthode Vauzelle » : concertation permanente avec les présidents de conseils généraux, de droite ou de gauche, concertation populaire avec l'organisation, au deuxième trimestre 1999, d'une série de forums départementaux et avec l'envoi d'une lettre aux habitants. Toutefois, la réalisation des projets repose sur leur acceptation par l'assemblée régionale. La droite peut difficilement refuser une enveloppe et des investissements qu'elle a appelés de ses vœux. Cependant, elle peut s'opposer à la contrepartie budgétaire et en profiter pour mettre en difficulté l'exécutif régional, à la veille des élections municipales de 2001.

À Marseille, qui a fêté en 1999 ses 2 600 ans avec, en juin, une grande parade populaire, la *Massalia*, J.-C. Gaudin a tenté de contenir un mécontentement larvé par une série d'initiatives : création du parc du

26e centenaire, modification du plan d'occupation des sols, développement du projet Euroméditerranée, projet d'une communauté urbaine, réduite aux acquêts de la communauté de communes mise en place par son prédécesseur. La gauche, à la recherche d'une tête de liste crédible, ne paraissait pas en mesure de s'opposer à sa réélection. À Aix-en-Provence, où Jean-François Picheral (PS) est bien implanté, et à Nice, où J. Peyrat (RPR) ne paraît pas menacé, la situation ne semblait pas devoir changer. La situation est bien différente à Toulon, avec l'arrivée de J.-C. Marchiani et où la gauche pourrait jouer un rôle perturbateur, à Avignon, où Élisabeth Guigou (PS) s'est posée en challenger de Marie-Josée Roig (RPR), et dans les communes tenues par l'extrême droite, dont la gestion est plus que contestée. L'année 2000 s'est annoncée politique. - **Thérèse Quesnot** ■

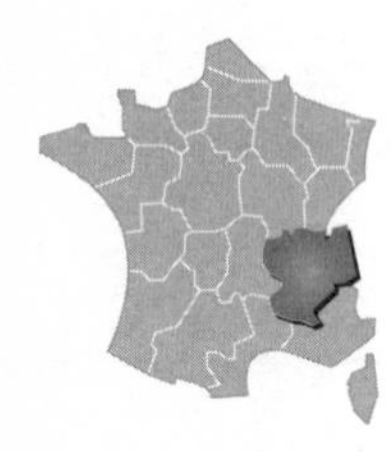

Rhône-Alpes

Croissance économique soutenue

Un an aura suffi à Raymond Barre, député-maire de Lyon, pour s'affirmer comme l'inspirateur d'une nouvelle politique régionale ambitieuse reposant sur la consolidation des communautés urbaines et leur coopération au sein d'un « réseau de villes ». La chute de Charles Millon (ex-UDF), privé de majorité après avoir accepté d'être élu à la tête de la Région, en mars 1998, avec les voix du Front national, avait en effet mis fin, le 12 février 1999, à une politique « régionaliste » volontariste.

Neuf mois de crise de l'institution régionale avaient séparé la fin de l'ère Millon de l'élection d'Anne-Marie Comparini (UDF). Le 8 janvier 1999, portée à la tête de l'exécutif par un « front républicain » constitué de quinze élus UDF et RPR et des soixante représentants de la « gauche plurielle », A.-M. Comparini s'était engagée crânement dans la mise en œuvre du programme qu'elle avait défendu au côté de C. Millon. Une quarantaine d'élus refusèrent leur soutien à la nouvelle présidente, accusée d'être « l'otage de la gauche » et de « transformer la Région en simple collectivité territoriale de gestion ».

Raymond Barre, le pouvoir au réseau des villes

R. Barre a été le bénéficiaire de cette crise. Après avoir qualifié de « faute politique grave l'acceptation des voix du FN par C. Millon », il avait soutenu la candidature d'A.-M. Comparini, son ancienne collaboratrice. Il avait associé la gauche non communiste à sa gestion de la communauté urbaine et marqué, dès 1995, sa volonté de « faire entrer Lyon dans le troisième millénaire en qualité de cité de taille européenne au cœur du grand Sud-Est ». Sa stratégie a pris appui sur la consolidation du tripode Lyon-Grenoble-Saint-Étienne. Chacune de ces villes a été dotée d'une communauté urbaine. Reliées entre elles par un réseau autoroutier diversifié, connectées à un second maillage entre villes moyennes (Bourg-en-Bresse, Chambéry, Annecy, Valence, Roanne), ces agglomérations se déclarent prêtes à être l'un des maillons d'une chaîne de coopération Nord-Sud impliquant Genève, Lyon, Turin, Marseille et Barcelone.

La synergie des villes de la région s'est affirmée depuis le scrutin municipal de 1995. L'émergence d'un pouvoir d'agglomération a été sensible dans toutes les villes moyennes sollicitées par leur périphérie d'assumer des fonctions urbaines majeures. Le 27 novembre 1999, la communauté de communes de Grenoble Alpes Métropole a voté sa transformation en « métropole d'agglomération ».

À la suite du recensement de la population de mars 1999, l'INSEE Rhône-Alpes a relevé que « l'essentiel des flux de croissance se concentre toujours autour des grands pôles urbains et le long des axes de communication [...]. Lyon enregistre le gain le plus important avec 30 000 habitants supplémentaires ». Depuis 1990, la périurbanisation s'est poursuivie.

L'ambition géopolitique de R. Barre est de « produire une dynamique comparable à celle qui anime la Mitteleuropa », a-t-il précisé le 22 octobre 1999 à Lyon. Il recevait alors Jean-Claude Gaudin, maire UDF de Marseille. Étaient à l'ordre du jour la liaison TGV, les relations entre les deux ports, la coopération des centres de recherche, mais aussi une coproduction entre les opéras des deux villes.

Géopolitique du « grand Sud-Est »

L'affichage de cet axe Barre-Gaudin a rappelé que la géopolitique du « grand Sud-Est » reposait sur des données politiques établies par les élections européennes du 13 juin 1999. Le scrutin avait confirmé que les déchirements de la droite républicaine au sein de l'assemblée régionale n'avaient pas entamé son capital de confiance.

Rhône-Alpes

Préfecture régionale : Lyon.
Départements [préfecture] : Ain [Bourg-en-Bresse], Ardèche [Privas], Drôme [Valence], Isère [Grenoble], Loire [Saint-Étienne], Rhône [Lyon], Savoie [Chambéry], Haute-Savoie [Annecy].
Superficie : 43 698 km^2 (8 % de la France métropolitaine).
Population (recensement 1999) : 5 645 407 habitants (9,6 % de la pop. de la France métropolitaine).
Variation 1990-1999 : + 294 706 habitants.
Principales unités urbaines (1999 dans les limites de 1990) : Lyon (1 307 000, dont ville de Lyon [445 452], Villeurbanne [124 215], Vénissieux [50 061], Vaulx-en-Velin [39 154], Caluire-et-Cuire [41 233]), Grenoble (416 000, dont ville de Grenoble [153 317]), Saint-Étienne (289 000, dont ville de Saint-Étienne [180 210]), Annecy (136 815), Chambéry (111 341), Valence (109 988), Saint-Chamond (79 000, dont ville de Saint-Chamond [37 378]), Roanne (74 000, dont ville de Roanne [38 896]), Bourg-en-Bresse (40 666), Villefranche-sur-Saône (30 647), Thonon-les-Bains (28 879), Vienne (29 975).
Composition du conseil régional (au 11.02.99). Total sièges : 157, dont 12 PC, 1 MDC, 31 PS, 2 PRG, 6 DVG, 8 Verts et apparentés, 32 ORA (millonistes), 10 UDF, 9 RPR, 6 IER (dont 1 CNPT), 13 FNUF, 17 MNR, 5 DVD (ex-MNR), 5 non apparentés (dont 1 indépendantiste savoisien). [Présidente : Anne-Marie Comparini (UDF), qui a succédé en janv. 1999 à Charles Millon (fondateur de La Droite), qui avait été réélu le 20.3.98 avec l'appui des voix du FN avant d'être invalidé.]
PIB régional (en 1996) : 732,5 milliards FF (9,3 % du PIB national).
Taux de chômage en sept. 1999 : 9,7 % (France : 11,1 %).
Spécialisations industrielles : métallurgie, industrie chimique, fonderie, construction mécanique.
Principales livraisons agricoles : lait, vins, bovins, légumes.
Source : INSEE. Voir la signification des indicateurs p. 177.

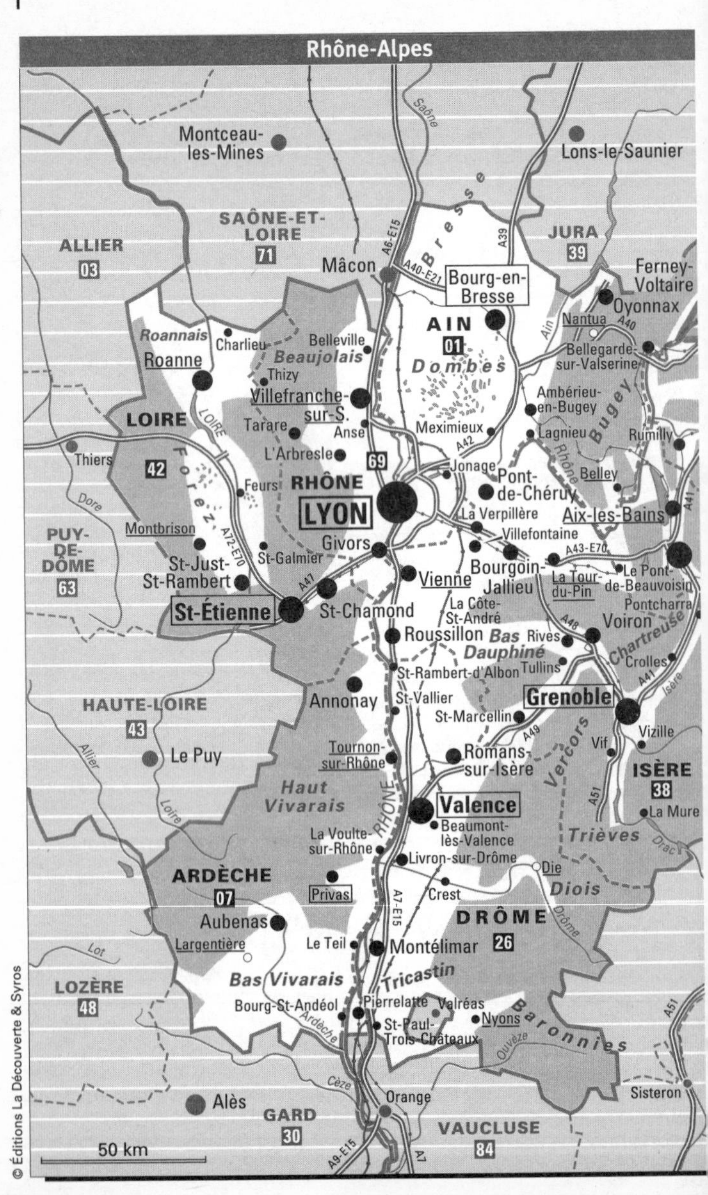
Rhône-Alpes
Montceau-les-Mines
Lons-le-Saunier
Saône
Bresse
SAÔNE-ET-LOIRE
71
JURA
39
ALLIER
03
Mâcon
Bourg-en-Bresse
Ferney-Voltaire
Oyonnax
AIN
01
Nantua
Roannais
Roanne
Charlieu
Belleville
Beaujolais
Thizy
Dombes
Bellegarde-sur-Valserine
Villefranche-sur-S.
Ambérieu-en-Bugey
Bugey
LOIRE
42
Tarare
Anse
Meximieux
Lagnieu
Rumilly
Thiers
L'Arbresle
69
Jonage
Pont-de-Chéruy
Belley
Forez
Feurs
RHÔNE
LYON
La Verpillère
Aix-les-Bains
Dore
Montbrison
Villefontaine
PUY-DE-DÔME
63
St-Just-St-Rambert
St-Galmier
Givors
Vienne
Bourgoin-Jallieu
La Tour-du-Pin
Le Pont-de-Beauvoisin
St-Étienne
St-Chamond
La Côte-St-André
Pontcharra
Voiron
Roussillon
Bas Dauphiné
Rives
Chartreuse
Tullins
Crolles
St-Rambert-d'Albon
HAUTE-LOIRE
43
Annonay
St-Vallier
Grenoble
St-Marcellin
Vizille
Allier
Le Puy
Tournon-sur-Rhône
Romans-sur-Isère
Vercors
Vif
ISÈRE
38
Haut Vivarais
Valence
La Mure
Loire
Beaumont-lès-Valence
La Voulte-sur-Rhône
Trièves
Livron-sur-Drôme
Drac
Die
ARDÈCHE
07
Privas
Crest
Diois
Aubenas
DRÔME
26
Largentière
Le Teil
Montélimar
Lot
Bas Vivarais
Tricastin
LOZÈRE
48
Bourg-St-Andéol
Pierrelatte
Valréas
Nyons
Baronnies
Ardèche
St-Paul-Trois-Châteaux
Ouvèze
Cèze
Sisteron
Alès
Orange
GARD
30
VAUCLUSE
84
50 km

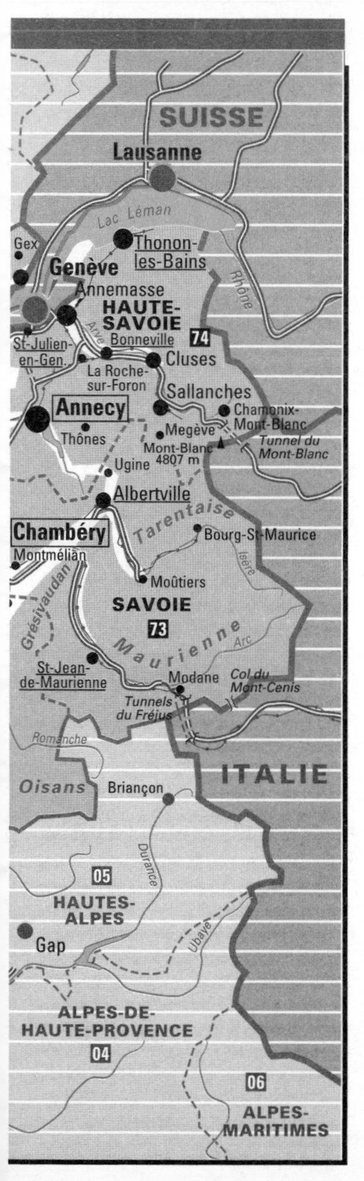

L'émergence de la liste de Charles Pasqua, en tête dans le Rhône, l'Isère, la Loire et l'Ain, a créé une nouvelle donne. L'extrême droite, divisée, a enregistré un net recul. Majoritaires parmi les élus régionaux (30 contre 12), les partisans de Bruno Mégret (3,99 %) ont été devancés par ceux de Jean-Marie Le Pen (5,88 %) dans presque toutes les circonscriptions urbaines. Les Verts ont créé la surprise (10,92 %). La liste de Daniel Cohn-Bendit a vu se confirmer l'implantation des écologistes à Grenoble (17,19 %) et à Lyon, où leur score est passé de 2,99 % en 1994 à 12,70 %. Dans la capitale régionale, la « gauche plurielle » a totalisé 37,63 % des voix et le PS, en bénéficiant de la division de la droite, est devenu, avec 20,24 %, la première force politique. La « gauche purielle » lyonnaise, regroupée depuis 1995 derrière le socialiste Gérard Collomb, caressait l'espoir de succéder à une droite divisée lors des municipales de 2001.

Les grands projets des élus s'appuient sur une activité économique soutenue. En décembre, l'INSEE Rhône-Alpes constatait « la poursuite d'une croissance vive ». La diminution des défaillances d'entreprises s'est poursuivie. En cumul sur douze mois, leur nombre a atteint 4 179, soit une diminution de 13,7 %, supérieure de près d'un point à celle de la France (– 12,8 %). Cette tendance générale a été très marquée dans le commerce (– 17,1 %), dans l'hôtellerie-restauration (– 16,4 %) et dans le bâtiment (– 15,4 %). À l'échelle départementale, seule la Loire, où les défaillances ont augmenté de 3,6 % en un an, affichait un chiffre inquiétant. L'Ardèche (– 33,7 %) et la Haute-Savoie (– 25 %) témoignaient, en revanche, d'une évidente capacité de rattraper leurs retards.

Ces indicateurs ont été confirmés par la baisse du taux de chômage. Toujours selon l'INSEE Rhône-Alpes, la baisse du taux de chômage s'est poursuivie, l'écart entre le taux régional (9,7 %) et le taux national (11,1 %) restant constant. Fin octobre

Rhône-Alpes : une identité en mutation

La région Rhône-Alpes n'est pas une fédération de provinces, mais le produit d'une décision politique d'État. Lyon, en pays ségusiave, fut une colonie romaine avant de devenir la capitale des Trois Gaules. Au Moyen Âge, le domaine royal coexistait avec des seigneuries constituant autant de territoires pratiquement indépendants. Aux XIVe et XVe siècles, tandis que le système féodal vacillait dans la tourmente de la guerre de Cent Ans, c'était encore une mosaïque de pays, seigneuries et villes. Le Dauphiné était alors un territoire sous la suzeraineté du Saint Empire romain germanique. Sous l'Ancien Régime, le Lyonnais, la Dombes, le Forez, le Dauphiné et le Vivarais se rebellèrent tour à tour contre le pouvoir parisien. « Lyon n'est plus ! » proclamèrent les Jacobins en 1793, avant de reprendre la ville au canon.

L'intégration de la Savoie et de la Haute-Savoie n'a guère plus d'un siècle (traité de Turin, 1860). Jadis traversés par la frontière française, ces « pays » et provinces sont trop divers pour avoir jamais constitué une « région naturelle ». La religion n'a pas davantage réussi à unifier ces territoires : Lyon la catholique n'a eu que peu d'autorité sur les protestants de la Drôme, du nord des Hautes-Alpes et de l'Ardèche. Malgré cette hétérogénéité, la charpente du futur réseau de communications est déjà repérable au sein du pays ségusiave, organisé à partir de Lyon et de Vienne. En direction du sud, la voie de Narbonne est ouverte suivant la rive droite du Rhône. Vers le sud-ouest, celle d'Aquitaine est tracée. En direction de l'ouest, une voie directe abrège l'accès à l'Auvergne. Au nord-ouest, le passage du col des Sauvages permet d'accéder à Roanne. Au nord, l'échappée vers la Manche, *via* Paris, emprunte le tracé établi par les Celtes. Enfin, on distingue déjà au nord-est de Lyon, à Condate, une direction dite « voie du Rhin », assurée par un ouvrage franchissant la Saône.

Souvent qualifiée d'« artificielle », l'identité de Rhône-Alpes est porteuse de cette mémoire du territoire. Elle ne résulte pas, pour autant, d'une fédération de régionalismes, mais plutôt d'une « géographie volontaire », selon le géographe Jean Labasse.

Au XVIe siècle, l'imprimerie, la soie et la banque s'imposèrent comme des activités fondatrices. Cette trilogie résume les savoir-faire spécifiques de Lyon et de la « fratrie régionale » qu'elle constitue avec Grenoble et Saint-Étienne. Au XVe siècle, Lyon et Paris assuraient 80 % de la production française de l'imprimerie en caractères mobiles. Vecteur du rayonnement économique de la cité pendant la Renaissance, Lyon éditait alors en latin et en français pour toute l'Europe et l'Amérique latine. En 1900, la cité comptait 88 imprimeries, employant 700 personnes.

Carrefour humain, Lyon fut aussi un carrefour financier. Attirés, dès 1420, par les foires, les spécialistes internationaux du commerce et de la banque en firent le centre d'affaires de l'Europe de la Renaissance. Elle devint une place bancaire, grâce au développement novateur de l'épargne populaire puis à son rang de premier centre mondial des soies et soieries. Le Forez reprit au XIXe siècle ce rôle précurseur en devenant le foyer de la première révolution industrielle en France.

L'énergie hydroélectrique dans les Alpes, la grande chimie organique, et, plus récemment, l'électricité nucléaire ont dessiné la carte des implantations industrielles dynamiques.

Sur le plan agricole, les vignobles du Beaujolais et de la vallée du Rhône, les oliveraies de la Drôme et les noyeraies de l'Isère ont acquis une notoriété internationale. Fruits, salades, asperges, truffes noires et cardons sont autant de produits d'exportation. Seule la production vinicole figure toutefois parmi les dix premières productions agricoles européennes.

Associée à la carte des sites touristiques alpins, celle des implantations industrielles et des grands sites agricoles épouse les contours de la fusion décrétée le 2 juin 1960. Les anciennes circonscriptions d'action régionale des départements du Rhône, de l'Ardèche, de la Drôme et de la Loire y sont associées à celles des Alpes, de l'Isère et des deux Savoies. Trente-cinq ans plus tard, l'exécutif de la deuxième région de France revendiquait un rôle « exemplaire » dans l'aménagement de ce territoire, ambition qui porte la région à s'ouvrir de nouveau sur l'Europe. Malgré le déplacement des grands axes d'échanges internationaux vers l'Atlantique, la voie méridienne du sillon rhônalpin, les percées alpines vers Francfort ou Milan restent les vecteurs de cette communication. Lyon et les autres villes de Rhône-Alpes, reliées par un réseau autoroutier très dense, bénéficient de l'irrigation assurée par le TGV, qui devrait relier Lyon à Turin.

En donnant du sens à son ambition de « carrefour européen », Rhône-Alpes voudrait préparer un avenir européen où le Nord communiquerait avec le Sud, au nom d'une vision communautaire dont les échanges industriels ne seraient pas le seul support. Restait à créer un pôle politique d'initiative régionale. Charles Millon, député non inscrit adhérent de DL, s'y est employé. Européen convaincu, mais privé d'une majorité assurée, il prit le risque de composer avec ses opposants écologistes et autres dissidents de gauche, privant l'opposition PS-PC de ses alliés potentiels et testant la capacité d'une « alliance des réformateurs ».

En mars 1998, le renouvellement de l'assemblée imposait une stricte égalité entre « droite parlementaire » et « gauche plurielle ». Contre toute attente, C. Millon, en acceptant d'être élu avec les voix lepénistes, suscite le trouble dans son propre camp tout en unifiant son opposition de gauche. La rupture est politique et culturelle. Institutions culturelles régionales et conseils d'universités se sont insurgés. Hier « terre d'expérimentation de l'alliance des réformateurs », selon C. Millon, l'exécutif de la Région est accusé par la « gauche plurielle », puis par certains élus RPR et UDF, de s'ériger en « laboratoire de l'alliance de la droite et de l'extrême droite ».

L'implosion du FN en décembre 1998, qui se traduit par le refus des mégrétistes de persister dans leur soutien à l'exécutif, facilitera en janvier 1999 l'émergence de l'alternative constituée par un « front républicain » et l'élection d'Anne-Marie Comparini (UDF).

L'émergence d'un « axe rhodanien » Lyon-Marseille dessine, selon l'ancien Premier ministre Raymond Barre, un « projet géopolitique », où Lyon reprendrait sa place de métropole du Sud-Est européen.

Du théâtre à l'art contemporain, en passant par la danse et la musique classique ou contemporaine, Lyon, Grenoble et Saint-Étienne rivalisent en se référant au dynamisme des imprimeurs lyonnais de la Renaissance. Le parquet de Lyon affirme haut et fort son indépendance. La capitale rhônalpine accueille, au cœur du campus « Lumière », des enseignants de Francfort et de Barcelone. De même, à l'École normale supérieure de Lyon comme sur le pôle universitaire de Grenoble, la recherche scientifique est d'ores et déjà nourrie par la coopération européenne.

- **Bernard Fromentin** ■

INDICATEUR*	UNITÉ	1982	1990	1999	France entière 1999
Démographie					
Population**	*milliers*	5 015	5 351	5 645	58 518
Densité	*hab./km²*	114,8	122,4	129,2	107,6
Taux de croissance	*% annuel*	0,69[b]	0,81[c]	0,60[e]	0,37[e]
Accroissement naturel	*% annuel*	0,50[b]	0,53[c]	0,49[e]	0,36[e]
Solde migratoire	*% annuel*	0,19[b]	0,28[c]	0,10[e]	0,01[e]
Population 0-19 ans	*% du total*	29,5	27,1	26,5[i]	25,8[i]
Population 60 ans et +	*% du total*	17,1	18,6	18,9[i]	20,4[i]
Population étrangère	*% du total*	9,2	8,1	••	6,4[m]
Population urbaine	*% du total*	77,6	76,4	••	74,0[m]
Fécondité***		1,95	1,81	1,70[h]	1,70[h]
Mortalité infantile	*‰ nais.*	8,6	6,3	3,9[h]	4,7[h]
Espérance de vie	*années*	75,3	77,6	79,3[h]	78,5[h]
Indicateurs socioculturels					
Nombre de médecins	*‰ hab.*	2,05	2,50	2,93	3,03
Diplômés (% des 25–54 ans)					
Bac ou brevet professionnel	%	16,8[a]	31,0	••	29,3[m]
Bac + 2 et diplômes supérieurs	%	7,8[a]	17,2	••	16,1[m]
dont femmes	%	47,4[a]	49,4	••	48,9[m]
Activité et chômage					
Population active	*milliers*	2 290	2 246	2 545[i]	25 567[i]
Agriculture	% } 100 %	6,1	3,6	3,5	4,2
Industrie	% } 100 %	40,6	35,2	28,4	24,9
Services	% } 100 %	53,3	61,2	68,1	70,9
Taux de chômage global	%	6,7	7,2	9,1[k]	10,5[k]
Taux féminin	%	9,5	10,0	11,8[j]	13,5[j]
Taux des « moins de 25 ans »	%	16,3	14,5	20,2[j]	23,9[j]
Taux des « longue durée »	%	3,3	2,7	4,1[h]	5,0[h]
Administrations publiques locales					
Ressources totales/hab.	*milliers FF*	5,8	10,3	12,1[f]	11,4[f]
dont fiscalité locale/hab.	*milliers FF*	2,6	5,1	5,9[f]	5,5[f]
Contribution de la région au commerce extérieur					
Exportations	*milliards FF*	58,3	119,2	209,7	1822,1
Importations	*milliards FF*	55,0	107,8	168,8	1753,0
Produit intérieur brut					
PIB régional	*milliards FF*	328,3	610,3	732,5[g]	7 871,7[g]
Taux de croissance	*% annuel*	2,8[b]	3,0[c]	1,2[d]	1,2[d]
Par habitant	*milliers FF*	65,2	113,6	130,2[g]	134,8[g]
Structure du PIB					
Agriculture	% } 100 %	3,4	2,5	1,8[g]	2,4[g]
Industrie	% } 100 %	38,9	36,7	33,8[g]	27,4[g]
Services	% } 100 %	57,7	60,7	64,4[g]	70,1[g]

*Sources et définitions indicateurs utilisés : voir p. 175 et suiv. ; ** Lors des recensements de 1982, 1990, et 1999 ; ***Indicateur conjoncturel de fécondité (exprimé en nombre moyen d'enfants par femme).
a. 1975 ; b. 1975-1982 ; c. 1982-1990 ; d. 1990-1996 ; e. 1990-1999 ; f. 1993 ; g. 1996 ; h. 1997 ; i. 1998 ; j. Avril 1998 ; k. Déc. 1999 ; m. 1990.

Références

Annuaire économique et social de Rhône-Alpes 1997, IRES, Lyon, juin 1997.

L'Annuaire politique Rhône-Alpes 1998-1999, IRES, Lyon, déc. 1998.

Grenoble, métropole des sciences, Pôle universitaire et scientifique de Grenoble/ Glénat, mai 1997.

Héritages de Rhône-Alpes, Patrimoine architectural/Glénat, 1997.

J. Labasse, O. Brachet, P. Bacot, « Rhône-Alpes », *in* Y. Lacoste (sous la dir. de), *Géopolitiques des régions françaises*, tome III, Fayard, Paris, 1986.

A. Latreille (sous la dir. de), *Histoire de Lyon et des Lyonnais*, Privat, Toulouse, 1988.

Y. Lequin, *Rhône-Alpes, 500 années Lumière*, Plon, Paris, 1991.

P. Mérindol, *Lyon, le sang et l'argent*, Alain Moreau, Paris, 1987.

P. Mérindol, *Lyon, le sang et l'encre*, Alain Moreau, Paris, 1987.

La Politique française des transports terrestres dans les Alpes, La Documentation française, Paris, 1998.

Prévention des causes d'exclusion des emplois des jeunes, Rapport au CES Rhône-Alpes, mai 1997.

La Région de l'an 2000, rapport remis au CES (sous la dir. de J. Carrière), Lyon, 1988.

Rhône-Alpes, l'encyclopédie, Musnier-Gilbert, Bourg-en-Bresse, 1997.

@ Sites Internet

CCI de Lyon : **http://www.lyon.cci.fr**

Conseil régional : **http://www.cr-rhône-alpes.fr**

Magazine on line : **http://www.cybergone.com**

Mairie de Lyon : **http://www.mairie-lyon.fr**

Le Progrès : **http://www.leprogres.fr**

Sciences Po Lyon : **http://iep.univ-lyon2.fr**

1999, la région comptait 237 255 demandeurs d'emploi en données brutes, soit 3 116 de moins qu'en septembre.

Fièvres délinquantes persistantes

Ces données ne suffisent cependant pas à apaiser les tensions sociales. Le nombre d'incendies de voitures avait atteint plus de 1 200 en 1998 dans la seule agglomération lyonnaise. Ce recours à l'incendie comme forme de violence ou de protestation a parfois atteint des bâtiments publics ou des commerces. En septembre-octobre 1999, un collège a été partiellement détruit à Vaulx-en-Velin, un centre social dans le 8e arrondissement de Lyon, puis un centre commercial à Vénissieux se sont embrasés.

Cette délinquance persistante touche l'ensemble des services publics. À Vénissieux, conducteurs de bus, postiers, enseignants, médecins ont tour à tour manifesté « contre la violence ». Le 31 janvier 1999, à la suite de l'explosion d'un véhicule incendié, un pompier était grièvement blessé. Plus d'un millier de soldats du feu manifestèrent en silence dans les rues de la ville. Cette mobilisation persista jusqu'en juillet. Les fourgons rouges sillonnèrent l'agglomération en indiquant chaque jour le nombre de véhicules incendiés depuis le début de l'année. En septembre, André Gerin, député-maire communiste de Vénissieux, appelait en vain à la constitution d'un « front républicain des services publics ».

Face à ces poussées de fièvre, les politiques sociales concertées entre l'État, les collectivités et les municipalités ont persisté à soutenir des restructurations urbaines lourdes. Le 14 décembre 1999, Claude Bartolone, délégué interministériel, est venu confirmer à Vaulx-en-Velin le lancement d'une deuxième étape de la politique de la Ville. Quelque 30 milliards FF devraient être injectés pendant la période 2000-2006 pour soutenir 50 grands « projets de ville ». Lyon, Vaulx-en-Velin, Rillieux-la-Pape (Rhône), Saint-Étienne (Loire), Chambéry (Savoie) allaient bénéficier de cette dotation.

À Vaulx-en-Velin, le cœur de la cité ravagé par les révoltes urbaines de 1990 était en chantier depuis 1995. La démolition d'un centre commercial archaïque et d'immeubles vétustes, la construction d'un lycée et de quelque 500 logements neufs ont permis aux acteurs du renouveau d'espérer vivre dans une « ville normale ». Tous les partenaires de ce renouveau ont souligné que cette mutation était le résultat d'une coproduction. La volonté politique locale, l'apport de l'État, la contribution des entrepreneurs et commerçants ont permis l'élaboration d'un scénario dont la réalisation constituait, pour les six ans à venir, un enjeu majeur de la politique de la Ville, à quinze mois des élections municipales de 2001. - **Bernard Fromentin** ■

La France d'outre-mer

Le fait, pour la France, d'avoir conservé une dizaine de possessions d'outre-mer apparaît comme une singularité, comparé à la situation des autres anciennes puissances coloniales européennes. Ces possessions relèvent de statuts distincts : départements d'outre-mer (DOM), territoires d'outre-mer (TOM), collectivités territoriales (CT), sans compter la Nouvelle-Calédonie, au statut inédit.

Depuis 1946, la Guyane française (sur la côte sud-américaine), la Guadeloupe et la Martinique (dans le Bassin caraïbe) et l'île de la Réunion (dans l'océan Indien) relèvent du statut de DOM et leur évolution institutionnelle s'est située dans le cadre de la « départementalisation ». La loi du 31 décembre 1982 a par ailleurs fait de ces territoires des régions monodépartementales : ils sont en conséquence dotés, outre d'un conseil général comme tout département français, d'un conseil régional.

Trois territoires océaniens – Nouvelle-Calédonie et dépendances, Wallis et Futuna, Polynésie française – avaient en 1999 le statut de TOM, de même que les TAAF (Terres australes et antarctiques françaises que sont les îles Amsterdam, Saint-Paul, Crozet, Kerguelen et la Terre-Adélie). La Polynésie française devrait devenir un POM (pays d'outre-mer) tandis que la Nouvelle-Calédonie s'est engagée vers une large autonomie [*voir article p. 347*].

Enfin, Saint-Pierre-et-Miquelon (dans l'Atlantique nord, à proximité de Terre-Neuve) et Mayotte, dans l'archipel des Comores (océan Indien) ont le statut hybride de collectivités territoriales (CT).

L'extrême dispersion de ces territoires et le fait qu'ils soient peu étendus (à l'exception relative de la Guyane et de la Nouvelle-Calédonie) ont souvent suscité des formules imagées (les « confettis de l'empire »...). Certaines de ces possessions représentent ou ont représenté un incontestable intérêt géopolitique pour l'État français, par exemple la Polynésie avec son Centre d'expérimentation nucléaire (aujourd'hui fermé), la Réunion de par sa place stratégique dans l'océan Indien, ou encore, dans un autre domaine, la Guyane avec le Centre spatial de Kourou, à proximité de l'équateur. D'autre part, ces îles et archipels – notamment ceux du Pacifique – confèrent à la France un vaste domaine maritime (zones économiques exclusives reconnues par la Convention internationale sur le droit de la mer de 1982).

Les évolutions politiques sont contrastées selon les territoires. La revendication indépendantiste est inégalement portée : fortement proclamée en Nouvelle-Calédonie (dont l'autodétermination [entre 2013 et 2018] est prévue par les accords de Nouméa signés le 4 mai 1998), elle est également présente en Polynésie et dans la Caraïbe, sous des formes et selon des problématiques diverses. ■

La Nouvelle-Calédonie s'est engagée dans un processus de large autonomie. La Polynésie française deviendra un pays d'outre-mer (POM). Des changements institutionnels sont discutés dans les DOM.

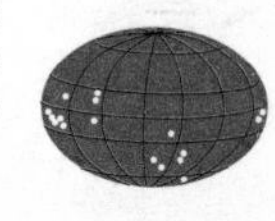

INDICATEUR*	UNITÉ	RÉUNION 1990	RÉUNION 1999	GUYANE 1990	GUYANE 1999
Démographie					
Population**	milliers	597,8	706,3	114,7	157,2
Densité	hab./km²	238,2	281,4	1,4	1,9
Taux de croissance	% annuel	1,9[a]	1,9[b]	5,8[a]	3,6[b]
Accroissement naturel	% annuel	1,8[a]	1,6[b]	2,3[a]	2,7[b]
Solde migratoire	% annuel	0,1[a]	0,3[b]	3,5[a]	0,9[b]
Population 0 – 19 ans	% du total	39,9	37,8	42,7	44,3[d]
Population 60 ans et +	% du total	8,6	9,7	5,9	5,4[o]
Population étrangère	% du total	0,4	••	29,7	40,0[o]
Population urbaine	% du total	98,2	••	81,8	••
Fécondité***		2,6	2,2[d]	3,6	3,4[d]
Mortalité infantile	‰ nais.	6,8	6,5[d]	15,8	16,9[d]
Espérance de vie	années	73,7	74,6[d]	69,7	76,3[d]
Indicateurs socioculturels					
Nombre de médecins	‰ hab.	1,56	2,00	1,63	1,46
Diplômés (% des 25 – 54 ans)					
Bac ou brevet professionnel	%	13,1	••	18,4	••
Bac + 2 et diplômes supérieurs	%	6,9	••	9,7	••
dont femmes (%)		22,7	••	21,7	••
Activité et chômage					
Population active	milliers	132[f]	233,6	288,8[c]	58,1[s]
Agriculture	% } 100 %	6,3	5,0[e]	11,4	5,6[c]
Industrie	% } 100 %	16,9	14,6[e]	20,6	16,6[c]
Services	% } 100 %	76,8	80,4[e]	68,0	77,8[c]
Taux de chômage global	%	36,9	36,4	24,2	26,6[s]
Taux féminin	%	41,9	34,6	29,4	32,1[s]
Taux des « moins de 25 ans »	%	59,7	62,3[d]	43,7	43,4[s]
Taux des « longue durée »	%	24,8	17,4	9,4	12,0[c]
Commerce extérieur					
Exportations	millions FF	1 017	1 267	490	693
Importations	millions FF	11 764	15 828	4 298	3 404
Produit intérieur brut					
PIB territorial	millions FF	28 373	42 577[f]	6 526	10 772[f]
Taux de croissance	% annuel	5,7[k]	2,3[p]	8,1[k]	5,6[p]
Par habitant	milliers FF	47,5	64,3[f]	56,9	76,7[f]
Structure du PIB					
Agriculture	% } 100 %	4,2	3,4[f]	10,7	5,5[f]
Industrie	% } 100 %	20,5	12,0[f]	22,5	19,0[f]
Services	% } 100 %	75,3	84,6[f]	66,8	75,6[f]

* Sources et définitions des indicateurs utilisés : voir p. 175 ; **Chiffres des recensements de 1990 et 1999 pour les DOM et estimations fondées sur les récensemments de 1988-89 et 1996 pour les TOM ; *** Indicateur conjoncturel de fécondité (exprimé en nombre moyen d'enfants par femme).

MARTINIQUE		GUADELOUPE		N.-CALÉDONIE		POLYNÉSIE	
1990	1999	1990	1999	1990	1999	1990	1999
359,6	381,4	387,0	422,5	168,6	206,7	194,5	227,8
326,9	346,8	227,4	248,2	9,1	11,1	48,6	56,9
1,1[a]	0,7[b]	2,1[a]	1,0[b]	2,0[a]	2,3[b]	2,6[i]	1,8[b]
1,1[a]	1,0[b]	1,3[a]	1,2[b]	2,2[a]	1,8[b]	2,5[i]	1,9[b]
0,0[a]	−0,3[b]	0,8[a]	−0,2[b]	−0,2[a]	0,5[b]	0,1[i]	−0,2[b]
33,0	30,2[c]	35,8	33,6[d]	43,9[m]	39,6[e]	46,1[h]	42,6[e]
14,0	15,4[c]	11,8	12,7[d]	6,9[m]	7,5[e]	5,2[h]	6,2[e]
0,9	••	6,5	••	1,8[m]	1,6[e]	1,1[s]	••
90,3	••	98,4	••	••	••	••	••
2,0	1,8[d]	2,2	2,1[d]	3,2	2,7[d]	3,4	2,7[d]
7,1	6,7[d]	9,9	8,4[d]	10,7	8,6[e]	11,5	9,9[e]
76,4	78,4[d]	74,2	77,0[d]	70,5	72,7[d]	69,7	71,5[e]
1,76[m]	2,07	1,47[m]	1,80	1,60[h]	1,85[e]	1,68[m]	1,71[e]
17,9	••	16,1	••	••	8,6[d]	••	••
9,0	••	7,9	••	••	8,5[d]	••	••
25,7	••	24,5	••	••	7,6[d]	••	••
163	166,8[s]	172,4	184,2[s]	65,5[m]	80,6[e]	72,1[h]	92,1[e]
7,7	6,6[c]	7,1	6,5[c]	14,3[m]	7,2[e]	11,8[h]	14,6[e]
17,2	15,1[c]	19,1	16,7[c]	19,6[m]	23,4[e]	17,8[h]	15,6[e]
75,1	78,3[c]	73,0	76,8[c]	66,1[m]	69,4[e]	70,5[h]	69,8[e]
32,1	28,1[s]	31,1	29,8[s]	16,0[m]	17,3[g]	9,7[h]	13,2[e]
36,2	32,0[s]	37,2	37,2[s]	17,0[m]	23,1[e]	14,1[h]	15,6[e]
60,9	54,1[s]	58,0	61,2[s]	52,2[m]	34,0[e]	22,5[h]	35,1[e]
21,6	20,2[c]	18,8	18,7[c]	••	8,0[e]	••	5,6[e]
1 513	1 714	698	934	2 546	2 262[c]	208	1 455[c]
9 710	10 592	9 409	10 235	4 781	5 474[c]	1 838	6 399[c]
19 320	29 443[f]	15 200	28 186[f]	13 773	18 452[e]	15 954	22 269[c]
2,9[k]	2,0[p]	2,7[k]	2,4[p]	−1,0[t]	2,9[u]	6,2[w]	1,8[x]
53,7	78,7[f]	39,3	68,8[f]	81,1	91,6[e]	81,0	97,6[c]
6,0	4,1[f]	7,3	4,0[f]	2,0	1,7[e]	4,4[m]	5,7[c]
16,1	16,1[f]	15,1	15,1[f]	24,9	20,9[e]	15,3[m]	17,9[c]
77,9	79,8[f]	77,6	81,0[f]	73,1	77,4[e]	80,3[m]	76,4[c]

a. 1982-1990 ; b. 1990-1999 ; c. 1998 ; d. 1997 ; e. 1996 ; f. 1995 ; g. 31 décembre 1998 ; h. 1988 ; i. 1983-1988 ; k. 1973-1990 ; m. 1989 ; o. Estimation antérieure au dépouillement du recensement de 1999 ; p. 1990-94 ; s. Enquête emploi de juin 1999 ; t. 1974-1982 ; u. 1988-1995 ; w. 1977-1988 ; x. 1988-1994.

La France dans le monde

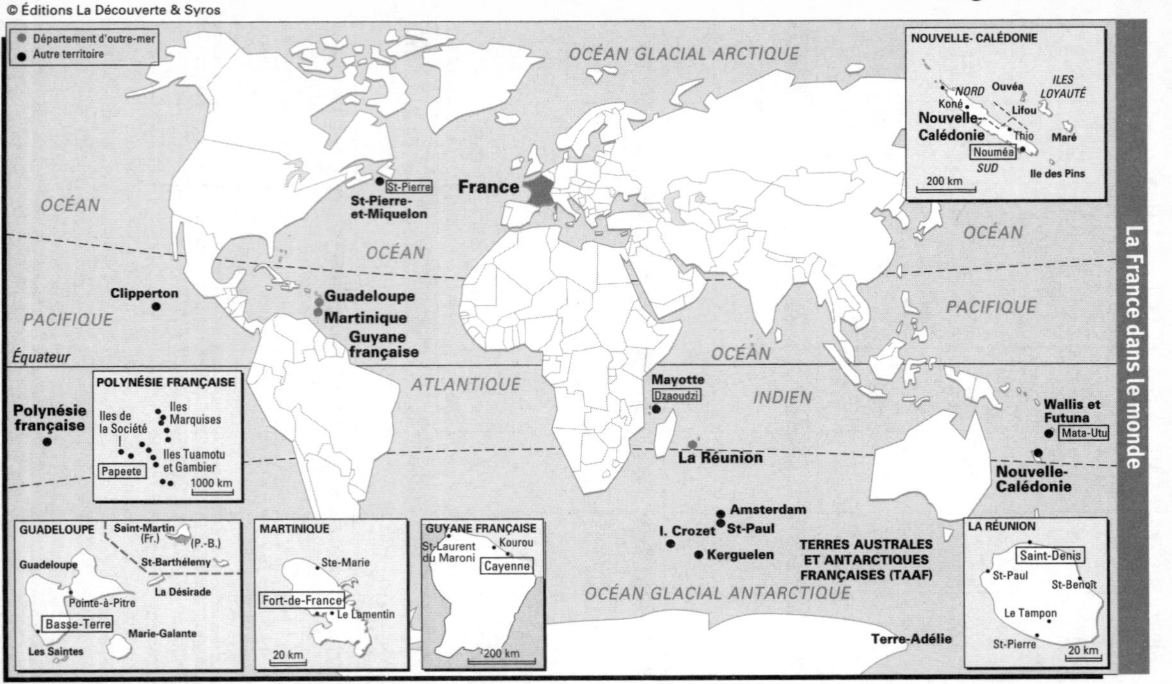

Les nouveaux statuts de la Nouvelle-Calédonie et de la Polynésie française

Pierre Grundmann
Journaliste

En 1999, la France exerçait sa souveraineté sur trois territoires d'outre-mer (TOM) dans le Pacifique : la Nouvelle-Calédonie, la Polynésie française, Wallis et Futuna. Seul Wallis et Futuna devrait rester un TOM ; les deux autres archipels ont engagé un processus d'autonomisation irréversible dans le cadre d'identités institutionnelles originales dans le droit postcolonial français, fondées sur le concept de « souveraineté partagée ». La Polynésie devrait devenir un pays d'outre-mer (POM) et la Nouvelle-Calédonie est une entité autonome aux contours si inédits que le législateur n'a pu la baptiser autrement que... « Nouvelle-Calédonie ».

Le nouveau statut calédonien a été mis en place le 1er janvier 2000. Il a résulté du processus engagé par l'accord de Nouméa – signé le 4 mai 1998 par Lionel Jospin, au nom du gouvernement français, Jacques Lafleur (RPCR – Rassemblement pour la Calédonie dans la République –, anti-indépendantiste) et Roch Wamytan (FLNKS – Front de libération nationale kanak et socialiste –, pro-indépendantiste) et approuvé par les électeurs calédoniens lors du référendum du 8 novembre 1998 –, et de la réforme constitutionnelle votée par le Congrès à Versailles le 6 juillet 1998.

La Polynésie française était déjà dotée depuis 1984 d'un régime original d'autonomie élargie, renforcée en 1996, avec assemblée et gouvernement territorial. En 1999, députés et sénateurs ont approuvé un projet de loi constitutionnelle visant à accroître les compétences des institutions locales. Ce projet devait être ratifié par le Congrès, le 24 janvier 2000, en même temps que la réforme du Conseil supérieur de la magistrature (CSM) et un ajustement de la loi concernant la composition du corps électoral en Nouvelle-Calédonie. Le processus a été retardé par l'annulation du Congrès, faisant suite à l'affrontement entre majorité et opposition au sujet du CSM. Ce contretemps pourrait retarder la mise en place des nouvelles institutions, alors que les prochaines élections polynésiennes ont été prévues pour 2001.

Finalement, les deux anciens territoires devraient être dotés d'un régime de pleine autonomie institutionnelle interne aux contours « parallèles ». Après un transfert progressif, il est prévu que les compétences des nouvelles entités s'exercent dans les domaines suivants : enseignement supérieur, commerce extérieur, transports, communications, sécurité civile, emploi, administration locale et municipale, régulation commerciale. La Nouvelle-Calédonie et la Polynésie pourront siéger dans les organisations internationales régionales, disposer d'une représentation auprès des États du Pacifique et négocier des accords avec eux.

Paris conservera, pour sa part, l'exercice de ses droits régaliens : défense, maintien de l'ordre, justice, police, monnaie, crédit et change, affaires étrangères, nationalité, garanties des libertés publiques, droits civiques, droit électoral. Le délégué du gouvernement devrait conserver ses attributions. La France continuera à financer le fonctionnement et la mise en place des nouvelles institutions et contribuera au développement économique et social.

Le nouveau statut donne aux assemblées

locales la possibilité de voter leurs propres lois (dites lois de pays), dans les domaines de leurs compétences. Ces lois pourront être examinées par le Conseil constitutionnel en cas de recours. Enfin, les populations bénéficieront d'une citoyenneté propre en plus de la nationalité française (et européenne). Les bénéficiaires de cette citoyenneté auront des droits spécifiques en matière d'accès à l'emploi et d'établissement pour l'exercice d'une activité économique. En Nouvelle-Calédonie, cette citoyenneté est liée à l'inscription au corps électoral (depuis 1988), en Polynésie à une période de résidence.

Les deux statuts comportent quelques différences. En Nouvelle-Calédonie, le pouvoir législatif est exercé par un Congrès rassemblant 54 membres, parmi les 76 conseillers élus dans les trois assemblées de provinces. L'exécutif est assuré par un gouvernement « pluraliste », élu par le Congrès à la proportionnelle. Un sénat et des conseils coutumiers exercent leurs compétences sur les sujets concernant l'« identité kanak » et le statut coutumier propre aux Mélanésiens (loi coutumière, droit de succession, droit foncier). La Polynésie compte une seule Assemblée de pays ; le gouvernement est issu de sa majorité. La principale différence porte sur l'avenir. En Nouvelle-Calédonie, la loi prévoit un vote d'autodétermination au plus tôt en 2014. Si la Nouvelle-Calédonie choisit la « pleine souveraineté », les dernières compétences régaliennes de Paris seront transférées à Nouméa. En Polynésie, aucun référendum d'autodétermination n'est prévu. ■

(*Voir aussi article p. 357.*)

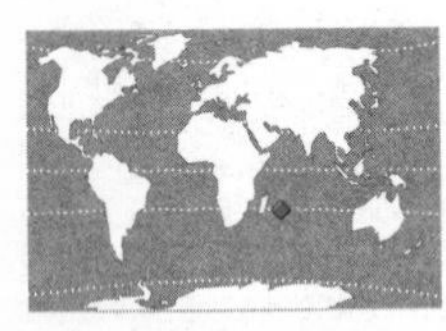

Réunion

Vers la bidépartementalisation

Avec 706 000 habitants au 1er janvier 1999, dont 40 % de moins de vingt ans, la Réunion a connu une croissance démographique quatre fois supérieure à celle de la métropole. Le rythme de progression de la population active dépasse les potentialités du marché de l'emploi, alimentant le chômage (37,7 % en juin 1999, le taux le plus élevé des départements français) et l'exclusion. Bien que la création des emplois-jeunes ait permis de réduire de deux points le taux de chômage des moins de trente ans depuis mars 1998, celui-ci concernait toujours 49,4 % de cette catégorie de la population active en juin 1999. L'emploi restait donc bien le premier défi économique et social pour l'île.

Le projet de loi relatif aux départements d'outre-mer, élaboré en décembre 1999 par le gouvernement Jospin et qui devait être discuté au printemps 2000 à l'Assemblée nationale, a d'ailleurs proposé un plan d'action en faveur de l'emploi et de la formation des jeunes, un nouveau système d'exonérations de cotisations sociales pour les entrepreneurs et des incitations à l'épargne locale. Toutefois, ce dispositif ne pourrait porter ses fruits que s'il s'accompagnait de la création de nouvelles activités tournées vers l'exportation. Le solde du commerce extérieur réunionnais restait très déficitaire fin 1999 et les exportations trop fortement tributaires de la production sucrière. Bien que les exportations réunionnaises vers les pays de la Commission de l'océan Indien (COI, regroupant les Comores, Madagascar, Maurice, la Réunion et les Seychelles) demeurent très limitées, la relance de cette coopération régionale, décidée par le sommet des chefs d'État et de gouvernement des pays membres qui s'est tenu à la Réunion le 4 décembre 1999 sous la présidence de Jacques Chirac, pourrait offrir de nouvelles opportunités commerciales.

Relance de la coopération régionale

Le sommet de la COI a décidé de renforcer les liens politiques entre les pays membres, en programmant une réunion des chefs d'État et de gouvernement tous les quatre ans, de développer la coopération dans certains domaines (sauvetage en mer, protection des ressources halieutiques, lutte contre la criminalité organisée, surveillance des zones de pêche) et de promouvoir l'intégration économique régionale. De son côté, Paris a prévu d'accorder davantage de pouvoir aux élus réunionnais, leur permettant de prendre des initiatives de coopération régionale.

L'objectif, à terme, est de constituer entre les pays de la COI une zone de libre-échange à laquelle pourrait s'associer la Réunion. Madagascar et Maurice ont déjà appliqué une baisse réciproque de leurs tarifs douaniers de 80 % en septembre 1999, qui devait être portée à 100 % en janvier 2000. Les Seychelles ont toutefois semblé réticentes et la Réunion est tenue à l'écart de cette évolution. En effet, faisant partie de l'Union européenne, elle est soumise par les accords de Lomé au principe de non-réciprocité avec ses voisins en matière tarifaire. L'inspection générale des finances a été chargée de trouver des aménagements pour régler cette difficulté. De leur côté, les élus réunionnais ont plaidé auprès de Bruxelles pour obtenir des dérogations au droit européen en matière douanière.

Une importante évolution institutionnelle devrait être décidée en 2000 avec la création d'un second département à la Réunion d'ici au 1er janvier 2001. Les cinq députés de l'île (trois communistes, un socialiste et un divers droite) s'y sont montrés favorables, de même que le président J. Chirac et le gouvernement de Lionel Jospin, qui a inclus cette disposition dans la loi d'orientation pour l'outre-mer. Cela représenterait un

La Réunion

Statut : département français d'outre-mer (DOM), région monodépartementale (loi du 31 déc. 1982).

Représentation au Parlement français : 5 députés, 3 sénateurs.

Préfecture : Saint-Denis.

Superficie : 2 510 km².

Population au 1.03.1999 : 706 300 habitants (estimation).

Principales unités urbaines (1990) : Saint-Denis (132 338), Saint-Paul (88 254), Saint-Pierre (69 358), Le Tampon (60 701), Saint-Louis (43 799), Saint-André (43 174), Le Port (38 134).

Composition du conseil régional (à l'issue des élections de mars 1998) : PCR : 7,SOC : 6, DVG : 2, UDF : 6, RPR : 7, DVD : 15, DIV : 2 [président : Paul Vergès (PCR)].

Composition du conseil général : PCR : 9, SOC : 10, DVG : 2, UDF : 6, RPR : 5, DVD : 13 [président : Jean-Luc Poudraux (DVD)].

Principaux partis politiques : RPR, UDF, PS, PCR (Parti communiste réunionnais).

Installations militaires ou stratégiques : 3 000 hommes, état-major des FAZSOI (Forces armées de la zone sud de l'océan Indien), bases aérienne et maritime, centres d'écoutes et de transmissions, antenne de radionavigation Oméga.

Voir aussi le tableau statistique p. 344-345. *Source INSEE.* *Voir la signification des indicateurs p. 177.*

Références

D. Belon (sous la dir. de), *Tableau économique de la Réunion, édition 2000*, INSEE, La Réunion, 1999.

G. Bélorgey, G. Bertrand, *Les DOM-TOM*, La Découverte, « Repères », Paris, 1994.

H. Godard (sous la dir. de), « Les Outre-mers », *in* T. Saint-Julien (sous la dir. de), *Atlas de la France*, vol. XIII, RECLUS/La Documentation française, Montpellier/Paris, 1998.

J. Hureau, H. Bruyère, *L'Ile de la Réunion aujourd'hui*, Éd. Jeune Afrique, Paris, 1984.

La Lettre de l'océan Indien (hebdomadaire), Indigo Publications, Paris.

J.-L. Mathieu, *Histoire des DOM-TOM*, PUF, « Que sais-je ? », Paris, 1993.

@ **Site Internet**

Université de la Réunion : **http://www.univ-reunion.fr**

indéniable succès politique pour le Parti communiste réunionnais (PCR). Ses trois députés avaient en effet déposé, en octobre 1998, une proposition de loi en ce sens, prévoyant également l'augmentation du nombre des sièges de parlementaires et de sénateurs à désigner par les Réunionnais. À droite, mis à part le député-maire du Tampon, André Thien-Ah-Koon, la bidépartementalisation de la Réunion est le plus souvent perçue comme une manœuvre des communistes pour étendre leur influence. L'année 2000 devrait également voir s'enclencher une évolution institutionnelle importante dans l'île voisine de Mayotte avec la tenue d'un référendum sur l'adoption du statut de collectivité départementale. Le principe en a été approuvé par les principaux partis politiques locaux (MPM – Mouvement populaire mahorais –, PS, RPR) et par une majorité des élus du conseil général, malgré l'opposition du député Henry Jean-Baptiste et du sénateur Marcel Henry (dissidents du MPM et fondateurs du tout nouveau Mouvement départementaliste mahorais – MDM), partisans de la départementalisation pure et simple. Cette évolution du statut de Mayotte devrait favoriser de nouvelles synergies économiques avec la Réunion, par exemple sous la forme d'une politique touristique concertée.

L'enjeu des élections municipales

Au plan politique, les élections régionales de mars 1998 avaient porté la gauche réunionnaise à la tête du conseil régional (dont le président est le leader du PCR, Paul Vergès). Le conseil général est pour sa part présidé par Jean-Luc Poudroux (divers droite). La gauche réunionnaise s'est également renforcée à l'Assemblée nationale, totalisant quatre députés sur les cinq de l'île. Outre le renouvellement sénatorial, la principale échéance politique de 2001 allait être le scrutin municipal. Des tractations étaient déjà entamées à droite fin 1999 pour essayer de ravir la mairie de Saint-Denis au socialiste Michel Tamaya. La député européen élue sur la liste RPR Margie Sudre pourrait prendre la tête de cette bataille, peut-être avec l'appui de son mari, Camille Sudre, le fondateur du mouvement Free Dom, membre de la majorité de gauche du conseil régional.

Enfin, la classe politique de l'île n'en finit pas de solder ses comptes avec la justice. Après une première vague de condamnations, dont celles du sénateur Éric Boyer (apparenté RPR), du député Gilbert Annette (apparenté PS) ou de Pierre Vergès (ancien maire de Saint-Paul), dans des affaires de corruption et d'abus de biens sociaux notamment, de nouveaux procès ont eu lieu fin

1999 pour fraudes électorales. Les deux anciens maires de Saint-Paul, Cassam Moussa et Joseph Sinimalé, ont été jugés pour des faits remontant à 1993, tandis que le communiste Élie Hoarau a été mis en cause pour complicité de fraudes aux élections municipales de mars 1989 à Saint-Pierre. Tel est sans doute le prix à payer pour revenir à des pratiques électorales plus orthodoxes. - **Francis Soler** ■

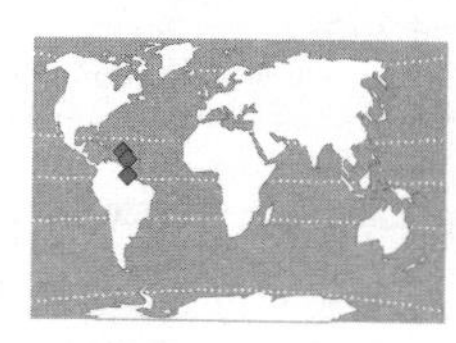

Guyane, Guadeloupe, Martinique

Vers une crise majeure

La Guadeloupe, la Martinique et la Guyane française continuent d'occuper une position très particulière dans la région caraïbe du fait de leur statut politique de départements français d'outre-mer (DOM). Alors que le processus de décolonisation dans la région s'achevait au début des années quatre-vingt, avec les dernières accessions à l'indépendance des micro-États insulaires anglophones des Petites Antilles, les liens de ces trois territoires avec la France métropolitaine devenaient plus forts que jamais. Ce ne sont pas la mise en œuvre de la régionalisation et l'élection d'assemblées régionales au suffrage universel en 1983, au niveau de chacun des départements faute d'entente pour créer une région Antilles-Guyane, qui pouvaient permettre d'aller à l'encontre d'une évolution se situant dans la logique de la politique d'assimilation engagée depuis 1946.

La dépendance des DOM des Antilles-Guyane par rapport à la métropole s'est accentuée. Les transferts de fonds publics et parapublics, déjà considérables antérieurement, se sont accrus avec des mesures sociales telles que le Revenu minimum d'insertion (RMI) ou avec l'ampleur prise par les activités de la base spatiale de Kourou en Guyane française, par exemple. Le flux touristique vers les DOM antillais est principalement – pour les trois quarts environ – constitué de métropolitains. Le nombre de ceux-ci venus pour des raisons professionnelles n'a cessé d'augmenter. Inversement, en métropole, la communauté antillo-guyanaise constituée par l'émigration engagée au début des années soixante est de plus en plus présente, en particulier dans les grandes agglomérations. En bref, on constate un accroissement spectaculaire des flux de personnes, de biens et de services avec la métropole, ce qui se traduit par une activité aéroportuaire et portuaire très importante.

Un système de production hérité de l'histoire coloniale

Cette évolution n'a pas empêché des initiatives locales : les conseils régionaux, l'Université, les assemblées consulaires, de même que l'État ont tenté une ouverture et une meilleure insertion des trois territoires dans l'environnement géopolitique caraïbe. L'arrivée d'immigrants clandestins ou légaux, parfois forcés (venant d'Haïti, de la Dominique, du Suriname...), ne peut plus permettre d'ignorer les voisins proches ou plus lointains dans la région. L'adhésion aux accords de Lomé (depuis 1975) des États caraïbes anglophones et des territoires d'outre-mer néerlandais et, lors des accords de Lomé III, en 1990, celle d'Haïti et de la République dominicaine ont aussi contribué à ces tentatives d'ouverture. Mais il faut encore une fois constater que les liens de chacun de ces pays avec leurs métropoles (ou ex-métropoles) respectives, leurs économies beaucoup plus concurrentielles que complémentaires, les langues différentes (sauf pour les pays créolophones) sont autant d'obstacles anciens et communs à l'intégration caraïbe des DOM.

L'accroissement des liens avec la métropole et les tentatives d'ouverture vers les États caraïbes ont lieu dans une conjoncture de crise et de profonde mutation économique et sociale ; le dépérissement du système des plantations s'est accentué, il tend à être marginalisé et à n'assurer que des ressources de plus en plus faibles. La Martinique n'exporte plus de sucre. L'aide de l'État est de plus en plus indispensable à la survie de ce système de production hérité de l'histoire coloniale. Mais elle se révèle peu compatible avec le traité de Maastricht et les règles de l'Organisation mondiale du commerce (OMC). Le protectionnisme dont les DOM bénéficient est en sursis et il a fallu créer une taxe sur des productions locales déjà peu compétitives pour justifier de l'octroi de mer auprès de Bruxelles. La loi Pons de défiscalisation de 1986 étendue à la quasi-totalité du secteur productif n'a obtenu de tangibles résultats que dans le bâtiment et la plaisance, et elle est contestée à cause des abus qu'elle provoque. Le poids des transferts de fonds publics et en particulier la masse salariale des fonctionnaires et assimilés, ajouté à l'influence très ancienne du négoce d'importation, est tel que les activités sont désormais beaucoup plus consacrées à la consommation qu'à la production.

Le tourisme et le poids croissant des retraités, parmi lesquels les retours de métropole sont nombreux, accentuent cette tendance à la tertiarisation de l'économie. Au total, le PIB par habitant dépasse à peine le tiers de celui de la métropole.

Aggravation du malaise social et expression politique

Le chômage et le sous-emploi restent la plaie sociale majeure. Ce problème est d'autant plus inquiétant que l'arrivée des jeunes sur le marché du travail est importante en raison du fait que la croissance naturelle de la population reste assez élevée (2,5 % par an en Guyane, autour de 1 % en Guadeloupe et en Martinique). Les résultats du recensement général de la population de 1999 ont donné des taux de croissance assez spectaculaires par rapport au dernier recensement de 1990 : + 37,1 % en Guyane, soit 3,6 % par an en moyenne ; + 9 % en Guadeloupe, soit 35 000 habitants en plus ; + 6 % en Martinique, soit 22 000 habitants en plus. Au total, les trois départements d'outre-mer comptent près d'un million d'habitants. Or, l'émigration n'est plus encouragée. Au contraire, un mouvement inverse s'est mis en place avec l'arrivée de nombreux métropolitains en quête de travail et d'exotisme. Les catégories défavorisées de la population restent nombreuses : femmes célibataires ayant charge de famille, dont la situation constitue un véritable handicap structurel de la société antillaise, personnes âgées aux maigres retraites qui ne sont pas toujours aidées par leurs enfants faute de moyens, chômeurs et personnes qui ne trouvent que des activités temporaires. Il reste encore beaucoup d'îlots d'habitat insalubre, aussi bien dans les agglomérations urbaines que dans les bourgs et, à la campagne, trop de modestes cases créoles, exiguës pour les familles qui les occupent et bien fragiles en cas de cyclone. Certes, la misère et le dénuement ont été marginalisés. Mais il apparaît, alors que le statut départemental a un demi-siècle, que le traitement social de la crise de l'économie de plantation se révèle de plus en plus impuissant à pallier les carences de l'économie locale, qui souffre de ne pas avoir été sérieusement reconvertie.

La vie politique locale reflète désormais le fond de crise sociale commun aux trois DOM ; le fort taux d'abstention encore observé lors des élections législatives de 1997, des régionales et cantonales de 1998 aurait dû le laisser présager.

Le succès, à la Martinique, du leader indépendantiste Alfred Marie-Jeanne (MIM – Mouvement indépendantiste martiniquais), élu député dans une circonscription rurale en 1997 avec 97 % des suffrages, confirmé au conseil régional dont il est devenu le président, a fait tache d'huile bien au-delà de ce courant d'opinion jusqu'alors très minoritaire dans les trois départements d'outre-mer d'Amérique. Même Lucette Michaux-Chevry, dont la personnalité domine la vie politique guadeloupéenne, a dû tenir compte de l'évolution des esprits, en particulier parmi les jeunes générations. Aussi n'a-t-elle pas hésité à se joindre à ses homologues des deux autres DOM pour réclamer une « modification législative, voire constitutionnelle » du statut de DOM visant à créer un « nouveau statut de région d'outre-mer dotée d'un régime fiscal et social spécial. »

L'évolution du statut de la Corse, des territoires d'outre-mer (TOM), ainsi que l'exemple des Canaries, de Madère et des Açores ont beaucoup contribué à faire mûrir l'idée, surtout à droite, qu'un changement de statut pourrait aider à mieux résoudre les difficultés économiques et sociales locales. Les trois présidents de Région (Lucette Michaux-Chevry [RPR] en Guadeloupe, Antoine Karam [PSG] en Guyane et Alfred Marie-Jeanne [MIM] en Martinique) ont affirmé vouloir orienter la vie économique locale et l'emploi vers plus de responsabilité et moins d'assistanat. L'idée a été reprise par quatre intellectuels connus – Patrick Chamoiseau, Gérard Delver, Édouard Glissant, Bertène Juminer –, représentant chacun des DOM, dans un « manifeste pour refonder les DOM » publié par *Le Monde* le 21 janvier 2000. Assez houleuse, la visite du Premier ministre Lionel Jospin dans les DOM antillais, bien que marquée par une volonté de dialogue et de détente, n'a pas permis de préciser les intentions gouvernementales face à ces attentes. Début 2000, la loi d'orientation sur les DOM n'était toujours pas connue, le projet ayant dû être remis en chantier pour tenter de répondre à cette nouvelle donne politique.

Guyane

Statut : département d'outre-mer (DOM), région monodépartementale (loi du 31 déc. 1982).

Représentation au Parlement français : 2 députés, 1 sénateur.

Préfecture : Cayenne.

Superficie : 86 504 km².

Population au recensement 1999 : 157 000 habitants.

Principales communes et agglomérations (1999) : agglom. de Cayenne (84 300, dont communes de Cayenne [50 699], Remire-Montjoly [15 631], Matoury [18 056]), Kourou (19 140), Saint-Laurent-du-Maroni (19 211).

Composition du conseil régional (à l'issue des élections de mars 1998) : PSG : 11, DVG : 9, Walwari : 2, Ind : 3, RPR : 6 [président : Antoine Karam (PSG) réélu en mars 1998].

Composition du conseil général (à l'issue des élections de mars 1998) : PSG : 5, Walwari : 1, DVG : 4, DIV : 7, RPR : 1, DVD : 1 [président : Stéphan Phinera-Horth (PSG)].

Principaux partis politiques : PSG (Parti socialiste guyanais), FDG (Front démocratique guyanais, diss. PSG), ADG (Action démocratique guyanaise, centriste), RPR, UDF.

Installations militaires ou stratégiques : régiment mixte Antilles-Guyane. La Guyane abrite par ailleurs l'importante base spatiale de Kourou, créée dans les années soixante.

Voir aussi le tableau statistique p. 344-345.
Source : INSEE. *Voir la signification des indicateurs utilisés p. 177.*

Des évolutions contrastées

Sur un fond commun de difficultés économiques et sociales et d'incertitudes politiques, chaque DOM de la Caraïbe présente des particularités. Les résultats du recensement de 1999 ont montré que la Guyane n'était plus désormais un nain démographique par rapport à ses voisins. Certes, l'intégration des très nombreux immigrés pose de multiples problèmes, en particulier dans les relations avec la population de souche. Cependant, le succès de la base de Kourou et de son programme Ariane 5 ont donné à la Guyane une stature telle que ses problèmes internes dépassent largement son cadre propre et impliquent toutes les parties prenantes de l'activité de la base. Le poids de celle-ci dans l'économie guyanaise rend de plus en plus nécessaire la recherche d'une meilleure intégration humaine de Kourou dans le tissu social et culturel guyanais, les effets d'enclave étant mal tolérés par la population de souche. Depuis la rencontre de 1997 sur l'Oyapok entre les présidents Fernando Henrique Cardoso et Jacques Chirac, l'opinion locale a évolué vis-à-vis du Brésil, longtemps perçu comme une menace. Le chantier de construction de la route vers la frontière a progressé. Vers la fin 2001, cette branche orientale de la route panaméricaine devrait permettre de désenclaver la Guyane par rapport à toute la façade nord de l'Amérique du Sud. La croissance démographique combinée à l'ouverture de l'espace guyanais par les liaisons routières posent le problème de la protection de la richesse de sa flore et de sa faune. Les autorités en ayant pris conscience, des études ont été réalisées et des mesures prises concernant la route vers le Brésil. Terre d'avenir, la Guyane devrait être l'un des ultimes fronts pionniers du XXIe siècle en Amérique.

La situation des DOM antillais s'est incontestablement dégradée au cours de l'année 1999. Aussi bien en Guadeloupe qu'en Martinique, le climat social s'est tendu, des grèves et des conflits d'origine diverse ont eu lieu, débouchant même, en Guadeloupe, sur des scènes d'émeute à Pointe-à-Pitre à la suite d'un conflit social chez un concessionnaire automobile ! Ce prétexte est révélateur de la gravité des tensions sociales qui en viennent à avoir un caractère ethnique. L'insécurité prend quant à elle des proportions si alarmantes qu'elle se répercute sur l'activité de toute la population.

À cela s'ajoutent les incertitudes qui pèsent sur le marché bananier, tandis que les rapports sociaux dans la profession entre les grands planteurs et la masse des petits exploitants et des ouvriers agricoles sont devenus conflictuels comme l'ont montré les grèves qui ont aussi eu lieu dans ce secteur. Des augmentations de salaire sont réclamées par les syndicats, là où les coûts de production sont déjà beaucoup plus élevés que ceux des pays bananiers fournisseurs des marchés ouverts à la concurrence de l'Union européenne et alors que l'OMC (Organisation mondiale du commerce) et surtout les États-Unis, en ardents défenseurs de leurs multinationales, exercent des pressions de plus en plus fortes pour que cesse le régime français de protection du marché national bananier. À cet égard, l'Union européenne a été à nouveau désavouée en 1999 par l'OMC à la demande des États-Unis à propos de la protection accordée aux différents producteurs de l'Union. Dans cette véritable partie de bras de fer, la France peut compter sur l'appui de l'Espagne, du Portugal et de la Grèce, dont les productions des Canaries, de Madère et de Crète sont aussi mises en cause par les mécanismes des marchés libres et sous la pression des compagnies américaines. Ce problème posé par les productions bananières de l'Union, somme toute modestes à l'échelle de celle-ci, la place devant un choix majeur de politique économique et sociale, à savoir privilégier le marché et en fait les intérêts des compagnies américaines, ou bien maintenir l'emploi et le niveau de vie des populations concernées outre-mer dans le cadre de l'exercice d'une solidarité nationale.

En dépit de difficultés évidentes, des progrès ont été réalisés en Guadeloupe au niveau des équipements : mise en service de l'aérogare neuve du Raizet, mobilisation des ressources énergétiques locales (succès de l'électricité éolienne). En outre, à la suite de la crise guyanaise, la Guadeloupe a été promue au rang d'académie, mais avec très peu de moyens.

L'île sœur connaît toujours une nette avance en matière de développement économique et humain. La puissance de son

Guadeloupe

Statut : département français d'outre-mer (DOM), région monodépartementale (loi du 31 déc. 1982).

Représentation au Parlement français : 4 députés, 2 sénateurs.

Préfecture : Basse-Terre.

Superficie : 1 780 km^2.

Population au recensement 1999 : 422 500 habitants.

Principales communes et agglomérations (1990) : Pointe-à-Pitre - Les Abymes (125 388, dont Les Abymes [62 809], Pointe-à-Pitre [26 029], Le Gosier [20 708], Baie-Mahault [15 788]), Basse-Terre (37 072), Saint-Martin (28 524).

Proches dépendances : Marie-Galante, Les Saintes, La Désirade.

Dépendances du Nord : Saint-Martin, Saint-Barthélemy.

Composition du conseil régional (à l'issue des élections de mars 1998) : RPR : 25, PS : 12, DVD : 2, PCM : 2 [présidente : Lucette Michaux-Chevry (RPR) réélue].

Composition du conseil général (à l'issue des élections de mars 1998) : Ind. : 1, PCG : 3, PPDG : 6, PS : 8, DVG : 11, UDF : 1, RPR : 8, DVD : 5 [président : Dominique Larifla (DVG), réélu].

Principaux partis politiques : RPR, PS, UPLG (Union populaire pour la libération de la Guadeloupe, indépendantiste), PCG (Parti communiste guadeloupéen), PPDG (Parti progressiste démocratique guadeloupéen, ex-communistes).

Installations militaires ou stratégiques : régiment mixte Antilles-Guyane.

Voir aussi le tableau statistique p. 344-345. Source : INSEE. Voir la signification des indicateurs utilisés p. 177.

Martinique

Statut : département français d'outre-mer (DOM), région monodépartementale (loi du 31 déc. 1982).

Représentation au Parlement français : 4 députés, 2 sénateurs.

Préfecture : Fort-de-France.

Superficie : 1 091 km^2.

Population au recensement 1999 : 381 400 habitants.

Principales communes et agglomérations (1990) : Fort-de-France (133 941, dont Schoelcher [19 825]), Le Lamentin (30 028), Sainte-Marie (19 682), Le Robert (17 713), Le François (16 925).

Composition du conseil régional (à l'issue des élections de mars 1998) : MIM : 13, PPM : 7, PS : 3, PCM : 1, RPR : 6, UDF : 5, DVG : 2, DVE : 1, DVD : 3 [président : Alfred Marie-Jeanne (MIM)].

Composition du conseil général (à l'issue des élections de mars 1998) : Ind. : 2, PCM : 3, PPM : 11, PS : 2, DVG : 13, UDF : 3, RPR : 6, DVD : 5 [président : Roger Lise (PPM, appar. PS), réélu].

Principaux partis politiques : RPR, UDF, PS, PPM (Parti progressiste martiniquais), PCM (Parti communiste martiniquais), MIM (Mouvement indépendantiste martiniquais), PSM (Parti martiniquais socialiste).

Installations militaires ou stratégiques : régiment mixte Antilles-Guyane (7 900 hommes environ sur les 3 DOM, commandement supérieur à Fort-de-France).

Voir aussi le tableau statistique p. 344-345. Source : INSEE. Voir la signification des indicateurs utilisés p. 177.

Références

Atlas de la Martinique, CNRS-CEGET, Bordeaux-Talence, 1976.

Atlas de la Guadeloupe, CNRS-CEGET, Bordeaux-Talence, 1979.

Atlas de la Guyane française, CNRS-CEGET, Bordeaux-Talence, 1982.

G. Belorgey, G. Bertrand, *Les DOM-TOM*, La Découverte, « Repères », Paris, 1994.

F. Doumenge, Y. Monnier, *Les Antilles françaises*, PUF, « Que sais-je ? », Paris, 1989.

Géographie universelle. Amérique latine, Hachette/RECLUS, Paris, 1991.

J.-C. Giacottino, *Les Guyanes*, PUF, « Que sais-je ? », Paris, 1995.

H. Godard (sous la dir. de), « Les Outre-mers », *in* T. Saint-Julien (sous la dir. de), *Atlas de la France*, vol. XIII, RECLUS/La Documentation française, Montpellier/Paris, 1998.

F. Luchaire, *Le Statut constitutionnel de la France d'outre-mer*, Économica, Paris, 1992.

J.-L. Mathieu, *Les DOM-TOM*, PUF, Paris, 1988.

J.-L. Mathieu, *Histoire des DOM-TOM*, PUF, « Que sais-je ? », Paris, 1993.

@ Sites Internet

Footprint Handbooks : **http://www.caribbeansupersite.com**

Secrétariat d'État à l'Outre-mer : **http://www.outre-mer.gouv.fr**

lobby d'affaires contrôlé par les « békés » (familles de planteurs d'origine européenne) a eu l'occasion de se manifester à propos de la remise en cause de la loi Pons de défiscalisation, lors de la privatisation de la Compagnie générale maritime (CGM), le maintien d'une desserte maritime satisfaisante par la société privatisée étant évidemment primordiale pour les DOM américains et pour défendre le marché bananier métropolitain. Plus que jamais, le tourisme et tout ce qui peut en dépendre apparaissent comme le principal moteur de l'économie martiniquaise – en dehors des transferts de fonds publics. La « tertiarisation » accentuée de l'économie entraîne la Martinique vers un modèle d'organisation territoriale du type île-ville avec tous les inconvénients afférents, surtout la congestion de l'agglomération de Fort-de-France et le déséquilibre accentué entre une région nord tombée en léthargie et une région centre et sud hyperactive grâce au chef-lieu et aux sites touristiques.

La Guadeloupe, la Martinique et surtout la Guyane sont aujourd'hui confrontées à un avenir incertain : incertitude économique liée à leur situation de régions « ultra-périphériques » dans l'Union européenne et à l'absence de modèle économique de rechange, crise profonde du marché du travail sans perspective d'amélioration sensible.

Ces difficultés ont remis à l'ordre du jour la question institutionnelle. Renforcés par les récentes élections, les indépendantistes réclament une évolution ; les représentants élus locaux et parlementaires acceptent d'engager le débat et les plus hautes autorités de l'État n'y sont pas hostiles. L'année 1999 est apparue à cet égard potentiellement importante pour l'avenir des DOM antillais. Reste à savoir si ce débat correspond réellement aux vœux de la majorité de l'opinion. D'où la prudence du gouvernement central à cet égard.

Jean-Claude Giacottino ■

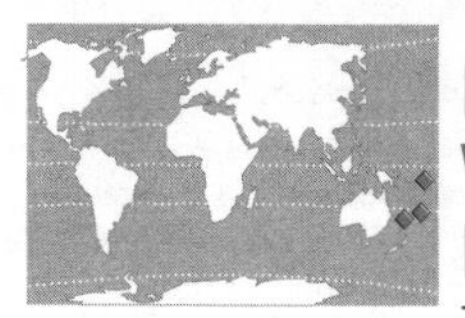

Nouvelle-Calédonie, Wallis et Futuna, Polynésie française

Une présence française transformée

Installée en Nouvelle-Calédonie, en Polynésie française et à Wallis et Futuna à partir du milieu du XIXe siècle – contestée par les habitants autochtones et certaines nations voisines à la fin du XXe siècle –, la France aura finalement maintenu sa présence dans le Pacifique sud au début du XXIe siècle. De profonds changements sont cependant intervenus dans le Pacifique francophone, aux plans institutionnel [*voir article p. 347*] et stratégique.

La fin des années quatre-vingt-dix a été marquée par l'abandon définitif des essais nucléaires français en Polynésie. De 1966 à 1996, la France avait effectué 193 tirs dans les atolls de Fangataufa et Mururoa (44 essais à l'air libre, 149 souterrains). Après une dernière campagne de six explosions en 1995-1996, à laquelle s'opposaient certaines populations tahitiennes (émeutes à Papeete en septembre 1995) et les pays riverains, la France a adhéré au traité de dénucléarisation du Pacifique sud (traité de Rarontonga du 5 août 1985), le 29 mars 1996.

Sur le plan économique, en revanche, la situation n'a pas fondamentalement changé. En 1999, alors que la Nouvelle-Calédonie restait tributaire des fluctuations des cours du nickel, dont elle est le troisième producteur mondial, et que la Polynésie devait s'adapter au départ des militaires et au démantèlement des bases d'essais nucléaires du Centre d'expérimentation du Pacifique (CEP)à partir de 1996, la France a continué d'assurer l'essentiel des revenus de ces deux territoires, soit par transferts (salaires, retraites), soit par subventions. Le tourisme est resté en deçà de son potentiel, en raison des coûts et des distances. Toutefois, les deux territoires ont obtenu de vrais succès dans de nouvelles activités : aquaculture (crevettes) en Nouvelle-Calédonie, perles noires en Polynésie. Ils partagent d'autres caractéristiques : l'extrême cherté de la vie, accentuée par le coût des produits importés, et de fortes disparités sociales entre une population urbaine, disposant d'un fort pouvoir d'achat, et les habitants des quartiers pauvres de Nouméa et Papeete, ou les jardiniers et pêcheurs de la brousse et des atolls.

Les terres francophones du Pacifique sont constituées d'îles et d'atolls de faible dimension, hormis la Grande Terre calédonienne (16 750 km²). Au total, ils couvrent 23 300 km² de terre et 7,6 millions de km² d'océan, qui confèrent à la France le troisième domaine maritime mondial. Leur population, clairsemée (207 000 habitants en Nouvelle-Calédonie, en 1999, 228 000 en Polynésie française, 15 000 à Wallis et Futuna), est pour l'essentiel rassemblée dans deux capitales-métropoles : Nouméa (60 % de la population calédonienne) et Papeete (50 % de la population polynésienne). Ces populations sont constituées de mosaïques ethniques, plus ou moins métissées selon les archipels. En Nouvelle-Calédonie, la population indigène, les Kanaks, appartient à la famille mélanésienne. À Wallis et Futuna et en Polynésie française, les populations autochtones sont polynésiennes. Européens et Asiatiques (Indonésiens, Indochinois, Chinois) se sont établis dans les archipels à partir du XIXe siècle.

Élection du premier congrès autonome en Nouvelle-Calédonie

C'est en 1853 que la France a pris possession de la Nouvelle-Calédonie. En 1999, les Kanaks représentaient 44,1 % de la population, les Européens 34,1 %, Asiatiques, Polynésiens et Wallisiens formant le reste. Cet équilibre ethnique ultrasensible a fait obstacle à toute accélération d'un éventuel processus d'indépendance totale, voulue par la majorité des Kanaks et refusée par les populations non mélanésiennes.

Dans les années quatre-vingt, des affrontements de plus en plus violents ont mis aux prises les partisans kanaks de l'indépendance (FLNKS, Front de libération nationale kanak et socialiste, animé par Jean-Marie Tjibaou) et les anti-indépendantistes du RPCR (Rassemblement pour la Calédonie dans la République, dirigé par Jacques Lafleur). En 1984-1985 puis en 1988-1989, les incidents ont été de plus en plus meurtriers. En juin 1988, J. Lafleur et J.-M. Tjibaou signèrent, sous l'égide du Premier ministre Michel Rocard, les accords dits de Matignon, organisant de nouvelles structures institutionnelles, le « rééquilibrage » politique et économique entre les provinces et ethnies du territoire, et prévoyant un référendum d'autodétermination en 1998. Les signataires de l'accord décidèrent, en 1998, d'éviter la tenue de ce référendum « couperet », aucun camp ne souhaitant une victoire du « non » à l'indépendance, programmée par la démographie et les divisions politiques du camp kanak. Encouragés par le Premier ministre Lionel Jospin, les négociateurs signèrent en avril-mai 1998 l'accord de Nouméa. Ce texte, ratifié par 74,24 % des 106 716 électeurs calédoniens lors du référendum du 8 novembre 1998, prévoit un nouveau référendum d'autodétermination en 2014 au plus tôt. Il encadre la mise en place des nouvelles institutions autonomes de la Calédonie qui devra être administrée par un gouvernement « collégial ».

En mai 1999, la Calédonie a élu son premier congrès autonome : le RPCR, ayant emporté la majorité relative, a formé le gouvernement, malgré les menaces du FLNKS de le quitter, en s'appuyant sur une formation dissidente du FLNKS, la FCCI (Fédération des comités de coordination des indépendantistes). Dès le début de l'an 2000, le gouvernement a dû s'atteler aux premières tâches prévues par le transfert des compétences : le statut coutumier des Kanaks, le régime des terres coutumières, le droit du travail. La tâche promettait d'être ardue : en 1999, des grèves à répétition ont touché divers secteurs de l'économie.

Wallis et Futuna : une économie dépendante de l'État

Protectorat français à partir de 1842, Wallis et Futuna est devenu un TOM (territoire d'outre-mer) le 29 juillet 1961. Ce statut a permis l'intégration des trois royaumes traditionnels de l'archipel, et de ses trois rois : le Lavelua, roi de Wallis, le Tuiagaifo, roi d'Alo, et le Keletaona, roi de Sigave (Futuna). L'économie est restée traditionnelle. La production agricole couvre correctement les besoins de la consommation en produits vivriers : taros, igname, manioc, fruits à pain, bananes, noix de coco, viande porcine. Les produits frais occidentaux sont importés. L'économie dépend essentiellement des transferts de l'État dans le cadre du fonctionnement des services (enseignement) et de l'aide aux personnes âgées. Une subvention d'équilibre est versée au budget territorial (3 millions FF). 60 % des emplois sur place se trouvent dans le secteur public. À partir des années cinquante, de nombreux habitants se sont expatriés : 17 563 Wallisiens et Futuniens se sont installés autour de Nouméa. L'influence de l'Église catholique et des chefferies coutumières reste forte.

Nouvelle-Calédonie

Statut : « entité territoriale » dotée d'une large autonomie et régie par la loi du 6 juillet 1998 (révision à venir), avec un Congrès et un gouvernement. La Nouvelle-Calédonie comporte trois assemblées de province (Nord, 22 membres), Sud (40), îles Loyauté (14). 54 membres issus des trois assemblées de province forment le Congrès de Nouvelle-Calédonie. L'éxécutif de la Nouvelle-Calédonie est assuré par le gouvernement de la Nouvelle-Calédonie (11 membres) pour les compétences (en cours de transfert) relevant de la Nouvelle-Calédonie, et par le haut commissaire de la République pour les compétences relevant de la métropole. Gouvernement de la Nouvelle-Calédonie (28 mai 1999). Président : Jean Lèques, RPCR. Vice-président : Léopold Jorédié, FCCI. Membres : 6 RPCR, 1 FCCI, 4 FLNKS.

Représentation au Parlement français : 2 députés (Jacques Lafleur, Pierre Frogier, RPCR), 1 sénateur (Simon Loueckhote, RPCR).

Chef-lieu : Nouméa.

Superficie : 19 058 km².

Population en 1999 : 207 000 habitants.

Présidence des provinces (au 31.3.1999) : Nord : Léopold Jorédié (FLNKS) ; Sud : Jacques Lafleur (RPCR), îles Loyauté : Nidoish Naisseline (LKS).

Composition du Congrès (9 mai 1999) : RPCR : 24, FLNKS : 18, FCCI : 4, Front national : 4, Alliance : 3, LKS : 1 [président du Congrès : Simon Loueckhote (RPCR)].

Principaux partis politiques : FLNKS (Front de libération nationale kanak et socialiste, Roch Wamytan), RPCR (Rassemblement pour la Calédonie dans la République, Jacques Lafleur), FCCI (Fédération des comités de coordination des indépendantistes, indépendantiste modéré, scission du FLNKS, Léopold Jorédié), FN, Alliance (anti-indépendantiste opposée au RPCR, Didier Leroux), LKS (Libération kanak socialiste, indépendantiste modérée, Nidoish Naisseline).

Voir aussi le tableau statistique p. 344-345.
Source : INSEE. *Voir la signification des indicateurs utilisés p. 177.*

Polynésie française

Statut : pays d'outre-mer (POM), lorsque le Congrès aura ratifié la loi constitutionnelle, avec une Assemblée et un gouvernement doté d'une large autonomie.

Représentation au Parlement français : 2 députés (Michel Buillard, RPR ; Émile Vernaudon, RVC), 1 sénateur RPR.

Capitale : Papeete.

Superficie : 118 îles et atolls couvrant 4 000 km², 5 millions km² de domaine maritime.

Population estimée en 1999 : 228 000 habitants.

Composition de l'Assemblée territoriale (à l'issue des élections territoriales du 12 mai 1996) : Tahoeraa Huiraatira et majorité territoriale : 27, Tavini Huiraatira : 11, Ai'a Api :1, non-inscrits : 2 [président : Justin Arapari, élu en 1996].

Principaux partis politiques : Tahoeraa Huiraatira (branche polynésienne du RPR, Flosse) ; Tavini Huiraatira (Front de libération de la Polynésie, indépendantiste, Oscar Temaru) ; Ai'a Api (majorité gouvernementale métropolitaine, Émile Vernaudon).

Voir aussi le tableau statistique p. 344-345.
Source : INSEE. *Voir la signification des indicateurs utilisés p. 177.*

Wallis et Futuna

Statut : territoire français d'outre-mer (TOM) avec une Assemblée territoriale.

Représentation au Parlement français : 1 député (Victor Brial, RPR), 1 sénateur (Robert Laufoaulu, sans étiquette politique, mais utilisant l'appareil administratif du RPR).

Chef-lieu : Mata-Utu.

Superficie : 3 îlots couvrant 274 km².

Population en 1998 : 15 000 habitants.

Composition de l'Assemblée territoriale (à l'issue des élections partielles du 6 sept. 1998, le scrutin du 16 mars 1997 ayant été annulé dans 3 des 5 circonscriptions) : RPR : 12, Union pour Wallis et Futuna (apparenté PS) : 5 ; DVG : 2 ; non-inscrit : 1 [président de l'Assemblée : Soane Uhila (RPR)].

Références

B. Antheaume, J. Bonnemaison, *Atlas des îles et États du Pacifique*, Publisud, Paris, 1988.

S. Bates, *The South Pacific Island Countries and France : a Study in Interstate Relations*, The Australian National University, Canberra, 1990.

G. Bélorgey, G. Bertrand, *Les DOM-TOM*, La Découverte, « Repères », Paris, 1994.

A. Bensa, *Nouvelle-Calédonie, un paradis dans la tourmente*, Gallimard, Paris, 1990.

J. Chesneaux, *Transpacifiques*, La Découverte, Paris, 1987.

J. Chesneaux, N. MacLellan, *La France dans le Pacifique. De Bougainville à Moruroa*, La Découverte, Paris, 1992.

Chroniques du pays kanak, Planète Mémo, Nouméa, 1999 (4 tomes).

P. de Decker, *Le Peuplement du Pacifique et de la Nouvelle-Calédonie au XIXe siècle, 1788-1914*, L'Harmattan, Paris, 1994.

J.-P. Doumenge, *Du terroir... à la ville, les Mélanésiens et leurs espaces en Nouvelle-Calédonie*, CEGET-CNRS, Bordeaux, 1982.

J.-F. Dupon, *Préparation aux désastres et expérience des désastres en Nouvelle-Calédonie, Polynésie française, et Wallis et Futuna*, East West Center, Honolulu, 1985.

H. Godard (sous la dir. de), « Les Outre-mers », *in* T. Saint-Julien (sous la dir. de), *Atlas de la France*, vol. XIII, RECLUS/La Documentation française, Montpellier/Paris, 1998.

G. Kling, P. Grundmann, *Nouvelle-Calédonie*, « Guides bleus évasion », Hachette, Paris, 1998.

J.-L. Mathieu, *Histoire des DOM-TOM*, PUF, « Que sais-je ? », Paris, 1993.

Mémorial calédonien, Planète Mémo, Nouméa, 1998 (10 tomes).

V. Segalen, *Les Immémoriaux*, Plon, Paris, 1956 (rééd. 1982).

J.-M. Tjibaou, *La Présence kanak* (édition établie et présentée par Alban Bensa et Éric Wittersheim), Odile Jacob, Paris, 1996.

La Polynésie française devient « pays d'outre-mer »

Les Français annexèrent la Polynésie, archipel par archipel, de 1843 à la fin du XIXe siècle. Elle est devenue un TOM en 1946 et allait être dotée de plusieurs statuts (1977, 1984, 1990, 1996) lui conférant une autonomie politique, administrative et culturelle interne de plus en plus importante, avant de devenir pays d'outre-mer (POM) (non encore ratifiée en avril 2000).

Les Polynésiens (dont une importante population métissée, les demis, Polynésiens-Français ou Polynésiens-Chinois) représentaient en 1999 80 % de la population, les Européens (*popaa* en polynésien) 12 % et les Asiatiques 4,7 %. Malgré quelques fortes poussées de fièvre indépendantiste, le nouveau POM a semblé prêt à conserver sa double identité, polynésienne et française, dans le cadre du statut d'autonomie élargie. La Polynésie dispose de son propre drapeau et d'un hymne national. La langue polynésienne est parlée et enseignée dans tout l'archipel. Le débat politique, au niveau local, est pourtant resté virulent entre autonomistes, menés par le président du gouvernement, Gaston Flosse (son parti, le Tahoeraa, a obtenu 38,7 % des voix et la majorité des sièges aux élections territoriales de 1996), et les indépendantistes du Tavini, conduits par Oscar Temaru (24,8 % des voix). Ces débats ont été accentués par la fluidité des alliances au sein de l'assemblée territoriale et par les « affaires » qui ont touché la classe politique. L'ancien président Alexandre Léontieff a été condamné (en appel) pour corruption à trois ans de prison en septembre 1999 ; G. Flosse, en 1999, en première instance, à deux ans d'emprisonnement avec sursis et un an d'inéligibilité pour corruption passive. G. Flosse a fait appel et semblait pouvoir conduire son parti et défendre le choix de l'autonomie lors des élections territoriales prévues en avril 2001.

L'autonomie économique reste une perspective lointaine. À partir de 1963, les retombées financières et sociales du Centre d'expérimentation du Pacifique ont profondément transformé les modes de vie du territoire. Les dépenses de l'armée ont représenté jusqu'à 75 % de son PIB. L'essentiel des revenus du POM reste constitué par les contributions et transferts de l'État. Au moment de la cessation d'activité du CEP, la France s'est engagée à maintenir pendant dix ans les flux financiers qui résultaient de l'activité du CEP à hauteur de 990 millions FF par an, pour financer des projets de développement (éducation, formation professionnelle, logement). Le transfert par an et par habitant atteignait 29 785 FF en 1998, alors qu'un Polynésien sur deux a moins de vingt ans. - **Pierre Grundmann** ■

Radioscopie de l'économie

Tendances et conjoncture

Croissance
Répartition du revenu national
Euro
Politique macroéconomique
Prélèvements obligatoires
Politique budgétaire
Budget européen
Bourse
Fusions-acquisitions
Privatisations
Investisseurs institutionnels
Épargne salariale
Emploi
Chômage
Échanges extérieurs

La section « Radioscopie de l'économie » présente un ensemble d'études éclairant chacune une dimension clé de la politique économique et de l'état de l'économie françaises (la répartition de la valeur ajoutée, les prélèvements obligatoires, la politique budgétaire, les échanges extérieurs, la Bourse, la politique monétaire européenne, l'emploi et le chômage, etc.).
Ces études, à jour des données les plus récentes, replacent les évolutions conjoncturelles dans une perspective de plus long terme. Cela permet une meilleure compréhension des dynamiques constatées, une meilleure identification de leurs cohérences comme de leurs contradictions.
Cette mise en perspective donne tout leur sens aux nombreuses statistiques de base. Celles-ci sont présentées, selon le cas, en tableaux ou sous forme de graphiques. Elles permettent de lire les inflexions, de relativiser les évolutions de court terme, de relier des phénomènes qui interagissent entre eux, etc. De nombreuses comparaisons internationales (portant souvent sur plusieurs indicateurs pour l'année la plus récente disponible) accompagnent également ces articles.
Aux études thématiques présentées s'ajoutent un certain nombre d'articles en surplomb, tels ceux consacrés, dans la section « Enjeux et débats », aux nouveaux modes de gouvernement des entreprises (p. 31), au décollage de la netéconomie (p. 38), à la gestion des risques (p. 42) ou encore aux conditions d'un retour au plein emploi (p. 50). C'est aussi le statut de la synthèse proposée sur la croissance (p. 366), qui articule les différentes dimensions de la dynamique suivie par l'économie française, et celui de la rétrospective consacrée à la politique économique (p. 389 et s.), qui « revisite » les choix opérés depuis plus de vingt ans. L'auteur y souligne l'actualité et l'acuité du débat sur le partage des fruits de la croissance.
Enfin, il convient de garder à l'esprit que les questions économiques ne sont pas indépendantes des questions sociales et que les unes comme les autres sont étroitement liées au champ du politique. On pourra ainsi – ce n'est qu'un exemple – relier les articles « économiques » consacrés à l'emploi à ceux présentés dans la section « Modes et conditions de vie ». On pourra aussi les mettre en correspondance avec l'analyse de la politique de l'emploi proposée dans la section « État et politique ».
Au-delà de la conjoncture, caractérisée par une vive reprise de la croissance, trois dimensions ont plus particulièrement marqué l'année écoulée. D'abord, bien sûr, l'entrée dans l'ère de l'euro (voir notamment p. 384) ; ensuite, l'euphorie boursière (p. 412) ; enfin, la multiplication des fusions et filialisations de grandes entreprises, restructurations géantes (p. 415). Il résulte de ces mouvements une véritable mue du capitalisme français et du mode de gestion des entreprises (voir notamment p. 31, 419, 423). ■

CROISSANCE EN REPRISE ET EUPHORIE BOURSIÈRE SUR FOND DE MUE DU CAPITALISME FRANÇAIS ET DU MODE DE GOUVERNEMENT DES GRANDES ENTREPRISES.

Un renouveau de la croissance en 1999

Françoise Milewski
Économiste, OFCE

La croissance économique a atteint 2,7 % en 1999, après 3,4 % en 1998 et 2 % en 1997. Ralentissement certes, mais moins prononcé qu'on ne pouvait le craindre au début de 1999. Au premier semestre, l'activité n'a progressé que de 2,4 % en rythme annuel, mais elle s'est accélérée, passant à 3,8 % au second.

La performance française aura été meilleure que la moyenne européenne : la croissance n'a atteint que 2 % dans la Zone euro et 1,4 % seulement en Allemagne.

La différence de rythme entre le début et la fin de l'année a été imprimée par la demande extérieure : à la charnière de 1998 et 1999, les exportations ont baissé, puis redémarré à partir du printemps, le ralentissement de la demande mondiale s'estompant. La croissance de 1999 a donc été caractérisée par le dynamisme de la demande intérieure, régulier tout au long de l'année. Les créations d'emplois ont soutenu la consommation des ménages et celle-ci a soutenu à son tour l'investissement des entreprises.

Créations d'emplois, consommation des ménages et investissement

Les **créations d'emplois** ont été nombreuses : + 2,5 %, soit presque 375 000 créations nettes dans le secteur marchand. Les emplois tertiaires ont progressé au rythme de 3,7 %, après 3 % en 1998 ; les emplois du bâtiment ont recommencé à croître (+ 1,4 %), et les emplois industriels ont augmenté de 0,4 %. L'emploi total a progressé de 470 000. Le rythme n'avait pas été aussi soutenu depuis des décennies. La baisse du chômage s'est accélérée, le recul atteignant 9,3 % de décembre 1998 à décembre 1999, et 12,6 % depuis juin 1997, son niveau le plus haut. Le taux de chômage s'établissait ainsi à 10,6 % en fin d'année, soit 2 points de moins que le point haut ; toutes les catégories ont bénéficié de cette amélioration, hormis les plus de 50 ans ; ce fut le cas en particulier des jeunes, grâce aux emplois-jeunes [*voir article p. 99*]. Le nombre de chômeurs de longue durée (de plus de douze mois) a baissé de 14,9 % en un an [*voir article p. 435*].

Ces créations d'emplois ont favorisé la **consommation des ménages**: elles ont été le principal soutien du revenu disponible, la hausse des salaires individuels restant en revanche très modérée. La baisse du chômage qui a résulté du dynamisme de l'emploi a d'autre part conforté la confiance des ménages et donc favorisé les dépenses et les demandes de crédit. Les achats de biens durables se sont très fortement accrus depuis 1997, le ralentissement du début d'année 1999 ayant vite été effacé. La consommation totale de biens et services a augmenté de 2,3 % [*figure 5, p. 376*]. Les achats de logements ont également progressé.

En deux ans, l'**investissement des entreprises** aura augmenté au rythme annuel rapide de 7 %. Besoins de renouvellement et d'extension des capacités de production se sont conjugués pour soutenir les dépenses. Les conditions de financement sont restées bonnes. Les taux d'utilisation des capacités se sont redressés dans l'industrie, après leur repli de 1998 [*figure 9, p. 377*]. Dans ce secteur, les anticipations des entreprises sur les budgets d'équipement pour 1999, modérées en

Tab. 1

Taux de croissance annuels comparés[a]

Pays	1960-73	1973-79	1979-90	1990-99	1999
France	**5,8**	**2,8**	**2,5**	**1,6**	**2,7**
Allemagne[b]	4,4	2,3	2,0	2,1	1,4
Royaume-Uni	3,2	1,5	2,1	1,9	2,0
Italie	5,3	2,6	2,5	1,2	1,4
CE/UE	**4,8**	**2,4**	**2,3**	**1,8**	**2,2**
États-Unis	3,9	2,6	2,6	2,7	4,1
Japon	10,6	3,6	4,2	1,1	0,3
OCDE	**4,7**	**2,6**	**2,6**	**2,5**	**2,8**

a. Croissance des produits intérieurs bruts, à prix constants ; b. RFA dans ses anciennes frontières jusqu'en 1990. Allemagne unifiée à partir de 1991.
Source : OCDE.

Tab. 2

Performances 1999 comparées
des grands pays industrialisés

Indicateurs	France	Allemagne	R.-U.	Italie	É.-U.	Japon
PIB (%) Croissance en volume	2,7	1,4	2,0	1,4	4,1	0,3
Prix (%) Glissement annuel[a]	1,3	1,2	1,8	2,1	2,7	– 1,4
Déficit public (en % du PIB)	– 1,8	– 1,2	0,7	– 2,3	1,0	– 7,6
Balance des paiements courants (en % du PIB)	2,4	0	– 1,5	0,6	– 3,7	2,5
Taux de chômage[b] (%)	10,3	8,9	5,9	11,0	4,1	4,7
Taux d'intérêt réel à court terme[c]	1,9	1,9	3,1	1,1	2,6	1,1

a. Déc. 1999-déc. 1998 ; b. Nombre de chômeurs/population active, à la fin 1999. Il s'agit des taux de chômage harmonisés par l'OCDE et non des taux issus des sources nationales ; c. Taux d'intérêt nominal corrigé de la hausse des prix, à la fin 1999 ; pour les pays de la Zone euro, les taux d'intérêt réels diffèrent seulement du fait des prix, les taux nominaux étant identiques.
Sources : OCDE, Eurostat.

début d'année, n'ont cessé d'être revues en hausse en cours d'année [*figure 8, p. 377, et tableau 6, p. 379*].

Changement de climat

Le climat de confiance des ménages n'a cessé de s'améliorer et celui des entreprises s'est vivement redressé à compter de la mi-1999. Les perspectives de production dépassaient, à la fin de 1999, leur point haut des cycles précédents. Les anticipations des agents se sont ainsi harmonisées vers le haut : les entreprises, dont les carnets de commandes se sont accrus, n'ont dès lors plus manifesté d'hésitation à embaucher et à investir.

Le contraste entre la vision de l'automne 1999 et celle de l'automne 1998 apparaît grand. Des signes de ralentissement s'étaient en effet nettement manifestés à la fin de l'année 1998. L'environnement extérieur s'était rapidement dégradé. L'impact

Tab. 3

La croissance française

Indicateur	Milliards FF constants aux prix de 1995	% d'évolution, en volume[a]		
	1999	1997	1998	1999
Produit intérieur brut	8 492,6	2,0	3,4	2,7
Importations	2 001,3	6,4	9,6	3,3
Total des ressources	**10 493,9**	**2,8**	**4,5**	**2,8**
Consommation des ménages	4 583,9	0,2	3,6	2,3
Consommation des administrations	1 977,4	1,6	1,1	1,7
Investissement	1 662,4	0,5	6,1	7,0
dont entreprises	935,0	1,3	7,3	7,4
ménages[b]	401,5	0,6	3,4	7,8
administrations	259,1	– 5,0	4,5	3,3
autres[c]	66,8	15,9	12,8	11,5
Exportations	2 210,5	10,6	6,9	3,6
Variation des stocks (*en milliards*)	12,4	12,0	47,5	12,4
Total des emplois	**10 493,9**	**2,8**	**4,5**	**2,8**
Demande intérieure totale[d]	8 283,3	0,9	3,9	2,6
Demande intérieure hors stocks	8 271,0	0,6	3,4	3,4

a. En volume, à prix constants ; b. Concerne seulement les logements ; c. Essentiellement les institutions financières ; d. Ensemble des emplois moins les exportations.
Source : INSEE.

de la crise mondiale avait fait l'objet de nombreuses études et évaluations. Toutes s'accordaient sur le schéma suivant : la crise des pays émergents d'Asie (ouverte à la mi-1997) sera durable, s'étant étendue à d'autres pays fragiles, comme la Russie et le Brésil. Elle exerçait un effet restrictif sur le Japon et les États-Unis surtout, et sur l'Europe, d'autant que la baisse du dollar d'une part, l'effondrement des monnaies asiatiques, d'autre part, entamaient la compétitivité des produits européens, à l'exportation comme à l'importation.

La baisse du prix des matières premières, entre la fin 1997 et la fin 1998, a en partie compensé cet effet récessif. De même, la baisse des taux d'intérêt dans les pays de l'OCDE, induite par le ralentissement de l'inflation et l'afflux de capitaux vers des placements sûrs (les titres publics des pays industrialisés), a également eu un effet positif de compensation. L'impact de la crise mondiale en termes de réduction de la croissance était évalué à 0,5-0,75 point par an pour 1998 et pour 1999. Dans le discours étaient soulignés les risques de déflation et d'enchaînements financiers catastrophiques.

Par la suite, on a pu constater que la croissance américaine est restée vigoureuse, qu'au Japon l'activité s'est redressée et que l'Europe a connu une reprise (celle-ci étant certes inégale selon les pays quant à son niveau et à son calendrier). Le choc subi par les pays émergents a été compensé aux États-Unis et au Japon par leurs demandes intérieures. Aux États-Unis, la demande privée de consommation et d'investissement a pris le relais de la demande extérieure ; les effets indirects de la crise asiatique ont constitué un soutien solide : la désinflation importée a éloigné les risques inflationnistes et la baisse des taux d'intérêt induite par le retour des capitaux a dopé la Bourse et les plus-values, donc les revenus et les dépenses. Le rythme de croissance de l'économie américaine est ainsi resté presque inchangé ; celle-ci a continué de stimuler l'économie mondiale. Au Japon, la demande publique a soutenu l'activité.

L'Europe a été la plus affectée par les turbulences car la demande intérieure ne s'est pas accélérée en compensation. Les pays les plus tournés vers l'exportation (Allemagne, Italie) ont été les plus atteints par le « trou d'air ». Les reprises graduelles, au fur et à mesure du rebond du commerce mondial, se sont manifestées dans l'ensemble au second semestre. Ainsi les écarts conjoncturels se sont-ils réduits au sein de l'Europe et entre l'Europe et le reste du monde [*tableau 2*].

Sous l'effet de la reprise mondiale, les prix du pétrole se sont vivement redressés (26 dollars en décembre 1999 contre 10 dollars en décembre 1998), accentuant l'inflation importée, et les taux d'intérêt à long terme ont augmenté. Depuis la fin de 1999, les États-Unis ont élevé leur taux d'intérêt à court terme, craignant une surchauffe et une montée de l'inflation. En Europe aussi, un relèvement des taux est intervenu fin 1999-début 2000.

Les risques d'une correction boursière

Les conditions de financement apparaissaient cependant toujours, au printemps 2000, comme des facteurs de risque pour la croissance mondiale. Aux États-Unis, déficit d'épargne intérieure et déficit extérieur vont de pair, et la Bourse s'est emballée. Si une correction boursière devait intervenir, les plus-values céderaient la place aux moins-values ; les revenus des ménages et des entreprises s'affaibliraient, faisant apparaître la gravité de leur endettement ; les dépenses en subiraient les contrecoups. De plus, une telle correction boursière ne resterait pas limitée aux États-Unis. Si, par ailleurs, la croissance du reste du monde s'accélère comme prévu, le déficit extérieur américain se réduira mais le financement de l'économie américaine, qui s'est fait au cours des années précédentes en grande partie par des capitaux extérieurs, sera plus difficile, car ces derniers trouveront ailleurs des opportunités d'investissements. Deux scénarios sont possibles : d'une part, une réduction de l'écart conjoncturel entre les États-Unis et l'Europe (qui permettrait de rééquilibrer le solde courant américain mais laisserait incertain le financement) et, d'autre part, le maintien d'écarts de croissance (qui préserverait le financement mais creuserait davantage le déficit extérieur déjà excessif).

Retour sur la croissance ralentie du dernier quart de siècle

Les conditions favorables qui avaient permis une croissance, en France, de 4,4 % en 1988-1989 peuvent-elles se reproduire ? Pour répondre à cette question, il est utile de « revisiter » les faits les plus importants de l'histoire économique des vingt-cinq dernières années.

Très schématiquement, le rythme de la croissance s'est rompu au milieu des années soixante-dix sous l'effet combiné du premier choc pétrolier (1974-1975), de la crise du Système monétaire international (1971-1973) et de la tendance au ralentissement des gains de productivité. La plupart des pays de l'OCDE ont dès lors connu un ralentissement de leur croissance, que des politiques successives de relance n'ont pas suffi à restaurer. L'économie française est passée d'un rythme de croissance de 5,8 % en moyenne par an de 1960 à 1973 à un rythme de 2,8 % de 1974 à 1979 [*tableau 1*]. Une montée du chômage en a résulté. Après le second choc pétrolier (1979-1980), les pays de l'OCDE ont progressivement basculé vers des politiques *restrictives*, la priorité étant donnée à la lutte contre l'inflation au détriment de la croissance [*voir article p. 389*].

La croissance de l'économie française fut, jusqu'au milieu des années quatre-vingt, limitée par la contrainte extérieure commerciale. Le gouvernement de gauche installé en 1981 a conduit une politique de relance économique, dans l'espoir de réduire le chômage. Cette relance isolée, alors que tous les autres pays menaient des politiques restrictives, a buté sur la contrainte extérieure, c'est-à-dire le creusement des déficits commerciaux et des paiements courants. Pour s'en affranchir, la France a adopté à partir de 1983 une stratégie de modification du partage de la valeur ajoutée [*voir article p. 380*] qui a accentué le freinage de la demande interne. L'objectif était de ralentir la consommation pour limiter les importations et réduire le déficit extérieur, de modérer l'inflation pour restaurer la compétitivité, d'améliorer la rentabilité des entreprises et de réduire le déficit budgétaire. Avec quelques années de décalage sur les autres pays, la France opérait ainsi son tournant de la politique d'austérité.

Le partage du revenu, de plus en plus favorable aux entreprises à partir de 1983, était une garantie pour l'investissement, puisque les entreprises disposaient dès lors de suffisamment de moyens financiers. Mais c'était aussi un handicap car, les revenus des ménages croissant trop lentement, des contraintes de débouchés apparaissaient, qui limitaient la croissance. La croissance du PIB n'a atteint que 1,6 % par an de 1980 à 1987.

À la fin des années quatre-vingt, les effets du contre-choc pétrolier (1986) stimulèrent la croissance mondiale et placèrent l'économie française dans une situation particulièrement favorable : les politiques passées de baisse des coûts (les salaires réels évoluaient déjà moins vite que la productivité du travail) avaient amélioré la compétitivité. La demande des ménages était portée par des hausses de salaires réels qui, sans être élevées, restaient significatives, grâce à la désinflation. Les effets décalés du contre-choc pétrolier et des facilités monétaires ont amplifié la reprise de 1987-1990 (qui débuta à la mi-1987 et prit fin au début de 1990). La croissance moyenne a presque atteint 4 % en Europe et les a dépassés en France. Mais elle fut de courte durée.

Les paradoxes des années quatre-vingt-dix

La récession de 1992-1993 a résulté d'une politique économique très restrictive (montée des taux d'intérêt). L'économie européenne a ralenti et certains pays (France, Allemagne) ont connu une récession. Celle-ci a entraîné une forte hausse du chômage, laquelle fut la cause d'un nouveau ralentissement des hausses de salaires. Ce ralentissement a été durable car le taux de chômage ne pouvait, au mieux, que reculer lentement. Après la récession, le potentiel de croissance de la demande des ménages est ainsi resté en retrait alors que celui des administrations publiques était annulé par le déficit accumulé. Les perspectives de croissance apparaissaient dès lors limitées. Le cycle de reprise de 1994-1995 a été prématurément interrompu par les politiques menées dans l'Union européenne en faveur d'une réduction des déficits publics en vue de l'entrée dans la Zone euro et parce que le contexte mondial n'était pas favorable à l'Europe (la baisse du dollar avait entamé la compétitivité). Il est apparu, en Europe et en France, plus court et moins ample que celui de 1987-1990, alors que le creux de 1992-1993 avait été très prononcé.

Ainsi, dans les années quatre-vingt-dix, les contraintes qui pesaient sur la croissance ont-elles été très différentes de celles qui prévalaient au cours des périodes précédentes. Les contraintes d'offre apparaissaient secondaires : le niveau structurellement élevé de la part des profits permettait aux entreprises un financement aisé des investissements. Il en allait de même pour la contrainte extérieure. Sur la lancée des évolutions passées qui visaient à réduire ces contraintes par la baisse de la part des salaires dans la valeur ajoutée, on a ainsi

Fig. 1

PIB de la France

Taux de croissance en %, en francs constants

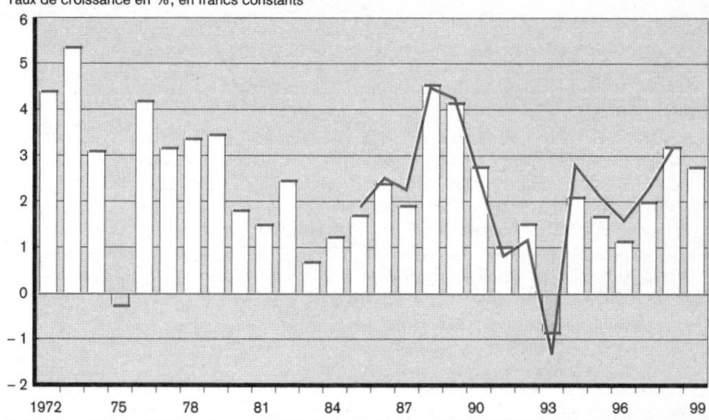

Note : La base 95 de comptabilité nationale ne rétropole le PIB que jusqu'en 1985 ; les chiffres de 1972 à 1984 sont donc ceux de l'ancienne base 80 ; la courbe en couleur prolonge l'ancienne base.
Source : INSEE.

Fig. 2

Produit intérieur brut et production industrielle
(indices en base 100 en 1985, en francs constants)

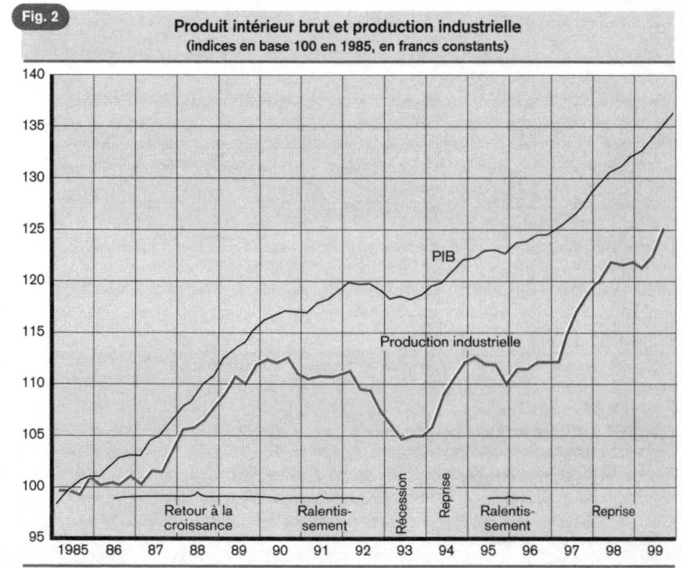

Source : OCDE.

Références

Alternatives économiques, mensuel, Dijon.

M. Demotes-Mainard, G. Laguerre, « Un demi-siècle de croissance », *INSEE Première*, n° 486, INSEE, Paris, sept. 1996.

« France-Bilans », *Problèmes économiques*, n° 2630, La Documentation française, 8 sept. 1999.

INSEE, *Notes de conjoncture* (paraissant en mars, juin et décembre, complétées en octobre par un *Point conjoncturel*, plus léger), Paris.

INSEE, « Rapport sur les comptes de la nation pour l'année », *INSEE Études*, Paris. (Publié au mois de juin qui suit l'année étudiée.)

Ministère de l'Économie, des Finances et de l'Industrie, *Rapport économique, social et financier associé au projet de Loi de Finances*, Économica, Paris, oct. 1999.

OCDE, « France », *Études économiques de l'OCDE* (rapport annuel).

OFCE, *L'Économie française 1999*, La Découverte, « Repères », Paris, 1999.

L'Observatoire français des conjonctures économiques publie par ailleurs deux périodiques : *La Lettre de l'OFCE* (mensuelle) et la *Revue de l'OFCE* (trimestrielle).

Voir aussi Index, mot clé « Conjoncture économique ».

Pour une approche plus spécialisée

L. Casey, « La consommation des ménages en 1998, un fort soutien à la croissance », *INSEE Première*, n° 657, INSEE, Paris, juin 1999.

G. Catherine, « Entre 1990 et 1998, les prix à la consommation ont augmenté de 16 % », *INSEE Première*, n° 673, INSEE, Paris, sept. 1999.

M. Chauvière, M. Didier, « La faiblesse de l'investissement dans les années récentes s'est accompagnée d'une moindre substitution du capital au travail », *Premières Informations et Premières Synthèses*, DARES, Ministère de l'Emploi et de la Solidarité, n° 08.02, Paris, févr. 1999.

N. Herpin, D. Verger, « Consommation : un lent bouleversement de 1979 à 1997 », *Économie et Statistique*, n° 324-325, Paris, août 1999.

C. Loisy, « L'épargne des ménages de 1984 à 1995, disparités et diversité. L'épargne est plus inégalement répartie que les revenus », *Économie et Statistique*, n° 324, INSEE, Paris, avril 1999.

G. Seroussi, « Les salaires dans les entreprises en 1998 », *INSEE Première*, n° 673, INSEE, Paris, sept. 1999.

P. Villieu, *Macroéconomie, consommation et épargne*, La Découverte, « Repères », Paris, 1997.

P. Villieu, *Macroéconomie : l'investissement*, La Découverte, « Repères », Paris, 2000.

@ Sites Internet

Alternatives économiques : **http://www.alternatives-economiques.fr/**

INSEE (Institut national de la statistique et des études économiques) : **http://www.insee.fr/**

DARES (Direction de l'animation de la recherche, des études et des statistiques – Emploi et solidarité) : **http://www.travail.gouv.fr/**

Ministère des Finances : **http://www.finances.gouv.fr/**

Commissariat général du Plan : **http://www.plan.gouv.fr/**

OFCE (Office français des conjonctures économiques) : **http://www.ofce.sciences-po.fr/**

basculé du côté d'une insuffisance structurelle de demande. En France, cette part a chuté entre 1982 et 1990 ; ensuite, elle a oscillé autour de 55 %-57 %.

La composante commerciale de la contrainte extérieure a disparu. Les configurations des balances des paiements se sont d'ailleurs profondément modifiées en Europe. Alors que dans la seconde moitié des années quatre-vingt l'excédent européen était essentiellement allemand, la situation inverse a caractérisé les années quatre-vingt-dix ; l'Allemagne est devenue déficitaire en 1991 et l'équilibre a tout juste été restauré en 1998-1999. La France est redevenue excédentaire en 1992 après une longue période de déficits. Pendant les premières années du retour de l'excédent – compris entre un demi et un point du PIB – on a souligné sa fragilité : un différentiel de croissance avec les partenaires aurait rapidement mis en cause ce faible excédent. Mais à force d'accumuler, le surplus a atteint 2,8 % du PIB en 1997 et en 1998, et 2,5 % en 1999. Cette situation est inverse de celle de 1982 : la relance à contre-courant, effectuée dans une situation de déficit structurel, avait creusé ce dernier au point de contraindre au revirement de la politique économique ; dans les années quatre-vingt-dix, une croissance économique en deçà du potentiel d'activité a provoqué un effet inverse de gonflement du surplus.

L'économie française et européenne a ainsi été confrontée à un paradoxe dans les années quatre-vingt-dix : les entreprises étaient sans doute prêtes pour un développement rapide des capacités d'offre dont la rentabilité à long terme paraissait satisfaisante et le financement à court terme relativement aisé ; le risque de retour de l'inflation était pratiquement nul ; la contrainte extérieure commerciale avait disparu. Mais les politiques économiques européennes ont été globalement restrictives, bridant la croissance. De 1990 à 1997, celle-ci n'a atteint que 1,4 % en France et 1,7 % en Europe (UE15).

La régulation conjoncturelle

Les politiques économiques en Europe ont été dans les années quatre-vingt-dix restrictives, en vue de l'ajustement vers l'euro.

Sur le *plan monétaire*, les évolutions ont été déterminées par la politique du change. Les pays qui, comme l'Allemagne et la France, ont maintenu une stratégie de monnaie forte, ont souffert de l'appréciation du change relativement aux États-Unis et au reste de l'Europe. Les pays qui ont ancré leur monnaie sur le mark ont été en outre contraints à des taux d'intérêt élevés. L'Allemagne avait en effet fortement relevé ses taux d'intérêt pour combattre l'inflation après la réunification de 1990. La France, pour défendre la parité du franc vis-à-vis du mark dans le SME (Système monétaire européen), a suivi la hausse des taux. Les pays qui ont été contraint à une dépréciation de leur monnaie en 1992 lors de la crise du SME (notamment Royaume-Uni, Italie, Espagne) ont un peu moins souffert dans un premier temps, mais ont finalement été entraînés par le repli des autres. Globalement, les taux d'intérêt réels élevés ont exercé une contrainte redoutable. À compter de la fin 1995, le niveau des taux d'intérêt a partout fléchi en tendance, avec de brusques à-coups dans certains pays. Puis la baisse s'est interrompue. La perspective de la constitution de la Zone euro a conduit les banques centrales à la prudence.

Sur le *plan budgétaire*, la politique de rigueur s'est intensifiée à compter de 1995 dans tous les pays, car la récession de 1993 avait partout creusé les déficits publics (déficit des budgets et des comptes sociaux) et éloigné du respect des critères de convergence du traité de Maastricht. Ainsi, ces critères de convergence (en matière de déficit et de dette publics) sont venus contraindre les politiques des États. Pour rassurer les pays à monnaie forte et les banques centrales, ils ont privilégié la bonne gestion (déficit, dette, inflation), plutôt que la croissance (PIB, emploi...). Ces politiques budgétaires se sont révélées d'autant plus restrictives que leurs effets se cumulaient. Les politiques simultanées de restriction dans tous les pays d'Europe ont en effet prolongé le ralentissement, l'effet multiplicateur étant important. Chaque pays comprimant ses dépenses publiques et/ou accroissant ses prélèvements obligatoires, la croissance européenne a collectivement pâti de la simultanéité de ces ajustements, d'où le contraste avec la progression soutenue de l'économie mondiale. Ces restrictions de la politique budgétaire ont contrebalancé la détente monétaire.

Le nouveau contexte

L'Union monétaire a été décidée le 2 mai 1998, onze pays constituant la Zone euro mise en place le 1er janvier 1999. En union monétaire, les Onze allaient continuer à être soumis à des choix déterminants de politique économique. La *politique monétaire* est dirigée par la Banque centrale européenne (BCE), indépendante des pouvoirs politiques. Sa mission principale est de défendre la stabilité des prix et elle dispose de l'instrument des taux d'intérêt pour cela [*voir article p. 384*]. Les *politiques budgétaires* sont nationales, mais sont encadrées par le pacte de stabilité et de croissance, élaboré au Conseil européen de Dublin en décembre 1996 et finalisé au Conseil d'Amsterdam de juin 1997.

En France, les pouvoirs publics ont mené, à compter de 1998, une politique budgétaire voisine de la neutralité, affectant les surcroîts de recettes en partie à la réduction des déficits et en partie à la baisse des impôts et à la dépense ; le déficit public prévu par la loi de finances de l'automne 1999 devrait être réduit à 1,8 % du PIB en 2000 après 2,2 % en 1999, 2,7 % en 1998 et 3 % en 1997. Le déficit budgétaire (hors Sécurité sociale et collectivités locales) devait être de 2,4 % du PIB, au lieu de 3,5 % en 1997 ; le déficit primaire (solde des recettes et dépenses courantes, hors charge de la dette) a été annulé en 1999 et un excédent devrait apparaître en 2000, pour la première fois depuis 1990. À l'horizon 2003, le déficit serait réduit à 0,3 % ou 0,5 % du PIB, selon l'hypothèse de croissance [*voir articles p. 389 et 404*].

Il est apparu, grâce à la croissance, que les recettes fiscales de 1999 ont été bien plus importantes que prévu lors de l'élaboration du budget. Selon les évaluations du printemps 2000, le déficit public n'a finalement atteint que 1,8 % du PIB (au lieu de 2,2 %). En 2000 aussi, les recettes devaient être plus élevées que prévu ; mais, à l'inverse de 1999, elles ne seraient pas en totalité affectées à la baisse du déficit ; le collectif budgétaire du printemps 2000 (c'est-à-dire une loi de finances rectificative) les aura utilisées en grande partie pour baisser les impôts et, pour une part plus faible, pour augmenter les dépenses. À terme, l'équilibre budgétaire, voire le surplus, a semblé à portée de main, comme aux États-Unis, et avec lui la réduction de la dette publique. Au début de 2000, tous les ingrédients étaient ainsi réunis pour susciter l'optimisme : croissance de l'activité en accélération, créations d'emplois nombreuses, goulots de production, tensions sur les capacités de production, celles-ci se révélant nettement insuffisantes face à une demande intérieure en croissance régulière et une demande étrangère en reprise rapide car dopée par la croissance du commerce mondial et la baisse de l'euro face au dollar [*voir figure 2, p. 385*]. Certains ont à nouveau évoqué des contraintes d'offre...

Comme toujours dans les périodes d'euphorie, on aura eu tendance à oublier les déséquilibres structurels, en premier lieu celui du marché du travail, censé pour certains se résorber de lui-même, et on suppose que la croissance est durable puisqu'elle existe. Encore faut-il s'interroger sur les conditions de sa pérennité et sur son effet sur l'emploi [*voir article p. 50*]. ■

Fig. 3

L'inflation (en % glissement sur 12 mois)

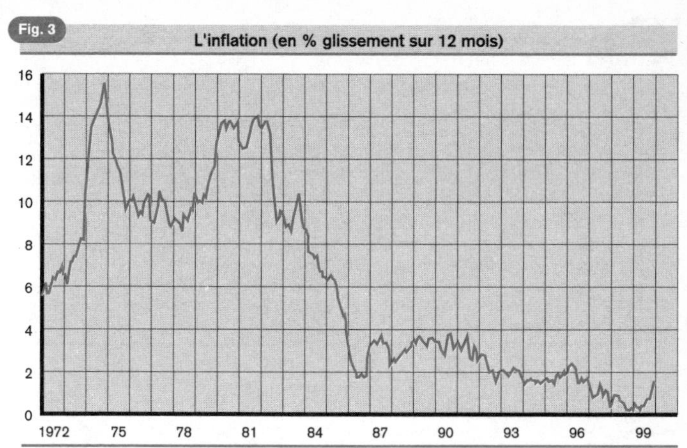

Source : INSEE.

Fig. 4

Prix à la consommation
Comparaison internationale (glissement sur 12 mois)

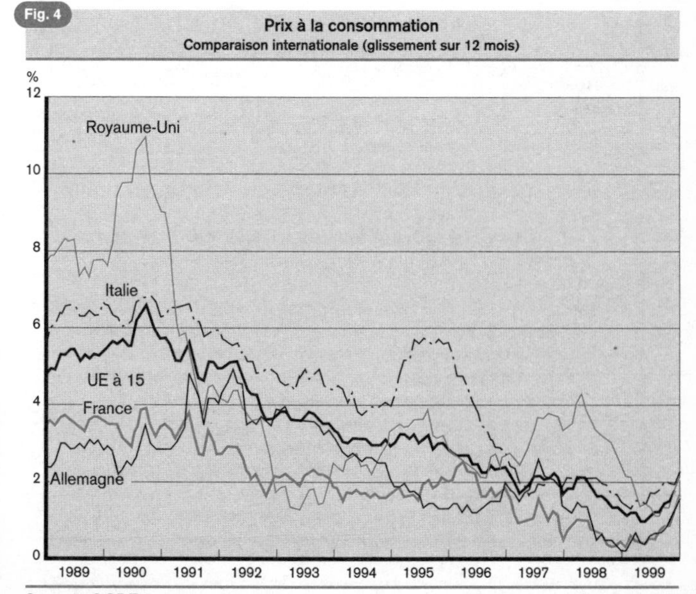

Source : OCDE.

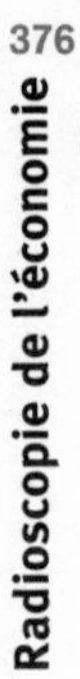

Fig. 5 **Revenu des ménages en francs constants (1985 = 100)**

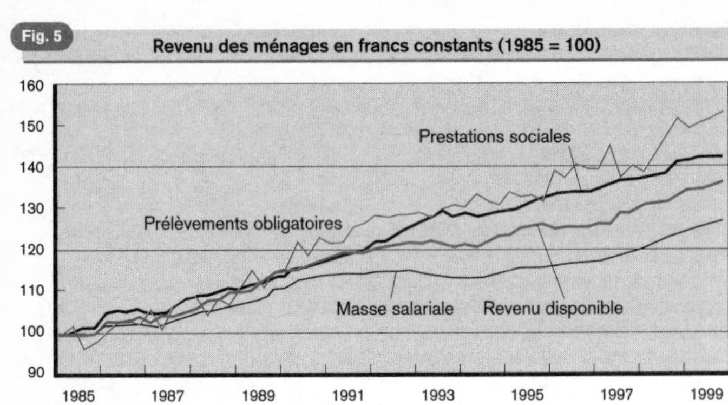

Source : INSEE, comptes nationaux.

Fig. 6 **Revenu et consommation des ménages en francs constants (1985 = 100)**

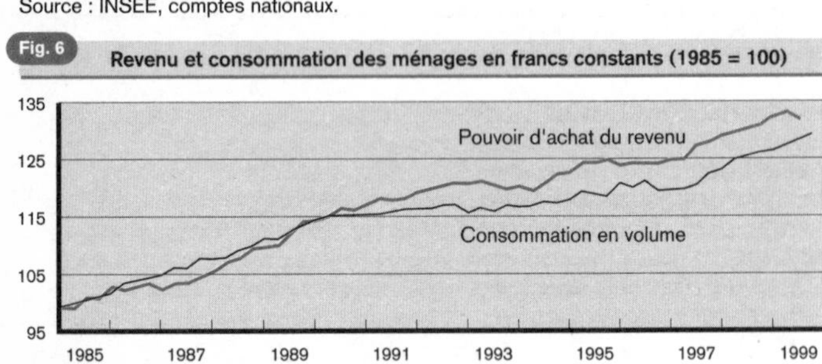

Source : INSEE.

Fig. 7 **Taux d'épargne des ménages (en % du revenu)**

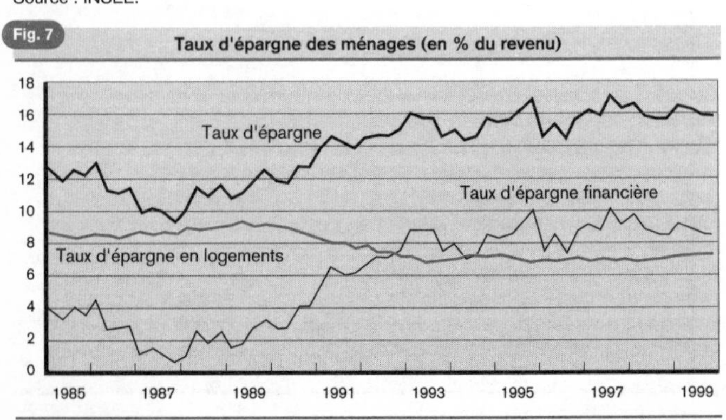

Source : INSEE.

Fig. 8
Investissement des entreprises (en volume, 1985 = 100)

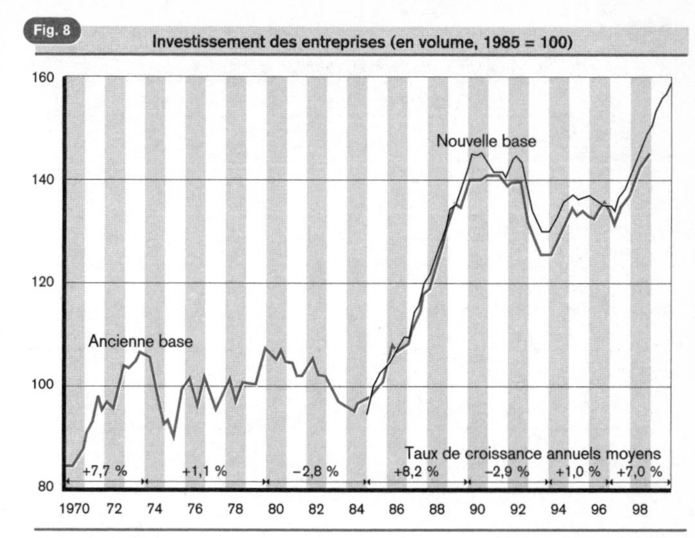

Source : INSEE

Fig. 9
Taux d'utilisation des capacités dans l'industrie manufacturière
(en %)

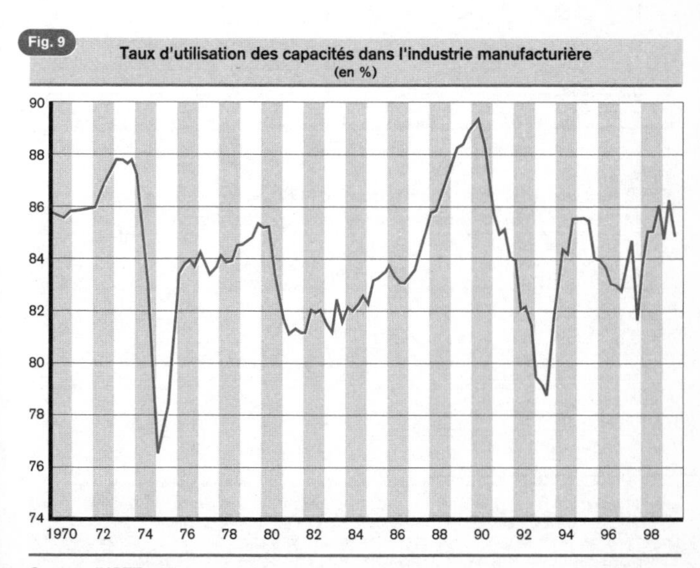

Source : INSEE..

Tab. 1

Inflation par produits en France (taux de croissance en glissement annuel, en %)

	1990/1995	1996	1997	1998	1999
Ensemble des prix	2,1	1,7	1,1	0,3	1,3
Prix hors énergie	2,3	1,2	1,3	0,9	0,6
Inflation sous-jacente[a]	2,1	1,1	1,2	0,8	0,7
Alimentation	1,0	1,3	2,5	0,5	1,1
Produits manufacturés privés	1,4	0,5	0,1	0,0	– 0,4
Services privés	3,1	1,9	1,8	2,0	0,9

a. Prix hors énergie et hors tabac.
Sources : INSEE.

Tab. 2

Taux d'inflation (comparaison annuelle, en glissement annuel)

Pays	1970-80	1980-85	1985-90	1990-95	1998	1999
France	**9,6**	**9,6**	**3,1**	**2,2**	**0,2**	**1,3**
Allemagne	5,1	3,9	1,4	3,1	0,4	1,2
Royaume-Uni	13,7	7,2	5,9	3,0	2,7	1,8
Italie	14,0	14,0	5,7	4,9	1,7	2,1
CE/UE	**7,9**	**9,0**	**4,3**	**3,5**	**1,3**	**1,6**
États-Unis	7,8	5,5	4,0	3,0	1,6	2,7
Japon	9,0	2,8	1,4	1,1	0,8	– 1,4
OCDE	**8,4**	**6,3**	**3,5**	**2,6**	**1,7**	**1,7**

Source : OCDE.

Tab. 3

Composantes du revenu disponible brut (RDB) en francs constants (taux de croissance en moyenne annuelle, en %)

	Poids dans le total en 1997	1987-1995	1997	1998	1999
Salaires nets[a] dont :	50	1,0	2,5	8,2	2,8
Salaires bruts[a]	58	1,4	1,1	3,2	2,9
Cotisations[a]	– 8	3,3	– 4,2	– 21,1	3,8
Excédent d'exploitation	25	2,1	0,8	3,1	2,7
Prestations sociales	32	2,5	1,4	2,1	2,6
Impôts directs[a]	– 14	2,6	6,6	32,8	5,2
Total des prélèvements directs[b]	– 22	2,8	0,7	3,6	4,7
Pouvoir d'achat du RDB	100	2,1	1,7	3,0	2,7

a. Au 1er janvier 1997 (resp. 1998), une baisse de 1,3 point (resp. 4,75 points) du taux de cotisation maladie des salariés a été compensée par une hausse de 1 point (4,1 points) du taux de CSG (Contribution sociale généralisée) déductible ; b. Impôt sur le revenu, impôt sur la fortune, CSG, CRDS (Contribution au remboursement de la dette sociale), cotisations sociales des salariés et non-salariés.
Source : INSEE.

Tab. 4

Taux d'intérêt nominaux[a] (%)

Pays	Fin 1973	Fin 1979	Fin 1987	Fin 1992	Fin 1997	Fin 1998	Fin 1999
États-Unis	9,9	13,8	6,8	2,9	5,5	4,7	5,3
Japon	10,5	8,1	3,8	3,9	0,4	0,2	0
France	**11,5**	**12,2**	**8,0**	**10,1**	**3,4**	**3,1**	**3,1**
Allemagne	11,9	9,0	3,2	8,9	3,4	3,1	3,1
Royaume-Uni	13,0	15,5	8,4	6,8	7,2	6,5	4,9
Italie	10,0	16,5	11,6	13,6	6,1	3,4	3,5

a. Taux à court terme.
Source : OCDE.

Tab. 5

Taux d'intérêt réels[a] (%)

Pays	Fin 1973	Fin 1979	Fin 1987	Fin 1992	Fin 1997	Fin 1998	Fin 1999
États-Unis	1,1	0,5	2,3	0	3,7	3,1	2,6
Japon	– 7,8	2,3	3,0	2,2	– 0,3	– 0,3	– 1,1
France	**3,3**	**0,4**	**4,8**	**8,0**	**1,5**	**2,8**	**1,9**
Allemagne	4,1	3,6	2,2	5,0	1,6	2,9	1,9
Royaume-Uni	3,4	– 1,9	4,8	4,1	3,3	3,7	3,1
Italie	– 3,1	– 2,4	6,4	8,7	4,5	1,7	1,1

a. Taux d'intérêt nominaux à court terme corrigés de l'inflation.
Source : OCDE.

Tab. 6

L'investissement des sociétés non financières et son financement

Indicateurs	1970	1975	1980	1985	1990	1995[d]		1999
Taux d'épargne[a] (%)	16,7	12,5	12,0	12,8	16,8	(18,8)	16,9	16,2
Taux d'investissement[b] (%)	22,1	19,4	19,4	16,9	18,9	(16,3)	18,2	20,5
Taux d'autofinancement[c] (%)	75,5	64,5	61,7	75,7	89,4	(114,9)	93,0	80,0

a. Taux d'épargne : part des profits non distribués (après impôts) dans la valeur ajoutée ; b. Taux d'investissement : part des investissements dans la valeur ajoutée ; c. Taux d'autofinancement : épargne rapportée à l'investissement ; d. La série est rompue à partir de 1995. La première colonne (entre parenthèses) indique la prolongation des chiffres selon l'ancienne base (80) de la Comptabilité nationale, la seconde dans la nouvelle base (95). Le taux d'autofinancement apparaît fortement révisé à la baisse.
Source : INSEE.

L'histoire conflictuelle de la répartition du revenu national

Françoise Milewski
Économiste, OFCE

Le partage de la richesse nationale s'est profondément modifié depuis 1970. La valeur ajoutée des entreprises se partage en rémunérations des salariés (somme des salaires et des charges sociales), impôts sur la production (qui reviennent à l'État) et excédent brut d'exploitation (profits primaires des entreprises). De 1973 à 1982, la part des salaires dans la valeur ajoutée s'est accrue : elle est passée de 63 % à 69 % [*figure 1*]. Les salaires étaient à l'époque protégés de la hausse des prix par une indexation directe ou indirecte, et la puissance revendicative des syndicats était suffisante pour assurer une progression régulière des revenus malgré le ralentissement de la croissance économique intervenu à partir du milieu des années soixante-dix. L'arrivée de la gauche au pouvoir en mai 1981 a renforcé ce phénomène pendant un an puisqu'elle a accordé une forte augmentation du salaire minimum, qui s'est répercutée sur l'ensemble des bas salaires. La part des profits des entreprises a été sensiblement comprimée durant cette décennie. Cette

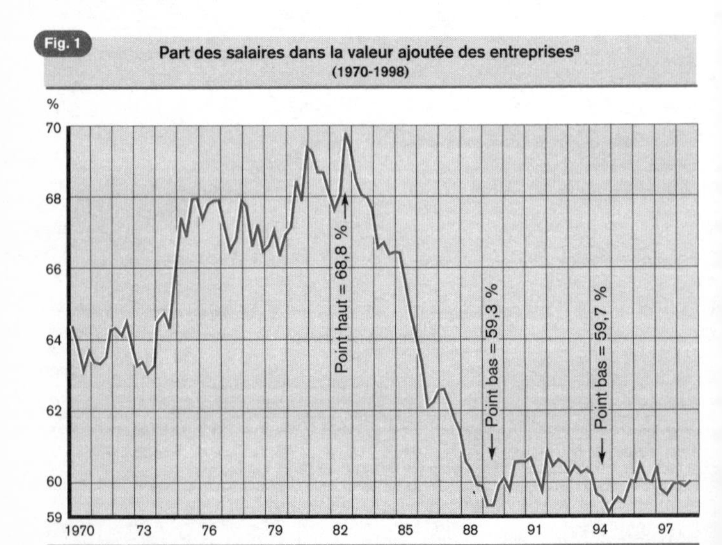

a. Les chiffres du graphique indiquent la moyenne de l'année.
Source : INSEE.

La part des salaires dans le PIB
Comparaison internationale

La part des salaires dans la richesse nationale française est proche de celle des principaux partenaires du pays.

Dans la plupart des pays, la part des salaires dans le PIB s'est accrue jusque vers 1978-1979. Puis les politiques économiques menées après le second choc pétrolier (1979-1980) se sont fixé comme priorité de ralentir l'inflation, à l'inverse de celles menées après le premier choc pétrolier (1973-1974) où la préservation de la croissance économique avait été jugée prioritaire. La pression sur les salaires (désindexation, austérité) en a été le moyen privilégié, et leur part dans les PIB s'est réduite. En France, c'est à partir de 1983 qu'une politique d'austérité a été menée, mais elle a été plus ample et plus durable qu'ailleurs.

En Europe, la part des salaires dans le PIB est devenue équivalente à celle des États-Unis en fin de période, alors qu'elle lui était durablement supérieure depuis 1960. Cela est dû au fait qu'aux États-Unis la part des salaires a été relativement stable au cours du temps [*tableau 3*].

À l'inverse, en Europe, on note une hausse jusqu'à la fin des années soixante-dix, puis un déclin prononcé. La France et l'Allemagne apparaissent tout particulièrement comme les moteurs de cette baisse ; une stabilisation est cependant intervenue en fin de période (1998-1999). En revanche, en Italie, où la part des salaires dans la valeur ajoutée avait moins baissé qu'ailleurs en Europe dans la décennie quatre-vingt, le recul s'est accéléré dans les années quatre-vingt-dix. Le Royaume-Uni s'est rapproché de la stabilité américaine, en longue période. - **F. M.** ■

érosion des profits a entraîné un repli des dépenses d'investissement.

À partir de 1983, le partage de la valeur ajoutée s'est infléchi en faveur des profits et au détriment des salaires. Le gouvernement s'était alors fixé pour objectif de stopper la dégradation du commerce extérieur (et, pour cela, de brider la consommation des ménages), de ralentir la hausse des prix (qui s'était accélérée) et de redresser l'investissement. Les salaires ont été désindexés des prix, de manière à en ralentir la progression, et les hausses de cotisations nécessaires à équilibrer le budget de la Sécurité sociale ont été essentiellement supportées par les ménages, et non plus par les entreprises. Ce fut la politique dite « de rigueur », initiée par Jacques Delors, alors ministre de l'Économie et des Finances. La part des salaires dans la valeur ajoutée a fléchi jusqu'en 1989, et la part des profits s'est élevée au point de dépasser le niveau du début des années soixante-dix. On peut donc considérer que le poids des chocs pétroliers (1973-1974 et 1979-1980) sur les entreprises a été effacé, au moins pour les profits courants si ce n'est pour le stock de dettes accumulées.

À compter de 1989, la part des salaires dans la valeur ajoutée a oscillé autour de 60 % [*voir figure 1*]. Des phases de faibles hausses puis de reculs se sont succédé. Un débat sur le partage de la valeur ajoutée s'est donc instauré, en particulier dans les périodes de reprise de la croissance, comme en 1988-1989, dans une certaine mesure en 1994-1995 et surtout depuis 1999, où la question de la répartition des fruits de la croissance a naturellement été posée.

Des revenus primaires aux revenus disponibles

La répartition finale du revenu des agents diffère sensiblement de leurs revenus primaires, du fait de la redistribution [*tableau 1*].

Références

P. Artus, D. Cohen, « Le partage de la valeur ajoutée », *Rapport du Conseil d'analyse économique*, n° 2, La Documentation française, Paris, 1998.

Rapport sur les comptes de la nation de 1997 (dossier sur le partage de la valeur ajoutée), INSEE, Le Livre de poche, « Références », Paris, 1998.

Tab. 1

Part du revenu des agents dans le PIB [1]

Indicateurs	Unité	1970	1980	1990	1997
Revenus primaires					
Ménages	%	74,6	76,9	73,4	74,5
Administrations publiques	%	13,9	13,7	13,1	11,9
Entreprises[a]	%	10,3	7,8	11,2	11,9
Revenus disponibles					
Ménages	%	70,9	71,1	68,5	69,8
Administrations publiques	%	19,8	21,9	20,6	18,4
Entreprises[a]	%	8,2	6,2	9,2	9,8

a. Hors entreprises individuelles.
Source : INSEE.

Tab. 2

Évolution des éléments de revenu des ménages [1] (taux de croissance annuel, en %)[a]

Indicateurs[b]		1970-80	1980-90	1990-97
Revenus primaires	(106,7)	3,8	1,9	1,5
dont				
Salaires et traitements bruts	(74,4)	4,5	1,4	1,2
Excédent d'exploitation	(25,3)	1,1	2,2	0,8
Revenus nets de la propriété	(7,0)	4,4	4,2	9,4
Transferts	(– 6,7)	8,1	0,7	0,5
dont				
Impôts	(11,3)	6,1	2,6	5,1
Prestations sociales reçues	(36,0)	6,0	3,5	2,5
Cotisations versées par les salariés	(32,5)	10,0	5,1	1,3
Revenu disponible brut	(100)	3,5	2,0	1,6
dont				
Salaires nets[c]	(41,9)	3,9	0,8	1,2
Salaires nets par salarié		2,7	0,4	0,9

a. En francs constants ; b. Les chiffres entre parenthèses indiquent la part de chaque poste, en %, dans le total du revenu disponible brut en 1997 ; c. Salaires bruts – cotisations sociales des salariés.
Source : INSEE.

1) Le changement de base intervenu dans la Comptabilité nationale (passage de la base 80 à la base 95) ne permet pas de mettre à jour les tableaux 1 et 2 dans toutes leurs composantes, ni de reconstruire des séries longues cohérentes avec les nouvelles conceptions des comptes nationaux. Ces tableaux en ancienne base donnent un aperçu de longue période.

Tab. 3

Part des salaires dans le PIB[a]
(%)

Pays	1961-70	1971-80	1981-90	1990	1999
États-Unis	69,9	70,4	69,3	69,0	68,8
Japon	73,5	78,0	75,1	72,0	71,4
UE à 15	74,2	75,3	72,8	70,9	68,1
France	72,6	73,8	72,5	68,4	66,3
Allemagne	71,6	73,7	70,9	67,7	65,1
Royaume-Uni	70,7	71,3	70,6	72,9	72,4
Italie	72,9	74,1	72,3	72,2	65,2

a. Part des salaires corrigée des taux de salarisation : cette correction vise à rendre comparables les niveaux et les évolutions selon les pays, alors que les structures sociales (en particulier le poids des indépendants dans l'emploi total) diffèrent.
Source : Eurostat.

♦ Le revenu primaire des *ménages* a atteint 74,5 % du PIB en 1997. Il est composé de salaires publics et privés et de revenus de propriété, qu'il s'agisse des revenus des entrepreneurs individuels – agriculteurs, commerçants, etc. –, des loyers reçus par les propriétaires de logements ou des revenus nets des placements financiers. La redistribution réduit le revenu des ménages à hauteur de 4,7 points du PIB : les impôts payés sur le revenu et le patrimoine et les cotisations sociales dépassent en effet le montant des prestations sociales et des autres transferts reçus. Le revenu disponible qui subsiste (69,8 % du PIB en 1997) est pour l'essentiel utilisé pour la consommation, le reste étant épargné. Son poids dans le PIB s'est nettement réduit depuis 1982, à cause de la réorientation du partage de la valeur ajoutée. Cela ne signifie pas que le revenu des ménages a baissé, mais qu'il a augmenté moins vite que le PIB. En francs constants, le revenu disponible s'est accru de 3,5 % par an entre 1970 et 1980, de 2 % seulement entre 1980 et 1990 et de 1,7 % entre 1990 et 1997 [*tableau 2*].

Dans les années quatre-vingt, la croissance annuelle moyenne des salaires s'est nettement ralentie alors que celle du revenu des propriétaires s'est accélérée. Surtout la détention d'actifs financiers est devenue de plus en plus rémunératrice. La progression des salaires nets, proche de 4 % l'an entre 1970 et 1980, est devenue inférieure à 1 % l'an ensuite. Par salarié, elle ne s'est accrue que de 0,4 % l'an entre 1980 et 1990, puis de 0,9 % entre 1990 et 1997.

♦ Le revenu primaire des *entreprises* s'est élevé à 11,9 % du PIB en 1997. Leur excédent d'exploitation est grevé par le solde des intérêts et dividendes versés et reçus. Une fois les impôts directs payés, le revenu disponible s'élève à 9,8 % du PIB. C'est ce revenu qu'on appelle « épargne », mais il s'agit de profits qui restent dans l'entreprise après distribution de dividendes et intérêts aux détenteurs de capitaux. Il finance la constitution de stocks et l'investissement ; l'épargne étant généralement inférieure à ces dépenses, les entreprises dégagent un besoin de financement et donc empruntent. Cela n'a plus été le cas à compter de 1993, les entreprises dégageant une capacité de financement.

♦ Le revenu primaire des *administrations* est essentiellement composé des impôts sur la production et l'importation (11,9 % du PIB en 1997). La redistribution leur est favorable : les impôts directs et les cotisations sociales payés par les ménages et les entreprises excèdent les prestations sociales que versent les administrations et les autres transferts, si bien que leur revenu disponible atteint finalement 18,4 % du PIB. Avec ce revenu, elles investissent, consomment et paient des salaires. Elles dégagent finalement un besoin de financement qui s'est fortement accru en 1993 et 1994, mais qui a été réduit ensuite du fait de la politique de limitation des déficits publics ; celle-ci, destinée dans un premier temps à satisfaire les critères de l'entrée dans l'Union monétaire européenne définis par le traité de Maastricht, se prolonge à partir de 1999 du fait des objectifs budgétaires du Pacte de stabilité.

Les évolutions des revenus disponibles, après redistribution, déterminent les comportements de dépenses des agents économiques – ménages et entreprises décrits dans cet ouvrage. ■

Politique économique

Le spectre de l'inflation, hantise des banquiers centraux

Jacques Le Cacheux
Université de Pau et des Pays de l'Adour, OFCE

Quel changement dans la conjoncture européenne ! Au moment du lancement de l'euro, en janvier 1999, elle subissait avec un peu de retard les contrecoups des crises asiatique et russe et traversait un « trou d'air », une activité atone en Allemagne et en Italie, et un accès de faiblesse dans la croissance française. L'inflation apparaissait alors comme une vieille lune, dont l'invocation rituelle par les banquiers centraux faisait sourire. Et l'euro démarrait en fanfare sur les marchés des changes, bien au-dessus de la parité par rapport au dollar (1,17 dollar par euro). La priorité semblait être alors le soutien à la croissance, que les ministres de l'Économie allemand et français appelaient régulièrement de leurs vœux. Un an plus tard, la croissance était vive dans la Zone euro, singulièrement en France dont l'activité augmentait à un rythme rarement atteint au cours des deux dernières décennies, tandis que le chômage refluait lentement mais régulièrement depuis l'automne 1997 [*voir article p. 435*] ; le taux d'inflation observé dans plusieurs pays de la zone flirtait dangereusement avec la limite des 2 % que s'est donnée la Banque centrale européenne (BCE), et la faiblesse sur les marchés des changes de l'euro, passé durablement au-dessous de la parité au dollar à compter de décembre 1999, finissait par alarmer les plus flegmatiques des ministres européens.

À la veille de l'unification monétaire, les analystes s'inquiétaient des probables difficultés et insuffisances de la coordination des politiques budgétaires nationales, bridées, dans le soutien de la croissance, par le Pacte de stabilité qui limite leurs marges de manœuvre, et par la faiblesse des institutions de concertation – le Conseil euro 11, enfanté dans la douleur et les doutes. On craignait des budgets difficiles à boucler, exagérément restrictifs. Au début de 2000, on ne discute plus que « cagnotte » en France et réduction d'impôts en Allemagne. Avec le retour de la croissance, les grandes controverses sur les orientations des politiques macroéconomiques n'ont plus semblé de saison en Europe.

Fig. 1 Taux de change Franc/Dollar

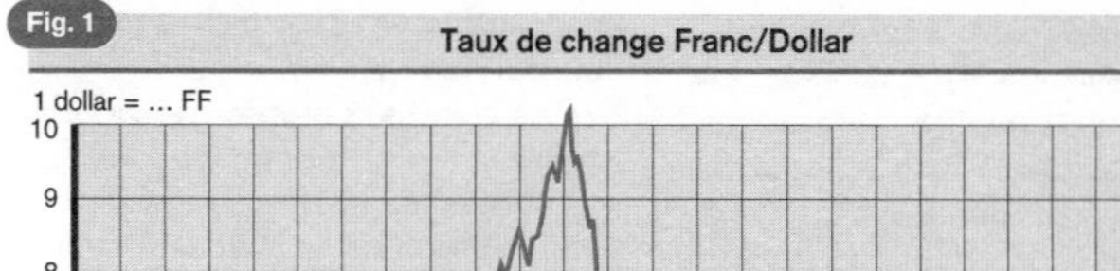

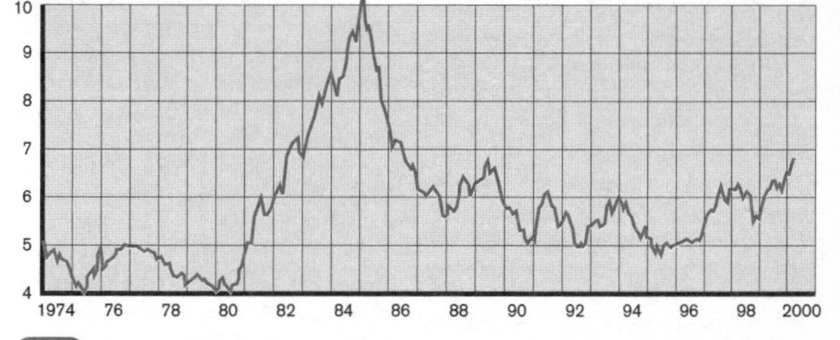

Fig. 2 Taux de change Euro/Dollar

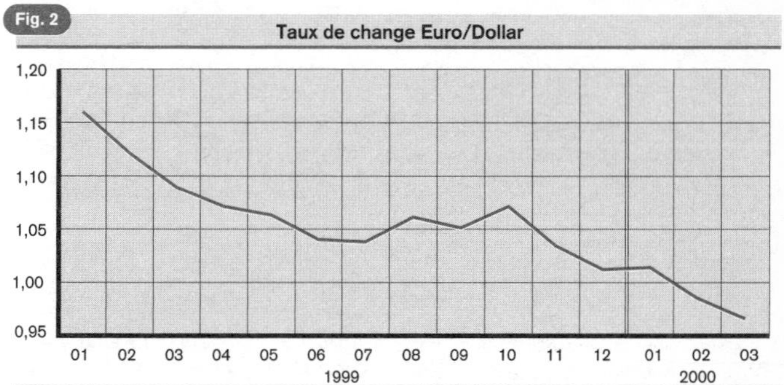

Source : Banque de France.

Fig. 3 Taux d'intérêt à court terme

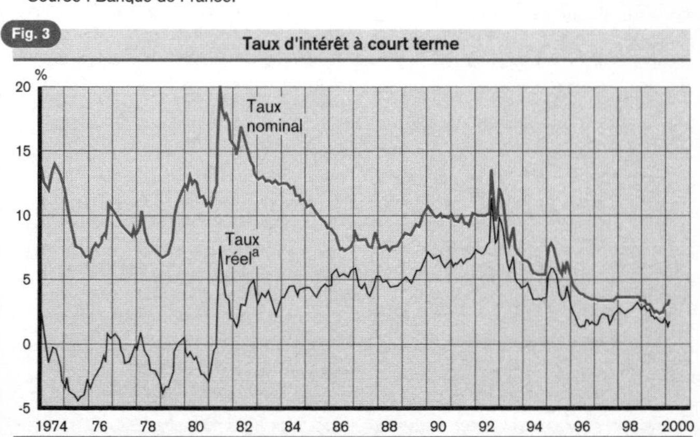

a. Le taux réel est égal au taux nominal corrigé de l'inflation.

La Banque centrale européenne face à la diversité des conjonctures

Désormais européenne et commune aux onze pays (Allemagne, Autriche, Belgique, Espagne, Finlande, France, Irlande, Italie, Luxembourg, Pays-Bas, Portugal) qui forment, depuis le 4 janvier 1999, l'Union monétaire européenne, la politique monétaire est menée par la BCE, dont le Conseil se réunit deux fois par mois – les premier et troisième jeudis – à Francfort pour examiner la situation économique et monétaire dans la Zone euro et décider d'éventuelles inflexions dans l'orientation de la politique monétaire. Au sortir de telles réunions, le président Wim Duisenberg annonce les décisions prises en matière de taux d'intérêt, les justifie en faisant référence aux perspectives et indique, par ses commentaires, l'état d'esprit du Conseil, de manière à influencer les anticipations des intervenants sur les marchés financiers. Les débats au sein du Conseil ne sont toutefois pas rendus publics, et toutes les décisions sont, officiellement, prises « par consensus ».

La première année de fonctionnement de l'Union monétaire européenne a révélé une réalité qui a surpris la plupart des observateurs et n'a guère facilité la gestion de la politique monétaire : l'hétérogénéité des situations conjoncturelles nationales, d'autant plus inattendue que la décennie de préparation au lancement de l'euro avait été marquée par un processus de convergence nominale volontariste, dans le cadre des critères édictés par le traité de Maastricht (1992), qui s'était également traduit par une atonie quasi générale de l'activité et une montée du chômage un peu partout en Europe : comparée un temps à une zone asiatique au développement vertigineux – il est vrai brutalement interrompu par la crise financière ouverte en 1997 –, puis à une économie américaine à l'insolent dynamisme, le continent faisait pâle figure. Croissance « molle », chômage de masse et faible inflation, voire risques de déflation, tel était alors, apparemment, le lot commun de tous les pays de l'Union.

Cette convergence forcée, douloureuse, résultait, en réalité, davantage de politiques volontaristes, plus restrictives dans certains pays que dans d'autres, que de caractères durablement acquis ; sitôt régis par une politique monétaire uniforme, bien plus expansionniste dans la plupart des pays que celle qu'ils subissaient depuis plusieurs années, leur diversité s'est à nouveau révélée.

Comment, dès lors, conduire une politique monétaire uniforme ? Sur quoi fonder les décisions ? Si le traité de Maastricht et les statuts de la BCE sont dépourvus d'ambiguïté sur les objectifs et les instances de décision, ils n'indiquent pas la règle pour parvenir au fameux « consensus » : est-ce la majorité simple du Conseil, chaque gouverneur et chaque membre du directoire comptant pour une voix ? Si tel est le cas, comme le laisseraient supposer les nombreuses déclarations faites en faveur de l'Union monétaire au nom d'une souveraineté monétaire partagée, on peut imaginer que chaque gouverneur vote en fonction de la situation monétaire prévalant et prévue dans son propre pays. Il est alors parfaitement possible qu'une majorité se prononce en faveur d'une inflexion de la politique monétaire qui ne serait appropriée ni pour les plus grands pays ni, par conséquent, pour la moyenne de la Zone euro. Faut-il rappeler qu'à elle seule l'Allemagne représente environ 33 % du PIB de l'Union monétaire ? Qu'avec la France on atteint 55 %, avec l'Italie 72 % ?

Après le lancement de l'euro, la politique monétaire a été infléchie à quatre reprises : en avril 1999, le principal taux d'intérêt directeur de la BCE a été abaissé de 3 % à 2,5 % ; en novembre, il a été relevé une première fois, à 3 %, puis une deuxième fois, en février 2000, à 3,25 % et une troisième fois à 3,0 % en mars 2000. Du fait de la situation conjoncturelle déprimée qui prévalait presque partout au premier trimestre 1999, la première décision n'a guère été surprenante ; elle était

Tab. 1

Parité de l'euro par rapport aux onze monnaies[a]

Allemagne	1,95583	DEM	mark allemand
Autriche	13,7603	ATS	shilling autrichien
Belgique	40,3399	BEF	franc belge
Espagne	166,386	ESP	peseta espagnole
Finlande	5,94573	FIN	mark finlandais
France	6,55957	FRF	franc français
Irlande	0,787564	IEP	livre irlandaise
Italie	1 936,27	ITL	lire italienne
Luxembourg	40,3399	LUF	franc luxembourgeois
Pays-Bas	2,20371	NLG	florin néerlandais
Portugal	200,482	PTE	escudo portugais

a. Les taux de conversion entre l'euro et les monnaies des États membres ont été irrévocablement fixés.

souhaitée par la plupart des gouvernements nationaux et aurait sans doute pu être prise plus tôt. La deuxième et la troisième ont été justifiées principalement par des signes d'accélération de l'inflation, initialement surtout sensibles dans les petits pays et les économies du Sud, tandis que les prix à la consommation en Allemagne et en France restaient en deçà des 2 % de hausse annuelle et que la reprise de l'activité semblait encore trop peu engagée dans ces pays. Certes, une majorité de petits pays était au bord de la surchauffe et l'inflation s'y accélérait plus qu'ailleurs ; mais il eût sans doute été préférable de ne pas resserrer trop tôt la politique monétaire et de laisser aux gouvernements de ces petits pays le soin de mener des politiques budgétaires plus restrictives, ce que beaucoup ont d'ailleurs fait.

Une politique de change ?

Quelle est la réalité de cette menace du grand retour de l'inflation en Europe ? Sans doute la reprise amorcée sur le continent se traduira-t-elle un jour par des phénomènes de « surchauffe », engendrant en définitive des tensions sur les prix et les salaires ; mais ce point est encore bien loin dans la plupart des pays dont le taux de chômage reste très élevé. Le « regain d'inflation » enregistré en 1999 n'a été qu'une hausse ponctuelle du niveau général des prix à la consommation dont les causes sont clairement identifiées, et d'origine uniquement externe : en premier lieu, un quasi-triplement du prix du pétrole, dont le niveau était excessivement bas à la fin de 1998, et que la conjonction d'une forte demande mondiale, résultant de la croissance soutenue des principales zones, et d'une entente retrouvée entre les plus gros exportateurs mondiaux a permis, grâce à une restriction volontariste des quantités produites, de propulser à des niveaux qui n'avaient été observés que de manière passagère au moment de la crise du Golfe (1990-1991) ; et, en second lieu, un taux de change de l'euro par rapport au dollar qui a perdu plus de 20 % en un peu plus d'un an, renchérissant ainsi les importations de la Zone euro. Inflation uniquement importée, donc, que l'on ne saurait comparer à celle qui suivit les deux « chocs pétroliers », en 1974 et en 1979-1980. À cette époque en effet, les mécanismes de propagation des hausses de prix importées étaient puissants, notamment du fait de l'indexation automatique des salaires sur les prix à la consommation ; ils ne le sont plus guère aujourd'hui, et le niveau élevé du chômage agit en modérateur des revendications.

Pourtant, le taux moyen d'inflation constaté dans la Zone euro sur douze mois risque fort, du fait de cette hausse des prix des importations, de dépasser temporairement les fatidiques 2 %, justifiant ainsi les durcissements successifs de la politique

Références

Banque centrale européenne (BCE), *Bulletin mensuel.*

Commissariat général du Plan, *Le Gouvernement économique de la Zone euro, rapport du groupe de réflexion présidé par R. Boyer*, La Documentation française, Paris, 1999.

Y. Échinard (sous la dir. de), *La Zone euro et les enjeux de la politique budgétaire*, Presses universitaires de Grenoble, coll. « Débats », Grenoble, 1999.

J.-P. Fitoussi (sous la dir. de), *Rapport sur l'état de l'Union européenne*, Fayard/Presses de Sciences-Po, Paris, 1999.

J. Le Cacheux, « L'union monétaire, étape vers l'Europe fédérale ? », *in* A.-M. Le Gloannec (sous la dir. de), *Entre Union et nations, l'Europe et l'État*, Presses de Sciences-Po, Paris, 1998.

J. Le Cacheux, « La diffusion internationale de l'euro », *Revue de l'OFCE*, n° XXX, Paris, avril 1998.

« La monnaie unique », *Cahiers français*, n° 282, La Documentation française, Paris, 1997.

monétaire. Faudrait-il dès lors agir, directement ou indirectement, sur le taux de change de l'euro ? On sait que le traité de Maastricht confie la responsabilité du régime de change de l'euro au Conseil européen, c'est-à-dire en pratique « euro 11 », tandis que la BCE, compétente en matière de politique monétaire interne et indépendante des gouvernements, met en œuvre les orientations décidées par le Conseil en matière de relations externes.

Le faible degré d'ouverture commerciale de la Zone euro sur le reste du monde ne plaide pas pour une politique de stabilisation du taux de change, dont l'importance pour la situation économique et monétaire interne est limitée : la faible incidence de la dépréciation constatée sur l'inflation interne le démontre amplement. Et la baisse de l'euro, largement imputable au décalage conjoncturel existant entre les États-Unis et l'Europe continentale, contribue indéniablement, bien que modestement, à soutenir la demande adressée par le reste du monde aux économies de la Zone euro.

Quant à la parité par rapport au dollar, elle n'a aucune signification particulière : il se trouve simplement que la définition initiale des taux de conversion intraeuropéens a abouti à un taux de change qui, dans les circonstances prévalant au début de l'année 1999, était proche de 1. Les invocations rituelles à un « euro fort », ou à son « potentiel d'appréciation » n'ont eu, comme pour les États-Unis, d'autre but que d'essayer de convaincre les investisseurs internationaux de la nécessité d'enrayer une baisse jugée excessive.

Et les politiques budgétaires nationales, dont les difficultés potentielles, notamment du fait du Pacte de stabilité, avaient alimenté les analyses et les polémiques avant le lancement de l'euro ? La conjoncture étant favorable, elles se révèlent plus aisées que prévu et ne font guère parler d'elles : « les gens heureux n'ont pas d'histoire ». Ou plutôt les marges de manœuvre qu'autorisent des recettes plus dynamiques que prévu alimentent un débat sur leur utilisation – baisse accélérée des déficits, hausse de certaines dépenses publiques ou réduction d'impôts ? Mais un ralentissement de la croissance ferait sans doute renaître le débat sur la coordination. ■

Débat sur l'utilisation des fruits de la croissance

Norbert Holcblat
Économiste

La politique économique mise en œuvre durant l'année 1998 avait été pour l'essentiel gouvernée par les contraintes de la marche vers l'euro. L'obstacle franchi, les préoccupations se sont déplacées vers la pérennité de la croissance. La fin de 1998 et le début de 1999 avaient été quelque peu marqués par des incertitudes du fait des incidences sur le climat économique international de la crise asiatique de l'hiver 1997-1998, ainsi que par les difficultés rencontrées par le Brésil et la Russie. Mais il est assez rapidement apparu que, pour reprendre l'expression du ministre des Finances d'alors, Dominique Strauss-Kahn, il ne s'agissait, du point de vue de la France et de ses principaux partenaires européens, que d'un « trou d'air » momentané. La tonalité du discours s'est donc assez nettement transformée durant la seconde partie de l'année. Cela s'est manifesté en matière de perspectives à moyen terme, d'aucuns n'hésitant pas à évoquer un retour au « plein emploi » (« avant 2010 » selon des déclarations de D. Strauss-Kahn en octobre 1999), ce qui contraste assez nettement avec l'hypothèse privilégiée par le rapport Charpin sur les retraites (avril 1999) d'un taux de chômage stabilisé à 9 % en longue période [*voir article p. 435*]. Plus concrètement, la croissance s'est matérialisée, en fin d'année 1999, par des rentrées fiscales supplémentaires remettant en cause les données des lois de finances initiale et même rectificative pour 1999 et laissant augurer de ressources supérieures aux prévisions du budget pour l'année 2000. Il en est résulté un débat sur l'utilisation de la « cagnotte » assez fortement marqué par les partisans d'une diminution de la pression fiscale qui, outre la taxe d'habitation, inclurait l'impôt sur le revenu.

Si cette intention se concrétisait, le gouvernement de Lionel Jospin renouerait ainsi, à sa manière, avec une des lignes de force de l'action de ses prédécesseurs, Édouard Balladur (1993-1995) et Alain Juppé (1995-1997), qui avaient réduit le poids de cet impôt. Cela pourrait conforter l'opinion selon laquelle, en dépit d'une grande habileté dans la gestion de la conjoncture et de quelques inflexions concernant avant tout la politique de l'emploi, le gouvernement de la « gauche plurielle » s'est pour une large part inscrit dans la continuité de la gestion passée, ne remettant pas en cause les options essentielles sous-tendant la politique économique française depuis plus de deux décennies.

La rupture barriste de 1976-1978

L'année 1976 a en effet été marquée par une césure majeure. Alors que le gouvernement de Jacques Chirac en 1974-1976 avait, face à la récession, fait des choix se situant pour l'essentiel dans la continuité des options keynésiennes alors prédominantes, le « plan Barre » du 22 septembre 1976 met avant tout l'accent sur la lutte contre l'inflation et le contrôle du déficit budgétaire, limitant la consommation. Le gouvernement Barre s'engage ensuite dans un processus de remise en cause du modèle de gestion de l'économie française.

Durant toute la période antérieure, la France avait appliqué une réglementation des prix, le gouvernement Barre entame la libéralisation des prix industriels d'abord, puis des services, tandis que les tarifs publics (dont les augmentations étaient antérieurement bridées pour limiter l'inflation) sont rehaussés pour permettre au secteur public de réduire son déficit et réduire ainsi les contours de l'État. Même si cela apparaît difficile dans le contexte social et politique de l'époque, la libéralisation des prix (avec d'autres mesures) a pour objectif de peser sur le partage salaires-profits jugé dégradé du point de vue des entreprises.

La politique de l'emploi constitue une deuxième inflexion majeure. Depuis l'après-guerre, le plein emploi avait été en permanence affirmé comme un objectif immédiat ou à court terme de l'action gouvernementale. Désormais, avec le gouvernement Barre, l'amélioration de l'emploi est conçue comme devant résulter à terme d'enchaînements « vertueux », enclenchés par une action dont la priorité immédiate doit être l'amélioration de la situation des entreprises et de la compétitivité de l'économie. Dans l'intervalle, les politiques de l'emploi ont pour mission de freiner la progression du chômage et d'en atténuer les conséquences.

Enfin, depuis la dévaluation de 1969 (au-delà des crises de change et des aller-retour dans le « serpent » monétaire européen créé en 1972), le franc avait connu une dépréciation modérée qui avait permis de maintenir la compétitivité des exportations malgré une évolution plus rapide des prix français. Sur ce plan aussi, la politique menée par le gouvernement Barre marque une rupture. La stratégie adoptée donne un rôle inédit en France à l'ancrage monétaire dont on attend un double effet : d'une part, une contribution au ralentissement de l'inflation par un moindre renchérissement des importations ; d'autre part, une amélioration progressive de la spécialisation des exportateurs français incités à se tourner vers des produits à plus forte valeur ajoutée. Cette orientation va se matérialiser dans le rôle actif joué par la France dans la mise sur pied du Système monétaire européen (SME) entré en vigueur le 1er janvier 1979.

L'arrivée de la gauche au pouvoir à l'occasion des présidentielles et des législatives de 1981 semble enterrer le « barrisme ». La relance, la recherche du plein emploi et l'action de l'État sont de retour. La décision est cependant prise de ne pas procéder à une dévaluation du franc qui aurait permis d'accroître les marges de liberté pour une action qui entend imprimer un visage profondément différent à l'économie et à la société françaises.

La parenthèse de 1981-1983

Les mesures du gouvernement de gauche combinent une hausse des bas salaires, le relèvement des prestations sociales et des augmentations des dépenses publiques plus fortes que les hausses d'impôts et de cotisations sociales. La politique économique de la gauche vient buter sur la contrainte extérieure : les importations de biens d'équipement des ménages et celles de biens de consommation augmentent sensiblement, tandis que les exportations industrielles subissent le contrecoup d'une conjoncture mondiale peu dynamique. Il en résultera, après le refus initial d'une dévaluation « préventive », trois dévaluations « contraintes » en octobre 1981, juin 1982 et mars 1983.

Le débat fait rage à l'époque parmi les économistes sur les causes de cet échec : inadéquation de départ d'une politique de relance isolée dans une économie mondiale transformée ; ou bien gestion trop passive de la contrainte extérieure tant en matière de change que de recours à des mesures conservatoires concernant les échanges de marchandises. On peut considérer que ce débat n'a pas été définitivement réglé sur le fond, comme l'ont montré dans les années quatre-vingt-dix les controverses autour de la « pensée unique ». Mais la majorité des décideurs politiques a tiré assez rapidement de cette période un bilan simple : la France ne peut suivre une politique économique et sociale fondamentalement différente de celle de ses principaux partenaires européens.

Les premières inflexions de la politique de la gauche interviennent en juin 1982 et le tournant définitif se produira en mars 1983 avec l'adoption d'une franche politique de rigueur. Cette option sera désormais couplée avec un engagement sans nuance dans l'approfondissement de la construction européenne, celle-ci étant elle-même de plus en plus modelée selon une logique libérale. Certes, la rigueur est présentée dans un premier temps comme temporaire : une fois les équilibres essentiels rétablis, la marche en avant était censée reprendre. En fait, avec le recul, le choix de 1983 apparaît marquer une rupture définitive avec le projet de 1981.

Les quatre piliers de la désinflation compétitive

La politique économique dorénavant poursuivie repose sur quatre piliers.

– 1. Le « franc fort », c'est-à-dire l'ancrage du franc au *Deutsche Mark* par le biais du SME (Système monétaire européen). Deux effets majeurs en sont attendus. D'une part, une monnaie forte permet la désinflation importée (on retrouve là un des ressorts de la politique « barriste ») ; d'autre part, la défense du franc dans l'immédiat suppose des taux d'intérêt élevés, mais, à terme, la confiance accrue dans la devise nationale devra induire la baisse des taux d'intérêt.

Il s'agit là de la pierre angulaire de la politique économique menée à partir de 1983. Deux derniers réajustements de la parité du franc par rapport au mark ont lieu sous le gouvernement Chirac en 1986 et 1987. Après le retour des socialistes au gouvernement en 1988, le maintien de la parité est ensuite quasiment érigé en dogme par Pierre Bérégovoy et le franc demeure attaché au mark en dépit des incidences de la réunification allemande, des deux crises monétaires de 1992 et 1993 et des dévaluations auxquelles procèdent à cette époque l'Italie, le Royaume-Uni et l'Espagne.

– 2. Une politique salariale restrictive. Les modalités de fixation des salaires sont profondément remises en cause. Lors de la dévaluation du franc de juin 1982, les salaires, à l'exception du SMIC (Salaire minimum de croissance), sont bloqués jusqu'au 31 octobre ; le gouvernement de Pierre Mauroy s'affirme ensuite décidé à remettre en cause l'indexation de fait des salaires sur les prix (en glissement). De nouvelles règles sont progressivement mises en œuvre dans la détermination des rémunérations du secteur public. L'État ne dispose pas de moyen direct d'action sur la progression des salaires du secteur privé mais, la pression du chômage aidant, le changement des règles du jeu s'étend, de fait, à l'ensemble de l'économie. Les salaires réels commencent à progresser sensiblement moins vite que la productivité, enclenchant un déplacement du partage de la valeur ajoutée en faveur des profits [*voir article p. 380*]. Par la suite, la rigueur salariale n'a guère connu de pause, permettant à l'économie française de réduire sensiblement le rythme de hausse des prix et d'engranger d'importants gains de compétitivité (qui sont un des facteurs de retour du commerce extérieur à l'excédent). Le chômage joue objectivement un rôle majeur dans ce processus et (après un recours massif aux préretraites et une mise en œuvre très partielle des objectifs ambitieux de réduction de la durée du travail initialement affirmés par la gauche) les politiques de l'emploi se développent à nouveau, avec pour cibles jeunes et chômeurs de longue durée [*voir article p. 534*], tandis que l'indemnisation du chômage se fait plus restrictive [*voir article p. 543*].

Ces deux premiers piliers (« franc fort » et politique salariale restrictive) structurent en permanence la politique économique au-delà des aléas conjoncturels et des changements de majorité politique. Il en va un peu différemment pour les deux suivants.

– 3. Le troisième pilier est la recherche de l'équilibre budgétaire par la maîtrise d'une dépense publique devant composer avec la conjoncture économique [*voir article p. 366*]. Ainsi, face au ralentissement de l'économie du début des années quatre-

Le ministère de l'Économie, des Finances et de l'Industrie

Le ministère de l'Économie et des Finances peut difficilement être considéré comme un département ministériel parmi d'autres. Il est courant de l'opposer aux ministères « dépensiers », mais son importance va bien au-delà du fait de tenir les « cordons de la bourse », d'autant que, dans la structure gouvernementale mise en place en juin 1997, le ministère de l'Industrie a été inclus dans l'ensemble d'abord confié à Dominique Strauss-Kahn, puis à Christian Sautter après la démission de celui-ci à l'automne 1999. D. Strauss-Kahn avait présenté le nouveau grand ministère comme un « ministère de la production », situé « au cœur de l'État ».

En 1999, les effectifs des services de l'Économie, des Finances et de l'Industrie dépassaient 180 000 agents dont la très grande majorité correspond à l'ancien ensemble « Finances ». L'essentiel (95 %) était employé dans les services déconcentrés, 4,5 % en administration centrale et 0,5 % à l'étranger. Depuis plusieurs années, cette administration était engagée dans un processus de restructuration important. La réforme a d'abord touché les services centraux. Sa prochaine étape devrait principalement concerner les services déconcentrés.

Les principales directions à services déconcentrés sont les services des Impôts (78 000 agents), du Trésor public (54 000 agents) et des Douanes (20 000). Ces services sont implantés sur l'ensemble du territoire avec un maillage plus ou moins serré selon les directions. Ils assurent sur le terrain l'établissement, l'encaissement et le contrôle des recettes publiques, l'exécution des dépenses et la police économique (avec la direction générale de la Concurrence, de la Consommation et de la Répression des fraudes).

Le centre nerveux de ce réseau est constitué par l'administration centrale du ministère dont une large part a été concentrée dans les locaux de Bercy, à Paris. Outre les administrations centrales des directions déjà citées, on y trouve d'abord, du côté « Finances », deux directions directement impliquées dans l'élaboration et la mise en œuvre de l'action gouvernementale : la direction du Budget (animation et coordination de la préparation des lois de finances) et la direction du Trésor, au rôle multiforme : trésorier de l'État (ce qui comprend la gestion de la dette publique), régulation du système financier, exercice du rôle de l'État actionnaire auprès des entreprises du secteur public, participation aux institutions et instances économiques internationales et communautaires, conseil au ministre.

La direction de la Prévision (DP) est d'abord chargée de l'établissement de prévisions à moyen terme de la situation de l'économie française, utilisées dans la préparation du budget ; elle assure par ailleurs une mission d'expertise et de conseil. L'INSEE (Institut national de la statistique

vingt-dix, puis à la récession de 1993, les gouvernements successifs (dirigés par Pierre Bérégovoy puis Édouard Balladur) doivent laisser jouer les « stabilisateurs automatiques » : il en résulte une croissance du déficit dans la mesure où les recettes sont amoindries et les dépenses amplifiées par la mauvaise conjoncture. À partir du projet de budget pour 1995, la réduction du déficit (non seulement du budget mais de l'ensemble des finances publiques, comptes sociaux inclus) redevient la préoccupation centrale : il s'agit d'être en situation de respecter le critère de limitation du déficit public à 3 % du PIB figurant dans le traité de Maastricht sur l'Union monétaire. Les différents

et des études économiques) a une situation particulière parmi les directions du ministère, dans la mesure où il produit des statistiques et assure la coordination de l'ensemble du système statistique public ; il réalise par ailleurs des études et établit des prévisions à court terme. La direction des Relations économiques extérieures (DREE) a pour fonction la promotion des exportations et le soutien au développement international des entreprises.

En 1998, l'organisation des services d'administration centrale a été modifiée à la fois en raison du rapprochement avec l'Industrie et des conclusions qui ont été tirées du rapport rédigé par deux hauts fonctionnaires, Pierre Boisson et Jean-Claude Milleron. La réforme a comporté trois volets :

– la mise en place de trois grandes directions transversales assurant des prestations de services pour l'ensemble du ministère en matière de gestion du personnel et de logistique, de communication et d'affaires juridiques ;

– la modification des frontières ou la réorganisation de certaines directions des « Finances ». Le service de la Législation fiscale (chargé de la conception et de l'élaboration des textes concernant la fiscalité) a été intégré au sein de la direction générale des Impôts. Au sein de celle-ci, une direction des Grandes Entreprises devrait être opérationnelle avant la fin de 2001. La direction de la Comptabilité publique, qui gère le réseau du Trésor public, a été réorganisée et érigée en direction générale. Enfin, la direction du Trésor a également été réorganisée ;

– les directions relevant de l'« Industrie » ou du secrétariat d'État aux petites et moyennes entreprises ont vu leur organigramme profondément bouleversé. Une direction des Entreprises commerciales, artisanales et des Services a été mise en place. Une direction générale de l'Industrie, des Technologies de l'information et des Postes a été créée. La direction générale de l'Énergie et des Matières premières a été réorganisée.

En avril 1999, une « mission 2003 » a été constituée. Un rapport, rédigé par Paul Chamsaur (directeur général de l'INSEE) et Thierry Bert (chef de l'inspection générale des Finances), a été remis au début du mois de janvier 2000 au ministre des Finances.

Une de ses préconisations les plus importantes est la mise en place d'un « correspondant fiscal unique », ce qui veut dire que les entreprises, d'une part, les particuliers, d'autre part, seraient en contact avec une seule administration. Cette réorganisation remettrait complètement en cause le partage actuel des tâches entre la direction générale des Impôts et la comptabilité publique.

Le projet de réforme s'est heurté à une vive opposition des agents des adminstrations concernées, qui a conduit au remplacement de C. Sautter par Laurent Fabius le 27 mars 2000. - **N. H.** ■

budgets imposent des limites strictes à l'évolution des dépenses, des annulations de crédit sont effectuées en cours d'année, des solutions particulières permettent de réduire le déficit affiché. L'évolution des dépenses de santé est infléchie par le plan de réforme de la Sécurité sociale de novembre 1995 [*voir article p. 546*].

– 4. La libéralisation de l'économie est le dernier des quatre piliers. Il est à remarquer qu'à compter de 1985 la préoccupation d'équilibre budgétaire s'est accompagnée de la part des gouvernements successifs d'une volonté de réduction des prélèvements fiscaux sur les ménages (impôt sur le revenu) et sur les entreprises (taxe professionnelle et impôt sur les sociétés). L'allégement du barème de l'impôt sur le revenu s'est accompagné de la mise en place de régimes dérogatoires pour les revenus financiers. La libéralisation du système de crédit, le développement de la finance directe et la modernisation de la place financière de Paris ont été engagés par la gauche à partir de 1984 et poursuivis ensuite.

D'autres aspects de la libéralisation ont davantage prêté à controverses politiques. En matière de privatisation, de baisse du coût du travail et d'allégement des règles de gestion de la main-d'œuvre, ce sont les gouvernements de droite qui ont pris l'initiative, en 1986-1988, mais les mesures prises n'ont, pour l'essentiel, pas été remises en cause lors du retour du Parti socialiste au gouvernement. En outre, si la gauche s'était, avant 1986 et de 1988 à 1993, refusée à privatiser (sauf à la périphérie du secteur public), elle a profondément transformé le mode de gestion des entreprises publiques dans le sens d'une intégration grandissante des contraintes marchandes et engagé le processus de transformation statutaire des Postes et Télécommunications.

La politique de désinflation compétitive a largement réussi à remplir les objectifs que ses initiateurs lui avaient fixés. L'inflation française devenue l'une des plus faibles de l'Union européenne, la parité franc/mark est devenue stable à compter de 1987, et le taux de marge des entreprises a retrouvé des niveaux équivalents à la période antérieure au premier choc pétrolier [*voir article p. 380*]. Les excédents du commerce extérieur et de la balance des paiements ont marqué la disparition de la contrainte extérieure telle qu'elle était appréhendée au début des années quatre-vingt [*voir article p. 443*]. S'y est cependant substituée la pression d'un marché des capitaux libéralisé et mondialisé. Ces résultats, acquis à compter de la fin des années quatre-vingt, ont sensiblement modifié l'image de la France aux yeux des investisseurs et des institutions financières internationales, favorisant, à partir de 1993, la décrue progressive des taux d'intérêt [*voir figure 3, p. 385*]. Ils ont donné une crédibilité au processus de marche vers l'Union économique et monétaire (qui s'est traduit en 1993 par l'indépendance de la Banque de France). Pourtant, en 1993, l'économie française a connu une récession plus importante que celle de 1974-1975, et la reprise de 1994 s'est vite estompée, tandis que le chômage [*voir article p. 435*] progressait et que les finances publiques souffraient de la faible croissance.

La marche à l'euro

Le gouvernement Juppé (1995-1997) s'était clairement inscrit dans la continuité de cette politique, au moins à partir de l'automne 1995, une fois définitivement écartées les dénonciations de la « pensée unique » de la campagne présidentielle de Jacques Chirac.

Le gouvernement Jospin (« gauche plurielle »), installé début juin 1997, a très rapidement montré que les infléchissements qu'il entendait apporter à la gestion macroéconomique ne remettaient pas en cause le choix de l'Union monétaire. Dès la mi-juin, au Conseil européen d'Amsterdam, il décida finalement d'accepter le « pacte de stabilité » négocié entre les Quinze en décembre 1996 à Dublin et institutionnalisant le critère de déficit budgétaire au-delà du passage à la monnaie unique. En septembre, lors du sommet franco-allemand de Weimar, le Premier ministre affirma avoir intégré l'idée de l'indépendance des banques centrales française et européenne.

En matière budgétaire, un rapport sur la situation des finances publiques a conclu, fin juillet, à un déficit pour l'année 1997 compris entre 3,5 % et 3,7 % du PIB. Consécutivement furent annoncées des mesures de rééquilibrage. Outre des économies, ces mesures consistaient essentiellement en un alourdissement de l'impôt sur les bénéfices des sociétés. Par ailleurs, l'affermissement de la reprise de la fin de l'année a permis une réduction supplémentaire du déficit des comptes publics. Le besoin de financement de l'État a été ramené à 3,3 % du PIB et celui de l'ensemble des administrations publiques à 3 %: la France s'est ainsi inscrite dans le cadre de l'objectif budgétaire fixé par le traité de Maastricht pour le passage à la monnaie unique. Ce dernier chiffre inclut cependant, conformément aux dispositions de la loi de finances initiale, une contribution forfaitaire exceptionnelle de 37,5 milliards FF (soit près de 0,5 % du PIB), versée par France Telecom à l'État en contrepartie de la prise en charge des retraites des fonctionnaires employés par cette entreprise.

Le projet de budget pour 1998 et la loi de financement de la Sécurité sociale présentés au Parlement à l'automne ont été construits autour de l'objectif des 3 % pour l'ensemble des comptes publics, objectif qui, avec 2,9 % [2,7 % selon la nouvelle base de la comptabilité nationale], devait finalement être largement atteint [*voir article p. 404*]. Du côté des prélèvements obligatoires [*voir article p. 399*], outre les mesures déjà prises en matière d'impôt sur les sociétés, le plan d'allégement de l'impôt sur le revenu prévu par le gouvernement Juppé fut abandonné, les intentions antérieurement affichées par la gauche d'un allégement de la TVA (Taxe sur la valeur ajoutée) ne se concrétisèrent pas et les recettes de la protection sociale allaient désormais dépendre pour une plus large part de la CSG (Contribution sociale généralisée) : au total, ce sont les entreprises et les revenus financiers qui supportent l'essentiel de l'effort. Les dépenses de l'État qui n'augmentent que très faiblement sont redéployées au bénéfice de la politique de l'emploi. Il faut noter que les budgets de 1997 et 1998 ont été marqués par un effort très sensible de freinage des dépenses budgétaires : en francs constants, les dépenses du budget général telles que prévues dans les lois de finances initiales, qui avaient progressé de 1,1 % en 1995 et de 2,25 % en 1996, ont vu leur croissance ramenée à 0,2 % en 1997 et à 0 % en 1998.

Ces choix budgétaires ont permis à la France d'être au rendez-vous de la monnaie unique. L'amélioration de la conjoncture économique (et le mouvement des chômeurs de l'hiver 1997-1998) ont suscité au début de 1998 quelques débats sur l'usage à faire des fruits de la croissance. L. Jospin a alors clairement affirmé sa volonté d'en rester pour l'essentiel au cadre fixé, tandis que la problématique de la réduction des « prélèvements obligatoires » réapparaissait dans le discours gouvernemental.

Retour de la croissance après le « trou d'air »

Au premier semestre 1998, les économies française et européennes semblaient engagées sur un sentier de croissance soutenue et durable. Mais le climat s'est quelque peu modifié avec la crise d'un certain nombre de pays dits « émergents ». Aux termes des lois de finances présentées à l'automne 1998 (loi de finances initiale de l'État et loi de financement de la Sécurité sociale) et fondées sur une hypothèse de croissance de 2,7 %, le besoin de financement des administrations publiques devait être ramené à 2,3 % du PIB en 1999. Cet objectif a pu être interprété comme une « voie moyenne » par rapport à un scénario qui aurait consisté à utiliser toutes les marges de manœuvre résultant de la croissance pour réduire le déficit, mais qui aurait risqué de peser sur la demande interne sur laquelle repose désormais la croissance. Les dépenses de l'État devaient progresser de 2,3 % en valeur et de 1 % en volume (soit moins que la croissance prévue du PIB), notamment du fait des charges de personnel et des dépenses liées à la politique de l'emploi [*voir article p. 534*]. En ce qui concerne le budget de l'État, les marges de manœuvre ont été aussi utilisées à baisser la fiscalité des ménages mais surtout celle des entreprises, avec l'engagement de la suppression progressive de la part salariale de la taxe professionnelle [*voir article, p. 168*].

En fin d'année 1998, le gouvernement avait présenté le « programme pluriannuel de finances publiques à l'horizon 2002 » devant être transmis par la France à la Commission de Bruxelles. Fondé sur deux scénarios alternatifs de croissance (2,5 % et 3 % par an) et sur une norme invariante de croissance des dépenses publiques de 1 % par an en volume (soit 0,3 % par an pour les dépenses de l'État et 1,5 % pour les dépenses sociales), ce programme visait à ramener le déficit public à proximité de 1 % du PIB en 2002, tout en réduisant la part des prélèvements obligatoires, de la dette et des dépenses publiques.

Après une période d'incertitude qui a conduit, au printemps 1999, le gouvernement à réviser à la baisse ses prévisions de croissance, les perspectives économiques se sont sensiblement améliorées. En 1999, le PIB a en fait progressé de 2,7 % (comme prévu initialement). Cela a conduit à une actualisation des prévisions pour 2000 : alors que la loi de finances initiale avait été construite sur une prévision de 2,8 %, selon Christian Sautter (devenu ministre des Finances après la démission de Dominique Strauss-Kahn en novembre 1999), le PIB devrait enregistrer une augmentation de l'ordre de 3,5 % durant l'année 2000.

« Cagnotte » et transparence budgétaire

Les comptes de l'État, selon les données communiquées par le ministre des Finances en février 2000, ont finalement présenté un surcroît de recettes fiscales de près de 31 milliards FF (1 566 milliards FF contre 1 535 milliards FF) par rapport aux prévisions initiales pour 1999. Par ailleurs, les dépenses ont été inférieures de 12 milliards FF aux objectifs initiaux (1 655 milliards FF contre 1 667) du fait d'une réduction des charges de la dette publique et d'un effort certain de maîtrise des dépenses (que le gouvernement a mis en regard de la faiblesse de l'inflation et de l'objectif d'une croissance en volume de 1 % des dépenses). Compte tenu de moins-values importantes sur les recettes non fiscales sur lesquelles certains commentateurs se sont interrogés (151 milliards contre 167 milliards prévus initialement – ces recettes non fiscales de l'État correspondant à des versements de divers organismes du secteur public), les recettes totales de l'État (minorées de divers prélèvements, dont celui opéré au profit des Communautés européennes) n'ont augmenté que de quelque 19 milliards FF (elles s'établissent à 1 449 milliards FF contre 1 431). Au total, le déficit de l'État pour 1999 s'établirait à 206 milliards FF, contre 237 milliards FF dans la loi de finances initiale et 226 milliards FF dans la loi de finances rectificative adoptée fin décembre.

Ces réajustements successifs du niveau des recettes fiscales (qui auraient été encore plus élevés si n'avaient pas été appliquées, dès le 15 septembre 1999, certaines dispositions fiscales – baisse de la TVA [Taxe sur la valeur ajoutée] sur les travaux d'entretien et des droits de mutation – intégrées dans la loi de finances 2000) et du niveau du déficit ont suscité le débat sur la « cagnotte ». Le premier surplus constaté de recettes a été, aux termes de la loi de finances rectificative de décembre, consacré, pour partie, à la réduction du déficit et, pour partie, à des dépenses diverses. Le calendrier de l'annonce du second surplus a été tel que, malgré un débat où divers points de vue se sont opposés quant à son usage, le surcroît de recettes ne pouvait plus être utilisé qu'à une réduction supplémentaire du déficit, l'exercice budgétaire étant achevé. Cette situation a ravivé des critiques déjà anciennes sur l'opacité entourant les conditions d'exécution des lois de finances et sur les diverses possibilités dont dispose l'exécutif pour modifier sensiblement certains de leurs aspects. Outre cet aspect « technique », ces palinodies budgétaires ont également un soubassement politique ayant trait aux clivages existant au sein de la majorité gouvernementale quant aux priorités : réduction accélérée du déficit, baisse de la pression fiscale ou bien rehaussement des dépenses sociales.

Enfin, le déficit enregistré en 1999 est inférieur à celui programmé dans la loi de finances 2000 (215 milliards FF). Le ministre des Finances a donc annoncé le dépôt au printemps d'un projet de loi de finances rectificative qui remettra partiellement en chantier le budget 2000 voté en fin d'année 1999. Ce budget se situait, comme celui de l'année précédente, dans une tonalité moyenne : ni avancée à marche forcée vers l'équilibre, ni utilisation du surcroît de recettes pour augmenter les dépenses. Il paraissait d'ores et déjà acquis que les recettes supplémentaires seraient pour partie utilisées à faire descendre le déficit en dessous de 205 milliards FF et à baisser la taxe d'habitation. Le collectif budgétaire devrait également permettre de faire face aux coûts de la tempête de la fin de l'année 1999, ainsi qu'à diverses hausses de dépenses (notamment en matière hospitalière). Pour le reste, le flou demeurait encore, même si diverses voix s'élevaient dans la majorité gouvernementale pour que les réductions d'impôt concernent aussi, à terme, l'impôt sur le revenu. La matérialisation de la réduction du seul prélèvement progressif significatif de la fiscalité française marquerait un tournant idéologique de la gauche française aussi ample que l'a été son ralliement aux privatisations. On peut y voir une concrétisation de la « nouvelle alliance » entre « exclus, classes populaires et classes moyennes » prônée par le Premier ministre durant l'été 1999. Quoi qu'il en soit, le « programme triennal de finances publiques » couvrant la période 2001-2003, arrêté en janvier 2000 et transmis à la Commission européenne, a mis l'accent sur une baisse sensible des impôts et charges.

Il faut enfin noter la poursuite de la résorption du déficit de la Sécurité sociale : le régime général devait terminer l'année 1999 sur un léger déficit (de l'ordre de 4 milliards FF, soit 0,3 % des dépenses). La loi de financement a programmé un retour à l'excédent fondé sur une gestion globalement assez stricte des dépenses. En matière de dépenses maladie, l'effort de rigueur a été principalement supporté en 1999 par le secteur hospitalier [*voir article p. 546*]. Par ailleurs, l'adoption de la CMU (Couverture maladie universelle) a également marqué l'année 1999 [*voir article p. 118*].

La seconde loi sur les 35 heures

Les autres aspects de la politique économique menée en 1999 par le gouvernement Jospin sont situés dans la continuité des deux années précédentes. Les privatisations et le processus de libéralisation du secteur public ont suivi leur cours, avec notamment la réforme d'EDF [*voir article p. 419*]. Le débat sur le financement des retraites a été marqué par un rapport élaboré sous la responsabilité du Commissariat général du Plan (« rapport Charpin ») et devrait aboutir à des décisions quant à la place dévolue à la retraite par capitalisation [*voir article p. 513*]. Ce dossier n'est pas indépendant de celui concernant « l'épargne salariale » sur lequel des réflexions ont également été engagées [*voir article p. 425*].

La politique de l'emploi est le terrain sur lequel le gouvernement Jospin s'est, au moins partiellement, voulu le plus novateur par rapport à ses prédécesseurs. La mise en œuvre des « emplois-jeunes » (350 000 emplois prévus en cinq ans dans l'Éducation nationale, la police, les collectivités locales, les établissements publics et le secteur associatif) correspond à la reconnaissance que ni le secteur marchand ni le secteur non marchand dans leur état actuel ne sont en état de satisfaire un certain nombre de besoins sociaux [*voir articles p. 101, 534 et 538*]. L'annonce d'une réduction à 35 heures de la durée légale du travail s'est heurtée à une vive opposition de principe du patronat bien

Références

F. Adam, V. Ardouin, M. Dolle, B. Lahouisset, Y.-L. Horty, A. Parent, *Prélèvements obligatoires, transferts sociaux et réduction des inégalités* (document de travail du CSERC), 99-04, Paris, 1999.

É. Aeschimann, P. Riche, *La Guerre de sept ans. Histoire secrète du franc fort 1989-1996*, Calmann-Lévy, Paris, 1996.

Bilan économique et social (annuel), Le Monde, 1975 et suivantes.

O.-J. Blanchard, P.-A. Muet, « Competitiveness through Disinflation : an Assessment of the French Macroeconomic Policy », *Economic Policy*, Londres, avr. 1993.

H. Bonin, *Histoire économique de la France depuis 1980*, Masson, Paris, 1988.

F. Bourguignon, D. Bureau, *L'Architecture des prélèvements en France : états des lieux et voies de réforme*, Conseil d'analyse économique/La Documentation française, Paris, 1998.

J.-M. Charpin, *L'Avenir de nos retraites, rapport du Commissariat général du Plan*, La Documentation française, Paris, 1999.

DARES, *La Politique de l'emploi*, La Découverte, « Repères », Paris, 1997.

G. Desportes, L. Mauduit, *La Gauche imaginaire et le nouveau capitalisme*, Grasset, Paris, 1999.

J.-P. Fitoussi, *Le Débat interdit*, Arléa, Paris, 1995.

Fondation Copernic, *Les Retraites au péril du libéralisme* (sous la direction de P.-Y. Chanu et P. Khalfa), Syllepse, Paris, 1999.

A. Fonteneau, P.-A. Muet, *La Gauche face à la crise*, Presses de la FNSP, Paris, 1985.

A. Geledan (sous la dir. de), *Le Bilan économique des années Mitterrand, 1981-1994*, Le Monde Éditions, Paris, 1993.

A. Gueslin, *Nouvelle histoire économique de la France contemporaine*, tome 4, *L'économie ouverte*, La Découverte, Paris, 1989.

Hoang-Ngoc Liem, *Salaires et Emploi, une critique de la pensée unique*, Syros, Paris, 1996.

A. Juppé, « Note sur la situation économique et financière », *Le Monde*, Paris, 12 juill. 1997.

F. Lordon, *Les Quadratures de la politique économique*, Albin Michel, Paris, 1997.

E. Malinvaud, « France : la politique du gouvernement socialiste : 1981-1985 », *in* A. Grejbine (sous la dir. de), *Théories de la crise et politique économique*, Seuil, Paris, 1986.

Ministère de l'Économie, des Finances et de l'Industrie, *Politique économique 2000, rapport économique, social et financier du gouvernement*, Économica, Paris, 1999.

OFCE, *L'Économie française* (publication annuelle), La Découverte, « Repères », Paris, 1995-2000.

« Projet de loi de finances pour 2000 », *Les Notes bleues de Bercy*, Ministère de l'Économie, des Finances et de l'Industrie, Paris, 1999.

J.-C. Trichet, « Dix ans de désinflation compétitive », *Les Notes bleues de Bercy*, Ministère des Finances, Paris, 16 oct. 1992.

@ Site Internet

Ministère de l'Économie, des Finances et de l'Industrie : **http://www.finances.gouv.fr**

que le gouvernement ait mis l'accent sur la préservation de la capacité concurrentielle des entreprises et la négociation. Le texte de la première loi adoptée au début de 1998 pose le principe de la réduction à 35 heures de la durée légale du travail au 1er janvier 2000 (2002 pour les entreprises de plus de 20 salariés) et prévoit un dispositif d'aide aux entreprises agencé de manière à les inciter à la négociation au niveau même de l'entreprise. Un second texte de loi voté à la fin de 1999 a défini les modalités de mise en œuvre et d'accompagnement de réduction de la durée légale, notamment pour ce qui est du salaire minimum, du régime des heures supplémentaires et de la situation des cadres [*voir article p. 541*]. Il est à remarquer que, pour les entreprises passées aux 35 heures, l'allégement dégressif des cotisations sociales employeurs s'annule désormais à 1,8 SMIC (au lieu de 1,3). L'allégement des charges patronales est donc un choix confirmé ; son financement est désormais du ressort d'un fonds spécifique auquel les gestionnaires des régimes sociaux ont refusé de contribuer.

Le contexte de croissance paraît donc offrir au gouvernement des marges de manœuvre inédites depuis au moins une décennie. Il convient néanmoins de ne pas négliger le fait que la mise en œuvre de l'UEM a introduit un nouvel acteur dans la régulation macroéconomique : la Banque centrale européenne (BCE) qui, au premier trimestre 2000, paraissait fortement préoccupée par un risque de dérive des prix, dont la réalité, l'ampleur et les incidences éventuelles peuvent prêter à controverses, et qui peut ne pas être considéré comme le problème essentiel de la Zone euro. ■

(*Voir aussi articles p. 50 et 366, ainsi que les articles sur la politique économique européenne, p. 384 et 409, et les articles suivants.*)

Prélèvements obligatoires L'année des réflexions stratégiques

Jean-Marie Monnier
Économiste, MATISSE

Portés par l'euphorie d'une croissance soutenue, les débats sur les prélèvements obligatoires ont été vifs durant l'année 1999. Pourtant, les mesures budgétaires adoptées pour l'an 2000 sont restées dans la continuité des années précédentes. En dehors de l'allégement de la TVA (Taxe sur la valeur ajoutée) sur les travaux immobiliers (de 20,6 % à 5,5 %) présenté comme la mesure phare du budget, les principales dispositions fiscales étaient déjà programmées auparavant.

Les ménages ont ainsi bénéficié de la disparition progressive de la contribution représentative du droit de bail, et d'une réduction du montant maximum de la taxe d'habitation acquittée par les contribuables modestes. Les entreprises ont pour leur part enregistré la poursuite de la suppression de la part salariale de la taxe professionnelle, la disparition de la contribution temporaire de 10 % sur les bénéfices. Ces gains ont partiellement été compensés par la création d'une contribution sociale (de 3,3 % de l'IS – Impôt sur les sociétés) et par la limitation de l'exonération des dividendes versés

Tab. 1

Structure fiscale[a] de quelques pays de l'OCDE (en % des prélèvements obligatoires[b], année 1997)

Pays	Impôts sur le revenu	Impôts sur les sociétés	Cotisations sociales	Impôts sur les salaires	Impôts sur le patrimoine[c]	Taxes sur les biens et services[d]	Divers
Allemagne	23,9	4,0	41,6	–	2,7	27,7	0,0
États-Unis	39,0	9,4	24,2	–	10,7	16,7	–
France	14,0[e]	5,8	40,6	2,4	5,4[f]	27,8	3,8
Italie	25,3	9,5	33,5	0,1	5,1	25,9	–
Japon	20,5	15,0	36,9	–	10,8	16,5	0,2
Royaume-Uni	24,8	12,1	17,2	–	10,8	35,0	0,0
OCDE	26,6	8,8	24,9	0,9	5,5	32,1	1,2
UE (à 15)	25,5	8,5	28,6	1,0	4,5	30,9	0,5

a. Les structures fiscales présentées ici reposent sur la nomenclature des prélèvements et les conventions comptables de l'OCDE. Elles consistent à regrouper des impôts en fonction de leur assiette fiscale, quelles que soient par ailleurs les différences quant aux règles de liquidation ou de recouvrement. Comme tout exercice comptable, les conventions retenues par l'OCDE conduisent parfois à rattacher à une même catégorie des prélèvements de nature très différente, comme par exemple la taxe d'habitation française qui faute de mieux est comprise dans les impôts sur le revenu. D'autres regroupements sont possibles (selon l'agent verseur, l'administration destinataire ou la variable économique subissant l'impact initial). Elles permettent de répondre chacune à différentes catégories de questions. Il convient donc de manipuler ces données avec beaucoup de précautions. Ainsi, le critère de l'assiette fiscale ici retenu étant purement juridique, son interprétation économique est limitée : ce critère conduit par exemple à séparer d'un côté les impôts sur le revenu payés par les salariés, et de l'autre les cotisations sociales salariées regroupées avec l'ensemble des cotisations sociales alors que la variable économique subissant l'impulsion initiale (le salaire) est la même. Enfin, cette présentation n'indique rien quant à la charge fiscale effectivement supportée par les agents économiques, et elle ne permet pas la moindre interprétation quant à l'incidence finale des prélèvements ; b. L'existence d'impôts non ventilables explique que les totaux peuvent être différents de 100 % ; c. À ce niveau d'agrégation, la nomenclature de l'OCDE ne distingue pas entre les types d'agents verseurs. On regroupe donc ici les impôts sur le patrimoine payés aussi bien par les ménages que par les entreprises. Or, contrairement au cas français, les autres pays disposent généralement d'un impôt général sur le patrimoine acquitté par les entreprises. Ainsi, dans le cas de l'Allemagne, l'impôt général sur le patrimoine a rapporté presque autant durant l'année considérée que l'impôt général acquitté par les entreprises. Par ailleurs, les prélèvements opérés en cas de donations, de ventes d'immeubles ou de successions font partie des impôts sur le patrimoine ; d. Contrairement aux autres pays considérés, les États-Unis ne connaissent pas de TVA (Taxe sur la valeur ajoutée). La rubrique « Taxes sur les biens et services » regroupe donc pour ce pays un très grand nombre d'impôts indirects. Dans les autres pays, la TVA est également l'impôt le plus important de la rubrique. On remarque toutefois que, très souvent, plus la TVA représente une part importante dans cette catégorie, plus celle-ci est importante dans les prélèvements obligatoires. Ainsi, en Allemagne et en France, la TVA a représenté durant l'année considérée 63 % de la rubrique, au Royaume-Uni 56 %, en Italie 48 % et au Japon 39 %. Ce pays est aussi dans les six derniers cités celui où l'adoption de la TVA est la plus récente ; e. Pour la France, la nomenclature de l'OCDE conduit à intégrer dans les « impôts sur le revenu », l'IRPP (Impôt sur le revenu des personnes physiques), la CSG (Contribution sociale généralisée), la CRDS (Contribution au remboursement de la dette sociale), la taxe d'habitation et diverses ressources de poche ; f. Pour la France, la rubrique « Impôts sur le patrimoine » comprend non seulement l'impôt de solidarité sur la fortune (ISF), mais également les taxes foncières, la taxe d'enlèvement des ordures ménagères, etc.

Source : Statistiques des recettes publiques, 1965-1998, OCDE, 1999.

par les filiales aux sociétés mères. Par ailleurs, le dispositif d'allégement des cotisations sociales a été étendu à un montant équivalent à 1,8 SMIC (Salaire minimum de croissance) et reprofilé de façon à en améliorer la dégressivité et à répondre aux objections concernant l'effet de « trappe à pauvreté » créé par l'ancien dispositif. Enfin, poursuivant la politique de simplification du système fiscal, une cinquantaine de petites taxes et impôts « de poche » ont été supprimés. L'insatisfaction créée dans une période de croissance [*voir article p. 389*] par une politique s'inscrivant dans la continuité des années de rigueur et l'annonce de plus-values fiscales importantes en 1999 et 2000 ont cependant relancé la discussion sur la stratégie concernant la charge fiscale supportée par les ménages et celle de l'étendue de l'action de l'État en matière de prélèvements obligatoires.

Le débat sur la baisse de la fiscalité directe

La thèse de l'excès de charge fiscale figure traditionnellement en bonne place dans l'argumentaire libéral qui milite surtout pour une réduction des prélèvements opérés sur les plus hauts revenus en raison de leur caractère prétendument désincitatif. Aucune des recherches empiriques récentes n'ayant confirmé cette hypothèse, peu de monde la défend désormais sérieusement en dépit des conséquences de la baisse du plafonnement du quotient familial en 1999. C'est la raison pour laquelle deux pistes ont finalement été envisagées dans les discussions sur l'utilisation du surplus de recettes fiscales.

La première a tout simplement été celle d'un emploi direct de ce gain. Les défenseurs de l'orthodoxie budgétaire voulaient ainsi réduire l'endettement de l'État, tandis que les partisans d'un soutien actif de la croissance suggéraient de répondre mieux aux besoins de solidarité engendrés par la persistance du chômage. Après avoir consacré l'essentiel des surplus fiscaux de

Tab. 2 **Recettes du régime général de la Sécurité sociale (1999, milliards FF)**

Recettes	Montants
Cotisations	875,8
dont cotisations prises en charge par l'État	63,3
Impôts et taxes affectées	280,8
Autres recettes	155,0
Total	1 311,6

Source : Commission des comptes de la Sécurité sociale, 1999.

1999 à la réduction du déficit budgétaire, une autre option a été choisie pour 2000. D'une part, 10 des 50 milliards FF de surplus prévus pour cette année sont venus abonder les dépenses publiques. Pour le reste, le gouvernement s'est rallié à l'idée de réduire les impôts supportés par l'ensemble des ménages, en concentrant plutôt son effort sur les couches les moins favorisées sans oublier les autres catégories de contribuables.

Le taux normal de la TVA a été réduit de 20,6 % à 19,6 % annulant ainsi la moitié de la hausse opérée en 1995 sous le gouvernement Juppé.

En second lieu, les taux des tranches à 10,5 % et à 24 % du barème de l'IRPP (Impôt sur le revenu des personnes physiques) ont chacun été réduits d'un point. Dans l'esprit du Premier ministre il s'agissait de diminuer la « trappe à inactivité » que constitue la charge fiscale supportée lors du franchissement du seuil d'imposition. 650 000 contribuables deviendraient ainsi non imposables, et notamment une fraction importante des Français qui, parce qu'ils avaient retrouvé un emploi, étaient devenus imposables en 1999. Il reste que l'impact de cette mesure se diffusera à l'ensemble des ménages imposables, y compris les plus hauts revenus. Or les débats fiscaux de l'automne 1999 avaient révélé un autre scénario de réforme, nettement favorable aux bas revenus et qui concernait la CSG

Références

M. Baslé, *Le Budget de l'État*, La Découverte, « Repères », Paris, 2000 (nouv. éd.).

P. Concialdi, « Cotisations, CSG, fiscalité… Les termes du bouleversement » *in L'état de la France 98-99*, La Découverte, Paris, 1998.

P. Concialdi, J.-M. Monnier, *Étude sur quelques scénarios possibles d'évolution de la CSG* (rapport pour la commission des finances, de l'économie générale et du Plan de l'Assemblée nationale), IRES, Paris, 1999.

J.-M. Monnier, *Les Prélèvements obligatoires*, Économica, Paris, 1998.

J.-M. Monnier, « Prélèvements obligatoires : l'année des projets avortés » *in L'état de la France 1999-2000*, La Découverte, Paris, 1999.

@ Sites Internet

OCDE (Organisation de coopération et de développement économiques) : **http://www.oecd.org**

OFCE (Observatoire français des conjonctures économiques) : **http://www.ofce.sciences-po.fr**

Ministère de l'Économie, des Finances et de l'Industrie : **http://www.finances.gouv.fr**

(Contribution sociale généralisée). Il était en effet suggéré de créer un abattement forfaitaire à la base (3 000 FF mensuels par exemple) en remplacement de la déduction existante de 5 % sur les salaires et revenus de remplacement. En profitant en priorité aux ménages défavorisés, cette réforme aurait renforcé la progressivité du système fiscal mise à mal ces dernières années à la suite de l'alourdissement des prélèvements proportionnels.

Enfin, la part régionale de la taxe d'habitation a été supprimée et les dégrèvements en faveur des bas revenus ont été étendus. Depuis plusieurs années cette taxe est contestée car elle pèse lourdement sur le budget des ménages, alors que son mode de calcul paraît largement arbitraire. Il reste qu'elle constitue l'un des principaux impôts locaux [*voir article p. 168*] de sorte que son allégement dans le cadre d'un plan de réduction du poids de la fiscalité d'État peut sembler paradoxal. Cette disposition révèle en fait l'élargissement du champ de la politique fiscale de l'État intervenue durant la décennie quatre-vingt-dix.

Une politique fiscale globale

Qu'il s'agisse de financer les 35 heures, la politique de l'emploi ou toute autre mesure économique, la stratégie fiscale de l'État englobe désormais de manière cohérente les finances nationales sociales et locales. Cette « politique fiscale globale » est le fruit des pressions convergentes exercées aussi bien par l'Union européenne que par les difficultés de financement de la protection sociale [*voir article p. 546*] et les mutations institutionnelles internes.

Au plan institutionnel, les procédures communautaires ont modifié l'équilibre des pouvoirs au sein des États membres puisque les décisions applicables à l'ensemble de l'Union font principalement appel aux pouvoirs exécutifs. Or la mise en œuvre de l'Union économique à travers le marché unique et l'euro a engendré de nouvelles contraintes sur les politiques publiques nationales : même inachevée, l'harmonisation des fiscalités crée des contraintes internes au droit fiscal sur les prélèvements effectivement utilisables, tandis que les critères de convergence repris dans le traité d'Amsterdam constituent un ensemble de contraintes externes sur les finances publiques nationales, locales et sociales. Quant à la monnaie unique elle-même, elle a signifié la perte de l'instrument monétaire pour les États, ce qui les a incités à se recentrer sur la politique budgétaire [*voir article p. 384*] dont les prélèvements obligatoires sont une composante essentielle. Cette évolution a d'ailleurs été concrétisée en 1999 par le rôle nouveau que le gouvernement français a accordé à la programmation budgétaire sur la période 1999-2002. On peut enfin remarquer que l'échec des négociations sur les propositions d'harmonisation fiscale formulées par la Commission européenne et l'avivement de la concurrence fiscale renforcent la nécessité ressentie par les gouvernements de coordonner l'ensemble des éléments participant de la politique fiscale.

Le second facteur d'évolution résulte des déséquilibres financiers que rencontrent de manière récurrente les régimes d'assurance sociale. Sommé de trouver une solution, l'État s'est fortement immiscé dans la gestion de la Sécurité sociale. Il en est résulté une double mutation. Au plan global, les lois de financement de la Sécurité sociale lui permettent de contrôler l'ensemble des comptes sociaux. Quant aux modalités du financement de la protection sociale, l'intervention de l'État y est non seulement majeure [*tableau 1*], mais les exonérations de cotisations sociales (généralement compensées par le budget de l'État) sont l'un des éléments de la politique de l'emploi menée par le gouvernement. Les finances sociales et le budget de l'État sont donc désormais étroitement imbriqués.

Par ailleurs, comme déjà évoqué, la pratique des allégements compensés par l'État s'est largement accrue durant la dernière décennie, en particulier dans le cadre des finances locales [*voir article p. 168*] qui constituent le troisième facteur d'évolution. Alors que la décentralisation a amplement modifié le paysage institutionnel français, la réorganisation des financements a été insuffisante. Un système de compensation des transferts de charges, accompagné d'un ensemble de dotations de la part de l'État, a été instauré. Sur le plan fiscal, les impôts locaux ont été laissés en l'état, alors même qu'ils étaient déjà considérés comme obsolètes. Finalement, faute de pouvoir réformer la fiscalité directe locale, l'État s'est engagé dans un processus consistant à accumuler les allégements qu'il compense à l'aide de son propre budget. Dans le cas de la taxe d'habitation, l'État prend à sa charge le quart de son produit. Quant à la taxe professionnelle, la réforme engagée (la suppression de la part salariale) devrait coûter aux finances de l'État près de 23 milliards FF en l'an 2000, de sorte qu'en cumulant avec les autres allégements compensés, le budget de la nation pourrait prendre à sa charge jusqu'à 49 % du produit de cet impôt. En d'autres termes, comme dans le cas de la Sécurité sociale, l'État intervient massivement dans les finances des collectivités locales, subissant certes les contraintes engendrées par ces interventions, mais disposant par ce biais des instruments nécessaires à la conduite d'une politique fiscale élargie. ■

Budget de l'État : une réduction du déficit plus forte que prévu

Gaël Dupont
Économiste, OFCE

Le ralentissement de l'économie française pendant la première moitié des années quatre-vingt-dix a creusé le déficit des administrations publiques (Apu). Le redressement de la conjoncture à partir de 1998 a facilité l'ajustement budgétaire. Le déficit des Apu est passé sous le seuil de 3 % du PIB en 1998 et le rapport de la dette au PIB a engagé une décrue en 1999 (à 58,6 %). Après la forte baisse du déficit en 1999, le gouvernement a privilégié la réduction des prélèvements obligatoires en 2000.

En 1999, les recettes fiscales ont augmenté de 7,8 % au lieu des 5,7 % prévus dans la loi de finances initiale (LFI), soit une différence de 30,7 milliards FF. Les recettes de l'impôt sur les sociétés (IS) ont bondi de 24 % (+ 30 milliards FF). Elles ont bénéficié du dynamisme économique de 1998 et, vraisemblablement, de l'extinction des reports de déficits qui pesaient sur les bénéfices imposables. Les dépenses ont été inférieures de plus de 10 milliards FF à celles prévues en LFI, essentiellement du fait de la baisse de la charge de la dette (– 9,5 milliards FF par rapport à la LFI). Le déficit de l'État a été réduit de « seulement » 30,6 milliards FF par rapport à la LFI car les recettes non fiscales ont été inférieures d'une quinzaine de milliards FF à ce qui était prévu. Le gouvernement a visiblement préféré les comptabiliser dans l'exercice 2000. En 1999, le déficit des Apu aura été inférieur de 0,4 point de PIB aux prévisions de la LFI : l'objectif de 1,8 % du PIB prévu pour 2000 a été atteint dès 1999 contre 2,7 % en 1998. Une loi de finances rectificative devait être adoptée au printemps, afin de corriger le niveau des recettes en 2000 et de déterminer leur affectation. Elles allaient être plus élevées que prévu du fait d'une croissance plus forte (3,5 % selon le gouvernement contre 2,8 % dans la loi des finances), à partir d'un niveau également plus élevé (« effet de base »).

Le budget de l'État en 2000

En 2000, les dépenses de l'État ont été programmées pour être stables en volume, hors financement des baisses de charges patronales. Compte tenu de la réduction des charges d'intérêts, cela permet une augmentation des dépenses primaires de 0,3 %. La rigueur porte essentiellement sur les salaires des agents de l'État, les interventions publiques, les dépenses en capital et les dépenses militaires (qui baissent en valeur). Les charges de personnel (30 % des dépenses nettes du budget général, 40 % en comptant les pensions) sont fortement limitées par la stagnation des effectifs civils. Les principales mesures prises par le gouvernement concernent la politique de l'emploi. La loi sur la réduction du temps de travail (RTT) est devenue effective en février 2000 [*voir article p. 538*]. En 2000, 61 000 emplois-jeunes supplémentaires devaient être créés, soit deux fois la baisse du nombre d'appelés : pour les jeunes hommes, la mesure compense l'effet de l'extinction du Service national. 300 000 emplois-jeunes auront été créés en fin d'année. Les dépenses en faveur de l'emploi ont prévu une augmentation de plus de 20 milliards FF (+ 12,5 %) : + 22 milliards FF pour les exonérations de charges patronales, + 7,5 milliards FF pour les emplois-jeunes, – 9 milliards FF pour les autres dispositifs (contrats initiative emploi [CEI], préretraites...). Alors qu'entre 1993 et 1997 les

Tab. 1

Prélèvements obligatoires 2000
Mesures concernant les ménages et les entreprises

Ménages		Entreprises	
TVA sur les travaux d'entretien	– 19,7	Suppression de la surtaxe (10 %) à l'IS[b]	– 12,4
Suppression du droit de bail	– 3,2	Limitation à l'exonération à l'IS[b] des dividendes versés à une société mère	+ 4,2
Augmentation de la TIPP[a]	+ 1,0	Augmentation de la TIPP[a]	+ 1,7
Taxes sur les ventes de logement	– 4,6	Réduction de la taxe professionnelle	– 2,0
Autres	– 2,1	Autres	– 1,9
Total loi de finances 2000 hors TVA	– 8,9		
Total loi de finances 2000	– 28,6	Total loi de finances 2000	– 10,4
		Extension de la ristourne dégressive	– 7,5
		Augmentation de la TGAP[c]	+ 1,2
		Contribution sociale sur les bénéfices	+ 4,3
		Abattement forfaitaire de 4 000 F (RTT)[d]	– 17,5
		Total loi de financement de la Sécurité sociale 2000	– 19,5
		Total LF[e] et LFSS[f] 2000	– 29,9

a. Taxe intérieure sur les produits pétroliers ; b. Impôt sur les sociétés ; c. Taxe générale sur les activités polluantes ; d. Réduction du temps de travail ; e. Loi de finances ; f. Loi de financement de la Sécurité sociale.
Source : Projet de loi de finances pour 2000, Projet de loi de financement de la Sécurité sociale (PLFSS) pour 2000.

Tab. 2

Équilibre du budget de l'État

	LFI[a] 1999	Exécution 1999	PLF[b] 2000	% PLF[b]/ LFI[a]	% à structure constante
Ressources du budget général[c]	1 430,9	1 449,4	1 442,2	0,8	3,2
Dépenses du budget général[d]	1 670,6	1 664,6	1 660,6	– 0,6	0,9
Solde des comptes d'affectation spéciale	3,1	9,2	3,0		
Solde de l'État[e]	– 236,6	– 206,0	– 215,4		
Charge nette de la dette[f]	237,3	227,7	234,7		
Solde primaire	0,8	21,7	19,3		

a. Loi de finances initiale ; b. Projet de loi de finances ; c. Après remboursements et dégrèvements, nettes des recettes d'ordre ; d. Y compris prélèvements en faveur des collectivités locales ; e. Hors budgets annexes ; f. Nette des recettes d'ordre.
Source : Projet de loi de finances pour 2000, ministère de l'Économie et des Finances.

interventions publiques étaient orientées en faveur de l'emploi marchand, à partir de 1998 les emplois-jeunes se substituent aux dispositifs existants [*voir article p. 99*].

Au motif formulé de ne pas détériorer la compétitivité des entreprises, le gouvernement a prévu une aide forfaitaire pérenne de 4 000 FF par salarié pour les entreprises

Références

E. Heyer, X. Timbeau, « La réduction du temps de travail », *in* OFCE, *L'Économie française 2000*, La Découverte, « Repères », Paris, 2000.

Ministère de l'Économie et des Finances, *Projet de loi de finances pour 2000*, Paris, sept. 1999.

Ministère de l'Emploi et de la Solidarité, *Projet de loi de financement de la Sécurité sociale pour 2000*, Paris, oct. 1999.

OCDE, « France 1999 », *Études économiques de l'OCDE*, janv. 1999.

H. Sterdyniak, P. Villa, « Pour une réforme du financement de la Sécurité sociale », *Revue de l'OFCE*, n° 67, OFCE, Paris, oct. 1998.

@ **Site Internet**

Ministère de l'Économie et des Finances : **http://www.finances.gouv.fr**

signant des accords de RTT. Cette aide n'est pas conditionnée à des créations d'emploi. Sur un coût estimé de 17,5 milliards FF en 2000, seuls 9,9 milliards FF devaient être financés (4,3 milliards sur le budget de l'emploi et 5,6 milliards de droits sur les alcools). Face au refus des partenaires sociaux d'une participation des organismes de Sécurité sociale, le gouvernement avait décidé de compléter le financement par la taxation des heures supplémentaires dans les entreprises n'ayant pas signé d'accord de RTT. Cette taxe a été jugée inconstitutionnelle car pénalisant les salariés de ces entreprises. Enfin, l'allégement dégressif de cotisations patronales sur les bas salaires a été renforcé et étendu jusqu'à un niveau équivalant à 1,8 SMIC (contre 1,3 auparavant), cette extension étant réservée aux entreprises ayant signé un accord sur la RTT. Elle devait coûter 7,5 milliards FF en 2000, financés par l'affectation de la Taxe générale sur les activités polluantes (TGAP) et la création d'une contribution sociale sur les bénéfices, l'objectif étant de modifier le coût relatif des facteurs pour favoriser l'emploi de travail non qualifié.

Aides fiscales et prélèvements

Les baisses d'impôts prévues par la loi de finances pour 2000 s'élèvent à 39 milliards FF [*voir tableau*]. Elles concernent essentiellement les impôts indirects. La réduction de la TVA sur les travaux d'entretien devait à elle seule coûter 19,7 milliards FF, l'objectif étant de favoriser un secteur intensif en main-d'œuvre et de réduire la place du travail informel (non déclaré). Mais cette mesure est intervenue dans une période où l'activité du bâtiment était forte et elle est apparue susceptible de se traduire par des effets d'aubaine importants. Elle accroît la complexité déjà grande des mesures d'aide fiscale en faveur des travaux dans les logements. Les ménages ont également bénéficié de la baisse des droits de mutation (– 4,6 milliards FF), destinée à favoriser la mobilité du travail. Le droit de bail est supprimé en deux ans (– 3,2 milliards FF en 2000).

Les entreprises, pour leur part, ont bénéficié de la suppression de la contribution additionnelle temporaire sur les bénéfices instaurée en 1997 pour adapter le niveau du déficit public aux exigences du traité de Maastricht. La limitation de l'exonération des dividendes qui transitent entre une filiale et sa société mère devait peser sur les entreprises pour 4,2 milliards FF. La poursuite de la suppression graduelle de la part salariale de l'assiette de la taxe professionnelle, destinée à alléger le coût du tra-

Tab. 3

Régime général de Sécurité sociale[a]
Évolution des dépenses

	Prestations versées (milliards FF)		Taux de croissance	Soldes (milliards FF)	
	1999	2000	2000/1999	1999	2000
Ensemble	1 146,2	1 173,3	2,4	– 4,0	11,5
Famille	200,4	200,9	0,3	3,3	3,5
Vieillesse	360,4	371,0	2,9	4,4	8,3
Santé	585,3	601,3	2,7	– 11,7	– 0,1

a. Le Régime général verse un peu moins de 45 % des prestations sociales reçues par les ménages. La hausse du nombre de retraités et le fait que les entrants ont des droits supérieurs aux sortants impliquent une augmentation automatique des prestations retraites de plus de 2 %. Pour 2000, on a supposé que l'État compense intégralement les baisses de charges patronales.
Source : PLFSS pour 2000, Commission des comptes de la Sécurité sociale, septembre 1999.

vail, devait en revanche rapporter 2 milliards FF aux entreprises. Au total, les prélèvements pesant sur les entreprises auront baissé de presque 30 milliards FF. Hors suppression de la surtaxe sur les bénéfices (prévue dès sa mise en place en 1997) et l'aide à la RTT (qui compense un coût), les mesures fiscales sur les entreprises se neutralisent. Le collectif budgétaire devrait permettre d'engager de nouvelles mesures fiscales dès 2000. Ont été annoncées une baisse du taux de TVA de 20,6 % à 19,6 % en avril (18 milliard FF) et des réductions de la taxe d'habitation (11 milliard FF) [*voir article sur la fiscalité locale p. 168*] et de l'impôt sur le revenu (11 milliard FF), ciblées sur les contribuables les moins imposés. Le gouvernement a donc choisi d'affecter l'essentiel des excédents de rentrées fiscales prévus (50 milliard FF) à des baisses d'impôts en faveur des ménages. Les dépenses ont bénéficié d'une rallonge de 10 milliards FF, dont 6 milliards FF en faveur des victimes des tempêtes et de la marée noire de fin 1999. Contrairement à l'esprit du pacte de stabilité de Maastricht, le gouvernement n'a pas souhaité que les surplus fiscaux liés à la croissance réduisent le déficit de l'État. Le déficit des administrations publiques devaient cependant se réduire à 1,5 point de PIB compte tenu des surplus de recettes des collectivités locales et de la Sécurité sociale. Le gouvernement français, comme ses voisins européens, s'est engagé à poursuivre les réductions d'impôts d'ici 2003. Des mesures coordonnées seraient souhaitables pour permettre de réduire la fiscalité sur le travail, surtaxé car moins soumis à la concurrence fiscale que le capital [*voir article sur les prélèvements obligatoires et la pression fiscale p. 399*].

Les dépenses de protection sociale

Les prestations de protection sociale représentent presque 30 % du PIB. La maîtrise des dépenses sociales contribue fortement à la réduction du déficit public. À compter du milieu des années quatre-vingt-dix, le solde du régime général s'est fortement amélioré : négatif de plus de 50 milliards FF entre 1993 et 1996, il devait être positif en 2000 (+ 11,5 milliards FF), les excédents de la Sécurité sociale devant alimenter le fonds de réserve pour les retraites. Cela permet d'éviter de réduire les taux de cotisations ou d'augmenter les prestations [*voir article p. 517*]. En revanche, l'affectation de ressources provenant des caisses d'épargne et de la Caisse des dépôts et consignations (CDC) n'a pas de sens : ces ressources doivent contribuer à rembourser la dette publique.

En 1999 comme en 1998, l'objectif national de dépenses d'assurance maladie, qui concerne les dépenses prises en charge par les régimes de base, a été dépassé (+ 13 milliards FF). La Couverture maladie universelle (CMU), créée en 2000 [*voir article p. 118*], permet aux 6 millions de Français les plus modestes d'avoir accès gratuitement aux soins de santé. En dépit de cette avancée, la loi de financement de la Sécurité sociale a prévu une augmentation des dépenses de santé limitée à 2,5 % en 2000. La CMU ne devrait coûter qu'un peu plus de 1 milliard FF à l'État car elle se substitue en partie à l'aide sociale des départements, ce qui permet au gouvernement de réduire la dotation globale de fonctionnement en faveur de ces derniers. Suite aux mouvements sociaux dans le secteur hospitalier, le gouvernement a annoncé le déblocage de 10 milliards FF d'ici 2002. Les prestations famille et retraite sont indexées sur les prix : leur pouvoir d'achat se réduit relativement aux revenus d'activité. En 2000, le gouvernement Jospin a engagé des négociations sur les 35 heures dans la fonction publique et a prévu de mettre en œuvre une réforme du système de retraite. Deux dossiers sensibles. ■

Budget européen : desserrer le carcan

Jacky Fayolle et Jacques Le Cacheux
Économistes, OFCE

Dès le début de l'année 2000, les responsables de l'Union européenne (UE) ont éprouvé la dureté des contraintes associées à la programmation budgétaire 2000-2006 (ou Agenda 2000), adoptée au printemps 1999 lors du Conseil de Berlin. Les besoins de reconstruction consécutifs à la guerre du Kosovo et au Pacte de stabilité du Sud-Est ont certes suscité des dépenses alors mal anticipées ; mais qu'il ait fallu moins d'un an pour buter sur les contraintes a témoigné de la faiblesse des marges de manœuvre, si bien que l'on évoquait déjà une nouvelle révision de la Politique agricole commune – PAC [*voir article p. 509*]. La programmation budgétaire est aussi vulnérable aux inflexions de la stratégie d'élargissement de l'Union européenne [*voir articles p. 26 et 552*]. L'orientation jusque-là affichée prônait en fait, sous couvert de critères soigneusement définis, une extension limitrophe de l'UE, ouverte aux bons élèves de la transition. Mais le Conseil européen d'Helsinki de décembre 1999 a réaffirmé le traitement sur un pied d'égalité des candidats reconnus, en annonçant l'ouverture, dès février 2000, de conférences bilatérales avec la Roumanie, la Slovaquie, la Lettonie, la Lituanie, la Bulgarie et Malte. Pourtant, le Conseil est resté évasif sur le contenu économique de cette stratégie assouplie, de sorte que l'inflexion politique entre en apparente contradiction avec la stratégie budgétaire. Celle-ci semble certes suffisante pour gérer le processus d'adhésion, mais à la condition qu'il soit sélectif et concentre les apports de fonds sur les premiers nouveaux membres.

Le tour non coopératif pris durant l'hiver 1998-1999 par la négociation intergouvernementale sur l'Agenda 2000 a naturellement amené une issue peu satisfaisante. Le Conseil de Berlin a entériné le plafond proposé par la Commission européenne fixant à 1,27 % du PIB de l'Union les ressources maximales et il a sensiblement restreint, sous ce plafond, la progression envisagée des dépenses. Non seulement le pacte de stabilité et de croissance limite l'autonomie budgétaire des pays membres, mais les gouvernements inventent de nouvelles contraintes sur le budget communautaire, qui rationnent ce dernier jusqu'en 2006 ! Le Conseil a précisé l'habillage doctrinal donné à cette évolution : « Avec l'adoption de nouvelles perspectives financières qui assureront la même rigueur budgétaire au niveau de l'Union qu'au niveau national et empêcheront les dépenses de l'UE d'augmenter plus vite que les dépenses publiques des États membres, le niveau global des dépenses de l'Union sera désormais stabilisé dans un cadre consolidé. »

Instaurée en 1988, la programmation budgétaire pluriannuelle au niveau communautaire a constitué une innovation importante et positive. Elle est allée de pair avec la montée en puissance de la ressource assise sur les PNB nationaux, qui a assuré en 1999 près de la moitié des ressources propres de l'UE. Cette évolution a entériné le repli des ressources propres traditionnelles (droits de douane et prélèvements agricoles), lié à la libéralisation des marchés internationaux. Elle permet aussi de mieux asseoir l'apport de chaque pays européen sur sa capacité contributive que ne le fait la contribution TVA (Taxe sur la valeur ajoutée), qui représente encore un gros tiers des ressources propres. Mais la procédure de programmation est aujourd'hui à bout de souffle parce qu'elle devient le lieu principal d'expression des conflits d'intérêts entre gouvernements. Les contributions nationales marginales à ce budget, qui permettent de l'équilibrer annuellement dans le cadre du plafond prédéterminé, sont considérées comme des charges par les États soumis à la discipline du pacte de stabilité. Le dispositif en place fait du budget communautaire le bouc émissaire des autorités budgétaires nationales. Les principaux États contributeurs s'efforcent de minimiser la charge nette qu'il implique pour eux.

L'inéluctable réforme des ressources propres

La Commission Santer avait souhaité que cette réforme maintienne la distinction entre le principe de respect de la capacité contributive de chaque État membre, dévolu au mode de collecte des ressources, et celui de prise en compte de la prospérité relative, dévolu aux critères guidant l'orientation des dépenses. Le PNB converti en euros aux taux de conversion ou de change effectifs reste la mesure la plus simple de la capacité contributive, la prospérité relative fait référence au PNB par habitant apprécié selon la parité des pouvoirs d'achat, afin de tenir compte du pouvoir d'achat interne de chaque monnaie nationale. Cette distinction conduit à ne pas réduire la solidarité européenne à une simple redistribution financière, mais à lui donner la forme de politiques communes, qui agissent directement sur le niveau de développement des régions en rattrapage.

Pour améliorer et élargir les ressources propres dont dispose le budget de l'UE, une pluralité d'évolutions est envisageable, parmi lesquelles les éco-taxes, une TVA composée d'un taux national et d'un taux communautaire, la communautarisation des accises, de l'impôt sur les sociétés ou de l'impôt sur le revenu des personnes physiques, la retenue à la source sur les intérêts, l'imposition des bénéfices de la Banque centrale européenne (BCE) (le « seigneuriage ») ont été autant d'idées soumises à évaluation. On peut aussi envisager de fonder complètement les contributions nationales sur l'assiette du produit national brut (PNB), en laissant les États libres du mode de taxation qu'ils retiennent pour remplir leurs obligations (mais, alors, la ressource PNB ne serait pas une vraie ressource propre).

Les critères qui permettent d'arbitrer entre ces orientations posent la question de

Tab. 1

Composition des ressources propres communautaires (en % du total des ressources comptabilisées sur l'exercice)

	1988	1991	1992	1993	1994	1995	1996	1997	1998	1999[b]
RPT[a]	27,6	26,8	24,3	21,3	19,7	20,9	19,7	17,1	18,4	18,6
TVA	58,9	59,0	61,0	53,2	53,2	54,8	50,5	46,4	39,7	35,5
PNB	13,5	14,2	14,7	25,5	27,1	24,3	29,8	36,4	41,9	45,9

a. RPT : ressources propres traditionnelles (droits de douane, prélèvements agricoles et cotisation sucre) ;
b. Prévisionnelles.
Source : Cour des comptes européenne et Commission européenne.

la nature des choix politiques auxquels sont confrontés les Européens : le critère d'autonomie financière vise à promouvoir l'indépendance du budget européen par rapport aux Trésors publics nationaux et à éviter de polluer ce budget par les contraintes spécifiques affectant les budgets nationaux ; le critère d'équité vise à proportionner la charge de chaque État à sa capacité contributive. Il n'est pas aisé de bien articuler ces deux critères : le recours accru, voire exclusif, à l'assiette PNB peut satisfaire l'équité, c'est de plus un mécanisme transparent et peu coûteux ; mais il ne garantit guère l'autonomie financière du budget communautaire. Pour cette raison notamment, une composante spécifiquement communautaire de la TVA et la taxe gaz carbonique/énergie ont leurs partisans.

La PAC de nouveau en question

Au sommet de Berlin, c'est une fois de plus dans une optique purement comptable qu'ont été traitées les questions agricoles, les pétitions de principe masquant mal les intérêts financiers en jeu. Les orientations proposées par la Commission Santer étaient inspirées par les mêmes objectifs que ceux qui avaient présidé à la réforme de la PAC décidée en 1992 : d'une part, le souci de contenir le montant total des dépenses budgétaires au titre de l'agriculture au-dessous de 50 % du total des dépenses ; d'autre part, celui d'assurer la compétitivité des grandes productions agricoles européennes, tant sur le marché intérieur que sur les marchés mondiaux, tout en mettant les mécanismes de soutien public de l'agriculture en meilleure conformité avec les exigences de l'Organisation mondiale du commerce (OMC).

À Berlin, les gouvernements ont poursuivi dans la droite ligne de la réforme de 1992, pour anticiper les exigences de l'OMC et limiter le coût budgétaire total de la PAC. Dictée avant tout par le souci de réduire légèrement les contributions nettes des pays qui le réclamaient, et donc d'amputer un peu les bénéfices que retire la France des dépenses agricoles européennes, cette stabilisation n'a pas eu pour contrepartie de sensibles modifications de la logique de la PAC : baisses de prix des céréales – de 15 % en deux ans –, partiellement compensées par un accroissement des aides directes au revenu ; de même pour la viande bovine, la hausse des primes compensant en partie la baisse des prix de soutien ; maintien des quotas laitiers jusqu'à 2005. Les dépenses agricoles afférentes à l'adhésion des nouveaux membres ont fait l'objet d'une enveloppe individualisée mais ne devraient pas avoir une grande incidence avant 2004.

La plupart des grandes questions abordées lors des négociations n'ont pas donné lieu à réformes. En particulier, le constat du caractère très concentré et inégalitaire des aides directes avait suscité des projets de plafonnement ou de dégressivité, finalement abandonnés. De même, le volet agricole du compromis budgétaire ne contient guère d'éléments allant davantage dans le sens du respect de l'environnement ou de l'encouragement à la qualité des produits. Pour

Références

Y. Échinard (sous la dir. de), *La Zone euro et les enjeux de la politique budgétaire*, PUG, Grenoble, 1999.

J. Fayolle, J. Le Cacheux, « Élargissement, PAC, politiques structurelles et "juste retour" : la quadrature du cercle budgétaire européen », *Revue de l'OFCE*, n° 66, Presses de Science-Po, Paris, juill. 1998.

J. Fayolle, J. Le Cacheux, « Budget européen : triomphe de la logique comptable », *Lettre de l'OFCE*, n° 185, Presses de Science-Po, avr. 1999.

J.-P. Fitoussi (sous la dir. de), *Rapport sur l'état de l'Union européenne*, Fayard/Presses de Science-Po, Paris, 1999.

l'essentiel, il ne remet donc en cause ni les orientations « productivistes », ni la logique de compétitivité internationale des productions agricoles de base, pas plus que le caractère profondément inégalitaire des soutiens budgétaires à l'agriculture européenne.

La redistribution par les dépenses structurelles

Même s'il reste modeste, le budget communautaire peut constituer un levier d'autant plus efficace pour l'expression et la mise en œuvre des orientations de croissance qu'il s'articule positivement avec les instruments nationaux de l'action publique. Déjà présent dans la politique des fonds structurels, le principe d'additionnalité n'est pas une simple technique mais repose sur le développement de partenariats à de multiples niveaux institutionnels. Son efficacité pratique relève tout autant de la responsabilité des instances nationales ou locales que communautaires, et dépend de la qualité de leur coordination.

Cette efficacité conditionne les implications de la plus grande concentration thématique et spatiale des fonds structurels décidée par le Conseil de Berlin [*voir article p. 163*]. Les objectifs ont été ramenés de cinq à trois : le rattrapage des régions retardataires (dont le PIB par habitant est inférieur à 75 % de la moyenne communautaire), l'appui à la reconversion dans les régions en mutation, le développement des ressources humaines. La population couverte par les objectifs régionaux, qui correspondait à la moitié de la population de l'Union actuelle, se rapprocherait du tiers. Si cette concentration accrue va de pair avec une meilleure efficacité, les bénéficiaires ne seront pas les seuls destinataires directs des fonds. La croissance de l'ensemble européen bénéficierait d'un rattrapage plus résolu et régulier des régions les moins avancées, alors que ce rattrapage, lorsqu'il est observé à un niveau régional suffisamment détaillé, marque le pas dans la dernière décennie.

Cette réforme d'étape des fonds structurels n'est certainement pas définitive, car la perspective de l'élargissement obligera à de nouveaux choix. Une réforme plus durable soulève trois questions principales : l'ampleur de l'effort redistributif collectivement consenti ; l'efficacité du ciblage et de l'exécution des dépenses ; la nature des politiques macroéconomiques menées en Europe, car les efforts décentralisés de rattrapage ne peuvent escompter le même succès selon l'effet d'entraînement exercé par la croissance globale. ■

Capitalisme français

La Bourse en folie ?

Hervé Hamon
Économiste, Université Paris-IX-Dauphine

La Bourse est un mécanisme qui permet aux sociétés de se procurer des fonds propres, donc du capital, en procédant à l'*émission d'actions*, qui sont des titres de propriété, par appel public à l'épargne. Une fois émises, les actions peuvent être vendues par leurs détenteurs, et faire ainsi l'objet de *transactions* (avec, pour le vendeur, un risque de moins-value... ou de plus-value), sans que les entreprises émettrices soient privées des fonds collectés puisque ceux-ci ne font, dans les transactions, que changer de mains. Les rouages boursiers tendent donc à concilier le besoin qu'éprouvent les entreprises en croissance (interne ou externe) de disposer de ressources financières de longue durée, et le souci des investisseurs de préserver la liquidité de leurs placements.

Les introductions de sociétés en Bourse (qui s'effectuent par ouverture au public d'une partie du capital : le « flottant »), les émissions (qui permettent l'augmentation du capital) et les transactions se déroulent selon des procédures très organisées ; différentes instances de régulation et de contrôle, dont la Commission des opérations de bourse (COB), visent à en assurer le bon fonctionnement, en particulier la transparence.

Au début de 2000, environ mille actions, à plus de 80 % françaises, étaient cotées sur les trois marchés réglementés de la Bourse de Paris (il existe aussi un marché dit « libre », pour les sociétés n'ouvrant au public qu'une très faible partie de leur capital) : plus de 500 sur le *Premier Marché*, naguère appelé cote officielle, réservé aux grosses sociétés et lui-même divisé en deux compartiments (le Règlement mensuel pour la « noblesse » de la cote, et le Règlement au comptant) ; 375 sur le *Second Marché*, créé en 1983 pour être la « Bourse des PME » ; 120 sur le *Nouveau Marché*, ouvert en 1995 sur le modèle du NASDAQ américain pour les jeunes entreprises à fort potentiel de croissance.

Dans ce cadre, l'année boursière 1999 aura été plus contrastée que ce qu'a pu laisser penser une actualité parfois spectaculaire. En effet, si le volume des transactions et le cours moyen des actions ont vivement progressé, il n'en a pas été de même des émissions. Il n'en reste pas moins que les grandes tendances observées les années précédentes se sont renforcées : les mécanismes boursiers pénètrent de plus en plus les entreprises françaises, et leur montée en puissance signale l'émergence progressive d'une nouvelle configuration économique et financière.

Le rôle croissant de la Bourse dans la vie des entreprises françaises

En 1999, 103 sociétés ont été introduites en Bourse (50 l'ont quittée), soit 25 de plus qu'en 1997 mais 30 de moins qu'en 1998. Sur ces 103 introductions, seulement 68 (117 en 1998) ont eu lieu sur les marchés réglementés : 6 sur le Premier Marché, 30 sur le Second Marché (69 en 1998), 32 sur le Nouveau Marché (42 en 1998). Au ralentissement des introductions s'est ajouté celui des émissions d'actions, qui n'ont guère dépassé 57 milliards FF sur le Premier et le Second Marché, après 69 milliards FF en 1998, 52 milliards FF en 1997, 44 milliards FF en 1996, 36 milliards FF en 1995. Ce double ralentissement, qui tient d'abord au caractère exceptionnel de l'année 1998 et a d'ailleurs semblé s'inverser au début de 2000, ne doit pas occulter le fait que le système productif s'ouvre de plus en plus au marché financier. En témoigne notamment la poursuite, en 1999, des opérations d'ouverture au public du capital des entreprises nationalisées (Air France, Aérospatiale-Matra, Crédit Lyonnais, Thomson Multimédia), improprement appelées privatisations [*voir article p. 419*], qui ont atteint 63 milliards FF, et apporté autant de recettes exceptionnelles à l'État. Au total, les sociétés ont levé en Bourse près de 190 milliards FF au cours de l'année. Un tel phénomène a au moins deux conséquences principales.

Les fusions et acquisitions d'entreprises, dont le foisonnement est stimulé par l'internationalisation croissante de la concurrence et l'accélération de la construction européenne, passent de plus en plus par de gigantesques batailles boursières qui revêtent la forme d'offres publiques d'achat (OPA), offres publiques d'échange (OPE), etc. Sans doute nombre de ces opérations ne débouchent-elles pas sur des mouvements financiers, simplement sur des échanges de titres ; mais leur ampleur donne la mesure des enjeux : en 1999, le rapprochement de Total-Fina et Elf (deuxième fusion européenne) a représenté 345 milliards FF, celui de Rhône-Poulenc et Hoechst 170 milliards FF, celui de la BNP et Paribas 131 milliards FF, celui de Carrefour et Promodès 110 milliards FF. Le mouvement devrait se poursuivre en 2000, dans les secteurs de la distribution, de la banque, de la communication... [*voir article p. 415*].

L'internationalisation du capital est facilitée. C'est ainsi que les investisseurs institutionnels étrangers détiennent environ un tiers du marché boursier, et même nettement plus quand il s'agit du capital de certaines grandes entreprises. Ils ont d'ailleurs assuré, en 1999, 80 % des transactions sur les actions des sociétés du CAC 40 [*voir définition plus bas*]. Cette situation, assez spécifique à la France en raison du caractère récent des mutations de son capitalisme et de la faiblesse de l'actionnariat des particuliers, a conduit les observateurs à souligner l'influence croissante des fonds de pension anglo-saxons sur les modes de décision et de gestion – le « gouvernement d'entreprise » – des grandes entreprises françaises, tantôt pour s'en féliciter (les Anglo-Saxons exigent la transparence, peu familière aux dirigeants français...), tantôt pour s'en inquiéter (... mais ils privilégient la valeur à court terme de l'entreprise pour l'actionnaire et exigent des taux de rentabilité trop élevés). Le débat s'est noué lorsque le P-DG d'Alcatel, Serge Tchuruk, a provoqué en septembre 1998 une chute de 38 % du cours des actions de sa société, en annonçant un résultat semestriel substantiel, mais inférieur aux prévisions (le « marché lui a reproché » une insuffisance de transparence et de n'avoir pas su anticiper) ; il a rebondi au début de 2000 lorsqu'il est apparu que certains investisseurs ne prétendaient plus seulement contrôler la gestion, mais aussi la stratégie des entreprises, comme l'a illustré l'attaque menée contre les dirigeants du groupe de chaussures André par deux fonds de pension détenant ensemble 42 % des droits de vote... [*sur le gouvernement d'entreprise, voir article p. 31*].

En exigeant des taux de rentabilité de l'ordre de 15 %, les fonds de pension étrangers ont contribué à alimenter la réflexion sur l'opportunité de créer des « fonds de

Fig. 1 **L'indice CAC 40 de la Bourse de Paris (1988-1999)**

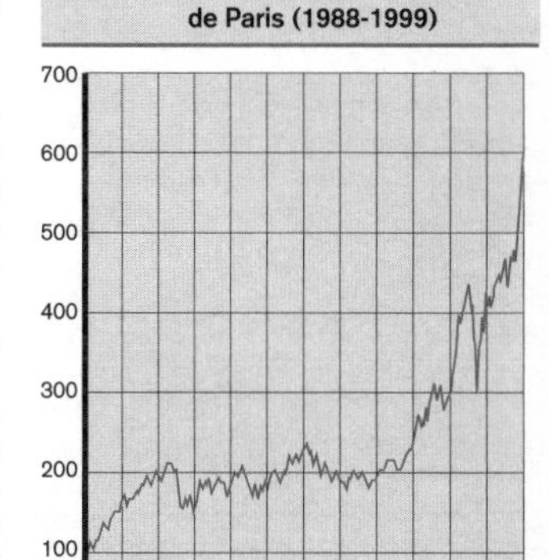

pension à la française », dont on voit mal cependant en quoi ils pourraient gérer les dépôts des futurs retraités avec un moindre souci de rendement que leurs concurrents britanniques ou américains [*voir article p. 423*]. Ils ont aussi incité les entreprises à modifier leurs comportements financiers. Ainsi certaines sociétés tendent-elles désormais à préférer l'endettement aux augmentations de capital, redécouvrant au passage les charmes de l'« effet de levier de l'endettement » (pourquoi s'embarrasser d'actionnaires supplémentaires exigeants quand, dans un contexte de taux d'intérêt assez bas, on peut s'endetter à moindre coût ?). D'autres, parfois les mêmes, utilisant une possibilité définie par la loi française depuis 1998, se livrent à des rachats de leurs propres actions (un bénéfice donné rémunère d'autant mieux les actions que celles-ci sont moins nombreuses...). Le montant de tels rachats s'est élevé à 59 milliards FF entre septembre 1998 et septembre 1999.

Hausse historique du CAC 40

Concernant la Bourse, l'attention se porte le plus souvent sur l'évolution du cours moyen des actions. Pour suivre cette évolution, il existe de nombreux indices (sans parler des indices établis à l'échelle européenne, tels que l'Euro stoxx 50, qui concerne 50 sociétés européennes, dont 13 françaises). L'indice le plus utilisé à Paris est l'indice CAC 40 (CAC : cotation assistée en continu), établi par l'organisation professionnelle de régulation du marché – la Société des bourses françaises (SFB) –, qui permet de suivre l'évolution du cours moyen des actions des 40 sociétés françaises les plus représentatives du Premier Marché.

Au début de 2000, l'indice CAC 40 a dépassé 6 000 points (sur la base 1 000 en fin 1987), en progression de 51 % sur un an, après une hausse de 43,6 % en 1998 et de 29,5 % en 1997. Cela signifie que le détenteur d'un portefeuille de titres du CAC 40 composé selon les pondérations retenues par cet indice a pu réaliser une plus-value sur les cours de près de 200 % s'il a conservé ce portefeuille pendant trois ans et l'a vendu au début de 2000... Ces chiffres sont d'autant plus remarquables, en l'absence quasi complète d'inflation, qu'ils sont nettement supérieurs à ceux de la plupart des grandes Bourses mondiales : en 1999, Francfort a progressé de 36 %, le Dow Jones de New York de 24 %, le FT100 de Londres de 15 %, etc.

La hausse exceptionnelle du CAC 40 sur le Premier Marché, surtout concentrée sur les deux derniers mois de l'année 1999 (plus 30 % entre le 15 octobre et le 15 décembre), doit cependant être relativisée : d'une part, parce que les autres marchés ont connu des hausses fortement différenciées (+ 22 % sur le Second Marché et... + 103 % sur le Nouveau Marché) ; d'autre part, parce que, quel que soit le marché, les évolutions moyennes recouvrent une grande dispersion des situations : certaines hausses ont dépassé 500 %, et certaines baisses 50 %. À elle seule, France Telecom, dont le cours a doublé en un an, explique plus du quart de la hausse du CAC 40, dans la mesure où, ayant la plus forte capitalisation de la place de Paris (plus de 1 200 milliards FF en fin mars 2000, soit plus que l'ensemble de la Bourse française de la fin des années quatre-vingt), elle contribue fortement à la construction de cet indice (à hauteur de 17 % en mars 2000). Une telle dispersion, plus que la progression moyenne, suggère la « folie ». Mais elle s'explique aisément : la cote est tirée vers le haut par les surenchères que provoquent les opérations de fusion-acquisition précédemment évoquées, et par les anticipations très favorables concernant les performances futures des sociétés liées aux nouvelles technologies et à la communication, anticipations qui ont assuré au début de 2000 le doublement en deux mois du cours moyen des actions sur le Nouveau Marché [*sur la « netéconomie », voir p. 38*], et provoqué une hausse de 25 % en une seule journée – le 2 mars 2000 – du cours de France Telecom lorsque cette société a évoqué la possibilité d'introduire en Bourse sa filiale d'activités Internet, Wanadoo (au passage, la très forte appréciation de France Telecom a rappelé que l'État possédait une importante « cagnotte » potentielle à travers ses participations dans certaines entreprises publiques).

Les espoirs mis dans l'efficacité des restructurations industrielles et dans les gains de productivité issus de la « nouvelle économie » de l'information et de la communication sont-ils excessifs ? Y a-t-il une part de « bulle financière » dans des hausses dont l'ampleur surprend moins que la rapidité ? Les analystes divergent sur ce point. On soulignera cependant que la Bourse de Paris est devenue la première de l'Union économique et monétaire (UEM) en février 2000, quand sa capitalisation a atteint 10 000 milliards FF, dépassant ainsi celle de Francfort, et dépassant nettement le PIB de la France (dont elle ne représentait que 30 % en 1995). Sans doute ce résultat, qui ne prend pas en compte le jeune Nouveau Marché (dont la capitalisation est passée de 10 milliards FF à 30 milliards FF entre la fin 1999 et le début 2000), laisse-t-il la place financière de Paris à une taille qui est à peu près la moitié de celle de Londres ; ce qui explique pourquoi les Bourses de Paris, Bruxelles et Londres ont décidé de fusionner en 2000. Mais il résulte du cumul d'un effet volume (il y a davantage d'actions cotées) et d'un fort effet prix (les actions s'apprécient). Un tel cumul témoigne notamment de la confiance des investisseurs internationaux dans les potentialités, non seulement des entreprises, mais de l'économie et de la société françaises. La presse financière internationale a d'ailleurs, en février 2000, souligné le caractère attractif du « modèle économique » français et son rôle moteur en Europe.

Ces évolutions ne peuvent être ignorées lorsqu'il s'agit de porter un diagnostic sur l'état de la France : si la Bourse est un mécanisme de financement des entreprises et de confrontation des anticipations sur le devenir de celles-ci, elle est aussi, dans une économie ouverte, un lieu où se joue le regard des autres ; un lieu, en somme, où le réel s'achève. ■

Fusions-acquisitions, filialisations, et autres restructurations

Nadia Jacoby
Université Paris-I-Panthéon-Sorbonne

L'ouverture du Marché unique européen (1993) et la mise en œuvre de l'euro au 1er janvier 1999 [*voir article p. 384*] dans un climat de reprise de la croissance [*voir article p. 366*], ont offert aux entreprises françaises de nouvelles perspectives de croissance. Pour s'imposer les firmes européennes ont, pour beaucoup, entrepris de se redimensionner, recherchant des opportunités d'accroître leur rentabilité par de plus grandes économies d'échelle. Cela a engendré de grands mouvements de restructuration.

La tendance observée depuis le milieu des années quatre-vingt-dix a été marqué par une course à la taille et un recentrage sur les activités les plus rentables.

Cependant, si certaines firmes cherchent à atteindre la taille mondiale dans leur secteur, d'autres affichent des motivations plus modestes. La stratégie de pénétration de marchés dits « pertinents » tel le Marché unique européen, le recentrage sur le cœur de métier, la réduction des coûts ou encore les économies d'échelle potentiellement réalisables sont autant de raisons justifiant les fusions-acquisitions.

Celles-ci ont à nouveau battu des records en 1999. Avec 434 milliards de dollars au premier trimestre, en progression de 82 %

par rapport à 1998, l'Europe a dépassé les performances américaines, les opérations étant à près de 90 % extra-européennes. Pour leur part, les entreprises françaises ont, tout au long de l'année 1999, activement participé à ces mouvements.

Industrie du vivant, pétrole...

Ainsi, en décembre 1998, Rhône-Poulenc et Hoechst ont annoncé la création d'une filiale commune, Aventis, deuxième groupe mondial dans l'industrie du vivant derrière le suisse Novartis fusion (décembre 1996), de Sandoz et de Ciba-Geigy. L'opération a été finalisée fin décembre 1999. De son côté, l'industrie pétrolière française exposée aux méga-fusions des majors s'est elle aussi engagée dans une dynamique de restructuration. Les gigantesques opérations BP-Amoco-Arco, (11 août 1998 puis 1er avril 1999, 31 millions d'euros) ; Exxon-Mobil (1er décembre 1998, 73 milliards de dollars) ou encore Royal Dutch-Shell ont déstabilisé les entreprises de taille moyenne devenues en proportion trois à cinq fois « plus petites ». Face à des coûts d'exploitation de plus en plus élevés, ces firmes ont cherché à réaliser des économies d'échelle et ont, pour cela, procédé à divers rapprochements. Après avoir racheté le belge Pétrofina en décembre 1998, Total a conclu un accord avec Elf-Aquitaine le 12 septembre 1999. Le groupe ainsi créé (130 000 salariés) s'est élevé au quatrième rang mondial par le chiffre d'affaires (75 milliards de dollars).

Dans le secteur de l'aluminium, depuis le milieu des années quatre-vingt-dix, la montée en puissance de producteurs moyen-orientaux, lesquels disposent de coûts d'énergie et de main-d'œuvre plus bas, a accentué la concurrence. Comme cela a été le cas pour les pétroliers ou l'industrie pharmaceutique, l'accroissement des coûts relatifs pour les entreprises françaises (et plus largement européennes) a conduit à d'importantes restructurations. Dès le printemps 1999, le leader français de l'aluminium Pechiney, a tenté une importante fusion regroupant le canadien Alcan et le suisse Algroup. Conclue le 11 août, cette opération, négociée en moins de cinq mois et issue de la double OPE (opération publique d'échange) de Alcan sur Pechiney et sur Algroup, permettait de marier la technologie de l'électrolyse de Pechiney aux qualités de producteur d'électricité d'Alcan, tout en renforçant le pôle emballage avec Algroup. Les synergies de cette alliance devaient permettre une économie de 600 millions de dollars par an, dont 80 % dans l'aluminium. Le nouveau groupe se serait ainsi hissé au deuxième rang mondial des producteurs d'aluminium et au premier rang mondial dans le secteur de l'emballage souple. Les partenaires ont cependant abandonné leur projet, la Commission européenne considérant que cela aurait constitué une position concurrentielle trop avantageuse.

Armement, banques...

Les fusions auxquelles participent les firmes présentent, pour ces dernières, au moins trois avantages. Les synergies réalisées permettent d'abaisser le seuil de rentabilité ; la gamme de compétences s'étendant, de nouveaux débouchés émergent rapidement ; enfin, cela favorise les efforts de recherche et développement (R-D).

Dès le début des années quatre-vingt-dix, les entreprises américaines de l'armement et de l'aéronautique ont procédé à des restructurations pour répondre principalement à la réduction des budgets militaires. Tant pour rester compétitifs que pour maintenir les efforts de recherche et développement, les entreprises européennes se sont, elles aussi, engagées dans des regroupements. Au début de 1999, alors que l'État autorisait la privatisation d'Aérospatiale dans le capital de laquelle le privé Dassault-Aviation était entré depuis le 10 novembre 1998, le groupe public fusionnait avec Matra Hautes Technologies (groupe Lagardère). Peu après, l'État lançait la privatisation d'Aérospatiale-Matra qui fusionnait à la mi-octobre avec l'allemand DASA (filiale de Daimler-Chrysler) pour former le « numéro trois » de l'aéronautique mondiale. Le nouveau groupe – baptisé EADS (European Aeronautic, Defense and Space Company) – détient également 75,8 % du consortium Airbus. Après le rachat, avec d'autres partenaires français, de 20 % de l'avionneur brésilien Embraer, EADS a accueilli le groupe espagnol CASA le 2 décembre 1999. Avec près de 21 milliards d'euros de chiffre d'affaires, EADS allait désormais pouvoir affronter sans difficulté le britannique BAE Systems né, début janvier 1999, de la fusion de British Aerospace et GEC.

Si les regroupements opérés aux États-Unis ont fortement influencé les mouvements français dans certains secteurs, la nouvelle configuration concurrentielle européenne a, pour sa part, fortement motivé les bouleversements intervenus dans le secteur bancaire. La Société générale a annoncé un projet de fusion avec Paribas le 1er février 1999. Or, Michel Pébereau (P-DG de la Banque nationale de Paris-BNP) qui, depuis déjà plusieurs années, souhaitait voir sa banque se hisser à la première place française, a répondu le 9 mars à cette annonce par une double OPE sur la Société générale d'une part et Paribas d'autre part. Après la clôture définitive des offres, la BNP remportait 65,1 % du capital de Paribas et 36,8 % de celui de la Société générale. Cependant, le 28 août, le Comité des établissements de crédit (CECEI), organisme de contrôle, n'a pas donné son accord à une participation minoritaire de la BNP dans la Société générale. L'opération s'est donc achevée par la seule prise de participation majoritaire de la BNP dans le capital de Paribas. En réalité, les offensives de la BNP n'étaient pas uniquement motivées par la compétition européenne, même si celle-ci en a été un facteur majeur. En effet, les rejets successifs par Dominique Strauss-Kahn (le ministre des Finances de l'époque) des offres de rachat émises par la BNP du Crédit industriel et commercial –CIC (en 1996) puis du Crédit Lyonnais (en 1998) auront favorisé les derniers grands mouvements.

Après la reprise du CIC par le Crédit mutuel en 1998 (67 % pour 13,4 milliards FF), d'autres banques françaises ont connu, durant l'année 1999, d'importantes restructurations, principalement dans le cadre national. La privatisation du Crédit Lyonnais a été lancée le 29 juin, alors que le 16 décembre la Société Générale y prenait une participation de 3,8 %. Enfin, le 9 juillet, les Caisses d'épargne ont racheté le Crédit foncier de France. Mais la difficile réorganisation du secteur bancaire s'est aussi illustrée par la tentative avortée d'OPA (offre publique d'achat) amicale du néerlandais ING (son principal actionnaire avec 19,2 %) sur le CCF (Crédit commercial de France) qui souhaitait conserver son identité. Dans ce contexte, le 1er avril 2000, le britannique HSBC lançait une OPA amicale sur la banque française.

Automobile, services, communication...

Enfin, certains marchés très concentrés contraignent les firmes à trouver des partenaires étrangers. Tel fut le cas du rapprochement entre les constructeurs automobiles Renault et Nissan (mars 1999), entre Gucci et Pinault-Printemps-La Redoute (mai 1999) ou encore de l'opération Aérospatiale-Matra-DASA.

Le taux d'internationalisation de l'économie française est de plus en plus élevé. Avec 239 milliards FF en 1998, les investissements français à l'étranger ont progressé de 15 % par rapport à 1997, la France se plaçant ainsi au quatrième rang mondial. En ont témoigné le rapprochement déjà évoqué de Renault et Nissan ou l'acquisition de l'américain US Filter par Vivendi (23 avril 1999). Sa rivale, Suez-Lyonnaise, pour ne pas se laisser distancer, a racheté en juin 1999 les américains Calgon (2,5 milliards FF), puis Nalco, (25,8 milliards FF), respectivement « numéro trois » et « numéro un » du conditionnement de l'eau. Courant juillet, Air Liquide s'est « offert » le britannique BOC, tandis que EDF (Électricité de

Références

« L'Entreprise », *Alternatives économiques*, n° 43, Paris, 1er trim. 2000 (hors-série). Voir notamment : D. Aronssohn, « Fusions à la chaîne » ; D. Clerc, « Le pouvoir des actionnaires » ; A. Salin, « L'entreprise éclatée » et « Radioscopie des entreprises françaises ».

F. Morin *Le Modèle français de détention et de gestion du capital*, Les Éditions de Bercy, Paris, 1998.

F. Parrat, *Le Gouvernement d'entreprise*, Éditions Maxima, coll. « Le savoir en action », Paris, 1999.

@ Sites Internet

Fortune : **http://www.pathfinder.com/fortune/global500/**

Ministère de l'Industrie : **http://www.industrie.gouv.fr**

France) a poursuivi ses incursions au Royaume-Uni et en Allemagne.

Dans le champ de la communication et des nouvelles technologies de l'information, la compétition s'est vivement aiguisée (téléphonie mobile, course aux portails Internet, etc.). L'alliance nouée le 30 janvier 2000 par Vivendi avec le groupe britannique Vodafone, lequel a pris le 3 février le contrôle de l'allemand Mannesmann, s'est inscrite dans ce cadre. Dans la distribution, l'année a été marquée par la fusion de Carrefour et Promodès.

Une nouvelle « gouvernance » d'entreprise

Symétriquement, les déréglementations et la globalisation des marchés financiers ont favorisé la croissance de la part des investisseurs étrangers dans la capitalisation boursière des entreprises françaises (35 % en 1997 contre 10 % en 1985). Avec 165 milliards FF d'investissements étrangers, la France se plaçait en 1999 au troisième rang des pays de l'OCDE (Organisation de coopération et de développement économiques). Un autre acteur de l'actionnariat d'entreprise s'impose cependant progressivement dans le paysage industriel français. En effet, les fonds de pension gèrent des centaines de milliards de dollars et exercent une pression forte sur les firmes dans lesquelles ils investissent [*voir article p. 423*]. De plus, ils bénéficient d'un avantage fiscal considérable favorisant leur développement : les fonds de pension non résidents sont en effet exonérés de toute imposition sur les dividendes qu'ils perçoivent. Outre son coût budgétaire, cette mesure crée un différentiel de rendement entre les investisseurs français et les investisseurs non résidents. En 1998, les investissements nets de ces derniers se sont élevés à 70 milliards FF d'actions françaises, contre seulement 6 milliards FF pour les résidents. Disposant de capitaux considérables, les investisseurs non résidents sont potentiellement en mesure d'acquérir une part très importante de titres français.

Ces prises de participation ne sont pas sans effet sur la manière de gérer les entreprises (la « gouvernance ») [*voir article p. 31*]. Les objectifs de rentabilité à court terme de l'actionnaire ne sont pas toujours compatibles avec les impératifs de profitabilité à long terme de la firme. La recherche d'une rentabilité toujours plus élevée pose en outre le problème de la gestion des personnels et les dirigeants doivent procéder à des arbitrages difficiles. Les performances attendues par les actionnaires ne sont souvent pas tenables. Par ailleurs, les grandes firmes développent l'actionnariat salarié ou l'épargne salariale [*voir article p. 425*] visant à promouvoir une culture d'entreprise dans laquelle les personnels assimileraient leurs intérêts à ceux des dirigeants et des actionnaires. ■

Privatisations et transformation des services publics : libéralisation et internationalisation

Norbert Holcblat
Économiste

Les années 1998 et 1999 ont été marquées par d'importantes privatisations qui ont inscrit, en la matière, l'action du gouvernement Jospin dans la continuité de celle de ses prédécesseurs. Les transferts de propriété et les modifications des modes de gestion des grands services publics sont significatifs d'une transformation décisive du mode de régulation économique du capitalisme français et de la remise en cause d'une conception traditionnelle du service public [*voir article p. 492*].

Le processus de privatisation des entreprises publiques avait été entamé entre 1986 et 1988 par le gouvernement de Jacques Chirac : il a concerné des actifs bancaires (Paribas, Société générale, Suez) et industriels (CGE [Compagnie générale d'électricité]) pour un montant de 77 milliards FF (100 milliards FF 1999), selon les évaluations de la Commission des participations et des transferts. Les privatisations ont été à peu près gelées durant les années 1988-1993 : après le retour de la gauche au pouvoir a prévalu la politique du « ni-ni » (ni nationalisations, ni privatisations). Cette période a cependant été marquée par la transformation du statut juridique de la Poste et des Télécommunications, annonciatrice de certaines des évolutions futures. Les privatisations ont repris en 1993 avec le gouvernement d'Édouard Balladur (1993-1995). Sept grandes entreprises ont été privatisées dans la période : la BNP (Banque nationale de Paris), Rhône-Poulenc, Elf-Aquitaine, l'UAP (Union des assurances de Paris), la SEITA (Société des tabacs et allumettes), Usinor-Sacilor et Pechiney. Le capital de Bull et celui de Renault ont été ouverts au privé, l'État restant encore majoritaire.

Le gouvernement d'Alain Juppé (1995-1997) a poursuivi le mouvement. En 1996 ont été réalisées les privatisations des AGF (Assurances générales de France), de Renault (cession de 6 % des actions rendant minoritaire la participation de l'État, celle-ci demeurant toutefois importante : 46 % du capital) et de la Compagnie générale maritime (CGM). Le statut de France Telecom a été transformé afin de rendre possible sa privatisation progressive. La part de l'État dans le capital de Bull est descendue en dessous de 50 % au début de l'année 1997. Dans le cadre d'une opération visant à réduire l'endettement de la SNCF, un établissement public chargé de la gestion des infrastructures, le Réseau ferré de France (RFF) a été mis en place au printemps 1997 ; bien que ne préjugeant pas en elle-même d'une éventuelle ouverture à la concurrence ou privatisation du transport ferroviaire, cette évolution des structures de la SNCF s'est inscrite dans la logique des transformations prônées par la Commission européenne (avec l'accord des États membres) et a marqué une rupture. La fin de l'année 1996 avait cependant été dominée par l'interruption des privatisations du CIC (Crédit industriel et commercial) et surtout du groupe Thomson, Thomson-CSF (branche militaire) et Thomson-Multimédia (électronique de loisir). Au total, les privatisations intervenues sous les gouvernements Balladur et Juppé ont représenté un montant de 130 milliards FF (140 milliards FF 1999).

Contrairement à ce qui s'était passé en

1998, le retour de la gauche au pouvoir en juin 1997 (gouvernement Jospin) n'a cette fois pas remis en cause le processus de privatisation. Certaines opérations prévues par le gouvernement précédent ont certes été interrompues, mais les privatisations ont en fait repris dès l'automne 1997. L'appropriation publique, longtemps pierre angulaire de la doctrine économique de la plupart des partis de gauche, est apparue ne plus être désormais d'actualité pour la coalition gouvernementale, même si les préoccupations de calendrier et de forme ont mobilisé son attention. La Commission des privatisations a ainsi été rebaptisée « Commission des participations et des transferts ». Le gouvernement a ainsi semblé décidé à mettre en œuvre le transfert (total ou partiel) au privé de la quasi-totalité du secteur public concurrentiel et à mener à bien une transformation fondamentale des grands services publics. L'ouverture en octobre 1997 du capital de France Telecom aura été une étape décisive : elle a marqué l'entrée du capital privé dans une entreprise relevant traditionnellement du service public et pas seulement du secteur public.

De nouvelles configurations du capitalisme français

Les privatisations menées à bien par la suite ont profondément remodelé les structures de l'économie française. Une deuxième phase de l'ouverture du capital de France Telecom est intervenue en novembre 1998. L'État est resté l'actionnaire majoritaire avec 62 % du capital, mais il a semblé ne plus rien imposer de majeur à l'opérateur en termes de stratégie. France Telecom a enregistré des profits records en 1999 et l'entreprise s'est engagée dans de profondes transformations. Le téléphone fixe (hors chiffre d'affaires engendré par les connexions à Internet) représentait désormais moins de 50 % de son chiffre d'affaires total, tandis que les filiales internationales comptaient désormais pour 12,8 % du chiffre d'affaires (alors que cette part était à peu près nulle en 1995). Une nouvelle modulation des tarifs est intervenue en 1999 avec une hausse de l'abonnement et des baisses des communications longue distance.

Le secteur financier est largement sorti de l'orbite publique. En 1998, le CIC a été vendu au Crédit mutuel, le GAN (Groupe des assurances nationales) à Groupama (marquant la cession au privé de la dernière des trois grandes compagnies d'assurances autrefois nationalisées) et la Société marseillaise de crédit à la banque Chaix (filiale du CCF – Crédit commercial de France), tandis que le capital de la Caisse nationale de prévoyance (CNP) était restructuré et partiellement mis en Bourse. On remarquera dans ces opérations le rôle non négligeable du secteur mutualiste. L'année 1999 a vu la réforme des caisses d'épargne transformées en banques coopératives. La vente des parts sociales à leurs clients a commencé à partir de janvier 2000 et un accord stratégique a été conclu avec la Caisse des dépôts et consignations (qui a pris 35 % de la nouvelle Caisse centrale des caisses d'épargne). Par ailleurs, en 1999, le groupe des caisses d'épargne a repris le Crédit foncier. La privatisation du Crédit Lyonnais a marqué le passage au privé de l'ensemble des quatre grandes banques de dépôts nationalisées à la Libération. En 1998, la Commission européenne avait donné son accord pour le plan de sauvetage de la banque en échange d'une restriction de son périmètre (cession d'activités et de filiales à l'étranger, fermeture d'agences) et d'une privatisation dans les meilleurs délais. Le Crédit Lyonnais a effectivement été privatisé en juin 1999. L'État n'a plus détenu que 10 % de son capital, un « groupe d'actionnaires partenaires » a été constitué avec 33 % du capital (dont 10 % au Crédit agricole), 52 % des parts ont été vendues dans le public, les salariés en détenant 5 %. Les résultats de la banque ont fait apparaître une nette amélioration. Ainsi, en une décennie, le poids de l'État dans le secteur financier français a été très largement remis en cause, les restructurations s'opérant désormais à l'initiative des acteurs du secteur, les pouvoirs publics ayant une prise assez réduite sur les événements, comme en a témoigné la bataille entre la BNP et la Société générale en 1999.

De même, d'importantes opérations ont concerné des groupes industriels. Le capital de Thomson-Multimédia (dont les comptes se sont redressés) a été ouvert à quatre partenaires en 1998 : Alcatel, les américains DirectTV et Microsoft et le japonais NEC. En novembre 1999, une part du capital de Thomson-Multimédia (revenu aux bénéfices) a été introduite en Bourse (l'État restant l'actionnaire majoritaire avec près de 52 % du capital). Le gouvernement de Lionel Jospin paraît ainsi avoir réussi à conduire progressivement une opération qu'Alain Juppé n'avait pu mener à bien. En juillet 1998 avait été annoncé le rapprochement d'Aérospatiale et de Matra (groupe Lagardère). En 1999 a été ainsi constitué Aérospatiale-Matra, le groupe Lagardère détenant 33 % du capital tandis qu'une partie des actions du nouveau groupe était mise sur le marché en juin. Aérospatiale-Matra s'est ensuite rapproché de l'allemand DASA et de l'espagnol CASA dans la perspective de former un groupe aéronautique et de défense européen, EADS (European Aeronautic, Defense and Space Company), dont les actionnaires français devaient détenir 30 % du capital (dont la moitié à l'État). Le consortium Airbus (la construction d'Airbus représentant 40 % du chiffre d'affaires d'EADS) serait transformé en société autonome filiale d'EADS et du britannique BAE Systems (devant être minoritaire). La participation de l'État dans Thomson-CSF (électronique de défense) est progressivement tombée à 33 %, Alcatel-Alstom en étant le premier actionnaire privé avec plus de 25 % du capital. Alcatel s'est en revanche désengagé de Framatome qui est revenu dans la mouvance publique, dans l'attente d'éventuelles restructurations. Enfin, l'État est devenu minoritaire dans le capital d'Eramet (nickel de Nouvelle-Calédonie). La puissance publique a conservé ses 44 % de Renault mais n'est pas apparue désireuse de peser sur les décisions stratégiques du groupe qui, en 1999, a pris le contrôle du constructeur roumain Dacia et, surtout, est entré dans le capital du japonais Nissan. En mars 2000, la direction de Renault paraissait souhaiter une reprise du coréen Samsung Motors.

Pour ce qui est d'Air France, les décisions d'ouverture du capital ont été prises dès février 1998. Mais la vente des actions a été retardée par des grèves de pilotes puis par les aléas des marchés financiers. En février 1999, 30 % du capital ont été mis sur le marché. Avec le jeu d'autres opérations (entrée des salariés dans le capital, échéances d'obligations convertibles en actions), la part de l'État devrait rétrograder à 53 % du capital environ. Par ailleurs, en juin 1999, une alliance commerciale a été réalisée entre Air France et l'américain Delta Airlines.

Très vif au début, le débat sur les méthodes de privatisation est largement retombé. Soucieux de ne pas être accusé de bradage à des entreprises étrangères, Édouard Balladur avait privilégié en 1986-1988 la formule des « noyaux durs » qui consistait à attribuer 15 % à 20 % du capital à un groupe d'actionnaires stables. La gamme des techniques de cession s'est élargie, beaucoup d'opérations combinant un accord avec un partenaire « leader » et une introduction en Bourse. Dans la transformation d'Air France, un rôle important a été dévolu à l'attribution d'actions aux salariés et notamment aux pilotes. L'évaluation de certaines entreprises et le prix de mise sur le marché de leurs actions ont pu faire l'objet de controverses : cela a été notamment le cas pour la valorisation d'Aérospatiale lors du rapprochement avec Lagardère. Au total, selon la Commission des participations et des transferts, les privatisations intervenues sous le gouvernement Jospin (de la mi-1997 à octobre 1999) ont représenté un montant de 150 milliards FF. Les privatisations intervenues depuis 1986 ont ensemble rapporté 360 milliards FF (405 milliards FF 1999). Selon François Lagrange, le président de la Commission, les participations publiques dans les principales entreprises du secteur concurrentiel (France Telecom, Renault, Aérospatiale-Matra, Thomson-CSF, CNP Assurances, Bull, Air France et SNECMA) représentaient fin 1999 environ 400 milliards FF. Par ailleurs, la valeur d'entreprises publiques comme EDF, GDF, La Poste et Aéroports de Paris serait également de l'ordre de 400 milliards FF. F. Lagrange en concluait, en octobre 1999, que les privatisations futures pourraient rapporter 800 milliards FF. Le bond des actions de France Telecom (après l'annonce par Michel Bon d'une éventuelle mise sur le marché boursier d'une filiale Internet), au début du mois de mars 2000, a sans doute accru ce chiffre.

Les services publics en devenir

Le noyau dur des services publics est en voie de transformations profondes, tant du fait de la modification de son environnement réglementaire en harmonie avec les orientations européennes qu'en raison de l'internationalisation grandissante des activités des entreprises qui le composent.

En juin 1998 avait été présentée la « réforme de la réforme ferroviaire » : stabilisation de la dette de RFF avec augmentation des péages versés par la SNCF et mise en place d'un Conseil supérieur du service public ferroviaire. En 1999, la SNCF a lancé la filialisation du Sernam (service de messagerie). En janvier 1998 a été créé SNCF International pour pouvoir exploiter des lignes dans d'autres pays. Une filiale commune a été mise en place en 1999 pour le trafic voyageurs avec les chemins de fer italiens, avec lesquels une collaboration existait déjà en matière de fret.

Le 1er février 2000, après de longs débats pour partie internes à la majorité gouvernementale, a eu lieu le vote définitif de la loi libéralisant le marché intérieur de l'électricité. Elle prévoit l'ouverture par étapes du marché français. Les consommateurs finals éligibles peuvent représenter jusqu'à 30 % de la consommation nationale dans l'immédiat (33 % en 2003) : il s'agit de grands consommateurs, en fait d'établissements industriels (environ 800 en février 2000). Ils pourront s'approvisionner en électricité auprès du fournisseur de leur choix, installé sur le territoire d'un État membre de l'Union européenne. Par ailleurs, EDF a créé avec le groupe de négoce international Louis Dreyfus une filiale commune de « *trading* » sur l'électricité basée à Londres. Les ambitions internationales d'EDF se sont fortement affirmées ; il s'agissait au départ d'exporter (du fait de la surcapacité du parc nucléaire). S'est ensuite dessinée une tactique d'implantation, en Amérique du Sud et sur les marchés européens (Suède, Autriche, Grande-Bretagne, Allemagne). Dans ces quatre derniers pays, les entreprises contrôlées par EDF représenteraient entre 10 % et 15 % de l'électricité distribuée. En janvier 2000, EDF a ainsi acquis 25 % du quatrième producteur d'électricité allemand, EnBW. EDF comptait, début 2000, 30 millions de clients en France, disait en compter 20 millions à l'étranger, et l'international (exportations comprises) représentait 22 % de son chiffre d'affaires. L'objectif affirmé par l'entreprise est qu'à l'horizon de 2005 les ventes d'électricité en France ne représentent plus que la moitié du chiffre d'affaires du groupe. Cette évolution a été source de remontrances à l'étranger, tant sur le degré d'ouverture du marché français de l'électricité que sur le statut public de l'entreprise. Ainsi, à l'occasion de la prise de participation dans EnBW, le ministre allemand de l'Économie a demandé sa privatisation.

Une évolution de nature analogue a semblé s'esquisser pour GDF. Une directive européenne prévoit l'ouverture à la concurrence du marché du gaz à partir d'août 2000, une loi devant être votée pour la transposer en France. Il est apparu possible que GDF prenne le statut de société anonyme avec ouverture du capital à des partenaires (Total-Fina/Elf). Le problème des rapports futurs avec EDF a également été posé. Par ailleurs, GDF est déjà le premier distributeur de gaz naturel au Mexique.

La Poste est aussi entrée, avec ses spécificités, dans une logique d'adaptation au nouveau contexte. La concurrence s'est en effet développée (en matière de messagerie express et de transport des colis). Début 2000, Chronopost possédait treize filiales à l'étranger et La Poste s'est implantée en Allemagne (transport de colis) et aux États-Unis (transport de presse). ■

Le poids croissant des investisseurs institutionnels

Catherine Sauviat et Jean-Marie Pernot
IRES

La montée du pouvoir actionnarial au sein des groupes français a accentué un processus de financiarisation de leur gestion entamé depuis le début des années quatre-vingt. Ce pouvoir s'incarne aujourd'hui non pas dans le petit actionnaire individuel mais dans les investisseurs institutionnels chargés de gérer collectivement l'épargne retraite et l'épargne des ménages (compagnies d'assurances, caisses de retraite, SICAV [sociétés d'investissement à capital variable], FCP [fonds communs de placement], fiducies bancaires). Parmi ces intervenants, la domination des investisseurs institutionnels anglo-américains est indiscutable. Ainsi, sur les 33 fonds les plus actifs en France, 22 sont anglo-saxons. La raison principale de cette situation réside dans le développement très avancé des marchés boursiers aux États-Unis et au Royaume-Uni, dopés par le drainage de l'épargne collective provenant des régimes ou plans de retraite par capitalisation. L'arrivée de ces puissants opérateurs financiers dans le capital des entreprises françaises s'est faite à la faveur des privatisations [*voir article p. 419*] et a été encouragée, notamment, par des mesures d'incitation fiscale. La France est en effet le seul pays européen à rembourser aux investisseurs non résidents l'avoir fiscal (impôt sur les dividendes), avantage qui constitue un élément significatif de la rentabilité de leurs placements.

L'emprise nouvelle de ces investisseurs sur les plus grands groupes français a fortement contribué à légitimer le primat donné aux actionnaires et à leurs exigences de maximisation de la valeur boursière [*voir article p. 31*]. Il est désormais fixé aux entreprises des objectifs de retour sur fonds propres très élevés (fréquemment de 15 %). La valeur actionnariale s'est imposée de fait comme un indicateur central de la stratégie et de la communication de l'entreprise. Aujourd'hui, la plupart des grands groupes sont dotés d'une structure de communication financière chargée de coordonner les contacts avec les analystes financiers. Le nombre de réunions organisées à leur intention a progressé rapidement : ainsi, le P-DG du groupe Valéo, Noël Goutard, a totalisé en 1998 250 rencontres individuelles avec les investisseurs.

« Créer de la valeur actionnariale »

Cette évolution rapide a eu des réper-

Références

F. Artus, M. Debonneuil, « Architecture financière internationale », *Conseil d'analyse économique*, La Documentation française, Paris, 1999.

F. Morin, *Le Modèle français de détention et de gestion du capital*, Les Éditions de Bercy, Paris, 1998.

C. Sauviat, J.-M. Pernot, « Fonds de pension et épargne salariale aux États-Unis : les limites du pouvoir syndical », *in L'Année de la régulation 2000*, vol. 4, La Découverte, Paris, 2000.

cussions profondes sur la façon d'appréhender l'entreprise. Les professionnels de la gestion d'actifs ont introduit une logique mettant en avant l'exigence supérieure de rentabilité des capitaux propres. La méthode connue sous le nom d'EVA (*Economic Value Added*) exprime le mieux ce souci nouveau, orienté vers les actionnaires, de mesurer la rentabilité des capitaux investis par rapport à leur coût. Elle se comprend comme la différence entre le résultat d'exploitation après impôt et le coût du capital engagé. Pour « créer de la valeur actionnariale », l'entreprise doit afficher une EVA positive. Cette méthode, issue de travaux académiques américains des années cinquante et soixante, a été diffusée internationalement par les grands cabinets de conseil en stratégie comme McKinsey, BCG, Stern & Stewart. Elle a connu un début de mise en œuvre au sein de quelques grands groupes français (Michelin, Vivendi, Lafarge, Rhône-Poulenc) qui en ont fait un instrument de pilotage à usage interne. Depuis 1994, le périodique *L'Expansion* classe annuellement les groupes français les plus « créateurs de valeur » [*voir L'Expansion, n° 600, 24 juin 1999*].

Les entreprises ont internalisé cette logique en mettant en place des outils de gestion spécifiques et en épousant les normes internationales de publication et de présentation des comptes. Les rachats d'actions, par exemple, largement pratiqués à partir de 1996, réduisent les capitaux propres et entraînent automatiquement une augmentation du bénéfice par action. La cession d'actifs s'est également répandue dans la même intention, provoquant un recentrage des activités des firmes sur leur métier principal (*core business*). L'EVA a guidé la mise en place de nouveaux outils opérationnels ou « systèmes de pilotage interne de la valeur ». L'attribution de stock-options ou de bonus aux cadres dirigeants est de plus en plus souvent liée à l'évolution du cours de l'action, à l'instar de ce qui se fait chez Elf-Aquitaine, Pechiney, Danone ou Suez-Lyonnaise. La mise en place de dispositifs d'actionnariat salarié ou d'épargne salariale permet en outre de diffuser le modèle de la valeur actionnariale auprès de franges plus larges de salariés [*voir article p. 425*].

Soumis au « jugement des marchés financiers », les groupes français sont ainsi devenus plus vulnérables aux sanctions des investisseurs institutionnels. Celles-ci peuvent être immédiates et se manifester par la vente de blocs d'actions avec de fortes répercussions sur le titre. La satisfaction des actionnaires étant devenue une nouvelle donne majeure des entreprises, il revient aux autres « partenaires » de celle-ci de s'adapter et de supporter davantage les risques, à savoir les salariés et les sous-traitants sur lesquels est le plus souvent reportée la recherche d'une flexibilité maximale.

Un défi pour les relations salariales

Le primat accordé à l'intérêt des actionnaires modifie le champ des relations sociales au sein des entreprises et des groupes. Entre le pouvoir réel acquis par les investisseurs institutionnels et l'alibi qu'ils peuvent fournir aux directions pour justifier certaines décisions, le déplacement du rapport de force s'opère pour l'essentiel au détriment des représentants des travailleurs. les syndicats peuvent-ils trouver, à travers l'« actionnariat salarié » [*voir encadré p. 427*], le moyen de compenser les effets de ce déplacement ? C'est peu probable. Une détention de 5 % ou 7 % du capital par les salariés pèse peu dans la vie d'une entreprise, comme l'ont montré les exemples d'Elf et de la Société générale en 1999. Avec 2 % du capital, un investisseur institutionnel peut avoir plus de poids parce que les comportements de ce type d'acteurs s'agrègent dans une logique globale des marchés qui n'est pas, *a priori*, celle des syndicats. L'hypothèse d'un pouvoir d'influence des syndicats sur les marchés financiers pourrait bien être un miroir aux alouettes, comme le montre l'expérience déjà acquise par les syndicats américains. ■

L'épargne salariale, nouvel enjeu social ?

Jean-Marie Pernot et Catherine Sauviat
IRES

L'épargne salariale a fait, au cours de l'année 1999, une entrée remarquée dans le débat politique français : des rapports ont été publiés, des propositions de loi ont été versées au débat public, lequel s'est alimenté d'un nombre impressionnant de colloques et de séminaires. En octobre 1998, le gouvernement a annoncé qu'un projet de loi serait déposé au cours de l'année suivante. Reporté une première fois au printemps 2000, il le sera à nouveau, le gouvernement souhaitant se donner du temps et poursuivre la concertation. Tous les ingrédients ont donc été réunis pour donner le sentiment qu'une affaire importante se préparait. L'actionnariat des salariés, émergeant avec force d'une bonne décennie de privatisations, est lui aussi passé au rang de ces « nouveautés » qui, avec la « nouvelle économie » [*voir article p. 38*], sont présentées comme devant bouleverser les rapports sociaux du siècle qui s'ouvre.

La galaxie de l'épargne salariale

L'expression « épargne salariale » désigne des dispositifs d'épargne constitués dans le cadre de l'entreprise. Ils ont été créés par étapes et plusieurs fois modifiés [*voir encadré « Le sens des mots » p. 427*] : l'intéressement a été créé en 1959 ; les ordonnances de 1967 ont créé le Plan d'épargne entreprise (PEE) et la « participation » obligatoire ; plusieurs textes législatifs ont promu entre 1970 et 1973 l'acquisition d'actions par les salariés. L'architecture de l'épargne salariale a été bâtie entre 1986 et 1994, à l'occasion des grandes vagues de privatisation des gouvernements Chirac (1986-1988) et Balladur (1993-1995). L'actionnariat salarié a été systématisé en 1986 (loi du 6 août) tandis que le PEE, qui vivotait jusqu'alors, a été institué en pivot de l'ensemble des systèmes d'intéressement, de participation et d'actionnariat. Les modifications législatives de 1994 ont parachevé le dispositif depuis lors

Références

J.-P. Balligand, J.-B. de Foucault, *Rapport au Premier ministre sur l'épargne salariale* (disponible sur le site du ministère de l'Économie, des Finances et de l'Industrie), La Documentation française, Paris.

C. Burricand, *La Détention d'épargne salariale, quelques résultats tirés des enquêtes patrimoine et budget des familles*, INSEE, Paris, 1999.

J. Chérioux, *L'Actionnariat salarié : vers un véritable partenariat dans l'entreprise, rapport d'information*, Commission des Affaires sociales du Sénat, Paris, 1999.

O. Fagnot, « De bons résultats pour la participation et l'intéressement versés en 1998 », *Premières Synthèses*, n° 34.2, DARES, Paris, 1999.

@ **Site Internet**

Ministère de l'Économie, des Finances et de l'Industrie : **http://www.finances.gouv.fr**

intégré dans le Code du travail (articles L. 443-1 à L. 443-9).

Cette épargne collectée dans l'entreprise est investie de manières diverses, mais la forme la plus courante en est celle des fonds communs de placement d'entreprise (FCPE). Début 2000, il en existait 3 600 accueillant des actions et des obligations de toutes sortes. La fin des années quatre-vingt-dix a été illustrée par une tendance au développement de FCPE constitués de titres de l'entreprise créatrice des fonds, ceux-ci représentant 43 % de l'encours total des FCPE.

De nombreux salariés sont devenus actionnaires de leur entreprise à l'occasion de la privatisation de celle-ci [*sur les privatisations, voir article p. 419*]. Les dispositions adoptées en 1986 permettaient de réserver aux salariés 10 % des actions émises à l'occasion d'une privatisation, avec une « ristourne » de 20 % sur le prix public de souscription. Ainsi, 70 % à 90 % des salariés des entreprises Air France, Thomson-CSF, la Seita, Renault ou encore Rhône-Poulenc sont actionnaires de leur entreprise. Bon an mal an, 700 000 salariés sont ainsi devenus détenteurs de titres « maison », dont plus de 100 000 à France Telecom.

Justifications et risques

L'accent mis aujourd'hui sur l'épargne salariale est justifié de plusieurs façons par ses promoteurs : drainer l'épargne vers les actions, motiver les salariés en les associant à l'amélioration de la marche de leur entreprise et aux performances financières de l'ensemble de l'économie ; créer un partenariat dans l'entreprise et un actionnariat stable pour celle-ci ; développer un produit d'épargne aidé fiscalement et abondé par l'entreprise. Il convient également d'évoquer les entreprises qui, comme Peugeot-SA, ont créé des PEE long terme destinés à la retraite.

La France connaît un taux d'épargne élevé et très supérieur à la moyenne européenne (presque 15 % contre moins de 12 % en moyenne de la Zone euro). L'épargne salariale ne créera pas d'épargne nouvelle, elle ne peut conduire qu'à une « réallocation » entre produits d'épargne, par exemple pour certaines catégories de salariés entre livret A et épargne salariale. Celle-ci représentait un encours global de 238 milliards FF à la fin de 1998, avec, cette année-là, un flux de 35 milliards FF de capitalisation nouvelle. Cela est peu en comparaison des grands flux de l'épargne des ménages. En 1997, par exemple, 46 milliards FF étaient venus s'ajouter aux Plans d'épargne populaires (PEP), 129 milliards FF aux Plans d'épargne logement (PEL), tandis que l'assurance vie drainait vers elle 455 milliards FF.

Le sens des mots

♦ La notion d'*épargne salariale* regroupe plusieurs types de dispositifs diversement agencés. La *participation* est le plus ancien : créée en 1967 par une ordonnance, elle est obligatoire aujourd'hui dans les entreprises de plus de 50 salariés. Près de 5 millions de salariés appartenant à 18 000 entreprises en perçoivent les fruits (6 100 FF en 1998, entre 5 400 et 5 800 FF par an en moyenne au cours des années récentes).

♦ Contrairement à la participation, l'*intéressement* est totalement facultatif. C'est aussi une initiative ancienne : créé en 1959, l'intéressement a vu ses règles modifiées par deux fois en 1990 et 1994. Depuis cette dernière date, les montants d'intéressement versés aux salariés ont régulièrement progressé, avec une grande sensibilité à la conjoncture : 3 millions de salariés environ y ont accès chaque année, appartenant à quelque 14 000 entreprises de toutes tailles. Le montant annuel moyen perçu par les bénéficiaires a régulièrement progressé, pour atteindre 5 600 FF en 1998. Si les montants en participation sont obligatoirement bloqués pendant 5 ans, les primes d'intéressement peuvent, elles, être retirées chaque année et soumises, dès lors, à l'impôt sur le revenu.

♦ Le *Plan d'épargne entreprise* (PEE), créé lui aussi par les ordonnances de 1967, est le premier support des montants de participation (les deux tiers de la participation y transitent, le reste demeurant inscrit en compte courant de l'entreprise). Les salariés peuvent y verser tout ou partie de leur intéressement mais ils peuvent aussi y apporter des contributions volontaires supplémentaires dans certaines limites. Enfin, l'entreprise peut décider d'« abonder » le compte des salariés selon des formules diverses : abondement proportionnel au versement de l'épargnant, fixe ou encore variant avec le salaire, encouragement aux formules d'épargne plus longue, etc. Le PEE est généralement géré sous forme de *fonds commun de placement d'entreprise* (FCPE). Il peut en contenir plusieurs dont un sert souvent de support à la détention d'actions de l'entreprise. L'actionnariat salarié peut exister indépendamment des fonds communs et prendre la forme d'une détention directe.

♦ Si on considère l'ensemble de l'épargne constituée dans le cadre de l'entreprise, il faut inclure encore celle accumulée dans les régimes supplémentaires de retraites d'entreprise. Les *comptes épargne temps* créés en 1994, mais qui ont connu un nouveau développement avec la mise en place des 35 heures, doivent également y être inclus puisque les salariés peuvent désormais y verser une partie de leurs primes d'intéressement.
- **J.-M. P., C. S.** ■

Comme tout produit d'épargne, l'épargne salariale ne se développe qu'en raison d'un statut fiscal attrayant. Les sommes versées par l'entreprise ne supportent ni impôts ni cotisation sociale (exceptée la CSG [Contribution sociale généralisée] et la CRDS [Contribution au remboursement de la dette sociale]). Les salariés ne paient pas non plus de charges salariales sur ces montants, non plus que de plus-values sur valeurs mobilières s'ils restent placés au moins cinq ans dans un PEE. Au total, pour 1998 (avec 35 milliards FF d'épargne salariale nouvelle), le défaut de rentrée fiscale s'est établi à près de 5 milliards FF et la perte de recettes sociales à près de 20 milliards FF. Si l'épargne salariale paraît avantageuse dans l'entreprise pour les deux parties, cela se réalise au détriment de la protection sociale et des services collectifs financés par les transferts sociaux et fiscaux.

Le caractère d'individualisation attaché

à ces dispositifs est encore accentué par les comportements d'épargne. Tout d'abord, plus des deux tiers de l'intéressement versé annuellement est directement perçu par les salariés afin d'être ajouté à leurs besoins courants. Ensuite, l'épargne salariale croît avec le revenu : 67,6 % de ceux qui gagnent moins de 8 000 FF par mois (le salaire médian qui partage la population des salariés en deux moitiés) et qui disposent d'épargne salariale ont moins de 10 000 FF capitalisés, 40,2 % des « plus de 20 000 FF » par mois en ayant plus de 50 000. Par ailleurs, la répartition des entreprises dotées de dispositifs d'épargne est très inégale par secteur et par taille ; enfin, l'abondement par les entreprises est pour l'essentiel pratiqué dans les entreprises à hauts salaires.

L'épargne salariale est aujourd'hui un instrument important de la politique des rémunérations des entreprises. Son mérite reconnu est de faire participer une frange de salariés aux rendements des marchés financiers. Cet avantage a une contrepartie. Dotée d'avantages fiscaux et sociaux importants qui pénalisent le financement de la protection sociale, l'épargne salariale s'inscrit avec l'ensemble des conséquences de la financiarisation des entreprises [*voir article p. 423*] dans une amplification considérable des inégalités sociales.

L'épargne salariale ne pèse guère par ailleurs sur le financement de l'économie et les propositions de réformes formulées au début de l'année 2000 (rapport Balligand-de Foucault) visant à en étendre l'accès aux salariés des PME n'ont guère de chance de créer des transferts massifs vers ce support. Même si les flux de l'épargne salariale doublaient ou triplaient en quelques années, peut-on traiter sérieusement du financement des PME en ignorant cette part massive de l'épargne (près de 4 000 milliards FF d'encours, près de 500 milliards FF de flux annuels) qui, *via* l'assurance vie, reste nichée dans les placements à revenus fixes ou n'en sort que pour courir les grosses valeurs des places financières du monde entier ? ■

Emploi et chômage

Les métamorphoses de l'emploi depuis un quart de siècle

Claude Minni
Statisticien, DARES

Du début des années soixante au premier choc pétrolier (1973-1974), le nombre d'emplois en France avait progressé rapidement et régulièrement, au rythme moyen de 175 000 postes supplémentaires par an. Depuis lors, la croissance de l'emploi a été entravée par les fluctuations conjoncturelles de l'économie [*figure 1*]. Après un premier repli en 1974 et 1975, le nombre d'emplois a chuté de près de 400 000 au cours de la première moitié des années quatre-vingt, puis de nouveau de 500 000 de 1991 à 1993. Lors des phases de reprise de 1976 à 1979, puis de 1986 à 1991, l'emploi a progressé à un rythme assez proche de celui des années soixante. Les créations d'emploi ont été en revanche beaucoup plus nombreuses à compter de

Fig. 1

Population active, emploi, chômage[a] (1954-1999)

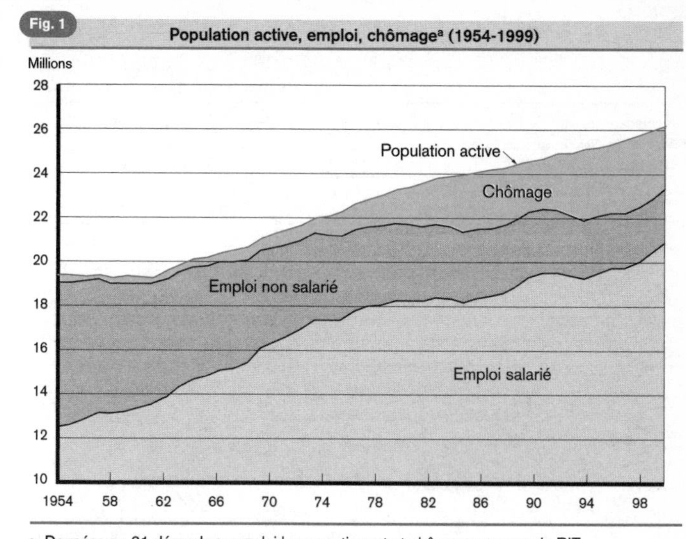

a. Données au 31 décembre, emploi hors contingent et chômage au sens du BIT.
Source : INSEE, DARES.

Fig. 2

Part du temps partiel dans l'emploi total [a] (par sexe et groupes d'âge)

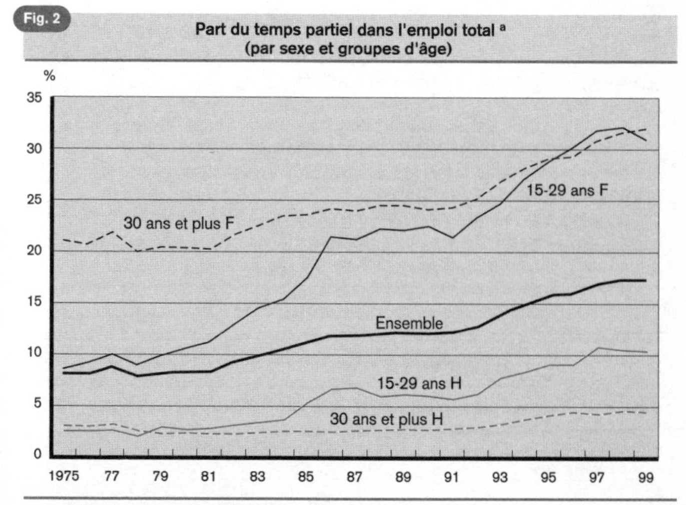

a. Champ : emploi au sens du BIT hors contingent.
Source : INSEE, enquêtes « Emploi ».

Tab. 1

Population en âge de travailler et taux d'activité (population en millions, taux en %, âge atteint au 31 décembre)

Catégorie	1975	1980	1985	1990	1995	1999
Population en âge de travailler (17-65 ans)	31,3	32,5	34,8	35,9	36,7	37,2
Taux d'activité de la population en âge de travailler	69,7	71,3	68,6	68	68,6	69,6
Taux d'activité masculins						
15-29 ans	69,3	66,2	63,3	57,7	53,3	52,8
30-54ans	96,7	96,8	96,1	95,7	95,4	94,8
55-64 ans	69	68,6	50,1	45,8	41,5	42,6
Taux d'activité féminins						
15-29 ans	51,9	52,1	51,1	48,4	45	43,9
30-54 ans	55,7	62,1	67,7	71,7	77	78,5
55-64 ans	36,3	40,1	30,9	31,1	31	32,5

Source : INSEE, enquêtes « Emploi ».
Note de lecture : 52,8 % des hommes de 15 à 29 ans sont actifs au sens du BIT en 1999.

Tab. 2

Emploi total par secteurs et pourcentage de salariés (en milliers, répartitions en %)

Répartitions	1975	1980	1985	1990	1995	1999
Emploi total	**21 157**	**21 686**	**21 465**	**22 375**	**22 210**	**23 273**
Salariés	82,3	84,0	85,3	87,0	88,6	89,5
Non salariés	17,7	16,0	14,7	13,0	11,4	10,5
Ensemble	*100*	*100*	*100*	*100*	*100*	*100*
Agriculture	10,1	8,3	7,1	5,5	4,6	4,1
Industrie	28,1	26,1	23,5	21,8	19,4	18,2
Construction	8,9	8,6	7,2	7,3	6,5	6,1
Tertiaire	52,9	57	62,2	65,4	69,5	71,6
Ensemble	*100*	*100*	*100*	*100*	*100*	*100*

Source : INSEE, estimations d'emploi.

Tab. 3

Répartition de l'emploi total par groupes socioprofessionnels (en %)

Groupes socioprofessionnels	1985	1990	1995	1999
Agriculteurs, exploitants	7,1	5,3	3,6	2,9
Artisans, commerçants et chefs d'entreprises	8	8,3	7,5	6,9
Cadres et professions intellectuelles supérieures	9,1	11,1	13	13,6
Professions intermédiaires	19,9	19,6	21,1	21,2
Employés qualifiés	14,9	15,9	15,8	15,3
Employés non qualifiés	11,1	11,3	12,6	13,7
Ouvriers qualifiés	16,9	17,2	17,3	17,3
Ouvriers non qualifiés	13	11,3	9,1	9,1
Ensemble	*100*	*100*	*100*	*100*

Source : INSEE, enquêtes « Emploi ».
Champ : emploi au sens du BIT hors contingent.

Tab. 4

Statuts d'emploi (emplois en milliers, répartitions en %)

	Catégories d'âge	Emploi public[a]			Emploi salarié privé[c]				
		Ensemble	Contractuel[b] auxiliaire vacataire pigiste (%)	Autre (%)	Ensemble	Intérim (%)	CDD[d] et emplois aidés[e] (%)	Apprentissage (%)	CDI[f] (%)
1982	Ensemble	4 491	–	–	13 562	1,0	2,7	1,4	94,9
	dont 15-29 ans	1 185	–	–	4 490	1,7	5,8	4,3	88,2
	dont 55-64 ans	448	–	–	1 174	0,4	0,8	0,0	98,8
1990	Ensemble	4 844	5,6	94,4	13 792	1,7	6,3	1,6	90,4
	dont 15-29 ans	850	15,5	84,5	4 249	3,3	14,7	5,2	76,9
	dont 55-64 ans	431	2,7	97,3	975	0,4	1,5	0,0	98,0
1999	Ensemble	4 935	6,3	93,7	15 108	3,0	8,7	1,8	86,5
	dont 15-29 ans	705	19,9	80,1	3 581	6,9	18,6	7,7	66,8
	dont 55-64 ans	447	2,6	97,4	999	0,5	4,4	0,0	95,0

a. État, collectivités locales, Sécurité sociale ; b. Pour une durée limitée ; c. Y compris entreprises publiques ; d. Contrat à durée déterminée ; e. L'enquête Emploi ne recense pas l'ensemble des différents dispositifs de l'emploi ; en particulier, parmi les emplois aidés du secteur marchand hors alternance, seul le CIE (Contrat initiative-emploi) est repéré en 1999 ; f. Contrat à durée indéterminée.
Source : INSEE, enquête Emploi. Champ : emploi au sens du BIT (Bureau international du travail) hors contingent.

Tab. 5

Croissance et emploi (taux de croissance en moyenne annuelle, en %)

	1976-1985	1986-1995	1985	1990	1995	1999
PIB total	2,1	2,1	1,1	2,0	3,4	2,7
PIB concurrentiel non agricole (1)	2,2	2,1	0,8	2,3	3,8	3,1
Emploi total concurrentiel non agricole (2) = (1) – (3)	– 0,2	0,2	0,2	0,6	1,9	1,8
Productivité par tête (3 = (4) + (5)	2,4	1,9	0,6	1,7	1,9	1,2
Durée du travail de l'ensemble des effectifs (4)	– 0,7	– 0,2	– 0,4	– 0,2	– 0,1	–0,6
Productivité horaire (5)	3,3	2,0	1,4	1,6	1,6	1,5

Source : INSEE, enquêtes « Emploi ».
Note de lecture : 52,8 % des hommes de 15 à 29 ans sont actifs au sens du BIT en 1999.

1997. On a compté 380 000 emplois supplémentaires en 1998 et 450 000 en 1999. Le rythme des créations d'emplois semblait encore s'accélérer au cours du premier semestre 2000.

Alors que l'emploi subissait les à-coups conjoncturels, la population active a continué à croître au rythme régulier de 160 000 actifs supplémentaires chaque année. Au total, de 1974 à 1999, la population active a progressé de plus de 4 millions de personnes, contre moins de 2 millions pour l'emploi. Cela s'est traduit par le développement d'un chômage massif et durable [*figure 1*]. La croissance de la population active devrait se poursuivre jusqu'en 2005, suivie d'un retournement à la baisse lorsque les générations du « baby-boom », nées à partir de 1946, commenceront à arriver à l'âge de la retraite.

L'évolution de la population active et des taux d'activité

L'évolution de la population active résulte de l'incidence de la démographie et de l'évolution des taux d'activité des différentes catégories de population. La population en âge de travailler s'est accrue de près de 6 millions de personnes de 1975 à 1999, alors qu'environ 7 personnes en âge de travailler sur 10 étaient actives en 1999, comme 25 ans plus tôt. La démographie a donc eu un effet prépondérant sur l'évolution de la population active. L'impact global de l'évolution des taux d'activité a pour sa part été faible car le développement de l'activité féminine a été compensé par la baisse de l'activité des jeunes et des plus âgés.

La progression de l'activité féminine a été rapide jusqu'en 1995, mais semble s'être ralentie ensuite en raison notamment de l'élargissement de l'octroi de l'Allocation parentale d'éducation [*voir article p. 104*] qui a conduit à un retrait sensible de l'activité des femmes avec deux enfants. En 1999, près de 8 femmes de 30 à 54 ans sur 10 étaient actives et les femmes représentaient 45,4 % de la population active, contre 38,5 % en 1975 [*tableau 1*]. Les taux d'activité féminins sont, en France, parmi les plus élevés d'Europe.

Pour les jeunes, la prolongation des études a entraîné une baisse impressionnante des taux d'activité. Depuis le milieu des années quatre-vingt-dix, à 21 ans, plus d'un jeune sur deux poursuit encore des études, ce qui fait que plus de six jeunes sur dix achèvent leur formation initiale munis du baccalauréat ou d'un diplôme du supérieur. Cette baisse de l'activité juvénile a été particulièrement rapide de 1987 à 1993, période où l'allongement de la durée des études a connu son rythme le plus soutenu. La durée des études s'est ensuite stabilisée et les taux d'activité des jeunes ont peu varié de 1996 à 1999. Pour les jeunes filles, l'activité a reculé à partir de 1985, car l'impact de l'allongement des études l'a alors emporté sur l'effet général de la progression de l'activité professionnelle féminine.

Les salariés âgés se sont trouvés progressivement exclus du marché du travail à partir des années soixante-dix, lorsqu'un consensus s'est établi pour avancer de plus en plus l'âge de fin d'activité. La baisse de l'activité des 55-64 ans a été rapide au début des années quatre-vingt, lorsque les formules de préretraite ont été mises en place, puis s'est poursuivie, pour les 60-64 ans, jusqu'au début des années quatre-vingt-dix avec le passage à la retraite à 60 ans en 1983. Après le relèvement de 150 à 160 trimestres de cotisation pour obtenir la retraite à taux plein à partir de 1993, le taux d'activité des travailleurs âgés s'est stabilisé. Cela fait donc quinze ans qu'en France l'activité professionnelle concerne moins d'un homme sur deux et moins d'une femme sur trois au sein de la population de 55 à 64 ans.

L'activité s'est donc concentrée sur les âges intermédiaires, ce qui constitue une caractéristique du modèle français de partage du travail. De 1975 à 1999, la part des actifs âgés de 30 à 54 ans est passée de 53 % à 70 %.

L'évolution par secteurs, professions et métiers

La répartition sectorielle des emplois [*tableau 2*] a continué à se modifier rapidement à la fin des années quatre-vingt-dix. Avec les disparitions d'emplois d'exploitants et d'aides familiaux, l'agriculture a connu une baisse constante de ses effectifs et ne représentait plus que 4 % des emplois en 1999, contre 10 % en 1975. Le secteur de la construction, très sensible à la conjoncture, a perdu plus de 500 000 emplois de 1974 à 1999, mais a bénéficié des périodes de reprise (+ 100 000 emplois de 1986 à 1990 et + 40 000 en 1998-1999). L'industrie et le tertiaire, dont l'importance relative s'était accrue conjointement jusqu'au début des années soixante-dix au détriment de l'agriculture, ont connu ensuite des évolutions opposées. On ne comptait plus en 1999 que 4,2 millions d'emplois dans l'industrie, qui a perdu le tiers de ses effectifs de 1974 à 1999, alors que dans le même temps le tertiaire, qui représentait en 1999 plus de 7 emplois sur 10, a gagné près de 6 millions d'emplois. Une partie de ces gains d'emplois du tertiaire au détriment de l'industrie est due à l'externalisation de certaines tâches par les entreprises industrielles, comme le nettoyage ou la comptabilité, ainsi qu'au développement de l'intérim, dont les effectifs sont classés dans les services aux entreprises, alors que la majorité travaille dans l'industrie. Les emplois dans les industries des biens de consommation ont régressé plus rapidement que ceux du reste de l'industrie manufacturière (biens intermédiaires, biens d'équipement et automobile), tandis que dans les industries agro-alimentaires le nombre d'emplois a peu varié depuis 1980. Au sein des secteurs tertiaires, les services marchands aux particuliers (avec la santé) ou aux entreprises (avec l'intérim) ont créé beaucoup plus d'emplois que les services non marchands, malgré l'apport des emplois aidés. L'évolution apparaît également favorable dans les transports, alors qu'elle a été irrégulière dans le commerce et qu'elle est négative dans les services financiers depuis 1975.

En 25 ans, les professions intermédiaires et surtout les cadres et professions intellectuelles supérieures, qui représentaient plus d'un emploi sur trois en 1999, se sont développés au détriment des catégories non salariées et des postes d'ouvriers [*tableau 3*]. Les emplois ouvriers supprimés ont surtout concerné des postes non qualifiés, qui, en 1999, ne représentaient plus qu'un tiers des postes d'ouvriers. Du fait des allégements de charges en faveur des bas salaires initiés en 1993, puis de la reprise économique récente, le nombre d'ouvriers non qualifiés a cependant légèrement augmenté de 1994 à 1999, alors que, dans le même temps, le nombre d'employés non qualifiés a considérablement progressé. Au total, les postes non qualifiés représentaient environ 23 % des emplois en 1999, un taux équivalent à celui de 1990. Du fait que le niveau de formation de la population active a continué à s'élever rapidement, de plus en plus de diplômés occupent un emploi peu qualifié. Les jeunes ayant terminé récemment leurs études sont les plus touchés par ce phénomène de « déclassement ».

À un niveau plus fin, l'évolution des métiers est très contrastée. Deux métiers sur trois, représentant plus de la moitié de l'emploi total, ont vu leurs effectifs augmenter de plus de 25 % entre 1983 et 1998. Pour les cuisiniers, assistantes maternelles, aides-soignants, agents administratifs et commerciaux du tourisme et des transports, formateurs et recruteurs, cadres administratifs comptables et financiers, informaticiens, personnels d'étude et de recherche, professionnels de la communication et de la documentation, la croissance des effectifs a même été supérieure à 50 % en 15 ans. À l'opposé, plusieurs métiers d'ouvriers non qualifiés, ainsi que ceux d'agriculteurs ou d'éleveurs ont connu une chute de leurs effectifs de plus de la moitié en quinze ans.

CDI, CDD, intérim, temps partiel...

Au sein de l'emploi salarié, la norme de l'emploi à temps plein et à durée indéterminée a perdu du terrain depuis le début des années quatre-vingt, avec le développement des contrats temporaires et du travail à temps partiel.

Les contrats à durée déterminée (CDD), l'apprentissage et l'intérim représentent une part croissante de l'emploi salarié privé, même si ces différentes formes de contrat temporaire restent très minoritaires dans le stock d'emplois (86,5 % de contrats étaient à durée indéterminée [CDI] en 1999), sauf chez les jeunes de 15 à 29 ans pour les-quels ils représentent un emploi sur trois [*tableau 4*]. En revanche, les embauches se font massivement sous forme de contrats à durée limitée. En 1999, dans les établissements d'au moins 10 salariés du secteur privé hors inté-

Références

M. Amard, A. Lerenard, A. Topiol, X. Viney, « Quinze ans de métiers. L'évolution des emplois de 1983 à 1998 », *Premières Synthèses*, n° 18.1, DARES, Paris, 1999.

M.-M. Bordes, C. Gonzales-Demichel, « Marché du travail, séries longues », *INSEE Résultats, Emploi-revenus*, n° 138-139, INSEE, Paris, 1999.

F. Brunet, H. Kontchou, « Baisse du sous-emploi, après 8 ans de hausse », *INSEE Première*, n° 693, INSEE, Paris, janv. 2000.

O. Marchand, « Population active, emploi et chômage au cours des années quatre-vingt-dix », *Données sociales*, INSEE, Paris, 1999.

O. Marchand, C. Thélot, *Le Travail en France. 1800-2000*, Nathan, coll. « Essais et recherches », Paris, 1997.

C. Minni, P. Poulet-Coulibendo, « L'évolution récente de la scolarité et de l'insertion professionnelle des jeunes », *Premières Synthèses*, n° 52.1, DARES, Paris, 1998.

Note de conjoncture, INSEE, Paris, déc. 1999.

Voir aussi la bibliographie de l'article p. 82.

Voir aussi Index, mot clé « Emploi ».

@ **Sites Internet**

DARES (Direction de l'animation de la recherche, des études et des statistiques) – Emploi et solidarité) : **http ://www.travail.gouv.fr**

rim, environ 7 embauches sur 10 étaient à durée déterminée. L'idée de « précarité » ne se réduit cependant pas forcément au caractère temporaire du contrat, comme l'illustre l'exemple de salariés titulaires de CDI menacés de licenciement ou celui des salariés à temps très partiel non choisi. Par ailleurs, certains emplois temporaires constituent un mode d'accès à l'emploi stable.

Le temps partiel s'est développé rapidement, particulièrement entre 1981 et 1986, puis de 1992 à 1997 avec la mise en place d'exonérations de charges sociales [*figure 2*]. Près du tiers des femmes et plus de 5 % des hommes qui travaillent étaient à temps partiel en 1999, soit une proportion double de celle observée en 1975. Les plus concernés sont les travailleurs peu qualifiés du secteur tertiaire (hôtels-cafés-restaurants, commerces, services aux particuliers). La progression du temps partiel a été particulièrement rapide chez les jeunes : en 1999, les jeunes actives étaient aussi souvent à temps partiel que leurs aînées, alors qu'elles l'étaient deux fois moins en 1980. Les hommes jeunes, quant à eux, travaillent aujourd'hui deux fois plus souvent à temps partiel que les adultes, alors que leurs situations étaient équivalentes jusqu'au début des années quatre-vingt. Pour une proportion croissante de salariés concernés, le temps partiel est plutôt subi que voulu et constitue donc une forme de sous-emploi. Pour les femmes, le temps partiel subi représentait en 1999 plus de 10 % des emplois, soit 36 % des emplois à temps partiel ; pour les hommes, ces proportions étaient respectivement de 3 % et 48 %. Avec la reprise, le temps partiel subi a cependant légèrement reculé en 1998 et 1999.

Depuis 1975, le lien entre croissance économique et emploi s'est modifié en raison du ralentissement des gains de la productivité du travail : globalement, la croissance s'est « enrichie en emplois » [*tableau 5*]. À la fin des années soixante et au début des années soixante-dix, la croissance de l'économie devait être très élevée pour conduire à une création nette d'emplois : la productivité par actif occupé augmentait alors au rythme de près de 5 % par an. Le ralentissement a été rapide après la rupture de 1974. En 1999, la productivité par actif occupé n'a augmenté que de 1,2 %, ce qui a permis à l'emploi de progresser de près de 2 % avec une croissance économique d'environ 3 % (secteur concurrentiel non agricole). Outre l'effet même de la crise, plusieurs facteurs ont contribué à ce ralentissement de la productivité par actif occupé : diminution de la durée du travail (passage aux 39 h puis aux 35 h et développement du temps partiel), part croissante prise par les services dans l'économie et, depuis 1994, développement des emplois non qualifiés stimulés par la mise en place des exonérations de charges sur les bas salaires. ■

L'évolution du chômage depuis un quart de siècle

Geneviève Canceill
DARES

Alors qu'au début des années soixante-dix le chômage pouvait être considéré comme « frictionnel », l'année 1974 a vu naître un chômage qui allait devenir de masse. Dès le deuxième trimestre, le chômage s'était en effet mis à augmenter de façon quasi permanente : le taux de chômage a culminé une première fois à 10,5 % (moyenne de 1987), puis à 12,3 % (moyenne de 1994), avec une période de rémission en 1989-1991, repassant alors sous la barre des 10 % [*tableau 1*]. Dans la période récente, en dépit d'un reflux en 1994-1995, la croissance du chômage a repris dès la fin 1995 en raison du ralentissement de l'activité. Pendant une grande partie de l'année 1997 ont été dénombrés environ 3,2 millions de chômeurs au sens du Bureau international du travail (BIT). Le taux de chômage s'est alors stabilisé à 12,5 %, puis une décrue s'est dessinée au dernier trimestre et s'est prolongée en 1998 et 1999. Le seuil des trois millions de chômeurs a été franchi à la baisse en octobre 1998 et le taux de chômage a atteint 10,6 % fin 1999.

Un phénomène fortement inégalitaire

Au cours des années quatre-vingt et quatre-vingt-dix, la vie active s'est raccourcie à ses deux extrémités avec l'allongement de la scolarité et les départs en retraite plus précoces. Ces mouvements ont été encouragés par la situation difficile sur le marché de l'emploi. À l'inverse, la présence des femmes sur le marché du travail s'est renforcée. Ainsi, entre 1990 et 1998, l'inactivité a augmenté aux âges jeunes et après 60 ans, mais a diminué pour les 35-60 ans [*tableau 2*]. Au total, la progression de la population active est restée beaucoup plus forte que celle de l'emploi, de sorte que le chômage s'est accru.

En dépit d'une sensible amélioration du marché du travail depuis l'été 1997, le chômage continue à affecter avant tout les catégories les plus fragiles. Il concerne un actif sur huit, un jeune actif sur quatre, un ouvrier non qualifié sur cinq ; il touche « seulement » un homme sur quinze parmi les diplômés de l'enseignement supérieur. Les jeunes, les femmes, les moins qualifiés y sont donc plus exposés.

Certaines de ces populations comportent une part significative d'inactifs, par exemple les jeunes scolarisés ou les femmes au foyer. Le taux de chômage – calculé comme le rapport du nombre de chômeurs à l'ensemble des actifs, occupés ou non – est alors un indicateur peu approprié pour

Tab. 1

Taux de chômage[a]
(part du chômage, au sens du BIT, dans la population active)

	1980	1985	1990	1995	1996	1997	1998	1999
Taux global	6,4	10,2	8,9	11,6	12,3	12,5	11,9	11,2
Hommes	4,3	8,3	6,7	9,8	10,7	11,0	10,2	9,6
Femmes	9,5	12,9	11,7	13,8	14,4	14,4	13,9	13,2
15 à 24 ans	15,5	23,2	16,5	23,5	25,0	24,9	22,8	21,6
25 à 49 ans	4,3	7,7	7,8	10,7	11,3	11,5	11,0	10,2
50 ans ou +	4,6	7,0	6,6	8,1	8,9	9,4	9,4	9,5

a. Le décalage constaté avec les taux indiqués dans les autres tableaux tient à des différences de dates et de références.
Source : MES-DARES, ANPE, INSEE.

Tab. 2

Structure de la population selon la catégorie d'activité
(en %)

Population	20 à 24 ans		25 à 34 ans		35 à 49 ans		50 à 59 ans	
âgée de :	mars 90	mars 98	mars 90	mars 98	mars 90	mars 98	mars 90	mars 98
Actifs occupés	49,6	36,9	77,1	73,4	79,2	79,5	61,2	65,7
Chômeurs	11,8	12,7	8,6	12,1	5,7	8,2	4,7	6,4
Inactifs	38,6	50,4	14,3	14,5	15,1	12,3	34,1	27,9
Ensemble	100,0	100,0	100,0	100,0	100,0	100,0	100,0	100,0

Source : INSEE, enquête « Emploi ».

Tab. 3

Le chômage dans les principaux pays de l'OCDE
(taux de chômage standardisés en moyenne annuelle)

	1980	1985	1990	1995	1996	1997	1998
France	6,3	10,1	9,0	11,7	12,4	12,3	11,7
Allemagne	3,2	8,0	6,2	8,2	8,9	9,9	9,4
Italie	7,5	8,4	9,1	11,9	12,0	12,1	12,3
Royaume-Uni	5,6	11,5	7,1	8,7	8,2	7,0	6,3
États-Unis	7,2	7,2	5,6	5,6	5,4	4,9	4,5
Canada	7,5	10,5	8,1	9,5	9,7	9,2	8,4
Japon	2,0	2,6	2,1	3,1	3,4	3,4	4,1

Sources : Eurostat, Luxembourg ; OCDE, Paris.

des comparaisons. Ainsi, les disparités entre hommes et femmes s'estompent au regard de la proportion de chômeurs dans l'ensemble de la population. Avec ce dernier indicateur, le chômage des jeunes apparaît moins massif : la proportion de chômeurs dans la classe d'âge 20-24 ans (qui compte un jeune sur deux scolarisé) était de 12,7 % en 1998 ; elle s'élevait à 13,7 % pour les 25-29 ans, avec une proportion d'inactifs ramenée à 15 %.

L'aggravation du risque de chômage au cours des années quatre-vingt-dix s'est accompagnée d'une extension de sa durée. En 1998, plus d'un demandeur d'emploi sur trois était inscrit à l'Agence nationale pour

Références

S. Amira, « Dix ans d'indemnisation en France », *Problèmes économiques*, La Documentation française, n° 2539, Paris, oct. 1997.

P. Bel, M. Béraud, G. Cancelli, S. Lemerle, « Les demandeurs d'emploi en activité occasionnelle ou réduite », *Premières Synthèses*, n° 45, DARES, Paris, nov. 1998.

O. Blanchard, J.-P. Fitoussi, « Croissance et chômage », *Rapport du Conseil d'analyse économique*, n° 4, La Documentation française, Paris, 1998.

F. Brunet, C. Minni, « L'activité des 15-29 ans : stabilisation depuis 1995 », *Premières Synthèses*, n° 08.3, DARES, Paris, févr. 2000.

O. Marchand, « Les groupes sociaux face au chômage : des atouts inégaux », *in Données sociales 1993, La société française*, INSEE, Paris, 1993.

O. Marchand, C. Minni, « En mars 1997, un jeune sur neuf était au chômage », *Premières Synthèses*, n° 52.1, DARES, Paris, déc. 1997.

C. Seibel *et alii*, « Le chômage de longue durée et les politiques de l'emploi », *Premières Synthèses*, n° 23.2, DARES, Paris, juin 1998.

Voir aussi Index, mot clé « Chômage ».

@Sites Internet

ANPE : **http://www.anpe.fr**

ASSEDIC : **http://www.unedic.fr**

Eurostat : **http://europa.eu.int/eurostat.html**

DARES : **http://www.travail.gouv.fr**

l'emploi (ANPE) depuis plus d'un an. Les demandeurs sortis du fichier de l'agence au cours du dernier trimestre de 1999 (pour reprendre un emploi ou pour toute autre raison) y étaient restés en moyenne 286 jours consécutifs, contre 218 jours neuf ans auparavant. Le chômage de longue durée affecte particulièrement les plus âgés : plus de la moitié des demandeurs de 50 ans ou plus ont une ancienneté de chômage supérieure à un an.

Une diversification des formes

La période récente a également été marquée par la progression d'un chômage récurrent qui témoigne de la précarisation de segments importants de la population active. Le développement des contrats à durée déterminée (CDD) et de l'intérim conduit en effet à des passages plus fréquents entre l'emploi et le chômage. De plus en plus souvent, les situations de chômage sont accompagnées d'activités dites « réduites » : fin 1999, près de 300 000 demandeurs d'emploi exerçaient une activité pendant moins de 78 heures par mois et environ 500 000 une activité de plus de 78 heures.

L'indemnisation des chômeurs dépend de paramètres réglementaires (définissant l'accès au régime d'assurance ou de solidarité) et individuels (durée de la période de travail antérieure, ancienneté du chômage). Les chômeurs les plus jeunes sont les moins bien couverts par le régime d'assurance chômage puisqu'ils disposent moins fréquemment de l'ancienneté de cotisation nécessaire. Pour les mêmes raisons, les femmes sont dans une position moins favorable que les hommes, bien que les écarts se soient réduits. En moyenne, un chômeur sur deux est indemnisé.

Le taux de couverture du chômage, c'est-à-dire la proportion de bénéficiaires d'allocations de chômage parmi l'ensemble des personnes inscrites à l'ANPE (y compris les dispensés de recherche d'emploi), a fortement décru au cours des dernières années, passant de 63 % pour la période 1990-1992 à 53 % en 1997. Au 31 décembre 1998, 41,8 % des demandeurs étaient indemnisés au titre du régime d'assurance chômage et 11,5 % au titre du régime de solidarité.

Face à l'augmentation du nombre des bénéficiaires potentiels, les réglementations se sont adaptées. Le régime d'assurance chômage a subi des changements substantiels en 1992-1993, avec la création de l'Allocation unique dégressive (AUD), visant à limiter l'accès au régime et à réduire les prestations servies. En conséquence, son taux de couverture a perdu 7 points entre 1992 et 1994. Le régime de solidarité a été affecté par la suppression en 1992 de l'Allocation d'insertion pour les jeunes et les femmes isolées, mais, en contrepartie, l'Allocation de solidarité spécifique (ASS) a gagné des bénéficiaires exclus de l'assurance chômage. Au total, le taux de couverture du régime de solidarité a peu évolué. Après le réajustement des années 1992-1993, le taux de couverture a continué à baisser, plus modérément, en raison de l'augmentation du travail précaire.

Depuis la fin des années quatre-vingt, le chômage a été en moyenne plus élevé en France que dans les autres grands pays industrialisés, excepté l'Italie [*tableau 3*]. Les indicateurs des différents pays doivent être rapprochés avec prudence, les concepts et méthodes de comptabilisation pouvant différer fortement. Cependant, la hausse du chômage enregistrée en France à compter du début des années quatre-vingt-dix a été observée dans la plupart des grands pays européens (Allemagne, Italie, Belgique, Espagne). En revanche, les Pays-Bas et le Royaume-Uni ont réduit leur taux de chômage au cours de la même période. Par rapport aux États-Unis ou au Canada, la France se caractérise par un chômage de longue durée, sans doute lié à une moindre rotation des emplois. ■

Les mesures de l'emploi et du chômage et leurs interprétations

Florence Lefresne
Économiste, IRES

En s'intéressant à l'« invention du chômage », Robert Salais, Nicolas Baverez et Bénédicte Reynaud (1986) retracent l'histoire de cette catégorie et de sa mesure. La qualité de chômeur émerge au XIXe siècle lorsque celle de salarié se stabilise et se généralise et que les rapports de travail se fondent non plus sur un contrat de louage de services mais sur un contrat de travail. Les catégories de salariat et de chômage sont ainsi historiquement liées. Après la Seconde Guerre mondiale, avec l'émergence d'un appareil statistique moderne au plan national et surtout avec la mise en place de conventions internationales, le chiffrage de l'emploi et du chômage devient systématique. Les conventions du Bureau international du travail (BIT) reposent sur l'hypothèse que tout individu peut être classé sans équivoque dans l'inactivité, l'emploi ou le chômage. Or, l'un des bouleversements majeurs qui affectent l'emploi depuis

Tab. 1

Catégories de demandeurs d'emploi inscrits à l'ANPE[a]

Statuts et objectifs		Sans activité réduite > 78 heures/mois	Avec activité réduite > 78 heures/mois
Personne sans emploi, immédiatement disponible à la recherche d'un emploi	À durée indéterminée, à temps plein	1	6
	À durée indéterminée, à temps partiel	2	7
	À durée déterminée	3	8
Personne sans emploi, non immédiatement disponible, à la recherche d'un autre emploi		4	
Personne pourvue d'un emploi, à la recherche d'un autre emploi		5	

a. Agence nationale pour l'emploi.
Source : Freyssinet, 1999.

Tab. 2

Évolution des personnes « privées d'emploi »

	1981	1985	1991	1995
Ensemble	2 458 479	3 842 103	4 281 592	5 000 811
Chômeurs inscrits (DEFM[a]) et DRE[b]	2 014 392	2 797 793	3 465 821	4 093 411
Chômeurs en formation et conversion	99 369	213 086	326 715	330 000
Personnes en TUC[c], CES[d] ou assimilés	–	198 523	244 557	400 000
Préretraités	344 718	632 701	244 499	177 400

a. Demandes d'emploi en fin de mois ; b. Dispenses de recherche d'emploi ; c. Travaux d'utilité collective ; d. Contrat emploi-solidarité.
Source : CERC-Association, 1997.

les années soixante-dix réside dans le brouillage des frontières entre ces trois catégories. À travers ce brouillage, c'est en fait à une crise des catégories elles-mêmes et de leur représentation que l'on assiste.

Définitions et mesures officielles

La construction des chiffres de l'emploi et du chômage relève en France, comme dans la plupart des pays européens, de deux sources principales : des enquêtes statistiques prenant appui sur les définitions du BIT et les fichiers administratifs des demandeurs d'emploi inscrits auprès du service public de l'emploi.

À partir de 1975, *l'enquête « Emploi » de l'INSEE* (Institut national de la statistique et des études économiques) réalisée auprès des ménages utilise la définition établie par la Conférence internationale des statisticiens du travail. Trois critères principaux sont retenus : être « sans travail » ; être « disponible pour travailler » ; être à la « recherche d'un travail ». Le premier renvoie en négatif à la définition de l'emploi. Celle-ci est très extensive puisqu'elle regroupe :

– ceux qui exercent une occupation ou qui ont travaillé au moins une heure pendant la semaine de référence, même s'il s'agit d'un emploi occasionnel ;

– les aides familiaux non rémunérés s'ils contribuent à une production marchande ;

– les militaires du contingent ;

– ceux qui ont un lien formel avec leur emploi au moment de l'enquête (maladie de courte durée, congé de formation, chômage partiel et saisonnier).

Sont exclus de l'emploi ceux qui ont trouvé un emploi et qui commenceront à travailler ultérieurement.

Tab. 3 **Personnes touchées par les difficultés d'emploi (en milliers, France entière, 1996)**

1. Chômeurs BIT[a]	3 082
2. Chômage « déguisé » dont :	820
Demandeurs d'emploi en formation	353
Cessations anticipées d'activité	467
3. Absence de recherche d'emploi dont :	563
Chômeurs « découragés »	242
Non en mesure de chercher un emploi	321
4. Temps réduit subi dont :	1 572
Temps partiel involontaire	1 359
Temps complet involontairement réduit	213
5. Autres formes de précarité subie (intérim. CDD[b])	663
Total des personnes	6 700

a. Définition du Bureau international du travail; b. Contrats à durée déterminée.
Source : Guaino (1998).

Le deuxième critère permet de retenir comme chômeurs ceux qui peuvent commencer à travailler dans un délai de quinze jours, délai porté à un mois en cas de maladie. Sont donc exclues du chômage les personnes en cours de formation (sauf si cette dernière présente des horaires compatibles avec l'exercice d'un emploi).

Selon le troisième critère, le chômeur doit avoir accompli un acte effectif de recherche d'emploi au cours du mois précédant l'enquête ou avoir maintenu son inscription auprès de l'ANPE.

L'*Agence nationale pour l'emploi* (ANPE) dénombre, en fin de chaque mois, l'ensemble des personnes inscrites comme demandeurs d'emploi (DEFM). Ces derniers sont classés en huit catégories en fonction d'une série de critères [*tableau 1*]. Ont été exclues de ces catégories, à partir de 1985, les « dispenses de recherche d'emploi » (DRE) concernant certaines catégories de demandeurs d'emploi âgés autorisés à cesser leur recherche d'emploi tout en bénéficiant de l'indemnisation du chômage. À partir de juin 1995, les chômeurs qui exercent une activité réduite d'une durée supérieure à 78 heures par mois tout en poursuivant leur recherche d'emploi ont été comptabilisés, leur disponibilité immédiate étant jugée réduite. Cette mesure a engendré une rupture importante dans la catégorie 1 ; il faut additionner les catégories 1 et 6 si l'on veut prolonger la courbe de l'ancienne catégorie 1. À partir de 1996, le transfert des inscriptions initiales des demandeurs d'emploi vers l'UNEDIC (Union pour l'emploi dans l'industrie et le commerce) afin de vérifier les droits à l'indemnisation s'est traduite par une baisse du nombre des demandeurs d'emploi jeunes et des demandeurs d'emploi n'ayant pas droit à indemnisation.

Dans les trois cas venant d'être évoqués, l'effet a bien été de réduire le chiffre de la catégorie 1, qui est principalement diffusé par les médias et retenu par l'opinion publique.

Chacune des deux mesures (BIT et DEFM) présente des avantages et des inconvénients. Celle des demandeurs d'emploi permet un suivi conjoncturel mensuel et livre des informations détaillées sur les demandeurs, mémorisées grâce au fichier historique mis en place en 1993 : un demandeur d'emploi reste dans le fichier aussi longtemps qu'il n'y a pas eu d'interruption de son inscription pendant plus de trois ans. Il est donc possible d'évaluer la fréquence et la durée de chômage. En revanche, l'instabilité des catégories perturbe les comparaisons dans le temps. L'utilisation des normes du BIT par l'enquête « Emploi » assure une bonne comparabilité à la fois dans le temps et dans l'espace (comparaisons internationales), mais présente certaines limites : la périodicité annuelle de l'enquête (en attendant la mise en place de l'enquête en continu prévue pour 2001) interdit les analyses conjoncturelles ; la définition très restrictive du chômage autorise difficilement la prise en compte des situations frontières, lesquelles sont pourtant en extension.

Le halo du chômage : controverses et indicateurs complémentaires

Sans prétendre à l'exhaustivité, quelques exemples significatifs illustrent les contours de plus en plus incertains des catégories traditionnelles.

Aux frontières de l'inactivité tout d'abord, on trouvera les « chômeurs découragés » qui souhaitent travailler mais ont abandonné toute recherche effective (dans le cas du maintien de leur inscription à l'ANPE, leur volume explique une part de l'écart entre les deux sources [*voir figure*] ; les femmes qui souhaitent travailler mais ne correspondent pas au critère de disponibilité ou de recherche active ; les chômeurs en stage de formation qui seraient prêts à abandonner leur formation s'ils trouvaient un emploi.

Aux frontières de l'emploi figurent les personnes travaillant à temps partiel et cherchant à travailler plus, ainsi que celles en chômage partiel. Le sous-emploi involontaire définit une ressource de main-d'œuvre inutilisée évaluée à 7,1 % de l'emploi total en 1998.

Aux frontières du chômage, le halo s'accroît considérablement. Il est constitué, en premier lieu, de ceux qui exercent une activité réduite. L'effectif de la catégorie 6 a triplé depuis 1995 pour atteindre 521 000 personnes depuis septembre 1999. Cette évolution est liée à la croissance de l'emploi précaire et à temps partiel ; ceux qui occupent de tels emplois maintiennent leur inscription à l'ANPE en vue d'obtenir un emploi plus satisfaisant mais sont exclus de la statistique officielle du chômage. Ils représentent plus de la moitié des « inscrits actifs occupés » contribuant à l'écart entre les deux sources [*voir figure*]. Le halo est constitué en second lieu des personnes concernées par la politique de l'emploi. Les dispositifs de préretraites ou les dispenses de recherche d'emploi ainsi que les stages de formation professionnelle impliquent un renvoi statistique dans l'inactivité. Les « emplois aidés » sont statistiquement des emplois, bien que leurs destinataires ne les consi-

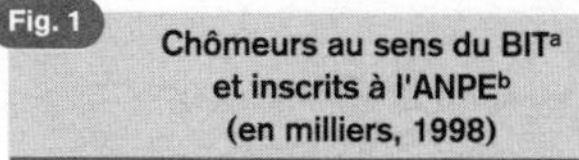

Chômeurs au sens du BIT[a] et inscrits à l'ANPE[b] (en milliers, 1998)

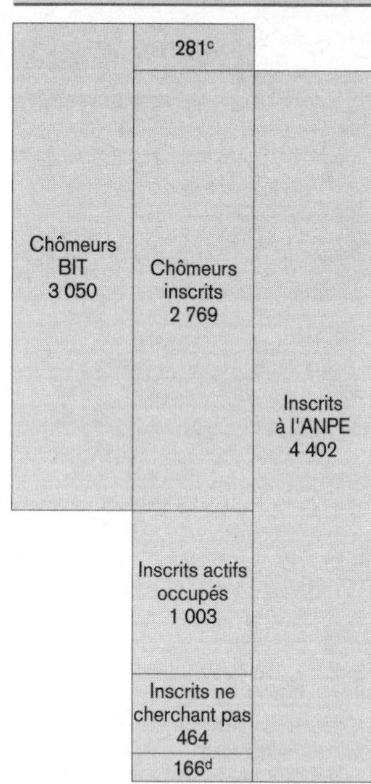

a. Bureau international du travail ;
b. Agence nationale pour l'emploi ;
c. Chômeurs non inscrits ;
d. Inscrits non disponibles

Ce graphique permet de comparer sur la base de l'enquête « Emploi » de l'INSEE :
- ceux qui se déclarent inscrits à l'ANPE, sans qu'on leur demande de préciser à quelle catégorie de DEFM (demandeurs d'emploi en fin de mois) ils appartiennent ;
- ceux qui, en fonction des réponses qu'ils fournissent aux questions de l'enquête sur l'emploi, sont classés comme chômeurs au sens du BIT.

L'écart croissant entre les deux sources provient essentiellement des « inscrits actifs occupés » recouvrant notamment les « activités réduites » (catégories 6, 7 et 8). Cela participe du « halo » du chômage.

Sources : INSEE, ANPE.

Références

CERC-Association, « Chiffrer le chômage. Des enjeux de société », *Dossier CERC-Association*, n° 1, Paris, 1997.

C. Daniel, C. Tuchszirer, *L'État face aux chômeurs. L'indemnisation du chômage de 1994 à nos jours*, Flammarion, Paris, 1999.

J. Freyssinet, « Comparaison internationale de la mesure du chômage : le cas de la France », *Document de travail IRES*, n° 99.02, IRES, déc. 1999.

H. Guaino, *Chômage : le cas français, rapport au Premier ministre*, La Documentation française, Paris, 1998.

E. Malinvaud, *Sur les statistiques de l'emploi et du chômage, rapport au Premier ministre*, La Documentation française, Paris, 1986.

R. Salais, N. Baverez, B.Reynaud, *L'Invention du chômage,* PUF, Paris, 1986.

dèrent pas vraiment comme tels. En 1997, l'ensemble de ces dispositifs couvraient 2,9 millions de personnes, soit un effectif presque égal au chômage au sens du BIT.

Quelle est dans ces conditions la « bonne » mesure du chômage ? Les controverses alimentent le débat politique depuis le milieu des années soixante-dix. Elles ont conduit les pouvoirs publics à solliciter les experts. Le rapport Malinvaud d'avril 1986 [*voir Références*], analysant l'imbrication de la précarisation de l'emploi et de la montée du chômage, prône la diversification des informations officielles fournies au public au-delà de la catégorie 1 ; ce qui a été suivi de bien peu d'effets. Pourtant, le message des spécialistes est unanime : il est vain de chercher une bonne et unique mesure du chômage. Il semble plus intéressant de disposer d'une batterie d'indicateurs permettant d'identifier et de quantifier les multiples situations intermédiaires entre chômage, emploi stable et inactivité volontaire.

En 1997, CERC-Association, fondée par des économistes et statisticiens en réaction à la suppression du Centre d'étude sur les revenus et les coûts par le gouvernement Balladur en 1993, a proposé une mesure des « privés d'emploi » et aboutit à un chiffre de 5 millions de personnes concernées [*tableau 2*]. Le rapport Guaino, rendu public en mai 1997, identifie l'ensemble des « personnes directement touchées par les difficultés d'emploi ». Quatre catégories sont ajoutées au nombre des chômeurs au sens du BIT [*tableau 3*]. Les deux premières catégories regroupent des personnes classées comme inactives parce qu'elles ne sont pas immédiatement disponibles ou parce qu'elles ne recherchent pas un emploi. Les deux suivantes regroupent celles qui sont statistiquement classées dans l'emploi mais qui occupent involontairement un emploi à temps partiel, ou précaire. Au total, 6,7 millions de personnes étaient touchées par les difficultés de l'emploi, en 1996.

Les institutions statistiques officielles se refusent à proposer une mesure cohérente des différentes formes de sous-emploi ou de la privation d'emploi. Sans doute cette extrême prudence est-elle justifiée par la crainte de « décrédibiliser » les instruments en les multipliant. Mais dans un contexte où la controverse est déjà largement installée, ne serait-il pas plus utile d'expliciter et de soumettre au débat des conventions traduisant des conceptions alternatives du chômage ? [*Voir aussi les articles p. 428 et 435.*] ■

Échanges extérieurs

Nouvelle contraction de l'excédent extérieur

Françoise Milewski
Économiste, OFCE

En 1999 l'excédent du commerce extérieur français de marchandises a atteint 123,8 milliards FF, après 145,1 milliards FF en 1998 et 160,1 milliards FF en 1997. Le taux de couverture des exportations sur les importations a atteint 107,2 %. À l'inverse de la période 1992-1997 où les performances des échanges extérieurs n'avaient cessé de s'améliorer, les années 1998 et 1999 auront donc correspondu à une dégradation du solde.

Renchérissement de l'énergie et baisse des livraisons d'armes

En 1999, le déficit énergétique s'est creusé de 15,4 milliards FF et l'excédent industriel s'est réduit de 10 milliards FF ; en revanche, l'excédent agroalimentaire s'est accru de 3,1 milliards FF [*figure 2*].

La facture énergétique s'est alourdie à cause du renchérissement du prix du pétrole : en effet, le prix du pétrole brut est passé de 12,8 dollars en moyenne en 1998 à 18,1 en 1999, soit une hausse de 41 % ; dans le même temps, le dollar s'est apprécié de 6 % vis-à-vis de l'euro, donc du franc. L'année précédente avait connu l'évolution inverse (baisse du prix du baril de pétrole) ; si bien qu'en 1999 le déficit énergétique, bien qu'en hausse, n'a pas retrouvé son niveau de 1997. En tout état de cause, la facture énergétique aura atteint un bas niveau historique – 0,9 % du PIB – alors qu'elle représentait 4,3 % en 1984. Ce niveau de 0,9 % est bien inférieur à celui qui précédait le premier choc pétrolier de 1973-1974, puisqu'en 1973 la facture s'élevait à 1,5 % du PIB. La part de l'énergie dans les importations, proche d'un quart en 1984, n'était plus que de 6,9 % en 1999.

L'excédent industriel a continué de se réduire. Mais cela a été le résultat, en 1999, de la contraction des exportations d'armes (– 40 %), l'excédent militaire passant de 28,8 à 17,2 milliards FF (soit une dégradation de 11,5 milliards). Le solde de l'industrie civile s'est stabilisé, les exportations progressant du même pourcentage que les importations (3,5 %). Ce n'était pas le cas en 1998 : l'excédent militaire était resté élevé, tandis que le solde de l'industrie civile se dégradait de 33 milliards FF du fait d'une croissance des exportations, certes soutenue (8,1 %), mais plus faible que celle des importations (+ 11,3 %).

La reprise économique de la France [*voir article p. 366*] a, dans un premier temps, été tirée par son environnement extérieur, d'où la forte croissance des exportations en 1997, dans un contexte où la demande intérieure était atone. Ensuite, la demande intérieure, la consommation et l'investissement ont pris le relais à partir de la fin de 1997, d'où la hausse des importations en 1998. Dans le même temps, la crise asiatique et la récession japonaise ont contenu la progression du commerce mondial. La crise asiatique avait provoqué une forte dégradation des échanges de la France avec cette zone ; les exportations avaient reculé de 18 %, si bien que, même si elles représentent une faible part du total (6,6 % en 1997), le solde s'était détérioré de 25 milliards FF en 1998, redevenant nettement déficitaire. En 1999, après un repli en début d'année, une reprise du commerce mondial s'est manifestée : poursuite d'une croissance

Fig. 1 **Taux de couverture des échanges de marchandises[a]**

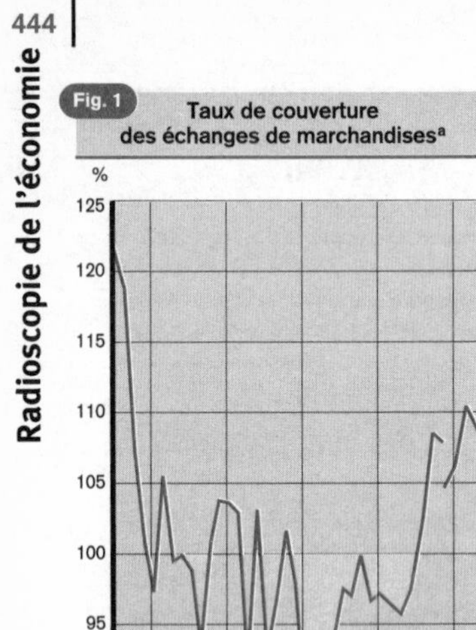

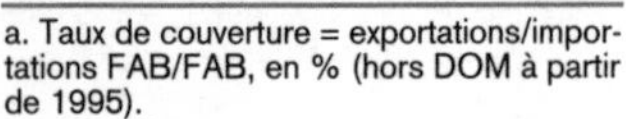
a. Taux de couverture = exportations/importations FAB/FAB, en % (hors DOM à partir de 1995).
Source : Douanes.

Fig. 2 **Soldes commerciaux par produits[ab]**

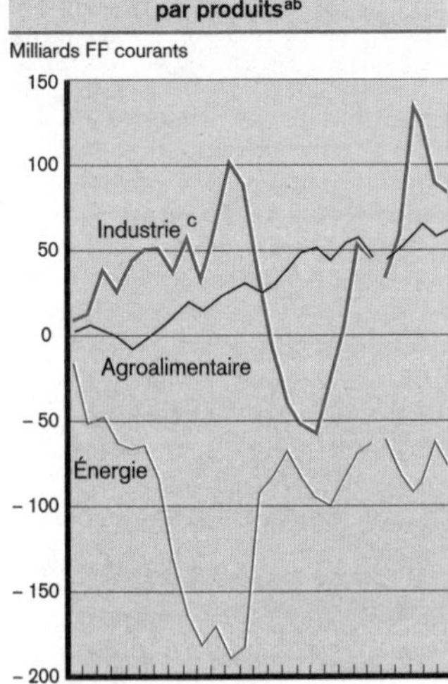

a. FAB/CAF ; b. Hors DOM à partir de 1995 ; c. Y compris matériel militaire.
Source : INSEE.

Fig. 3 **Investissements directs (en milliards FF) [a]**

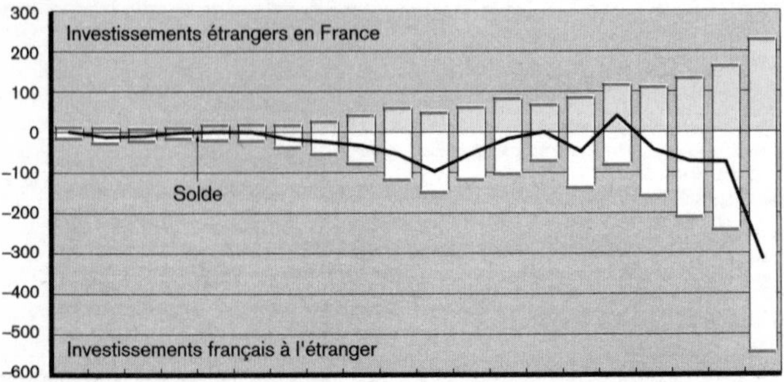

300
200
100
0
-100
-200
-300
-400
-500
-600

Investissements étrangers en France

Solde

Investissements français à l'étranger

1980 81 82 83 84 85 86 87 88 89 90 91 92 93 94 95 96 97 98 99

a. La courbe en noir représente le solde Investissements étrangers en France moins Investissements français à l'étranger.
Source : Banque de France, estimations de l'auteur.

forte aux États-Unis, reprise en Asie, regain au Moyen-Orient grâce au surcroît de ressources procuré par le renchérissement du prix du pétrole, et croissance en Europe dans la seconde moitié de l'année après le « trou d'air » du début de l'année. La France, bénéficiant d'une bonne compétitivité, a profité de cette croissance : les commandes étrangères des entreprises ont augmenté. Croissance des exportations et croissance des importations sont allées de pair.

La croissance de l'excédent des années quatre-vingt-dix

L'amélioration du solde extérieur français a été presque continue du début de 1991 à 1997. Durant cette période, le décalage conjoncturel existant entre la France et ses partenaires a varié, l'activité a connu un cycle complet de ralentissement-récession-reprise-ralentissement, et les parités de change dans le SME (Système monétaire européen) et entre les monnaies européennes et le dollar ont fortement fluctué. Le retour à l'excédent a-t-il été le résultat des performances à l'exportation et de gains de parts de marché, ou bien du ralentissement des importations et de la demande intérieure ? Les deux facteurs se sont en fait combinés. Ainsi l'amélioration d'un solde extérieur peut-il traduire des mouvements très différents et ne doit pas toujours être interprété comme un signe positif. De même, la contraction de l'excédent en 1998 et 1999 n'a pas été une mauvaise nouvelle.

À partir du début de 1991, les exportations se sont accrues sous l'effet de l'accélération des importations allemandes, consécutive à l'unification. La hausse des ventes françaises a perduré jusqu'à la mi-1992, dans un contexte d'importations modérées. L'équilibre commercial fut atteint à la charnière de 1991 et 1992. Survint alors un brusque ralentissement des importations, dû à l'entrée en récession de l'économie française. Ce ralentissement allant bien au-delà de celui des exportations, l'excédent s'est amplifié. On a donc qualifié l'excédent de 1993 d'« excédent de récession ».

À partir de la mi-1993, le redressement des exportations, grâce à la reprise de l'économie européenne, a gonflé l'excédent commercial. Le regain des importations, lié à la reprise de l'économie française, fut plus tardif (fin 1993). L'excédent commercial s'est stabilisé, puis s'est tassé en 1994 quand les demandes interne et externe sont devenues synchrones. Il s'est amplifié à nouveau en 1995, alors que l'activité en Europe et en France s'était nettement ralentie, que se gonflaient les opérations aéronautiques, et que progressaient les ventes agroalimentaires.

En 1996, l'amélioration du solde n'a été

Fig. 4 — Balance des transactions courantes

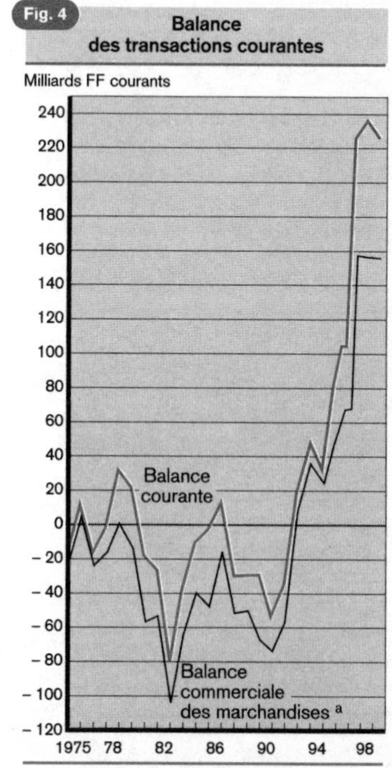

a. Au sens de la balance des paiements (c'est-à-dire y compris DOM-TOM et échanges sans paiement).
Source : Banque de France.

Tab. 1

Origines et destinations du commerce extérieur de marchandises [a,b]

En % du total	Exportations 1973	Exportations 1984	Exportations 1999	Importations 1973	Importations 1984	Importations 1999
OCDE	76,8	71,7	83,1	76,2	72,8	81,6
dont CE [c]	60,2	52,9	64,2	57,3	54,3	61,6
Allemagne	19,4	14,7	15,7	22,7	16,3	17,2
Hors OCDE	23,2	28,3	16,9	23,8	27,2	18,4
Total	**100**	**100**	**100**	**100**	**100**	**100**

a. Hors matériel militaire ; b. 1973 est l'année qui précède le premier choc pétrolier, 1984 celle qui précède le contre-choc pétrolier ; c. CE à 12 en 1973 et 1984, UE à 15 en 1999. L'écart entre la CE 12 et l'UE 15 a été de 3,1 % pour les exportations et les importations en 1999.
Source : Douanes.

Tab. 2

Structure par produits du commerce extérieur de marchandises [a]

En % du total	Exportations 1973	Exportations 1984	Exportations 1999	Importations 1973	Importations 1984	Importations 1999
Produits agro-alimentaires	19,7	13,1	13,1	17,6	12,9	10,1
Énergie	2,4	2,5	2,5	12,9	24,5	6,9
Industrie [b]	77,9	84,4	84,4	69,4	62,6	83,0
Total	**100**	**100**	**100**	**100**	**100**	**100**

a. 1973 est l'année qui précède le premier choc pétrolier ; 1984 celle qui précède le contre-choc pétrolier ; b. Y compris matériel militaire.
Source : INSEE.

restreinte que par le creusement du déficit énergétique, dû à la hausse du prix du pétrole. Les échanges de produits manufacturés ont nettement montré le tassement des échanges entre la mi-1995 et la fin 1996, caractéristique du ralentissement économique enregistré en France et en Europe. En 1996, la hausse de la demande intérieure en France s'est révélée plus faible qu'ailleurs.

En 1997, la progression de la demande intérieure française s'est stabilisée, tandis que celle de l'Europe s'est accélérée et que celle de l'OCDE a continué de progresser à un rythme soutenu. Les écarts de demandes intérieures et les écarts relatifs de compétitivité des prix se lisent dans les performances extérieures. La dépréciation du change face au dollar a contribué en 1997 à l'envolée des exportations. Mais son appréciation progressive en 1998 a de nouveau dégradé la compétitivité française et européenne. Dans un contexte de ralentissement de la demande mondiale, où la concurrence était nécessairement plus vive, cela a contribué au plafonnement des exportations dans la seconde moitié de 1998. Mais le repli de l'euro au second semestre 1999 et au début de 2000 a de nouveau amélioré la compétitivité.

Le gonflement de l'excédent commercial (lorsqu'il est dû à la faiblesse des importations) et la hausse du chômage ont une cause commune : la sous-activité. L'économie française est restée en deçà de son potentiel d'activité pendant plusieurs années et un niveau élevé du chômage en a découlé. Une réduction de l'excédent, en ce qu'elle témoigne de reprise de la demande intérieure, est donc une bonne nouvelle.

La mise en place de l'euro au 1er janvier 1999 [*voir article p. 384*] a figé les parités intraeuropéennes. Désormais, les compétitivités relatives à l'intérieur de l'Europe ne dépendront que des qualités comparées des produits et des conditions de formation des prix. Le marché s'étend, mais la concurrence devient aussi plus intense.

Balance des paiements courants : maintien d'un important excédent

La balance des paiements courants retrace les relations commerciales et financières entre la France et le reste du monde (échanges de marchandises et de services, transferts). Son déficit s'est réduit à partir de 1983, et il est devenu très faible au regard du PIB à partir de 1984. Un excédent est même apparu en 1992 et s'est amplifié, au point d'atteindre 227 milliards FF en 1997, 236 milliards en 1998 et de se réduire un peu en 1999 (226 milliards FF). Le solde positif a représenté 2,9 % du PIB en 1997, 2,7 % en 1998 et 2,5 % en 1999.

Les échanges de *marchandises* ont fait place à un excédent à compter du début des années quatre-vingt-dix. Les échanges de *services*, quant à eux, sont structurellement excédentaires en France. Ils regroupent cependant des flux de nature très différente :
– des services liés aux échanges de marchandises (transports et assurances), devenus déficitaires depuis quelques années ;
– des services de construction liés aux grands contrats d'exportation et à la coopération technique (l'excédent traditionnel de ces échanges est resté élevé, mais il s'est réduit à partir du milieu des années quatre-vingt) ;
– des redevances et droits de licence : les brevets étrangers utilisés en France étant plus nombreux que les brevets français utilisés à l'étranger, ce solde est traditionnellement déficitaire ;
– les recettes du tourisme : les dépenses des touristes étrangers en France étant nettement supérieures aux dépenses des Français à l'étranger, le solde est excédentaire de longue date. Cet excédent a atteint 72 milliards FF en 1998 et 85 milliards FF en 1999.

Les *revenus* sont excédentaires. Ils se composent de la rémunération des salariés et des revenus d'investissements. Les échanges de produits financiers ayant un poids croissant au niveau mondial, leur rôle dans les balances de paiements de tous les

Tab. 3 Structure géographique des échanges extérieurs (1999)

En % du total	Exportations	Importations
UE à 15	64,2	61,6
Allemagne	15,7	17,2
Belg.-Lux.	7,7	7,3
Espagne	9,4	7,1
Italie	9,1	9,6
Pays-Bas	4,7	5,1
R.-U.	10,3	8,4
OCDE hors UE	18,9	20,0
E.-U.	7,8	8,8
Japon	1,5	3,6
Hors OCDE	16,9	18,4
Europe	73,4	69,8
Afrique	5,2	3,9
Amérique	11,0	11,1
Proche et Moyen-Orient	2,7	1,9
Asie	7,1	11,9
Divers	0,7	1,5
Total	**100**	**100**

Tab. 4 Les postes de la balance des paiements courants[a] (milliards FF)

Marchandises	140,4
Services	125,4
dont tourisme	84,7
Revenus	16,5
Transferts	– 56,3
Balance courante	**226,0**

a. 1999.
Source : Banque de France.

Références

CEPII, *Compétitivité des nations*, Économica, Paris, 1998.

Direction des relations économiques extérieures (Ministère de l'Économie), *Les Échanges commerciaux de la France en 1998*, CFCE, Paris, 1999.

INSEE, « Le commerce extérieur industriel de la France 1980-1996 », *Synthèses*, n° 12-13, Paris, nov. 1997.

H. Tyrman, F. Le Gallo, C. Loisy, « Un demi-siècle d'échanges extérieurs », *INSEE Première*, n° 495, INSEE, Paris, nov. 1996.

M. Vincent, H. Tyrman, « Les échanges extérieurs de la France en 1998 », *INSEE Première*, n° 659, INSEE, Paris, juin 1999.

États s'est intensifié. Pour la France, les revenus d'investissements directs sont excédentaires car la France investit davantage à l'étranger qu'elle ne reçoit d'investissements directs. En revanche, les revenus d'investissements de portefeuilles sont fortement déficitaires : les intérêts à payer aux détenteurs étrangers de titres français – notamment de titres publics – excèdent les intérêts reçus.

Enfin, des *transferts* sont versés à l'étranger : ils sont privés (transferts des revenus d'immigrés vers leurs pays d'origine) ou publics (contribution aux organismes internationaux). L'alourdissement de la contribution au budget de l'UE a conduit à creuser ce déficit.

Quelle interprétation ?

La bonne performance des paiements courants de la France peut être diversement interprétée. On peut en conclure que la contrainte extérieure a disparu, mais déficit ou excès des paiements courants peuvent aussi s'analyser en lien avec l'épargne. Le fait que la France dégage désormais une

Tab. 5

Balance des paiements 1978-1999 (milliards FF)[a]

Indicateurs	1978	1982	1986	1990	1998	1999
Marchandises	+ 0,3	– 103,8	– 15,0	– 73,7	+ 154	+ 140,4
Services, revenus, transferts	+ 31,3	+ 23,4	+ 27,7	+ 20,1	+ 82,4	+ 85,6
Balance courante	+ 31,6	– 80,4	+ 12,7	– 53,6	+ 236,4	+ 226,0
Transferts en capital[b]				– 29,9	+ 8,5	+ 9,3
Capitaux à long terme[c]	– 15,1	+ 8,2	– 54,0	+ 89,4	– 295,7	– 274,2
Capitaux à court terme[c]	– 16,3	+ 77,8	+ 35,7	– 10,1		
Erreurs et omissions	– 0,2	– 5,6	+ 5,6	+ 3,3	+ 50,8	+ 38,9
Total	0	0	0	0	0	0

a. Le choix des années correspond aux pics et creux du graphique 1 ; b. Cette ligne n'existe que depuis 1989 ; étant donné l'ampleur croissante des remises de dettes, liées à la crise de l'endettement des pays en voie de développement, les annulations de dettes sont désormais comptabilisées par la Banque de France dans une ligne spéciale « transferts en capital » alors qu'elles étaient jusqu'à 1988 intégrées à la balance courante ; c. Une réforme est intervenue en 1995, elle ne distingue plus les mouvements de capitaux par échéance, mais par nature : le compte financier définit des investissements directs, des investissements de portefeuille, des prêts et crédits commerciaux, et enfin les réserves de change.

Source : Banque de France.

capacité de financement traduit donc le fait que son activité se situe en deçà de son potentiel.

Aux opérations de la balance des paiements courants s'ajoutent des mouvements de capitaux à long et court termes (prêts, investissements, crédits commerciaux).

En France, les investissements directs (acquisitions d'entreprises et prises de participations) dégagent un déficit : presque tous les pays développés investissent davantage à l'étranger qu'ils n'accueillent d'investissements ; en 1999, les mouvements se sont intensifiés. Les investissements français à l'étranger ont progressé pour la quatrième année consécutive ; en 1999 ils ont plus que doublé, pour atteindre le niveau de 543 milliards FF ; le mouvement de fusions-acquisitions a largement concerné les entreprises françaises [*voir article p. 415*]. Les investissements étrangers en France ont eux aussi progressé, mais moins fortement. Le déficit a ainsi été multiplié par quatre [*figure 3*].

Les investissements de portefeuille (actions, obligations, produits financiers dérivés) ont au contraire vu leur déficit se réduire, mais après une très forte croissance en 1998 (– 149 milliards FF en 1997 ; – 305 milliards FF en 1998 ; – 200 milliards FF en 1999). Les flux n'en ont pas moins continué de s'amplifier : les achats de titres étrangers ont progressé de 26 % et les achats de titres français par des non-résidents de 60 % ; l'activité financière est désormais une composante majeure des échanges. ■

État et politique

Au-delà de l'actualité

Opinion publique
La vie politique
et sociale
L'État et
les institutions
Les politiques
publiques :
éducation,
logement,
agriculture.
Les politiques
de solidarité :
retraites,
minima sociaux,
négociation
collective,
Sécurité sociale,
politique
de l'emploi.

La reprise de la confiance conforte la demande à l'égard de l'État

Stéphane Rozès
CSA-Opinion, IEP-Paris

Après un quart de siècle de crise et de mutation économiques et 1 000 jours de gouvernement Jospin, la France, avec 2,7 % de croissance, aura été en 1999 le moteur de la croissance européenne (2,2 % en moyenne). Dans un contexte de baisse du taux de chômage [*voir article p. 435*] et de création plus active d'emplois [*voir article p. 428*], la majorité de l'opinion faisait « confiance au gouvernement pour retrouver le plein emploi d'ici dix ans ». Le succès de l'entrée dans l'euro et la crise de la droite allaient priver le gouvernement de tout argument (contrainte extérieure, opposition de la droite) pour esquiver ou différer une demande sociale et économique croissante.

Popularité gouvernementale

En moyenne, de la date de sa prise de fonctions (juin 1997) à fin 1999, L. Jospin aura été le Premier ministre le plus populaire de la Ve République, après Jacques Chaban-Delmas (1969-1972), 53 % des personnes interrogées se déclarant satisfaites et seulement 32 % mécontentes. Indexée sur le volontarisme gouvernemental, la moyenne aura même progressé de 49,5 % en 1997 à 52,5 % en 1998 et 55 % en 1999. Mais elle se sera tendanciellement améliorée chez les cadres et les personnes disposant de hauts revenus et dégradée dans les catégories populaires.

Le Premier ministre a certes profité de la conjoncture économique [*voir article p. 366*], mais il a aussi réussi à arrimer une équipe gouvernementale allant du libéralisme culturel de Dominique Voynet au républicanisme de Jean-Pierre Chevènement, des préoccupations sociales des communistes ou de Martine Aubry au tropisme plus libéral de Dominique Strauss-Kahn et de Christian Sautter ; tandis que Bernard Kouchner, Élisabeth Guigou ou Ségolène Royale auront apporté une sensibilité davantage sociétale. La création des « emplois jeunes » [*voir article p. 99*] et la réduction du temps de travail à 35 heures [*voir article p. 538*] ont été prépondérantes pour ancrer l'idée que le gouvernement était acteur de la reprise économique. Globalement, 72 % des Français ont estimé positif le bilan du gouvernement depuis son arrivée, portant à son crédit le souci de la protection sociale (68 %), de la lutte contre le chômage (58 %), de la lutte contre les inégalités (48 %), des 35 heures (46 %), de l'instauration du PACS (Pacte civil de solidarité) et de la loi sur la parité (55 %), de la protection de l'environnement (51 %). À son débit figuraient la lutte contre la délinquance (53 %), la politique fiscale (61 %) et la situation en Corse (56 %). Après l'assassinat du préfet Claude Érignac (6 février 1998), l'ouverture de négociations avec les nationalistes était refusée par une majorité de l'opinion tant que ces derniers n'auraient pas condamné le terrorisme. Le fonctionnement de la Justice et la lutte contre la corruption ont suscité, quant à eux, des jugements partagés.

La confiance des citoyens pouvait en 1999 – comme l'année précédente – se fonder sur le sentiment que « la situation financière des entreprises [allait] s'améliorer » (49 % des réponses contre 41 % d'avis contraires). Alors qu'ils étaient majoritairement « inquiets » puis « préoccupés » à l'approche de 1997, les Français, après une phase de « prudence » en 1998, étaient, fin 1999, avant tout « confiants ». En décembre 1998 la proportion de ceux qui estimaient que la situation de l'économie française s'était améliorée équivalait encore à la part de ceux qui pensaient le contraire (25 % et 25 %). Il a fallu attendre fin 1999 pour que les optimistes l'emportent (31 % contre 22 %). La propension à consommer s'est, quant à elle, maintenue à un niveau stable à compter de 1997, où s'est dessinée une évolution significative.

Décrispation de la société

Tous ces facteurs expliquent la tendance constatée à la décrispation à l'égard des institutions et groupes sociaux. Ainsi, en un an (fin 1998-fin 1999), la confiance à l'égard de la presse écrite est devenue positive, passant de 49 % à 58 %. La radio a gagné six points de crédibilité (63 %) et la télévision huit points (58 %). Il s'est agi de la plus forte progression depuis 1987. Des sentiments de mécontentement n'en ont pas moins persisté, concernant le traitement de sujets d'actualité tels que la guerre en Tchétchénie et le scandale de la MNEF (Mutuelle nationale des étudiants de France), perçus comme insuffisamment couverts, ou encore la guerre du Kosovo considérée comme traitée de manière trop partiale. Autre signe de détente, pour la première fois la majorité absolue des personnes interrogées (52 % contre 45 %) se déclaraient favorables à ce que l'on accorde le droit de vote aux étrangers non membres de l'Union européenne pour les élections municipales et européennes.

Le tandem Jospin-Chevènement en déplaçant le clivage gauche/droite de l'immigration vers la question sociale, qui avait semblé abandonnée par les socialistes depuis 1993, a permis à l'opinion de voir dans l'accès des immigrés au vote une modalité parmi d'autres de l'intégration. Une majorité de l'opinion jugeait fin 1999 que « la démocratie fonctionne bien » (57 % contre 40 %). Ce climat explique que la mise en cause du préfet de la Corse Bernard Bonnet dans l'affaire dite « des paillotes » et la démission approuvée (73 %) du ministre de l'Économie et des Finances Dominique Strauss-Kahn n'ont guère affecté la popularité du Premier ministre en 1999.

Après les élections régionales de mars 1998, les européennes de juin 1999 ont confirmé les difficultés éprouvées par l'opposition à incarner une alternance politique crédible. Le lancement de l'euro aura crédité le gouvernement de son savoir-faire. Mais l'agenda européen, avec la crise du « bœuf britannique » et surtout la guerre du Kosovo, a entretenu l'image d'une Europe essentiellement soucieuse de construction monétaire et perçue comme impuissante ou indifférente à l'Europe sociale par une majorité de l'opinion (52 %).

Lors des élections au Parlement européen, l'abstention a été très forte, en France comme dans les autres pays. Les votants étaient motivés d'abord par le thème du chômage (65 %) puis par la construction de l'Europe (53 %), le maintien des acquis sociaux (45 %), l'environnement et l'insécurité (42 %). L'opposition républicaine, loin de profiter de ces élections intermédiaires, a obtenu un score médiocre (34,5 %), en recul par rapport à ceux de 1989 et de 1994 (38 % à chaque fois). Elle était divisée entre trois sensibilités équivalentes : un pôle centriste (François Bayrou et la liste UDF, 9,3 %), gaullo-libéral (Nicolas Sarkozy/Alain Madelin, liste RPR-DL, 12,5 %) et un pôle gaullo-conservateur (Charles Pasqua/Philippe de Villiers, 13 %). L'extrême droite a confirmé sa crise (6 % pour la liste FN conduite par Jean-Marie Le Pen et 3 % pour la liste conduite par Bruno Mégret). Le départ inopiné de Philippe Séguin de la tête de liste RPR-DL aura à la fois affaibli la droite et remis au centre des inquiétudes sa relation avec le président de la République Jacques Chirac, « cohabitant consort » dont la popularité est restée tout au long de l'année 1999 indexée sur celle du Premier ministre : 56 % lui faisaient confiance début 2000 et le bon fonctionnement de la cohabitation était apprécié (63 % contre 34 %).

Consensus flou lors de la crise du Kosovo

La crise du Kosovo aura correspondu au

Références

Sondages CSA-Opinion, Sofres, IFOP, IPSOS.

zénith d'une union nationale encadrée par la cohabitation. Contrairement à la guerre du Golfe de 1991, le statut de cette guerre n'a pas été clair pour l'opinion. Dès les premières enquêtes, selon l'approche de la question ou ses formulations, les appréciations apparaissaient différentes. Une majorité estimait que le chef de l'État yougoslave Slobodan Milosevic était le « principal responsable » de la situation (62 %) et qu'une « intervention militaire était inévitable ». Si l'on utilisait le terme euphémisant d'« intervention militaire », réduisant la nature du conflit aux interventions humanitaires organisées antérieurement en Bosnie-Herzégovine et sur d'autres théâtres, 57 % des personnes interrogées soutenaient l'engagement. Si, au contraire, on utilisait la formule plus impliquante de « bombardement contre la Serbie » employée par l'OTAN (Organisation du traité de l'Atlantique nord), 46 % se déclaraient hostiles (contre 40 %). Au début du conflit, les images fortes (milices, réfugiés) et les récits d'exactions serbes ont fait pencher la balance en faveur du soutien. Puis l'opinion a oscillé entre le fait que le droit international et le rôle de l'ONU n'étaient pas respectés par l'OTAN et le fait que les droits de l'homme étaient bafoués par le régime de S. Milosevic ; entre l'approbation des buts humanitaires et la défiance à l'égard des États-Unis, perçus par 63 % des personnes interrogées comme recherchant essentiellement leur « propre intérêt », tandis qu'était majoritairement exprimée la « confiance à l'égard de l'Europe » (72 %), laquelle apparaissait cependant être à la remorque des États-Unis (65 %).

Le consensus cohabitationniste exprimé lors de la crise du Kosovo a aiguisé la crise entre le président Chirac et le président du parti présidentiel RPR, Philippe Séguin. Ce dernier a considéré qu'il était privé de marge de manœuvre électorale. C'est certainement à juste titre que dans sa lettre de démission il cita les « sondages trompeurs » s'il entendait par là une interprétation laissant croire que le président Chirac pourrait se passer d'un bon score engrangé par la liste RPR-DL aux élections européennes concurrencé qu'il était par les deux autres listes de droite et qu'il pourrait s'accommoder de l'absence d'un parti pivot pour préparer l'élection présidentielle de 2002.

En 1999, le seul accroc à la cohabitation est intervenu sur le terrain international, au détriment de Lionel Jospin. Celui-ci, en visite au Proche-Orient, a qualifié, le 24 février à Jérusalem, les actions du Hezbollah libanais de « terroristes », dans la continuité peut-être d'une très ancienne préférence démocratique pour Israël sur les questions nationales arabes. Les images d'un Premier ministre « caillassé » à sa sortie de l'université palestinienne de Bir Zeit ont suscité la désapprobation de L. Jospin par une majorité de l'opinion (53 %).

Une demande d'État

Après 17 ans de « rigueur » et un quart de siècle de « crise » ou de « mutation économique », le retour de la croissance a semblé amortir l'urgence sociale. Le conflit des chômeurs de décembre 1999, comme cela s'était passé dans les années précédentes, a joué un rôle de « grève par procuration », 26 % de l'opinion les soutenant et 38 % ayant de la « sympathie » pour eux. Mais le soutien et la sympathie auront baissé de six points en deux ans, comme lors du conflit des cheminots en mai 1999 (baisse de 24 points). De même, la priorité à privilégier le relèvement des minima sociaux est apparue relativisée. Cela ne marquait cependant pas un retournement de cycle idéologique vers le libéralisme. En effet, fin 1999, 55 % de l'opinion souhaitait que l'« amélioration de la situation économique s'oriente vers la redistribution sociale en faveur des ménages les plus modestes pour accroître la consommation », plutôt que vers « la mise en place de réformes structurelles pour adapter l'économie et les entreprises à la mondialisation » (35 %).

L'annonce simultanée par Michelin, le 8 septembre, de hausses de bénéfices et de nombreuses suppressions de postes de travail a été perçue par une partie de l'opinion comme parfaitement cynique. Ainsi 52 % des personnes interrogées ont estimé que L. Jospin avait eu tort à cette occasion de dire que « dans la période actuelle l'État ne pouvait pas administrer l'économie ». Dans une enquête portant sur le fait de savoir si l'État intervenait « trop », « pas assez » ou « juste comme il faut », l'opinion a exprimé une forte attente en faveur des missions régaliennes de la puissance publique : de sécurité (81 %), de justice (57 %) et de sécurité alimentaire (58 %). L'attente était également forte pour la santé (61 %) et les problèmes de société tels l'éducation (65 %), les transports (59 %) et l'environnement (68 %). En matière économique, 53 % des personnes interrogées estimaient que l'État n'intervenait « pas assez », 17 % « trop » et 28 % « juste ce qu'il faut ». L'État était particulièrement sollicité pour l'emploi (80 %) et même pour l'« activité des entreprises », 45 % réclamant « plus d'État », 21 % « moins » et 30 % « ni plus ni moins ».

Cette demande de « plus d'État » s'est prolongée après le « moment Michelin », dans le fait, que 56 % des Français sont apparus soutenir la manifestation réclamant des mesures transitoires de contrôle sur les licenciements, organisée le 16 octobre à l'initiative d'un Parti communiste affaibli lors des élections européennes (6,8 %), face au résultat de la liste des Verts menée par Daniel Cohn-Bendit (9,7 %).

L'impatience des catégories populaires exprimée par le bon score de la liste trotskiste menée par Arlette Laguiller (LO) et Alain Krivine (LCR) a cependant désigné le talon d'Achille du jospinisme. La nouvelle alliance recherchée entre « classe moyenne », « classes populaires » et « exclus » postule que les classes moyennes seraient des terres de mission, alors que la faiblesse de la majorité résiderait plutôt dans l'électorat populaire.

Le nouveau cycle économique de reprise ne pouvait qu'exacerber les contradictions d'intérêt entre ceux qui, comme les classes moyennes, pouvaient bénéficier de la nouvelle croissance et ceux pour qui la baisse du chômage n'était pas synonyme de recul de la flexibilité et de la précarité du travail et qui aspiraient à un État plus actif en matière économique. Une majorité de l'opinion se déclarait en faveur d'une consolidation de la croissance, de la garantie des retraites, d'une fiscalité plus équitable, d'un meilleur équilibre entre capital et travail et de la lutte contre la précarité. Le gouvernement ne pouvait, au seul constat d'un bilan flatteur, verser dans le quiétisme. Après un quart de siècle de recul, le « plus » nourrit l'exigence d'un « mieux ». C'est dans ce contexte qu'est intervenu le remaniement du gouvernement Jospin, le 27 mars, et la désignation de l'ancien Premier ministre socialiste Laurent Fabius (1984-1986) au poste de ministre des Finances. Devant faire face à une demande sociale plus aiguë, le Premier ministre aura choisi, après le sommet européen de Lisbonne, de faire rentrer dans le jeu gouvernemental celui qui est parfois présenté comme la figure du « blairisme à la française ». Au risque d'ouvrir des questionnements nouveaux sur le « jospinisme ». ■

Vie politique et sociale

L'éclatement du système des partis politiques

Colette Ysmal
CEVIPOF, FNSP

Reconnus officiellement pour la première fois par la Constitution de 1958, les partis politiques ont eu de tout temps mauvaise presse en France. Si, en son article 4, le texte constitutionnel reconnaît qu'« ils concourent à l'expression du suffrage », les Français expriment, eux, une méfiance ancestrale et tout à fait étrangère à l'actuelle « crise de la politique ». En 1990, 60 % des personnes interrogées déclaraient « avoir plutôt pas confiance dans les partis politiques » ; mais elles étaient déjà 58 % à professer la même opinion en février 1981 ou en janvier 1988.

Ce rejet de principe a eu quelques conséquences importantes. La première est la faiblesse traditionnelle des partis français. Comparés à leurs homologues européens (allemands, anglais, italiens et scandinaves notamment), ils ont toujours été, à gauche comme à droite, de petites organisations sans base militante importante et sont, en ces années quatre-vingt-dix, plus frappés que les premiers par le recul de l'engagement politique. La faiblesse des effectifs détermine évidemment une grande vacuité des organisations partisanes, même lorsque le modèle reste, comme il est de tradition à gauche, celui du « parti de masse ». Longtemps, le PCF (Parti communiste français) a été le seul « vrai » parti, organisé grâce à ses cellules locales et rurales sur l'ensemble du territoire, capable d'une activité militante quotidienne, et solidement inséré dans la classe ouvrière grâce à ses cellules d'entreprise et ses liens avec la CGT (Confédération générale du travail). La crise qui affecte le PCF depuis la fin des années soixante-dix, comme l'effondrement plus récent du modèle communiste, a toutefois largement réduit cette originalité.

À ces traits historiques et structurels s'ajoutent ceux liés à la transformation récente de la vie politique. Présidentialisation de toute la vie politique et donc des organisations, extrême médiatisation des leaders et dictature acceptée des sondages ont entraîné la disparition d'une fonction essentielle des partis : la formation des opinions qui passait d'une part par la présence, sinon quotidienne du moins régulière, sur le terrain et, d'autre part, par la fonction programmatique. De plus en plus, les partis français – ceux qui en tout cas concourent pour le pouvoir – sont des partis de notables et d'élus qui s'animent en périodes électorales lorsqu'il s'agit de sélectionner le personnel politique et de convaincre l'électeur sur un catalogue de bonnes intentions.

L'absence de débats politiques menés par les partis « classiques » a pour conséquence la déshérence d'une large fraction de l'opinion à laquelle plus rien n'est désormais véritablement expliqué. Cela facilite l'émergence de nouvelles organisations qui bâtissent leur succès sur la prise en compte *prioritaire* de questions particulières réputées plus proches des individus, questions qu'ils ont réussi à constituer en « enjeux » : immigration pour le Front national ; protection de l'environnement pour les Verts, voire l'Europe et les « valeurs » pour Philippe de Villiers.

Crises et instabilité

La conséquence en a été l'éclatement

Références

F. Borella, *Les Partis politiques dans la France d'aujourd'hui*, Seuil, Paris, 1990.

P. Ignazi, C. Ysmal (sous la dir. de), *The Organization of Political Parties in Southern Europe*, Praeger, Wesport, 1998.

C. Leyrit, *Les Partis politiques, indispensables et contestés*, Le Monde Éditions/ Marabout, Paris, 1997.

D.-L. Seiler, *Les Partis politiques*, Armand Colin, Paris, 1993.

C. Ysmal, *Les Partis politiques sous la Ve République*, Montchrestien, Paris, 1989.

du système de partis tel qu'il s'était stabilisé à la fin des années soixante-dix – l'existence de quatre grandes forces politiques liées deux à deux (gauche contre droite) par des accords électoraux et/ou politiques.

Depuis le début des années quatre-vingt-dix, le système de partis peut être caractérisé à la fois par son émiettement et par son instabilité. D'une part, si l'on se réfère aux élections de la période (régionales de 1992 et de 1998, législatives de 1993 et de 1997, européennes de 1994 et de 1999, présidentielle de 1995), dix forces ont reçu à un moment donné l'appui d'une fraction notable de l'électorat : Lutte ouvrière (LO), Parti communiste (PCF), Parti socialiste (PS), Parti radical de gauche (PRG, ex-Mouvement des radicaux de gauche), Verts et Génération Écologie, Union pour la démocratie française (UDF), Rassemblement pour la République (RPR), Mouvement pour la France (MPF), Rassemblement pour la France (RPF) et Front national (FN). D'autre part, de considérables évolutions ont marqué la fortune électorale des partis et des situations de crise ont touché tour à tour la gauche, la droite et enfin l'extrême droite.

Certaines organisations comme le PRG, les Verts, GE ou le MPF n'ont connu que des succès éphémères mais restent dans le système comme « groupes de pression » avec lesquels les grands partis doivent composer. En 1992 et 1993, la position du PS comme force dominante de la gauche a été contestée par le succès des écologistes qui entendaient n'entrer dans aucune coalition et réduisaient d'autant la vocation majoritaire du PS. Une recomposition s'est toutefois concrétisée lors des élections législatives de 1997 et des régionales de 1998 avec la mise en place d'une coalition « rose, rouge, verte » qui a gagné les élections de 1997 et confirmé son succès lors des régionales de 1998.

En revanche, les effets de la dissolution manquée de 1997 et des régionales de 1998 ont accentué la crise de la droite, confrontée non seulement au problème des relations avec le FN, mais aussi à des difficultés internes. L'UDF a été la première à éclater. Certes sans grand succès, Charles Millon a tenté d'organiser une nouvelle formation appelée La Droite. Alain Madelin, président de Démocratie libérale (DL – ex-Parti républicain), a choisi en mai 1998 de quitter l'UDF et de reprendre son autonomie. En 1999, la crise touche à son tour le RPR. Charles Pasqua quitte la formation, annonce sa candidature aux élections européennes, s'allie avec Philippe de Villiers (MPF). En novembre 1999, les deux hommes fondent officiellement le Rassemblement pour la France (RPF).

Cet éclatement et cette instabilité peuvent, du fait des contraintes institutionnelles, apparaître plus formels que réels. Poussés par le scrutin majoritaire à deux tours lors des élections législatives, les partis sont conduits à conclure des alliances ou à entrer dans des coalitions. Le second tour de l'élection présidentielle, ouvert seulement aux deux candidats arrivés en tête au premier tour, produit forcément un président élu avec une majorité des suffrages. Toutefois, ces mécanismes ne garantissent plus qu'à une majorité présidentielle ou parlementaire corresponde une majorité d'opinion. La « gauche plurielle », en 1997, a obtenu la majorité des sièges à l'Assemblée nationale avec seulement 43 % des suffrages exprimés. En 1995, Jacques Chirac a été élu avec 52,7 % des suffrages exprimés, mais la droite modérée ne représentait au premier tour que 43,8 % des électeurs et le ralliement d'une partie des électeurs du FN, en l'absence d'un accord entre la droite et l'extrême droite, s'est révélé précaire. Il est vrai que l'éclatement du FN [*voir article p. 464*], qui a affaibli l'extrême droite en général et la formation lepéniste en particulier, offre de nouveaux espaces à la droite modérée. L'éclatement et l'instabilité du système de partis produisent, à tout le moins, les très rapides changements de majorités gouvernementales connues depuis 1981 et la répétition des périodes de cohabitation. ■

Les principaux partis politiques

Colette Ysmal
CEVIPOF, FNSP

(*Seuls sont présentés ci-dessous les partis français représentés en 1999, ou récemment, au Parlement ou à l'Assemblée européenne.*)

♦ **Le Parti communiste français (PCF)**
Créé en décembre 1920 à Tours lorsque la majorité de la Section française de l'Internationale ouvrière (SFIO) vota l'adhésion à la IIIe Internationale, le Parti communiste a été, de 1945 à la fin des années soixante-dix, le premier parti de la gauche tant en termes d'adhérents et d'organisation qu'en termes électoraux. Le parti, ses militants et ses leaders ont défendu avec constance l'URSS et sa conception du socialisme ; toutefois, sa réussite électorale (plus de 25 % des suffrages exprimés sous la IVe République ; plus de 20 % jusqu'en 1981) tenait davantage à son image de seul parti de gauche qui défendait à la fois les travailleurs et la paix.

La crise ouverte en 1978, lorsque le PCF a rompu l'union de la gauche conclue en 1972, s'est accélérée dans les années quatre-vingt et au début des années quatre-vingt-dix. D'une part, l'organisation a été secouée par des mouvements de contestation interne et le potentiel militant s'est effondré (700 000 adhérents dans les années soixante-dix ; environ 200 000 en 1995) ; d'autre part, le déclin électoral a été patent : de 15,4 % des suffrages lors de l'élection présidentielle de 1981 à 6,9 % en 1988 ; de 16 % aux législatives de 1981 à 11,2 % en 1988 et 9,2 % en 1993.

La faillite du mouvement communiste international et la disparition du modèle soviétique ont d'un autre côté renforcé l'absence de toute stratégie de pouvoir et de projet idéologique. C'est à ce manque qu'allait tenter de remédier le PCF avec l'accession de Robert Hue au poste de secrétaire national. Le succès a été limité, même si R. Hue a obtenu 8,7 % des voix lors de la présidentielle de 1995 (gain de près de 2 points par rapport à 1988).

En 1997, le PCF, non sans débats internes et non sans hésitations, s'est réinséré dans la gauche gouvernementale en

entendant y représenter « la gauche de la gauche ». Il n'a pas atteint son objectif de dépasser 10 % des suffrages exprimés (9,9 % lors des législatives de 1997). Lors des européennes de 1999, R. Hue n'a obtenu que 6,8 % des suffrages exprimés.
– Siège national : 2, place du Colonel-Fabien - 75019 Paris.
– Secrétaire national (au 10.04.2000) : Robert Hue, qui a remplacé Georges Marchais le 29 janvier 1994.

♦ Le Parti socialiste (PS)

Créé en 1969 sur les dépouilles de la SFIO et avec l'appui de quelques clubs, le Parti socialiste s'est développé en deux temps : 1971, avec l'arrivée des membres de la Convention des institutions républicaines de François Mitterrand ; 1974, avec les Assises du socialisme et le ralliement d'une minorité du PSU (Parti socialiste unifié) conduite par Michel Rocard, et de dirigeants syndicalistes de la CFDT (Confédération française démocratique du travail). Sous la direction de F. Mitterrand, le PS s'est renouvelé (moins de 100 000 adhérents en 1971, environ 200 000 en 1980) et a conquis entre 1973 et 1981 une fraction de plus en plus importante de l'électorat sur une double ligne politique : union de la gauche avec le PCF, signée en 1972, et affirmation d'un « socialisme à la française » qui se propose de « rompre avec le capitalisme » et de « changer la vie ».

Avec l'arrivée au pouvoir en 1981 ont commencé les difficultés de tous ordres. Rallié à l'économie de marché dès le changement de politique économique en 1983, le PS n'a pas pu inventer une politique économique qui ne soit pas de soumission à « la loi des marchés financiers » ni, en dépit de quelques tentatives (le RMI par exemple), une politique sociale de solidarité entre les plus favorisés et les défavorisés. Surtout, le parti est sorti très discrédité des « affaires » qui se sont succédé entre 1988 et 1995 (financement du parti, enrichissements personnels, contamination par le virus du sida du sang de transfusion).

Ces données ont entraîné une crise endémique de l'organisation. L'absence de projet et de dynamique a ranimé la guerre des courants et des « chefs », articulée d'abord sur des ambitions personnelles. Déçus, nombre de militants se sont retirés, la plupart sur l'Aventin, d'autres en rejoignant les mouvements écologistes, les derniers en suivant Jean-Pierre Chevènement qui a créé, en août 1992, le Mouvement des citoyens. C'est toutefois le recul électoral qui a été le plus marquant. Dans les années soixante-dix/quatre-vingt, le PS avait été le parti dominant du système politique (36 % des suffrages lors des élections législatives en 1981 : 30,8 % en 1986, 34,8 % en 1988). Or il n'obtient plus que 19,2 % lors des législatives de 1993 et 14,5 % aux élections au Parlement européen de 1994.

Le PS a cependant très vite effectué une nouvelle mutation. Lors de l'élection présidentielle de 1995, Lionel Jospin, investi par les militants contre une partie de l'appareil, obtenait un score inespéré (23,2 % des suffrages exprimés) et arrivait en tête de tous les candidats. Sa présence au second tour et son résultat (47,4 %) lui conféraient une légitimité certaine, confirmée par son élection – toujours par les militants – au poste de premier secrétaire, en octobre 1995. Il entreprenait alors la rénovation du parti. A l'automne 1996, le programme économique et social du parti était rendu public, apparaissant marqué par un « réalisme de gauche » (priorité à la lutte contre le chômage et notamment celui des jeunes avec la création de 700 000 emplois publics et privés ; renforcement de la solidarité par le passage du principe d'égalité à celui d'équité ; maintien mais rénovation du service public). Surtout, le PS jouait du désir de démocratisation à l'œuvre dans la société française (réforme des institutions ; place des femmes dans la vie politique ; promesse d'une manière de gouverner plus modeste et plus proche des citoyens).

Ce sont ces deux éléments qui ont permis au PS d'obtenir 27,8 % des suffrages lors des législatives de 1997 et de revenir au pouvoir quatre ans après l'avoir quitté. Il faut aussi noter qu'il est redevenu le pôle autour duquel s'organise la gauche puisque le PC, le MDC et les Verts ont été amenés à conclure des alliances avec lui. Toutefois, il n'avait pas à cette occasion retrouvé l'influence électorale qu'il avait dans les années quatre-vingt. Ce qui confirme le résultat obtenu lors des européennes de 1999 (21,9 % des voix).

– Siège national : 10, rue de Solferino - 75007 Paris.

– Premier secrétaire (au 10.04.2000) : François Hollande (depuis novembre 1997).

♦ Le Parti radical de gauche (PRG)

Créé en janvier 1973 par une scission du Parti radical, le Mouvement des radicaux de gauche (MRG) entendait préserver la tradition de gauche du radicalisme. C'est pourquoi il s'engagea alors dans l'union de la gauche avec le PCF et le PS. Composé essentiellement de notables locaux et nationaux, organisé essentiellement dans les vieilles terres radicales (Corse et Sud-Ouest), il a pendant vingt ans vivoté à côté du PS et a été satellisé par celui-ci. Ses tentatives pour affirmer son autonomie ont été vaines.

Le réveil avait semblé venir avec l'adhésion de Bernard Tapie en février 1993. De fait, investi, lors des élections européennes de 1994, tête de liste Entente radicale, celui-ci obtient 12 % des suffrages et talonne M. Rocard (14,5 %). Le MRG se veut alors le pivot d'une reconstruction de la gauche. Lors du congrès extraordinaire de novembre 1994, le MRG change de nom, devient Radical, adopte de nouveaux statuts et un manifeste.

La mise sur la touche de B. Tapie a entraîné un retour aux sources et la reprise en main de l'appareil par les caciques du parti. Lors du congrès de janvier 1996, Jean-Michel Baylet est élu président. De fait, les élus qui composent l'essentiel de Radical savent bien que leur salut passe par l'entente avec le PS. A la demande, devant les tribunaux, du Parti radical, les radicaux de gauche ont dû abandonner leur nom Radical pour, finalement, se nommer Parti radical de gauche (PRG).

– Siège national : 13, rue Duroc - 75007 Paris.

– Président (au 10.04.2000) : Jean-Michel Baylet (depuis janvier 1996).

♦ Les Verts

Créé en 1984, le parti écologiste Les Verts a connu une forte mais brève expansion électorale. Alors que jusqu'en 1989 les écologistes, présents essentiellement lors des scrutins présidentiels et européens, n'atteignaient pas 5 % des suffrages exprimés, ils explosèrent lors des européennes de 1989 (10,8 %). Cette percée a toutefois été arrêtée lors des régionales de 1992 (6,9 %) du fait de l'apparition de Génération Écologie (GE). En mars 1993, les candidats présentés sous l'étiquette « Entente écologiste » (Verts et GE) obtinrent 7,9 % des voix.

La rupture intervenue entre les deux organisations a poussé les Verts à se présenter seuls lors des européennes de 1994. Ce fut l'échec (2,9 %), confirmé par le score de Dominique Voynet lors de l'élection présidentielle de 1995 (3,4 % des voix). Depuis le départ, en 1994, d'Antoine Waechter qui a maintenu, au sein du Mouvement écologiste indépendant (MEI), le principe du « ni droite ni gauche », le projet politique des Verts s'est déplacé de l'écologie vers la constitution d'une « force politique alternative ». Ils se sont ainsi rapprochés du PS et ont, pour les législatives de 1997, signé un accord électoral et politique avec lui. Leur stratégie a été efficace. D'une part, ils ont obtenu sept élus à l'Assemblée nationale ainsi qu'un poste au gouvernement. D'autre part, ils ont marginalisé toutes les autres forces se réclamant de l'écologie et notamment Génération Écologie (GE). Enfin, ils

ont obtenu 9,7 % lors des européennes de 1999.
– Siège national : 107, avenue Parmentier - 75011 Paris.
– Secrétaire national : Jean-Luc Bennahmias.
– Porte-parole (au 10.04.2000) : Maryse Arditi, Martine Billard, Denis Baupin, Stéphane Pocrain.

♦ L'Union pour la démocratie française (UDF)

Fondée en février 1978, l'UDF était l'instrument de Valéry Giscard d'Estaing, alors président de la République, pour contrecarrer l'influence du RPR créé en décembre 1976, et pour essayer de fédérer un « parti du président ». Au départ, la confédération réunissait les démocrates chrétiens du Centre des démocrates sociaux (CDS, fondé en 1976), les libéraux giscardiens représentés par le Parti républicain (PR, créé 1977) et par les clubs Perspectives et réalités, le Parti radical affaibli par la scission des radicaux de gauche, des socialistes en rupture de ban avec le PS pour refus de l'alliance avec le PCF et enfin des adhérents directs. Lors des élections législatives de 1978, l'UDF obtint un succès certain (20,8 % des suffrages exprimés, contre 22,6 % au RPR).

La défaite de V. Giscard d'Estaing en 1981 fit perdre à l'UDF une grande partie de son autonomie par rapport au RPR. La forme confédérale réunissant des partis sans grande base militante ne lui permit pas de s'opposer à la « machine » néogaulliste. Candidatures uniques aux élections législatives, locales et européennes ainsi que, construction européenne mise à part, convergence des projets ont aussi largement brouillé son image. De plus, en soutenant Raymond Barre lors de l'élection présidentielle de 1988 et Édouard Balladur lors de celle de 1995, l'UDF n'eut pas, en ces débats majeurs de la vie politique, de candidats réellement issus de ses rangs.

En 1995 et 1996, l'UDF tenta de se réorganiser. Les giscardiens se regroupèrent dans le Parti populaire pour la démocratie française (PPDF) ; sous l'impulsion de François Bayrou, le CDS reçut le renfort du Parti social-démocrate et se transforma en Force démocrate (novembre 1995), l'idée étant de créer, à l'image de la CDU allemande, un grand parti du « centre » qui serait le point d'équilibre d'une future majorité présidentielle. F. Bayrou conclut une alliance avec François Léotard redevenu président du PR en juin 1995. Tous deux conquirent, au détriment de V. Giscard d'Estaing, président de l'UDF depuis 1988, le leadership de la confédération le 31 mars 1996.

La rénovation a cependant été remise en cause par la défaite des élections législatives de 1997 et plus encore par celle des régionales de 1998. Ces défaites ont exacerbé les conflits entre ceux qui défendaient une évolution vers le libéralisme « pur et dur » et ceux qui entendaient représenter un « pôle social ». La seconde a avivé les tensions entre partisans d'une alliance avec le FN – soutenant les quatre présidents de Région UDF élus avec les voix de l'extrême droite – et adversaires d'une telle stratégie. Au bout du compte, l'UDF a éclaté le 16 mai 1998 puisque Démocratie libérale (DL, issue du PR après sa conquête par Alain Madelin) a repris son autonomie. En revanche, le conseil national de Lille (29 novembre 1998) a décidé la transformation de ce qui restait de l'ancienne confédération en un parti unitaire (plus de composantes, une seule carte d'adhésion et un seul siège social). Lors des élections européennes de 1999, la liste UDF dirigée F. Bayrou a obtenu 9,3 % des suffrages exprimés.
– Siège national : 133 bis, *rue de l'Université - 75007 Paris.*
– Président (au 10.04.2000) : François Bayrou, qui a remplacé François Léotard le 16 septembre 1998.

♦ Démocratie libérale (DL)

En juillet 1997, A. Madelin prit le contrôle

Sites Internet

Banque de données sociales et politiques : **http://solcidsp.upmf-grenoble.fr**
CEVIPOF : **http://www.msh-paris.fr/centre/cevipof**
FN : **http://www.front-nat.fr**
Office interrégional du politique (OIP) : **http://solcidsp.upmf-grenoble.fr:8002**
PCF : **http://www.pcf.fr**
RPR : **http://www.rpr.asso.fr**
PS : **http://www.parti-socialiste.fr**
Sciences Po Paris : **http://internet-sciences-po.fr**
UDF : **http://www.udf.org**
Les Verts : **http://www.verts.imagine.fr**

du Parti républicain en le rebaptisant Démocratie libérale. Au sein de la droite modérée, dans les luttes internes pour le pouvoir et pour la stature de présidentiable, A. Madelin proposa à son parti d'être une « vraie droite » et de rompre avec toutes les tentations sociales étatistes (le RPR) ou catholiques sociales (Force démocrate principalement). Le programme, qui se réclame du libéralisme, des thèses de l'État minimum et de la nécessité des déréglementations en matière sociale, n'a guère été précisé ensuite, Démocratie libérale se gardant bien, baisse des impôts sur le revenu pour les salariés et sur les entreprises promise, de chiffrer ce que cela pourrait coûter et rapporter aux uns et aux autres. Le débat sur les relations avec le FN est resté aussi obscur : pas d'alliances, mais souhait de ne rejeter personne y compris ceux qui ont fait des alliances avec le FN.
– Siège national : 113, rue de l'Université-75007 Paris.
– Président (au 10.04.2000) : Alain Madelin (depuis juillet 1997).

♦ Le Rassemblement pour la République (RPR)

Créé en décembre 1976 et dirigé jusqu'en 1995 par Jacques Chirac, le RPR est le dernier avatar des formations « gaullistes » de la Ve République. Du gaullisme, le RPR a gardé le goût de l'organisation fortement structurée et hiérarchisée, dirigée par un leader unique et pratiquement incontestable. La quête du militant y est affirmée même si le RPR compte plus certainement 100 000 adhérents que les 900 000 annoncés en 1986. Cela suffit en tout cas à donner au RPR une force et une cohésion que n'ont pas ses partenaires de l'UDF.

En matière économique et sociale, les oscillations ont été fréquentes entre un « travaillisme à la française » (fin des années soixante-dix), le libéralisme conservateur inspiré de Margaret Thatcher (entre 1981 et 1986), la mise en sommeil des thèses de l'État minimum à compter de 1988 jusqu'au soutien apporté par la majorité des cadres et des militants du parti à la lutte contre la « fracture sociale » prônée par Jacques Chirac pendant la campagne présidentielle de 1995. En fait, l'important pour le RPR et pour son chef était la reconquête de la présidence de la République, ce qui impliquait un pragmatisme certain dans une formation et chez un homme qui, héritage gaulliste oblige, se méfient de ce qu'ils appellent les « idéologies », affirment la vanité de la distinction droite-gauche et se pensent volontiers comme les dépositaires des aspirations du peuple tout entier.

Redevenu en 1995 parti du président, le RPR allait être contraint de suivre et de soutenir les aléas de la politique présidentielle.

La défaite aux élections législatives de 1997 a accentué les conflits internes. Bien qu'apparemment réconciliés derrière Philippe Séguin, élu président en juillet 1997, « balladuriens », « juppéistes », « séguinistes » et « chiraquiens » ont eu tendance à jouer leur propre partition. Une partie du débat a porté sur le degré d'autonomie du RPR par rapport au président de la République en période de cohabitation. La volonté de P. Séguin de situer le RPR dans une totale opposition au gouvernement Jospin – y compris sur des projets soutenus par J. Chirac –, mal comprise à l'Élysée, a entraîné, en avril 1999, la démission du président du RPR et son retrait comme tête de liste pour les européennes.

Le RPR s'est aussi divisé sur la question européenne. Voulant soutenir des positions « souverainistes », Charles Pasqua a constitué sa propre liste. Il a entraîné quelques dirigeants locaux, des adhérents et, surtout, provoqué l'échec de Nicolas Sarkozy aux élections européennes (12,8 % des voix pour la liste RPR-DL). Secrétaire général, celui-ci ne s'est pas présenté à la présidence à laquelle a été élue Michèle Alliot-Marie.

– Siège national : 123, rue de Lille - 75007 Paris.

– Présidente (au 10.04.2000) : Michèle Alliot-Marie, depuis le 4 décembre 1999.

♦ Le Rassemblement pour la France (RPF)

Fondé officiellement en novembre 1999, le Rassemblement pour la France réunit le Mouvement pour la France de Philippe de Villiers et des adhérents – souvent RPR – qui se reconaissent d'abord dans la ligne « souverainiste » défendue par Philippe de Villiers et Charles Pasqua. Le parti dit compter 12 500 adhérents et entend faire fructifier les 13,2 % des voix recueillies lors des européennes de 1999. Pourtant, des dissonances se font déjà entendre, les « pasquaïens » entendant ne se situer ni à gauche ni à droite et les « villiéristes » défendant des thèses résolument conservatrices.

– Siège national : 50, rue Belgrand – 75020 Paris.

– Président (au 10.04.2000) : Charles Pasqua.

♦ Le Front national (FN) et sa scission

Créé en décembre 1972, le Front national est resté jusqu'en 1984 un groupuscule réunissant à peine 1 000 adhérents et n'obtenant lors des législatives de 1973 ou 1978 qu'environ 1 % des suffrages exprimés. L'expansion électorale du FN – 11,1 % lors des européennes de 1984 ; 9,9 % lors des législatives de 1986 ; 14,6 % pour Jean-Marie Le Pen lors du premier tour de la présidentielle de 1988 ; 9,9 % lors des législatives de la même année, 11,8 % aux européennes de 1989 ; 13,9 % lors des régionales de 1992 ; 12,7 % lors des législatives de 1993 ; 11 % lors des européennes de 1994, 15 % à la présidentielle de 1995 et aux législatives de 1997, ainsi qu'aux régionales de 1998 – est un fait unique dans l'histoire de l'extrême droite en France, dans la mesure où celle-ci soit était marginalisée, soit ne connaissait que des poussées éphémères (poujadisme en 1956). Pour la première fois, le FN allait gérer quatre villes : Marignane, Orange et Toulon à partir de juin 1995 ; Vitrolles à compter de février 1997.

Ce développement repose sur un programme spécifique où dominent quatre thèmes : 1. la défense extrême du libéralisme économique ; 2. un nationalisme qui pousse le FN à s'opposer à la construction européenne dans la mesure où les intérêts français « vont se dissoudre dans un vaste conglomérat bureaucratique » ; 3. une xénophobie dirigée essentiellement contre les immigrés maghrébins qui menacent l'« identité française », mais qui se déploie aussi dans « la grande lutte historique de l'Occident chrétien contre les barbares » ; 4. une dénonciation de l'*establishment* politique ou des partis classiques qui « ne prennent pas en compte les aspirations de la population » et « captent le pouvoir à leur seul profit ».

En 1998, le parti comptait environ 50 000 adhérents. Il est, en outre, aujourd'hui bien organisé sur la plus grande partie du territoire.

Aussi fort soit-il en termes électoraux ou organisationnels, le FN n'a cependant obtenu que des résultats assez médiocres dans la conquête de postes de pouvoir. C'est pourquoi un débat stratégique s'est ouvert dans ses rangs entre ceux qui se satisfont d'un parti isolé, « protestataire », renvoyant dos à dos la gauche et la droite modérée et ceux défendant une ligne d'alliance avec le RPR et l'UDF. Les premiers, représentés par J.-M. Le Pen, et les seconds, par Bruno Mégret, ne diffèrent pas sur les fins mais sur les moyens. La fin est que le FN remplace le RPR et l'UDF comme représentant de la droite. J.-M. Le Pen a parié sur la lente progression du FN au détriment de la droite modérée et sur les effets supposés d'une gestion par la gauche des problèmes pour lui sensibles : le chômage, l'immigration, les « sans papiers » par exemple. B. Mégret entend donner à son parti une légitimité dans le système politique qui lui permettrait de très rapidement « plumer » une droite modérée en désarroi. C'est ce très important débat qui, au-delà de l'affrontement personnel entre les deux hommes, a donné lieu à la révolte des « mégrétistes » contre J.-M. Le Pen. Lors du congrès de Marignane organisé par ses partisans (23 et 24 janvier 1999), B. Mégret s'est affirmé comme le légitime dépositaire de la marque « Front national ». Débouté par la justice, il fonde le Mouvement national républicain (MNR). La scission a affaibli le FN, qui n'a recueilli que 5,7 % des suffrages exprimés lors des élections européennes de juin 1999 (3,3 % pour B. Mégret).

Front national d'unité française (FNUF)
– Siège national : 4, rue Vauguyon - 92210 Saint-Cloud.
– Président (au 10.04.2000) : Jean-Marie Le Pen, qui dirige le mouvement depuis sa création, en 1972.

Mouvement national républicain (MNR)
– Siège national : 15, rue de Cronstadt - 75015 Paris.
– Président (au 10.04.2000) : Bruno Mégret. ■

L'extrême droite après sa crise

Colette Ysmal
CEVIPOF, FNSP

Depuis son apparition dans le paysage politique en 1983-1984, le Front national (FN) avait réussi ce que n'avait fait jusqu'alors aucune force d'extrême droite française : assurer sa pérennité électorale et organisationnelle. Créé en 1972, le FN avait certes mis du temps à s'imposer électoralement puisque, jusqu'en 1981, il peinait à atteindre 1 % des suffrages exprimés. Toutefois, après sa percée aux élections européennes de 1984 (11,1 %), il s'était enraciné, tant lors des élections nationales que locales. Il avait obtenu 14,6 % des suffrages lors de la présidentielle de 1988 et 15,3 % lors de celle de 1995. Aux municipales de 1995, il avait emporté trois villes de plus de 30 000 habitants, dont Toulon. En février 1997, ce fut le tour de Vitrolles. Aux législatives de 1997, il avait recueilli 15,2 % des voix. Enfin, les cantonales et les régionales

Références

M. Darmon, R. Rosso, *L'Après-Le Pen, enquête dans les coulisses du FN*, Seuil, « L'épreuve des faits », Paris, 1998.

P. Longuet, « Crise au Front national : Chronique d'un divorce annoncé », *French Politics and Society*, n° 17-1, Université de Harvard, Cambridge (Massachusetts), hiv. 1999.

P. Perrineau, *Le Symptôme Le Pen. Radiographie des électeurs du Front national*, Fayard, Paris, 1997.

P.-A. Taguieff, M. Tribalat, *Face au Front national. Arguments pour une contre-offensive*, La Découverte, « Sur le vif », Paris, 1998.

de 1998 avaient montré que le parti s'était développé à tous les échelons du territoire puisque son score avait atteint 13,9 % aux premières et 15,3 % aux secondes.

Ces succès électoraux étaient largement dus à l'institutionnalisation du parti. D'un stade groupusculaire, le FN était passé, dans les années quatre-vingt-dix, à un parti de plus de 50 000 adhérents, organisé sur l'ensemble du territoire, capable de présenter des candidats partout, fortement structuré et hiérarchisé autour de son président Jean-Marie Le Pen. Il disposait, enfin, d'une idéologie simple, pour ne pas dire simpliste, qui parlait à ceux qui se sentaient exclus de la société, et qui se déclinait autour de cinq thèmes : chômage, insécurité, immigration, dénonciation de l'*establishment* politique, opposition à l'intégration européenne au nom de la défense de la nation.

En dépit de divisions internes, apparues notamment lors du congrès de Strasbourg (mars 1997), le FN remportait, en mars 1998, son plus important succès en faisant élire quatre présidents de régions UDF. L'alliance objective entre la droite modérée et l'extrême droite a cependant exacerbé l'ancien débat stratégique entre J.-M. Le Pen et Bruno Mégret, délégué général depuis 1997. Le premier représente l'héritage de l'extrême droite classique qui ne se donne aucune vocation à gouverner. La constante propension du président du FN à entretenir une « stratégie de la tension » à l'égard du RPR et de l'UDF, à insister sur tout ce qui sépare plutôt que sur ce qui réunit en est la preuve. Après le premier tour de la présidentielle de 1995, le leader du FN avait d'ailleurs déclaré : « Le peuple français est acculé à choisir entre deux hommes de gauche, tous deux du parti de l'étranger [...]. Pour nous, Chirac c'est Jospin en pire. C'est la gauche plus l'hypocrisie. » Aux législatives de 1997, J.-M. Le Pen avait également encouragé tous les candidats qui le pouvaient à se maintenir au second tour.

Pour B. Mégret, passé du RPR au FN en 1985, les alliances régionales concrétisent ce qui est possible et même souhaitable. Pour lui, le combat contre la gauche est prioritaire et le FN a intérêt à y prendre toute sa place. En conséquence, il doit sortir du ghetto politique que lui promet J.-M. Le Pen en se réinsérant au sein de la droite. L'entreprise est en même temps idéologique, le but étant de se réapproprier le « gaullisme », pour séduire directement les électeurs du RPR ou permettre des alliances. Ainsi, dans *Le Monde* du 13 février 1996, écrivait-il déjà : « L'ambition est d'être un mouvement populaire transcendant les clivages politiques anciens de la fausse droite et de la gauche archaïque pour rassembler l'ensemble du peuple français [...] à l'image de ce qu'avait tenté le RPF du général de Gaulle. »

L'opposition est trop forte pour que la cohabitation reste possible. Il en découle une crise de leadership où les deux hommes croient chacun en leurs atouts. Le président a le soutien de la majorité des organismes dirigeants et des adhérents de base. Grâce à son action au sein de la délégation générale du parti, le « maire par procuration de Vitrolles » (le poste, à la suite de son inéligibilité, étant occupé par son épouse) est suivi par les militants et notamment par les cadres fédéraux. L'un, qui n'a jamais voulu envisager sa succession, est prêt à saborder le parti avec lui ; l'autre assure qu'il y a « une vie après Le Pen ». Dès lors, les exclusions des mégrétistes se succèdent. Les exclus réunissent en janvier 1999 un congrès qui fonde le Front national-Mouvement national (FN-MN), rebaptisé ensuite Mouvement national républicain (MNR).

La scission a eu ses effets électoraux négatifs. Lors des élections européennes de juin 1999, le FN n'a recueilli en métropole que 5,8 % des suffrages exprimés et le MNR 3,3 %. Ces déboires ont surtout changé la place de l'extrême droite dans le système politique. Alors que, depuis 1984, elle avait pesé sur le débat politique et placé la droite modérée en position défensive, elle a semblé désormais d'autant plus hors jeu que ses faibles scores – s'ils se confirmaient – modifieraient les conditions des seconds tours au scrutin majoritaire, supprimant notamment les triangulaires. ■

Tendances électorales

Henri Rey
CEVIPOF, FNSP

Les élections législatives de 1997, élections d'alternance, ont engagé un nouveau cycle électoral qui, après les régionales de 1998 et les européennes de 1999, se poursuivra en 2001 avec les élections municipales et en 2002 avec les législatives et l'élection présidentielle. Le maintien d'un fort taux d'abstention, la domination de la « gauche plurielle », l'affaiblissement et les divisions de la droite parlementaire ont caractérisé les trois premières années de ce cycle qui a aussi été marqué, en 1999, par la relative décrue du vote d'extrême droite.

◆ La faiblesse de la participation électorale

32 % des Français inscrits sur les listes électorales (l'INSEE évalue, de plus, le taux de non-inscription à environ 9 % des électeurs potentiels) se sont abstenus au premier tour des législatives de 1997, légèrement moins qu'en 1988, la plus abstentionniste des élections législatives de la Ve République (33,9 %), dont la particularité était toutefois de succéder immédiatement à un scrutin présidentiel. 42 % ne sont pas allés voter le 15 mars 1998 à l'occasion des élections régionales et 53 % le 13 juin 1999 pour les élections européennes, soit 5,7 % de plus qu'aux européennes précédentes, en 1994. La France ne s'est pas singularisée par une désaffection plus marquée à l'égard du scrutin européen (le taux d'abstention moyen dans l'Union européenne a été de 50,6 %). Cependant, quelle que soit la nature des consultations, l'abstentionnisme électoral connaît une progression qui révèle l'ampleur de la crise de la représentation politique. Parce qu'elle renvoie moins que par le passé à l'inégalité de distribution du capital scolaire et à la différenciation des statuts sociaux (le chômage demeurant cependant un facteur de retrait), parce que les citoyens sélectionnent les consultations en fonction de leurs enjeux,

l'abstention, intermittente, peut être lue comme un choix politique parmi d'autres.

◆ **Une « gauche plurielle » majoritaire**

Constituée lors des législatives de 1997, la coalition de la « gauche plurielle », réunion autour du Parti socialiste du Parti communiste (PCF), des Verts, du Mouvement des citoyens (MDC) et du Parti radical de gauche (PRG), est parvenue à s'imposer comme une force majoritaire et à maintenir une relative unité. En 1997, 1998 et 1999, la « gauche plurielle » a devancé la droite modérée : de 5,5 points aux législatives de 1997, d'un point aux régionales de 1998, de 3,6 points aux européennes de 1999. Le Parti socialiste a opéré un redressement modeste mais durable après les revers du début des années quatre-vingt-dix. Obtenant, selon les scrutins, entre 20 % et 25 % des suffrages exprimés, il n'a pas retrouvé les scores supérieurs à 30 % des législatives de 1981, 1986 ou 1988 en raison de la désaffection des catégories populaires à son égard. Il a donc été conduit à nouer des alliances avec des partenaires plus faibles, sans lesquels il ne pouvait l'emporter. Les deux principaux, le PCF et les Verts, connaissent des situations dissemblables.

Malgré ses tentatives de rénovation, le PC n'est pas parvenu à rétablir un niveau électoral supérieur à 10 % des voix (9,9 % en 1997, 6,8 % en 1999). La constitution d'une liste d'ouverture « Bouge l'Europe », doublement paritaire (hommes/femmes, communistes/non-communistes), s'est soldée par un résultat particulièrement décevant pour son chef de file, Robert Hue. Affaibli, même dans ses bastions résiduels de banlieue et dans les terres « rouges » du centre et du sud-ouest de la France, le PC subit la forte concurrence d'une extrême gauche trotskiste (Lutte ouvrière, Ligue communiste révolutionnaire) qui a obtenu plus de 5 % des suffrages en 1995 (5,4 %) et en 1999 (5,2 %) et fait élire pour la première fois cinq députés au Parlement européen.

Les Verts, conduits par Daniel Cohn-Bendit, ont obtenu 9,7 % des suffrages exprimés le 13 juin 1999. Petite formation émergente, faiblement structurée et peu implantée territorialement, les Verts connaissent des résultats électoraux fluctuants. Dépendant du PS pour l'emporter dans quelques circonscriptions lors de consultations à scrutin majoritaire, ils peuvent tenter de rivaliser avec lui dans les scrutins proportionnels et, comme en 1999, attirer à eux une partie des couches moyennes et supérieures, bien dotées en capital scolaire, qui forment la base électorale du PS. L'importance croissante accordée par les électeurs à l'environnement les favorise.

Fig. 1 **L'abstention** (en % des inscrits)

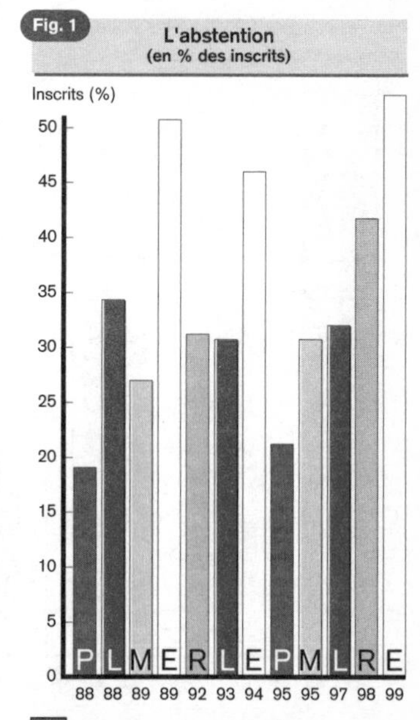

◆ **Une droite divisée et affaiblie**

Face à la « gauche plurielle », la droite modérée subit les effets de son éclatement. Ayant, pour la première fois, présenté trois listes à des élections européennes, elle n'a attiré en 1999 que 34,9 % des électeurs, soit 3 % de moins qu'en 1994. Depuis les législatives de 1997, son poids électoral est apparu se situer autour de 35 % des suffrages exprimés. Ces résultats ne tiennent pas à une démobilisation de son électorat – ses scores sont inversement proportionnels au niveau de l'abstention – mais à la volatilité des choix d'une partie de ses électeurs. L'avantage enregistré en 1999 par la liste « souverainiste » de Charles Pasqua et Philippe de Villiers (13,2 %) sur celle conduite par le secrétaire général du RPR, Nicolas Sarkozy (12,8 %), allié à Démocratie libérale (DL), a renforcé la division de la droite modérée. Dans ce contexte, le score obtenu par la liste UDF de François Bayrou (9,3 %) est apparu comme une performance moyenne. La droite modérée n'a pu ainsi tirer profit du déclin relatif de l'extrême droite.

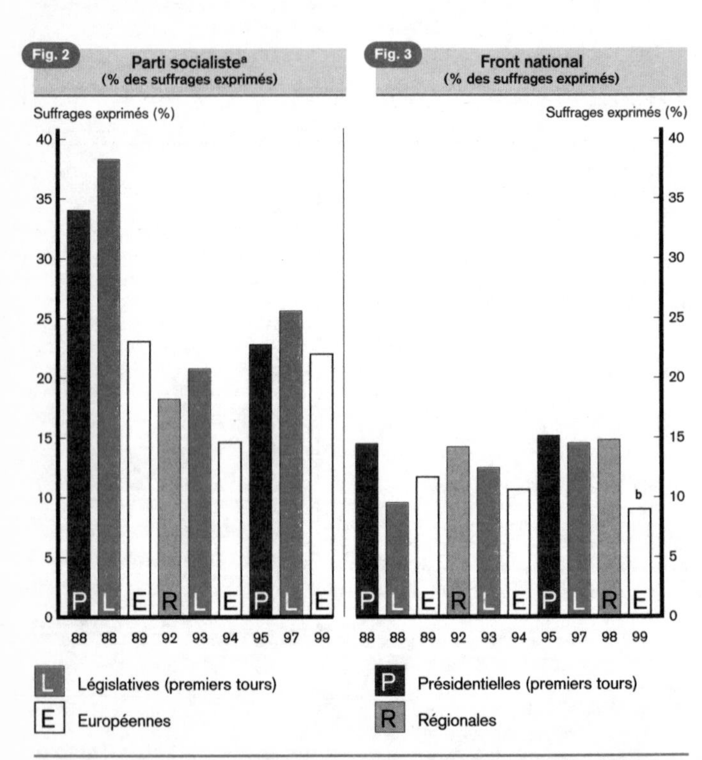

a. Lors des régionales de 1998, la « gauche plurielle » (PS, PCF, Verts, PRG, MDC) a présenté des listes communes (35,1 % des suffrages) ; b. Cumul des listes Le Pen et Mégret après la scission du FN (9 % au total).

Références

F. Bon, *Les Élections en France, histoire et sociologie*, Seuil, Paris, 1978.

P. Brechon, *La France aux urnes*, La Documentation française, Paris, 1995.

P. Martin, *Comprendre les évolutions électorales*, Presses de Sciences Po, Paris, 2000.

P. Perrineau, D. Reynié, *Le Vote incertain. Les élections régionales de 1998*, Presses de Sciences Po, Paris, 1999.

P. Perrineau, C. Ysmal, *Le Vote de crise*, Département d'études politiques du Figaro/Presses de Sciences Po, Paris, 1995.

P. Perrineau, C. Ysmal, *Le Vote surprise*, Presses de Sciences Po, Paris, 1998.

F. Subileau, M.-F. Toinet, *Les Chemins de l'abstention*, La Découverte, Paris, 1993.

C. Ysmal, *Le Comportement électoral des Français*, La Découverte, « Repères », Paris, 1990 (2e éd.).

@ **Sites Internet**

Banque de données sociales et politiques : **http://solcidsp.upmf-grenoble.fr**

CEVIPOF : **http://www.msh-paris.fr/centre/cevipof.**

La scission intervenue en 1998 au sein du Front national entre ses deux principaux dirigeants et leurs partisans [*voir article p. 464*] s'est traduite par un recul du vote d'extrême droite. L'addition des listes de Jean-Marie Le Pen et de Bruno Mégret aux européennes de 1999 représentait 9,1 % des suffrages exprimés contre 10,6 % cinq ans plus tôt, loin derrière les 15 % obtenus tant en 1995 qu'en 1997. Déçue par l'éclatement du parti, une partie de l'électorat du FN a grossi les rangs des abstentionnistes ou choisi, particulièrement dans le Sud-Est, la liste Pasqua.

Les tendances électorales des dernières années quatre-vingt-dix n'ont pas défini un espace politique restructuré et stable. Le répit laissé à la coalition de gauche par la crise de la droite modérée, l'esquisse d'un effacement possible du FN ont constitué des indications précaires en raison de la permanence d'une fracture entre les forces politiques organisées et de larges secteurs de l'opinion. ■

Chronique des mouvements sociaux

Jean-Marie Pernot
IRES

L'année 1999 restera-t-elle un tournant dans l'évolution des conflits sociaux en France ou n'aura-t-elle fait qu'enregistrer les conséquences de l'affrontement provoqué par la décision de réduire la durée légale du travail à trente-cinq heures ?

La mise en œuvre de cette réforme [*voir article p. 538*] a provoqué un nombre élevé de conflits, aussi bien dans le secteur public que dans le secteur privé. Toutefois, les causes des mobilisations ont été multiples : les fusions, restructurations et autres formes de réductions d'emplois ont été un autre trait marquant de la période [*voir article p. 415*] ; la croissance installée [*voir article p. 366*], la revendication salariale a reconquis quelques droits ; la question des conditions de travail, lovée dans le monde industriel jusqu'aux années quatre-vingt, s'est massivement posée dans les services ; l'opposition public/privé ne domine plus ; enfin, de nouveaux acteurs ont témoigné d'un élargissement des zones de conflictualité.

L'« effet trente-cinq heures »

À l'approche de la fin de l'année 1999, les conflits se sont multipliés, dont certains dans des entreprises depuis longtemps absentes des actualités sociales : le GAN (Groupe des assurances nationales), la GMF (Garantie mutuelle des fonctionnaires, mutuelles d'assurances), le CEA (Commissariat à l'énergie atomique), Airbus Industrie. Les sociétés de services informatiques ont connu des mobilisations inhabituelles au sein des entreprises (Cap Gemini, Syseca...) comme dans toute la branche (journée d'action le 26 novembre). Les secteurs comme les entreprises à fort taux de cadres et d'ingénieurs ont révélé une sensibilité particulière à la RTT (réduction du temps de travail).

Plusieurs branches ont connu une mobilisation accrue par la dénonciation unilatérale de la convention collective par les employeurs : dans les banques, plusieurs manifestations nationales accompagnées de grèves ont culminé le 26 novembre pour tenter d'atténuer l'inflexibilité de l'AFB (Association française des banques). Il en a été de même dans le secteur de l'édition et pour les grands magasins. Concernant ces derniers, deux manifestations nationales, le 29 janvier et le 24 novembre, ont scandé dix-neuf mois de renégociation de la convention collective nationale.

Les services publics n'ont pas été en reste, notamment dans le transport urbain (journée d'action trente-cinq heures en mars et en décembre) ou encore à La Poste, qui a connu des mouvements sporadiques ou prolongés (Clichy, Le Havre ou Saint-Brieuc). Dépôts, centres de tri et bureaux de poste ont déposé plus de deux cents préavis de grève en octobre et novembre 1999. Les agents de maintenance d'Air France ont manifesté par trois semaines de grève en janvier 1999 leur refus de l'accord signé pour l'ensemble de la compagnie, tandis qu'à la SNCF le mouvement des agents de conduite au mois de mai 1999 a traduit le maintien d'une certaine instabilité des relations sociales.

L'utilisation abusive de travailleurs précaires a été au cœur de nombreuses grèves, comme chez Brossard à Pithiviers (Loiret), dans les industries agroalimentaires ou le Textile cévenol, à La Poste, à la Bibliothèque nationale de France, dans les musées nationaux, en action pendant deux semaines en mai et juin. La presse quotidienne régionale a connu de nombreux conflits mêlant la question des statuts et des inquiétudes sur l'avenir des titres : *L'Union de Reims*, *La Montagne*, *Le Télégramme de Brest*, *Le Républicain lorrain*, *Presse-Océan*, *Nord-Éclair*, etc.

Une part importante des mobilisations a concerné les restructurations liées aux opérations de fusion-acquisition d'entreprises : la Société générale a connu un véritable soulèvement après l'annonce de l'OPE (offre publique d'échange) hostile de la BNP (98 % des agences étaient fermées le 22 avril 1999). Les salariés des trois banques concernées (Société générale, BNP, Paribas) s'inquiètent de l'évolution de l'emploi qui résulterait de cette méga-fusion. Les luttes contre la filialisation d'activités se sont multipliées (Sernam, Air France Nice, Bull Angers, la restauration de France Telecom et La Poste), surtout lorsque ces opérations s'accompagnent de délocalisation comme chez Galina (IAA) à Vannes (Morbihan) ou Stanley (fabrication d'outillages) à Besançon (Doubs). Pour leur part, les salariés des caisses d'épargne ont défendu leur statut, tandis que le Crédit agricole, autour de la négociation tendue des trente-cinq heures, a connu des grèves locales parfois rudes (Yvelines, Savoie, Picardie, Vosges, Manche...).

Comme en 1998, de nombreuses entreprises de sous-traitance ont affiché des conflits centrés sur les conditions de travail et les salaires : les bagagistes ou les agents de sécurité à Orly, le nettoyage (grèves chez ONET dans le métro parisien, Penauille, Sub-service ou Spen à Paris). Le secteur de l'automobile a contribué lui aussi au renouveau des tensions : chez Smart, Daewoo, Peugeot, Renault et RVI (Renault véhicules industriels), salaires et trente-cinq heures ont causé des arrêts de travail.

Les services publics ont connu des tensions du même ordre : les pompiers professionnels ont manifesté au niveau national à trois reprises pour que leur activité soit classée en travail dangereux ; des grèves d'emplois-jeunes à la RATP et à La Poste ont laissé augurer des problèmes lors de l'échéance des contrats, tandis que les agents des finances ont manifesté par diverses grèves

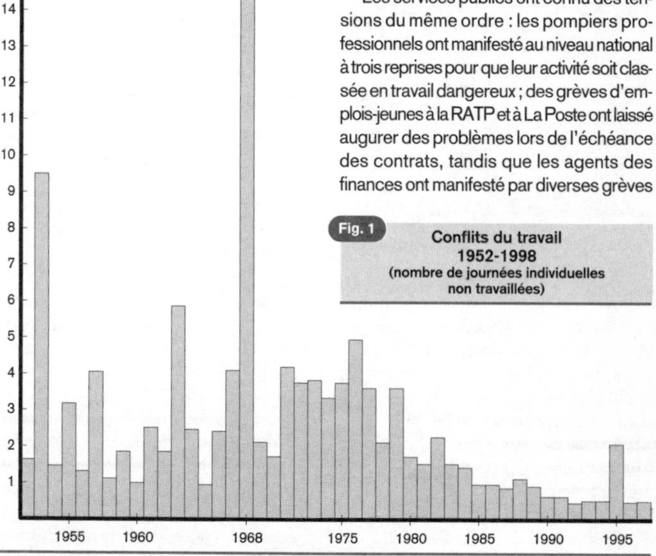

Fig. 1 **Conflits du travail 1952-1998** **(nombre de journées individuelles non travaillées)**

a. Hors fonction publique (conflits généralisés et localisés).
Source : Ministère du Travail et des Affaires sociales – DARES.

Références

M. Aligisakis, « Typologie et évolution des conflits du travail en Europe occidentale », *Revue internationale du travail*, 136.1, OIT, Genève, 1997.

M. Borrel, *Conflits du travail, changement social et politique en France depuis 1950*, L'Harmattan, Paris, 1996.

R. Mouriaux (sous la dir. de), *L'Année sociale 2000*, Éd. Syllepse, Paris, 2000.

(28 janvier, 26 novembre, 17 décembre) leurs inquiétudes quant à l'évolution de leur ministère [*voir encadré p. 392-393*]. Le secteur de la santé a vécu au bord de l'explosion. Les fusions d'hôpitaux en Île-de-France et, plus généralement, l'entrée en application de la réforme hospitalière ont provoqué de nombreux conflits. Les grèves se sont étendues, débordant les services d'urgences de l'Assistance publique-Hôpitaux de Paris où elles avaient pris naissance, et gagnant la province fin 1999.

Les territoires élargis de la conflictualité

Les réductions d'emplois n'en finissent pas de provoquer la colère, dans le textile (DMC, Lainière de Roubaix, Auro), chez Alcatel, GIAT Industrie (Groupement industriel des armements terrestres), à la DCN (Direction de la construction navale).

Deux grèves se sont détachées, tant elles caractérisent les enjeux et les défis de la période présente : Michelin a annoncé dans le même temps des bénéfices confortables et son intention de procéder à 7 500 suppressions d'emplois. Un tollé général s'est ensuivi, avec des manifestations, dont celle du 21 septembre 1999 à Clermont-Ferrand. Elf-Aquitaine a provoqué un véritable soulèvement à Pau et à Lacq en annonçant 1 250 suppressions d'emplois. La direction a dû retirer son « plan de performance » après 104 jours de grève (du 12 avril au 26 juillet) sur le site béarnais, soutenus par la population et les élus de la région. Le soulagement n'aura guère duré puisque 4 000 suppressions d'emplois (dont 2 000 en France) ont été annoncées dans les deux groupes fusionnés de Elf et de Total Fina.

La réapparition des dockers (Fos, Nantes, Le Havre), les mobilisations de chauffeurs de taxis à Paris, des éboueurs à Marseille, ont témoigné d'un élargissement des territoires des conflits. L'année 1999 aura également été riche de mouvements en dehors du champ salarié : les chômeurs ont été à nouveau nombreux à manifester, ainsi que les agriculteurs (producteurs de lait, de porcins, de volailles, de fruits et légumes) et des pêcheurs (dans le Boulonnais). Le démontage d'un établissement MacDonald's en construction à Millau le 17 août 1999 et l'incarcération de son auteur, José Bové, militant et responsable de la Confédération paysanne, ont suscité une mobilisation politique dont l'écho allait se faire sentir jusque dans l'enceinte des négociations commerciales internationales de l'OMC (Organisation mondiale du commerce) au début du mois de décembre.

L'année 1999 a donc marqué un essor important de la conflictualité sociale, la fin de l'année ayant enregistré une convergence rarement vue dans la période récente. S'il aura bien existé un « effet 35 heures », il ne rend pas entièrement compte de la dynamique sociale à l'œuvre : avec le retour de la croissance, des luttes ont été engagées contre la pression patronale sur le travail et les salaires. Des espaces de solidarité sont apparus en faveur de l'embauche des travailleurs précaires, en faveur de la survie des entreprises restructurées et des pays qui les entourent. Les chômeurs, mais aussi nombre de non-salariés se sont mobilisés. Les conflits sont cependant restés défensifs dans un contexte encore très défavorable au monde du travail. ■

Le plus faible taux de syndicalisation des pays industrialisés

Dominique Andolfatto
GREP, Université de Nancy-II

Selon le BIT (Bureau international du travail), 9,1 % des salariés français adhéraient à une organisation syndicale en 1995. L'INSEE (Institut national de la statistique et des études économiques) évaluait ce chiffre à 8 % en 1997. Ce taux est le plus faible des pays industrialisés. C'est aussi l'un de ceux – avec la Grèce et le Portugal – qui ont le plus reculé depuis 1985. Le reflux date en fait du milieu des années soixante-dix. Depuis lors, les syndicats français ont perdu les deux tiers de leurs effectifs. La faiblesse actuelle est accusée par quelques traits sociologiques. La population des syndiqués vieillit, tandis que le mouvement social de 1995 n'a pas produit la « ruée » attendue. Le nombre de jeunes, après un long déclin, est au mieux stagnant : 7 % des adhérents de la CGT avaient moins de trente ans en 1997 (trois fois moins qu'en 1974). Les femmes demeurent également sous-représentées. Enfin, de fortes distorsions caractérisent les implantations syndicales. Plus de 60 % des syndiqués sont issus de la fonction publique et des « entreprises à statut » (EDF, SNCF...) alors que ces deux secteurs d'activité représentent moins de 30 % des emplois. En revanche, des branches entières du secteur privé – BTP, commerce, services marchands – et nombre de PME constituent de véritables déserts syndicaux. De même, les chômeurs représentent moins de 1 % des syndiqués. Mais leur place est-elle dans les syndicats ? Par ailleurs, seuls 42 % des salariés, selon un sondage CSA, déclaraient faire confiance aux syndicats en 1999, soit une régression de 10 % en un an.

Le jeu de différents facteurs explique la faiblesse du syndicalisme français.

Le facteur « emploi »

Les restructurations économiques et le chômage sont le plus souvent invoqués. En fait, si cette explication par la crise de l'emploi présente un certain « bon sens », elle doit être sérieusement relativisée. Il convient de rappeler d'abord que le calcul du taux de syndicalisation neutralise les effets directs de la variable « emploi » : s'il y a moins de salariés, il est normal qu'il y ait moins de syndiqués en valeur absolue, mais pas en valeur relative. Or, depuis 1974, si le chômage a augmenté, la population salariée s'est également accrue, tandis que la proportion de syndiqués a chuté. Globalement, l'explication par la crise de l'emploi ne tient donc pas. L'exemple d'autres pays européens (Italie, Allemagne et même Royaume-Uni) où la syndicalisation a beaucoup mieux résisté malgré un contexte économique difficile conduit à la même conclusion. Pour autant, un lien entre crise et syndicalisation peut être mis en évidence au plan régional, mais il n'est ni mécanique ni continu, comme l'illustre le cas de la Lorraine. Une évolution comparable entre syndicalisation et emploi y est repérable pour la période 1975-1986 dans les mines, la métallurgie, la chimie. Cependant, le reflux de l'adhésion syndicale est toujours plus important que celui de l'emploi. On peut l'interpréter par le fait que les licenciements, les fermetures d'entreprises, le développement du travail précaire entretiennent un climat négatif, fragilisant la syndicalisation même là où l'emploi se maintient, voire progresse. Cela témoigne d'un lien avant tout subjectif entre les deux phénomènes. Mais celui-ci doit être à son tour nuancé car, à compter de la fin des années quatre-vingt, on observe localement,

Références

J.-F. Amadieu, *Les Syndicats en miettes*, Seuil, Paris, 1999.

D. Andolfatto, D. Labbé, *La CGT. Organisation et audience depuis 1945*, La Découverte, « Recherches », Paris, 1997.

D. Andolfatto, D. Labbé (sous la dir. de), *Un demi-siècle de syndicalisme en France et dans l'Est*, Presses universitaires de Nancy, Nancy, 1998.

M. Branciard, *Histoire de la CFDT, 1919-1989*, La Découverte, Paris, 1990.

A. Coupé, A. Marchand (sous la dir. de), *SUD syndicalement incorrect. SUD-PTT, une aventure collective*, Syllepse, Paris, 1998.

« La CGT et son 46e congrès », *Communisme*, n° 57-58, L'Âge d'homme, Paris, 1999.

D. Favre, *Ni rouges ni jaunes. De la CGSI à la CSL, l'expérience du syndicalisme indépendant*, Durante Éditeur, Courbevoie, 1998.

C. Geay, *Le Syndicalisme enseignant*, La Découverte, « Repères », Paris, 1997.

R. Hyman, « La représentation syndicale des intérêts dans une Europe en mutation », *Sociologie du travail*, n° 2/98.

D. Labbé, « Les élections prud'homales de 1997 », *in L'état de la France 98-99*, La Découverte, Paris, 1998.

D. Labbé, *Syndicats et syndiqués en France depuis 1945*, L'Harmattan, Paris, 1996.

R. Mouriaux, *Crises du syndicalisme français*, Montchrestien, Paris, 1998.

G. Nezosi, *La Fin de l'homme du fer. Syndicalisme et crise de la sidérurgie*, L'Harmattan, Paris, 1999.

I. Sainsaulieu, *La Contestation pragmatique dans le syndicalisme autonome. La question du modèle SUD-PTT*, L'Harmattan, « Logiques sociales », Paris, 1999.

@ Sites Internet

CFDT : **http://www.cfdt.fr**

CFE-CGC : **http://www.cfecgc.fr**

CFTC : **http://www.cftc.org**

CGT : **http://www.cgt.fr**

FEN : **http://www.fen.fr**

FO : **http://www.force-ouvriere.fr**

FSU : **http://www.fsu.fr**

dans l'industrie, un regain d'adhésions à la CFDT malgré un contexte économique contrasté. Cette « resyndicalisation » découle d'abord d'une prise de conscience des facteurs proprement syndicaux du déclin.

La faillite d'un modèle organisationnel

La clé de la crise syndicale n'est donc pas d'abord d'ordre macroéconomique. Elle tient beaucoup plus à des caractéristiques internes au mouvement syndical et, en premier lieu, à l'extinction des équipes de base du syndicalisme et du militantisme. Un syndicalisme purement institutionnel a remplacé l'animation de « communautés productives » et un mouvement véritablement collectif. Désormais, des militants à temps plein, chargés de fonctions représentatives, et des permanents, bien souvent cooptés et mis à la disposition des syndicats par l'administration ou le secteur public, bénéficient de moyens suffisants pour ne plus avoir besoin d'un soutien des adhérents. En outre, une organisation centralisée a été privilégiée à la diversité de la base et de vastes solidarités opposées à toute différenciation des intérêts professionnels. C'est le modèle du « syndicalisme général d'industrie » : tous les salariés d'un établissement, quel que soit leur statut, relèvent des mêmes structures. Or, l'éclatement des cadres traditionnels du travail, l'affirmation et l'émergence de professions et catégories nouvelles, la libéralisation de l'économie et la déréglementation ont rendu inadaptée cette organisation héritée des Trente Glorieuses. De surcroît, sa capacité à répondre aux demandes de débat interne et, plus largement, à celles des « nouveaux mouvements sociaux », son rôle de « gestionnaire » du mécontentement paraissent bien souvent problématiques. Les conflits récurrents dans les transports, les mobilisations des chômeurs, les quiproquos de la négociation collective (notamment concernant les 35 heures) l'illustrent.

Deux « exceptions » françaises ?

La « politisation » est un autre reproche adressé aux syndicats. Plus que la confusion des rôles syndicaux et politiques, les déceptions qui ont suivi l'alternance de 1981, souhaitée par la CFDT, la CGT, la FEN (et bien des militants de FO), l'effondrement du bloc de l'Est puis de l'URSS, cautionnés jusqu'au bout par la CGT, sont en cause. Chaque organisation s'emploie depuis lors à rectifier son image ou sa stratégie et à afficher plus de pragmatisme.

La CFDT rejette toute consigne politique, mais le fait d'apparaître régulièrement comme un interlocuteur privilégié des gouvernements – en lien avec une « démarche syndicale responsable » – a favorisé des divisions internes. Fin 1998, le rapprochement avec la CGT a désamorcé une partie de la critique.

La CGT cherche à se défaire de son image d'organisation communiste. Cela l'a conduite à se retirer de la FSM (ex-Internationale syndicale communiste) en 1994. Puis son secrétaire général a quitté le bureau national du PCF fin 1996. Cependant, une culture et bien des pratiques perdurent. En 1999, le congrès de Strasbourg a vu se heurter « modernistes » et « orthodoxes ». Ces derniers conservent de solides positions mais, pour éviter la marginalisation, la convergence avec la CFDT a permis d'opposer aux « luttes » un syndicalisme de « propositions ».

FO, enfin, paraît de plus en plus minée par des fractures politiques internes, dont l'une des conséquences a été la migration de cadres et militants vers l'UNSA (Union nationale des syndicats autonomes).

L'émiettement du paysage syndical français, voire sa balkanisation, est une autre cause de sa faiblesse : cinq confédérations sont en concurrence (mais la représentativité de la CGC et de la CFTC, en mal d'identité et très affaiblies, pourrait être bientôt posée). Une sixième, l'UNSA, cherche à être reconnue. Une septième, le Groupe des dix (G-10), intégrant les syndicats SUD (Solidaires, unitaires, démocratiques), se profile et s'est constituée en « union syndicale » en 1998. Mais le G-10 oppose un modèle corporatiste à celui du confédéralisme traditionnel. Les syndicats SUD cherchent également à renouer avec un syndicalisme plus militant et demeurent très minoritaires. La remise en cause des règles de la représentativité pourrait favoriser la recomposition autour du « duopole » ébauché entre la CGT et la CFDT, qui a d'abord permis une légitimation croisée des équipes dirigeantes et des stratégies respectives. ■

(Voir également article suivant, ainsi que, p. 527, l'analyse de l'évolution de la négociation collective.)

Les principales organisations syndicales de salariés

Dominique Andolfatto
GREP, Université de Nancy-II

Si, dans les pays voisins, le paysage syndical traduit une forte homogénéité – avec une grande organisation, comme en Royaume-Uni ou en Allemagne, ou un oligopole, comme en Espagne ou en Italie –, le syndicalisme français demeure très divisé. Le morcellement a même tendu à s'accentuer dans les années quatre-vingt-dix alors que le nombre des syndiqués s'est effondré en vingt ans. En 1999, sept organisations « généralistes » – CGT, CFDT, CGT-FO, CFTC, CFE-CGC, UNSA, Groupe des dix (dont les syndicats SUD) – et de nombreux syndicats autonomes (dont la FSU dans l'enseignement public ou les « indépendants » de la CSL – Confédération des syndicats libres – principalement implantés dans l'automobile) se partageaient deux millions d'adhérents.

Au plan organisationnel, le syndicalisme français obéit au modèle du fédéralisme associatif. Depuis 1968, les sections d'entreprise en sont les cellules de base. Elles composent des syndicats locaux qui, sur une double base professionnelle et géographique, structurent, d'une part, des fédérations de branche, d'autre part, des unions locales, départementales ou régionales. L'ensemble forme une confédération. Tous les trois ou quatre ans, ces organisations se réunissent en congrès pour élire leurs dirigeants nationaux et fixer leurs orientations. Les derniers d'entre eux, en 1998-1999, ont traduit le rapprochement de la CFDT et de la CGT – faisant échec au syndicalisme radical – et souligné la difficulté des autres confédérations à trouver un nouveau souffle. Sur le plan social, la seconde loi sur les 35 heures [*voir article p. 538*] puis, à l'initiative du patronat, le projet de remettre à plat les principes qui régissent les relations sociales et les règles du paritarisme ont polarisé le débat syndical en 1999.

♦ La Confédération générale du travail (CGT)

Créée en 1895, la CGT demeure la première centrale syndicale, avec 642 000 adhérents en 1997, 33 % des voix aux élections prud'homales de 1997, 22 % à celles des comités d'entreprise en 1996-1997. Cependant, la démographie de la CGT est fortement décalée par rapport à celle de l'emploi. Elle ne compte plus qu'un adhérent dans le privé pour deux dans le public et les hommes y sont trois fois plus nombreux que les femmes. Les meilleures implantations concernent EDF-GDF, la SNCF, La Poste et France Telecom. Dans le secteur privé, la principale fédération demeure celle de la métallurgie.

La CGT a mis en scène son renouveau lors de son 46e congrès, en février 1999, à Strasbourg. Elle a élu un nouveau secrétaire général, Bernard Thibault, âgé de 39 ans, de la fédération des cheminots. Elle a procédé à une sorte de « recentrage » en valorisant le thème de la négociation et le choix de l'Europe, afin de sortir de l'isolement tant en France que sur le plan international. Elle a continué de se démarquer du PCF. Le refus de se joindre à la manifestation de celui-ci en faveur de l'emploi, le 16 octobre 1999, a constitué un nouvel épisode de sa prise de distance. Pour autant, B. Thibault est demeuré membre du Comité national du PCF et jamais les communistes n'ont été aussi nombreux à la direction de l'organisation. En outre, le « suivisme » n'a pas disparu mais se pratique désormais « à titre personnel ». Les ambivalences subsistent donc mais, compte tenu de l'état du PCF, l'écosystème formé avec celui-ci a évolué. En mars 1999, la CGT a intégré la Confédération européenne des syndicats (CES). Lors du 9e congrès de celle-ci, à Helsinki, B. Thibault a mis l'accent sur le syndicalisme combatif et l'intérêt de « mobilisations internationales » face aux aveuglements du marché.

Cependant, les débats sur la seconde loi Aubry ont montré que la CGT privilégiait bien la pratique conventionnelle, défendant, de surcroît, la révision des règles de la représentativité syndicale pour la négociation des 35 heures. Cela pourrait l'imposer comme un partenaire obligé, voire favoriser une recomposition syndicale dont elle serait, avec la CFDT, le pivot. Elle est d'ailleurs déjà devenue le principal interlocuteur du gouvernement.

– Siège national : 263, rue de Paris - 93516 Montreuil cedex.

– Secrétaire général au 10.04.2000 : Bernard Thibault, qui a remplacé Louis Viannet en février 1999.

♦ La Confédération française démocratique du travail (CFDT)

La CFDT est l'héritière des syndicats chrétiens qui ont formé la CFTC (Confédération française des travailleurs chrétiens) en 1919. La « déconfessionnalisation », afin de s'ouvrir à des catégories et à des sensibilités nouvelles, explique le changement de sigle en 1964. La CFDT revendiquait 756 800 adhérents en 1998 et une progression constante de ceux-ci depuis dix ans. Ce chiffre est vraisemblablement surévalué : compte tenu du système de cotisation en vigueur, les effectifs étaient probablement plus proches de 600 000. Aux élections professionnelles, la CFDT se classe au deuxième rang syndical. Elle est bien implantée dans les catégories intermédiaires et dans l'encadrement (au sein duquel elle a dépassé la CFE-CGC lors du scrutin prud'homal de 1997). La représentation du privé et du public comme celle des sexes y sont à peu près équilibrées. Les meilleures implantations concernent principalement la santé, l'énergie, les collectivités locales, les banques et assurances, la chimie... La politique du « développement » (recrutement d'adhérents) pratiquée depuis dix ans a permis à la CFDT de devenir aussi la première organisation dans le commerce, les services marchands, les transports privés. Malgré tout, le taux de pénétration demeure ici très faible.

Lors de son 44e congrès, en décembre 1998 à Lille, la CFDT a réaffirmé un projet de syndicalisme pragmatique qui a conduit la centrale à devenir le principal partenaire du patronat dans la politique contractuelle et la gestion des régimes sociaux. Ce congrès a permis aussi à sa secrétaire générale, Nicole Notat, de conforter son autorité. Le rapprochement avec la CGT a privé le courant critique, « Tous ensemble », d'une partie de sa raison d'être. En janvier 1999, celui-ci s'est d'ailleurs sabordé avant que certains de ses membres ne rejoignent les syndicats SUD. La négociation d'accords sur les 35 heures – dont la CFDT est apparue comme la principale organisation signataire – est demeurée prioritaire en 1999.

– Siège national : 4, boulevard de la Villette - 75019 Paris.

– Secrétaire générale au 10.04.2000 : Nicole Notat, qui a succédé à Jean Kaspar en octobre 1992.

♦ La CGT-Force ouvrière (FO)

La CGT-FO a été fondée en 1948 par des minoritaires de la CGT qui refusaient la domination du PCF. La centrale compterait 300 000 adhérents, principalement dans le secteur public. La désignation à sa tête de Marc Blondel, en 1989, et le renforcement en son sein des positions des trotskistes du Parti des travailleurs ont conduit à substituer à la priorité donnée à la politique contractuelle un syndicalisme plus protestataire. Cela a provoqué de forts remous internes et de nombreuses migrations vers l'UNSA.

FO a adopté une position critique face à la seconde loi Aubry, tout en étant favorable à la réduction du temps de travail et en tentant de concurrencer la CFDT lors de la signature des accords sur les 35 heures. Jouant sur plusieurs registres, la centrale a cherché à retrouver son rôle d'interlocuteur social (et une partie de la rente de situation à laquelle elle a dû renoncer), alors que la mise en cause des règles de la représentativité dans la négociation, qu'elle dénonce, pourrait accentuer sa marginalisation. Tout en confirmant le choix d'un syndicalisme « frondeur », seul contre tous, hostile à l'Europe et à la « mondialisation » en particulier, le 19e congrès, en mars 2000, a voulu afficher aussi l'unité retrouvée autour du culte de l'« indépendance » et, ce faisant, admis le retour à une ligne « réformiste traditionnelle ».

– Siège national : 141, avenue du Maine - 75014 Paris.

– Secrétaire général au 10.04.2000 : Marc Blondel, qui a succédé à André Bergeron en février 1989.

♦ La Confédération française des travailleurs chrétiens (CFTC)

Issue de la minorité qui a rejeté la « déconfessionnalisation », en 1964, la CFTC compterait 80 000 adhérents. Ses principales fédérations sont celles de l'enseignement privé et des cadres et ses meilleures implantations se situent dans le Nord et dans l'Est. Sous la houlette d'Alain Deleu, son président depuis 1993, l'organisation a réaffirmé son radicalisme chrétien, comme si elle cherchait à capitaliser un certain retour à la spiritualité. Depuis 1998, face à cette évolution et au revers électoral enregistré lors du scrutin prud'homal de 1997 – la CFTC ayant perdu un cinquième de ses électeurs et un tiers de ses élus –, une contestation interne s'est développée, exigeant une pratique syndicale plus « ferme ». En février 1999, l'un des opposants, Jean-Paul Probst, a été limogé de ses fonctions à la présidence de la Caisse nationale d'allocations familiales (CNAF). En novembre, dans un climat de guerres intestines, le 47e congrès a renouvelé sa confiance à l'équipe sortante, tandis que les opposants, emmenée par Bernard Ibal, responsable de l'union des cadres, déploraient l'absence de culture démocratique interne, d'image et de projet.

– Siège national : 13, rue des Écluses-Saint-Martin - 75483 Paris cedex 10.

– Président au 10.04.2000 : Alain Deleu, qui a remplacé Guy Drillaud en 1983.

– Secrétaire général au 29.02.2000 : Jacques Voisin, qui a remplacé Alain Deleu en 1993.

♦ La Confédération française de l'encadrement-Confédération générale des cadres (CFE-CGC)

Fondée en 1944, la CGC est un syndicat catégoriel, prenant en charge les intérêts des cadres. À partir des années soixante-dix, elle a tenté de s'ouvrir aussi aux salariés intermédiaires. L'organisation ne compterait pas plus de 80 000 adhérents – principalement dans les grandes entreprises industrielles et le secteur bancaire – et a perdu un quart de son électorat lors des élections prud'homales de 1997. Cette contre-performance a posé la question de la survie d'une centrale dont l'identité paraît de plus en plus problématique en raison de la dilution du statut de cadre et d'une concurrence syndicale de plus en plus vive. La CGC a alors proposé une « redéfinition de l'offre syndicale » avec d'autres organisations telles que l'UNSA. Ce projet d'ouverture a été rapidement abandonné. Lors de son 31e congrès de juin 1999, la CGC a élu un nouveau président, Jean-Luc Cazettes, 55 ans, ancien cadre chez Elf, et a réaffirmé sa spécificité tout en voulant être « plus agressive vis-à-vis du gouvernement et du patronat ». À l'automne 1999, elle a lancé ou participé à plusieurs actions contre la seconde loi Aubry qui ne fixe pas de référence horaire pour l'encadrement.

– Siège national : 59-63, rue du Rocher - 75008 Paris.

– Président au 10.04.2000 : Jean-Luc Cazettes, qui a remplacé Marc Vilbenoît en juin 1999.
– Secrétaire général au 29.02.2000 : Jean-Louis Walter, qui a remplacé Claude Cambus en juin 1999.

♦ L'Union nationale des syndicats autonomes (UNSA)

L'UNSA est née en 1993 du rapprochement de plusieurs syndicats non confédérés, dont les dirigeants étaient proches des socialistes, et partageant le même réformisme modéré. En 1999, elle rassembalit huit organisations, parmi lesquelles la Fédération de l'Éducation nationale (FEN), la Fédération générale autonome des fonctionnaires (FGAF), principalement implantée dans la police, la Fédération maîtrise et cadres des chemins de fer (FMC), la Fédération générale des syndicats de salariés des organisations professionnelles, de l'agriculture et de l'industrie agroalimentaire (FGSOA)... L'UNSA a accueilli de nombreux transfuges de FO (dont, en 1998, les responsables et des militants de l'union départementale de Paris). Elle compterait environ 200 000 adhérents, essentiellement dans la fonction publique. Lors de son 2e congrès, en mai 1998, l'UNSA s'est dotée d'une structure confédérale. En juin 1999, elle a adhéré à la Confédération européenne de syndicats (CES). Ne bénéficiant pas des règles de la représentativité syndicale à l'égal des autres centrales, l'UNSA milite pour leur révision.
– Siège national : 32, rue Rodier - 75009 Paris.
– Secrétaire général au 10.04.2000 : Alain Olive (depuis 1993).

♦ Le Groupe des dix (G-10)

Ce regroupement a été fondé par dix syndicats autonomes en 1981. Une partie d'entre eux a rejoint, en 1993, l'UNSA, alors que le G-10 évoluait vers un modèle plus contestataire, renouant avec le militantisme et la critique du libéralisme. Lors de son congrès constitutif, en janvier 1998, le G-10 s'est structuré en « union syndicale ». Celle-ci comptait vingt-six organisations nationales en 1999. La « confédéralisation » a été explicitement repoussée pour mieux respecter l'autonomie de chacune. Les syndicats SUD, dont le premier a été créé dans les PTT par des militants rejetés par la CFDT, se sont intégrés au G-10. Celui-ci, principalement implanté dans le secteur public, totaliserait 65 000 adhérents (dont 13 500 pour SUD-PTT en 1998). Le G-10 a participé au lancement d'Agir contre le chômage (AC !) en 1993. Il a été en pointe lors des grèves de novembre-décembre 1995, des mouvements de chômeurs, des actions en faveur des « sans-papiers » et du logement. Il cherche à mieux se structurer, à s'ouvrir au secteur privé, à s'implanter localement.
– Siège : 80, rue de Montreuil - 75011 Paris.

♦ Fédération de l'Éducation nationale (FEN)

La FEN était la fédération des enseignants de la CGT jusqu'en 1947-1948. Pour conserver son unité, elle a préféré devenir « autonome » au moment de la scission qui a séparé FO de la CGT.

En son sein, les enseignants étaient organisés en différents syndicats corporatistes, principalement le SNI-PEGC (Syndicat national des instituteurs et des professeurs de l'enseignement général des collèges) et le SNES (Syndicat national des enseignants du secondaire). Tandis que le premier était de tendance socialiste, les communistes ont pris progressivement le contrôle du second. L'unité se faisait sur le thème de la laïcité et la revendication d'un « grand service public de l'éducation », abandonné après l'échec de la réforme Savary en 1984. Cela, ajouté à l'évolution du contexte politique, a entraîné la dislocation de la FEN, d'autant que l'explosion de la démographie scolaire, renforçant le poids des enseignants du secondaire par rapport à celui des instituteurs, condamnait sa majorité prosocialiste à perdre le pouvoir. En 1992, celle-ci s'était résolue à exclure les syndicats qui lui étaient opposés, lesquels ont fondé la FSU [*voir ci-dessous*]. Puis, pour consolider sa nouvelle orientation, la FEN a favorisé l'émergence d'un pôle syndical réformiste, ce qui a abouti à la création de l'UNSA [*voir ci-dessus*] en 1993.

Cette stratégie n'a guère convaincu les enseignants, tandis que la remise en cause de la « cogestion » de l'Éducation nationale par les syndicats devait rendre ses positions plus fragiles. Après 1992, l'audience de la FEN a très sensiblement reculé aux élections professionnelles. Elle n'a recueilli que 7 % des voix dans le second degré lors du scrutin de décembre 1999. Elle demeure mieux implantée dans le primaire (28 % des suffrages en 1999) mais, en 1996, la FSU lui a ravi la première place. La FEN comptait environ 100 000 adhérents en 1997. Son secrétaire général, Jean-Paul Roux, est issu du syndicat des intendants.

– Siège national : 41, rue La Bruyère - 75440 Paris cedex 09.

– Secrétaire général au 10.04.2000 : Jean-Paul Roux, qui a remplacé Guy Le Néouannic en mars 1997.

♦ La Fédération syndicale unitaire (FSU)

La Fédération syndicale unitaire de l'enseignement, de l'éducation, de la recherche et de la culture (FSU) a été fondée en 1993 par les exclus et les minoritaires de la FEN qui contrôlaient le SNES (enseignants du secondaire), le SNEP (éducation physique), le SNETAA (enseignement technique), le SNETAP (enseignement agricole public), et le SNE-sup (enseignants du supérieur et chercheurs), auxquels se sont joints les instituteurs qui ont quitté la FEN pour former le SNU-ipp (Syndicat unitaire des instituteurs, professeurs des écoles et professeurs de l'enseignement général des collèges).

La FSU se veut résolument revendicative. Elle récuse la « cogestion » de l'Éducation nationale. À plusieurs reprises, elle s'est opposée aux réformes lancées par Claude Allègre, ministre de l'Éducation nationale, qu'il s'agisse de la gestion des carrières des enseignants et du recrutement, de la pédagogie ou des programmes, de la sécurité à l'école... Elle préconise des réformes plus ambitieuses, pour la « transformation de l'école », ce qui n'exclut pas les revendications plus catégorielles.

La FSU revendiquait 190 000 adhérents en 1999. Les élections des représentants du personnel aux commissions administratives paritaires de 1999 ont confirmé sa domination dans l'enseignement public. La FSU a rassemblé 42 % des voix dans le premier degré et 55 % dans le second degré. Cependant, l'année 1999 a été marquée de vifs remous internes, officiellement présentés comme une « crise de croissance ». La candidature de Michel Deschamps, secrétaire général, aux élections européennes, en onzième position sur la liste du PCF, a posé la question du « gouvernement » et de l'orientation de la centrale. Après sa démission, en mars 1999, il a été remplacé par un tandem composé de Nicole Vuaillat, du SNES, et de Daniel Le Bret, du SNU-ipp. Mais les rivalités entre les deux organisations majoritaires de la FSU ont conduit à la démission de ce dernier, en janvier 2000, et à son remplacement par Pierre Duharcourt, du SNE-sup.

La question du pouvoir au sein de la FSU et de l'attitude à adopter face au ministère de l'Éducation nationale – le SNU-ipp semblant plus ouvert que le SNES – est apparue en jeu. En attendant de trouver un terrain d'entente, le congrès a été reporté à 2001.

– Siège : 3, rue de Metz - 75010 Paris.

– Secrétaires généraux au 10.04-2000 : Monique Vuaillat et Pierre Duharcourt, qui ont remplacé Daniel Le Bret en janvier 2000. ■

État et institutions
L'évolution de l'État

Jacques Chevallier
Université Paris-II-Panthéon-Assas

La conception française de l'État, construite au fil d'une longue évolution historique et consolidée au XXe siècle par l'avènement de l'État-providence, a été exposée, au cours des dernières décennies, à de fortes secousses : alors que l'État était traditionnellement érigé en France en clé de voûte de la société et en vecteur privilégié d'intégration sociale, sa capacité d'action, symbolique et pratique, s'est effritée ; à travers cette évolution tend à se dessiner la figure d'un nouvel État qui, s'il présente beaucoup de points communs avec celui des autres pays occidentaux, n'en garde pas moins certains attributs spécifiques.

L'ébranlement de l'État-providence

Si la crise de l'État-providence est un phénomène général qui affecte depuis les années soixante-dix l'ensemble des pays occidentaux, elle a cependant pour la France des implications spécifiques, compte tenu de la configuration particulière de l'État.

Cette crise s'est d'abord traduite, au milieu des années soixante-dix, par l'érosion du système de représentations sur lequel l'État avait construit sa légitimité. Le thème de l'*inefficacité* de l'État, mis en sourdine pendant les heures de gloire de l'État-providence, réapparaît alors : l'interventionnisme économique provoquerait le dérèglement des mécanismes délicats de l'économie de marché, en retardant les adaptations nécessaires et en créant des rigidités insupportables ; quant aux politiques sociales, elles ne permettraient pas de réduire les injustices et les inégalités et engendreraient des effets pervers. Mais l'État est aussi perçu comme *oppressif* : la présence de plus en plus envahissante des appareils de gestion publics est analysée comme une contrainte, réduisant de manière croissante la marge de liberté individuelle et transformant peu à peu les citoyens en « assistés » passifs et irresponsables.

Néanmoins, ce feu croisé contre l'État, qui brouille les frontières idéologiques jusqu'alors bien dessinées entre la gauche et la droite, n'a jusqu'à la fin des années soixante-dix que peu d'impact concret : mieux encore, l'accès de la gauche au pouvoir en 1981 entraînera, au moins dans un premier temps, la réactivation du mythe de l'État-providence, qui se trouve réinvesti de la responsabilité de réaliser une société plus juste et mieux intégrée, en développant ses interventions économiques et sociales ; mais un revirement spectaculaire allait bientôt se produire.

La France n'échappera pas en effet, au cours des années quatre-vingt, au mouvement de réajustement du rôle et de réévaluation de la place de l'État, qui s'étend, à partir du Royaume-Uni (gouvernement Thatcher, mai 1979) et des États-Unis (élection de Ronald Reagan à la présidence en novembre 1980), à l'ensemble des pays occidentaux. Ce mouvement se traduit par des mesures sensiblement identiques : la stabilisation des dépenses publiques et des prélèvements obligatoires, obtenue au prix d'un effort de productivité des services administratifs et d'un ralentissement du rythme de progression des dépenses sociales ; la déréglementation, qui s'est attaquée aux dispositifs restreignant la liberté d'entreprendre et la marge de manœuvre des agents économiques ; les privatisations, enfin, effectuées pour l'essentiel en 1987, qui ont tendu à réduire le

La construction de l'État

L'État, en France, présente un certain nombre de particularismes qui s'expliquent par des facteurs historiques : l'établissement aux XVIIe et XVIIIe siècles, après la lente montée en puissance du pouvoir du roi, d'un absolutisme monarchique qui interdit le jeu de contre-pouvoirs comme en Angleterre ; la Révolution de 1789, qui parachève l'œuvre des monarques en faisant de la suppression des corps intermédiaires la garantie de la formation d'une communauté politique de citoyens ; l'Empire, qui met en place un appareil administratif cohérent, rigoureux et efficace, conçu selon le modèle militaire ; enfin, les conditions de développement du capitalisme, qui s'appuiera sur l'État pour créer le cadre de son expansion et amortir les tensions sociales qui s'ensuivront. Au fil de ces étapes, l'État s'est consolidé, à la fois pratiquement et symboliquement : un modèle très spécifique de relations avec la société s'est progressivement cristallisé, en agissant sur les représentations et les comportements collectifs ; sur ce terreau favorable, l'État-providence n'aura nul mal au XXe siècle à s'implanter.

La singularité de l'État tient en France à la conjugaison de deux phénomènes : d'une part, une *autonomie* sociale, garantie par un ensemble de dispositifs de protection ; d'autre part, une *suprématie* sociale, révélée par l'étendue des fonctions qui lui incombent.

L'autonomie de l'État

En France, et à la différence des pays anglo-saxons, l'autonomie de l'État est fortement accusée par la conjugaison de trois dimensions : une dimension *organique*, qui fait de l'État une entité aux contours bien définis, fonctionnant d'un seul tenant ; une dimension *juridique*, qui se traduit par l'application à cet « appareil » de règles distinctes et dérogatoires du droit commun ; une dimension *symbolique*, enfin, par laquelle l'État se présente comme l'incarnation d'un « intérêt général » irréductible aux « intérêts particuliers » qui dominent la sphère privée.

Les fondements de l'organisation bureaucratique, dont on ne trouvait sous l'Ancien Régime que quelques illustrations au niveau des ministères, ont été posés sous l'Empire ; mais il a fallu attendre la fin du XIXe siècle pour que la logique professionnelle s'impose à travers la généralisation des concours de recrutement et l'octroi aux fonctionnaires de garanties contre l'arbitraire politique : la professionnalisation entraîne une séparation tranchée avec l'univers de la politique et provoque la formation, au sein de la fonction publique, d'un « esprit de corps », entendu à la fois comme principe de différenciation avec l'extérieur et principe de cohésion interne.

L'autonomie de l'État est renforcée par son émancipation juridique par rapport au droit commun : là encore, l'apparition d'un droit administratif, dont les linéaments ont été posés sous l'Ancien Régime, date de la création du Conseil d'État, en l'an VIII ; il commencera à être enseigné dans les facultés de droit après 1819. La spécificité de l'État est ainsi garantie, contrairement aux préceptes du *rule of law* britannique, par les vertus de la dogmatique juridique.

poids du secteur public dans l'économie. Ce mouvement s'est effectué dans un contexte idéologique caractérisé par l'exaltation des vertus de l'entreprise et du bien-fondé des disciplines de marché.

La réévaluation du rôle de l'État

Ce mouvement prendra une portée nouvelle au cours des années quatre-vingt-dix. Sans doute le contexte idéologique a-t-il changé : l'ultra-libéralisme, qui tendait à faire

Enfin, l'idéologie de l'intérêt général est là pour entretenir en permanence, chez les servants de l'État comme chez les citoyens, la croyance dans la spécificité de la sphère publique : à la différence des États-Unis, où l'intérêt général est perçu comme formé à partir des intérêts particuliers et le produit de leur confrontation, en France, l'intérêt général est censé être différent par essence des intérêts particuliers et devant être défini à l'abri de leur pression ; cette représentation débouche dès lors sur la valorisation d'un État conçu comme principe d'ordre et d'unité sociale.

La suprématie de l'État

La suprématie de l'État est à la fois d'ordre *symbolique* (en tant qu'incarnation de l'intérêt général, l'État est doté d'une supériorité ontologique par rapport à la société) et *pratique* (l'État est investi de responsabilités éminentes dans la vie sociale).

Dès l'absolutisme, l'État a conquis des attributions étendues et diversifiées, non seulement régaliennes, mais encore sociales, culturelles ou économiques : le « colbertisme » désigne ainsi ce véritable « étatisme économique » qui se développa au XVIIe siècle sous l'impulsion du contrôleur général des finances ; l'« État de police » s'ingère alors par la voie réglementaire dans de multiples domaines de l'activité économique et sociale.

Cet interventionnisme n'a pas fléchi au cours du XIXe siècle ; en dépit d'un discours libéral prônant une stricte limitation de l'État, au nom du primat accordé à l'individu et de la croyance dans les bienfaits de l'ordre « naturel », l'État a continué à assumer des fonctions étendues : tandis que les interventions sociales changeaient de nature à la fin du XIXe siècle – l'État se transformant d'« arbitre » en « protecteur » –, l'État est resté actif sur le plan économique en faisant fonctionner des services de régulation, en créant les infrastructures de base indispensables à l'essor de la production, enfin en se substituant à l'initiative privée pour gérer les services non rentables.

Adossé à ces traditions et alimenté par la croyance dans le bien-fondé de principe d'une gestion publique, l'*État-providence* s'est acclimaté sans difficulté en France. Plus encore que dans les autres pays occidentaux, l'État a établi un véritable protectorat sur la vie sociale, par le développement conjoint de fonctions de régulation économique et de redistribution sociale. Ce rôle nouveau de l'État a fait pendant longtemps l'objet d'un remarquable consensus social et politique : érigé en tuteur de la collectivité et en protecteur de chacun, l'État était censé être investi de la mission, et doté de la capacité, de répondre à l'ensemble des demandes, de satisfaire les besoins de tous ordres des individus et des groupes. Bénéficiant d'un triple postulat de bienveillance, d'omniscience et d'infaillibilité, il était considéré comme le garant de la croissance économique et du progrès social. Tout cela cependant allait changer à partir des années soixante-dix. - **J. C.** ■

du désengagement de l'État la panacée, ne fait plus recette ; l'élection de Bill Clinton à la présidence des États-Unis en novembre 1992 (avec un programme visant à « réinventer l'État ») et sa réélection en novembre 1996 – même contrebalancée par la domination des républicains au Congrès –, et surtout le glissement des pays européens vers la gauche (gouvernements Prodi en Italie en avril 1996, Blair au Royaume-Uni en mai 1997, Jospin en France en juin 1997, Schröder en Allemagne après les élections de septembre 1998) manifestent le souci de correction de la trajectoire précédente. La poursuite du mouvement d'adaptation de l'État-providence n'en est dès lors que plus significative, puisqu'elle montre qu'il s'agit d'un mouvement de type structurel, indépendant de la conjoncture politique.

Les sociaux-démocrates eux-mêmes se sont convertis au libéralisme économique. Certes, des nuances existent. Il est de coutume d'opposer deux lignes : la ligne « sociale-libérale », illustrée par le manifeste Blair-Schröder sur « la troisième voie », publié le 8 juin 1999, avant les élections européennes, qui accepte pleinement les contraintes de l'économie de marché et prône une nouvelle « flexibilité », et la ligne « néokeynésienne », incarnée par Lionel Jospin, qui plaide en faveur de l'encadrement des mécanismes de marché et appelle à une indispensable « régulation » (27 septembre 1999). Néanmoins, ces divergences sont en fin de compte limitées, T. Blair affichant son ambition de bâtir une « politique progressiste » alliant « efficacité économique et justice sociale » (congrès du Parti travailliste, 28 septembre 1999) et L. Jospin admettant qu'on ne peut plus « administrer l'économie » (13 septembre 1999). La déclaration adoptée le 9 novembre 1999 par le congrès de l'Internationale socialiste a réaffirmé l'adhésion à des valeurs communes, et notamment à l'idée de solidarité.

La politique suivie par le gouvernement Jospin à compter de 1997 témoigne bien de cette inflexion du rôle de l'État. Si certaines mesures adoptées s'inscrivent bien dans la perspective de l'État-providence (loi du 16 octobre 1997 relative au développement d'activités pour l'emploi des jeunes, qui débouchera sur la création de plusieurs dizaines de milliers d'emplois dans le secteur public, loi du 13 juin 1998 d'orientation et d'incitation relative à la réduction du temps de travail, préparant le passage aux 35 heures), elles ne suffisent pas à entraîner le retour à l'État-providence du passé. D'une part, la capacité d'action de l'État dans le domaine économique continue à s'effriter : tandis que la fin de la planification marque l'abandon de toute ambition de construire un projet de développement à long terme, l'État a perdu la possibilité d'utiliser les instruments traditionnels d'action économique – monétaires (la responsabilité de la politique monétaire a été transférée en mai 1998 à la Banque centrale européenne), budgétaires (la politique budgétaire est désormais fortement encadrée par les contraintes du pacte de stabilité adopté à Dublin en décembre 1996) ou fiscal (du fait de la libération des mouvements de capitaux). Parallèlement, la politique de privatisations, qui avait été relancée en 1993 par la victoire de la droite aux élections législatives, a pris une ampleur nouvelle : les privatisations partielles de France Telecom (octobre 1997) et d'Air France (février 1999) ont été accompagnées d'opérations multiples, menées sous des formes variées, dans le secteur industriel (Thomson-CSF puis Multimédias, Aérospatiale...), bancaire (CIC, Société marseillaise de crédit, Crédit lyonnais, Crédit foncier) ou des assurances (GAN) ; au total, les privatisations ont rapporté davantage à l'État depuis 1997 (175 milliards FF) que les opérations menées sous les gouvernements de droite précédents. Par ailleurs, le système de protection sociale est en cours de réévaluation : poursuivant l'application du plan Juppé du 15 novembre 1995, qu'elle avait pourtant en son temps dénoncé, la gauche a engagé une réforme en profondeur des modalités de financement (illustrée par le rôle accru donné à la CSG – Contribution sociale généralisée –, dont le taux atteindra 7,5 % en 1998) et des dépenses (versement des allocations familiales sous condition de ressources et réduction de l'allocation pour garde d'enfants) de protection sociale ; quant à la question de l'avenir du système des retraites, elle est plus que jamais posée, à travers le basculement progressif vers un système de capitalisation.

Cette crise de l'État-providence, qui met en cause le protectorat exercé par l'État sur la vie sociale, s'est doublée en France d'une mise en cause de ses fondations mêmes.

La crise de l'architecture étatique

Parallèlement à la mise en cause du protectorat qu'il exerçait sur la vie sociale, l'État a été atteint par la corrosion de certains des principes qui garantissaient jusqu'alors son autonomie sociale et constituaient l'armature solide de son institution.

Crise d'abord de sa *constitution symbolique*, illustrée par la décadence du mythe de l'intérêt général sur lequel l'État a construit sa légitimité. Cette décadence est attestée par le constat de certaines dérives, qu'on n'hésite plus à ranger sous le vocable, jusqu'alors inconcevable s'agissant de l'État, de « corruption ». L'État n'apparaît plus comme un lieu de pureté, de désintéressement, d'altruisme, mais comme le siège de stratégies individuelles (provenant des fonctionnaires comme des élus), sous-tendues par la recherche du profit et l'intérêt personnel : le dévoilement des circuits occultes de financement politique, à travers notamment l'urbanisme commercial ou les marchés publics, aura un effet dévastateur au regard des valeurs dont se réclamait traditionnellement l'État ; l'attention plus vigilante portée aux pratiques de « pantouflage » des hauts fonctionnaires conduira aussi à mettre en lumière des phénomènes de collusion entre public et privé, qui avaient été soigneusement occultés.

Crise ensuite de sa *constitution juridique*, illustrée par le développement d'un mouvement de contestation du système de droit administratif, témoin et gardien de la spécificité du public. Critique managériale, fondée sur la contradiction qui existerait entre le droit administratif et l'impératif d'efficacité : dès l'instant où l'administration est invitée à s'inspirer des principes de gestion en vigueur dans le privé, plus rien ne justifierait le particularisme du droit qui lui est applicable. Critique libérale d'un droit administratif perçu comme un droit d'inégalité et de privilège : les bienfaits du système français de juridiction administrative sont mis en doute, au sein même du champ juridique, compte tenu de la timidité excessive dont le juge ferait preuve vis-à-vis de l'administration.

Crise enfin de sa *constitution organique*, attestée par un mouvement de fragmentation et d'éclatement de l'appareil d'État : l'ancien modèle unitaire, sous-produit de la logique bureaucratique, tend à se transformer en un modèle polycentrique, comportant des pôles de pouvoir différenciés et indépendants les uns des autres ; tandis que sont apparues au cours des années quatre-vingt des « autorités administratives indépendantes », disposant de garanties d'autonomie organique et fonctionnelle, la politique de décentralisation menée après 1981 a eu pour effet de créer les conditions d'un « gouvernement local », en brisant le monopole traditionnel de l'État sur la conception et la mise en œuvre des politiques publiques. Ce n'est donc pas seulement le rapport de l'État à la société qui s'est trouvé modifié, mais bien la nature même de l'architecture étatique.

Un nouvel État ?

La France évolue, comme les autres pays occidentaux, vers un nouveau modèle d'État, qui n'est certainement pas l'État libéral du passé, mais qui n'est pas non plus l'État-providence des Trente Glorieuses.

L'État-providence reposait sur la conjugaison d'un *mythe* (celui de la bienfaisance et de l'infaillibilité de l'État) et d'une *pratique* (celle d'un État prenant en charge le développement économique et social) – mythe et pratique s'alimentant réciproquement. Or, le mythe s'est érodé, entraînant une réévaluation en profondeur de l'image de l'État : l'État n'apparaît plus capable de répondre à tous les besoins, de faire face à tous les problèmes ; et son intervention peut

Références

J. Chevallier, *Science administrative*, PUF, « Thémis », 2e éd., Paris, 1994.

Conseil d'État, *Sur le principe d'égalité. Rapport public 1996*, La Documentation française, Paris, 1997.

L'État en France, rapport Picq, La Documentation française, Paris, 1994.

R. Kuisel, *Le Capitalisme et l'État en France : modernisation et dirigisme au XXe siècle*, Gallimard, Paris, 1976.

P. Rosanvallon, *L'État en France de 1789 à nos jours*, Seuil, Paris, 1990.

P. Rosanvallon, *La Nouvelle Question sociale. Repenser l'État-providence*, Seuil, Paris, 1995.

E. Suleiman, G. Courty, *L'Âge d'or de l'État*, Seuil, Paris, 1997.

V. Wright, S. Cassese (sous la dir. de), *La Recomposition de l'État en Europe*, La Découverte, « Recherches », Paris, 1996.

@ Sites Internet

Assemblée nationale : **http://www.assemblee-nationale.fr**

La Documentation française : **http://www.ladocfrancaise.gouv.fr**

Premier ministre : **http://www.premier-ministre.gouv.fr**

Secrétariat général du gouvernement : **http://www.legifrance.gouv.fr**

Sénat : **http://www.senat.fr**

être génératrice d'effets pervers. Quant au protectorat étatique sur la vie sociale, il est devenu obsolète : le processus de mondialisation ou de « globalisation » en cours interdit désormais à l'État de maîtriser les variables essentielles du développement économique ; et les dispositifs de protection et de redistribution hérités du passé sont pris à revers par la fin du plein emploi et l'apparition d'états stables d'exclusion.

Ce modèle, qu'on peut qualifier, faute de mieux, de « néolibéral », se caractérise par quelques aspects essentiels, assez bien dégagés par un ensemble de rapports administratifs (rapport Picq de mai 1994, rapport Minc de novembre 1994, rapport du Conseil d'État de mars 1997), discours politiques et productions intellectuelles.

– D'abord, la *subsidiarité*. Ce vieux principe de la doctrine libérale, lui-même issu de la doctrine de l'Église, signifie que l'intervention publique n'est légitime qu'en cas d'insuffisance ou de défaillance des mécanismes d'autorégulation sociale, étant entendu qu'il convient alors de privilégier les dispositifs les plus proches des problèmes à résoudre (proximité) et de faire appel à la collaboration d'acteurs privés (partenariat). Pour le rapport Picq, l'État ne doit pas faire ce que d'autres sont à même de faire mieux que lui : il convient donc de définir les « situations particulières » dans lesquelles, « à titre exceptionnel », les collectivités publiques peuvent être conduites à intervenir, notamment quand l'exercice des libertés menace certains droits fondamentaux, quand un intérêt stratégique est en jeu ou quand le marché est défaillant.

– Ensuite, la *régulation*. L'émergence du thème de la régulation, qui occupe désormais une place centrale dans le discours politique (pour L. Jospin, « l'État doit se doter de nouveaux instruments de régulation adaptés à la réalité du capitalisme d'aujourd'hui », 27 septembre 1999), traduit une vision nouvelle du rôle de l'État dans l'économie : d'un « État producteur » fournissant directement des biens et services, on passe à un « État régulateur », qui ne se substitue plus aux agents économiques mais se borne à leur imposer certaines règles du jeu et s'efforce d'harmoniser leurs actions. L'État reste présent dans l'économie, mais à la manière d'un « stratège », et non plus d'un « pilote », dont l'action vise à assurer le maintien des grands équilibres en intégrant des contraintes de nature diverse..

– Enfin, la *solidarité*. On assisterait au basculement de la logique assurantielle, qui impliquait la stricte égalité des droits et des contributions, vers une logique de solidarité, impliquant à la fois la sélectivité croissante des prestations (avec notamment la fixation de plafonds de ressources, comme pour les allocations familiales) et la redéfinition de la structure des prélèvements (par la progressivité des cotisations, voire la fiscalisation des ressources, comme en témoigne le recours à la CSG) ; corrélativement, le ciblage d'une série d'actions sociales en direction des plus défavorisés (au nom de la lutte contre l'exclusion), la hiérarchisation des droits (priorité accordée au travail pour éviter l'ancrage dans l'assistance), le couplage droits/devoirs (comme dans le Revenu minimum d'insertion), l'individualisation des actions (toutes idées que l'on retrouve dans la réforme de l'aide sociale adoptée par le Congrès des États-Unis le 30 juillet 1996) traduisent une conception profondément nouvelle des politiques sociales. Déjà présente dans l'instititon du Revenu minimum d'insertion (RMI) en 1988, cette logique se retrouve dans la loi du 29 juillet 1998 contre les exclusions et dans la loi du 27 juillet 1999 portant création d'une Couverture maladie universelle (CMU). Au-delà du principe traditionnel de l'égalité des droits se profile ainsi un principe nouveau d'« équité » prenant en compte les disparités existant entre les individus et les groupes, et s'efforçant de les corriger au besoin par des discriminations positives.

Si la trajectoire d'évolution de l'État en France rejoint ainsi celle des autres pays occidentaux, cela ne signifie pas pour autant la fin de tout élément de particularisme, comme en témoigne l'entreprise de restauration des attributs traditionnels du public. L'accent mis depuis le début des années quatre-vingt-dix sur la lutte contre la corruption, dans l'ordre politique (voir les lois de 1988 et 1990 sur le financement des partis politiques et des campagnes électorales) et dans l'ordre administratif (voir les lois du 3 janvier 1991 et du 29 janvier 1993 sur les marchés publics et délégations de service public, ainsi que le nouveau dispositif d'encadrement et de contrôle du pantouflage résultant de la loi du 28 juin 1994), manifeste le souci de restaurer une certaine éthique publique, garante de l'*intérêt général*. L'existence du *droit administratif* a été consolidée par un processus d'adaptation, notamment jurisprudentiel, visant à conforter son image libérale. Enfin, la *cohésion organique* de l'État est préservée par la persistance de dispositifs d'encadrement qui limitent la marge d'autonomie des unités administratives.

Ce processus d'adaptation tend en fin de compte à conférer à l'action publique une nouvelle légitimité : recentré sur ses « responsabilités fondamentales », l'État apparaît plus que jamais comme un lieu privilégié d'intégration nationale. Il reste cependant à savoir si l'internationalisation en cours ne contribue pas à saper plus en profondeur le sens même de l'institution étatique. ■

L'évolution du système politique français et des institutions

Hugues Portelli
Politologue, Université Paris-II-Panthéon-Assas

L'élection de Jacques Chirac à la présidence de la République, en mai 1995, semblait avoir marqué le retour à la pratique présidentialiste de la Ve République, après une décennie (1986-1995) caractérisée par deux périodes de cohabitation (1986-1988 et 1993-1995) où le pouvoir présidentiel, réduit aux acquêts des dispositions constitutionnelles, avait laissé à la majorité parlementaire et à son leader, le Premier ministre, la gestion effective de l'État. Appuyé par la majorité de droite élue en mars 1993 et par les notables conservateurs du Sénat, J. Chirac s'acheminait vers des élections législatives difficiles en 1998 du fait de la forte impopularité du gouvernement d'Alain Juppé après les grandes grèves de novembre-décembre 1995, et de la difficulté à rassembler une droite encore marquée par l'affrontement Jacques Chirac-Édouard Balladur lors de la campagne pour l'élection présidentielle.

La dissolution de l'Assemblée nationale, le 21 avril 1997, était d'autant plus inattendue, y compris chez ses partisans. Mal conduite face à une opposition qui ne croyait pas à sa victoire, la campagne électorale s'est conclue par la victoire de la gauche, menée par l'adversaire de Jacques Chirac en 1995, le socialiste Lionel Jospin. Celui-ci a été naturellement investi de la fonction de Premier ministre, à la tête d'une majorité « plurielle » rassemblant notamment les socialistes, les communistes et les Verts.

Une cohabitation habile

Accédant au pouvoir avec un programme d'autant plus modéré que ses aspects maximalistes (sur l'Europe surtout) ont été prestement abandonnés, mais sachant imposer les mesures symboliques destinées à lui valoir le soutien durable des électeurs salariés (sur la réduction du temps de travail à 35 heures), L. Jospin s'est retrouvé sans rival au sein du Parti socialiste : le congrès de Brest de novembre 1997 lui a assuré une majorité confortable et son seul rival potentiel, Laurent Fabius, malgré son acquittement par la Cour de justice de la République dans l'affaire du sang de transfusion contaminé par le virus du sida, ne disposait pas encore d'espace politique. Surtout, le Premier ministre a bénéficié d'un capital de popularité constitué au départ en prenant le contre-pied de A. Juppé (style modeste de communication tout en quadrillant soigneusement les médias, utilisation habile du débat au sein de la majorité tout en imposant son point de vue) et entretenu en gérant efficacement la cohabitation : pas de conflit public avec le président mais la défense de toutes ses prérogatives, y compris dans le domaine international. En menant une politique social-démocrate tout en gardant une image de gauche (grâce au contraste avec le social-libéralisme de Tony Blair au sein de la gauche européenne et à la polémique plus bruyante qu'efficace entretenue par le Medef – Mouvement des entreprises de France), L. Jospin a réussi à rassurer son électorat sans effrayer celui de la droite.

Après l'état de grâce de 1998, le Premier ministre aurait pu chuter sur certains dossiers épineux en 1999. Le plus grave pour son image a été celui des « affaires », notamment le dossier de la MNEF (Mutuelle nationale des étudiants de France), gérée par les néomitterrandistes issus du trotskisme (souvent membres du courant Jospin), et celui d'Elf-Aquitaine (héritage des années Mit-

Les institutions de la Ve République

Les institutions de la Ve République constituent un assemblage original d'un régime parlementaire renforcé et d'un pouvoir présidentiel, soudés l'un à l'autre par l'autorité supérieure du peuple souverain.

Du régime parlementaire, caractérisé par la responsabilité du gouvernement devant l'Assemblée, la Constitution de 1958 a fait un système contrôlé du fait du renforcement du pouvoir autonome du *gouvernement* (qui remplace significativement l'*exécutif* auquel faisaient référence les constitutions antérieures), de la maîtrise par celui-ci de toute la procédure parlementaire (ce que l'on appelle le « parlementarisme rationalisé » des articles 40 à 49), de la présomption de majorité parlementaire en faveur du gouvernement (l'article 49 contraignant l'opposition à faire la preuve contraire).

Du pouvoir présidentiel, caractérisé initialement par les pouvoirs de crise (article 16), la tutelle sur le bon fonctionnement des pouvoirs publics (du droit de dissolution à celui du référendum, en passant par le Conseil supérieur de la magistrature), ainsi que par un pouvoir partagé avec le gouvernement (dont il nomme le Premier ministre et préside le Conseil des ministres) en matière de nomination aux principaux emplois civils et militaires, mais aussi de diplomatie et de défense, l'élection populaire du chef de l'État a fait le pouvoir dominant, si (comme cela a été le plus souvent le cas, sauf en 1986-1988, en 1993-1995, et à compter de juin 1997, dans les périodes dites « de cohabitation ») le président dispose d'une majorité à l'Assemblée.

L'élément décisif de la Constitution (surtout du fait de la pratique gaullienne et de la révision de 1962 introduisant l'élection du président par le peuple) est, en effet, le remplacement de la *souveraineté parlementaire* d'avant 1958 par la *souveraineté populaire*. Le peuple vote la Constitution et ses révisions (si le président le souhaite), il tranche par référendum sur les problèmes institutionnels et les grandes réformes économiques et sociales (article 11), élit les principaux organes de l'État (Assemblée, président), tranche les conflits entre eux (dissolution). Cette conception explique que le scrutin majoritaire ait été choisi en 1958 à la place de la représentation proportionnelle et qu'il structure l'opinion à partir de l'élection présidentielle.

À cette souveraineté populaire se combine l'*État de droit*. Depuis 1958, la Constitution est vraiment au sommet de la hiérarchie des normes juridiques et, pour la première fois, un *contrôle de constitutionnalité* des lois est institué, que le Conseil constitutionnel (qui, depuis 1976, peut être saisi par les parlementaires) a élargi par sa jurisprudence en incluant dans le droit constitutionnel positif les principes fondamentaux tirés de la Déclaration des droits de 1789 (actualisée en 1946) et des grandes lois de la République. - **H. P.** ■

terrand). La mise à l'écart rapide des personnalités controversées (en particulier du très modéré ministre de l'Économie et des Finances, Dominique Strauss-Kahn, impliqué dans les deux affaires) a limité les effets de ces scandales sur l'image du gouvernement. Il est vrai que la droite, aux prises avec la gestion controversée de la mairie de Paris, les procès des dirigeants du CDS (Centre des démocrates sociaux) et du conseil général de l'Essonne, n'était pas mieux lotie. Le deuxième dossier épineux a été celui de la Corse. Le gouvernement s'est trouvé mêlé aux initiatives du préfet Bernard Bonnet, aux méthodes expéditives, qu'il a dû relever prestement de ses fonctions, malgré le soutien du ministre de l'Intérieur, Jean-Pierre Chevènement, toujours détesté par

Références

P. Ardant, *Les Institutions de la Ve République*, Hachette Paris, 1997.
H. Portelli, *Droit constitutionnel*, Dalloz, Paris, 1996.
Pouvoirs, revue trimestrielle, Seuil, Paris (voir notamment « Le Premier ministre », n° 83, 1998, « La Cohabitation », n° 91, 1999).

la nouvelle gauche libérale-libertaire. Le troisième dossier, en attendant le débat reporté sur le financement des retraites, a été celui de la mise en œuvre des 35 heures, prévue par une loi d'application source de controverses au sein de la majorité et, sur le terrain, de multiples conflits sociaux, notamment dans le secteur public. L'opposition radicale du patronat a permis au gouvernement de trouver un bouc émissaire qui a provisoirement détourné le débat.

Crise au sein de la droite modérée

Le principal atout de L. Jospin aura été, en 1999 comme en 1998, l'état de ses adversaires. Secouée en 1998 par les élections régionales et le débat sur les alliances conclues dans quatre régions avec le Front national, la droite a enregistré en 1999 une excellente nouvelle : l'éclatement de l'extrême droite, survenu en décembre 1998 (entre partisans de Jean-Marie Le Pen et ceux de Bruno Mégret), s'est traduit électoralement aux européennes par son recul massif (9 % pour le total des deux listes). Si la question lancinante de la présence de listes ou de candidats lepénistes est apparue en voie de régression, le sort de la droite n'a pas été réglé pour autant : outre le score surprenant de la liste CPNT (Chasse, pêche, nature, tradition – plus de 6 % des voix, qui ont largement puisé à droite et à l'extrême droite), la droite classique s'est trouvée divisée en trois camps presque équivalents : les « souverainistes » (Charles Pasqua, Philippe de Villiers), les proeuropéens (l'UDF – Union pour la démocratie française – de François Bayrou) et la composante *a priori* la plus importante réduite à la portion congrue (le RPR – Rassemblement pour la République – et Démocratie libérale, laminés à 12 %). Les souverainistes se sont aussitôt constitués en un parti, le RPF (Rassemblement pour la France). Ils ont exercé une attraction d'autant plus forte sur le RPR qu'ils en avaient quitté la direction. La droite est donc passée d'une crise externe (quels rapports avec le FN ?) à une crise interne (comment ressouder pro- et anti-européens, ces derniers étant tentés de se radicaliser pour récupérer les déçus du lepénisme ?).

Dans ces conditions, la prétention de J. Chirac à redevenir le leader de l'opposition et à être soutenu par celle-ci était difficile à affirmer. Obligé de faire des compromis quotidiens avec le gouvernement, de surenchérir sur certains dossiers (ceux liés à la « modernisation » de la vie publique comme la parité, le non-cumul des mandats ou la justice), le président s'est trouvé à plusieurs reprises en porte à faux avec la droite parlementaire. Ainsi, sur la réforme de la justice [*voir article p. 40*], la droite n'a pas compris son acceptation finale (après un an de blocage) de la convocation du Congrès pour la révision constitutionnelle en 2000. Sur la parité [*voir article p. 24*], la droite sénatoriale ne s'est inclinée qu'à contrecœur, tandis que sur le non-cumul des mandats elle a mené en 1999 une efficace bataille de lenteur. Si le président a rejoint sa base sur les 35 heures ou le PACS – Pacte civil de solidarité – (tout en guerroyant modérément), c'est surtout à propos des affaires (lorsque le déclenchement de l'affaire de la MNEF a fait perdre à L. Jospin son sang-froid et contraint l'Élysée à réagir sèchement) que l'on a senti à quel point la cohabitation sereine n'était qu'une façade provisoire. La volonté de Jacques Chirac de se démarquer de la droite traditionnelle n'est pas apparue tant liée à la nécessité de passer des compromis avec la gauche qu'à son souci de peaufiner une image moderne et ouverte en vue de l'échéance présidentielle de 2002. Cette stratégie et ses contraintes ne facilitent pas ses rapports avec une droite qui s'autonomise, y compris dans ce qui reste du RPR, conquis en décembre 1999 par Michèle Alliot-Marie contre le candidat de l'Élysée, Jean-Paul Delevoye.

À quoi sert le président de la République ?

En prévision de la prochaine élection présidentielle, la principale question à laquelle le chef de l'État, s'il se représente, devra répondre est de savoir à quoi sert désormais la fonction présidentielle : amoindrie après des années de cohabitation passive où le pouvoir est passé de l'Élysée à Matignon, remise en cause par le recul des fonctions régaliennes (que reste-t-il de la diplomatie et de la défense après la perte de la monnaie ?) dans un pays intégré dans l'Europe et la mondialisation, elle garde surtout comme dernier pouvoir celui, interne, de leader d'une coalition. Encore faut-il que le candidat à l'Élysée soit chef d'un grand parti, ou qu'il le redevienne et qu'il le reste après son élection. La parlementarisation accélérée d'un régime qui aura connu à la fin du septennat davantage d'années de cohabitation que d'années de présidence majoritaire depuis 1986 peut-elle être effacée durablement ? Ne s'agit-il pas d'une évolution irréversible ?

La cohabitation longue n'est pas le seul élément qui pèse sur l'évolution des institutions. La Constitution elle-même a vu son statut profondément modifié, d'abord du fait des microrévisions qui ont porté sur les domaines les plus divers. Une première série concerne l'ordre international. Le titre XV (« Des Communautés européennes et de l'Union européenne »), créé à l'occasion de l'intégration dans l'ordre juridique français du traité de Maastricht (1992), s'est enrichi à l'occasion de l'adoption du traité d'Amsterdam (janvier 1999) et des transferts de compétence qu'il implique. De même, l'adoption à Rome, à la suite des guerres dans l'ex-Yougoslavie, du statut de la Cour pénale internationale (CPI) devant être créée, a nécessité une révision *a minima* le 28 juin 1999. Dans le cadre des réformes relatives à la démocratisation de l'accès aux fonctions politiques, le Congrès a adopté le même jour la révision instaurant le principe de parité hommes/femmes pour les candidatures aux élections, après un bras de fer difficile entre gouvernement et majorité sénatoriale. Avec la révision de juillet 1998 entérinant les accords de Nouméa de mai 1998 sur l'autodétermination de la Nouvelle-Calédonie [*voir articles p. 347, 357*], ce sont trois révisions qui se sont ajoutées à la révision de 1995 sur les sessions parlementaires et le référendum et à celle de 1996 sur le financement de la Sécurité sociale.

Le rythme des révisions constitutionnelles est devenu d'autant plus incontrôlable qu'il est désormais le terrain privilégié de l'affrontement entre gouvernement et président. Ce dernier, fort de son rôle de gardien des institutions (art. 5 C) et de son pouvoir d'arrêter (en refusant de transmettre aux chambres ou au Congrès) ou de mener à terme les révisions constitutionnelles, dispose d'une gamme d'attitudes possibles : il peut écarter tout projet dès sa formulation (l'intégration de la Charte des langues régionales et minoritaires a été écartée sitôt connues les réserves du Conseil constitutionnel saisi par le chef de l'État), le rendre impraticable par la multiplication des exigences (comme sur le non-cumul des mandats), bloquer la procédure en refusant de convoquer le Congrès (ce qu'il a fait un an à propos de la révision relative au Conseil supérieur de la magistrature votée par les chambres en 1998), ou, au contraire, approuver les révisions, voire les imposer à ses propres partisans (comme à propos de la parité).

Le déclin de la Constitution ?

Cette manipulation politique de la Constitution par les protagonistes de la cohabitation a cependant moins d'effet sur son destin que la légèreté avec laquelle s'opèrent les révisions (celle sur la Cour pénale internationale n'a même pas fait l'objet d'une véritable rédaction) ou que la construction européenne. L'arrêt important rendu par le Conseil d'État en octobre 1998 affirmant la supériorité de la Constitution sur tout traité (arrêt Sarran du 30 octobre 1998) a confirmé la supériorité formelle de la Constitution sur le droit international et le droit européen, mais elle n'a pas assuré sa supériorité matérielle (il n'a pas de contrôle sur la constitutionnalité du droit européen dérivé) au moment où la Cour de justice des Communautés européennes et la Cour européenne des droits de l'homme affirmaient ouvertement la supériorité des traités européens dont elles ont la charge sur les constitutions nationales.

Ce déclin de la suprématie constitutionnelle sous l'effet de l'internationalisation du droit et de la politique mais aussi du peu de respect des acteurs politiques survient au moment où le Conseil constitutionnel subit un réel effacement. Le remplacement de Robert Badinter par l'ancien ministre des Affaires étrangères très controversé de François Mitterrand, Roland Dumas, a porté d'autant plus atteinte à son prestige que le nouveau président a été rattrapé par des affaires mettant en cause sa probité et contraint de se déclarer « empêché » lors de sa mise en examen. La perte de centralité du Conseil du fait de la fin des grandes controverses idéologiques – où le Conseil constitutionnel était appelé à arbitrer entre la gauche et la droite – et de la concurrence en matière de protection des droits fondamentaux des cours européennes pourrait devenir une tendance à long terme. ■

Quel avenir pour les services publics « à la française » ?

Jacques Chevallier
Université Paris-II-Panthéon-Assas

Le service public est en France une question sensible, comme l'attestent les réactions politiques et sociales (le mouvement de décembre 1995) aux initiatives qui paraissent le mettre en péril : toucher au service public est considéré comme un acte sacrilège, risquant de saper les fondements de l'État et de porter atteinte à l'unité nationale. Pièce maîtresse, clef de voûte de la conception française de l'État, le « service public » est en France un terme polysémique, qui recouvre au moins trois significations essentielles : c'est d'abord un ensemble d'activités et de structures placées sous la dépendance des collectivités publiques ; c'est aussi un régime juridique qui confère à ceux qu'il régit un certain nombre d'obligations et de privilèges ; enfin, le service public est la norme qui est censée commander la gestion publique, la finalité à laquelle sont tenus de se référer gouvernants et fonctionnaires, le principe dont dépend la légitimité de leur action. Ces significations – institutionnelle, juridique, axiologique – sont indissolublement liées et interfèrent constamment : ce faisant, le service public amalgame, condense et résume tout ce qui fait en France le particularisme de l'État [*voir p. 481*] ; on s'explique dès lors qu'il ait été élevé à la hauteur d'un véritable mythe, en devenant une de ces images fondatrices sur lesquelles prend appui l'identité collective.

L'apparition de la notion de service public

L'apparition de la notion de service public au début du siècle a été le reflet et la traduction, dans la théorie politique et le droit, de la profonde mutation que connaît à ce moment l'État libéral. D'abord, les importantes transformations qui affectent le système économique, du fait de l'industrialisation et de la concentration des moyens de production, exigent une intervention beaucoup plus active de l'État pour préserver les équilibres sociaux. Ensuite, les progrès du libéralisme politique conduisent à mettre l'accent sur la construction d'un véritable « État de droit », passant par la limitation de la puissance étatique et par sa soumission au droit. Enfin, des idéologies nouvelles (socialisme, solidarisme...) contribuent à démonétiser l'ancienne représentation de l'État et à faire de celui-ci un acteur social à part entière. Le concept de service public répond à ces données nouvelles. D'une part, il implique l'idée de subordination de l'État : le rôle des gouvernants, comme le souligne le célèbre juriste Léon Duguit (1859-1928), fondateur de l'« école du service public », est de travailler à la réalisation et au développement de la solidarité sociale, en prenant en charge les activités d'intérêt général indispensables à la vie collective ; les prérogatives qu'ils détiennent ne sont que la contrepartie de cette obligation. D'autre part, il infléchit la conception du rôle de l'État : celui-ci est appelé à abandonner sa position d'arbitre pour prendre part activement à la gestion du social ; la prescription fait place à la prestation.

La conception française du service public

Qu'implique la notion de service public ? D'abord, que les fins que poursuivent les organisations publiques ne sont pas identiques à celles des organisations privées, que leurs logiques d'action respectives sont différentes. Alors qu'une organisation privée cherche à promouvoir ses intérêts propres (intérêt collectif ou intérêts individuels de ses membres), une organisation publique est instituée pour satisfaire des besoins (individuels et collectifs) qui la dépassent. Ensuite, que cette finalité justifie l'application de règles juridiques dérogatoires par rapport au droit commun. Le « régime de service public » sera caractérisé par l'octroi à l'usager d'un ensemble de garanties et de protections ; le noyau dur de ce régime sera cristallisé au début du XXe siècle autour des trois grands principes de continuité, d'égalité et de mutabilité, systématisés par le professeur Louis Rolland : parce qu'ils sont préposés à la satisfaction des besoins du public, les services publics sont tenus de fonctionner de manière régulière et continue, dans des conditions égales pour tous, et leurs règles de fonctionnement doivent pouvoir être adaptées à tout moment. Le service public recouvre ainsi un ensemble d'activités soumises à des valeurs et à des principes de gestion spécifiques.

La promotion de la notion de service public a provoqué des effets multiples : une ligne de démarcation nettement tracée entre le public et le privé ; la transformation de l'image de l'État qui, perdant le privilège de la transcendance, se légitime à travers les prestations qu'il fournit au public ; la construction d'un système cohérent de légitimation de « ceux du public » (la diffusion de l'idéologie du service public va couronner en France la construction de la fonction publique en dotant les fonctionnaires de l'idéologie professionnelle nécessaire) ; la pression continue en faveur de l'élargissement de la sphère de la gestion publique.

Les services publics ont été ainsi amenés à prendre en charge les grandes fonctions collectives, en devenant les supports nécessaires au développement économique et social : l'existence de *réseaux nationaux* de service public, dotés d'un *statut monopolistique*, en matière d'énergie, de transports, de communications, mais aussi d'éducation et de protection sociale, est censée permettre l'accès de tous à certains biens essentiels ; formant la trame de la vie collective, le service public est conçu comme un instrument privilégié d'intégration et de cohésion sociales.

Le nouveau contexte

Le service public se trouve placé, depuis les années soixante-dix, dans un contexte nouveau. La mythologie qui l'entourait a tout d'abord perdu beaucoup de sa puissance évocatrice : l'invocation *du* service public ne suffit plus à parer *les* services publics d'un bien-fondé incontestable. Le mythe du service public reposait sur le dogme de l'infaillibilité de la gestion publique et sur l'affirmation de sa supériorité quasi ontologique sur la gestion privée. Or, ces postulats ont été dénoncés avec force dans les années soixante-dix par des courants idéologiques variés : on n'a pas seulement reproché au service public d'être un piètre gestionnaire, imperméable aux aspirations des usagers qu'il prétend servir ; on l'a encore accusé d'ouvrir « la voie à la servitude », en détruisant la marge de liberté individuelle. Les services publics sont par ailleurs soumis à un ensemble de contraintes nouvelles. Des mutations technologiques et économiques ont ainsi contribué à saper la position de certains services en les exposant à la pression de la concurrence ; des pressions extérieures, émanant notamment de l'Union européenne, s'exercent dans le sens d'un réaménagement des frontières entre public et privé et d'une réduction de la spécificité du régime de service public ; des contraintes sociales, enfin, résultent du fait que les services publics doivent faire face à une insatisfaction croissante, tant de leurs usagers, qui se comportent de plus en plus en consommateurs exigeants et revendicatifs, que de leurs propres agents. Les services publics ont été de ce fait contraints de s'engager, bon gré mal gré, dans un processus d'adaptation.

La régression des monopoles

Le redéploiement actuel des services publics prend, pour l'essentiel, la forme d'une remise en cause des privilèges d'exclusivité détenus par ceux qui sont situés dans le secteur marchand.

Cette remise en cause est le produit direct de la construction européenne. Alors que les instances européennes avaient longtemps fait preuve d'inertie vis-à-vis des grands réseaux de service public dotés d'une position monopolistique, elles ont, à partir des années quatre-vingt, témoigné d'un activisme nouveau en ce domaine : il leur a suffi de s'appuyer sur l'art. 90 du traité de Rome pour constater que les « services d'intérêt économique général » (SIEG) visés au § 2 (le concept de « service public » ne figure qu'incidemment dans le traité à propos des transports) sont en principe assujettis à l'ensemble des disciplines communautaires, et notamment à la concurrence, les dérogations justifiées par la mission particulière de ces services étant soumises à des conditions strictes et à un contrôle étroit.

Le raisonnement communautaire est structuré autour de quelques idées essentielles :

– La distinction entre les services économiques et les autres : alors que les premiers sont en principe soumis aux règles de concurrence, les seconds, mettant en jeu des prérogatives de puissance publique, ne présentent pas « un caractère économique justifiant l'application des règles de concurrence prévues par le traité [*voir par exemple, CJCE, Poucet et Pistre, 1993, sur la Sécurité sociale et Sat Eurocontrol, 1994, sur la police*].

– L'idée que les SIEG, dont l'activité doit présenter « des caractères spécifiques par rapport à ceux que revêtent d'autres activités de la vie économique » [*CJCE, Port de Gênes, 1991*], peuvent bénéficier de dérogations aux règles de la concurrence, mais à la condition que ces règles fassent obstacle à l'accomplissement de ses missions [*CJCE, British Telecom, 1985*] et que le développement des échanges ne soit pas affecté dans une mesure contraire à l'intérêt communautaire ; la CJCE a cependant assoupli sa position, en admettant que les obligations de service public pouvaient être compensées par certaines restrictions à la concurrence [*Corbeau, 1993, et Commune d'Almelo, 1994*] allant jusqu'à l'octroi éventuel de droits exclusifs [*CEE c/ République française, 23 oct. 1997*, à propos du monopole d'importation et d'exportation du gaz et de l'électricité].

– Enfin, on a vu progressivement émerger, à partir des livres verts sur les télécommunications (1987) et sur la poste (1992), le concept de « service universel », entendu comme un service de qualité devant être fourni dans chacun des États membres à un prix raisonnable pour l'ensemble des utilisateurs et à des conditions d'accès non discriminatoires : le service universel peut justifier l'établissement de « services réservés », qui bénéficieront, par l'octroi de « droits spéciaux ou exclusifs », d'une protection par rapport aux concurrents, afin d'assurer son équilibre financier ; néanmoins, la notion de « service universel », qui a été introduite en droit français par la loi du 26 juillet 1996 relative aux télécommunications, est plus restrictive que celle de « service public », qui englobe la prise en compte des « besoins collectifs ».

L'application de ces principes a conduit à l'ouverture progressive des grands réseaux de service public à la concurrence :

– pour les *transports ferroviaires*, la directive du 29 juillet 1991, complétée par celles du 19 juin 1995, a imposé une séparation des fonctions de gestion de l'infrastructure ferroviaire et d'exploitation des services, qui est devenue effective en France en 1997 (un établissement public, « Réseau ferré de France », héritant des actifs et de la responsabilité des investissements [loi du 13 février 1997] et la SNCF – Société nationale des chemins de fer français – n'ayant plus que le statut d'opérateur), ainsi qu'un droit de transit et un droit d'accès pour l'exploitation de services combinés ; en revanche, la libéralisation du fret ferroviaire, vivement critiquée par les organisations de cheminots des pays de la Communauté (grève du 23 novembre 1998), a été reportée à une étape ultérieure (15 juin 1999) ;

– pour les *télécommunications*, alors que, dans un premier temps, la directive du 28 juin 1990 avait prévu le maintien de droits spéciaux ou exclusifs sur le téléphone [*voir la loi du 29 décembre 1990*], la concurrence a été ensuite généralisée à l'ensemble des services et des infrastructures (directive du 13 mars 1996), imposant une nouvelle adaptation de la réglementation (loi du 26 juillet 1996) : mais la Commission entend franchir une nouvelle étape en renforçant la concurrence sur tous les segments de marché, notamment au niveau de la boucle locale (24 novembre 1999) ;

– pour les *services postaux*, la directive du 15 décembre 1997 a prévu la libéralisation du courrier de plus de 350 grammes, rendez-vous étant pris pour un nouveau pas en avant au 1er janvier 2003 ; les points essentiels de cette directive ont été transposés par l'article 19 de la loi du 25 juin 1999 d'orientation pour l'aménagement du territoire, qui définit le contenu du service postal universel et précise les conditions de son monopole sur le territoire national ;

– pour l'*électricité*, la directive du 19 décembre 1996 a prévu la possibilité pour des « clients éligibles » (en pratique, les grandes entreprises) de conclure des contrats de fourniture avec les producteurs de leur choix, l'accès au réseau étant aménagé suivant la formule de l'accès direct ou de l'acheteur unique : la transposition de cette directive a fait l'objet de négociations

Références

J.-M. Belorgey, « Service public, services publics : déclin ou renouveau ? », *Études et documents du Conseil d'État*, Paris, 1994.

J. Chevallier, *Le Service public*, PUF, « Que sais-je ? », n° 2359, Paris, 1997 (4e éd).

C. Grémion, R. Fraysse (sous la dir. de), *Le Service public en recherche. Quelle modernisation ?*, La Documentation française, Paris, 1996.

« Le service public et la construction communautaire », *Revue française de droit administratif*, n° 3, Paris, 1995.

« Le service public : unité et diversité », *Actualité juridique – droit administratif* (n° spéc.), juin 1997.

C. Stoffaes, *Services publics, question d'avenir*, rapport pour le Commissariat général du Plan, La Documentation française, Paris, 1995.

P. Warin (sous la dir. de), *Quelle modernisation des services publics ? Les usagers au cœur des réformes*, La Découverte, Paris, 1997.

@ **Sites Internet**

Admi France : **http://www.admifrance.gouv.fr**

ENA : **http://www.ena.fr**

Ministère de la Fonction publique, de la Réforme de l'État et de la Décentralisation : **http://www.fonction-publique.gouv.fr**

particulièrement délicates, la nouvelle organisation du marché de l'électricité n'ayant pu être adoptée pour la fin 1999, alors que le marché devait être ouvert depuis la mi-février, mais seulement au début 2000 (loi du 10 février) ;

– pour le *gaz naturel*, la directive du 22 juin 1998 a prévu l'ouverture du marché au profit de « clients éligibles », l'accès au réseau pouvant être négocié ou réglementé : le délai de transposition accordé aux États membres expire en août 2000.

La vision européenne tend cependant à évoluer : d'une part, le traité de Maastricht du 7 février 1992 a mis l'accent sur l'exigence de « renforcement de la cohésion économique et sociale de la Communauté » (art. 130 A) et sur la nécessité de création de « réseaux transeuropéens » dans les secteurs des transports, télécommunications et énergie (art. 129 B) ; d'autre part, le traité d'Amsterdam du 19 juin 1997 a souligné la place des SIEG parmi « les valeurs communes de l'Union » ainsi que « le rôle qu'ils jouent dans la promotion de la cohésion sociale et territoriale de l'Union » (art. 7 D).

Si cette pression communautaire ne concerne que les grands réseaux, elle n'en crée pas moins des brèches dans l'édifice du service public : opérant une démarcation tranchée entre services marchands et non marchands, que la conception française du service public entendait précisément éviter, elle contraint les premiers à se plier, au moins en partie, à la loi de la concurrence ; et la dynamique ainsi créée contribue à l'atténuation des particularismes inhérents au régime juridique de service public. Ce mouvement de banalisation est illustré par l'accent nouveau mis sur l'impératif d'efficacité de la gestion publique.

L'indispensable modernisation

La question de la modernisation des services publics est devenue l'un des thèmes majeurs du discours politique. On a ainsi vu se succéder des projets de réforme, dont le rythme a été s'accélérant : de la démarche « qualité » (1986), on est passé au « renouveau du service public » (1989), puis à l'idée de modernisation proprement dite (1991), avant d'en venir, en 1995, à la « réforme de l'État et des services publics » ; dans sa déclaration de politique générale du 19 juin 1997, L. Jospin a affirmé son intention de poursuivre cette entreprise de réforme, « l'évolution du monde et de notre société » rendant nécessaire aujourd'hui « un vaste effort de rénovation des services publics » (document d'orientation sur la réforme de l'État du 5 novembre 1997). En définitive, il s'agit toujours d'atténuer les rigidités internes et externes inhérentes à la logique bureaucratique par le passage à un modèle d'organisation plus ouvert et plus souple. Cette volonté s'exprime sur trois plans essentiels : la transformation des rapports internes par la promotion d'une authentique « gestion des ressources humaines », passant par le recours à de nouveaux outils de gestion (gestion prévisionnelle des emplois, formation, mobilité, cercles de qualité...) ; la responsabilisation des gestionnaires, qui suppose que ceux-ci disposent, en contrepartie des engagements souscrits en matière d'objectifs et d'une évaluation périodique des résultats, de « marges de manœuvre » qui leur permettent de prendre les initiatives propres à améliorer la qualité du service rendu ; l'amélioration de la relation au public, par la reconnaissance de nouveaux droits en faveur des administrés (voir la loi relative aux « droits des citoyens dans leurs relations avec les administrations » en cours d'adoption au printemps 2000). Important des méthodes de gestion et, partant, des valeurs du privé, cette « nouvelle gestion publique » tend à réduire le particularisme du service public.

Cette évolution conduit à une réévaluation en profondeur de la conception classique du service public. Positive, dans la mesure où elle soumet les services publics à une contrainte permanente de justification et les astreint à un effort continu d'adaptation, elle pose cependant le problème de l'*identité* de services invités à se plier à la loi de la concurrence et à s'inspirer des modèles de gestion du privé. Plus profondément, l'ébranlement de l'édifice du service public met en cause les cadres axiologiques et pratiques sur lesquels l'État a construit en France sa légitimité [*voir l'article p. 481*]. ■

Les politiques publiques

Une place importante est légitimement accordée aux politiques sociales dans cet ouvrage. Depuis les années quatre-vingt, celles-ci représentent en effet des enjeux renouvelés et suscitent des controverses extrêmement vives. A entendre certains discours, les prélèvements sociaux seraient ainsi trop élevés et le droit du travail serait défavorable aux embauches car dissuasif pour les employeurs. Sur fond de chômage de masse et de précarisation, l'aide sociale fait l'objet de nouveaux débats, tandis que l'efficacité de la politique de l'emploi est passée au crible. Pour leur part, les déséquilibres des comptes de la Sécurité sociale et la « crise du travail » ont imposé la nécessité d'une réforme en profondeur. Enfin, les métamorphoses de l'emploi et l'évolution démographique imposent aussi une réforme des régimes des retraites, tandis que la politique familiale est elle aussi en débat.

Les articles qui suivent – comme, plus largement, tous les articles concernant les politiques publiques – ne se limitent pas à un survol des événements de l'année écoulée. Ils replacent les faits et événements récents dans une perspective d'ensemble plus longue. Cela donne non seulement à voir les objectifs et pratiques de l'État, mais permet aussi d'évaluer l'efficacité de l'action de la puissance publique.

Cette section traite bien évidemment de la politique de l'emploi – et notamment des dispositifs adoptés en vue de réduire la durée hebdomadaire du travail à 35 heures –, ainsi que les difficultés de la mise en œuvre de la réforme de la Sécurité sociale. Est aussi éclairé le débat sur les retraites et les fonds de pension, d'une grande actualité, de même que ceux relatifs à l'épargne salariale, à l'assurance chômage, aux minima sociaux. Dimensions clés de la protection sociale, la négociation collective retient tout autant l'attention. Ces différents volets sont introduits par une mise en perspective des politiques de lutte contre la pauvreté et de solidarité (p. 519) comportant de nombreuses statistiques sur la protection sociale.

On trouvera par ailleurs d'autres éclairages sur ces mêmes questionnements, notamment, dans la section « Enjeux et débats », avec un diagnostic de la « crise du paritarisme » et une réflexion sur les conditions du retour au plein emploi. Dans la section « Modes et conditions de vie », les chapitres « Travail et société » (sur les Emplois-jeunes, les conséquences de l'APE…), « Santé » (sur la Couverture maladie universelle…) viennent aussi nourrir les débats. Il en va de même pour le chapitre consacré à la démographie ou pour les sections « Culture et éducation » (sur la formation professionnelle), « Radioscopie de l'économie » (choix macroéconomiques, prélèvements obligatoires, politique budgétaire, emploi, chômage…) ou encore « La France, l'Europe, le monde » (sur les modèles européens de protection sociale). ■

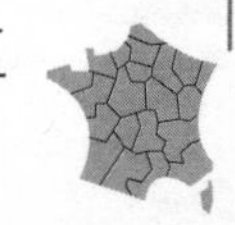

Politique de l'éducation Assumer l'hétérogénéité des publics, faire sens

André D. Robert
Université Louis-Lumière-Lyon-II

Revendications, grèves, manifestations, chaque automne des dernières années quatre-vingt-dix a connu ses cortèges de lycéens en colère. Quels que soient, selon les années, le succès ou l'échec de ces mouvements – en 1999, ce fut un échec –, il pourrait s'agir d'un phénomène de ritualisation, la jeunesse inventant ses propres épreuves initiatiques. En témoignent l'émergence de leaders, caractérisés par un verbe pondéré plutôt que charismatique, une socialisation accélérée facilitant – loin des rêves de leurs parents en 68 – l'intégration au monde adulte (comme le souligne le « sérieux » des revendications : de meilleures conditions de travail, une formation adaptée à l'emploi, davantage d'enseignants pour être mieux formés, etc.). Cependant, c'est bien le système éducatif démocratisé qui, au lieu de passer pour un alibi de la revendication comme cela a pu être le cas autour de 68, est l'enjeu des interrogations de la jeunesse et se trouve ainsi renvoyé à ses propres difficultés et questions non résolues.

Des difficultés persistantes

Les difficultés sont pour partie suscitées par certaines réussites : si la démocratisation quantitative a en effet été spectaculaire (extension continue de la durée moyenne de formation, l'« espérance de scolarisation » d'un enfant entrant en maternelle étant de 19 ans contre 16,7 ans en 1983 ; ouverture du lycée et de l'université au plus grand nombre – plus de 60 % d'une génération sont détenteurs du baccalauréat, l'on compte 2 200 000 scolarisés après le baccalauréat), la démocratisation qualitative reste beaucoup plus aléatoire (hiérarchie accentuée des filières, des baccalauréats et des diplômes universitaires, rupture culturelle entre les centres-villes et certaines banlieues, entre lycées généraux et lycées professionnels et, au sein de ceux-ci, entre les futurs bacheliers et les autres, « exclus » de l'intérieur en quelque sorte, d'où leur présence parfois agressive dans les manifestations, sans parler des 50 000 jeunes quittant encore chaque année l'école sans aucune certification). Le système éducatif rencontre d'autres difficultés à ordonner et à hiérarchiser ses missions, à les assumer toutes à la fois sans provoquer de rupture : donner des chances égales à tous, placer l'élève au centre du système (selon le mot d'ordre de la loi d'orientation de 1989, dernière grande loi régissant l'éducation), instruire, socialiser, répondre aux défis économiques du monde contemporain et affronter la concurrence mondiale, élever le niveau général de la population, professionnaliser, sélectionner les élites, contribuer à la lutte contre l'exclusion, être au premier rang de l'éducation citoyenne et de la lutte contre la violence...

Les lycéens, les étudiants (dont les grèves de 1995 sont encore dans les mémoires) réclament des moyens supplémentaires pour étudier, se plaçant ainsi sur un plan revendicatif apparemment strictement matériel ; cela ne doit cependant pas empêcher de voir que, fondamentalement, ils expriment leur malaise face à des études dont le sens n'apparaît plus à beaucoup d'entre eux, non plus que le sens de l'école en général. Il est symptomatique que François Bayrou, ministre de l'Éducation natio-

Éducation : les moyens de l'État

Au 1er janvier 1998, 1 540 000 personnes (public et privé, ministère de l'Éducation nationale et autres ministères) participaient à la formation universitaire et scolaire des jeunes Français, soit 6 % de la population active totale. 952 600 enseignants « devant élèves » représentaient 62 % de cet effectif total. Les autres personnels exerçaient des fonctions connexes : inspecteurs, chefs d'établissement, conseillers, documentalistes, surveillants, personnels ATOS – administratifs, techniques, ouvriers de service et de santé. De 1985 à 1998, les effectifs d'enseignants publics ont globalement augmenté de 12,8 % : 0,7 % dans le 1er degré, 16 % dans le 2e degré et 72 % dans le supérieur, ce qui donne une idée de l'ampleur de la nouvelle « explosion scolaire » au lycée et à l'université. Au total, 74 000 établissements scolaires et universitaires dépendaient, dans les années quatre-vingt-dix, du ministère de l'Éducation nationale.

Le nombre d'élèves et étudiants s'élevait, au 1er janvier 1998, à 14 572 600, ce qui – avec les personnels concernés – représente un quart de la population française occupée par l'éducation et la formation. Tous niveaux d'enseignement confondus, on compte environ un enseignant pour 15 élèves ou étudiants.

En 1998, la DIE (dépense intérieure d'éducation) a représenté, tous financeurs confondus, 607 milliards FF, soit 25 300 FF par élève du 1er degré, 46 800 FF par élève du 2e degré, 50 400 FF par étudiant. Elle a été multipliée par 1,8 depuis 1975, et représente 7,2 % du PIB. La dépense d'éducation du seul MEN s'est élevée à 56,7 % du financement initial de la DIE (64,7 % pour l'ensemble de l'État). Les collectivités territoriales assurent 20,4 % des dépenses, les ménages 6,9 % et les autres administrations publiques et caisses d'allocations familiales 2,2 %.- **A. D. R.** ■

nale de 1993 à 1997, dont l'action s'est davantage caractérisée par le pragmatisme et un certain immobilisme que par la clarification, après une tentative malheureuse de bouleverser l'équilibre fragile école publique/école privée au profit de cette dernière (1994), ait publié *Le Droit au sens*, ouvrage dans lequel il fait d'ailleurs l'éloge non seulement de la laïcité mais aussi de l'école laïque.

Les chantiers de la nouvelle donne politique

La nouvelle donne politique issue des législatives d'avril 1997 a amené deux nouvelles personnalités aux commandes de l'Éducation nationale, Claude Allègre, détenteur du portefeuille et ministre de la Recherche et de la Technologie, Ségolène Royal, ministre déléguée à l'Enseignement scolaire. Le premier, dont l'intitulé des charges dit assez l'ampleur de l'ambition, a inauguré son ministère par des déclarations tonitruantes sur la lourdeur du « mammouth » (la machine EN) qu'il faut ébranler, et sur l'absentéisme excessif des enseignants. Des propos réitérés sur les multiples prétendues défaillances du corps enseignant, des mesures de réduction autoritaire du taux de rémunération des heures supplémentaires en classe préparatoire (été 1998) ont entraîné des réactions très négatives des enseignants et de certains de leurs représentants. À la rentrée scolaire 1998 et au cours du premier trimestre 1999 une série de manifestations de protestation, réclamant souvent la démission du ministre, étaient organisées. Le demi-succès de celles-ci peut s'expliquer par le « double lien » dans lequel sont placés nombre d'enseignants : rebutés par les provocations de C. Allègre, d'une part, mais convaincus,

Références

J. Beillerot, B. Charlot, *La Construction des politiques d'éducation et de formation*, PUF, Paris, 1995.

E. Debarbieux, *La Violence en milieu scolaire, le désordre des choses*, ESF, Paris, 1999.

F. Dubet, *Pourquoi changer l'école ?*, Textuel, Paris, 1999.

M. Duru-Bellat, A. Van Zanten, *Sociologie de l'école*, Armand Colin, Paris, 1999.

C. Lelièvre, *L'École « à la française » en danger ?*, Nathan, Paris, 1996.

E. Morin, *La Tête bien faite. Repenser la réforme, réformer la pensée*, Seuil, Paris, 1999.

A. Prost, *Éducation, société, politiques*, Seuil, Paris, 1992.

A. Renaut, *Les Révolutions de l'Université. Essai sur la modernisation de la culture*, Calmann-Lévy, Paris, 1995.

A. D. Robert, *Actions et décisions dans l'Éducation nationale*, L'Harmattan, Paris, 1999.

A. D. Robert, *Système éducatif et réformes (1944-1993)*, Nathan, Paris, 1993.

J.-P. Terrail, *La Scolarisation de la France*, La Dispute, Paris, 1997.

Voir également Index, mot clé « Éducation ».

Rapports officiels

F. Dubet, A. Bergougnioux, M. Duru-Bellat, R.-F. Gauthier, *Le Collège de l'an 2000, rapport à la ministre déléguée chargée de l'Enseignement scolaire*, La Documentation française, Paris, 1999.

Ministère de l'Éducation nationale, *Rapport de l'inspection générale de l'administration de l'Éducation nationale,* La Documentation française, Paris, 1999.

Ministère de l'Éducation nationale, *Rapport de l'inspection générale de l'Éducation nationale,* La Documentation française, Paris, 1999.

Ministère de l'Éducation nationale, *Rapport final du comité d'organisation, Quels savoirs enseigner dans les lycées ?*, Paris, mai 1998.

Ministère de l'Éducation nationale, *Rapport du groupe de travail présidé par J. Attali, Pour un modèle européen d'enseignement supérieur*, Paris, mai 1998.

Ministère de l'Éducation nationale, *Rapport au ministre sur les conditions de travail et de vie des enseignants de lycée*, présenté par D. Bancel, Paris, mai 1999.

UNESCO, « Rapport mondial sur l'éducation 1998 : les enseignants et l'enseignement dans un monde en mutation », *Le Monde de l'éducation* (hors série), mars 1998.

OCDE, *Regards sur l'éducation : les indicateurs de l'OCDE*, OCDE, Paris, 1998.

@ Sites Internet

Ministère de l'Éducation nationale, de la Recherche et de la Technologie :
http://www.education.gouv.fr

IREDU : **http://www.u-bourgogne.fr/IREDU**

d'autre part, de l'intérêt de soutenir des réformes pour affronter les nouvelles conditions de la scolarisation de masse, où s'impose la nécessité de faire évoluer la profession enseignante pour gérer l'hétérogénéité des publics.

Les deux ministres ont fixé trois axes à leur politique : défense du service public, efficacité de l'école, lutte contre les inégalités. Cette politique se caractérise par l'ouverture, ou la poursuite, de multiples chantiers : accueil progressif de 65 000 emplois-jeunes et aides-éducateurs dans les écoles et collèges pour un contrat de cinq ans (la question de leur reconversion se pose, l'Éducation nationale étant loin de pouvoir et de vouloir les absorber tous) ; relance de la politique des ZEP entrée en déshérence sous le précédent gouvernement et création des REP (Réseaux d'éducation prioritaire) ; mise en œuvre de la réforme universitaire conçue par F. Bayrou ; mise en place d'un nouveau plan anti-violence ; nouvelle réglementation des sorties scolaires ; relance de l'instruction civique ; redéfinition de l'organisation du ministère ; déconcentration académique du « mouvement » des professeurs du secondaire (réalisée en 1999) en vue d'une meilleure gestion des besoins locaux, etc.

L'année 1998 a été marquée par une grande consultation, à l'échelle nationale, sur les savoirs qu'il conviendra d'enseigner dans le lycée du XXIe siècle. Cette mission confiée à Philippe Meirieu – professeur de sciences de l'éducation – a donné matière à un rapport contenant 49 propositions de réforme, parmi lesquelles le ministre a retenu 10 principes fondamentaux de transformation des lycées. L'une des mesures les plus « visibles » de cette réforme consistera, à la rentrée 2000, à introduire des TPE (Travaux personnels encadrés) au sein du cursus lycéen et une épreuve sur dossier correspondante pour le baccalauréat. Une « charte » pour l'école primaire du XXIe siècle a été promulguée le 28 août 1998. Il s'agit, pour 1 800 écoles associées à l'INRP (Institut national de la recherche pédagogique), dirigé par P. Meirieu à partir de l'été 1998), d'expérimenter des démarches innovantes pour remédier à l'échec scolaire.

Sous la responsabilité plus directe de S. Royal, un travail sur le collège a également été mené, piloté scientifiquement par le sociologue François Dubet. Il a donné lieu à un rapport rendu public au printemps 1999. Posant que « le collège pour tous n'est pas le collège unique, pas plus qu'il n'est le collège à la carte », les auteurs suggèrent six pistes de travail, parmi lesquelles la proposition d'une évaluation des établissements sous la forme d'audits conçus dans une perspective formative. En septembre 1999, C. Allègre lançait un chantier de réforme de la voie professionnelle en ouvrant la réflexion sur l'« enseignement professionnel intégré », dans lequel l'alternance et le partenariat avec les entreprises devraient prendre une place plus importante. Outre une attention portée, à travers le rapport du recteur Daniel Bancel, aux conditions de travail et de vie des enseignants de lycée en vue de les faire évoluer, une réforme de la formation des maîtres, dévolue depuis 1991 aux IUFM (Instituts universitaires de formation des maîtres), était en préparation.

Il n'est pas assuré que ce volontarisme multidirectionnel réussira à dessiner à terme le sens unitaire dont l'institution scolaire et ses différents acteurs ont besoin, d'autant que la rhétorique républicaine combinée avec de nombreuses références au discours managérial et au thème de l'efficacité organisationnelle tend à ajouter de la confusion. Toutefois, la détermination affirmée par le ministre à empêcher que le service public d'éducation ne tombe définitivement dans la logique du marché fait sens au regard de la tradition de l'école à la française, fût-ce sur le mode d'une action de résistance. ■

(*Voir aussi les articles p. 142 et 150.*)

L'État et la politique du logement

Jean-Claude Driant
Institut d'urbanisme de Paris

Le logement est un domaine complexe dans lequel se cumulent des logiques de production, marquées par le poids économique du secteur du bâtiment, des mécanismes de marché et d'investissement, et des impératifs sociaux. Les compétences en matière de définition et d'octroi des aides publiques et de réglementation du secteur du logement n'ayant pas été décentralisées, l'État fixe les priorités dans ce domaine, arbitrant, dans un contexte marqué par la contrainte budgétaire, entre la recherche de l'efficacité économique (maintenir l'activité et l'emploi dans le bâtiment) et les objectifs de justice sociale.

La grande réforme engagée par la loi du 3 janvier 1977 est le point de référence à partir duquel on peut analyser l'évolution des politiques du logement jusqu'à la fin des années quatre-vingt-dix. La pénurie séculaire ayant été résorbée par l'effort considérable déployé par l'État depuis 1954, la réforme de 1977 a modifié en profondeur les modes d'intervention publics en opérant un basculement entre les aides directes à la construction (dites « aides à la pierre », largement dominantes jusque-là) et les allocations visant à alléger les dépenses de logement des familles à faibles ressources (dites « aides à la personne »). Conçues à l'origine pour accompagner, durant une période limitée, les premiers pas de l'ascension sociale des ménages, ces dernières ont connu, sous l'effet de la crise et de la montée de la précarité sociale, une dérive telle que la dépense publique correspondante est passée, en franc courant, de 8 milliards en 1978 à 77 milliards en 1997 (+ 260 % en franc constant).

Désengagement de l'État dans le financement du logement

Parallèlement, le soutien direct aux activités de construction et d'amélioration du parc a connu une évolution beaucoup plus contrôlée, passant de 14 milliards FF en 1978 à 30 milliards FF en 1997 (– 28 % en franc constant). Ce recul de l'aide à la pierre a résulté à la fois de la réduction du nombre d'opérations aidées, principalement en accession à la propriété jusqu'à la création du prêt à taux zéro fin 1995, et des conséquences de la réforme progressive des modalités de financement, qui a sensiblement réduit l'apport de l'État pour chaque unité produite, particulièrement sensible dans la construction de logements locatifs sociaux – les prêts locatifs aidés (PLA) devenus prêts locatifs à usage social (PLUS) en 2000.

Les orientations des politiques du logement depuis 1997 se traduisent par l'arrêt de ce recul, dont les effets se sont fait sentir dans l'activité de construction, qui est passée de 440 000 logements commencés en 1978 à 285 000 en 1998. L'État n'a pas perdu tout moyen de régulation du système. La période a en effet été marquée par un recours croissant aux aides fiscales, qui viennent accompagner la banalisation du financement de la production (la part des banques non spécialisées dans les encours de crédits à l'habitat est passée de 46 % en 1981 à 62 % en 1998, tandis que les établissements tels que le Comptoir des entrepreneurs et le Crédit foncier connaissaient de graves difficultés). Ces avantages visent principalement à favoriser l'accession à la propriété, hors des aides directes, et l'investissement des personnes physiques dans le secteur locatif privé. S'y ajoutent les exonérations fiscales dont bénéficient les

Logement : les moyens de l'État

La position du logement dans la composition des gouvernements varie d'un Premier ministre à l'autre. Dans le gouvernement en place fin 1999, le secteur du logement est placé sous la responsabilité d'un secrétariat d'État placé auprès du ministre de l'Équipement, des Transports et du Logement.

Le secrétariat d'État au Logement a autorité sur une nouvelle direction d'administration centrale : la Direction générale de l'urbanisme, de l'habitat et de la construction (DGUHC), créée au printemps 1998, et résultant de la fusion des anciennes Direction de l'habitat et de la construction (DHC) et Direction de l'aménagement foncier et de l'urbanisme (DAFU). Par ailleurs, le secrétaire d'État peut disposer, au sein du ministère de l'Équipement, de la Direction des affaires économiques et internationales (DAEI), ainsi que, au ministère de la Culture, de la Direction de l'architecture.

La mise en œuvre locale de la politique du logement est assurée par les services déconcentrés du ministère de l'Équipement : directions régionales de l'équipement (DRE) et directions départementales de l'équipement (DDE), qui disposent toutes de services spécialisés, principalement chargés de répartir les aides à la construction et à la réhabilitation de logements sociaux, ainsi que de développer les démarches contractuelles avec les collectivités territoriales.

Budget pour 2000 (projet de loi de finances) : 47,9 milliards FF.

◆ **Principaux textes législatifs :**

Le secteur du logement est principalement régi par le Code de la construction et de l'habitation.

Loi n° 77-1 du 3 janvier 1977 portant réforme de l'aide au logement, instituant les prêts d'accession à la propriété (PAP), les prêts locatifs aidés (PLA), les prêts conventionnés (PC) et l'aide personnalisée au logement (APL).

Loi n° 86-1290 du 23 décembre 1986 tendant à favoriser l'investissement locatif, l'accession à la propriété de logements sociaux et le développement de l'offre foncière (dite « loi Méhaignerie »).

Loi n° 89-462 du 6 juillet 1989 tendant à améliorer les rapports locatifs et portant modification de la loi n° 86-1290 du 23 décembre 1986 (dite « loi Mermaz-Malandain »).

Loi n° 90-449 du 31 mai 1990 : « Mise en œuvre du droit au logement » (dite « loi Besson »).

Loi n° 91-662 du 13 juillet 1991 : « Loi d'orientation pour la ville » (LOV).

Décret n° 95-1064 du 29 septembre 1995 portant création d'une aide de l'État à l'accession à la propriété pour l'acquisition d'une résidence principale (création du « prêt à taux zéro »).

Loi n° 98-657 du 29 juillet 1998 d'orientation relative à la lutte contre les exclusions. - **J.-C. D.** ■

bailleurs HLM (habitations à loyer modéré). Après une baisse jusqu'en 1985 (–11 % sur huit ans en franc constant), ces dépenses ont explosé au cours des quatre années suivantes (+42 % de 1985 à 1989), pour se stabiliser ensuite autour de 25 milliards FF jusqu'en 1997.

Ces évolutions ont traduit une volonté de désengagement de l'État du financement du logement. L'action des pouvoirs publics a tendu à se réorienter vers un accompagnement des mécanismes de marché, y apportant des correctifs de plus en plus conjoncturels, lorsque des dysfonctionne-

(en millions FF courants)

INDICATEUR	1984	1988	1992	1997
Aides effectives au logement				
Aides aux consommateurs du logement	31 777	44 320	60 519	78 171
Aides personnelles	31 537	43 970	59 768	76 904
Autres aides	240	350	751	1 267
Aides aux producteurs du logement	31 948	30 482	28 479	30 940
Subventions d'exploitation	16 272	11 938	8 336	2 391
Aides à l'investissement	12 366	15 094	18 363	22 941
Autres aides	3 310	3 450	1 780	5 608
Total des aides	63 725	74 802	88 998	109 111
État	42 153	45 054	46 585	60 566
Régimes sociaux	18 319	23 563	30 614	37 383
Employeurs	2 347	4 502	9 129	8 869
Collectivités locales	906	1 683	2 670	2 293
Autres contributions de la collectivité[a]	9 601	11 362	11 217	3 393
Total des aides et contributions de la collectivité	73 326	86 164	100 215	112 504
Avantages fiscaux liés au logement				
Montant des avantages fiscaux	15 226	20 156	24 295	25 204
Investissement des ménages dans le logement				
Accédants à la propriété	255 238	359 361	334 167	412 435
Achat de logements neufs	134 564	147 052	106 065	116 036
Achat de logements d'occasion	79 424	157 550	171 505	238 745
Travaux sur immeubles existants	41 250	54 759	56 597	57 654
Bailleurs personnes physiques	19 165	42 126	59 684	86 316
Achat de logements neufs	7 639	14 033	25 137	37 213
Achat de logements d'occasion	3 270	14 085	15 397	28 112
Travaux sur immeubles existants	8 256	14 008	19 150	20 991

a. Part de la prime d'épargne logement non affectée au financement de l'investissement et collecte nouvelle du 1 % logement nette des subventions aux organismes d'HLM.
Source : Compte du logement, 1999.

ments se manifestent. Ce fut notamment le cas en 1986 face à l'effondrement de l'investissement locatif (mise en place de l'« avantage Méhaignerie ») ou en 1993 et 1994 pour freiner la chute de la construction neuve. La fin de la décennie semble marquée par une volonté de stabilisation avec la mise en place de dispositifs pérennes tels que le « nouveau statut des propriétaires bailleurs », qui a succédé en 1999 au conjoncturel avantage fiscal dit « amortissement Périssol ». Le principal de ces dysfonctionnements reste cependant celui des difficultés d'accès au logement des ménages en situation socio-économique précaire.

Renouveau des politiques sociales du logement

Depuis la seconde moitié des années quatre-vingt et plus encore depuis la loi Besson du 31 mai 1990, qui vise à « mettre en œuvre le droit au logement », l'État consacre une part croissante de ses efforts financier et réglementaire à aider les ménages à faibles ressources à accéder au logement, ou à s'y maintenir. Cela passe par la création de nouveaux secteurs d'offre, dite « très sociale » ou « d'insertion », voire de logements parfois sommairement aménagés et destinés à une occupation temporaire. Le plan d'urgence lancé en 1995 par le ministre Pierre-André Périssol, qui a

Références

R. Ballain, *Promouvoir le droit au logement*, La Documentation française, Paris, 1998.

R. Ballain, F. Benguigui, *Loger les personnes défavorisées*, La Documentation française, Paris, 1995.

E. Edou, *Le Logement en France*, Économica, Paris, 1996.

J.-P. Lacaze, *Les Politiques du logement*, Flammarion, « Dominos », Paris, 1997.

B. Lefebvre, M. Mouillart, S. Occhipinti, *Politique du logement : 50 ans pour un échec*, L'Harmattan, Paris, 1991.

Ministère de l'Équipement, du Logement, des Transports et du Tourisme, *Le Compte du logement*, Économica, Paris, 1996.

P.-A. Périssol, *En mal de toit*, L'Archipel, Paris, 1995.

M. Segaud, C. Bonvalet, J. Brun, *Logement et habitat. L'état des savoirs*, La Découverte, « Recherches », Paris, 1998.

Rapports officiels

J.-M. Bloch-Lainé, *Rapport de la commission de réflexion sur les aides publiques au logement*, Direction de l'habitat et de la construction, 1989.

D. Lebègue, *Financement du logement*, La Documentation française, Paris, 1991.

F. Geindre, *Le Logement, une priorité pour le XIe plan*, La Documentation française, Paris, 1993.

Cour des comptes, *Les Aides au logement dans le budget de l'État, 1980-1993*, Journal officiel, Paris, 1994.

M. Lair, *Évaluation de l'efficacité économique et sociale des aides publiques au logement*, Conseil économique et social, Paris, 1994.

A. Lambert, *Pour une évaluation des politiques fiscales du logement*, Les rapports du Sénat, 1996.

@ Sites Internet

Agence nationale d'information sur le logement (ANIL) : **http://www.anil.org**

Agence nationale pour l'amélioration de l'habitat : **http://www.anah.fr**

Direction des fonds d'épargne (Caisse des dépôts) : **http://www.dfe.caissedesdépots.fr**

Fédération des PACT-ARIM : **http://www.pact-arim.org**

HLM : **http://www.union-hlm.org**

Ministère de l'Équipement, des Transports et du Logement : **http://www.equipement.gouv.fr**

Union d'économie sociale pour le logement (« 1 % patronal ») : **http://www.uesl.fr**

permis de mobiliser plus de 20 000 logements en dix-huit mois, a été l'expression extrême de cette démarche. En parallèle se développent de nouveaux mécanismes d'aide financière aux ménages rencontrant des difficultés pour accéder au logement ou pour payer leur loyer. C'est l'objet des fonds de solidarité logement (FSL) mis en place depuis 1990 dans tous les départements. L'un des aspects essentiels de ce

Tab. 1

Le budget de l'État et le logement[a] (en milliards FF courants)

	1978	1984	1992	1994	1999	2000
Dépenses budgétaires logement	16,1	44,2	46,0	39,2	45,5	47,5
Budget civil	361,6	856,3	1 081,5	1 194,0	1 427,0	1 443,7
Part du logement dans le budget civil (%)	4,4	5,2	4,3	3,3	3,2	3,3

a. Ce tableau ne rend compte que des crédits inscrits en propre sur le budget du ministère du Logement. Il exclut donc les crédits inscrits sur les comptes d'affectation spéciale, les dépenses fiscales et les apports en provenance d'autres financeurs (régimes sociaux, employeurs, collectivités locales).
Sources : rapport Bloch-Lainé pour 1978, 1984 ; Cour des comptes pour 1992 ; lois de finances initiales pour 1994 et 1999 et projet de loi de finances pour 2000.

renouveau des politiques sociales du logement est sans doute le rôle croissant que doivent y jouer les collectivités territoriales par le développement de la contractualisation avec l'État.

Accélération des réformes de contractualisation avec l'État

Après l'élection présidentielle de 1995, les deux années des gouvernements d'Alain Juppé ont été marquées par d'importantes réformes qui ont confirmé l'accélération des tendances observées au cours des quinze années précédentes.

La création du prêt à taux zéro en remplacement du PAP, en octobre 1995, a complété la banalisation du financement du logement, en ouvrant le circuit de l'accession aidée à la propriété à l'ensemble des réseaux bancaires. L'élargissement de la clientèle de l'aide vers les ménages à revenus moyens a contribué aux bons résultats du nouveau système (de 130 000 à 140 000 bénéficiaires par an de 1996 à 1998). Dans le même temps, l'« amortissement Périssol », octroyé aux investisseurs pour augmenter l'offre de logements locatifs neufs, a permis la production d'environ 100 000 logements jusqu'à la fin de son application en août 1999. Enfin, la réforme technique du PLA (suppression de la subvention, remplacée par un taux réduit de TVA appliqué aux travaux) a confirmé la banalisation progressive du financement du logement locatif social.

L'alternance politique de 1997 n'a pas bouleversé la donne sur ces points. Le prêt à taux zéro a été confirmé et le principe du taux réduit de TVA pour le logement social a été étendu à la réhabilitation, alors qu'une réforme globale du financement des HLM entrait en vigueur en janvier 2000. Deux priorités ont cependant été réaffirmées avec une force nouvelle : celle de l'action sur le parc ancien dévalorisé, en n'excluant plus, pour les HLM, l'hypothèse de vastes opérations de démolition-reconstruction ; et celle du recentrage sur les ménages pauvres ou modestes avec l'important volet de la loi de lutte contre les exclusions consacré au logement (29 juillet 1998). La loi relative à la solidarité et au renouvellement urbain, au calendrier des discussions de 2000, devrait renforcer cette orientation et donner un sens nouveau à l'approche des relations entre le logement et la ville dans les politiques publiques. ■

(*Voir aussi articles p. 71 et 76.*)

La réforme de la politique agricole

Vincent Chatellier
INRA-LERECO, Nantes

La réforme de la Politique agricole commune (PAC) décidée par les chefs d'État et de gouvernement des quinze États membres de l'Union européenne lors du Conseil européen de Berlin (24 et 25 mars 1999), la promulgation, en France, d'une nouvelle loi d'orientation agricole (9 juillet 1999) et l'échec de la conférence ministérielle de Seattle relative au lancement d'un nouveau cycle de négociations commerciales multilatérales (30 novembre 1999) sont les trois récentes étapes clés de l'orientation de la politique agricole française et européenne.

Accentuer la compétitivité de l'agriculture européenne

La réforme de la PAC a été décidée dans le cadre plus global de l'*Agenda 2000*, couvrant également les perspectives budgétaires de l'Union européenne pour la période 2000-2006, les mesures de pré-adhésion spécifiques aux PECO (Pays d'Europe centrale et orientale) et la réforme de la politique structurelle (politique régionale européenne). Cette réforme, qui s'inscrit dans la continuité de la réforme de la PAC dite « Mac Sharry » (mai 1992), est peu novatrice quant aux outils de gestion mobilisés dans les différentes organisations communes de marchés (OCM). Elle offre, en revanche, dans le cadre du règlement horizontal, une plus grande liberté aux États membres dans l'application de certaines mesures dites de subsidiarité (modulation des paiements directs, subordination des aides directes de la PAC au respect de certains critères environnementaux, répartition d'enveloppes nationales d'aides directes).

Tout en maintenant la plupart des outils de régulation de l'offre de produits agricoles (retrait sous forme de jachères d'une fraction des superficies céréalières, contingentement des droits à primes, quotas laitiers), la réforme de la PAC prévoit une baisse du prix d'intervention des céréales (– 15 % entre 2000 et 2003), de la viande bovine (– 20 % sur la même période) et du lait (– 15 % entre 2005 et 2008). La majorité des analyses économiques s'accordant pour prévoir une forte croissance de la demande mondiale de produits agricoles, la baisse programmée des prix doit permettre à l'Union européenne de rendre son agriculture plus compétitive par rapport aux principaux pays exportateurs (États-Unis, Australie, Nouvelle-Zélande, Argentine, Canada). En réduisant l'écart entre les prix européens et ceux observés sur le marché mondial (notamment pour les céréales), la réforme doit contribuer à une nouvelle diminution du budget communautaire alloué aux restitutions aux exportations, lesquelles doivent être progressivement réduites du fait des accords passés avec les États membres de l'Organisation mondiale du commerce (OMC). Les baisses de prix institutionnels sont partiellement compensées par l'octroi d'aides directes aux agriculteurs versées en fonction des facteurs de production disponibles (superficie et animaux). Les simulations réalisées à structure et à productivité constantes sur l'ensemble des exploitations agricoles françaises soulignent que la réforme de la PAC provoque une hausse moyenne des aides directes de 25 % entre 1997 et 2004 et un recul du revenu de 7 % sur cette même période. Le niveau de compensation des baisses de prix est cependant plus fort dans le secteur de l'élevage bovins-viande (notamment extensif) que dans celui des céréales et des oléo-

Le CTE : un instrument créé pour reconnaître le caractère multifonctionnel de l'agriculture

La loi d'orientation agricole, promulguée en France en juillet 1999, donne naissance aux CTE (Contrats territoriaux d'exploitation) qui constituent un outil novateur de réorientation des soutiens publics à l'agriculture. Le CTE vise à reconnaître la multifonctionnalité de l'agriculture, c'est-à-dire sa contribution à la production agricole (en quantité et en qualité), à la protection et au renouvellement des ressources naturelles, à l'équilibre du territoire et à l'emploi. Le CTE est un instrument conçu pour accompagner les agriculteurs qui s'engagent dans la mise en œuvre de systèmes de production rendant des services collectifs qui ne peuvent être totalement rémunérés par le marché et qui nécessitent une participation financière de la société en contrepartie des engagements pris. Le CTE, qui se réalise sur la base du volontariat, pour une période de cinq ans, est un contrat individuel entre l'agriculteur et les pouvoirs publics composé d'un volet socio-économique et d'un volet environnemental et territorial. Pour permettre une meilleure adaptation aux réalités du terrain, les CTE sont gérés à l'échelle départementale : examinés par la Commission départementale d'orientation de l'agriculture (CDOA), les projets de CTE sont agréés par le préfet. Le budget du ministère de l'Agriculture et de la Pêche a fixé les crédits d'État attribués aux CTE à 950 millions FF pour l'année 2000, ces crédits nationaux faisant l'objet d'un cofinancement européen au titre du règlement sur le développement rural. L'objectif politique était de parvenir à la signature d'environ 50 000 contrats au cours de l'année 2000 (pour un montant unitaire moyen d'environ 30 000 FF par an pendant cinq ans). - **V. C.** ■

protéagineux. Le report de la baisse du prix d'intervention sur celle des prix de marchés, l'évolution des gains de productivité techniques (hausse des rendements, baisse des coûts unitaires de production) et le rythme de restructuration des exploitations seront, de toute évidence, parmi les principaux facteurs de l'évolution des revenus en agriculture.

Subsidiarité et politiques nationales : le cas des CTE

Pour satisfaire aux exigences de certains États membres, comme l'Allemagne, soucieux d'améliorer leur « taux de retour budgétaire » (la balance entre contributions et versements), la réforme de la PAC (Agenda 2000) ne reprend pas la proposition de la délégation française d'une dégressivité dans le temps des aides directes, ni celle de la Commission européenne portant sur l'application d'une modulation au-delà d'un seuil de 100 000 euros (655 957 FF) d'aides directes PAC par exploitation. Elle permet en revanche, dans le cadre de l'article 4 du règlement horizontal, la mise en œuvre facultative, par chaque État membre, d'une modulation des aides directes de la PAC, limitée au maximum à 20 % des montants dus par exploitation. Il est précisé que le dispositif de modulation doit reposer sur au moins l'un des trois critères suivants : le montant des aides directes octroyées au titre des régimes de soutien, la main-d'œuvre employée sur l'exploitation et sa prospérité globale (mesurée par la marge brute standard, indicateur statistique construit pour estimer la valeur ajoutée potentielle d'une exploitation au regard de ses principales caractéristiques structurelles). Fort de ce cadre juridique, le gouvernement français a décidé d'appliquer, dès la première année de mise en œuvre de la réforme, un dispositif de modulation. Présenté au Conseil

La forêt dévastée par la tempête de décembre 1999

Les tempêtes des 26 et 27-28 décembre 1999 ont fracassé 300 millions d'arbres en France. Ce choc écologique a été sans commune mesure avec les dégâts occasionnés par les précédentes tempêtes : quatre fois plus de bois dévastés en trois jours que sur les trente dernières années. Le Nord-Est (Vosges, Lorraine, Champagne-Ardenne, Franche-Comté), Poitou-Charentes et l'Aquitaine ont été les régions les plus endommagées. Le bilan économique s'est également annoncé lourd. L'Office national des forêts (ONF) a évalué à 115 millions de mètres cubes le bois à terre, soit l'équivalent de deux à trois années de récolte nationale. Les bûcherons étaient trop peu nombreux pour débarrasser rapidement l'ensemble du chablis (arbres cassés, déracinés). Les bois cassés s'abîment ; maladies et parasites s'y installent. Et l'afflux de bois a fait chuter les cours (entre – 50 % et – 70 % fin janvier 2000). Les perturbations du marché apparaissaient pouvoir durer pendant un an ou deux avec la prévisible pénurie de bois pour la récolte future. La filière « bois », pour être discrète, est loin d'être marginale. Elle emploie 550 000 personnes dont une grosse moitié dans la transformation du bois (papier, énergie et menuiserie industrielle). La forêt française couvre 15 millions d'hectares, se situant au troisième rang des massifs forestiers européens, derrière la Suède et la Finlande. Les trois quarts de cette superficie sont gérés par quelque 3,8 millions de propriétaires forestiers privés, l'ONF gérant le quart restant.

L'occasion de solder les erreurs

Cette atomisation ne facilite pas la gestion du patrimoine forestier. Au-delà des mesures d'urgence (prêts à taux d'intérêt bonifiés, subventions), le gouvernement a préparé une nouvelle loi d'orientation forestière (devant être discutée au Parlement en avril 2000). Elle allait être largement influencée par le bilan de la tempête. Les experts et les environnementalistes ont en effet estimé que la catastrophe a au moins eu le mérite de stimuler la remise en cause de la gestion passée. Elle a représenté l'occasion de solder les erreurs et d'innover dans la politique de reboisement. D'une part, cela pourrait permettre d'harmoniser davantage les fonctions productive, récréative et écologique de ces espaces. D'autre part, les ravages incitent à une gestion plus « durable ». Ainsi, Prosilva, association qui défend une telle politique pour la forêt, a relevé que les parcelles gérées selon cette méthode ont été moins dévastées que leurs voisines gérées de manière classique. La forêt « durable » s'oppose au peuplement régulier de résineux plantés par classe d'âge et rentables à court terme. Caractérisée par le mélange et l'irrégularité, elle se compose d'étages de végétations variées, d'essences mixtes et d'un sous-bois plus riche. Plus radicalement, certains environnementalistes ont plaidé pour qu'on laisse plusieurs zones forestières se régénérer naturellement, afin d'étudier la biodiversité qui s'installe dans ces friches, les trouées de lumière post-tempêtes permettant une nouvelle organisation de la faune et de la flore. - **Catherine Donnars** ■

supérieur d'orientation (CSO) de novembre 1999, celui-ci conduit à une réorientation de 2 % des aides directes de la PAC octroyées à l'agriculture française (soit environ un milliard FF) et concerne potentiellement 59 000 exploitations agricoles. Ces exploitations, qui regroupent 15 % de l'emploi agricole et 43 % des aides directes, subissent une perte d'aides directes estimée en moyenne à 17 500 FF. Parmi elles, une sur dix enregistre un prélèvement d'aides directes supérieur à 10 %. Les cré-

Références

APCA, « Agenda 2000 », *Chambres d'agriculture*, n° 877-878, Paris, mai 1999.

J. Blanchet, A. Revel, *L'Agriculture européenne face aux enjeux internationaux*, Économica, Paris, 1999.

A. Blogowski, « Agenda 2000 : conséquences de l'accord de Berlin pour l'agriculture française », *Notes et études économiques*, n° 11, Ministère de l'Agriculture et de la Pêche/Direction des Affaires financières et économiques, mars 2000.

J. Bové, F. Dufour, *Le monde n'est pas une marchandise. Des paysans contre la malbouffe* (entretiens avec G. Luneau), La Découverte, Paris, 2000.

D. Bureau, J.-C. Bureau, *Agriculture et négociations commerciales, rapport du Conseil d'analyse économique*, La Documentation française, Paris, juin 1999.

V. Chatellier, « La modulation des aides directes à l'agriculture française », *INRA Sciences sociales*, n° 5,INRA, Paris, janv. 2000.

Les Enjeux internationaux de la Politique agricole commune, SOLAGRAL, Paris, sept. 1998.

B. Marre, *La Préparation de la conférence ministérielle de l'OMC à Seattle, rapport d'information de l'Assemblée nationale*, n° 1824, Paris, juin 1999.

Ministère de l'Agriculture et de la Pêche, « Contrat territorial d'exploitation », *BIMA* (hors série n° 5), janv. 2000.

« Produire, entretenir et accueillir : la multifonctionnalité de l'agriculture et le contrat territorial d'exploitation », *Pour*, n° 164, GREP, Paris, déc. 1999.

@ **Sites Internet**

INRA (Institut national de la recherche agronomique) : **http ://www.inra.fr**

Ministère de l'Agriculture et de la Pêche : **http://www.agriculture.gouv.fr/**

Organisation mondiale du commerce : **http://www.wto.org/**

Union européenne : **http://europa.eu.int**

dits économisés grâce à la modulation constitueront la part européenne du financement des contrats territoriaux d'exploitation (CTE) de la loi d'orientation agricole. L'article 3 du règlement horizontal d'*Agenda 2000* vise à encourager, dans le cadre de la subsidiarité, la mise en œuvre de méthodes de production plus respectueuses de l'environnement par l'instauration d'une conditionnalité environnementale des paiements compensatoires de la PAC. Le débat sur cette question est, en France, en retrait par rapport à celui sur la modulation. Il implique, au préalable, une réflexion approfondie sur les indicateurs environnementaux à privilégier et une adhésion plus affirmée des agriculteurs et de leurs organisations professionnelles.

La PAC face aux prochaines négociations multilatérales

L'agriculture est intégrée dans le processus des négociations multilatérales depuis 1986. L'accord final du cycle de l'*Uruguay Round*, négocié dans le cadre du GATT (Accord général sur le commerce et les tarifs douaniers), invite, depuis 1994, l'agriculture européenne à s'adapter progressivement aux règles imposées en matière de baisse du soutien interne, de diminution des restitutions aux exportations et d'accès au marché interne (tarification et baisse des droits de douane). La baisse des prix, pratiquée lors de la précédente réforme de la PAC (1992 à 1995), a pour le moment permis de rendre globalement assez supportable le contenu de l'accord de Marrakech qui a institué l'OMC (en succession du GATT) en 1995.

Après l'échec de la conférence de l'Organisation mondiale du commerce (OMC) qui devait ouvrir un nouveau cycle de négociations sur le commerce international à Seattle en novembre 1999, confrontée aux revendications croissantes des pays en développement et à la montée en puissance des préoccupations de la société civile à l'égard de la mondialisation des échanges (les positions défendues par le syndicaliste de la Confédération paysanne José Bové ont, au-delà des controverses, souligné la sensibilité de l'opinion à l'égard des enjeux sur cette question), les négociations multilatérales de l'OMC allaient reprendre. Sur le volet agricole, la réforme de la PAC (*Agenda 2000*) devait constituer le socle de la position d'une Union européenne entendant adopter une stratégie plutôt offensive. Elle a souhaité que les négociations fassent une plus large place aux aspects non tarifaires (normes sociales, sanitaires et environnementales), entendant faire reconnaître le caractère multifonctionnel de son agriculture. Dans cet esprit, l'Union européenne défend le maintien, après 2003, de la « clause de paix » qui permet aux paiements compensatoires de la PAC d'être exempts de réduction. Depuis 1992, ces derniers se substituent aux soutiens indirects (restitutions, coûts de stockage liés à l'intervention publique) et représentent désormais la moitié du budget agricole communautaire (40 milliards d'euros, ou 262 milliards FF). La défense de l'enveloppe globale des paiements compensatoires au niveau international ne doit cependant pas faire obstacle au débat interne sur leur nécessaire réorientation. ■

(*Voir aussi article p. 163.*)

Politiques sociales

La question des retraites en débat

Pierre Concialdi
IRES

Dans le domaine des retraites, l'année 1999 aura été fertile en rapports. Ce fut d'abord, en avril, la publication du rapport de la Mission d'étude et de concertation conduite par le commissaire au Plan Jean-Michel Charpin. L'une des principales mesures préconisées en a été l'allongement de la durée de cotisation à 42,5 ans, qui a suscité une abondante controverse. Comment, en effet, suggérer de façon crédible d'allonger la durée d'activité professionnelle alors que persiste un chômage de masse et que les pratiques de gestion de la main-d'œuvre par les entreprises tendent à disqualifier de plus en plus les personnes âgées et à les rejeter aux marges du marché du travail ? Ce débat a conduit le Premier ministre Lionel Jospin à commander un autre rapport à l'économiste Dominique Taddei, sur la question spécifique des préretraites. Par ailleurs, le Conseil économique et social (CES) a adopté au mois de janvier 2000 un rapport sur l'avenir des systèmes de retraites présenté par René Teulade, ancien ministre des Affaires sociales du gouvernement Rocard (1988-1991). Outre ces rapports émanant d'institutions officielles, un « contre-rapport » Charpin a été publié sous l'égide de la Fondation Copernic. Enfin, deux responsables syndicaux de la CGT et de la

Le sens des mots

♦ *Retraite par répartition.* Les pensions versées aux retraités dans l'année sont financées par les recettes courantes, c'est-à-dire par les cotisations versées la même année par les actifs.

♦ *Retraite par capitalisation.* Les prélèvements effectués sur les revenus des salariés sont placés et accumulés au fur et à mesure, de manière à financer les pensions le jour où ceux qui les ont payées partent à la retraite. Les modalités de fonctionnement des régimes par capitalisation sont très variables. On distingue schématiquement les régimes « à prestations définies », où les engagements portent sur le versement d'une certaine somme ou d'une fraction du salaire, et les régimes « à cotisations définies », où le montant de la rente est incertain et dépend du rendement des placements effectués lors de la phase d'accumulation, ainsi que des taux d'intérêt et de l'espérance de vie au moment du départ à la retraite. Les régimes à cotisations définies se rapprochent le plus de la représentation que l'on se fait usuellement de la capitalisation.

♦ *Taux de remplacement.* Il mesure le rapport entre la pension servie au moment du départ à la retraite et le dernier salaire d'activité. Il peut s'agir d'un taux brut (avant tout prélèvement) ou d'un taux net, généralement calculé après déduction de la CSG (Contribution sociale généralisée) et des cotisations sociales. Le taux de remplacement est un indicateur clé pour apprécier le niveau des retraites. La CFDT et la CGT se sont déclarées en faveur d'un objectif consistant à assurer un taux de remplacement de 75 % à travers les régimes de répartition.

♦ *Fonds de réserve.* En 1999, le gouvernement a décidé la création dun fonds de réserve, doté initialement de 2 milliards FF. Ce dispositif de capitalisation collective, dont l'idée avait déjà été émise par Pierre Bérégovoy en 1993, a pour objectif d'accumuler des fonds afin d'apporter un complément de ressources aux régimes en répartition lorsque les dépenses augmenteront fortement. S'il devait être financé par des cotisations, l'opération aurait pour effet de lisser les taux de cotisations aux régimes de retraite, en faisant payer davantage les actifs d'aujour-

CFDT – Jean-Christophe Le Duigou et Jean-Marie Toulisse – ont, pour la première fois dans un ouvrage, débattu publiquement de ces questions en confrontant leur diagnostic et leurs propositions de solutions.

Au-delà de l'analyse minutieuse des possibles déséquilibres comptables des régimes de retraite, l'un des principaux intérêts du rapport Charpin est d'avoir rendu publics des chiffres révélant l'ampleur considérable des réformes d'ores et déjà engagées dans le secteur privé. En effet, contrairement à l'idée ressassée par les médias, les pouvoirs publics ne sont pas restés « immobiles ». Le maintien de la réglementation existante se traduirait ainsi par une baisse des taux de remplacement de l'ordre de 20 points, soit une diminution d'environ un tiers du niveau des droits à retraite. Face à cette perspective, le rapport Teulade recommande d'enrayer cette baisse des taux de remplacement. De leur côté, les analyses de la CGT et de la CFDT présentaient un objectif commun : garantir en répartition des pensions au moins égales à 75 % du salaire d'activité. Ces prises de position ont eu le mérite de souligner que le débat sur les retraites devait d'abord poser les finalités assignées

d'hui et moins ceux de demain. L'intérêt économique d'un tel fonds dépend essentiellement de l'écart entre le taux de rendement des actifs financiers et le taux de croissance de la masse salariale. *A priori*, cet écart n'a guère de raison d'être significatif à long terme.

♦ *Fonds de pension.* Le terme est un néologisme, qui correspond à une traduction littérale de l'expression anglo-saxonne *pension fund*, que l'on traduirait plus justement par « caisse de retraite ». Pour les étrangers, l'ARRCO et l'AGIRC sont des fonds de pension. Les *pension funds* sont des institutions autonomes, qui peuvent être organisées au niveau de l'entreprise ou de la branche d'activité. Ce néologisme, qui ne porte pas la connotation négative souvent attachée à la capitalisation en France, a été introduit dans le débat sur les retraites par les compagnies d'assurances [*voir article p. 513*].

♦ *Fonds d'épargne retraite, fonds partenariaux de retraite.* Le terme de « fonds d'épargne retraite » est celui qui figurait dans la loi Thomas pour désigner les organismes nouvellement créés qui auraient été les gestionnaires des plans d'épargne retraite individuels, dont cette loi entendait favoriser le développement. L'expression « fonds partenariaux de retraite » a été avancée par Laurent Fabius au début de l'année 1998 pour désigner des systèmes de retraite par capitalisation qui seraient plus « collectifs ». L'absence de projet nouveau de la part du gouvernement interdit aujourd'hui de préciser le contenu de cette dernière formule.

♦ *Épargne salariale.* Elle regroupe les différentes formes d'épargne susceptibles de se former à l'occasion de la relation de travail [*voir article p. 425*]. En France, les principaux dispositifs sont : l'intéressement, la participation des salariés aux bénéfices des entreprises, les plans d'épargne entreprise, l'actionnariat salarié et les options de souscription ou d'achats actions (*stock options*). L'épargne salariale n'a normalement pas vocation à se substituer aux dispositifs de retraite. En particulier, les sommes ainsi accumulées peuvent être retirées sous forme de capital alors que, dans le cas d'un produit destiné à la retraite, elles devraient théoriquement déboucher sur une sortie en rente.- **P. C.** ■

à leur système, à savoir procurer un niveau de vie adéquat aux personnes âgées.

L'hypothèse d'un ajustement par les cotisations sociales

Atteindre l'objectif affiché par la CFDT et la CGT suppose de revenir sur les réformes engagées dans le régime général et, surtout, de dégager les ressources additionnelles nécessaires au financement des pensions servies par les régimes complémentaires. Dans les deux cas, la question de la hausse des cotisations sociales est posée. Un nombre croissant d'observateurs a d'ailleurs semblé se rallier à cette perspective. Ils font remarquer que la hausse des dépenses en matière de retraite n'entraînerait pas une charge démesurée. Les études convergent pour estimer que cette charge absorberait chaque année 0,2 à 0,3 point de la croissance annuelle. En outre, la charge supplémentaire nécessaire pour maintenir l'équilibre des régimes de retraite serait presque intégralement compensée par la diminution de la charge liée à l'éducation et à l'entretien des enfants. Globalement, le niveau des transferts entre les actifs, d'un côté, et les jeunes et les personnes

Références

P. Artus, « Comment va se régler le problème de la dette non provisionnée des systèmes de retraite ? », *Flash CDC*, Paris, janv. 2000.

J.-P. Balligand, J-B. de Foucault, *L'Épargne salariale au cœur du contrat social, rapport au Premier ministre*, janv. 2000.

D. Blanchet, B. Villeneuve, « Que reste-t-il du débat répartition-capitalisation ? », *Revue d'économie financière*, n° 40, mars 1997.

CGP, *L'Avenir de nos retraites*, La Documentation française, Paris, avril 1999.

P. Concialdi, « Les enjeux comptables et économiques du débat sur les retraites », *L'Économie politique*, n° 3, 1999.

O. Davanne, J.-H. Lorenzi, F. Morin, « Retraite et épargne », *Rapport du Conseil d'analyse économique*, n° 7, La Documentation française, Paris, 1998.

P. Khalfa, P-Y. Chanu (sous la dir. de), *Les Retraites au péril du libéralisme, rapport publié sous l'égide de la Fondation Copernic*, Syllepse, Paris, 1999.

L'Avenir des systèmes de retraite, rapport présenté par R. Teulade, Conseil économique et social, janv. 2000.

J.-C. Le Duigou, J.-M. Toulisse, *L'Avenir des retraites*, L'Atelier, Paris, 1999.

H. Sterdyniak, G. Dupont, A. Dantec, « Les retraites en France : que faire ? », *Revue de l'OFCE*, n° 68, Paris, janv. 1999.

D. Taddei, *Retraites choisies et progressives, rapport du CAE*, La Documentation française, Paris, janv. 2000.

@Sites Internet

AGIRC (Association générale des institutions de retraite des cadres) : **http://www.agirc.fr**

ARRCO (Association des régimes de retraites complémentaires) : **http://www.cpinet.fr/rci/arrco**

Caisse des dépôts, branche retraites : **http://br.caissedesdepots.fr/dante/savoir**

CNAV (Caisse nationale d'assurance vieillesse) : **http://www.cnav.fr**

OR (Observatoire des retraites) : **http://www.observatoire.retraites.org**

âgées, de l'autre, n'en serait guère modifié, et la parité des niveaux de vie entre actifs et retraités serait identique à celle observée jusqu'alors. Inversement, le gel des financements collectifs aboutirait à une paupérisation sans précédent des retraités.

Ainsi, alors que le rapport du Plan ouvrait implicitement la voie à des dispositifs facultatifs et capitalisés en repoussant l'idée d'un ajustement par les cotisations sociales, de moins en moins de voix sont apparues réclamer l'introduction de « fonds de pension ». Le rapport Teulade récuse même explicitement l'option de la capitalisation, sauf en ce qui concerne le fonds de réserve. Ce rapport reprend les analyses qui font désormais consensus au sein des économistes sur le fait que la capitalisation ne saurait être une solution au « problème démographique » (le vieillissement de la population), et souligne les risques bien connus d'accroissement des inégalités liés à la mise en œuvre de fonds de pension.

Dans une intervention du 21 mars 2000, le Premier ministre a d'ailleurs écarté la voie des fonds de pension au motif qu'elle « menacerait ou même déstabiliserait » le système en place. Pour consolider les régimes en répartition, il a par ailleurs avancé l'objectif de porter à 1 000 milliards FF en 2020 le montant des sommes accumulées dans le fonds de réserve, lesquelles devaient s'élever à 20 milliards FF à la fin de l'année 2000.

L'épargne salariale au cœur d'un système « surcomplémentaire »

Dans ce contexte, le débat semble s'être déplacé sur l'épargne salariale [*voir article p. 423*], avec la publication du rapport Balligand-de Foucault. Pour les auteurs de ce rapport, l'épargne salariale présente une nature très différente de l'épargne retraite dans la mesure où elle a pour objet la constitution d'une épargne susceptible d'être mobilisée tout au long de leur vie active par les salariés. Elle ne devrait donc pas se substituer aux régimes par répartition mais jouer un rôle « surcomplémentaire ». Ils préconisent dans ce but un allongement de la période d'immobilisation de l'épargne salariale et une évolution vers un produit d'« épargne temps » permettant de disposer de périodes de temps libre rémunérées tout au long de la vie active, la retraite n'en étant qu'une modalité parmi d'autres.

Pour être viable et crédible, l'idée d'un système surcomplémentaire facultatif, qu'elle concerne l'épargne salariale ou l'épargne retraite, nécessite toutefois que des garanties claires soient apportées quant au socle de base de la retraite par répartition.

L'année 2000 allait de ce point de vue être sans doute une année décisive. Dans les trois fonctions publiques, l'objectif affiché par le gouvernement était d'aboutir à la conclusion d'un « pacte sur les retraites », la durée de cotisations étant alignée sur celle des salariés du régime général en contrepartie d'une certaine prise en compte des primes dans le calcul du salaire de référence. De leur côté, les régimes spéciaux sont invités à ouvrir des négociations. Pour les salariés du secteur privé, le Premier ministre a renvoyé la balle aux partenaires sociaux en soulignant le fait que la plus grande partie de la dégradation du taux de remplacement provient de l'évolution des régions complémentaires. En fait, des négociations sur ce sujet étaient initialement prévues pour la fin de l'année 1999. Celles-ci ont été repoussées après l'annonce par le patronat de son retrait des organismes paritaires [*voir article p. 46*], ce qui laissait mal augurer des possibilités d'accroître les ressources de ces régimes. Si les négociations devaient achopper sur le refus patronal d'augmenter les cotisations de ces régimes complémentaires, le niveau de ces pensions finirait par être laminé. Comment, dès lors, rendre crédible pour les salariés le projet patronal de « refondation sociale », si celle-ci devait prendre pied sur un socle en perpétuel délitement ? ■

Lutte contre la pauvreté et politiques de solidarité, une mise en perspective

Jean-Luc Outin
MIRE, MATISSE

La multiplication des débats ouverts à partir de 1992 sur les différentes politiques sociales (Sécurité sociale, emploi, chômage...) rend particulièrement utile une mise en perspective des choix implicites ou explicites des politiques publiques relatives à l'endiguement de la pauvreté. Au-delà de la complexité des dispositifs concrets, souvent dénoncée, il est possible de saisir les inflexions successives de leurs principes fondateurs et les enjeux dont elles sont porteuses.

Les débats entourant la définition des politiques de lutte contre la pauvreté revêtent plusieurs dimensions. Ils portent, notam-

Tab. 1

La protection sociale en France en 1998

	Dépenses		Recettes (%)		
	milliards FF	% du total	Cotisations	Fiscalité[a]	Autre
Assurances sociales	**2 514**	**81,6**	**62,9**	**35,9**	**1,2**
Sécurité sociale	2 330	75,6	60,5	38,1	1,4
dont Régime général	1 280	41,5	63,1	35,8	1,1
Régime chômage	183	5,9	92,4	7,1	0,5
Autres	**568**	**18,4**	**28,5**	**62,9**	**8,6**
Mutualité[b]	136	4,4	70,9	–	29,1
Régimes d'employeurs	63	2,0	100,0	–	–
Pouvoirs publics[c]	362	11,7	–	100,0	–
ISBLSM[d]	7,6	0,2	–	–	100,0
Total général	**3 082**	**100,0**	**56,5**	**40,9**	**2,6**

a. Y compris transferts et contributions publiques ; b. Régimes de la mutualité, de la retraite supplémentaire et de la prévoyance ; c. Interventions sociales des pouvoirs publics d. Institutions sans but lucratif au service des ménages (associations, syndicats, organismes caritatifs, etc.).
Source : Comptes de la protection sociale.

Tab. 2

Prestations des régimes de protection sociale (en % du PIB)

Prestations	1995	1996	1997	1998
Santé	9,8	10,0	9,7	9,7
Vieillesse-survie	12,6	12,8	12,8	12,7
Maternité-famille	3,0	3,1	3,1	3,0
Emploi	2,5	2,6	2,5	2,4
Logement	0,9	0,9	1,0	1,0
Pauvreté-exclusion sociale	0,4	0,4	0,4	0,4
Total des prestations	**29,3**	**29,7**	**29,5**	**29,1**

Sources : Comptes de la protection sociale. Les « prestations de protection sociale » sont une partie (81 % en 1998) des « dépenses totales » de protection sociale ; voir tableau p. 000.

Tab. 3

Nombre de bénéficiaires du RMI (au 31 déc.)

Effectifs	1990	1992	1994	1995	1996	1997	1998[b]	1999[b]
Métropole	422 100	575 000	803 303	840 839	903 804	956 596	975 457	988 941
DOM[a]	88 000	96 200	105 033	105 171	106 668	111 305	114 191	124 242
Total	510 100	671 200	908 336	946 010	1 010 472	1 067 901[c]	1 089 648[d]	1 137 391[e]

a. Départements d'outre-mer ; b. En juin ; c. Dont 22 598 au titre du régime agricole ; d. Dont 23 188 au titre du régime agricole e. Dont 24 208 au titre du régime agricole.
Sources : CNAF, DIRMI.

La protection sociale

La protection sociale en France regroupe l'ensemble des systèmes de prévoyance collective assurant une protection contre les aléas de la vie. En 1997, le montant des prestations de protection sociale reçues par les ménages s'est élevé à 2 426 milliards FF, soit environ 30 % du PIB.

D'un point de vue institutionnel, la protection sociale n'est pas un ensemble homogène. On distingue deux groupes principaux de régimes.

1. Les régimes dont le financement est majoritairement assuré par les cotisations

– Les régimes d'assurances sociales

Les régimes d'assurances sociales sont des régimes obligatoires. Ils comprennent :

– la *Sécurité sociale*, elle-même divisée en plusieurs régimes :
- le régime général des salariés
- les régimes complémentaires des salariés
- les régimes spéciaux (fonctionnaires, EDF, GDF, SNCF...)
- le régime des salariés agricoles
- le régime des exploitants agricoles
- les régimes des non-salariés non agricoles

– l'*indemnisation du chômage* – dont les institutions (UNEDIC et Assedic) sont extérieures à la Sécurité sociale –, qui couvre l'ensemble des salariés du secteur privé.

– Les régimes d'employeurs

Ce sont des régimes organisés par l'employeur, sur la base de conventions collectives ou d'accords d'entreprise, qui versent des prestations extra-légales.

– Les mutuelles, régies par le Code de la mutualité, versent des prestations complémentaires facultatives.

Régime	*en % des prestations versées (en 1998)*
Assurances sociales	*82,1*
Employeurs	*2,5*
Mutualité et autres	*4,1*
Régime d'intervention des pouvoirs publics	*10,9*
Associations, syndicats, œuvres...	*0,3*
Ensemble des régimes	*100,0*

2. Les régimes dont les ressources sont essentiellement de nature fiscale.

A côté des systèmes d'assurances sociales ou des protections facultatives gérées par les employeurs et les mutuelles, les pouvoirs publics ont mis en place un certain nombre de prestations destinées à des catégories de population présentant des handicaps particuliers ou en situation de pauvreté : le RMI et les minima sociaux [*voir tableau 3*] et les allocations de logement [*voir tableau 2*] relèvent notamment de ces interventions directes des pouvoirs publics financées par l'impôt.

Les interventions des assurances privées dans le champ de la prise en charge des risques sociaux, régies par le Code des assurances et fonctionnant sur une base individuelle et non collective, ne sont pas intégrées dans les comptes de la protection sociale. ■

ment, sur les principes fondateurs, les formes d'intervention mises en œuvre, le niveau et la nature des financements mobilisés, ainsi que sur les acteurs impliqués. C'est au début des années quatre-vingt que des changements décisifs dans la conception de ces politiques interviennent en France à un moment où le chômage et la pauvreté se recouvrent plus nettement à travers la précarisation de l'emploi et l'exten-

INDICATEUR	UNITÉ				
La protection sociale de la nation		**1995**	**1996**	**1997**	**1998**
Dépenses totales	*% du PIB*	36,1	36,7	36,6	36,0
Prestations de protection sociale[a1]	%	81,1	80,8	80,7	81,0
en espèces	%	54,8	54,7	54,6	54,7
en nature	%	17,5	17,4	17,4	17,7
en services sociaux	%	8,8	8,7	8,6	8,7
Frais de gestion[2]	%	3,4	3,4	3,3	3,4
Transferts et autres[3]	%	15,5	15,9	16,0	15,6
Prestations de protection sociale[a]		**1995**	**1996**	**1997**	**1998**
Prestations totales	*% du PIB*	29,3	29,7	29,5	29,1
Santé[4]	%	33,6	33,6	33,2	33,4
Maladie	%	26,8	26,6	26,4	26,6
Invalidité	%	5,1	5,2	5,2	5,2
Accidents du travail	%	1,8	1,7	1,7	1,6
Vieillesse-survie[5]	%	43,0	43,2	43,3	43,4
Vieillesse	%	36,9	37,0	37,2	37,4
Survie	%	6,1	6,1	6,1	6,1
Maternité-famille[6]	%	10,4	10,3	10,5	10,2
Maternité	%	1,3	1,3	1,3	1,3
Famille	%	9,0	9,0	9,2	8,9
Emploi[7]	%	8,6	8,6	8,4	8,3
Chômage	%	6,7	7,0	7,1	7,1
Insertion et réinsertion professionnelle	%	1,8	1,6	1,4	1,3
Logement[8]	%	3,2	3,1	3,3	3,3
Pauvreté-exclusion sociale[9]	%	1,2	1,2	1,3	1,3
Dépense pour l'emploi		**1981**	**1990**	**1996**	**1997**
Dépenses totales	*% du PIB*	2,3	3,3	3,9	3,9
Dépenses passives[10]	%	57,6	56,8	47,7	49,2
Indemnités de chômage	%	40,4	39,8	38,2	40,1
Incitations au retrait d'activité	%	17,3	16,9	9,5	9,2
Dépenses actives[11]	%	42,4	43,2	52,3	50,8
Maintien de l'emploi	%	3,9	1,6	1,6	1,2
Promotion et création d'emplois	%	4,1	6,7	15,5	16,1
Incitation à l'activité	%	2,1	2,1	1,9	1,9
Formation professionnelle	%	30,6	30,7	28,0	26,4
Solde des branches du régime général de la Sécurité sociale[b]		**1995**	**1998**	**1999[c]**	**2000[c]**
Maladie	*milliard FF*	– 39,7	– 15,9	– 12,1	– 3,7
Accidents du travail	*milliard FF*	1,1	1,6	0,4	0,6
Vieillesse	*milliard FF*	10,1	– 0,2	4,4	6,5
Famille	*milliard FF*	– 38,9	– 1,9	3,3	2,5
Total	*milliard FF*	– 67,3	– 16,5	– 4,0	6,0

a. L'expression « prestations de protection sociale » recouvre les trois types de prestations (en espèces, en nature et en services) ; b. Le régime général (noyau du système) est en charge de 42 % de la Sécurité sociale et verse 45 % des prestations ; c. Estimations et prévisions de sept. 1999.
1 + 2 + 3 = 100 % ; 4 + 5 + 6 + 7 + 8 + 9 = 100 % ; 10 + 11 = 100 %.
Sources : Comptes de la protection sociale et Comptes de l'emploi et de la formation professionnelle, Commission des comptes de la Sécurité sociale.

sion du chômage de longue durée. De plus, la diversification et l'instabilité accrues des formes familiales soulignent les limites des solidarités privées et les inégalités importantes qui en découlent.

Dans le cadre de l'ordonnance du 4 octobre 1945, qui institue la Sécurité sociale, la question de la pauvreté n'est abordée que de manière indirecte. En effet, le dispositif participe à cet objectif, non pas en offrant un minimum vital à des pauvres, mais en assurant une garantie de revenu aux travailleurs et à leur famille pour leur permettre de faire face aux différents risques de l'existence.

Cependant, la question de la pauvreté ne disparaît jamais complètement du débat public. Au cours des années cinquante, la réforme des mécanismes de l'Aide sociale pour venir en aide aux personnes inactives sans ressources, l'appel de l'abbé Pierre en faveur des « sans logis » comme l'instauration de la vignette automobile destinée à aider les personnes âgées « économiquement faibles » en sont des illustrations significatives. Quelques années plus tard, le mouvement ATD Quart Monde se lance dans une forme d'action sociale communautaire auprès de ceux qu'il désigne sous le vocable de « sous-prolétaires ».

Populations cibles et prestations catégorielles

En 1974, René Lenoir, haut fonctionnaire en charge de l'Action sociale de l'État, puis ministre, publie un livre intitulé *Les Exclus, un Français sur dix*. L'analyse est fondée sur la notion d'inadaptation sociale et caractérise les conséquences des interactions entre les carences individuelles liées à l'âge, à l'état de santé ou à l'absence de formation et les évolutions globales relatives à l'emploi, aux structures familiales ou aux conditions résidentielles. Cela permet d'identifier des groupes distincts, susceptibles de faire l'objet d'une intervention sociale particulière. De plus, l'approche se situe à un niveau intermédiaire entre les « libéraux » qui renvoient le pauvre à sa responsabilité personnelle et les « socialistes » qui conditionnent la résorption de la pauvreté à une transformation économique radicale. Pour des raisons différentes, ces deux courants idéologiques qui marquent fortement la société française se montrent hostiles à l'instauration de mécanismes généraux de lutte contre la pauvreté. Pour les premiers, un revenu d'existence entraverait le fonctionnement du marché du travail et l'ajustement par la baisse des salaires ; pour les seconds, un revenu minimum universel aboutirait à rendre la pauvreté indissociable du fonctionnement social et à la dissocier de la question, plus large, des inégalités clivant la société.

Ces différents éléments expliquent que l'action publique traitant spécifiquement de la pauvreté procède à partir de populations cibles et instaure des prestations catégorielles telles que le Minimum vieillesse en 1956, l'Allocation adulte handicapé (AAH) en 1975 et l'Allocation de parent isolé (API) en 1976. Malgré leurs différences, plusieurs aspects révèlent les principes qui les fondent. Leur montant, d'abord, se situe à un niveau compris entre la moitié et les deux tiers du SMIC mensuel (Salaire minimum de croissance) pour éviter un écart trop important entre les salariés du bas de l'échelle et les pauvres hors emploi [*voir le tableau récapitulatif des minima sociaux p. 524-525*]. De plus, les ressources mobilisées, pour l'API et l'AAH, sont issues de cotisations et non d'impôts, afin d'affirmer l'appartenance de ces groupes à la société salariale. D'ailleurs, ces prestations sont constitutives de statuts sociaux alternatifs à celui – très générique – de pauvre assisté. Elles sont assorties de l'accès à des droits sociaux en matière de maladie, de logement ou de retraite et prennent place dans des dispositifs législatifs plus ou moins vastes visant l'intégration sociale des personnes concernées. Enfin, la question de l'accès à l'emploi n'est pas totalement absente, sauf pour le Minimum vieillesse. Pour les bénéficiaires de l'API, elle est traitée de façon simple par

Références

M. T. Join-Lambert, A. Bolot-Gittler, C. Daniel, D. Lenoir, D. Méda, *Politiques sociales*, Presses de Science Po/Dalloz, Paris, 1997 (2e éd.).

D. Lenoir, *L'Europe sociale*, La Découverte, « Repères », Paris, 1994.

N. Murard, *La Protection sociale*, La Découverte, « Repères », Paris, 1996 (nouv. éd.).

la durée limitée de la prestation, ce qui doit inciter les allocataires à se porter spontanément sur le marché du travail au terme de leur couverture ; pour les personnes handicapées, elle est traitée par différentes formules : ateliers protégés, centres d'aide par le travail (CAT), quotas.

La réforme de l'indemnisation du chômage qui intervient en 1979 marque le point d'orgue de cette période. Les mécanismes antérieurs d'assurance et d'assistance sont réunis dans un système unifié, géré par les partenaires sociaux et au financement duquel l'État participe. Les prestations se différencient selon le mode d'entrée en chômage et selon la durée ; une allocation d'insertion et une allocation de fin de droits couvrent ainsi certains primo-demandeurs et les chômeurs de longue durée. Malgré leur caractère forfaitaire qui les rapproche de revenus de type minimum social, ces prestations rattachent les chômeurs concernés au salariat *via* le statut de demandeur d'emploi indemnisé et l'institution sociale qui les couvre.

Droits sociaux et droits de la personne humaine

Au cours des années quatre-vingt, on assiste à une réorientation des politiques de lutte contre la pauvreté. L'inflexion est progressive, mais radicale. Dès l'année 1980, le rapport de Gabriel Oheix, consacré au traitement des situations de précarité, souligne le caractère multidimensionnel du phénomène et les limites des approches catégorielles antérieures. D'où l'accent mis sur l'accès aux droits sociaux correspondant ou non à des prestations monétaires, sur la définition d'un revenu minimum de type plus universel pour toutes les personnes durablement sans emploi et, enfin, sur l'exercice d'activités qualifiées d'utilité sociale. En outre, le recours à une procédure contractuelle est esquissé pour responsabiliser le bénéficiaire. Quelques années plus tard, le Conseil économique et social adopte le rapport Wresinski [*Grande pauvreté et précarité économique et sociale*] qui inscrit la lutte contre la grande pauvreté dans le registre des droits de l'homme. Concluant sur la nécessité d'une loi d'orientation, ce rapport préconise la définition d'un plancher minimum de ressources au-dessous duquel aucun citoyen ne devrait tomber. Les mesures à prendre doivent s'articuler avec celles mises en œuvre à un niveau général pour éviter la stigmatisation, tout en s'inscrivant, pour être efficaces, dans le cadre de politiques sectorielles.

En fait, les préoccupations relatives à la pauvreté resurgissent après les réformes de l'indemnisation intervenues en 1982 et en 1984. Elles s'expriment par les désignations approximatives de « fin de droits » ou de « nouveaux pauvres ». Aboutissant à une réduction de la durée de couverture du chômage et à une scission entre un régime d'assurance et un régime de solidarité, ces transformations institutionnelles ont une portée pratique et symbolique décisive. D'un côté, les demandeurs d'emploi reçoivent un revenu de remplacement qui les rattache à la société salariale ; de l'autre, ils reçoivent des allocations de subsistance et sont constitués en groupes de « chômeurs pauvres ». Le niveau de ces prestations forfaitaires est bien inférieur à la moitié du SMIC, pour éviter les effets supposés défavorables à la reprise d'emploi.

Insertion et lutte contre les exclusions

L'instauration du RMI (Revenu minimum d'insertion), par la loi du 1er décembre 1988, prend acte de l'ampleur du problème. Il s'agit d'y faire face en se démarquant des mécanismes de l'Aide sociale. Le dispositif a trois composantes : une garantie de ressources minimales pour les plus de 25 ans, des droits sociaux en matière de logement et de couverture maladie, un contrat d'insertion permettant l'accès à des mesures de nature variée et destinées à favoriser la sortie du dispositif. La modicité de la prestation est justifiée par les raisons déjà évoquées ci-dessus, renforcées par la volonté d'une transition rapide.

Dans le même temps, les politiques d'emploi, confrontées au chômage des jeunes puis au chômage de longue durée, recourent également à la notion d'insertion pour organiser des transitions vers l'emploi. Dans ce cadre, la relation salariale évolue, que ce soit sous l'angle de la pérennité du contrat, de la durée du travail ou encore du niveau et de la nature de la rémunération correspondante. La connexion avec le RMI s'effectue doublement. D'un côté, ses bénéficiaires sont des publics prioritaires pour ces emplois aidés. De l'autre, ces emplois peuvent déboucher sur une période de chômage peu ou non indemnisée et impliquant un nouveau recours au RMI. Plus largement, se référant aux notions de l'utilité sociale (Travaux d'utilité collective, TUC), de la solidarité (Contrats emploi-solidarité, CES) ou de l'insertion (par l'économique), ils débouchent sur un ensemble de questions telles que la redéfinition des frontières de la protection sociale, la notion d'emploi convenable, ou encore l'emploi comme bien public.

La dernière étape s'ouvre avec l'adoption, en juin 1998, de la loi contre les exclusions puis, en juillet 1999, avec la mise en place de la Couverture maladie universelle (CMU). Ces deux textes mettent l'accent sur l'accès aux droits sociaux, semblant esquisser un modèle d'intégration par la citoyenneté et les droits de la personne humaine [*voir article p. 118*]. Du point de vue de l'emploi, l'un des aménagements principaux concerne l'extension de la mesure dite d'intéressement, laquelle permet de cumuler le RMI, l'ASS (Allocation de solidarité spécifique) ou l'API avec un salaire pendant une durée plus longue. Destinée à favoriser la reprise d'emploi, elle peut également être analysée comme une forme particulière d'impôt négatif. L'un des enjeux des années à venir sera sans doute lié à l'apparition croissante de travailleurs pauvres. ■

(*Voir aussi article p. 46.*)

Minima sociaux
Repositionner le débat

Isabelle Amrouni
CNAF, Université de Nancy-II

Les débats portant sur les prestations assurant un revenu minimum sont souvent limités à leur effet supposé de « désincitation » : les allocataires seraient désincités à prendre un emploi, dans la mesure où cela ne leur apporterait qu'un gain monétaire minime. Pour éviter cette situation, des mécanismes permettant de cumuler salaire et allocation (dans certaines limites et de façon temporaire) ont été mis en place. Ces mécanismes, dits « d'intéressement », en vigueur dans les dispositifs du Revenu minimum d'insertion (RMI), de l'Allocation de solidarité spécifique (ASS) et de l'Alloca-

Les minima sociaux

Le système de protection sociale français compte huit dispositifs visant à garantir un revenu minimum aux personnes disposant de très faibles ressources, voire aucune. En décembre 1998, environ 3 400 000 bénéficiaires, soit approximativement autant de ménages, percevaient ce type d'allocation, soit environ un ménage sur sept.

Ces dispositifs, généralement désignés sous le terme de « minima sociaux », reposent sur un même principe de garantie de ressources et de versement différentiel. Cela signifie que les montants versés au titre de ces prestations complètent les ressources des bénéficiaires en les portant à un certain niveau. Au-delà de ce principe commun, les huit dispositifs s'adressent à des publics différenciés et ont chacun leur propre logique. Les conditions d'attribution et règles de calcul ainsi que les niveaux de revenu garanti diffèrent d'un dispositif à l'autre. Sans entrer dans le détail d'une législation souvent complexe, sont ici présentés les principes généraux de ces prestations ainsi que les montants de revenus qu'elles garantissent (au 1er janvier 2000). L'ordre de présentation suit la chronologie de création des aides.

◆ Créé en 1956, le Minimum vieillesse complète, jusqu'à un certain seuil, les ressources des personnes âgées de plus de 65 ans (ou 60 ans en cas d'invalidité), dont les avantages vieillesse sont faibles ou nuls. Son montant mensuel est de 3 575,83 FF pour une personne seule et de 6 414,75 FF pour un couple.

◆ Le Minimum invalidité, créé en 1956, garantit un niveau minimum de ressources aux personnes âgées de moins de 60 ans reconnues invalides et dont le montant de la pension d'assurance invalidité est faible. Les conditions de ressources et le montant garanti de ce dispositif sont analogues à ceux du Minimum vieillesse.

◆ L'Allocation adulte handicapé (AAH) a été mise en place en 1975. Elle garantit un revenu minimum aux personnes souffrant d'un handicap, reconnues inaptes à trouver un emploi. L'AAH assure un revenu minimum fixé à 3 575,83 FF. En 1994, le complément d'AAH a été institué pour faciliter l'adaptation des bénéficiaires d'AAH à une vie autonome à domicile. Son montant mensuel est de 572 FF.

◆ Instaurée en 1976, l'Allocation de parent isolé (API) vise à apporter une aide temporaire à toute personne isolée, enceinte ou assumant la charge d'un ou plusieurs enfants. Elle est versée au plus pendant un an ou jusqu'au troisième anniversaire du dernier enfant. Le montant mensuel de l'API est fixé à 3 236 FF pour une femme enceinte, 4 315 FF pour une

tion d'insertion (AI), ont été modifiés par la loi d'orientation du 29 juillet 1998 relative à la lutte contre les exclusions afin d'augmenter les possibilités de cumul de revenus. Ils ont également été étendus, en 1999, à l'Allocation veuvage (AV) et l'Allocation de parent isolé (API). Des propositions concernant la mise en place d'une Allocation compensatrice de revenu (ACR) visent à rendre permanent le cumul entre salaire et allocation et à étendre cette possibilité à toutes les personnes ayant de faibles ressources et qui ne sont pas nécessairement bénéficiaires de minima sociaux.

Mais le chômage est d'abord le fait d'une demande insuffisante de travail de la part des entreprises et non d'une offre insuffisante de travail de la part des personnes en âge et capacité de travailler. Aborder les minima sociaux en se polarisant sur la seule ques-

personne ayant un enfant à charge, auxquels s'ajoutent 1 079 FF pour chaque enfant à charge supplémentaire.

◆ L'Allocation d'assurance veuvage, créée en 1981, assure une aide temporaire aux veufs ou veuves âgés de moins de 55 ans, vivant seuls et ayant élevé au moins un enfant. Sa vocation est de permettre la réinsertion professionnelle de la personne qui ne peut, en raison de son âge, prétendre à un avantage de réversion. L'allocation, d'un montant mensuel de 3 160 FF, est versée pendant deux ans maximum.

◆ L'Allocation de solidarité spécifique (ASS) a été mise en place en 1984. Elle s'adresse aux chômeurs inscrits à l'ANPE qui ont épuisé leurs droits à l'assurance chômage et qui justifient d'une certaine durée d'activité salariée antérieure. Elle peut également être versée aux chômeurs de plus de 50 ans percevant une allocation de chômage d'un montant inférieur à celui de l'ASS. Le montant mensuel de revenu garanti par l'ASS est de 2 522,10 FF. Une majoration, fixée à 1 100,70 FF, est accordée aux allocataires âgés de plus de 55 ans sous certaines conditions d'activité antérieure [*voir aussi article p. 543*].

◆ L'Allocation d'insertion (AI), créée en 1984, est attribuée aux personnes en attente d'insertion ou de reclassement qui n'ont pas de droit à l'assurance chômage. En 1992, le bénéfice de l'Allocation d'insertion a été supprimé pour les jeunes demandeurs d'emploi de 16 à 25 ans et les mères isolées demandeuses d'emploi qui représentaient 80 % des allocataires. Depuis, l'AI concerne quelques catégories restreintes telles que les détenus libérés, les rapatriés, les réfugiés et les demandeurs d'asile. L'allocation d'insertion est attribuée pour un an maximum. Son montant mensuel est fixé à 1 776,60 FF.

◆ Mis en place en 1988, le Revenu minimum d'insertion (RMI) tranche avec les précédents dispositifs dans la mesure où il s'agit d'un revenu minimum non catégoriel, ayant une visée plus générale. Cette allocation est versée à toute personne résidente dont les ressources n'atteignent pas un certain montant. Cependant, ce dernier « filet de sécurité » laisse encore de côté une partie de la population puisqu'en sont expressément exclus les jeunes de moins de 25 ans, les étudiants, les stagiaires, les détenus et les demandeurs d'asile. Cette allocation assure un revenu minimum fixé à 2 552,35 FF pour une personne seule. Lorsque le foyer se compose de deux personnes, ce montant est majoré de 50 % (1 276,17 FF), puis de 30 % (765,70 FF) par personne supplémentaire. À partir de la quatrième personne supplémentaire à charge, le montant est majoré de 40 % (1 020,94 FF).- **I. A.** ■

tion de la désincitation au travail revient à faire abstraction de cette contrainte essentielle.

De plus, avant même l'extension des mesures d'intéressement, une partie non négligeable des bénéficiaires de minima sociaux occupait un emploi. Ces situations sont possibles dès lors que les salaires perçus sont inférieurs au revenu garanti par les dispositifs de minima sociaux.

Au-delà des effets positifs à court terme sur le niveau de vie des ménages concernés, les dispositions allant dans le sens d'une généralisation des possibilités de cumul entre salaires et allocations induisent des effets pervers de plus long terme souvent occultés. Ces mesures impliquent ainsi des incitations indirectes pour les employeurs à développer des emplois atypiques, faiblement rémunérés et devenant socialement tolérables grâce au complément de reve-

Références

C. Afsa, « L'insertion professionnelle des bénéficiaires du revenu minimum d'insertion », *Recherche, prévisions et statistiques*, CNAF, Paris, avril 1999.

S. Amira, G. Canceill, « Perte d'emploi et passage par le RMI », *Premières informations et premières synthèses*, DARES, n° 25.1, Paris, juin 1999.

F. Audier, A. Dang, J.-L. Outin, « Le RMI comme mode particulier d'indemnisation du chômage », *in* P. Méhaut, P. Mossé (sous la dir. de), *Les Politiques sociales catégorielles* (tome 2), sous l'égide de l'Association d'économie sociale, L'Harmattan, Paris, 1998.

R. Castel, R. Godino, M. Jalmain, T. Piketty, « Pour une réforme du RMI », *Notes de la Fondation Saint-Simon*, Paris, févr. 1999.

CERC-Association, « Les minima sociaux : 25 ans de transformation », *Les Dossiers de CERC-Association*, n° 2, Paris, juin 1997.

M.-T. Join-Lambert, « La protection sociale est inadaptée au marché du travail », *L'Économie politique*, n° 2, Alternatives économiques, Paris, 2e trim. 1999.

nus sociaux. Elles engendrent également un transfert de charge entre employeurs et collectivité du fait du versement d'une allocation compensatrice à une partie des salariés ayant des revenus d'activité inférieurs à un certain seuil. Pour les personnes concernées, essentiellement des salariés occupant des emplois faiblement rémunérés et à temps partiel, cela induirait un statut hybride permanent de travailleurs assistés. Pour ceux qui demeureront sans emploi, la pression exercée pour accepter des emplois précaires risque d'être plus forte. Ils seront davantage rendus responsables de leur situation, *a fortiori* s'il apparaît des pénuries de main-d'œuvre dans certains secteurs du marché du travail.

Les débats portant sur les minima sociaux doivent dépasser le seul aspect de la reprise d'emploi des allocataires. Ces dispositifs sont en effet imbriqués dans le système de protection sociale, lui-même lié au mode de fonctionnement du marché de l'emploi. Il serait donc pertinent d'engager une réflexion globale sur le rôle et la place des minima sociaux au sein du système de protection sociale, en tenant compte du contexte de flexibilisation et de précarisation croissante du marché de l'emploi. Cette nécessité de globaliser le débat peut s'illustrer par les liens existant entre système d'indemnisation du chômage et minima sociaux. Différents travaux ont en effet montré les fonctions relais, complémentaire et substitutive du RMI vis-à-vis du régime d'indemnisation du chômage. Une partie significative des allocataires du RMI serait des demandeurs d'emploi non ou mal couverts par le régime d'indemnisation du chômage. Ainsi la question des minima sociaux renvoie-t-elle aux débats relatifs à l'adaptation souhaitable du système d'indemnisation du chômage aux nouvelles règles de fonctionnement du marché du travail [*voir article p. 543*].

Enfin, il reste indispensable de tenir compte, dans toutes ces réflexions, des conditions de vie des ménages les plus pauvres au sein de la société. En effet, en dépit de la forte augmentation du nombre de personnes vivant des minima sociaux, l'effort de la collectivité est resté constant depuis le milieu des années quatre-vingt, les dépenses se situant toujours à environ 1 % du PIB. ■

La politique contractuelle fonde-t-elle les relations sociales ?

Catherine Vincent
Sociologue, IRES

Entre la loi et les contrats de travail individuels, des accords collectifs très divers sont produits par les partenaires sociaux. En France, la négociation collective s'est construite sur une base législative [*voir tableau ci-contre*], sans jamais devenir vraiment le mode normal de fonctionnement des relations sociales : le dialogue social existe difficilement sans intervention de l'État ou en dehors de crises sociales aiguës. Le développement de la négociation sur la réduction du temps de travail impulsé par les lois « Aubry » sur « les 35 heures » illustre cette tendance [*voir encadré p. 538*]. Ce renouveau de la négociation constitue toutefois pour les organisations syndicales et patronales une opportunité de maîtrise plus autonome de la politique contractuelle.

Un système modelé par l'État

Le lien entre cycles de grèves et négociation collective apparaît dès le début du siècle : les accords sont le plus souvent signés en conclusion d'un conflit. Ce n'est qu'après 1936, et surtout à partir de 1950, qu'un véritable droit conventionnel s'édifie sur deux piliers. Le premier – la procédure d'extension des conventions de branche par le ministre du Travail – rend le contenu des textes négociés applicable à l'ensemble des employeurs d'une profession ou d'une activité. Par ce biais, les résultats des négociations s'imposent à des acteurs qui n'y étaient pas directement représentés, ce qui pallie à la fois la faiblesse de la représentation patronale et syndicale et la mauvaise volonté des employeurs. Ce mécanisme, ainsi que l'appui technique à la négociation fourni par le ministère du Travail au travers des commissions mixtes paritaires, fait, dans les années cinquante, de la convention de branche le moyen de répartir les fruits de la croissance. À partir de 1967, les conditions d'extension sont de moins en moins contraignantes, octroyant parfois un statut de « loi de la profession » à des textes signés par des acteurs syndicaux et patronaux peu représentatifs, voire minoritaires.

Le second pilier – la représentativité accordée par l'État aux grandes organisations syndicales – fait d'elles les participantes exclusives à la négociation dans le secteur privé. La garantie ainsi donnée au salarié que les engagements signés en son nom le sont par des acteurs armés pour négocier, animés par l'intérêt collectif et surtout indépendants du pouvoir patronal a toutefois des effets pervers. Cette présomption de représentativité élude la question du seuil exigible pour pouvoir engager une profession.

À l'aube des années soixante-dix, la reconnaissance de la négociation collective comme instrument privilégié de la gestion des relations professionnelles ne va toujours pas de soi. Les pouvoirs publics et les acteurs se plaignent de son mauvais fonctionnement. Le protocole de Grenelle, conclu en juin 1968 entre le gouvernement et les partenaires sociaux, ouvre une phase de maturation du système de négociation collective. Le patronat prend notamment conscience, sans doute du fait des événements de 68, de la nécessité de renouer avec un dialogue social qui s'essouffle depuis le début des années soixante. C'est surtout dans l'appareil d'État que l'on trouve les défenseurs les plus actifs de la rénovation des relations sociales : Jacques Delors,

Le « mandatement » : négociation collective sans syndicats ou nouvel instrument de syndicalisation ?

Depuis le début de l'année 1995, une évolution s'est fait jour, à l'initiative de différents acteurs, dont l'objectif est de développer la négociation dans les PME, souvent dépourvues de délégués syndicaux. Ce développement passe aussi par une remise en cause du monopole des syndicats dans la conclusion des accords d'entreprise.

La brèche a été ouverte par la Cour de cassation qui, dans un arrêt du 25 janvier 1995, a permis aux entreprises de moins de 50 salariés, dépourvues de délégués syndicaux, de recourir au mandatement d'un de leurs salariés par une organisation syndicale représentative afin de conclure des accords collectifs.

L'accord interprofessionnel du 31 octobre 1995 sur la politique contractuelle, qui n'a pas été signé par la CGT et FO, s'attaque à la négociation dans les entreprises de plus de dix salariés dépourvues de délégué syndical. Des accords de branche peuvent désormais autoriser, à défaut de délégués syndicaux ou de délégués du personnel désignés comme délégués syndicaux, les entreprises à négocier soit avec des représentants élus du personnel (comités d'entreprise ou délégués du personnel), soit avec des salariés mandatés à cet effet par une organisation syndicale. Ce dispositif expérimental, repris par la loi du 30 novembre 1996, introduit, à côté du mandatement, la possibilité de conclure des accords collectifs avec la représentation élue du personnel, laquelle n'est pas toujours syndiquée. Cet accord donne un cadre juridique à la pratique d'accords informels, dits « quasi-accords » ou « accords atypiques », conclus en dehors des organisations syndicales, le plus souvent avec des comités d'entreprise non syndiqués. Dix-sept accords de branche ont été signés en 1996 et 1997 dans des secteurs de l'agriculture et des services à forte proportion de PME.

Les premières évaluations indiquent que ces formules novatrices ont surtout été utilisées dans l'entreprise dans le cadre d'accords portant sur l'aménagement-réduction du temps de travail. Les allégements de charges sociales octroyés depuis juin 1996, par la loi Robien, aux employeurs qui signent de tels accords ont favorisé le développement de la négociation dans les entreprises dépourvues de représentation syndicale.

alors conseiller social du Premier ministre gaulliste Jacques Chaban-Delmas, incarne le mieux ce courant.

La négociation connaît, dès lors, une double évolution : d'une part, elle s'étend au niveau interprofessionnel, et son contenu se déplace des enjeux salariaux vers de nouveaux thèmes comme l'emploi, la formation professionnelle ou la durée du travail ; d'autre part, à partir des années quatre-vingt, elle se développe dans l'entreprise. Pourtant, les signataires de l'accord d'octobre 1995 [*voir encadré ci-dessus*] parlent encore de reconstruire des relations sociales cohérentes. Le bilan est-il aussi négatif ? Comment expliquer cet échec récurrent ?

Frontières floues entre la négociation et la loi

Si l'on s'en tient aux chiffres, le bilan est satisfaisant [*voir tableau p. 530*]. Pourtant, plusieurs éléments tempèrent l'optimisme. La négociation collective au plus haut niveau a certes pris de plus en plus de place. Les partenaires sociaux participent à la régula-

La loi du 13 juin 1998 sur la réduction du temps de travail à 35 heures a donné un nouvel essor à la pratique du mandatement. Tout en encadrant plus strictement les conditions du mandatement, elle ouvre les possibilités de recours à cette procédure et la pérennise. Limité dans ce cas à la signature d'accords portant sur la réduction du temps de travail et ouvrant droit à l'aide de l'État, le mandatement devient possible dans toutes les entreprises dépourvues de délégué syndical ou de délégué du personnel désigné comme délégué syndical, quel que soit leur effectif. Un accord de branche n'est plus nécessaire. Les salariés mandatés bénéficient d'une protection contre les licenciements semblable à celle qui protège les délégués syndicaux. Les conditions du mandat accordé par une organisation syndicale sont cependant plus précises : le salarié mandaté doit rendre compte de son mandat à l'organisation mandataire et aux salariés de l'entreprise. De plus, les salariés qui, en raison des pouvoirs qu'ils détiennent, peuvent être assimilés au chef d'entreprise, ainsi que les salariés apparentés au chef d'entreprise ne peuvent être mandatés. Dans la seconde loi Aubry [*voir article p. 538*], la procédure de mandatement a été maintenue, mais l'approbation de l'accord par un référendum au sein de l'entreprise a été ajoutée. En juin 1999, 58,5 % des accords conclus dans le cadre de la loi Aubry ont été signés par un salarié mandaté. Les accords avec mandatement ont représenté 62 % des accords signés dans les entreprises de moins de vingt salariés.

À l'exception de FO, restée opposée par principe au mandatement, les autres organisations syndicales s'appuient sur ce dispositif à la fois pour obtenir une réduction du temps de travail dans les PME, et pour en faire une opportunité de syndicalisation. Si les syndicats parviennent à transformer des salariés mandatés sans expérience de la représentation collective en adhérents, voire en militants, le mandatement pourrait avoir un impact en terme de présence des syndicats dans les entreprises. Mais cette procédure ébranle, d'un autre côté, l'un des piliers de la négociation collective à la française : la représentativité accordée par l'État aux grandes organisations syndicales. - **C.V.** ■

tion de la protection sociale : ils gèrent de façon paritaire des organismes sociaux (régimes de retraite complémentaire ou d'assurance chômage, caisses de Sécurité sociale). Malgré son ampleur, ce paritarisme de gestion est remis en cause. Du fait des enjeux financiers, la tutelle de l'État est de plus en plus pesante : les rebondissements de la crise de l'assurance chômage depuis la fin des années soixante-dix en sont le meilleur exemple [*voir article p. 543*]. Il est aussi remis en cause par le marché, comme l'illustre l'évolution des régimes de retraite avec la création de fonds de pension [*voir article p. 513*].

Plus généralement, la frontière entre les champs de la négociation interprofessionnelle et ceux de la loi devient de plus en plus instable puisqu'elles se répondent, s'appuient (comme dans le domaine de la formation professionnelle) ou se corrigent l'une l'autre (à l'image de l'accord national interprofessionnel du 20 octobre 1986 qui aménage les modalités du licenciement économique après la suppression de l'autorisation administrative de licenciement). Cette

Tab. 1

La négociation collective en quelques chiffres

	1985	1990	1995	1996	1997	1998
Nombre de textes interprofessionnels et de branche[a]	902	953	1 010	1 087	921	774
Propension à signer[b] (en % des accords)						
CGT	30	26	35	32	32	34
CFDT	58	64	68	67	68	70
CGT-FO	67	74	72	74	71	76
CFE-CGC	54	56	58	62	63	64
CFTC	57	56	60	59	63	60
Nombre d'accords d'entreprise	4 889	6 496	8 550	9 274	11 797	13 328
Proportion d'accords sur les salaires[c] (en %)		54	47	42	41	41
Proportion d'accords sur le temps de travail[c] (en %)		40	42	43	51	54

a. Il s'agit des conventions collectives et des avenants interprofessionnels ou de branche, nationaux ou de niveaux infranationaux ayant fait l'objet d'un dépôt dans les services du ministère du Travail. A titre de comparaison, ce nombre était de 727 en 1965, 953 en 1971, 919 en 1981 ; b. Répartition (en pourcentage) des signatures sur l'ensemble des textes conventionnels de a (un texte peut avoir plusieurs signataires, donc le total est supérieur à 100 %) ; c. Un accord peut comporter plusieurs thèmes (environ 16 % des accords de 1996 traitent simultanément des salaires et du temps de travail).
Sources : avant 1982, C. Jézéquiel, « Aperçus statistiques sur la vie conventionnelle », *Droit social*, Paris, juin 1981 ; après 1982, Bilans annuels de la négociation collective, Ministère du Travail, DRT/DARES.

négociation produit de nombreux accords normatifs, comme ceux que l'on vient de citer, ou encore des « accords-cadres » fixant des orientations ou des procédures dont l'application concrète est renvoyée au niveau de la branche ou de l'entreprise. Le passage de témoin à ce niveau plus concret, s'il est un mode possible de prolongation de la négociation, n'est pas une garantie de résultats : le bilan de l'accord d'octobre 1995 sur l'emploi et le temps de travail est ainsi apparu mitigé, puisque 44 accords de branche ont été signés à sa suite en 1996 et 1997, alors que les trois quarts des branches de plus de 10 000 salariés avaient engagé des discussions. Globalement, l'articulation entre les différents niveaux n'est guère précise et le tissu conventionnel français est multiforme et hétérogène.

Au niveau de la branche, le taux de couverture conventionnelle est passé de 62,1 % des établissements en 1972 à 86,2 % en 1981 et approchait 92 % en 1995. Cependant, les branches ont un poids très inégal : environ 4 % des conventions collectives de branche couvrent 50 % des salariés. Un petit nombre de conventions jouent un rôle pilote : métallurgie, chimie, BTP, banques… À côté, la volonté politique d'étendre le taux de couverture a entraîné la multiplication de petite branches sans grande vie où le contenu des conventions n'est souvent qu'une reprise, à peine améliorée, du Code du travail.

À partir de 1980, les employeurs ont choisi de privilégier les accords d'entreprise pour sortir du « carcan » de la branche. La croissance de la négociation à ce niveau, favorisée par la loi de 1982, s'est maintenue depuis. Le contenu de ces accords porte essentiellement sur les salaires et le temps de travail (domaine dans lequel les possibilités d'accords dérogatoires à la loi se sont élargies sans cesse depuis 1982). Dans les

Négociation collective : principaux textes législatifs	
♦ **1906.** Projet de loi (non adopté).	A l'occasion du projet de création du code du travail, débat politique sur le contrat collectif.
♦ **1919.** Loi du 25 mars.	Première loi sur les conventions collectives : un syndicat, mais aussi n'importe quel groupement de fait, peut conclure un accord collectif.
♦ **1936.** Loi du 24 juin.	Reprend la loi de 1919 en y ajoutant : l'organisation de la procédure autour de commissions mixtes de branche auxquelles seules les organisations syndicales les plus représentatives participent ; le mécanisme d'extension à l'ensemble des employeurs de la profession des conventions de branche ayant un certain nombre de clauses obligatoires.
♦ **1950.** Loi du 11 février.	Suppression de la branche comme niveau exclusif de conclusion de convention : possibilité ouverte d'accords d'entreprise ou d'établissement.
♦ **1967.** Ordonnance du 27 septembre.	Remise en cause de la nécessité de l'unanimité de signature pour que l'extension soit possible. Possibilité de déroger, au niveau de la branche, aux dispositions des décrets sur la durée du travail.
♦ **1971.** Loi du 13 juillet.	Consacre le principe du droit des salariés à la négociation collective. Extension du champ de la négociation aux garanties sociales. Extension possible des accords interprofessionnels.
♦ **1978.** Loi du 19 janvier.	Limitation du droit d'opposition des non-signataires à l'extension d'une convention.
♦ **1982.** Loi du 13 novembre.	Obligation annuelle de négocier dans les entreprises ayant un délégué syndical. Obligation périodique de négocier au niveau de la branche sur les salaires et les classifications.
♦ **1982.** Ordonnance du 16 janvier.	Possibilité de déroger, au niveau de l'entreprise, aux dispositions légales en matière de durée du travail. Procédure d'opposition des organisations non signataires de tels accords d'entreprise.
♦ **1993.** Loi quinquennale du 29 décembre.	Dans le domaine de la durée du travail, dans les entreprises non couvertes par un accord de branche étendu et n'ayant pas de délégué syndical, possibilité de mettre en place des dispositifs dérogatoires après consultation des élus et si ceux-ci ne s'y opposent pas (droit de veto).
♦ **1996.** Loi du 12 novembre.	Reprend dans son article 6 les dispositions de l'accord du 31.10.1995.
♦ **1998.** Loi du 13 juin sur les « 35 heures ».	Dans les entreprises dépourvues de délégués syndicaux, mandatement possible d'un salarié par une organisation syndicale représentative, condition pour conclure un accord de réduction du temps de travail ouvrant droit à l'aide de l'État.
♦ **1999.** Seconde loi sur les « 35 heures »	Maintien de la procédure de mandatement avec nécessité de l'approbation par référendum de l'accord ainsi signé. Si l'accord est signé par des organisations syndicales minoritaires aux dernières élections professionnelles, le bénéfice de l'aide est conditionné à l'approbation majoritaire de l'accord par le personnel.

Références

C. Dufour, A. Hege, C. Vincent, M. Viprey, « Le mandatement dans le cadre de la loi du 13/6/98 », *Documents d'études*, n° 31, DARES/Ministère de l'Emploi et de la Solidarité, Paris, oct. 1999.

Entreprise et Progrès, « Inventer de nouvelles relations dans l'entreprise : le contrat collectif d'entreprise », *Liaisons sociales V*, n° 9/95, Paris, janv. 1995.

J. Freyssinet, *Le Temps de travail en miettes. 20 ans de politique de l'emploi et de négociation collective*, Éd. de l'Atelier, Paris, 1997.

C. Jézéquiel, « Aperçus statistiques sur la vie conventionnelle », *Droit social*, Paris, juin 1981.

A. Jobert *et alii*, « Les conventions collectives de branche : déclin ou renouveau ? », *Études*, n° 65, Céreq, Marseille, 1993.

O. Kourchid, R. Trempé (sous la dir. de), « Cent ans de conventions collectives. Arras 1891/1991 », *Revue du Nord*, n° 8 hors série, Lille, 1994.

M.-L. Morin, *Le Droit des salariés à la négociation collective*, LGDJ, Paris, 1994.

« Le paritarisme. Institutions et acteurs », *La Revue de l'IRES*, n° spéc. 24, Noisy-le-Grand, print.-été 1997.

J.-D. Reynaud, *Le Conflit, la Négociation, la Règle*, Octarès, Paris, 1995.

Rapports officiels

La Négociation collective en 1997 (bilan annuel du ministère du Travail), La Documentation française, Paris, 1998.

Les Conditions de l'amélioration de la représentation des salariés dans les petites et moyennes entreprises (rapport Bélier), rapport au ministre du Travail, mars 1990.

Les Enseignements des accords sur la réduction du temps de travail, Ministère de l'Emploi et de la Solidarité, Paris, sept. 1999.

Les Lois Auroux 10 ans après (rapport Coffineau), rapport au Premier ministre, 1993.

Négociation collective : quels enjeux (rapport de la commission Chaigneau), Commissariat général du Plan, La Documentation française, Paris, 1988.

@ Sites Internet

IRES (Institut de recherches économiques et sociales) : **http://www.ires.fr.org**

Observatoire européen des relations sociales : **http://www.eiro.eurofound.ie**

grandes entreprises, ils répondent souvent à des initiatives des directions, désireuses de trouver un interlocuteur pour discuter de la flexibilisation de la relation salariale.

Renouveau ou émiettement de la négociation collective ?

Le patronat français est traditionnellement peu enclin à négocier, mais deux tendances existent en son sein : ceux qui privilégient la négociation d'entreprise car elle donne des marges de flexibilité ; ceux qui donnent la priorité à l'accord de branche, décliné ensuite dans les entreprises. L'élection, en décembre 1997, d'Ernest-Antoine Seillière à la présidence du CNPF (devenu depuis Medef, Mouvement des entreprises de France) a concrétisé la victoire du premier courant. L'organisation patronale penche pour l'entreprise, où le statut des salariés serait organisé autour d'un contrat collectif conclu avec ou sans médiation syndicale. Malgré cette position, parallèlement à la forte croissance des accords d'entreprise, la loi sur les 35 heures a eu pour effet inattendu de relancer la négociation de branche sur le temps de travail [*voir article p. 538*].

L'affaiblissement global du syndicalisme pose avec plus d'acuité la question de sa représentativité. Certains secteurs de l'administration et du patronat utilisent cet argument pour remettre en cause la légitimité des syndicats à parler au nom de l'ensemble des salariés. La médiation par une organisation syndicale est pourtant nécessaire pour garantir aux salariés une représentation indépendante. Mais, en conférant à tous les mêmes prérogatives, les principes qui régissent la signature des accords sont devenus source structurelle d'éclatement syndical : une organisation représentative, même très minoritaire, peut valablement engager la totalité des salariés ; de même, le refus de signer est sans grande conséquence puisque le contenu s'applique à tous les salariés. La question de la représentativité syndicale a été posée en de nouveaux termes par la seconde loi Aubry. L'octroi des aides de l'État pour le passage au 35 heures serait conditionné à la conclusion d'un accord d'entreprise signé par des organisations syndicales majoritaires ou, à défaut, à son approbation par une majorité du personnel. Le pluralisme syndical, aspect fondamental de la liberté, s'est transformé en « parlementarisme contractuel » et permet au patronat uni d'exploiter la désunion de ses interlocuteurs : dans les institutions paritaires, par exemple, la prise de décisions ne dépend presque jamais de l'assentiment majoritaire des syndicats, mais de majorités transversales, c'est-à-dire d'alliances avec le patronat.

Le devenir du système français de négociation collective demeure incertain, les mutations profondes dont il est l'objet laissant ouvertes différentes possibilités. La combinaison de politiques publiques d'emploi incitant à la réduction du temps de travail et de dispositifs de mandatement a modifié la négociation collective depuis 1996 [*sur le mandatement, voir encadré p. 528*]. Ces modifications concernent à la fois le niveau où cette négociation se déroule – puisque les dispositifs d'incitation privilégient nettement l'entreprise –, son contenu – qui porte de plus en plus sur le temps de travail en lien avec le maintien de l'emploi –, et aussi le profil des entreprises concernées (plus de la moitié des nouveaux accords signés en 1997 l'a été dans des unités de moins de 50 salariés). L'articulation avec les autres niveaux de négociation, branche et interprofessionnelle, reste un problème. Le maintien d'un système conventionnel autonome et cohérent semble pourtant indispensable à la cohésion sociale. Malgré une intervention étatique trop souvent autoritaire, la gestion paritaire des institutions de protection sociale constitue l'un des rares domaines où fonctionne une forme de dialogue social autonome. C'est pourtant sous la menace de quitter les institutions paritaires que le Medef a déclaré vouloir « refonder les relations sociales ». Au-delà des positions et proclamations tactiques, il ne semblait pas exclu, au printemps 2000, que s'engagent de véritables discussions susceptibles de traiter d'un renouveau du dialogue social [*voir article p. 46*]. ■

La politique de l'emploi tiraillée entre insertion et traitement économique du chômage

Carole Tuchszirer
Économiste, IRES

Amorcée en 1995, la tendance à la rétraction des politiques spécifiques d'emploi a connu une pause en 1998. Ces mesures, qui pour la plupart sont ciblées sur des catégories de chômeurs en difficulté d'insertion – jeunes et chômeurs « âgés » inscrits le plus souvent depuis plus d'un an à l'ANPE (Agence nationale pour l'emploi) –, ont concerné en 1998 un peu moins de 2,3 millions de chômeurs, une hausse de 1,2 % par rapport à 1997, avec des évolutions contrastées d'un dispositif à l'autre. Conséquence directe de la reprise de l'activité économique, les dispositifs d'aide aux restructurations ont vu leurs effectifs baisser (– 22 %) en raison d'une diminution des licenciements économiques.

Les jeunes, cible privilégiée des mesures spécifiques

Le plus marquant de l'année a cependant concerné les jeunes. Globalement, leur situation s'est améliorée en 1998 sous l'effet d'une conjoncture plus favorable à leur embauche qui s'est traduite par l'augmentation des entrées sur les contrats de formation en alternance. Ces contrats, destinés au secteur marchand et qui reposent sur un allégement des charges sociales couplé à des actions de formation, ont augmenté de 6,5 % en un an. Conclus pour une durée limitée, ces dispositifs d'insertion ont su tirer profit de la reprise d'activité, laquelle s'est accompagnée d'une forte poussée des embauches à durée déterminée. Plus généralement, les jeunes ont représenté en 1998 près de 50 % des effectifs salariés embauchés sous contrats aidés. Tout cela explique donc que le nombre des demandeurs d'emploi de moins de 25 ans ait diminué au cours de l'année 1998. Malgré cet essor, les autres contrats aidés dans le secteur marchand sont également apparus en augmentation, mais dans une proportion moindre (+ 3 %). Après plusieurs années de progression, le nombre de bénéficiaires de l'abattement en faveur du temps partiel s'est stabilisé en 1998. Le repli est imputable à l'adoption de mesures d'économie qui ont rendu le temps partiel moins attractif.

Les chômeurs de longue durée n'ont guère profité de l'embellie constatée sur le front de l'emploi. Le Contrat initiative emploi(CIE), qui a pris en 1995 le relais du Contrat de retour à l'emploi, n'a permis qu'à un peu plus de 190 000 d'entre eux de renouer avec l'emploi, en diminution de 8 % par rapport à 1997. Cette baisse est en partie imputable au recentrage qualitatif dont cette mesure a fait l'objet à l'automne 1996. Très faiblement ciblé au départ, le CIE a été modifié pour inciter financièrement à l'embauche de chômeurs ayant plus de trois années de chômage aux dépens de chômeurs de longue durée à plus faible ancienneté de chômage. Ce recentrage, qui par le biais d'une modulation financière vise à réorienter les pratiques de recrutement des employeurs vers des profils d'embauche plus en phase avec les objectifs de la politique d'emploi, a manifestement contribué à limiter l'attrait de cette mesure.

Dans le secteur non marchand, les emplois aidés dits « d'intérêt général », destinés aux chômeurs très éloignés de l'emploi, ont connu une évolution similaire. Ainsi, le nombre de bénéficiaires d'un Contrat

Tab. 1 La politique spécifique de l'emploi (1997-1998)

	1997	1998	Évol. 98/97 (en %)
Emploi aidé dans le secteur marchand	967 878	997 631	+ 3,1
Dont :			
Abattement-temps partiel	225 294	218 298	– 3,1
Contrats initiative-emploi (CIE)	212 739	195 336	– 8,2
Contrats en alternance	366 587	390 588	+ 6,5
Emploi aidés dans le secteur non marchand	610 067	647 200	+ 6,1
Dont :			
Contrats emploi-solidarité (CES)	502 443	440 655	– 12,3
Contrats emploi consolidés	91 171	98 669	+ 8,2
Emplois-jeunes	2 922	100 917	–
Actions d'insertion et de formation	405 516	404 527	– 0,2
Auprès des adultes	218 969	211 925	– 3,2
dont Stages d'insertion et de formation à l'emploi	174 925	174 027	– 0,5
Auprès des jeunes	186 547	192 602	+ 3,2
Accompagnement de restructurations	215 526	167 814	– 22,1
Ensemble	2 234 340	2 260 610	+ 1,2

Sources : MES-DARES, ANPE, CNASEA, UNEDIC.

emploi solidarité (CES) a diminué de 12 % par rapport à l'année précédente. Cette diminution a toutefois été compensée, d'une part, par l'augmentation des contrats emplois consolidés qui offrent une insertion plus durable et, d'autre part, par la montée en charge du dispositif emplois-jeunes permettant aux contrats aidés non marchands de confirmer la place importante qu'ils occupent au sein de la politique de l'emploi.

Les actions de formation pour les chômeurs adultes sont également en recul. Les stages d'insertion et de formation à l'emploi réservés aux chômeurs de longue durée ont accueilli, en 1998, 174 000 chômeurs, soit une légère baisse par rapport à 1997. Comme ce fut déjà le cas en 1988-1989, la reprise de l'emploi a laissé pratiquement inchangées les chances de réinsertion professionnelle pour les demandeurs d'emploi de longue durée ; cette catégorie de chômeurs a représenté en 1998 près de 40 % des demandeurs d'emploi. C'est pour améliorer l'insertion professionnelle de ces publics en difficulté qu'a été expérimentée en 1997 une nouvelle démarche visant à globaliser les aides publiques à l'emploi. Ainsi, presque toutes les mesures réservées aux chômeurs de longue durée peuvent faire l'objet d'arbitrages en fonction des spécificités auxquelles sont confrontés localement les services de l'emploi. Cette globalisation des crédits a pour finalité, à partir de l'élaboration d'un diagnostic local, de substituer à une logique de gestion cloisonnée de chaque mesure une logique de projet qui prenne en compte les évolutions des marchés locaux de l'emploi pour mieux lutter contre le chômage de longue durée. En 1998, cette démarche a été étendue à l'ensemble du territoire.

Emplois-jeunes ou nouveaux emplois publics ?

L'année 1999 a été caractérisée par le « décollage » des deux mesures phares annoncées dès 1997 lors de l'installation du gouvernement Jospin : les emplois-jeunes et les 35 heures. Adopté à l'automne

Références

L. Doisneau, B. Fournier, « Le passage aux 35 heures : situation à la fin juin 1999 », *Premières Synthèses*, n° 52.1, DARES, Paris, déc. 1999.

J.-J. Dupeyroux, « Aubry II. Quelques questions », *Droit social*, déc. 1999.

D. Gélot, « Le programme nouveaux services-emplois jeunes vu par les employeurs et les jeunes », *Premières Synthèses*, n° 22.2, DARES, Paris, juin 1999.

A. Gubian, N. Holcblat, « Les dispositifs spécifiques de la politique de l'emploi : redéploiement vers les jeunes des aides à l'emploi et à l'insertion », *Premières Synthèses*, n° 43.1, DARES, Paris, oct. 1999.

D. Kaisergruber *et alii*, « 35 heures : une occasion de repenser la formation », *Les Cahiers du groupe Bernard Brunhes*, déc. 1999.

J.-M. Luttringer, J.-P. Willems *et alii*, *L'Articulation entre réduction du temps de travail et formation*, Circé consultants, sept. 1999.

1997, le programme « nouveaux services-nouveaux emplois » dédié aux jeunes de moins de 26 ans vise, par la création de 350 000 emplois sur cinq ans dans le secteur public et associatif, à faire reculer le chômage des jeunes par une meilleure prise en compte des besoins sociaux non satisfaits. Ce programme a connu une montée en charge régulière à compter de sa mise en œuvre en 1998. Fin 1999, on dénombrait près de 200 000 engagements d'embauche [*voir article p. 99*].

La fonction publique territoriale et le milieu associatif restent les principaux pourvoyeurs des emplois-jeunes, les associations représentant pour leur part 40 % des employeurs engagés dans le programme. 73 % des jeunes embauchés étaient antérieurement à la recherche d'un emploi et 10 % d'entre eux étaient au chômage depuis plus d'un an. Ces jeunes sont globalement d'un niveau d'études élevé : 33 % ayant un niveau baccalauréat et 39 % un diplôme équivalent ou supérieur à bac + 2. D'après une enquête réalisée par la DARES (Direction de l'animation de la recherche, des études et des statistiques), du ministère de l'Emploi et de la Solidarité, les emplois proposés recueillent un degré de satisfaction relativement élevé. Interrogés sur les fonctions qu'ils occupent, 90 % des jeunes pensent qu'elles sont utiles pour la collectivité [*voir article p. 99*]. Ces emplois-jeunes correspondent-ils, comme semble le suggérer le libellé de ce programme, à la mise en place de nouveaux services participant d'une logique de développement local ? Si la nature des projets proposés témoigne de la faible prise en compte de la dimension territoriale, la préoccupation de favoriser des emplois à forte valeur ajoutée sociale y est en revanche très présente. Que ce soit dans la police nationale ou dans les établissements scolaires, les tâches d'animation et de médiation avec le public sont au cœur de ces « nouveaux métiers ». Dans quelle mesure ces emplois-jeunes favorisent-ils ou non les mutations à l'œuvre dans les services de l'État ? En toute logique, certaines des tâches effectuées par le biais de ce programme devraient être intégrées aux missions des services publics dans le cadre d'emplois statutaires. Cette question, qui rejoint celle de la pérennisation de ces emplois, ne manquera pas de se poser lorsque ces jeunes sortiront de ce dispositif, cinq ans après y être entrés.

La reprise du dialogue social : un effet vertueux des 35 heures

L'année 1999 restera incontestablement marquée par la mise en œuvre de la première loi Aubry sur les 35 heures votée en juin 1998. Après un démarrage difficile, une dynamique contractuelle s'est rapidement enclenchée, notamment au niveau des branches. Ainsi, au moment du vote par l'Assemblée nationale de la seconde loi Aubry, on comptabilisait 120 accords de branche, un chiffre important dans un pays où, traditionnellement, la négociation collective a quelque peine à s'imposer à ce niveau. Cette relance de la négociation sectorielle a permis d'ouvrir la voie à la négociation d'entreprises. En décembre 1999, soit dix-huit mois après l'entrée en vigueur de la première loi, près de 19 000 accords de RTT avaient été conclus dans les entreprises. Ils ont permis de réduire les horaires de travail de près de 2,5 millions de salariés, de même qu'ils prévoient la création ou le maintien de 140 000 emplois. Ce chiffrage, qu'il convient d'analyser avec prudence tant il est difficile d'apprécier l'effet net des 35 heures sur l'emploi, apparaît néanmoins en phase avec les projections issues des modèles économétriques qui tablaient sur un taux de création d'emplois de l'ordre de 400 000 à 500 000 unités sur cinq ans.

Pour analyser plus concrètement les modalités d'application des 35 heures, et préparer notamment la seconde loi, plusieurs enquêtes auprès des entreprises ont été commanditées par les pouvoirs publics. Elles apportent un éclairage intéressant sur les conditions de mise en œuvre de cette réduction du temps de travail.

Ainsi, dans près de 90 % des cas, les conventions conclues sont à visée « offensive », c'est-à-dire qu'elles s'inscrivent dans une perspective de développement de l'emploi et non de maintien des effectifs. Le retour de la croissance économique a sans doute facilité le choix d'une telle option. Neuf entreprises sur dix ont associé le passage aux 35 heures à une réorganisation du travail. Mais les modalités de ce redéploiement ont avant tout été dictées par des impératifs de flexibilité. En effet, la modulation du temps de travail sur l'année constitue la principale forme d'aménagement retenue par les entreprises. Beaucoup plus rares sont les accords qui se saisissent de la réduction du temps de travail pour envisager un accroissement de la durée d'utilisation des équipements ou une augmentation de l'amplitude d'ouverture des services aux publics. En ce sens, les entreprises n'ont pas mis à profit le levier que constitue la RTT pour développer de véritables stratégies de développement économique axées sur l'accroissement de leurs parts de marché. Il s'agit toujours à travers ces formes d'aménagement du temps de travail de mieux ajuster le volume de travail aux fluctuations de l'activité. De la même façon, le recours à la formation professionnelle, nécessaire lors d'importants changements organisationnels, n'a pas été massivement utilisé. Seuls 10 % des accords d'entreprises lient la RTT à la formation des salariés. On constate par ailleurs que les entreprises ont de plus en plus tendance à faire basculer hors temps de travail le temps alloué à la formation professionnelle par des formes de coresponsabilité qui peuvent également consister à reporter sur le salarié une fraction du coût des dépenses en formation.

Concernant la question des salaires, dans 80 % des cas, les accords conclus prévoient une compensation intégrale des rémunérations dans l'immédiat, mais, à plus long terme, une même proportion d'entreprises déclare qu'elle envisage un gel partiel ou une moindre augmentation des salaires. Du point de vue des salariés, et contrairement à une idée longtemps répandue, les 35 heures sont aussi l'affaire des cadres. Lorsque l'entreprise signataire emploie des cadres, la convention prévoit dans 75 % des cas que la RTT leur sera appliquée selon des modalités identiques aux autres salariés de l'entreprise.

Enfin, et peut-être surtout, s'agissant du profil des nouveaux embauchés, il faut souligner que la propension à recruter les publics prioritaires de la politique de l'emploi par le biais des 35 heures est faible (jeunes chômeurs, chômeurs de longue durée, handicapés, etc.). Seules 16 % des conventions prévoient de telles modalités de recrutement. Pour ce public, renouer avec l'emploi suppose encore et toujours de recourir aux mesures spécifiques de la politique de l'emploi.

Une crise d'identité

La politique de l'emploi semble confrontée à une crise d'identité. Des mesures spécifiques tournées vers la réinsertion de publics en situation d'échec professionnel coexistent avec des actions à visée plus macroéconomique dont les résultats en termes d'emploi ne permettent guère d'envisager un quelconque retrait des politiques spécifiques d'emploi. L'abaissement généralisé des charges sociales sur les bas salaires n'a que très peu d'impact sur les flux d'embauche. Par ailleurs, par leurs résultats quantitatifs, les 35 heures comme les emplois-jeunes n'apparaissaient pas (encore ?) en mesure, fin 1999, d'apporter une alternative aux dispositifs ciblés. En matière d'emploi, l'insertion ne peut donc que rester au cœur des priorités de l'action publique. À ceux qui l'auraient oublié, la loi contre les exclusions adoptée en juillet 1998 est venue le rappeler. C'est ainsi que le refus d'étendre l'indemnisation du chômage et le RMI aux jeunes demandeurs d'emploi a eu pour contrepartie la mise en place du programme d'insertion Trace – Trajet d'accès à l'emploi – destiné aux jeunes en situation difficile. Plus généralement, un lien de cause à effet semble exister entre, d'une part, la réduction de l'accès à l'indemnisation pour les chômeurs éloignés de l'emploi et, d'autre part, l'amplification des mesures d'insertion, de plus en plus souvent destinées à offrir un revenu de remplacement à ceux qui se voient privés des droits à indemnisation. Un tel changement de perspective est pour le moins inquiétant et tire inévitablement la politique de l'emploi vers une dynamique d'insertion certes nécessaire, mais toujours insuffisante. ■

Seconde loi Aubry sur la RTT
Les normes du temps de travail revisitées par la négociation

Catherine Bloch-London
Sociologue, DARES

La démarche retenue pour réduire la durée légale du travail à 35 heures a été de procéder en deux temps : une première loi (13 juin 1998) annonçant cette nouvelle norme (au 1er janvier 2000 pour les entreprises de plus de vingt salariés et au 1er janvier 2002 pour les autres) et instituant un dispositif incitatif d'aide aux entreprises anticipant ces échéances ; une seconde loi, promulguée le 19 janvier 2000, devant s'inspirer du contenu des négociations de branche et d'entreprise. À cette date, 2,7 millions de salariés étaient couverts par un accord d'entreprise Aubry I, prévoyant une durée collective de travail égale ou inférieure à 35 heures, dont 1,5 million dans le cadre du dispositif d'aide.

Un nombre inattendu de syndicats patronaux de branche s'est emparé de la négociation afin de réduire les incertitudes pour les entreprises et de peser sur le contenu de la seconde loi. Certains, comme l'UIMM (Union des industries métallurgiques et minères), ont tenté de la vider de son sens,

Tab. 1 **Le régime des heures supplémentaires dans la loi Aubry II[a]**

Heures supplémentaires	2000	2001	2002
De la 36e à la 39e heure incluse	bonification de 10 % sous forme de repos ou majoration si accord	bonification de 25 % sous forme de repos ou majoration si accord	bonification de 25 % sous forme de repos ou majoration si accord
De la 40e à la 43e heure incluse	majoration de 25 % ou repos si accord		
À partir de la 44e heure	majoration de 50 % ou repos si accord		
Contingent	130 heures au-delà de la 37e heure, soit environ 220 h [ou 90 si modulation[b]]	130 heures au-delà de la 36e heure, soit environ 175 h [ou 90 si modulation[b]]	130 heures ou bien 90 si modulation[b]
Repos compensateur[c]	50 % des heures accomplies au-delà du contingent lorsque l'effectif est inférieur ou égal à 10 salariés. 50 % des heures accomplies au-delà de la 41e heure et 100 % de celles accomplies au-delà du contingent lorsque l'effectif est supérieur à 10 salariés.		

a. Pour les entreprises de plus de 20 salariés (pour les autres, régime de 2002 à 2004) ; b. Sauf modulation faible, c'est-à-dire entre 31 et 39 heures ou bien si moins de 70 heures modulées ; c. Pas de changement.
Source : Alain Gubian, *in* « Les 35 heures et l'emploi, d'une loi Aubry à l'autre », *Regards sur l'actualité*, La Documentation française, Paris, mars 2000.

en négociant des dispositions dont l'objectif était de neutraliser l'effectivité de la réduction du temps de travail (RTT). Un certain nombre d'accords de grandes entreprises ont suivi cette voie. À la veille de la seconde loi, 122 branches couvrant près de 10 millions de salariés avaient signé un accord de RTT.

Quant aux confédérations syndicales, elles sont apparues divisées non seulement sur la plupart des questions soumises à la négociation, mais aussi sur la stratégie à adopter : primauté du rôle de la négociation de branche pour FO, soutien au passage à 35 heures par voie législative pour la CGT et la CFDT, cette dernière se montrant seule favorable à une période de transition.

« Temps de travail effectif » et autres temps de présence

La nouvelle définition du temps de travail effectif retenue par la première loi, à savoir « le temps pendant lequel le salarié est à la disposition de l'employeur et doit se conformer à ses directives sans pouvoir vaquer à des occupations personnelles », a été l'occasion de reconsidérer le sort réservé à certains temps de présence : pauses, temps d'habillage, jours fériés, temps consacré à la formation. Leur exclusion du temps de travail effectif permet en effet d'atteindre 35 heures avec une RTT nettement inférieure à 10 %. Dans l'accord du groupe PSA (Peugeot), qui appliquait une durée conventionnelle de 38 h 30, incluant 1 h 45 de pauses, il est ainsi estimé que le temps de travail effectif était 36 h 45, ce qui a permis de passer à 35 h en réduisant la durée de 1 h 45 seulement. En revanche, cette démarche n'ouvrait pas droit à l'aide incitative. En effet, les entreprises ayant réduit leur durée du travail dans le cadre de l'aide devaient non seulement s'engager en termes d'emplois créés ou préservés (au

Les dispositions de la loi du 19 janvier 2000 et les durées maximales de travail

Le plafond hebdomadaire reste fixé à 48 heures, mais est abaissé à 44 heures en cas d'utilisation sur 12 semaines consécutives (au lieu de 46 heures), contrairement aux vœux de certaines confédérations syndicales qui souhaitaient le voir diminué à 42 heures.

Le plafond journalier reste fixé à 10 heures, ce maximum n'étant pas abaissé à 9 heures, comme le revendiquent plusieurs confédérations syndicales (CGT, FO).

Toutefois, conformément à la méthode de validation des accords de branche négociés après la première loi Aubry, ceux ayant prévu une durée maximale de 45 heures ou de 46 heures sur 12 semaines consécutives continueront à produire leurs effets jusqu'à leur terme, puisque ces clauses étaient légales au moment de leur conclusion. - **C. B.-L.** ■

minimum 6 %), mais aussi conserver un mode de décompte *constant* de la durée, avant et après la RTT.

Sous la pression d'organisations patronales, en particulier des branches agroalimentaires, le temps d'habillage et de déshabillage est demeuré exclu du temps de travail effectif dans la seconde loi, mais un accord collectif allait devoir négocier des contreparties. Certains accords, tel celui signé dans les banques par un seul syndicat – le SNB-CGC – et annulé par la suite, ont revu les dispositions conventionnelles en matière de jours fériés, seul le 1er mai étant légalement un jour férié et chômé. Enfin, s'appuyant sur la possibilité (article L. 932-1 du Code du travail) que 25 % de la formation qualifiante puisse, au nom du co-investissement, se dérouler en dehors du temps de travail, certains accords d'entreprise et de branche, tels ceux de la métallurgie ou de l'hospitalisation à but non lucratif, ont tenté de l'en exclure totalement. Ces dispositions ont été invalidées par la seconde loi.

La première loi a incité les partenaires sociaux à négocier des modalités particulières de RTT applicables aux cadres, s'engageant à s'en inspirer dans la seconde [*voir encadré*]. Les négociateurs patronaux ont, d'une part, cherché à limiter le nombre de cadres concernés par la RTT, en étendant le forfait « tous horaires » à des cadres non dirigeants. Ils ont, d'autre part, mis en place un système de forfait annuel et un mode de décompte de la durée annuelle du travail en jours. Celle-ci s'étage de 213 jours (BTP – bâtiment et travaux publics) à 219 (bureaux d'études). La seconde loi n'a pas légitimé la première tentative. En revanche, pour certaines catégories de cadres, elle a entériné la possibilité de négocier par accord collectif (n'ayant pas fait l'objet d'une opposition d'un syndicat majoritaire) un forfait annuel en heures ou en jours, fixant un plafond légal à 217 jours. Ce forfait implique la suppression de toutes les contraintes horaires, à l'exception d'un repos quotidien de 11 heures légalisant ainsi les longues journées de travail des cadres.

Pour les négociateurs patronaux, les heures supplémentaires entre la 36e et la 39e heure devaient être le plus accessibles possible et entraîner un surcoût faible. Une majoration, même de 25 % (c'était le maximum annoncé dans l'exposé des motifs de la première loi), leur semblait préférable à un abaissement du seuil de déclenchement des repos compensateurs obligatoires, c'est-à-dire du contingent légal, fixé à 130 heures. Dès juin 1999, le gouvernement acceptait une période transitoire d'un an. À ce titre, la seconde loi limite la majoration des heures supplémentaires, symboliquement dénommée « bonification », à 10 %

La loi du 19 janvier 2000 et le temps de travail des cadres

Trois catégories de cadres, avec trois régimes distincts en matière de réglementation, sont retenues.

– *Les cadres dirigeants*, dans la définition de la loi, se limitent à « ceux auxquels sont confiées des responsabilités dont l'importance implique une grande indépendance dans l'organisation de leur emploi du temps, qui sont habitués à prendre des décisions de façon largement autonome et qui perçoivent une rémunération se situant dans les niveaux les plus élevés des systèmes de rémunération pratiqués dans leur entreprise ou leur établissement ». Le champ est donc restreint et ces cadres se trouvent légalement exclus de l'application de la presque totalité des dispositions du Code du travail sur la durée du travail.

– *Les cadres intégrés dans une unité de travail et suivant les horaires collectifs*, c'est-à-dire occupés selon « l'horaire collectif applicable au sein de l'atelier, du service ou de l'équipe auxquels ils sont intégrés et pour lesquels la durée de leur temps de travail peut être prédéterminée », relèvent du droit commun.

– *Les autres cadres* « doivent bénéficier d'une réduction effective de leur durée de travail [...] qui peut être fixée par des conventions individuelles de forfait qui peuvent être établies sur une base hebdomadaire, mensuelle ou annuelle ». Dans les deux premiers cas, les dispositions du Code du travail (durées maximales, repos hebdomadaire et quotidien) s'appliquent, un décompte horaire devant être mis en place. La RTT doit s'effectuer en heures ou en jours.

– *Le forfait annuel en jours* ne peut être mis en place que par accord de branche étendu ou accord collectif d'entreprise ou d'établissement, n'ayant pas fait l'objet d'une opposition des syndicats majoritaires. L'accord devra prévoir le nombre de jours travaillés dans la limite d'un *plafond de 217 jours*. Dans ce cas, les cadres ne seront pas soumis à la durée légale de 35 heures, ni au contrôle des horaires. En revanche, ils bénéficieront du repos quotidien de 11 heures consécutives et des 24 heures consécutives de repos minimal hebdomadaire (application d'une directive européenne) et de l'interdiction de travailler plus de six jours par semaine. Des jours de repos pourront toutefois être affectés dans un compte épargne temps. **- C. B.-L.** ■

(au lieu de 25 %), sous forme de repos (soit 6 minutes pour une heure supplémentaire) ou monétaire, à condition qu'un accord collectif le négocie. Le projet de loi prévoyait d'ailleurs que, faute d'accord collectif, la majoration alimente un fonds destiné à financer les allégements de charges sociales [*voir tableau 1*]. Mais le Conseil constitutionnel l'a censuré pour non-conformité au principe de l'égalité entre salariés.

L'enjeu des heures supplémentaires

Restait l'enjeu central : le niveau du contingent légal, c'est-à-dire le volume maximal d'heures supplémentaires autorisé par salarié, déclenchant un repos compensateur de 100 % dans les entreprises de plus de dix salariés (50 % dans les autres), dont la fixation était du seul ressort de la seconde loi. La CGT et la CGC revendiquaient de l'abaisser (respectivement à 117 et 110 heures), le Medef (Mouvement des entreprises de France) et la CGPME (Confédération générale des petites et moyennes entreprises) de l'augmenter (à 188 et 200 heures). Dans certaines branches avaient été négociés des contingents conventionnels à la hausse, comme dans l'habillement (100 à 190 heures). Dans d'autres, on a

Références

P. Bouffartigue, J. Bouteiller, « Réduire le temps sans réduire la charge ? Les cadres et les heures », *Travail et Emploi*, n° 82, Paris, avr. 2000.

L. Doisneau, B. Fournier, « Le passage à 35 heures : situation à la fin juin 1999 », *Premières Synthèses*, n° 99-12/52-1, DARES, Paris, 1999.

A. Gubian, « Les 35 heures et l'emploi, d'une loi Aubry à l'autre », *in Regards sur l'actualité*, La Documentation française, Paris, mars 2000.

Ministère de l'Emploi et de la Solidarité, *La Réduction du temps de travail, les enseignements des accords, été 1998-été 1999, rapport au Parlement*, La Documentation française, Paris, 1999.

J. Pelisse, « Le temps des négociations. Douze accords de réduction du temps de travail », *Travail et Emploi*, n° 82, Paris, avr. 2000.

prévu la possibilité de l'augmenter, par accord d'entreprise (de 15 à 45 heures). Toutefois, dans d'autres, on l'a abaissé en cas de modulation. La seconde loi a maintenu le contingent légal à 130 heures, mais l'a réduit à 90 heures en cas de modulation, sauf lorsqu'elle est de faible amplitude (31-39 heures ou moins de 70 heures modulées). Là aussi, une transition a été accordée, puisqu'il n'est calculé qu'à partir de la 37e heure en 2000 (soit un contingent d'environ 220 heures) et de la 36e en 2001 (soit un contingent d'environ 175 heures). Cela permettra à une entreprise de plus de 20 salariés de rester à 39 heures pendant deux ans, mais laissera peu de marges en cas d'aléas conjoncturels.

S'appuyant sur les accords de branche, qui fixent une durée annuelle de référence en cas de modulation (se situant entre 1 539 et 1 652 heures, avec deux exceptions à 1 820 heures), la seconde loi légalise l'existence d'un plafond annuel à 1 600 heures et, ce faisant, édicte une nouvelle norme de durée fondée sur l'année. Néanmoins, et il s'agit là d'un tournant important, le Conseil constitutionnel a validé les clauses des accords ayant mis en place une modulation prévoyant un volume annuel d'heures de travail supérieur à 1 600 heures sur une base de 35 heures en moyenne, car ces accords étaient conformes à la législation en vigueur lors de la première loi. Cela permet de valider les accords dans lesquels a été négociée une durée annuelle de 1 645 heures en ne déduisant là aussi aucun jour férié, à l'exception du 1er mai, et donc de les « mettre au pot des 35 heures ».

La première loi avait prévu la possibilité d'organiser la RTT, partiellement ou totalement, sous forme de jours de repos, un accord devant en déterminer les modalités, pour partie au choix du salarié et pour partie, de l'employeur. Cette modalité, qui s'apparente en fait à une modulation souple individualisée, a été très fréquemment négociée dans les branches et les entreprises, et pérennisée dans la seconde loi. Elle a pour conséquence l'émergence d'un système de décompte individuel du temps de travail, atténuant le caractère collectif de l'horaire collectif affiché. Au-delà d'une référence annuelle, la seconde loi légitime la pluriannualisation en entérinant la possibilité d'affecter sur un compte épargne temps une partie des jours de RTT et des repos acquis au titre de la majoration des heures supplémentaires. Il peut servir à divers usages individuels, y compris une formation en dehors du temps de travail dans le cadre du « co-investissement » ; mais aussi collectifs (dans la limite de cinq jours par an), s'apparentant alors à une forme de modulation pluriannuelle.

En censurant des dispositifs de la loi remettant en question des clauses négo-

Le dispositif d'allégement de cotisations sociales

L'article 19 de la loi du 19 janvier 1999 relative à la réduction du temps de travail (RTT) instaure un système d'allégement de cotisations sociales pour les entreprises qui appliquent un accord collectif fixant la durée du travail au plus à 35 heures hebdomadaires, ou 1 600 heures annuelles. Cet accord doit être signé par des syndicats majoritaires aux élections professionnelles ou par un salarié mandaté par une organisation dite « représentative » (à condition d'avoir été ratifié par la majorité du personnel), ou encore avoir été ratifié majoritairement par référendum.

Cet allégement se substitue à la ristourne dégressive bas salaires dite « Juppé » (salaires inférieurs à 1,3 SMIC), les deux mécanismes étant fusionnés en un allégement unique de cotisations sociales, de 21 500 FF par salarié au niveau du SMIC à 4 000 FF au-delà de 1,8 SMIC. Il est majoré de 3 500 FF pour les entreprises négociant une durée inférieure ou égale à 32 heures.

Aucune obligation n'existe de décompter à mode constant la durée avant et après RTT. L'accord doit mentionner les engagements d'embauches ou d'emplois réservés, mais, contrairement à l'aide incitative de la loi Aubry 1, aucune obligation en termes de volume n'est fixée. L'allégement peut toutefois être supprimé pour non-respect des engagements de RTT ou d'emploi.- **C. B.-L.** ■

ciées dans les accords, le verdict du Conseil contitutionnel a renforcé la validité des règles issues des négociations collectives. Cela représente un succès certes partiel (puisque tout n'est pas validé dans les accords signés), mais néanmoins significatif pour le patronat, lequel voit ainsi légitimée la coproduction des normes entre le législatif et la négociation sociale, même minoritaire. ■

(*Voir aussi articles p. 89 et 534.*)

Quinze années d'érosion de l'assurance chômage

Carole Tuchszirer
Économiste, IRES

Depuis sa mise en place en 1958, le régime paritaire d'indemnisation des chômeurs s'est profondément transformé. Face à la crise de l'emploi, une optique financière s'est peu à peu substituée à une logique de régulation du marché du travail. Les résultats de ces réformes ont été douloureux pour les chômeurs. La majorité d'entre eux n'est plus indemnisée par l'Unedic (Union pour l'emploi dans l'industrie et le commerce), un régime d'assurance sociale pourtant obligatoire. C'est dans ce contexte que devaient s'ouvrir, fin décembre 1999, les négociations pour le renouvellement de la convention Unedic. Le rendez-vous a été différé par le patro-

Références

C. Daniel, « L'indemnisation du chômage depuis 1979, différenciation des droits, éclatement des statuts », *Revue de l'IRES*, n° 29, Noisy-le-Grand, hiver 1998.

C. Daniel, C. Tuchszirer, *L'État face aux chômeurs*, Flammarion, Paris, 1999.

M. Lamoot, « Assurance chômage : évolutions récentes et enjeux des négociations », *Analyses et documents économiques*, n° 81, Paris, déc. 1999.

S. Morel, « De l'assurance chômage à l'assistance chômage : la dégradation des statuts », *Revue de l'IRES*, n° 30, Noisy-le-Grand, 1999.

nat, ce qui augure mal de l'avenir de l'assurance chômage.

Produit de la négociation collective et de l'intervention des pouvoirs publics, l'Unedic voit le jour en 1958 à la suite d'un accord conclu entre le CNPF (Conseil national du patronat français, actuel Medef), la CFTC (Confédération française des travailleurs chrétiens, actuelle CFDT), la CGT-FO (Force ouvrière) et la CGC (Confédération générale des cadres). L'objectif de ce régime de protection contre le chômage est clair : il s'agit de garantir la stabilité des ressources des salariés et de favoriser la mobilité professionnelle dans le contexte de la construction d'un espace européen. Une première réforme d'envergure intervient en 1979. Jusqu'à cette date, l'indemnisation des chômeurs est essentiellement assurée par l'Unedic, une aide publique étant également délivrée par l'État dans une optique d'assistance. À partir de 1979, l'État et les acteurs sociaux envisagent la fusion intégrale du régime Unedic et de l'aide publique. Un régime unique est donc créé, cofinancé par les cotisations sociales et l'impôt, l'État versant une subvention forfaitaire à l'Unedic. Ces transformations institutionnelles se sont accompagnées d'une élévation des revenus de remplacement des chômeurs et d'une amélioration constante de leurs droits sociaux entre 1958 et 1979.

Le temps de la rigueur et des ajustements financiers

La rupture a lieu en 1982, alors que la France s'installait durablement dans la crise et le chômage de masse. Les réformes adoptées ensuite ont traduit l'inflexion libérale intervenue dans l'analyse des causes du chômage. Cette nouvelle interprétation de la crise et le dogme de l'équilibre budgétaire ont pesé lourdement sur les conditions d'indemnisation des chômeurs. Trois réformes ont conduit à dégrader la couverture indemnitaire des chômeurs.

Le décret du 24 novembre 1982 instaure le mécanisme dit « des filières d'indemnisation ». Le chômeur n'est plus indemnisé en fonction des circonstances dans lesquelles il a été mis au chômage, mais principalement en fonction de la durée pendant laquelle il a cotisé au régime. L'introduction de ce critère de contributivité a accentué les inégalités de traitement entre chômeurs, reproduisant les dysfonctionnements du marché du travail : les plus exposés au risque de précarité sont les moins bien protégés par l'Unedic.

Un pas de plus a été franchi en 1984. Le patronat a obtenu gain de cause dans les négociations et le régime fut scindé en deux. D'un côté, l'assurance chômage, gérée par les partenaires sociaux, est réservée aux chômeurs ayant une longue durée d'affiliation au régime. De l'autre, l'assistance, relevant de l'État, est destinée aux exclus de l'assurance (chômeurs de longue durée, jeunes à la recherche d'un premier emploi, chômeurs n'ayant travaillé que sous contrats précaires). Ce « Yalta institutionnel » n'épargne pas pour autant le noyau dur du salariat

Tab. 1

Chômage et UNEDIC	1992	1993	1994	1995	1996	1997	1998	1999
Résultats financiers de l'UNEDIC (milliards FF)	– 1,5	– 8	+ 8,7	+ 22,4	+ 11,2	– 1,7	– 1,5	– 1,9
Taux de chômage (%)	10,8	12,3	11,9	11,7	12,7	12,2	11,5	10,6
Taux de couverture du régime d'assurance (%)	52,6	50,8	45,2	44,2	43,2	42,2	41,3	41

Sources : UNEDIC, DARES.

sur lequel l'Unedic recentre ses interventions (salariés à temps plein en contrat à durée indéterminée).

En 1992, une troisième réforme intervient sur fond de déséquilibre financier. Elle conduit à durcir les conditions d'accès et de maintien dans le régime. Ce ne sont plus trois mais quatre mois (au cours des huit derniers mois) qui sont exigés du chômeur pour l'ouverture des droits indemnitaires. Les prestations existantes sont fondues en une prestation unique, dégressive par paliers de quatre mois (ramenés à six mois en 1996).

L'une des premières conséquences de ces restrictions est la baisse régulière du taux de couverture des chômeurs. Entre 1985 et 1997, la part des chômeurs indemnisés est passée de 60 % à 53 % (dont 42 % pour l'Unedic et 11 % pour le régime de solidarité financé par l'État). Ce repli a reporté le traitement des chômeurs non indemnisés sur le RMI (Revenu minimum d'insertion), qui n'avait pas été conçu à cette fin.

Enfin, les niveaux d'indemnisation ont connu une forte détérioration qui a prioritairement affecté les bas salaires, les salariés à temps partiel et les titulaires de contrats temporaires. En 1998, près de 40 % des chômeurs indemnisés ont perçu une allocation proche ou inférieure à un demi-SMIC (Salaire minimum de croissance).

De nombreux défis sociaux à relever

C'est dans ce contexte social passablement dégradé qu'aurait dû intervenir, à la fin de l'année 1999, le renouvellement de la convention Unedic. L'occasion pour les partenaires sociaux de redéfinir la politique indemnitaire pour pallier les insuffisances du régime actuel, en partie responsables de la mobilisation des chômeurs. L'occasion a été gâchée par l'attitude du Medef (Mouvement des entreprises de France), qui a jugé préférable de différer de six mois les négociations. En attendant, les règles indemnitaires de l'assurance chômage et les mesures pour l'emploi (ARPE – Allocation de remplacement pour l'emploi –, conventions de conversion, etc.) ont été reconduites à l'identique. Le patronat souhaiterait voir renforcés la dimension assurantielle de l'Unedic et les mécanismes d'incitation à la recherche d'emploi. Or, c'est cette politique qui a conduit à l'érosion des droits des chômeurs. Après quinze années de rétraction de l'assurance chômage, il était pourtant urgent d'ouvrir les négociations sur d'autres bases en réintégrant ceux que le régime a peu à peu sacrifiés sur l'autel de l'assurance. C'est oublier que celle-ci a également une mission de solidarité que lui confère son statut d'assurance sociale. Le déficit de protection sociale pour les chômeurs est l'un des aspects importants de la crise de légitimité que connaît le paritarisme [*voir article p. 46*]. Cette dimension est trop souvent masquée par la prégnance des enjeux institutionnels dans les débats portant sur l'avenir de l'assurance chômage et du paritarisme. Deux enjeux qui, pourtant, n'en font qu'un. ■

Sécurité sociale
La réforme permanente

Sabine Ferrand-Nagel
Économiste, Université de Paris-Sud

En matière de réforme de la Sécurité sociale, l'année 1999, venant après trois années de plans volontaristes, s'est pour certains aspects située dans la continuité et, pour d'autres, a marqué des ruptures. En dépit des intentions qu'il a affichées, le gouvernement Jospin n'a pas échappé au reproche d'une *gestion comptable de la santé*. Cela tient en grande partie au fait que l'encadrement budgétaire par le vote annuel de la loi de financement de la Sécurité sociale et la fixation d'enveloppes est, parmi les outils hérités du « plan Juppé » de 1995-1996, l'un de ceux qui ont le mieux résisté au temps tandis que l'évaluation des besoins en termes de santé publique restait balbutiante. Sur le plan du budget, comme précédemment, on a assisté à une bataille de chiffres : au lieu de l'équilibre escompté, 5 milliards FF de déficit de l'assurance maladie étaient prévus en juin 1999, puis 11,4 milliards FF finalement constatés en février 2000. Le gouvernement a défendu son bilan en le comparant aux déficits de la période 1993-1997, qui étaient compris entre 50 et 67 milliards FF, et en faisant état de subtilité comptable. En effet, l'année 1998 s'était soldée par un « dérapage » ; or les objectifs de 1999 avaient été définis en référence aux résultats escomptés et non réels (encore inconnus). Ainsi, si l'on soustrait les 9,8 milliards FF dus à 1998, le dépassement réel n'apparaît plus que de 1,6 milliard FF. Le gouvernement a jugé ce résultat très raisonnable, FO y a vu la preuve de l'inefficacité du plan Juppé qu'il avait combattu, et la CFDT – qui avait soutenu ce plan – celle d'une nécessaire vigilance.

Les remous du plan Johanet

Dans ce contexte d'incertitude budgétaire, la Caisse nationale d'assurance maladie (CNAM) a, de mars à juillet, occupé le devant de la scène en dévoilant peu à peu le « plan Johanet », du nom de son directeur. À peine rendues publiques, les 35 mesures « chocs » d'un plan stratégique [*voir encadré*] devant dégager, à terme, 62 milliards FF d'économies par an tout en améliorant la qualité des soins ont déclenché des salves de critiques d'une partie des partenaires sociaux (CGT et FO), des partis de la « gauche plurielle », des syndicats hospitaliers et enfin de MG-France, seul syndicat de médecins (généralistes) à avoir soutenu le plan Juppé et signé une convention avec l'assurance maladie. La ministre de l'Emploi et de la Solidarité Martine Aubry a estimé que ce plan n'était qu'une contribution au débat, minimisant sa portée. 90 % des mesures préconisées relevaient de dispositions législatives ou réglementaires et nécessitaient donc son accord. Peu convaincue par la plupart des mesures, elle a plus précisément réfuté les dispositions relatives au secteur hospitalier, hors de la compétence de la CNAM, et l'importance de l'effort d'économie qui lui était demandé (la moitié des 62 milliards FF), alors que ce secteur respecte chaque année l'enveloppe qui lui est allouée. Pour celui-ci, comme pour celui du médicament, le gouvernement a préféré agir lui-même, avec le souci d'éviter l'éclatement d'un conflit [*voir encadré sur le financement de la Sécurité sociale*]. Finalement, l'été s'est ouvert sur un durcissement des positions respectives, avec des alliances inédites : CNAM (à majorité CFDT) et patronat fermement décidés à défendre un plan critiqué par le gouvernement, la CGT, FO et les syndicats médicaux et hospitaliers. Le patronat, par la voix du Medef (Mouvement des entreprises de France), a menacé de

Le « plan Johanet »

Rendu public en 1999, le « plan stratégique de la CNAM (Caisse nationale d'assurance maladie), dit « plan Johanet » du nom de son directeur, a énoncé 35 mesures.

Estimant être devenue un « payeur aveugle », la CNAM souhaite se transformer en « acheteur avisé », capable de « sélectionner ce qu'il finance ».

♦ Principales mesures du volet « bonne conduite » des assurés sociaux

– Réhabilitation du carnet de santé, sa non-présentation impliquant une minoration de 10 points du remboursement de la consultation (60 % au lieu de 70 %).

– Chasse au nomadisme en encourageant le système du médecin-référent, lequel entraînerait une majoration de 10 points du remboursement.

– Soins dentaires et optiques revalorisés par un système de consultation annuelle auprès d'un dentiste (permettant une prise en charge à 100 % des soins pour les jeunes), et adhésion à un réseau d'opticiens agréés afin de bénéficier de meilleures conditions de remboursement.

– Extension des soins palliatifs, ouverts au secteur privé.

♦ Principales mesures du volet professionnel

– Certification des médecins tous les 7 ans, sur la base de trois paramètres : effort de formation et de recherche, compétence, organisation de l'activité. Les médecins qui échoueraient ne seraient plus conventionnés.

– Régulation des dépenses, par deux enveloppes collectives annuelles, l'une pour les généralistes, l'autre pour les spécialistes, correspondant aux honoraires et aux prescriptions.

– Création d'un secteur d'excellence, conventionné et réservé aux médecins dont les titres ou la pratique justifient une majoration des honoraires ; à l'inverse, limitation du nombre de médecins en secteur 2 (honoraires libres) par région et par discipline, assortie de règles de bonne conduite (comme la télétransmission des feuilles de soins).

– Audit et restructuration du secteur hospitalier, par accréditation des établissements, harmonisation des financements des secteurs publics et privés et restriction de l'activité libérale en milieu hospitalier.

– Révision du prix des médicaments, avec une prise en charge sur la base de classes thérapeutiques (alignée sur le produit comparable le moins cher), d'abord pour les médicaments génériques, puis pour les autres (sauf ceux sous brevet).

– Limitation du remboursement des cures thermales à celles qui bénéficient d'une « certaine notion de réussite ».

- **S. F.-N.** ■

quitter l'organisme paritaire en cas de non-application de ce plan.

Réitérant cette menace en traitant en bloc le financement de la loi sur les 35 heures et celui de la Sécurité sociale, le Medef a voulu faire de la fin possible du paritarisme un thème central de l'année. Profitant de l'agacement général des partenaires sociaux face à l'emprise croissante de l'État, et spectaculairement relayé par le chef de l'État cherchant à contrer le gouvernement, il a cherché à prendre l'avantage [*voir article p. 46*]. Il s'est posé comme centre et moteur du dialogue social en invitant les syndicats de salariés à une refonte du système, une « refondation sociale », au moment même où il refusait la renégociation de la convention UNEDIC relative à l'indemnisation des chômeurs [*voir article p. 543*]. Avec des nuances d'une organisation à l'autre, les organisations syndicales sont restées prudentes, acceptant les invitations, mais

Références

E. Alfandari, F. Monéger (sous la dir. de), *La Protection sociale en cause. De la méforme à la réforme*, Sirey, Paris, 1997.

É. Doust *et alii*, *La Maîtrise des dépenses de santé en Europe et en Amérique du Nord*, LCF Éditions, Bordeaux, 1996.

Droit social, Paris. Voir notamment les n° 3 (mars 1998) et 9-10 (sept.-oct. 1997) consacrés à la réforme de la Sécurité sociale. Voir aussi le n° spéc. 9-10, « La protection sociale demain », sept.-oct. 1995.

« Économie de la protection sociale : assurance, solidarité, gestion des risques », *Économie et Statistique*, n° 291-292, INSEE, Paris, 1998.

S. Ferrand-Nagel, « Réforme de la Sécurité sociale : continuités et repositionnements », *in L'état de la France 98-99*; « Politique de santé : l'heure de la réforme pour la Sécurité sociale », *in L'état de la France 96-97*, La Découverte, 1998 ; « L'an I de la réforme de la Sécurité sociale », *in L'état de la France 97-98*, La Découverte, Paris, 1997 ; « Les difficultés de la réforme de la Sécurité sociale », *in L'état de la France 1999-2000*, La Découverte, Paris, 1999.

France, portrait social (comportant un dossier « Dépenses de santé et réforme de l'assurance maladie »), INSEE, Paris, nov. 1997.

Haut Comité de la santé publique, *La Santé des Français*, La Découverte, « Repères », Paris, 1998.

M.-T. Join-Lambert, A. Bolot-Gittler, C. Daniel, D. Lenoir, D. Méda, *Politiques sociales*, Presses de Sciences-Po/Dalloz, Paris, 1997 (2e éd. mise à jour).

« Le médicament : enjeux industriels, santé publique et maîtrise des dépenses », *Économie et Statistique*, n° 312-313, INSEE, Paris, 1998.

« Le pouvoir médical », *Pouvoirs*, n° 89, avr. 1999.

« Les 50 ans de la Sécurité sociale », *Espace social européen*, Paris, 1997.

SESI, *Annuaire des statistiques sanitaires et sociales*, Ministère de l'Emploi et des Affaires sociales, Paris.

Voir aussi Index, mot clé « Santé ».

Rapports officiels

R. Soubie, J.-L. Portos, C. Prieur, *Livre blanc sur le système de santé et d'assurance maladie* (rapport au Premier ministre), La Documentation française, Paris, 1994.

Haut Comité de la santé publique, *La Santé en France 1994-1998*, La Documentation française, Paris, 1998.

J.-B. de Foucould, *Le Financement de la protection sociale* (rapport au Premier ministre), La Documentation française, Paris, 1995.

M. Mougeot, *Régulation du système de santé, Rapport du Conseil d'analyse économique*, n° 13, La Documentation française, Paris, 1999.

posant aussi des conditions à la poursuite des discussions.

Les motifs des grèves des services hospitaliers

Au printemps 2000, le gouvernement a été vivement interpellé par le développement du conflit des agents hospitaliers. Partie des « urgences », la grogne a gagné les autres services des hôpitaux parisiens (Assistance publique-Hôpitaux de Paris, AP-HP) et, de façon disparate, la province. Dans un certain nombre de cas, les conseils d'administration ont, comme à l'AP-HP, refusé de voter

Le projet de loi de financement de la Sécurité sociale 2000

Avec un « objectif national des dépenses de santé » (Ondam) de 658 milliards FF, l'encadrement budgétaire pour l'année 2000 a été en progression de 2,5 % (après 2,6 % en 1999 et 2,3 % en 1998). Les soins de ville se sont vu attribuer une progression de 2 %, l'hôpital public de 2,4 %, les cliniques de 2,2 %. Confronté à de fréquentes oppositions du Conseil constitutionnel ou du Conseil d'État face aux différents systèmes envisagés jusqu'alors pour réguler les dépenses de soins de ville, le gouvernement a innové.

Il a confié à la CNAM (Caisse nationale d'assurance maladie) une totale *délégation des soins de ville*, clarifiant ainsi les rôles et accordant à la Caisse l'autonomie réclamée par les partenaires sociaux. À partir de l'« objectif de dépenses délégué », elle allait pouvoir procéder aux arbitrages qu'elle souhaite, depuis les répartitions entre catégories de médecins jusqu'aux éventuelles mesures de redressement avec présentation d'un bilan aux quatrième et huitième mois. Ce sera donc à la CNAM et non plus au gouvernement d'imposer des baisses de tarifs ponctuelles aux médecins dont les dépenses apparaissent en dépassement. Le gouvernement n'a conservé qu'une action en dernier recours, en cas de perte de contrôle des dépenses et faute d'accord entre les partenaires sur des mesures correctrices. C'est ainsi que la CNAM a annoncé fin février 2000 qu'elle acceptait la revalorisation de certains actes (visites des généralistes pour les personnes dépendantes) en contrepartie d'une modération des volumes. Dans cet esprit, les soins conservateurs (chirurgiens-dentistes et masseurs-kinésithérapeutes), qui permettent d'éviter des soins plus lourds grâce à un suivi régulier, devaient connaître une hausse de leurs tarifs.

Le gouvernement s'est en revanche réservé le contrôle sur les *hôpitaux publics et privés*. Pour ces derniers, la relation tripartite qui prévalait auparavant a dont été remplacée par un bipartisme État-fédérations de cliniques, lequel fixera les objectifs globaux de dépenses qui seront ensuite transmis aux agences régionales de l'hospitalisation (ARH). L'hôpital public, bon élève de la maîtrise des dépenses, s'est vu, quant à lui, assigner la poursuite des objectifs de qualité, de sécurité et de réduction des inégalités sur le territoire, à travers une planification décentralisée. La majorité des ARH avaient au printemps 2000 adopté leur schéma régional d'organisation sanitaire (SROS de 2e génération).

Le *médicament*, qui a connu une forte croissance des dépenses (+ 5,1 % en 1999), est également placé sous la responsabilité de l'État, lequel a poursuivi les réformes de fond engagées dans le cadre de l'accord intervenu le 21 juillet 1999 avec l'industrie pharmaceutique : conventionnement pour chaque laboratoire avec fixation des prix par le Comité économique du médicament en cohérence avec les prix des pays européens voisins, incitation à la prescription de médicaments génériques et droit de substitution accordé aux pharmaciens (entré en vigueur en septembre 1999), révision par l'Agence française de sécurité sanitaire des produits de santé (AFSSPS) de la liste des médicaments remboursables sur la base du service médical rendu, la révision des 4 000 spécialités remboursables devant être terminée pour la fin 2000.- **S. F.-N.** ■

les budgets qui leur étaient proposés, dénonçant les restrictions budgétaires, la surcharge de travail et la dévalorisation de leur activité. Depuis 1996, les hôpitaux ont connu une restriction budgétaire puis, plus précisément, une réduction des inégalités régionales, nombre d'établissements ayant fait des efforts, l'AP-HP ayant été mise à forte contribution. Il est très significatif que le mouvement soit parti des « urgences », services souvent traités comme accessoires à côté des services prestigieux (spécialisés) des établissements parisiens. Or ces services d'urgence ont vu leur rôle social se développer, ils accueillent tous les maux de la société, et les exclus y trouvent souvent refuge. Si d'autres remèdes existent, comme la revalorisation du généraliste, la défense de la mission de l'hôpital public constitue un enjeu majeur alors que se développe la concurrence du privé. Martine Aubry l'a bien compris qui a annoncé le 1er mars 2000 « une nouvelle étape pour l'hôpital ». Cette nouvelle étape devant passer par l'octroi d'une enveloppe de 10 milliards FF sur trois ans, pour engager des actions structurelles, dont 3,8 milliards FF dès 2000 pour régler les problèmes immédiats : améliorer les remplacements et les conditions de travail, prévenir la violence, soutenir l'investissement et renforcer les services d'urgence. Le plan devrait se traduire par 12 000 créations d'emplois.

Les droits des malades

Le 1er janvier 2000, la Couverture maladie universelle (CMU) est entrée en application [*voir article p. 118*]. Depuis le vote de la loi le 27 juillet 1999, des divergences sensibles étaient apparues en particulier sur la définition du « panier de soins », c'est-à-dire les prescriptions prises en charge. En effet, la loi prévoit que 6 millions de personnes dont les revenus sont inférieurs à 3 500 FF par mois peuvent accéder, en plus du régime de base, à une couverture complémentaire offerte par un organisme choisi par les intéressés, CPAM (caisse primaire d'assurance maladie), mutuelle ou assurance, lequel organisme recevra une somme forfaitaire de 1 500 FF par bénéficiaire et par an. Dans les domaines de l'optique et du dentaire, mal remboursés par la Sécurité sociale, ces organismes ont obtenu un plafonnement des dépenses (une paire de lunettes par an, et 1 300 FF sur deux ans pour les prothèses dentaires). La ministre a dès lors dû faire face aux critiques des associations dénonçant les restrictions portées par la loi.

Donnant une perspective plus globale à la politique de santé, les « états généraux de la santé » ont conclu le 30 juin 1999 les débats développés dans le cadre des consultations citoyennes en dégageant cinq thèmes : garantir les droits individuels des malades, rendre les citoyens davantage responsables de leur santé par plus d'information et de transparence, donner à la prévention les moyens de se développer, faciliter un égal accès de tous aux services appropriés, aller vers une réelle participation des usagers. En ce sens, Étienne Caniard a remis le 7 mars 2000 un rapport à Dominique Gillot, secrétaire d'État à la Santé et à l'Action sociale, en vue du vote d'une loi reconnaissant le *droit des malades* d'ici la fin de l'année. Dans le même esprit, Martine Aubry et Dominique Gillot ont présenté le 1er février 2000 un programme national de lutte contre le cancer manifestant un effort sans précédent des pouvoirs publics en matière d'information, de prévention et de dépistage. ■

La France, l'Europe, le monde

Des enjeux emboîtés

L'Union européenne

Comment penser les frontières de l'Europe ?

Gilles Lepesant
Géographe, CNRS

La gestion des marges orientales de l'Europe s'annonce pour l'Union européenne (UE) comme l'un des défis majeurs, révélateur de l'identité et de l'ambition qu'elle entend se donner. Cette relation entre l'espace institutionnel intégré, ou en voie de l'être, et les périphéries se noue autour d'États (principalement la Russie, l'Ukraine, la Turquie, les Balkans) et de mers (Barents, Baltique, mer Noire, Méditerranée). Les marges de l'Europe constituent des régions de transit, des espaces frontières (entre la Chrétienté latine, la Chrétienté orthodoxe, l'Islam notamment) où demeurent des risques d'instabilité. La décision des Quinze au Conseil européen d'Helsinki de décembre 1999 de reconnaître à la Turquie le statut de pays candidat a relancé le débat sur les frontières de l'Europe. Où l'Europe finit-elle ? Jusqu'où l'UE peut-elle s'étendre ? Au nom de quels critères ?

La géographie physique n'apporte en la matière aucune réponse définitive. Ni l'Oural, ni la Méditerranée ne sauraient être considérés comme des frontières naturelles propres à borner le territoire européen. Quant à l'histoire, les limites de la civilisation européenne n'ont cessé d'évoluer en fonction de la vitalité – notamment démographique – des Européens et des agressions externes. Dans une perspective historique, les frontières de l'Europe semblent devoir être appréhendées comme des marges fluctuantes et en aucun cas comme un tracé linéaire immuable, lequel risquerait de surcroît, dans le cas de la Turquie comme dans celui de l'Ukraine, de ne pas s'aligner sur les tracés frontaliers étatiques. Quant à la religion, la Chrétienté romaine a, il est vrai, largement contribué à l'émergence d'un territoire européen, mais un projet politique européen s'est autonomisé très tôt. Le critère institutionnel est également invoqué, notamment pour dénoncer le risque que se dilue dans un vaste espace non structuré un projet politique qui a garanti un demi-siècle de paix et de prospérité à l'Europe occidentale. Dans le même temps, force est d'admettre que c'est la dynamique d'élargissement qui permet à l'Union européenne d'être entendue en Europe centrale et orientale lorsqu'elle lie explicitement sa stratégie au respect par les États demandeurs de normes politiques et économiques. Comment pourrait-elle parvenir à diffuser les valeurs fondatrices de son projet si elle privait par avance certains pays du bénéfice de ce dernier au nom de critères « culturels » ?

La formation d'un modèle européen

Selon les traités de Rome et de Maastricht, « tout État européen peut devenir membre » de l'Union européenne. Au Conseil européen de Lisbonne de 1992, l'UE s'était efforcée de préciser sa conception de l'Europe en indiquant que le terme « combine des éléments géographiques, historiques et culturels qui, ensemble, contribuent à l'identité européenne. Leur expérience partagée de proximité, d'idées, de valeurs, d'interaction historique ne peut être condensée en une formule simple et reste sujette à révision par chaque génération successive ». Les pays membres en avaient tiré la conclusion « qu'il n'est ni possible, ni opportun de fixer dès à présent les frontières de l'UE, dont les contours se construiront au fil du temps ». Ainsi l'idée d'une cartographie évolutive et volontaire prévaut-elle sur une conception culturaliste ou religieuse. L'adhésion s'opère sur la base de critères permettant de juger de la volonté et de la capacité d'un État candidat à rejoindre le projet politique, économique et social européen.

Que le modèle européen ne figure en tant que tel dans aucun texte ne signifie pas qu'il soit inexistant. Deux de ses composantes au moins peuvent être distinguées. La plus connue est l'acquis communautaire, épais volume de 60 000 pages de normes techniques divisé en une trentaine de chapitres que les États candidats doivent intégrer à leur législation nationale. À travers ces normes techniques apparemment rebutantes transparaissent des valeurs sur la place du droit dans le fonctionnement d'une économie, sur la protection de la santé des consommateurs, sur la propriété, valeurs qui participent d'un modèle proprement européen distinct d'autres modèles. À ces normes techniques s'ajoutent des critères politiques consignés dans la Convention européenne des droits de l'homme ou encore dans les critères énoncés au sommet de Copenhague (1993), qui enjoignent aux États candidats de respecter un code de règles régissant une démocratie et une véritable économie de marché les rendant capables d'intégrer l'UE.

Ces composantes forment un modèle spécifiquement européen qui se densifie et se précise à mesure que l'intégration européenne progresse, faisant ainsi de chaque élargissement un défi plus exigeant à relever pour le pays candidat. Dans cette optique, les frontières maximales de l'UE pourraient être définies comme étant les limites au-delà desquelles le projet européen n'est plus accepté comme supérieur à la poursuite d'intérêts strictement nationaux. Et ces limites sont susceptibles d'évoluer dans le temps. Dès 1992, au Conseil européen de Lisbonne, les États membres esquissaient une définition de l'identité européenne et jugeaient impossible et non opportun de fixer dès à présent les contours définitifs du projet européen. Sage précaution, dans la mesure où des solidarités autres qu'institutionnelles organisent l'espace européen et ses marges. En témoignent les flux économiques (liée à l'UE par un accord d'association depuis 1964, la Turquie réalise 50 % de son commercer extérieur avec les États membres) et les dispositions migratoires qui, par le biais des accords de réadmission signés par les pays de l'UE avec plusieurs pays d'Europe centrale et orientale, étendent la logique de l'espace Schengen aux marges de l'Europe.

Une gestion dynamique des marges

Il reste que l'architecture institutionnelle permettant de satisfaire les aspirations d'États se considérant comme européens sans pour autant fragiliser l'Europe institutionnalisée fait défaut. Une solution pragmatique semble s'esquisser à travers les options retenues par l'UE pour contractualiser ses relations avec le sud-est et l'est de l'Europe. La panoplie des instruments, des statuts s'est peu à peu étoffée avec, notamment, la mise en place d'accords de stabilisation et d'association avec les Balkans (envisagée depuis 1999), l'offre faite à la Turquie de participer à certains programmes (1999) ou encore la distinction établie vis-à-vis des pays candidats entre ce qui relève de l'espace du marché commun et ce qui relève d'autres domaines. Une nouvelle architecture a semblé apparaître, architecture qui ne serait plus strictement binaire (pays membres/pays non membres), mais différenciée, comprenant plusieurs paliers, établissant une sorte de gradation allant de l'accord le moins ambitieux et le moins contraignant à des accords proches de l'adhésion. Une telle configuration peut dédramatiser la question de l'élargissement et organiser, sans les figer, les différents temps de la transition économique et de la construction nationale et identitaire sur le territoire européen. Dans l'immédiat, la mise

Références

J.-F. Drevet, *La Nouvelle Identité de l'Europe*, PUF, Paris, 1997.

L. Fèbvre, *L'Europe, Genèse d'une civilisation*, Perrin, Paris, 1999.

M. Foucher (sous la dir. de), *Fragments d'Europe, atlas d'Europe médiane et orientale*, Fayard, Paris, 1993.

en œuvre d'un espace unique en termes migratoires et économiques crée des effets de rupture aux frontières externes de l'UE. Les pays qui ne seront pas intégrés lors des prochains élargissements y trouveront matière soit à se mobiliser davantage pour intégrer l'UE, soit à nourrir des frustrations et un sentiment d'exclusion. Cet effet de proximité peut, dans le meilleur des cas, accélérer la transition économique et démocratique dans les Balkans, en Biélorussie et en Ukraine.

Il apparaît ainsi clairement que la mise en œuvre d'une gestion dynamique, inclusive des marges de l'UE importe au moins autant que le choix du tracé de la « bonne » frontière pour l'Europe. Dans cette optique, des forums régionaux (autour de la Baltique et de la mer Noire notamment), des initiatives régionales émanant de pays membres (lancement du processus de Barcelone par l'Espagne vis-à-vis de la Méditerranée, d'une dimension septentrionale de la PESC [Politique étrangère et de sécurité commune] par la Finlande en 1999) contribuent, bien qu'imparfaitement, à dévaluer les limites de l'Europe. Au fond, il s'agit pour l'UE de définir l'organisation paneuropéenne propre à diffuser le modèle européen, à gérer les marges orientales et méridionales de l'Europe de telle sorte que s'y reflète l'ambition d'un rayonnement sans volonté de domination ni nostalgie pour les empires perdus. ■

Le faible rôle des partis politiques européens

Hugues Portelli
Politologue, Université Paris-II-Panthéon-Assas

Même si le traité de Maastricht relatif à l'Union européenne (1992) y fait discrètement allusion, les partis politiques européens ne jouent qu'un rôle marginal dans le système institutionnel et politique de l'Union. Deux raisons essentielles expliquent cette marginalité. D'une part, le système de décision, essentiellement intergouvernemental, ne laisse qu'une place réduite à l'instance parlementaire et donc aux partis qui animent cette dernière ; de l'autre, l'organisation des partis est presque exclusivement nationale depuis l'origine. L'internationalisme partisan est un phénomène largement symbolique et européen : il est resté longtemps cantonné aux problèmes de la guerre et de la paix sans jamais interférer sur la vie politique nationale (sinon pour « labelliser » les partis membres d'une même famille politique).

Dans ces conditions, si les principaux courants politiques de l'Europe (démocrates-chrétiens, libéraux, socialistes) se sont coordonnés dans des instances confédérales, cette coordination n'a débouché sur aucune intégration même si les regroupements de partis ont pu adopter des dénominations qui peuvent faire illusion (le « *Parti* socialiste européen – PSE », le « *Parti* populaire européen – PPE »). En fait, c'est la nécessité de faire partie d'un groupe parlementaire au sein du Parlement européen (et de bénéficier des avantages qu'il engendre : participation à la procédure décisionnelle et à la prise de parole, postes de pouvoir, moyens administratifs et de communication) qui a contraint les élus des partis nationaux à se regrouper avec ceux qui étaient les moins éloignés d'eux.

Coordination politique, plutôt que « ligne » commune

Les socialistes, les démocrates-chrétiens et les libéraux, déjà membres d'internationales anciennes, n'ont pas eu de mal à intégrer le même groupe parlementaire et à prolonger cette adhésion par une coordination politique qui ne prétend nullement imposer une « ligne » commune : dans le cas des socialistes, par exemple, il n'y avait guère de point commun entre les Britanniques, « souverainistes », et les Béneluxiens, fédéralistes. Pour les autres partis représentés au Parlement européen, l'affiliation à un groupe au Parlement européen a été et reste une affaire de pure opportunité, ce qui explique que le nombre et la composition des groupes n'ont jamais cessé de varier, y compris en cours de législature.

Cela concerne bien entendu les groupes moins centraux (régionalistes, extrême gauche, nationalistes divers), mais aussi des courants politiques plus identifiés : les communistes n'ont réussi un temps qu'à constituer un groupe technique dont sont sortis les Italiens avant que l'effondrement du monde communiste ne conduise le PCI (Parti communiste italien), après sa mue social-démocrate, à rejoindre (sous l'étiquette parti des démocrates de gauche) le groupe et le Parti socialistes européens. De même, l'extrême droite n'a jamais réussi à se fédérer (désaccord entre MSI – Mouvement social italien – et Front national français), ni à s'allier avec la droite populiste (Alliance nationale italienne, FPÖ – Parti libéral autrichien) souvent issue de ses rangs. Quant aux écologistes, divisés entre « réalistes » et « fondamentalistes », ils ont longtemps fait partie de deux groupes différents avant de se rassembler.

Le cas le plus important est celui des conservateurs (Espagnols, Britanniques, Européens du Nord, Grecs), souvent puissants dans leurs pays respectifs, qui ont été d'abord réunis dans leur propre groupe puis ont rallié le groupe des démocrates-chrétiens après avoir été tentés par celui des libéraux. À cela s'ajoute la très forte mobilité du personnel parlementaire européen, qui quitte souvent Strasbourg en cours de mandat pour des fonctions ou mandats nationaux plus attractifs, ce qui ne pérennise pas les engagements et les fonctions dans les instances européennes.

Un Parlement européen sans système partisan

Depuis 1979, date de la première élection du Parlement européen au suffrage universel, la vie politique des « partis » européens s'est ainsi divisée en trois phases. La première est celle de la campagne électorale des élections européennes, où chaque parti national conduit sa campagne en fonction du contexte national du moment, les élections européennes étant considérées par l'opinion comme sans enjeu (ce qui explique l'abstention massive, qui a atteint 49 % en 1999) ; on y parle très peu de l'Europe, sauf chez les anti-Européens, et même les programmes communs aux partis de la même tradition ne sont pas respectés (comme on l'a vu encore en 1999 chez les socialistes où le Britannique Tony Blair et l'Allemand Gerhard Schröder ont lancé leur propre manifeste, indépendamment du programme adopté par le PSE). La deuxième phase est celle de l'attribution des postes de pouvoir dans le Parlement (où les deux grands partis, le PSE et le PPE, se taillent la part du lion). La troisième phase est celle de la législature où la plus grande partie des députés connaît surtout la délégation nationale du groupe (c'est-à-dire la fraction qui regroupe les parlementaires de leur propre nationalité au sein du groupe), une poignée seulement (les experts) étant assidue et s'investissant dans le travail parlementaire.

Les élections de juin 1999 n'ont pas dérogé à la tradition, mais certaines nouveautés sont apparues. Tout d'abord l'intégration croissante des formations nationales de gauche et de droite au sein des deux grands partis attrape-tout du Parlement européen : les socialistes et les populaires. Si les socialistes ont fait élire 180 députés, le PPE en rassemble 233, intégrant désormais toute la droite modérée puisque même le RPR l'a rejoint. Les non-démocrates-chrétiens (les Français, Espagnols, Italiens, Grecs, Européens du Nord) sont apparus désormais majoritaires au sein du groupe PPE, le rendant très hétérogène idéologiquement et politiquement (à l'image du groupe socialiste), alors que ce groupe était jadis le moteur du courant fédéraliste.

Cette recomposition a conduit à la réduction du nombre des groupes, ramené à sept, les non-inscrits étant d'autant plus nombreux que le Parlement européen a imposé (autre nouveauté) l'« existence d'un minimum d'affinités politiques » pour constituer un groupe, même technique : c'est ainsi qu'il a refusé la constitution d'un groupe technique regroupant les radicaux italiens (libéraux-libertaires) et le Front national de Jean-Marie Le Pen.

Enfin, la domination des socialistes dans la majorité des gouvernements des États de l'Union favorisant la radicalisation de la droite modérée (sortie vainqueur des élections européennes de juin 1999), le PPE a opté, sous la pression de ses adhérents les plus récents, pour la fin de la cogestion du Parlement avec les socialistes au profit d'une opposition gauche-droite lui permettant de s'emparer seul des postes de pouvoir.

Cette rationalisation relative de la vie parlementaire européenne ne pouvait cependant pas modifier ses traits essentiels, l'hétérogénéité des forces politiques et l'absence d'un système partisan réellement européen demeurant la règle. ■

Vers une société civile européenne ?

Julien Weisbein
CEVIPOF, IEP de Toulouse

Traditionnellement, la société civile, par opposition à la société politique, désigne ce qui est placé en dehors de l'État et de ses structures administratives et parlementaires : les syndicats, les groupes de pression, les associations, les entreprises, les médias, les citoyens... Mais il convient plutôt de la définir comme l'arène dans et par laquelle des groupes indépendants de l'État tentent d'investir le champ politique et revendiquent une certaine logique sociale et/ou économique, partenariale ou autonome. La société civile ainsi définie existe essentiellement dans le cadre national. Compte tenu des progrès de l'intégration communautaire et des besoins de régulation induits par cette dernière, l'émergence d'une « société civile européenne » est-elle possible et souhaitable ?

Cela contribuerait à sortir la construction européenne de la logique intergouvernementale, technocratique et élitiste, qui la caractérise depuis ses débuts, et favoriserait, par la même occasion, le développement de contre-pouvoirs aux lois du marché. Néanmoins, les conditions d'émergence d'une telle société civile à l'échelle communautaire restent à déterminer. Celle-ci sera vraisemblablement le produit de mises en réseaux et de dynamiques croisées (complémentaires ou concurrentes) auxquelles participeront de nombreux acteurs. En raison de l'absence d'un ciment culturel commun, cette société civile européenne ne naîtra en effet pas spontanément, mais nécessitera l'action de nombreuses forces pour l'encadrer et la définir.

Dynamiques politiques et socio-économiques

Les premières dynamiques à l'œuvre seront probablement politiques. Les institutions communautaires (Commission, Cour de justice, Parlement européen) sont appelées à tenir un fort rôle d'encadrement : elles concentrent en effet les ressources nécessaires (législation, politiques publiques, programmes communautaires) pour favoriser l'émergence de ladite société civile. Elles marquent d'ailleurs une très forte volonté de travailler en réseaux avec des partenaires autres que les gouvernements nationaux (Régions, syndicats, associations, ONG – organisations non gouvernementales). L'encadrement de cette société civile communautaire par le droit devrait être un élément fort de sa structuration : de nombreux textes peuvent la favoriser en lui fournissant des bornes normatives ou une définition juridique (jurisprudence de la Cour de justice, éventuelle Constitution européenne et droits fondamentaux européens, citoyenneté de l'Union, statut d'« association européenne », etc.). Une telle incitation peut également ne pas être juridique, car la politisation du jeu politique communautaire pourrait, à terme, engendrer un système de partis européens ordonné autour d'enjeux spécifiques porté par des élites transnationales. Par effet de miroir, la société civile pourrait alors se développer en contrepoint (voire en contre-pouvoir) de la société politique européenne, même si cette dernière est loin d'être constituée [*voir article p. 554*].

Les dynamiques socio-économiques s'ajoutent à ces éléments. Le rôle de représentation de la société civile par les médias est, à cet égard, crucial. Cela nécessite le développement de grands médias audiovisuels ou écrits transnationaux, traitant d'enjeux spécifiquement européens tout en respectant les codes culturels nationaux de réception des messages. En revanche, le rôle des groupes d'intérêts semble plus affirmé : en raison de l'intégration et de la transnationalisation croissantes des intérêts ou des échanges dans de nombreux secteurs (agriculture, santé, industries, intérêts régionaux...), diverses alliances (industrielles, socioprofessionnelles, territoriales ou confessionnelles) se sont fortement développées à Bruxelles pour peser sur les politiques communautaires. Ces groupements recèlent une dynamique susceptible d'engendrer des solidarités concrètes dans des domaines de plus en plus étendus. Par effet de débordement, l'économique affecte le social et amène les acteurs sociaux à s'organiser à l'échelle communautaire. Tel est le cas, par exemple, de la Confédération européenne des syndicats (CES).

Le rôle décisif des citoyens de l'Union

Néanmoins, la société civile européenne doit impliquer d'autres acteurs que les groupes de pression, les entreprises ou les syndicats. L'encadrement associatif devrait constituer une composante essentielle. Depuis le début des années quatre-vingt-dix, l'européanisation des tissus associatifs des différents États membres est d'ailleurs

Références

J.-C. Boual (sous la dir. de), *Vers une société civile européenne*, Éditions de l'Aube, La Tour-d'Aigues, 1999.

Carrefours européens des sciences et de la culture, *Scénarios Europe 2010 : cinq avenirs possibles pour l'Europe*, Éditions Apogées, Rennes, 1999.

G. Courty, G. Devin, *L'Europe politique*, La Découverte, Paris, 1996.

J. Weisbein, « Les associations et les ONG face à la CIG de 1996 : naissance d'une société civile européenne ? », *Politique et sécurité internationales*, n° 4, Toulouse, hiv. 1999.

@ Sites Internet

Grand-Place Europe : **http://www.eurplace.org**

Institutions européennes : **http://www.europa.eu.int**

Réseau GlobeNet : **http://www.globenet.org**

Réseau Solidar : **http://www.solidar.org**

une réalité. En se fédérant au niveau communautaire, en développant des actions transnationales, ces mobilisations européennes dressent déjà les contours de la société civile future. Toutefois, ce militantisme est resté limité quantitativement (par la faiblesse des ressources dont il dispose) et qualitativement (par le peu de résultats réels des démarches engagées à l'occasion de la Conférence intergouvernementale de 1996 concernant la nécessité de définir les droits fondamentaux garantis par l'Union). La prise en compte par les citoyens eux-mêmes de leur nouvel espace de civisme constituera donc, sans aucun doute, le moteur le plus efficace d'émergence de la société civile. Cela nécessite, outre le développement d'une réelle identité européenne, un intérêt marqué pour les enjeux communautaires et les pratiques politiques actives (vote, militantisme) afférentes. Le statut de citoyen de l'Union, prévu par le traité de Maastricht (1992) et faiblement consolidé par celui d'Amsterdam (1997), pourrait constituer le levier d'une européanisation des pratiques civiques.

Si société civile européenne il peut y avoir, à l'évidence celle-ci ne présentera pas le même visage qu'au niveau des États membres. Elle devra être multiculturelle, organisée sur une base transnationale, articulée avec ses homologues nationaux et adaptée à la spécificité des enjeux européens. De même, elle se caractérisera par une certaine proximité avec les institutions communautaires. Des freins et des forces de blocage peuvent cependant en entraver l'essor : différences culturelles marquées, caractère contradictoire des intérêts qui se déploient à l'échelle communautaire et, surtout, absence de lisibilité et de stabilité du système institutionnel européen et, plus généralement, de la construction de l'Europe. ■

Les quatre familles de la protection sociale dans l'Union européenne

Bruno Palier
Sciences politiques, CNRS/CEVIPOF

À compter de la fin du XIXe siècle, et surtout après 1945, tous les pays européens ont progressivement reconnu des droits sociaux à leurs citoyens. Ces droits sociaux doivent leur permettre d'être protégés face à certains risques qu'ils peuvent rencontrer, notamment pauvreté, maladie, chômage, vieillissement. Tous les États d'Europe ont mis en place un système de protection sociale afin de garantir ces droits sociaux. Cependant, chaque pays a suivi une voie particulière pour élaborer ses propres institutions de protection sociale. Ce qui a parfois été appelé le « modèle social européen » correspond en fait à différentes façons de penser et de faire de la protection sociale. Aussi bien les objectifs poursuivis au sein de ces systèmes que les modalités d'organisation retenues varient fortement. Dès lors, il semble difficile de chercher à construire des politiques sociales européennes qui soient communes à l'ensemble des pays européens, aussi bien du fait des différences de conception entre les nations européennes que de la volonté de ne pas déléguer au niveau européen le soin de mettre en place des politiques sociales certes coûteuses mais aussi sources de légitimité.

Assistance, assurances sociales et systèmes universels

L'histoire européenne offre trois références principales en matière de façon de faire de la protection sociale : l'assistance, les assurances sociales et les systèmes universels. À chacune de ces trois conceptions correspond un ensemble d'objectifs spécifiques.

Les programmes d'*assistance* cherchent à lutter contre la pauvreté et à couvrir certains besoins vitaux. Ils trouvent leur origine dans les actions de charité organisées par les Églises, les lois sur les pauvres britanniques ou les lois d'assistance sociale votées en France à la fin du XIXe siècle. Depuis le début des années quatre-vingt en France, on dit que les programmes d'action sociale, d'aide sociale et les politiques sociales qui s'inscrivent dans cette logique relèvent du domaine de la solidarité nationale, par opposition au domaine des assurances sociales.

Les *assurances sociales* protègent les personnes assurées contre des risques sociaux en remplaçant le revenu perdu à l'occasion de l'occurrence de l'un de ces risques (maladie, accident du travail, vieillesse, chômage). Le chancelier allemand Bismarck fut le premier à créer une législation sociale visant à rendre obligatoires des assurances sociales pour les salariés allemands les plus pauvres dans les années 1880. Le système français de Sécurité sociale mis en place après 1945 fonctionne selon les principes de l'assurance sociale.

Les systèmes de protection sociale *universelle* visent, d'une part, à assurer un revenu pour tous les citoyens en toute circonstance et, d'autre part, à organiser une forte redistribution verticale (des riches vers les pauvres). Les systèmes universels s'inspirent notamment du rapport Beveridge écrit en 1942 (*Social Insurance and Allied Services*) qui mettait en exergue le principe des « trois U » : universalité de la couverture sociale (tout le monde est protégé), uniformité des prestations sociales (tout le monde

Références

D. Ashford, « L'État-providence à travers l'étude comparative des institutions », *Revue française de science politique*, n° 3, vol. 39, Paris, 1989.

Commission européenne, *La Protection sociale en Europe*, Bruxelles, 2000 (à paraître).

G. Esping-Andersen, *Les Trois Mondes de l'État-providence, essai sur le capitalisme moderne*, PUF, Paris, 1999.

M. Ferrera, « Modèles de solidarité, divergences, convergences : perspectives pour l'Europe », *Revue suisse de science politique*, n° 1, vol. 2, Paris, 1996.

S. Leibfried, P. Pierson, *Politiques sociales européennes, entre intégration et fragmentation*, L'Harmattan, Paris, 1998.

Daniel Lenoir, *L'Europe sociale*, La Découverte, « Repères », Paris, 1994.

F.-X. Merrien, *L'État-providence*, PUF, « Que sais-je ? », 2000 (2e éd.).

B. Palier, « Les transformations des systèmes de protection sociale en Europe, une perspective institutionnelle comparée », *Pouvoirs*, n° 82, Paris, 1997.

reçoit la même chose), unité du système de protection sociale (un même système pour tous). Dans son rapport, William H. Beveridge (1879-1963) ajoutait que ce système devait aller de pair avec l'instauration d'un service national de santé gratuit et une politique de plein emploi.

Ce qui différencie les systèmes de protection sociale entre eux

Pour atteindre ces différents objectifs, il est fait appel à des techniques différentes. Quatre éléments principaux permettent de différencier les systèmes publics de protection sociale.

1. Les règles d'attribution : qui a le droit à une prestation sociale ? Il peut s'agir des droits acquis grâce au versement de cotisations sociales, de droits liés à la situation dans le travail, mais il peut aussi s'agir de droits ouverts en fonction de la situation particulière d'un individu ou d'une famille, de droits fondés sur le besoin ou le manque de ressources, sur la simple citoyenneté ou la résidence.

2. Les formules de prestation : de quoi bénéficie-t-on ? Il peut s'agir de prestations en espèces ou bien de services sociaux. Les prestations en espèces peuvent être versées à tous (prestations universelles), à ceux qui ont contribué (prestations contributives) ou bien être réservées aux personnes qui touchent des revenus inférieurs à un certain montant (prestations sous condition de ressources). Les prestations peuvent être forfaitaires (le montant des prestations, fixé *a priori*, est le même pour tous les bénéficiaires) ou proportionnelles (le montant est fonction de la durée et/ou du montant des cotisations versées, ou bien du niveau du revenu à remplacer).

3. Les formules de financement : qui paie, et comment ? Les ressources de la protection sociale peuvent provenir de l'impôt (sur le revenu ou indirect) ou bien des cotisations sociales payées par les salariés et par les employeurs.

4. Les structures d'organisation et de gestion : qui décide, qui gère ? La responsabilité de la gestion peut relever directement de l'État central ou être confiée à l'État décentralisé, aux collectivités territoriales, ou bien aux partenaires sociaux (représentants des employeurs et des salariés).

Les comparaisons internationales montrent que chaque système de protection sociale a une façon particulière et dominante d'agencer ces quatre éléments. On a ainsi pu identifier quatre modèles de protection sociale en Europe.

♦ Les pays nordiques (Danemark, Suède, Finlande, Norvège et Islande)

Ils apparaissent comme ceux qui ont poussé le plus loin la logique universelle avant même la parution du rapport Beveridge. La protection sociale y est un droit de tous les citoyens, la plupart des prestations sont forfaitaires et d'un montant élevé, versées automatiquement en cas d'apparition d'un besoin social. Les salariés reçoivent cependant des prestations complémentaires au travers de régimes obligatoires d'assurances, à base professionnelle. Ces systèmes sont financés principalement par des recettes fiscales (surtout au Danemark). Ils sont totalement publics, placés sous l'autorité directe des pouvoirs publics centraux et locaux. Seule l'assurance chômage n'est pas intégrée au système public de protection sociale de ces pays.

♦ Les pays anglo-saxons (Royaume-Uni, Irlande)

Ils forment un deuxième groupe et n'ont pas suivi toutes les recommandations de Beveridge. Si l'accès à la protection sociale n'est pas lié à l'emploi dans ces pays, seul le service national de santé (National Health Service) est véritablement universel (même accès gratuit pour tous). Les prestations en espèces (indemnités maladie, allocations chômage, retraites) servies par le système public d'assurance nationale (National Insurance) sont forfaitaires et d'un montant beaucoup plus bas qu'en Europe du Nord, ce qui implique un rôle important joué par les assurances privées et par les régimes de protection sociale d'entreprise dans la protection sociale de ces pays. Les personnes qui n'ont pas pu suffisamment cotiser à l'assurance nationale perçoivent des prestations sous condition de ressources (*income support*). Ces systèmes de protection sociale sont en grande partie financés par l'impôt alors que William H. Beveridge militait pour la cotisation sociale. Le système public, fortement unifié, est géré par l'appareil administratif de l'État central.

♦ Les pays du centre du continent européen (Allemagne, France, Benelux, Autriche)

Ils constituent une troisième famille. C'est là que la tradition bismarckienne des assurances sociales est la plus forte. Le niveau des prestations sociales est lié au niveau de salaire de l'assuré. Les assurances sociales sont obligatoires, sauf dans le cas de la santé pour les revenus les plus élevés en Allemagne et aux Pays-Bas. Les cotisations sociales versées par les employeurs et par les salariés constituent l'essentiel des sources de financement du système (la France bat tous les records avec près de 80 % du système financé par les cotisations sociales). Ces systèmes, souvent très fragmentés, sont organisés au sein d'organismes plus ou moins autonomes de l'État, gérés par les représentants des employeurs et des salariés (les caisses de Sécurité sociale en France). Ceux qui ne sont pas ou plus couverts par les assurances sociales peuvent recourir à un « filet de sécurité » constitué de prestations minimales, sous condition de ressources, financé par des recettes fiscales. Ces prestations se sont multipliées au cours des années quatre-vingt et quatre-vingt-dix, sans pour autant former un ensemble cohérent et standardisé comme dans les pays anglo-saxons [*sur les minima sociaux en France, voir article et encadré p. 523 et 524*].

♦ Les pays d'Europe du Sud (Espagne, Grèce, Italie, Portugal)

Ils sont parfois présentés comme la quatrième famille de l'Europe de la protection sociale. Si leurs traits principaux se rapprochent du modèle continental (assurances sociales pour les prestations de garantie de revenu), ils présentent cependant des aspects spécifiques : une grande hétérogénéité entre les différents régimes d'assurances sociales à base professionnelle (particulièrement généreux pour les fonctionnaires, d'autres professions étant beaucoup moins bien couvertes) ; des services de santé nationaux à vocation universelle dont le développement a commencé dans les années 1975-1985 ; une mise en place progressive et très tardive d'un « filet de sécurité » garantissant un revenu minimum ; un certain particularisme du fonctionnement du système, notamment en Italie (distribution parfois clientéliste des prestations, fraudes aux prestations comme au financement).

À propos de l'Europe sociale

Face à cette hétérogénéité, il est bien difficile de chercher à construire une Europe sociale homogène où l'ensemble des systèmes seraient harmonisés, d'autant plus que les États membres de l'Union européenne ne souhaitent pas déléguer au niveau européen leurs prérogatives en matière de politiques sociales. Depuis le traité de Rome (1957), la législation sociale européenne s'est donc principalement contentée de coordonner les différents régimes nationaux de sécurité sociale afin de permettre la libre circulation des travailleurs. L'accès à la sécurité sociale des travailleurs migrants venus d'un État membre de l'Union européenne a été établie par deux règlements adoptés dès 1959 et complétés en 1971 et 1972. Cette coordination s'applique principalement pour les prestations d'assurance sociale de base. Ce dispositif a joué un rôle important dans la construction du marché unique.

Depuis le milieu des années quatre-vingt, l'Europe sociale a cependant fait quelques progrès. Elle s'est enrichie de mécanismes de redistribution entre régions à travers le développement des fonds structurels qui visent à permettre aux régions d'Europe les plus défavorisées d'engager des programmes d'infrastructures ou des politiques sociales particulières, notamment en matière d'emploi et de formation [*voir article p. 150*]. Par ailleurs, la Charte des droits sociaux fondamentaux des travailleurs, adoptée en 1989 (sans le Royaume-Uni), a permis la reconnaissance au niveau européen de certains droits sociaux fondamentaux. Cette charte proposait d'œuvrer à la convergence des politiques de protection sociale, mais on en est resté aux déclarations de principe générales, sans contenu réel. Le traité d'Amsterdam (1997) contient certaines dispositions qui pourraient offrir davantage de perspectives aux instances européennes en matière de politiques sociales, d'une part avec la création d'un titre sur l'emploi (titre 8, articles 125 à 130) et d'autre part avec l'incorporation (et le renforcement) dans le corps du traité (titre 11) du protocole social. L'Union européenne est désormais dotée de compétences en matière de relations de travail et de lutte contre l'exclusion (articles 136 à 145). Cependant, les décisions concernant la sécurité sociale restent soumises à la règle de décision à l'unanimité, ce qui laisse peu d'espoir de voir des avancées importantes intervenir au niveau communautaire en ces domaines. ■

La difficile émergence de la politique étrangère et de sécurité commune

René Leray
Notre Europe

Si les décisions prises en décembre 1999 par le Conseil européen d'Helsinski qui prévoient de doter l'Union européenne d'une capacité européenne de gestion de crise comprenant des moyens militaires autonomes aboutissent comme prévu avant 2003, et si les nouveaux instruments et procédures de politique étrangère inscrits au traité d'Amsterdam (juin 1997) démontrent leur efficacité, l'existence d'une Politique étrangère et de sécurité commune sera réalité. Au cours des années quatre-vingt-dix, l'Europe aura entamé sa crédibilité par incapacité notoire à endiguer les crises meurtrières frappant cruellement des pays et des peuples vivant à seulement quelques centaines de kilomètres de ses frontières. Ce gâchis aurait-il pu être évité ? Quelle part y ont tenue une préparation insuffisante et/ou des arrière-pensées politiques relatives à la construction européenne ?

Il faut en effet bien constater que la PESC n'est pas née sous les meilleurs auspices et que beaucoup d'hésitations se sont manifestées au moment de la réformer. C'est dans le climat très particulier de fin 1989-début 1990, dominé par des tensions visibles entre la France et l'Allemagne alors engagée dans sa réunification, qu'est apparue l'idée d'une telle politique commune pour la diplomatie et la sécurité. Elle faisait partie de la réponse du chancelier Helmut Kohl à l'insistance croissante du président François Mitterrand à réclamer l'instauration d'une union monétaire marquant l'engagement irréversible de l'Allemagne dans l'Europe intégrée. Ce projet allait être traité dans le cadre d'une des deux conférences intergouvernementales – CIG (l'une sur la monnaie, l'autre sur l'union politique) qui devaient préparer le futur traité de Maastricht.

Contrairement aux questions monétaires débattues depuis très longtemps entre les États européens avec la création du « Serpent monétaire » en 1972, puis du Système monétaire européen (SME) en 1979, la PESC ne bénéficiait pas d'un « substrat conceptuel » construit et éprouvé par l'expérience. La coopération politique (CPE) pratiquée pourtant depuis vingt ans était en réalité d'un faible apport sur ce plan. Il en résulta un net déséquilibre en défaveur de la PESC, déséquilibre qui fut en quelque sorte occulté d'abord par les incertitudes de la ratification du traité de Maastricht en 1992-1993, puis par les « silences » de l'élargissement aux pays neutres (comme l'Autriche ou la Suède dont le statut de neutralité était pourtant incompatible avec les objectifs à long terme de la PESC). Ce déséquilibre ne fut perçu que beaucoup plus tard du fait de l'impuissance de plus en plus flagrante de l'Europe à prévenir et surtout faire cesser les conflits armés (Bosnie-Herzégovine, Rwanda, Zaïre, Albanie, Kosovo) sans engagement américain, et du fait d'une impuissance congénitale de l'Allemagne à dépasser le rôle de « principal donateur » – financier, humanitaire, militaire – pour accéder à celui d'acteur politique à part entière.

Les mesures préconisées pour aboutir

Très vite, l'explication par le seul « manque de volonté politique » fut dépassée. Les experts, la Commission, le groupe de réflexion présidé par M. Westendorp étaient au moins d'accord qu'il fallait aussi prendre en compte les nombreuses déficiences « systémiques » cumulatives qui handicapaient la construction de la nouvelle politique définie au titre V du traité de Maastricht. Au nombre de ces déficiences apparaissent l'absence de capacité d'analyse commune ; l'absence de capacité centrale de proposition ; la rigidité excessive du processus décisionnel ; l'absence de régime de financement clair et prévisible ; l'absence de capacité militaire en appui aux décisions politiques et enfin l'absence d'homogénéité pour l'appartenance à des alliances militaires – OTAN (Organisation du traité de l'Atlantique nord), UEO (Union européenne occidentale), cas des pays neutres.

Le groupe d'experts mis sur pied par la Commission proposa de corriger ces déficiences en prenant à l'occasion de la CIG toute une série de mesures. Il s'est agi de créer un « rouage » nouveau, une capacité centrale d'analyse et de proposition tripartite, et une fonction nouvelle, celle d'un Haut Représentant à la PESC ayant un droit de proposition (non exclusif) et désigné selon les mêmes procédures que celles appliquées pour le président de la Commission. Les experts ont également préconisé d'opter, en l'aménageant, pour un système de décision à la majorité qualifiée, à l'exclusion de l'organisation d'interventions militaires proprement dites et dans le respect des intérêts vitaux effectifs et d'une nouvelle pondération des votes reflétant correctement les capacités militaires et les responsabilités politiques spéciales incombant à certains États membres (membres permanents du Conseil de sécurité des Nations unies, soit le Royaume-Uni et la France, également puissances nucléaires).

Il fut aussi proposé d'examiner, en vue de leur adoption à brève échéance, des mécanismes et procédures de crise permettant de gérer efficacement des « paquets de mesures » relevant de différents piliers du traité de Maastricht. Il est par ailleurs apparu nécessaire de clarifier les rôles au sein du triangle UE/UEO/OTAN dans le sens d'une primauté politique de l'Union sur l'UEO, organisation dont il convenait de favoriser tout à fois le rôle militaire opérationnel et la fusion à terme dans l'Union. Enfin, il fallait organiser, notamment dans la perspective de l'élargissement, la cohérence des appartenances à des alliances militaires, « tout nouveau membre de l'Union souhaitant entrer dans l'UEO devant aussi être candidat à l'Alliance atlantique ».

Le traité d'Amsterdam n'a que très partiellement répondu au besoin de réforme ainsi identifié. Il a certes créé un Haut Représentant et une capacité d'analyse, mais en en limitant fortement les moyens et les prérogatives. Le Haut Représentant ne s'est pas vu reconnaître un droit de proposition et sa capacité d'analyse (Unité d'analyse politique et d'alerte précoce) ne compte qu'une vingtaine de personnes dont la plupart détachées par leur gouvernement national. Le passage à la majorité qualifiée a par ailleurs été évité par la formule compliquée et ambiguë de l'abstention constructive, avec cependant l'introduction explicite du fameux « compromis de Luxembourg » (possibilité d'invoquer un intérêt vital) dans le traité au niveau du Conseil européen. Personne ne peut imaginer ce que donnera un tel système dans une Europe élargie. Cela aboutira selon le cas à plus de flexibilité décisionnelle ou à plus d'hétérogénéité politique (au cas où les mêmes États s'abstiendraient toujours sur les mêmes dossiers). Aux actions communes l'on a ajouté l'instrument des « stratégies communes » à décider à l'unanimité par le Conseil européen sur proposition du Conseil et qui ensuite devraient permettre de réaliser des « actions communes » à la majorité qualifiée…

Enfin, toute subordination politique de l'UEO à l'UE a été écartée et le principe de coopérations renforcées, accepté pour les deux autres piliers du traité de Maastricht, ne l'a pas été pour le deuxième pilier (la PESC) alors qu'il aurait été particulièrement utile pour le domaine de l'armement et des technologies militaires (comme cela avait d'ailleurs été souligné dans un mémorandum franco-allemand remis en vain à la CIG).

La situation n'était donc guère encourageante au moment de la signature par les Quinze du traité d'Amsterdam (juin 1997) et l'image qui prévalait était celle d'une PESC restée à l'état embryonnaire, contrastant fortement avec une Alliance atlantique ayant su rapidement se moderniser et redevenir le centre de gravité pour tout ce qui concerne la sécurité et la défense, y compris la projection de force sur le continent européen ou à sa périphérie.

L'« effet Kosovo »

Il fallut la déclaration de Saint-Malo entre la France et le Royaume-Uni (décembre 1998), puis la crise du Kosovo au printemps 1999, après l'échec des négociations de Rambouillet (recherche d'une issue diplomatique à la crise), pour que s'enclenche une dynamique qui, avec les décisions du Conseil européen à Cologne puis à Helsinki (décembre 1999), allait changer complètement la donne et rendre espoir à tout ceux qui ne se contentent pas d'une Europe politique condamnée en fait à l'impuissance et/ou à une dépendance excessive vis-à-vis des États-Unis. Cette dynamique nouvelle a apporté à l'Union tous les mécanismes et capacités pour prévenir et gérer des crises, y compris à l'aide de moyens militaires conséquents, si nécessaire. Une capacité de projeter 50 000 à 60 000 hommes, avec tous les moyens appropriés de commandement, stratégique et opérationnel, communication et renseignement, ainsi qu'avec les moyens de transport aériens et/ou navals, là où les intérêts et valeurs de l'Union seraient menacés, et cela pour des missions (dites de Petersberg) allant de l'humanitaire à l'imposition de la paix. Une capacité d'évaluer les situations (Centre de situation et capacité d'analyse ayant accès à toutes les informations pertinentes) et de décider grâce à un Comité politique et de sécurité (COPS) pouvant s'appuyer sur un Comité militaire et sur un État-Major de niveau stratégique.

Tels sont les objectifs dont la réalisation a été engagée avec l'arrivée à Bruxelles (à titre intérimaire) des diplomates et des officiers d'État-Major, et avec, programmée pour l'automne 2000, une conférence de « génération de forces » au cours de laquelle chaque pays membre devait indiquer les unités militaires qu'il mettra à la disposition de l'Union. Il restera ensuite à l'Union, ainsi dotée d'une PESC véritable, y inclus une capacité d'action militaire, à démontrer son homogénéité et son efficacité, dans la perspective aussi de son grand élargissement à l'Est du continent. ■

Armées, armements, défense Des options européennes

Jean-Dominique Merchet
Journaliste

À l'occasion de la guerre du Kosovo (printemps 1999), l'Europe a beaucoup progressé vers la constitution d'une défense plus intégrée. Et c'est pour l'essentiel au niveau des militaires présents sur le terrain que les progrès réalisés ont été les plus notables, même si les avancées institutionnelles et les regroupements industriels ont été loin d'être négligeables.

À partir de juin 1999, une force principalement européenne, placée sous mandat de l'ONU, a tenté d'« établir un environnement de sécurité » au Kosovo. Quatre des cinq brigades ont été placées sous le commandement d'officiers européens (français, allemand, italien et britannique) et la Kfor (Force de paix au Kosovo) a été successivement dirigée par un général britannique, allemand puis espagnol (ce dernier étant également à la tête de l'État-Major de l'Eurocorps à Strasbourg). Certes, la Kfor dépend de l'Alliance atlantique et applique toutes les procédures de l'OTAN (Organisation du traité de l'Atlantique Nord), mais la place prise en son sein par les armées européennes a été primordiale. Sur le terrain, il n'était pas rare de voir une section de fantassins grecs relever des Danois, les états-majors ressemblant désormais à une collection d'uniformes. Le problème de la langue a été résolu, l'anglais étant de fait devenu la langue opérationnelle.

Les soixante-dix-huit jours de campagne aérienne contre la République fédérale de Yougoslavie (RFY) ont également fait prendre conscience aux Européens de leurs faiblesses en matière militaire. Les trois quarts des frappes ont été réalisées par l'aviation américaine, laquelle disposait surtout d'une très grande supériorité en matière de ravitaillement en vol, de renseignement ou de commandement et de contrôle des opérations. Durant les frappes, la France est toutefois apparue, loin derrière les États-Unis, comme la première puissance aérienne européenne, devançant la Royal Air Force ou la Luftwaffe.

Une force d'intervention rapide pour 2003

Alors qu'en avril 1999 les avions de la coalition attaquaient la RFY, l'Alliance atlantique fêtait son cinquantième anniversaire à Washington. Pour la première fois, elle reconnaissait un rôle à l'Union européenne (UE) en matière de défense. En décembre suivant, lors du sommet d'Helsinki, l'UE décidait de se doter pour la première fois d'un comité militaire ainsi que d'un petit état-major. À terme, l'Union de l'Europe occidentale (UEO), seule organisation européenne compétente en matière de défense, devrait se fondre au sein de l'UE.

Mais surtout, les Quinze se sont entendus pour créer « à l'horizon 2003 » une force d'intervention rapide de 50 000 à 60 000 hommes, déployable en deux mois et pour une période d'un an. Cette force d'intervention ne sera constituée qu'en cas de besoin, à partir d'éléments nationaux. Il ne s'agit donc pas à proprement parler d'une armée européenne qui aurait son uniforme, ses casernements et ses matériels. La Kfor au Kosovo ou la Sfor (Force de stabilisation) en Bosnie-Herzégovine apparaissaient comme ses préfigurations.

Il ne s'agira donc pas d'une absolue nouveauté pour les militaires européens. Ceux-ci travaillent régulièrement ensemble au sein de plusieurs instances, comme l'Eurocorps (France, Allemagne, Belgique, Espagne, Luxembourg), auquel appartient la Brigade franco-allemande, Eurofor et son homologue naval Euromarfor (France, Italie, Espagne, Portugal) ou le Groupe aérien européen (France, Royaume-Uni, Allemagne, Italie). Les chefs d'état-major ont pris l'habitude de se rencontrer régulièrement dans des clubs informels : Eurac pour l'armée de l'Air, Chens pour la Marine et Finabel pour l'armée de Terre.

Ces coopérations se traduisent désormais de façon très concrète. Ainsi un pilote britannique a-t-il participé aux frappes contre la RFY à bord d'un Mirage 2000D de l'armée de l'Air. Sur un simple coup de téléphone, les aviateurs peuvent faire appel à un Transall allemand pour aller larguer des parachutistes au-dessus de Pau. Un sous-marin nucléaire de la Royal Navy est venu en escale à l'île Longue (Finistère), haut lieu de la dissuasion nucléaire française. Les armées françaises s'internationalisent de plus en plus, devenant « interopérables » avec leurs homologues alliées. Au quotidien, les débats sur l'appartenance à l'OTAN paraissent désormais dépassés : les militaires travaillent selon les procédures de l'organisation, ce qui permet de renforcer la coopération entre Européens.

Les atouts industriels du groupe EADS

En matière industrielle également, d'importantes évolutions ont été enregistrées avec la création, en octobre 1999, du groupe aérospatial EADS (European Aeronautic, Defense and Space Company) – résultat de la fusion de l'allemand Dasa, de l'espagnol Casa et des français Matra et Aérospatiale (qui s'étaient d'abord regroupés en juin). Avec plus de 120 milliards FF de chiffre d'affaires, 89 000 salariés et une position de leader dans le domaine des avions militaires et civils, des hélicoptères, des lanceurs spatiaux et de certains missiles, EADS apparaît comme l'un des tout premiers groupes mondiaux. Les politiques publiques d'armement peinent cependant encore à s'harmoniser. Le délégué général pour l'armement (DGA) français, Jean-Yves Helmer, a lancé un appel au « décloisonnement du marché européen » de l'armement. Les difficultés de programmes majeurs comme l'hélicoptère NH90, l'avion de transport tactique ATF, le retrait de Londres d'un projet de frégate avec la France et l'Italie, et celui de Paris du véhicule blindé de combat d'infanterie anglo-allemand ont témoigné des obstacles qui restent à franchir. Avec des budgets d'équipement réduits et la volonté de préserver des outils industriels nationaux, comme GIAT Industries (Groupement industriel de l'armement terrestre, qui fabrique en France le char Leclerc), l'intégration européenne dans ce domaine marque souvent le pas. D'où l'idée, formulée notamment par le ministre français de la Défense Alain Richard, d'établir des « critères de convergence » en matière d'équipements militaires, comme il en a existé pour préparer la mise en œuvre de la monnaie unique.

Au plan purement national, trois dossiers ont par ailleurs retenu l'attention des responsables de la Défense : la fin du Service national, la situation de la gendarmerie et le contrôle parlementaire du renseignement et des opérations extérieures.

En 1999, la professionnalisation des armées était à mi-parcours. Elle se déroule avec succès et les candidats aux métiers des armes sont nombreux, d'autant que la quasi-totalité des restrictions d'emploi des femmes ont été levées. On a ainsi vu la première femme pilote de chasse. Il reste que les armées continuent d'avoir besoin d'appelés jusqu'en 2002, selon la loi de programmation militaire. De plus en plus de jeunes renâclent à abandonner leur emploi (et surtout le salaire qui va avec) pour passer dix mois à la caserne. Des appels de sursitaires se sont multipliés et l'approche d'échéances électorales semblait pouvoir inciter à avancer la date de la fin de la conscription.

La gendarmerie nationale, force militaire mise pour emploi au service des préfets et des magistrats, a été gravement secouée par l'affaire dite « des paillotes » en Corse [*voir article p. 229*]. La situation sociale en son sein est apparue tendue : les gendarmes se plaignent de plus en plus ouvertement de la différence de traitement existant avec les policiers. Enfin, les relations entre la gendarmerie et l'armée de Terre sont devenues très mauvaises. L'implication de l'armée dans des opérations de maintien de l'ordre au Kosovo a été mal vécue par les gendarmes qui revendiquent cette responsabilité. Le divorce devrait être prononcé : les officiers de gendarmerie ne seront plus formés à Saint-Cyr. Enfin, la commission de la Défense de l'Assemblée nationale s'est activée pour renforcer le contrôle parlementaire, notamment dans un domaine qui lui échappe totalement : les affaires de renseignement. Une proposition de loi a été déposée en ce sens. Un rapport demande également une plus grande transparence en matière d'opérations extérieures. ■

Relations extérieures

Réforme de la coopération, suite

Jean-Jacques Gabas
Économiste, Université Paris-XI-Orsay, GEMDEV

La réforme du dispositif français de coopération au développement a été amorcée en 1998 avec la fusion du ministère de la Coopération et du ministère des Affaires étrangères et l'affirmation du rôle central de l'Agence française de développement (AFD) dans la mise en œuvre des projets. D'une part, l'année 1999 a marqué l'achèvement du montage institutionnel, avec la tenue du premier Comité interministériel à la coopération internationale et au développement (CICID), le 28 janvier 1999, et l'installation, le 28 novembre 1999, du Haut Conseil à la coopération internationale (HCCI), organe consultatif de soixante membres réunissant des représentants du secteur privé et associatif et des personnalités qualifiées. D'autre part, la zone de solidarité prioritaire (ZSP) a été définie : elle rassemble soixante États et l'Autonomie palestinienne (et non plus uniquement les pays dits « du champ » correspondant à l'ancien ministère de la Coopération).

Une réforme attendue pendant des décennies

Au-delà de la réforme institutionnelle, de nouvelles orientations politiques ont été données aussi bien par le discours du Premier ministre Lionel Jospin à la conférence de la Banque mondiale à Paris le 22 juin 1999 que par la direction générale de la Coopération internationale et du développement (DGCID) du ministère des Affaires étrangères, créée début 1999. Tout d'abord, la question du développement est abordée dans le contexte plus général de la mondialisation et de la nécessité d'une vraie gouvernance de l'économie internationale. Ensuite, il s'agit d'analyser, avec une certaine objectivité, la situation économique, sociale et sanitaire de chacun des pays de la ZSP afin d'adapter les pratiques de coopération aux spécificités de chacun d'entre eux. Enfin, la coopération doit se donner trois axes prioritaires : le développement durable, qui implique notamment un renforcement des institutions à tous les niveaux (régional, national et local), l'éducation de base et la formation professionnelle, et les soins de santé primaires.

Dans cet ensemble de mesures, quelques points méritent attention. Tout

Références

M. Charasse, *Annexe n° 2. Affaires étrangères : coopération* (rapport général n° 89 du Sénat), Paris, 25 novembre 1999.

Z. Dauge, J.-C. Lefort, M. Terrot, *La Réforme de la coopération vue de Bangui et N'Djamena : l'urgence d'une explication*, « Les documents d'information », Assemblée nationale (rapport n° 1701), Paris, 1999.

Y. Tavernier, *La Coopération française au développement* (rapport au Premier ministre), La Documentation française, « Rapports officiels », Paris, 1999.

@Sites Internet

Forum européen de coopération internationale : **http://www.oneworld.org/euforic**

Haut Conseil de la coopération internationale :
http://www.cooperation-internationale.gouv.fr

d'abord, au cours des années quatre-vingt-dix, l'APD (Aide publique au développement) française (incluant dans la comptabilité celle affectée aux territoires d'outre-mer) a atteint son maximum en 1994 avec un volume de 47 milliards FF suite aux dispositions prises après la dévaluation du franc CFA le 11 janvier 1994. Ensuite, l'APD exprimée en franc courant n'a cessé de diminuer, passant à 33,8 milliards FF en 1998 et à 32,2 milliards FF en 1999. Elle a été chiffrée à 33,8 milliards FF dans le budget 2000. Rapportée au PIB, elle est passée de 0,6 % en 1990 à 0,37 % en 2000. Cette tendance à la baisse, qui concerne l'ensemble des pays du CAD (Comité d'aide au développement de l'OCDE – Organisation de coopération et de développement économiques), marque une évolution de fond qui contredit dans les faits les priorités politiques affichées au moins dans le discours. Quant à l'aide multilatérale, elle varie entre 8 et 10 milliards FF. Sa croissance prévue en 2000 (qui devrait représenter 30 % de l'APD totale) marque une volonté politique de passer davantage par l'Union européenne et de mener les politiques en cohérence avec les institutions de Bretton Woods.

La répartition géographique de l'aide française est marquée depuis plus de dix ans par une profonde inertie. Dix territoires, la Polynésie française, la Nouvelle-Calédonie, la Côte-d'Ivoire, le Maroc, l'Égypte, le Cameroun, le Sénégal, Madagascar, le Congo-Brazzaville et l'Algérie, reçoivent près de 60 % de l'aide française. Comment, dès lors, les financements français vont-ils évoluer dans le cadre beaucoup plus large de la ZSP ? Comment mettre en œuvre la sélectivité de l'aide face à une telle prégnance de l'histoire des relations avec certains pays, africains notamment ? L'année 1999 a déjà indiqué que les marges de manœuvre budgétaires étaient quasiment inexistantes pour financer une situation d'urgence. Ainsi, pour les programmes de reconstruction au Kosovo, des ressources ont été prélevées sur les programmes envisagés en faveur des pays de la ZSP.

Comment articuler diplomatie, économie et développement ?

Sur le plan des affectations sectorielles, il n'existe pas de suivi réel de l'aide au développement, en dehors de celui exercé sur le plan budgétaire par quelques députés et sénateurs ou dans le cadre des examens menés par le CAD tous les trois ans. Il est difficile de savoir ce qui va à l'éducation de base, au développement institutionnel, etc. Concernant les grandes affectations, quelques tendances ont été relevées : la poursuite de la baisse des effectifs de l'assistance technique, bien que l'enveloppe financière correspondante n'ait pas diminué, la baisse des concours financiers dans le cadre de l'ajustement structurel, la diminution des aides à l'investissement. Quant aux annulations ou rééchelonnements de dettes, la France y a consacré une part importante de son budget : 6,3 milliards FF en 1999, près de 3,8 milliards FF en 2000. Après le sommet du G-8 qui s'est tenu à Cologne en juin 1999, la France a décidé l'annulation des créances d'APD sur les pays pauvres très endettés (PPTE). Toutefois, ces annulations sont des transferts du budget de l'État vers l'AFD, la COFACE ou la Banque de France, et non un transfert de ressources directes vers les pays bénéficiaires. Enfin, au sein du ministère des Affaires étrangères, les seuls postes du budget de la coopération qui aient augmenté concernent l'audiovisuel et les programmes de bourses. Outre la difficulté à mesurer les affectations précises de l'aide française, il semble, plus fondamentalement, que la politique française de coopération souffre d'un problème de mise en œuvre. Alors qu'il existe en France une pensée sur les questions de développement, que l'on retrouve aussi bien dans le secteur de la recherche que dans le secteur associatif ou l'administration, celle-ci se concrétise difficilement. Il en est ainsi de la lutte contre les inégalités et la pauvreté, de la question de l'État de droit, du développement durable, du dialogue politique, des nouvelles conceptions de l'assistance technique ou de la recherche pour le développement.

Si la réforme de la coopération avait pour but une meilleure lisibilité dans ses actions, le système reste fragmenté : le ministère de l'Économie, des Finances et de l'Industrie gère plus de 40 % de l'aide, le ministère des Affaires étrangères et les autres ministères techniques se partageant à peu près également les 60 % restants. La réforme institutionnelle ne concerne donc qu'une petite partie des acteurs. Trois cultures coexistent : celle de la diplomatie, celle de l'économie et, plus marginalement, celle du développement. Une véritable politique de coopération doit donc articuler ces trois sensibilités. Enfin, en période de cohabitation, la présidence de la République reste un acteur important des relations entre la France et l'Afrique, alors que ses positions politiques ne sont pas toujours partagées par le gouvernement : l'exemple des divergences d'appréciation portées sur la prise de pouvoir par les militaires en Côte-d'Ivoire (décembre 1999) en a été une illustration.

Tous les bailleurs de fonds s'interrogent depuis longtemps sur la pertinence et l'efficacité de leurs politiques de coopération. La France a modifié une partie de son dispositif institutionnel de coopération, mais il faudrait certainement aller au-delà pour aborder les fondements politiques de la coopération : une telle révision ne peut se limiter à une réorganisation de ses outils. ■

Relations franco-africaines « Ni ingérence, ni indifférence »

Stephen Smith
Journaliste

La lente érosion des relations franco-africaines s'est poursuivie en 1999, les événements sur le continent africain – souvent dramatiques – ayant de moins en moins de répercussions à Paris, sans que l'inverse soit toujours vrai. Ainsi, la fusion contrainte de la compagnie pétrolière Elf-Aquitaine avec Total-Fina, en juillet 1999, de même que le feuilleton judiciaire autour de ses comptes secrets à l'étranger et de divers transferts de « commissions » ont fortement impliqué l'Afrique, d'où Elf tire 57 % de sa production. Lors des voyages du président Jacques Chirac et du ministre délégué à la Coopération et à la Francophonie, Charles Josselin, la France a réaffirmé sa nouvelle doctrine de « ni ingérence, ni indifférence ». Le putsch survenu le 24 décembre 1999 en Côte-d'Ivoire, la « vitrine » de la France en Afrique, a mis à l'épreuve cette politique à équidistance de l'interventionnisme du passé et d'un abandon pur et simple des anciennes colonies. En l'occurrence, ayant tardé à exercer des pressions sur le président Henri Konan Bédié, engagé dans une dérive sur l'« ivoirité » dans un pays dont un tiers des 15 millions d'habitants est d'origine étrangère, Paris a pris acte du coup d'État du général Robert Gueï, sans réellement infléchir le cours des événements.

L'affaire Elf éclabousse des chefs d'État

En juillet 1999, au lendemain de l'offre publique d'échange (OPE) inamicale ayant permis à Total-Fina de prendre le contrôle d'Elf-Aquitaine, le président du Congo-Brazzaville, Denis Sassou Nguesso, s'est publiquement félicité de « cette bonne nouvelle pour les Africains ». Son beau-fils, le président du Gabon, Omar Bongo, et leur allié commun, le chef de l'État angolais José Eduardo dos Santos, ont exprimé leur satisfaction plus discrètement. Dans le « triangle d'or noir » du golfe de Guinée, les poursuites judiciaires engagées par le P-DG d'Elf, Philippe Jaffré, contre son prédécesseur, Loïc Le Floch-Prigent, avaient provoqué d'autant plus d'irritation que les trois chefs d'État avaient perçu de substantiels « bonus parallèles », selon l'ancien « Monsieur Afrique » d'Elf, André Tarallo (entretien paru dans *Le Monde* le 24 octobre 1999). D'après le calcul des juges d'instruction français et suisse, environ 600 millions FF auraient transité entre 1990 et 1997 par les comptes de A. Tarallo, en provenance ou à destination de l'Afrique. Pour mettre fin à ces pratiques, Total-Fina a remplacé, le 2 décembre 1999, les équipes dirigeantes en charge de l'Afrique dans le nouveau groupe fusionné.

Lorsque Elf-Total-Fina a annoncé, le 8 novembre 1999, son retrait du consortium formé pour exploiter le gisement pétrolier de Doba, dans le sud du Tchad (l'investissement de 3,2 milliards de dollars, incluant la construction d'un oléoduc de 1 076 km jusqu'à la côte Atlantique du Cameroun, devait permettre l'extraction de 200 000 barils par jour pendant vingt-cinq ans), les autorités tchadiennes n'ont pas été les seules à s'émouvoir. C. Josselin a parlé d'une « annonce brutale ». Celle-ci a illustré l'autonomie des anciens instruments de la politique africaine de la France, dont Elf faisait partie. C'est dans ce contexte que peuvent être interprétées les professions de foi réitérées des res-

Références

J. Foccart, *Dans les bottes du Général. Journal de l'Élysée, 1969-1971* (tome 3), Fayard/Jeune Afrique, Paris, 1999.

Human Rights Watch/Fédération internationale des Ligues des droits de l'homme, *Aucun témoin ne doit suivre. Le génocide au Rwanda,* Karthala, Paris, 1999.

H. Lelièvre (sous la dir. de), *Demain l'Afrique. Le cauchemar ou l'espoir ?,* Complexe, Bruxelles, 1998.

P. Messmer, *Les Blancs s'en vont. Récits de décolonisation,* Albin Michel, Paris, 1998.

Observatoire géopolitique des drogues, *Les Drogues en Afrique subsaharienne,* Karthala, Paris, 1998.

P. Quilès, P. Branna, B. Cazeneuve, *Enquête sur la tragédie rwandaise (1990-1994),* rapport de la mission d'information parlementaire commune de la commission de la Défense et de la commission des Affaires étrangères, Assemblée nationale, Paris, 1998 (3 tomes, également disponible sur cédérom).

S. Smith, A. Glaser, *Ces Messieurs Afrique. Des réseaux aux lobbies,* Calmann-Lévy, Paris, 1997.

O. Vallée, *Pouvoir et politiques en Afrique,* Desclée de Brouwer, Paris, 1999.

F.-X. Verschave, *La Françafrique. Le plus long scandale de la République,* Stock, Paris, 1998.

@ Sites Internet

Africa Index on Africa : **http://www.africaindex.africainfo.no**

Africa Intelligence : **http://www.indigo-net.com/africa.html**

Africa News Online : **http://www.africanews.org**

Columbia University, Institute of African Studies : **http://www.columbia.edu/cu/sipa/REGIONAL/IAS**

Reliefweb (ONU) : **http://www.reliefweb.int**

ponsables français sur la « fidélité » aux amis traditionnels et sur l'« ouverture » aux pays non francophones. Du 21 au 24 juillet 1999, J. Chirac a porté ce message en Guinée, au Togo, au Nigéria et au Cameroun. Du 18 au 22 octobre, C. Josselin s'est rendu au Kénya, en Tanzanie, au Burundi et au Congo-Kinshasa, pour relancer l'initiative française en faveur d'une grande conférence régionale dans la région des Grands Lacs. En l'absence d'escales en Ouganda et au Rwanda, cette tentative n'avait guère de chance d'aboutir. En revanche, Paris a pu reprendre sa coopération avec Kinshasa, rompue depuis la prise du pouvoir par Laurent-Désiré Kabila en mai 1997.

Du « pré carré » à une zone de solidarité prioritaire

Le volume des échanges commerciaux franco-africains s'est développé (131,6 milliards FF en 1996, 140 milliards FF en 1998), le solde restant excédentaire pour la France (77 milliards FF d'exportations contre 63 milliards FF d'importations). En revanche, la structure des investissements français directs tend à se modifier : à compter de 1995, les deux tiers de ces investissements ont été réalisés hors du « champ » francophone, principalement au Nigéria, en Afrique du Sud, au Kénya et en Angola. La réforme de la coopération, qui a élargi l'ancien « champ » à une « zone de solidarité prioritaire » (ZSP), englobant une quarantaine de pays d'Afrique et quelques États « ciblés » en Asie et en Amérique latine, a ainsi suivi les brisées des hommes d'affaires. Cependant, le budget de la Coopération voté en novembre 1999 (9,24 milliards FF) – pour la première fois intégré à celui du ministère des Affaires étrangères – étant en diminution de 4,3 %, le sénateur socialiste Michel Charasse a pu soutenir que « le Quai d'Orsay se nourri[ssai]t sur la Coopération ». Dans un communiqué publié le 8 décembre 1999, il a également relevé que les fonds consacrés au développement étaient en diminution constante, que le financement de projets bilatéraux était « amené à disparaître », l'aide française « se fond[ant] de plus en plus dans un cadre multilatéral ».

Son pacte néocolonial avec l'Afrique francophone étant rompu depuis la dévaluation du franc CFA et le génocide au Rwanda en 1994, la France n'a plus de politique volontariste sur le continent. Désormais, les chefs d'État « amis » ne sont ni maintenus au pouvoir, ni destitués par l'ancienne métropole. En 1999, une série de coups d'État – le 9 avril au Niger, le 30 avril aux Comores, le 7 mai en Guinée-Bissau (pays membre de la zone franc) et, le 24 décembre, en Côte-d'Ivoire – ont démontré que la France ne s'ingérait plus militairement dans les affaires intérieures. Ce non-interventionnisme rend anachronique, voire préjudiciable pour la nouvelle politique africaine, le maintien de contingents « prépositionnés » dans cinq pays africains (Sénégal, Gabon, Côte-d'Ivoire, Tchad, Djibouti). Installés aux premières loges, ces soldats risquent d'être pris à témoin, sinon pris à partie, sans pouvoir agir. ■

L'immigration et la coopération entre sociétés civiles

Christophe Daum
Anthropologue, URMIS

Un débat récurrent agite les opinions européennes depuis le milieu des années soixante-dix et la suspension de l'immigration de travail dans la quasi-totalité des pays d'Europe du Nord : celui de la « pression migratoire des pays en voie de développement vers les pays riches ». Cette supposée « pression » s'apparente en fait à un fantasme millénariste.

À la fin des années quatre-vingt, le Bureau international du travail (BIT) évaluait à 50 millions le nombre de migrants en Afrique noire. Pourtant, le recensement de 1990 a fait état de la présence d'environ 240 000 Africains noirs immigrés en France. De même, les régularisations de « sans-papiers » qui ont lieu depuis 1974 prennent acte d'une présence irrégulière en Europe. Les chiffres attestent là encore la faible ampleur de cette pression : pour la France, environ 140 000 dossiers étaient déposés en 1981, pour 160 000 en 1997.

L'efficacité du contrôle des frontières n'est pas en cause : celles-ci demeurent poreuses et l'efficacité du contrôle à l'intérieur même des frontières est également limitée. Ainsi, le ministre de l'Intérieur Jean-Louis Debré annonçait un taux de 27,2 % de reconduites effectives aux frontières, sur le total de décisions prononcées à l'encontre d'étrangers en situation irrégulière en 1996, tandis qu'en octobre 1999 son successeur

Références

C. Daum, *Les Associations de Maliens en France*, Karthala, Paris, 1998.

G. Noiriel, *Le Creuset français*, PUF, Paris, 1984.

C. Quiminal, *Gens d'ici, gens d'ailleurs (migrations soninkées et transformations dans la vallée du fleuve)*, Christian Bourgois, Paris, 1991.

A. Sayad, *L'Immigration ou les paradoxes de l'altérité*, De Boeck Université, Bruxelles, 1991.

Jean-Pierre Chevènement constatait que « les statistiques nationales des expulsions effectives sont d'un niveau anormalement bas ». Tout semble indiquer que les sociétés d'origine ne se précipitent pas massivement au Nord. Le développement des pays d'origine serait-il l'alternative aux logiques coercitives ? Il convient d'explorer attentivement cette voie.

Le « codéveloppement », un discours ou une méthode d'action ?

L'immigration, spécialement celle des pays anciennement colonisés, constitue la face visible des déséquilibres Nord-Sud. La tentation est forte de considérer l'émigration comme conséquence exclusive de la pauvreté : la coopération internationale aurait alors comme finalité de résoudre le « problème de l'immigration », un traitement humain et généreux permettant d'intervenir sur le fond du problème.

Le codéveloppement est en fait, au début des années quatre-vingt, une orientation pensée au niveau du ministère de la Coopération française. L'idée centrale était de négocier les échanges entre pays en voie de développement et pays industrialisés dans le sens d'un rééquilibrage progressif de la répartition des richesses. Cette aspiration, généreuse mais sans doute hérétique, ne trouvera pas alors les moyens de sa concrétisation. Le terme sera enterré, jusqu'à ce que, après l'expulsion des « sans-papiers » de l'église Saint-Bernard, en août 1996, puis le changement de majorité en juin 1997, on le ressorte des cartons en vue de « solutionner les causes de l'émigration ». L'aspiration à des rapports Nord-Sud équitables a laissé place, vingt ans plus tard, au traitement du problème de politique intérieure française qui constitue la fermeture de l'immigration et la production de « sans-papiers » qui lui est consécutive.

C'est dans ce sens que s'inscrivent les orientations françaises prises à partir d'avril 1998. En effet, un « délégué interministériel au codéveloppement et aux migrations internationales » a été chargé de proposer des orientations et des mesures visant au renforcement de la coopération de la France avec les pays d'émigration en vue de convenir avec eux, dans une perspective de codéveloppement, d'une « meilleure maîtrise des flux migratoires ». Ce délégué a été placé sous l'autorité du Premier ministre à compter de novembre 1999. Il s'agit de réintroduire une « souplesse contrôlée » dans les flux (nord-sud et sud-nord) et de prendre en compte les migrants eux-mêmes dans le développement des pays d'origine.

Pourtant, la misère n'est pas l'unique explication de l'émigration. Certaines régions en crise ont pu se spécialiser dans des migrations lointaines précisément pour mieux résister. Inversement, l'histoire indique que le développement entraîne fréquemment de nouvelles vagues d'émigration : le peuplement des États-Unis a été consécutif à la révolution industrielle en Europe, laquelle a déstructuré le milieu rural.

Enfin, dans cette démarche sont fusionnées les questions de migrations internationales et celles de solidarité internationale.

Est occulté dès lors le rôle des immigrés eux-mêmes en matière de solidarité active avec les pays d'origine. Lesquels, et à contre-pied des logiques instrumentales du codéveloppement, s'inscrivent dans le long terme.

Les migrants, acteurs du développement des pays d'origine

Depuis les années quatre-vingt, on redécouvre les liens entretenus par les immigrés avec leur pays d'origine. Ils ont été longtemps occultés, sans doute du fait de la pesanteur du modèle français d'intégration qui subordonne l'assimilation des immigrés à leur abandon des repères issus de la société d'origine.

Ainsi, les associations de Maliens, Mauritaniens et Sénégalais en France, qui se comptent par centaines, ont contribué de façon non négligeable aux transformations sociales dans les régions et villages d'origine, avec de très nombreuses réalisations. Au Mali, par exemple, les autorités sanitaires indiquaient en 1995 que les infrastructures avaient été multipliées par quatre dans la principale zone d'émigration (dite « de Kayes », dans l'ouest du pays). Dans cette même région, le taux de scolarité a rejoint celui de la moyenne de la capitale nationale alors qu'il était au plus bas dix ans plus tôt.

Ce phénomène de « coopération par le bas » n'est pas limité à ces régions du monde : des ressortissants africains, malgaches, comoriens, cap-verdiens, ou encore maghrébins et asiatiques sont impliqués dans des démarches similaires.

Deux problèmes sont posés. Tout d'abord celui de l'efficacité des opérations des immigrés. Lesquels éviteraient des déperditions d'énergie à être soutenus dans leurs efforts.

Paradoxe qui n'est peut-être qu'apparent, les rapports Nord-Sud entretenus par les immigrés auront été prétexte à l'échange avec de nombreuses instances de la société française, favorisant ainsi une reconnaissance réciproque. Les municipalités, les militants d'organisations non gouvernementales (ONG) ou associatifs, les travailleurs sociaux, etc. sont en effet sollicités de façon prolongée. Pour les immigrés, il s'agit de rechercher des moyens supplémentaires pour leurs actions. Mais pour leurs interlocuteurs, le problème est celui des cohabitations quotidiennes, de l'élaboration de lieux de contacts avec des communautés d'accès difficile. En témoigne par exemple le jumelage organisé en 1997 par la municipalité de Saint-Denis, en banlieue parisienne, avec une association de Maliens : si la municipalité s'implique dans des projets de santé au Mali, l'association est, quant à elle, sollicitée pour l'insertion des immigrés.

Sur ces sujets, la migration, loin de constituer un problème, peut constituer un vecteur de médiations multiples entre les sociétés civiles. Son activité peut aussi être regardée comme relevant d'une intégration active à la société d'accueil. ■

Chronologie

Rétrospective 1992-1999

Cette chronologie sélective couvre la période allant du 1er avril 1992 au 31 mars 1999. Pour la période allant du 1er avril 1999 au 31 mars 2000, voir p. 17 et suivantes. Les pages indiquées entre crochets renvoient à des articles en rapport avec les événements évoqués dans les précédentes éditions.

1992

2 avril. Premier ministre. Édith Cresson (PS), qui avait été nommée à Matignon le 15 mai 1991 à la place de Michel Rocard (PS), est à son tour remplacée par Pierre Bérégovoy (PS). Son très bref passage n'aura guère convaincu [*voir édition **93-94**, p. 487*].

6 avril. SME. L'escudo portugais entre dans le Système monétaire européen.

8 avril. Défense. Les essais nucléaires français dans le Pacifique sont suspendus. Le 3 août, la France adhère au traité de non-prolifération nucléaire (TNP), ce qu'elle se refusait à faire depuis vingt-quatre ans.

12 avril. Culture. Le même jour, le parc géant EuroDisney [*voir édition **93-94**, p. 129*] ouvre ses portes à Marne-la-Vallée et la chaîne de télévision *La Cinq*, en liquidation judiciaire, cesse d'émettre. Son canal sera occupé à partir du 28 septembre suivant par la chaîne culturelle franco-allemande *Arte*.

6 mai. Éclatement de la FEN. Un conseil extraordinaire de la Fédération vote l'exclusion de deux de ses principaux syndicats nationaux (SNES et SNEP) dirigés par une tendance proche des communistes, la direction étant pro-socialiste [*voir édition **93-94**, p. 87*].

21 mai. PAC. Les ministres de l'Agriculture de la CEE décident la mise en œuvre de la réforme de la Politique agricole commune [*voir édition **1992**, p. 543*].

13 juin. Guerre scolaire. Un accord, signé par le ministre de l'Éducation, Jack Lang, et le secrétaire général de l'enseignement catholique, Max Couplet, met théoriquement fin à la guerre scolaire [*voir édition **93-94**, p. 518*].

28 juin. Humanitaire. François Mitterrand, accompagné de Bernard Kouchner, ministre de l'Action humanitaire, se rend dans Sarajevo assiégée. Ce geste spectaculaire et courageux ne parvient pas à faire oublier que la France a beaucoup tardé à condamner les dirigeants serbes et la pratique du nettoyage ethnique dans l'ex-Yougoslavie [*voir édition **93-94**, p. 28*].

29 juin. Mouvements sociaux. La France, au moment des vacances, se trouve bloquée par les barrages routiers des transporteurs qui protestent contre l'instauration du permis de conduire « à points ». Ce mouvement, parmi d'autres, souligne une nouvelle fois la défaillance des régulations sociales [*voir édition **93-94**, p. 98, 450, 464*].

5 et 16 juillet. Histoire de France. Le 5 juillet, trentième anniversaire de l'indépendance algérienne et, le 16 suivant, le cinquantième de celui de la rafle du « Vel d'Hiv », au cours de laquelle 13 000 Juifs furent arrêtés par la police parisienne avant d'être déportés vers les camps nazis, sont l'occasion de s'interroger sur la difficulté qu'éprouve la France à assumer certaines phases de son histoire [*voir édition **93-94**, p. 154 ; voir aussi 16 juillet 1993, 16 juillet 1995 et, p. 17, 10 juin 1999*].

29 juillet. RMI. Une loi prolonge le Revenu minimum d'insertion, créé en décembre 1988, après qu'une évaluation en a été faite [*voir édition **93-94**, p. 562*]. Les phénomènes de pauvreté, de précarité et d'exclusion s'étendent malgré tout.

17 septembre. SME. Tempête monétaire. La livre britannique et la lire italienne suspendent leur participation au mécanisme de change du Système monétaire européen. Le franc français et la couronne danoise sont attaqués. La peseta espagnole, l'escudo portugais et la livre irlandaise seront dévaluées. Cette tempête aura été une répétition générale : les règles du SME ne résisteront pas à une nouvelle attaque de la spéculation, fin juillet 1993.

20 septembre. Maastricht. Le référendum sur la ratification du traité de Maastricht portant sur l'Union européenne [*voir édition **93-94**, p. 492, 527*] est approuvé par une très courte majorité (51,05 %). Le clivage a partagé certains partis, notamment le RPR. Au même moment, le SME essuie une « tempête monétaire » : le franc, malmené par les spéculateurs, doit être fortement soutenu par la Bundesbank [*voir édition **93-94**, p. 428, 530*]. L'attitude communautaire face à la guerre dans l'ex-Yougoslavie apparaît dans cette période comme un test pour la construction de l'Europe [*voir édition **93-94**, p. 16*].

21 septembre. République. En 1792, au lendemain de la bataille de Valmy, la Convention proclamait la République. Son bicentenaire passe totalement inaperçu. A l'heure du débat sur l'Union européenne, la discussion sur l'idée républicaine aurait pourtant été d'une brûlante actualité. La France, en cette année 1992, aura seulement fêté les XVIe jeux Olympiques d'hiver à Albertville (Savoie) du 8 au 13 février...

2 octobre. Sénat. René Monory (CDS) est élu président en remplacement d'Alain Poher qui occupait ce poste depuis un quart de siècle.

20 octobre. CFDT. Six mois après avoir été réélu secrétaire général, Jean Kaspar est écarté et remplacé par Nicole Notat.

23 octobre. Sang contaminé. Le tribunal correctionnel de Paris condamne deux responsables de la Transfusion française, les docteurs Michel Garetta (quatre ans de prison ferme) et Jean-Pierre Allain (quatre ans, dont deux avec sursis). Le docteur Jacques Roux, ancien directeur de la Santé au ministère, est pour sa part condamné à quatre ans avec sursis [*sur le principe de précaution, voir édition **97-98**, p. 21, et, sur les notions de responsabilité politique et de responsabilité administrative, voir édition **93-94**, p. 32*].

20 novembre. GATT. Un compromis sur le volet agricole des négociations est conclu entre les représentants de la Commission de la CEE et ceux des États-Unis. La France, en situation préélectorale, menace d'opposer ultérieurement son veto à cet accord, incompatible, selon le gouvernement, avec la réforme de la Politique agricole commune [*voir édition **93-94**, p. 537, 582*].

11-12 décembre. Communauté européenne. Conseil européen d'Édimbourg : le feu vert est donné à l'ouverture de négociations d'adhésion avec l'Autriche, la Suède, la Finlande (qui a déposé une demande officielle d'adhésion le 18 mars précédent) et la Norvège (candidature officielle depuis le 25 novembre 1992) et aménagement du traité de Maastricht du 7 février 1992 relatif à l'Union européenne – alors ratifié par dix États membres – accordant un statut dérogatoire au Danemark.

31 décembre. Conjoncture économique. Au cours de l'année 1992, la croissance économique est restée faible (+ 1,6 % pour le PIB marchand en volume), la hausse des prix a été en moyenne de 1,9 %. L'année se termine avec 2 988 000 chômeurs, soit 10,3 % de la population active [*sur la conjoncture 1992, voir édition **93-94**, p. 370 et suiv.*].

1993

1er janvier. Europe. Annoncé depuis 1985, le Marché unique [*voir édition **93-94**, p. 16*] entre en vigueur sans mobiliser grande attention. Il est vrai que le débat sur l'Union européenne (traité de Maastricht) lui a volé la vedette les mois précédents [*voir 20 septembre*]. L'application de l'une des dispositions les plus emblématiques du Marché unique, la libre circulation des personnes, prévue par la convention de Schengen [*voir édition **93-94**, p. 552*], n'est pas mise en œuvre. Elle sera d'ailleurs repoussée par la France *sine die* le 28 avril 1993 [*voir aussi 26 mars 1995*].

30 janvier. « État de la France ». Édouard Balladur (RPR) rend public un document dressant « le véritable état de la France ».

10 février. **Partage du temps de travail.** Un accord signé par les ouvriers de Potain à Lyon prend en compte la notion de partage du temps de travail pour éviter 150 licenciements « secs » [*voir édition* ***93-94****, p. 366*]. Face aux trois millions de demandes d'emploi, le débat ne peut que se poursuivre [*voir édition* ***93-94****, p. 105*].

15 février. **Réforme constitutionnelle.** Le Comité consultatif institué le 2 décembre précédent pour réviser la Constitution, et présidé par Georges Vedel, remet son rapport. Il ne propose aucune modification d'envergure [*voir édition* ***93-94****, p. 487, 489*].

17 février. **« Big Bang ».** Au cours d'un meeting électoral à Montlouis-sur-Loire, Michel Rocard, considéré depuis le congrès socialiste de Bordeaux (juillet 1992) comme le « candidat naturel » du PS à l'élection présidentielle prévue pour 1995, appelle de ses vœux un « big bang » politique au lendemain des législatives pour favoriser une recomposition des « forces de transformation sociale ». Cet appel souligne le problème d'alliance que connaît le PS à la veille d'une déroute électorale certaine [*voir édition* ***93-94****, p. 41, 474, 479*].

26 février. **Sida.** Le ministre de la Santé Bernard Kouchner annonce que les personnes qui ont contracté le virus VIH (séropositives) seront désormais remboursées à 100 % par la Sécurité sociale. Encore faut-il qu'elles soient couvertes par la « Sécu ». L'extension de l'épidémie rend stratégique la question du soutien aux malades [*voir édition* ***93-94****, p. 112 ;* ***94-95****, p. 111 ;* ***95-96****, p. 123 ;* ***97-98****, p. 152*].

28 mars. **Alternance.** Les élections législatives des 21 et 28 mars consacrent la victoire écrasante de la droite RPR-UDF (460 députés) et marquent une défaite historique pour le PS (70 députés). Les écologistes (7,6 % des suffrages) et le Front national (12,4 %) n'ont aucun élu [*voir édition* ***93-94****, p. 41, dont tableau des résultats : 474, 479*]. Le 29, Édouard Balladur (RPR) est nommé Premier ministre.

3 avril. **Parti socialiste.** A la suite de la défaite du PS aux législatives, Laurent Fabius perd son poste de premier secrétaire d'un parti usé par deux législatures de gouvernement et largement déserté par les militants. Michel Rocard devient président d'une direction provisoire. Le 23 octobre suivant, il sera élu président du parti.

8 avril. **Balladurisme.** Reflet de la victoire massive de la droite aux élections législatives des 21 et 28 mars, la déclaration de politique générale présentée par Édouard Balladur est approuvée par 457 voix contre 81 (2 abstentions). Le Premier ministre va connaître pendant dix mois une exceptionnelle popularité [*voir édition* ***95-96****, p. 470, et aussi édition* ***94-95****, p. 462*].

1er mai. **Pierre Bérégovoy.** L'ancien Premier ministre socialiste (avril 1992-mars 1993) se suicide, suscitant un immense émoi dans le pays.

26 mai. **Privatisations.** Le projet de loi présenté au Conseil des ministres rend 21 sociétés privatisables, parmi lesquelles Total, Elf-Aquitaine, l'UAP, la BNP, Rhône-Poulenc... Entre 1993 et 1994, l'État en attend 100 milliards FF. Une part importante du produit sera consacrée à des dépenses courantes, palliant la faiblesse des rentrées fiscales [*voir édition* ***94-95****, p. 445*].

25 juin. **BERD.** Mis en cause pour sa gestion, le président Jacques Attali démissionne. Il est remplacé, le 18 août, par un autre Français, Jacques de Larosière, gouverneur de la Banque de France.

16 juillet. **Histoire de France.** Cette date est désormais consacrée journée nationale de commémoration de la rafle du « Vel d'Hiv » [*Voir édition* ***95-96****, p. 30 ; voir aussi 16 juillet 1992*].

22 juillet. **Signaux.** Le Parlement réforme le code de la nationalité, restreignant les possibilités d'accès à celle-ci [*voir édition* ***94-95****, p. 29*]. Le 10 août, une autre loi vise à faciliter les contrôles d'identité. Enfin, le 24 août, les conditions d'entrée, d'accueil et de séjour des immigrés sont elles aussi modifiées, dans le sens d'un contrôle accru. Dans ce cadre est institué un « statut du droit d'asile » visant à en limiter le recours [*voir édition* ***94-95****, p. 568 et aussi édition* ***93-94****, p. 38*]. Ces dispositions adoptées en tout début de législature ont pu être interprétées comme autant de signaux destinés à séduire l'électorat d'extrême droite.

1er août. SME. Pour mettre fin à la crise du Système monétaire européen, les ministres des Finances de la Communauté concluent le « compromis de Bruxelles », qui porte de ± 2,25 % à ± 15 % la marge de la fluctuation autorisée pour les devises. Cette mesure intervient après plusieurs mois d'instabilité et alors que le franc avait été attaqué [*voir édition **95-96**, p. 464, 541*].

18 octobre. Mouvements sociaux. La grève conduite par les personnels d'Air France s'opposant à un plan de restructuration rencontre la compréhension de l'opinion. Elle sera suivie par d'autres mouvements radicaux, notamment celui des marins-pêcheurs en décembre-janvier [*voir édition **95-96**, p. 492, et aussi édition **94-95**, p. 482*], ainsi que par des grèves significatives comme chez Pechiney-Dunkerque, GEC-Alsthom-Belfort ou Usinor-Fos.

1er novembre. Maastricht. Après la levée du dernier obstacle à la ratification du traité de Maastricht par l'Allemagne (12 octobre), l'Union européenne (UE) entre en vigueur [*voir notamment édition **95-96**, p. 20, 509, 541*].

12 novembre. Verts. En assemblée générale à Lille, le courant d'Antoine Waechter partisan du « ni gauche ni droite » est mis en minorité par une coalition d'opposants portant Dominique Voynet à la direction. Ce changement sera suivi du départ de A. Waechter.

15 décembre. GATT. A quelques heures de l'échéance des discussions commerciales multilatérales de l'*Uruguay Round* engagées à Punta del Este en 1986, les négociateurs américains et européens règlent leurs derniers différends, notamment sur l'épineux dossier agricole. Sous la pression de la France en particulier, l'Union européenne obtient que l'audiovisuel soit exclu des négociations et examiné plus tard [*voir 15 avril 1994*].

20 décembre. Emploi-formation. Adoption de la loi dite « quinquennale » sur l'emploi. Elle prévoit, entre autres mesures, la suppression du Centre d'étude des revenus et des coûts (CERC), un observatoire public à l'indépendance reconnue. Elle instaure aussi le CIP (Contrat d'insertion professionnelle) qui, en mars, suscitera une vive mobilisation des collégiens, lycéens et étudiants qui y verront l'instauration d'un « SMIC-jeunes ». Après d'imposantes manifestations, le CIP sera retiré [*voir édition **95-96**, p. 94, 199, 492*].

31 décembre. Conjoncture économique. L'année 1993 a correspondu à une récession (– 0,7 % en moyenne annuelle pour le taux de croissance) succédant à 1,4 % pour 1992. A la fin de l'année, on dénombrait 3 300 000 demandeurs d'emploi, soit 11,6 % de la population active [*sur la conjoncture 1993, voir édition **94-95**, p. 388 et suiv.*].

1994

1er janvier. UEM. Deuxième étape de l'Union économique et monétaire : création de l'Institut monétaire européen (IME), qui siégera à Francfort, chargé de préparer le passage à la monnaie unique (troisième étape). Le 5 janvier entre en vigueur la loi rendant la Banque de France indépendante du gouvernement [*voir édition **95-96**, p. 541, 544. Voir aussi éditions précédentes : **94-95**, p. 456, 531 ; **93-94**, p. 527, 530 ; **1992**, p. 534, 536*].

10-11 janvier. OTAN. Au « sommet » de Bruxelles est lancé le projet américain de Partenariat pour la paix ouvert à tous les membres de la CSCE et destiné à développer la coopération militaire avec l'Est.

11 janvier. Franc CFA. A Dakar, les représentants des États membres de la Zone franc annoncent une dévaluation de 50 % du franc CFA [*voir édition **95-96**, p. 599. Voir aussi édition **94-95**, p. 606, 608*].

16 janvier. Loi Falloux. Des centaines de milliers de personnes défilent à Paris pour la défense de l'école publique. Trois jours plus tôt, le Conseil constitutionnel avait censuré l'article 2 de la réforme de la loi Falloux relative au financement des écoles privées par les collectivités locales. Devançant la manifestation, le gouvernement avait renoncé à présenter un nouveau projet [*voir édition **94-95**, p. 85*].

10 février. Affaires « Tapie ». Bernard Tapie est mis en examen, dans le cadre de l'affaire relative au match de football VA-OM, pour complicité de corruption et subornation de témoins. Cette mise en examen n'est ni la première ni la dernière (comptes de Bernard Tapie Finance, Testut, comptes de l'Olympique de Marseille, *Phocea*). Mis en liquidation et inéligible pour cinq ans, il devra renoncer à se présenter à la présidentielle et à la mairie de Marseille en 1995 [*voir édition* ***95-96****, p. 23, 379, et aussi édition* ***93-94****, p. 25*].

23 février. Défense. Publication par le gouvernement du *Livre blanc sur la Défense*, dessinant des perspectives jusqu'à l'horizon 2010. Le 15 juin sera adoptée une loi de programmation militaire [*voir édition* ***95-96****, p. 592, et aussi édition* ***94-95****, p. 588*].

25 février. Assassinat. Yann Piat, députée du Var (PR-UDF), est assassinée dans le cadre d'un « contrat » exécuté par deux tueurs. L'enquête laisse entrevoir les liens douteux existant entre certains élus de la région et le « milieu ».

1er mars. Justice. Entrée en vigueur du nouveau Code pénal adopté en 1992.

20-27 mars. Cantonales. Les élections des conseillers généraux illustrent une certaine remontée de la gauche (40,4 % des voix au premier tour) comparativement aux législatives de 1993.

24 mars. Crédit Lyonnais. La banque nationale annonce une perte historique de 6,8 milliards FF pour 1993, résultat de nombreux engagements aussi ambitieux qu'hasardeux.

15 avril. « Uruguay Round ». L'acte final du cycle des négociations du GATT engagé en 1986 est paraphé à Marrakech par 112 États. Les négociations commerciales s'étaient terminées le 15 décembre précédent. Sous la pression de la France en particulier, l'UE a obtenu que l'audiovisuel soit exclu des discussions et examiné plus tard. Édouard Balladur apparaît avoir habilement mené ce dossier. Une nouvelle institution, l'Organisation mondiale du commerce (OMC), succédera au GATT le 1er janvier 1995 [*voir notamment édition* ***94-95****, p. 162, 538, 582, et aussi* ***93-94****, p. 537, 582*].

20 avril. Histoire de France. L'ancien chef milicien Paul Touvier est condamné à la réclusion perpétuelle pour complicité de crime contre l'humanité. C'est le premier Français à l'être. René Bousquet, l'ancien secrétaire général de la police de Vichy, a quant à lui été assassiné le 8 juin 1993.

4 mai. Affaires. Pierre Guichet, P-DG d'Alcatel-CIT, est mis en examen dans le cadre d'une enquête portant sur des surfacturations au détriment de France Telecom. Dans la période, de nombreux autres grands dirigeants d'entreprise sont mis en examen : Didier Pineau-Valenciennes, P-DG du groupe Schneider, placé en détention provisoire au motif d'escroquerie à Bruxelles le 27 mai, Pierre Bergé, P-DG d'Yves Saint Laurent, pour délit d'initié le 30 mai, Pierre Suard, P-DG d'Alcatel pour faux et usage de faux, escroquerie et corruption le 4 juillet [*voir édition* ***95-96****, p. 23, et aussi édition* ***93-94****, p. 25*].

6 mai. France-Royaume-Uni. Inauguration du tunnel sous la Manche.

26-27 mai. Sécurité européenne. A Paris, réunion d'une conférence réunissant une quarantaine d'États sur la stabilité en Europe, à l'initiative d'É. Balladur.

6 juin. Cinquantenaire. Commémoration du débarquement allié en Normandie.

9-12 juin. UE. Élections au Parlement européen. En France, la liste socialiste menée par Michel Rocard connaît la déroute (14,5 %), tandis que celle de la droite (UDF-RPR) menée par Dominique Baudis plafonne à 25,6 %. Les listes de l'anti-européen Philippe de Villiers (ultra-droite) et de l'affairiste pro-européen Bernard Tapie (MRG) effectuent des percées remarquées (respectivement 12,3 % et 12,0 %). Le Front national (liste Le Pen) obtient 10,5 % et le PCF (liste Wurtz) 6,9 % [*voir édition* ***95-96****, p. 478, 479, 494*].

19 juin. Parti socialiste. A la suite de l'échec de la liste conduite par Michel Rocard aux élections européennes, ce dernier est mis en minorité dans son parti et remplacé par Henri Emmanuelli. Il renoncera à se porter candidat à la présidentielle.

22 juin. Rwanda. Le Conseil de sécurité de l'ONU approuve la mise en place d'une mission humanitaire sous commandement militaire français. L'opération *Turquoise* permettra de sauver environ 15 000 personnes, mais ne suffira pas à faire oublier le soutien qu'aura auparavant apporté la France au régime dictatorial dont les milices ont organisé le massacre de plusieurs centaines de milliers de Rwandais [*voir édition* ***95-96***, *p. 599*].

23 juin. Bioéthique. Trois lois sont adoptées, relatives au statut du corps humain.

8 juillet. Affaires. Jean-Michel Boucheron, ancien maire (PS) d'Angoulême en fuite en Argentine, est condamné par contumace à quatre ans de prison. Le 17 novembre, un autre « exilé » en cavale, Jacques Médecin, ancien maire (droite) de Nice sera extradé d'Uruguay.

15 juillet. UE. Le Premier ministre luxembourgeois Jacques Santer est désigné président de la Commission européenne. Il succède au Français Jacques Delors, en poste depuis 1985, qui aura vigoureusement relancé le processus européen [*voir édition* ***95-96***, *p. 20, et aussi éditions précédentes :* ***94-95***, *p. 18, 585 ;* ***93-94***, *p. 16, 576*].

4 août. Superphénix. Le surgénérateur très controversé de Creys-Malville (Isère) redémarre, devant désormais « fonctionner pour la recherche ».

10 août. Islamisme. 16 personnes présumées liées aux réseaux islamistes algériens sont assignées à résidence à Folembray (Aisne). D'autres arrestations auront lieu et 20 personnes seront, le 31, expulsées vers le Burkina Faso.

15 août. Carlos. Ilitch Ramirez Sanchez, *alias* Carlos, terroriste international, est livré à la France par les services du régime militaro-islamiste soudanais.

6 septembre. Vichy. La sortie en librairie du livre de Pierre Péan, *Une jeunesse française, François Mitterrand 1934-1947*, ouvre une polémique sur le passé vichyste du président de la République [*voir édition* ***95-96***, *p. 30*].

30 septembre. Sang contaminé. Laurent Fabius (PS), Premier ministre au moment des faits, est mis en examen (après Georgina Dufoix et Edmond Hervé, alors ministres), la Cour de Justice ayant retenu la qualification de « complicité d'empoisonnement » dans le cadre de l'affaire du sang de transfusion contaminé par le virus du sida.

12 octobre. Affaires. Alain Carignon, maire (RPR) de Grenoble, est mis en examen et écroué pour corruption passive et recel d'abus de biens sociaux (affaire *Dauphiné News*). Il avait peu avant démissionné de son poste de ministre de la Communication. Deux autres ministres feront de même avant d'être mis en examen dans d'autres affaires : Gérard Longuet (président du PR), le 14 octobre, et Michel Roussin (RPR), le 12 novembre. Les ministres ou anciens ministres, de gauche comme de droite, comme les grands élus, apparaissent désormais plus exposés aux actions judiciaires. Le 16 novembre 1995, A. Carignon sera condamné à cinq ans de prison, dont deux avec sursis et à cinq ans d'inéligibilité [*voir édition* ***95-96***, *p. 23*].

18 décembre. Droit au logement. A Paris, des membres de l'association Droit au logement (DAL), accompagnés de l'abbé Pierre, occupent un immeuble vide appartenant à la Cogedim, rue du Dragon, et y installent des familles à la recherche d'un toit.

24 décembre. Islamisme. Un commando d'islamistes algériens s'empare d'un Airbus d'Air France sur l'aéroport d'Alger, prenant les passagers en otages. Les autorités algériennes laissent l'avion gagner Marseille. Le GIGN (Groupe d'intervention de la gendarmerie nationale) donne l'assaut le 26, tuant les quatre membres du commando [*sur les relations franco-algériennes, voir édition* ***96-97***, *p. 51*].

31 décembre. Conjoncture économique. Au cours de 1994, le PIB s'est accru de 2,9 %, cette reprise succédant à une année de récession. A la fin de l'année, le nombre de demandeurs d'emploi était de 3 300 000, soit 11,6 % de la population active [*sur la conjoncture 1994, voir édition* ***95-96***, *p. 396 et suiv.*].

1995

1er janvier. UE. L'Autriche, la Finlande et la Suède adhèrent à l'Union européenne, après approbation par référendums nationaux dans ces pays (respectivement le 12 juin, le 13 novembre et le 16 octobre 1994). Le référendum norvégien, en revanche, aboutit le 28 novembre, comme cela avait déjà été le cas en 1972, à un refus (52,2 %).

13 janvier. Vatican. Le pape suspend Jacques Gaillot de sa charge d'évêque d'Évreux, suscitant une large réprobation et incompréhension dans l'Église de France et dans l'opinion. L'évêque s'était « singularisé » par ses positions critiques et indépendantes sur les problèmes de société.

18 janvier. Présidentielles. Le Premier ministre Édouard Balladur annonce sa candidature. Le RPR comptera ainsi deux concurrents, Jacques Chirac s'étant déclaré de longue date. L'UDF ne présentera pas de candidat. A gauche, Lionel Jospin sera élu candidat par les militants du PS le 3 février après que Jacques Delors, que les sondages plaçaient alors gagnant du scrutin présidentiel, eut renoncé, le 11 novembre précédent.

4 février. Aménagement du territoire. Promulgation de la loi d'orientation pour l'aménagement et le développement du territoire, qui fait suite au « grand débat » lancé en juillet 1993 à ce sujet par Charles Pasqua [*voir édition **97-98**, p. 213, et édition **95-96**, p. 214*].

13-28 février. Affaire « Botton-Noir ». A Lyon, comparution en procès du maire de Lyon Michel Noir (ex-RPR), de son gendre Pierre Botton, du maire de Cannes Michel Mouillot (RPR), et de neuf autres personnes, notamment pour recel d'abus de biens sociaux. Le 20 avril, P. Botton sera condamné à quatre ans de prison dont deux avec sursis. M. Noir et M. Mouillot sont condamnés à quinze mois avec sursis et à une peine d'inéligibilité de cinq ans.

2 mars. Affaire « Urba ». Henri Emmanuelli, ancien trésorier du PS, et Gérard Monate, ancien P-DG d'Urba – bureau d'étude ayant servi à financer le PS –, sont au nombre des accusés du procès qui s'ouvre à Saint-Brieuc. H. Emmanuelli, après appel, sera condamné le 13 mars 1996 à un an et demi de prison avec sursis et deux ans de privation de droits civiques [*sur le financement des partis, voir notamment édition **95-96**, p. 23, 484*].

26 mars. Convention de Schengen. Entrée en vigueur de la convention portant sur la « libre circulation des personnes ». Sont concernés sept pays : Allemagne, France, Belgique, Pays-Bas, Luxembourg, Espagne et Portugal [*voir édition **94-95**, p. 570*].

18 avril. Affaires. Pierre Suard, P-DG d'Alcatel-Alsthom, mis en examen depuis le 4 juillet 1994 (recel d'escroquerie, faux et usage de faux) et placé sous contrôle judiciaire depuis le 10 mars 1995, est remplacé par le conseil d'administration.

23 avril. Présidentielles. Le premier tour voit de manière inattendue le candidat socialiste Lionel Jospin arriver en tête (23,3 %), contre respectivement 20,8 % et 18,6 % aux deux candidats issus du RPR, Jacques Chirac et Édouard Balladur. Ce dernier, qui avait longtemps bénéficié de sondages exceptionnellement favorables dans un climat de calme trompeur de l'opinion [*voir édition **95-96**, p. 470*], n'a pas résisté à une surprenante remontée de J. Chirac qui a finalement et contre toute attente choisi de faire campagne sur les thèmes du changement, de la mise en cause de la « pensée unique » et de la lutte contre la « fracture sociale ». Derrière ces trois candidats, Jean-Marie Le Pen obtient 15 % des voix et confirme l'ancrage de l'extrême droite ; Robert Hue (PCF) 8,6 %. Arlette Laguiller (Lutte ouvrière, trotskiste) atteint un score inattendu de 5,3 %, devant Philippe de Villiers (Mouvement pour la France, ultra-droite) 4,7 %, Dominique Voynet (écologistes) 3,3 % et Jacques Cheminade 0,3 %. L'abstention a été de 21,6 %, les blancs et nuls représentant 2,8 %.

26 avril. Droits de l'homme. Le Conseil de l'Europe met en cause la France pour les « traitements inhumains » subis par les étrangers au dépôt de la Préfecture de police de Paris [*sur la précarisation de la situation des étrangers, voir notamment édition **97-98**, p. 535*].

1er mai. Le racisme tue. Alors que le Front national défile à Paris pour célébrer Jeanne d'Arc, un jeune Marocain, Brahim Bouaram, meurt noyé dans la Seine, ayant été agressé par des individus décrits par des témoins comme des *skinheads* participant à la manifestation d'extrême droite.

3 mai. Affaires. Alain Carignon, maire de Grenoble et ancien ministre, incarcéré depuis le 13 octobre 1994 pour corruption passive et recel d'abus de biens sociaux (affaire « *Dauphiné News* »), est libéré. Il renoncera à se présenter aux municipales.

7 mai. Chirac président. Au second tour de la présidentielle, le maire de Paris l'emporte contre L. Jospin (respectivement 52,6 % et 47,4 %). Il succède à François Mitterrand, qui aura terminé son second septennat très affaibli par la maladie. Le nouveau chef d'État déclare s'engager à faire de la lutte contre le chômage sa bataille principale en tant que président. J. Chirac sera remplacé par Jean Tibéri à la tête de la mairie de Paris et par Alain Juppé à la présidence du RPR (le 15 octobre). L. Jospin, pour sa part, sera élu premier secrétaire du PS (le 14 octobre).

7-9 mai. Libération. Commémoration internationale du cinquantenaire de la capitulation du régime nazi.

16 mai. Affaire « Médecin ». L'ancien maire de Nice (ultra-droite), Jacques Médecin, est condamné à deux ans de prison ferme et à cinq ans de privation des droits civiques (affaire « Nice-Opéra »). Il sera, le 3 août, encore condamné à trois ans et demi de prison ferme et à cinq ans de privation de droits civiques dans le cadre de l'affaire de la Serel.

17 mai. Gouvernement. Alain Juppé (RPR) est nommé Premier ministre ; il forme un gouvernement de 43 membres – dont douze femmes – caractérisé par un fort éclatement des responsabilités en matière de politiques sociales [*voir édition **96-97**, p. 539*].

30-31 mai. Services publics. Grèves et manifestations contre la déréglementation, très suivies notamment à France Telecom, à EDF-GDF et à la SNCF [*sur l'avenir des services publics, voir p. 536*].

3 juin. Bosnie. La proposition franco-britannique de constituer une Force de réaction rapide (FRR) chargée de soutenir la Forpronu (Force de protection des Nations unies en ex-Yougoslavie) est adoptée par les ministres de la Défense de l'Alliance atlantique et de l'Union européenne réunis à Paris.

11-18 juin. Élections municipales. Le scrutin est marqué par une forte abstention (35 % au premier tour, 31 % au second). Bonne tenue de la gauche, notamment à Paris où elle emporte six mairies d'arrondissement (aucune auparavant), et victoire du Front national dans trois villes méridionales de plus de 30 000 habitants (Toulon, Orange, Marignane).

13 juin. Essais nucléaires. Jacques Chirac annonce que la France va reprendre ses essais nucléaires – suspendus depuis le 8 avril 1992 – pour une période limitée, arguant que les spécialistes ont besoin d'ultimes tests réels avant de passer à la simulation numérique. Cette annonce, quelques semaines avant la commémoration du cinquantenaire des bombardements atomiques d'Hiroshima et Nagasaki, va susciter de très vives réactions de réprobation à l'étranger, notamment en Asie-Pacifique. Le premier essai aura lieu le 5 septembre en Polynésie (de très violentes manifestations se dérouleront ce même jour à Papeete). La campagne de tir comprendra six essais, le dernier ayant lieu le 29 février 1996 [*sur le nucléaire militaire à la française, voir édition **96-97**, p. 572*].

22 juin. Plan-emploi. Alain Juppé annonce les mesures qu'il présente comme destinées à financer le Contrat initiative-emploi (CIE), dont Jacques Chirac avait fait son cheval de bataille pendant la campagne. Hausse de la TVA de deux points (de 18,6 % à 20,6 %, effective au 1er août), et augmentation de l'imposition sur les grandes fortunes et sur les sociétés [*sur le CIE, voir édition **96-97**, p. 549*].

16 juillet. Histoire de France. Commémorant la rafle du « Vel d'Hiv » au cours de laquelle 13 000 Juifs parisiens furent parqués avant d'être déportés vers les camps nazis, Jacques Chirac reconnaît, au nom de la République, les responsabilités de l'État français dans cette ignominie criminelle. Cette attitude tranche avec celle de ses prédécesseurs [*voir édition **95-96**, p. 30, et aussi **94-95**, p. 154*].

25 juillet. Terrorisme. Attentat à la bombe dans le RER à Paris (7 morts et 120 blessés). Cet acte est le premier d'une longue série. Après un attentat manqué contre le TGV Paris-Lyon, Khaled Kelkal, un jeune homme de 24 ans originaire de Vaux-en-Velin et issu de l'immigration est suspecté. Traqué dans les monts du Lyonnais, il est abattu le 29 septembre dans des circonstances controversées. Le plan Vigipirate sera bientôt mis en œuvre (8 août) et l'armée sera mise à contribution. Les attentats sont rapidement attribués par les autorités aux islamistes radicaux algériens [*sur l'implication de la France dans la nouvelle guerre d'Algérie, voir édition **96-97**, p. 51*]. Cette vague d'attentats contribuera à stigmatiser davantage certaines banlieues et l'immigration.

31 juillet. **Constitution.** Le Parlement, réuni en Congrès, révise la loi fondamentale en étendant le champ d'application du référendum et en instituant une séance parlementaire unique de neuf mois [*sur les institutions, voir p. 489*].

24 août. **Taux d'intérêt.** La Bundesbank baisse sensiblement ses taux pour stimuler l'économie allemande. Cette décision élargit les marges de manœuvre de la Banque de France qui va pouvoir continuer à baisser ses taux.

26 octobre. **Déficits publics.** Jacques Chirac annonce que désormais, et pour deux ans, l'objectif prioritaire est la résorption des déficits publics, contrairement à ses déclarations de candidat ou de président fraîchement élu. Déclarant avoir sous-estimé ce problème, il considère désormais que cet objectif est un préalable à une lutte efficace contre le chômage. Ce revirement vient clore les incertitudes alimentées par ses diatribes contre la « pensée unique », que certains avaient pu croire annonciatrices du choix d'une « autre politique » économique [*sur la politique économique et ses marges de manœuvre, voir p. 389. Voir aussi édition **1999-2000**, p. 27, édition **98-99**, p. 35, édition **97-98**, p. 46, 406, et édition **96-97**, p. 28*].

31 octobre. **Annualisation.** Un accord national interprofessionnel sur l'emploi est signé par le patronat et quatre confédérations de salariés (la CGT ayant refusé), qui ouvre la voie à des négociations par branche sur l'annualisation du temps de travail (répondant à un objectif de flexibilisation pour les employeurs), couplée à une réduction de la durée du travail (réclamée par les syndicats).

4 novembre. **Armée et armement.** Manifestation à Vannes pour protester contre le transfert d'un régiment à Poitiers. Le 9, nouvelle manifestation à Lorient, pour défendre l'arsenal. [*Sur l'industrie d'armement, voir édition **97-98**, p. 444, et **96-97**, p. 575.*]

7 novembre. **Gouvernement.** Remaniement par lequel Alain Juppé s'entoure d'une équipe plus resserrée... et beaucoup plus masculine (seulement quatre femmes, contre douze auparavant).

15 novembre. **Plan Juppé.** Le Premier ministre présente son plan de réforme de financement de la Sécurité sociale à l'Assemblée nationale. Il associe des mesures financières à des modifications structurelles importantes du système de santé [*pour plus de détails, voir édition **98-99**, p. 526*]. Le Premier ministre est applaudi par les députés de la majorité. La CFDT, par la voix de sa secrétaire générale Nicole Notat, déclare que les grandes lignes du plan sont positives, mais qu'il peut être amélioré. La CGT et FO condamnent pour leur part vivement le projet.
A. Juppé ayant également annoncé son intention d'aligner les régimes spéciaux de retraite des fonctionnaires sur le régime du privé (passage de 37,5 à 40 années de cotisations), les sept fédérations de fonctionnaires se déclarent indignées. Cette disposition, avec le refus du projet de contrat de plan État-SNCF, va être au cœur de la mobilisation des agents des services publics qui aboutira à des mouvements sociaux qui seront généralement présentés globalement comme un refus du plan Juppé [*voir notamment édition **96-97**, p. 20, 25, 37, 550. Voir aussi 24 novembre et 10 décembre*].

21 novembre. **Mouvements étudiants.** Journée nationale d'action, rassemblant 120 000 manifestants. Le lendemain, le ministre annonce un « plan d'ensemble » pour l'Université et l'organisation d'états généraux. Le 3 décembre, il annoncera la création de 4 000 emplois enseignants et non enseignants.

24 novembre. **Mouvements sociaux.** Journée nationale d'action de fédérations de fonctionnaires (sauf FO), et grève interprofessionnelle CGT. Participation, contre la réforme du régime de retraite du secteur public, d'étudiants et de salariés du privé. Début de la grève des cheminots, contre le contrat de plan État-SNCF, la réforme du régime de retraites, et contre le plan Juppé. A la fin du mois, le mouvement s'étend à la RATP et, dans une moindre mesure, à La Poste et à l'EDF. Le mouvement ira s'amplifiant jusqu'à la mi-décembre, et les journées d'action rassembleront des foules importantes dans un climat de compréhension de l'opinion publique. La France sera bientôt paralysée [*voir édition **96-97**, notamment p. 34, 465, 468*].

25 novembre. Droits des femmes. Manifestation à Paris, à l'appel de très nombreuses associations, pour défendre les libertés des femmes menacées par l'activisme des commandos anti-avortement et par la montée d'un certain ordre moral.

28 novembre. Mouvements sociaux. Nouvelle journée d'action pour la Sécurité sociale. Marc Blondel et Louis Viannet, respectivement secrétaires généraux de FO et de la CGT, se serrent ostensiblement la main et défilent côte à côte. De nouvelles manifestations auront lieu les 5, 7 et 12 décembre, cette dernière constituant un point d'orgue (2,2 millions de participants à travers le pays selon les organisateurs).

3-8 décembre. Syndicalisme. Ouverture du 45e congrès de la CGT, à Montreuil, dans un contexte social extrêmement favorable à cette organisation. A l'issue de ce congrès, plusieurs figures partisanes du changement de méthode ne retrouvent pas leurs responsabilités, ayant été découragées ou écartées [*sur l'évolution du syndicalisme, voir p. 506, ainsi que l'édition **97-98**, p. 36*].

10 décembre. Mouvements sociaux. A. Juppé annonce l'abandon du projet de réforme des régimes spéciaux de retraite et le report *sine die* du contrat de plan État-SNCF (donnant ainsi totale satisfaction aux cheminots), ainsi que la tenue d'un « sommet » social. Jean Gandois, président du CNPF, qualifiera cette réunion, qui venait d'avoir lieu (le 21 décembre), de « Noël du pauvre ».

14 décembre. Bosnie. Signature à Paris de l'accord de paix sur la Bosnie-Herzégovine consécutif aux négociations de Dayton (États-Unis), conclus le 21 novembre précédent sous la houlette des États-Unis entre Serbie, Croatie et Bosnie.

16 décembre. Euro. Au « sommet » de Madrid, la décision est prise de baptiser *euro* la future monnaie de l'Union européenne, dont l'échéance de lancement est repoussée au 1er janvier 1999.

31 décembre. Conjoncture économique. En 1995, le PIB de la France s'est accru de 2,4 %, ne confirmant pas le rythme de la reprise de 1994 (2,9 %) après la récession de 1993. A la fin de l'année, le nombre des demandeurs d'emploi était de 3 282 500, soit 11,6 % de la population active [*sur la conjoncture 1995, voir édition **96-97**, p. 380 et suiv.*].

1996

8 janvier. Communion nationale. La disparition de François Mitterrand va être l'occasion dans tout le pays d'une sorte de communion nationale. 61 chefs d'État et de gouvernement participent à la cérémonie organisée à Notre-Dame de Paris.

11 janvier. Corse. Quelques heures avant la venue du ministre de l'Intérieur Jean-Louis Debré, le FLNC-Canal historique réunit une conférence de presse « clandestine » au cours de laquelle il annonce une trêve conditionnelle de trois mois. Cette opération médiatico-politique se veut une démonstration de force : des centaines de personnes cagoulées et en armes sont présentes. Il faudra attendre la mi-octobre pour qu'une information judiciaire soit ouverte. L'île aura connu dans cette période une véritable vendetta entre guerriers des différentes branches clandestines [*voir édition **96-97**, p. 272*]. Le 29 mars, le Premier ministre annonce qu'il entend proposer à la Commission de Bruxelle de faire de l'ensemble de l'île de Beauté une zone franche.

29 mars. UE. Ouverture à Turin de la CIG – Conférence intergouvernementale [*sur les échéances et enjeux de la construction européenne, voir édition **96-97**, p. 48, 495*].

16 avril. Signaux. Le rapport de la commission d'enquête de l'Assemblée nationale dirigée par Jean-Pierre Philibert et Suzanne Sauvaigo *Immigration clandestine et séjour irrégulier d'étrangers en France* préconise un durcissement répressif des lois Pasqua de

1993 [*voir 22 juillet 1993*]. Les ultras de la majorité applaudissent, les organisations de défense des immigrés et des libertés s'alarment. Le 13 juin, le gouvernement indique qu'il n'entend pas modifier les lois Pasqua. Quelques mois plus tard, le projet de loi Debré sera pourtant durci par des amendements allant dans le sens de ce rapport [*voir 19 décembre 1996*].

24 avril. Sécurité sociale. Adoption par le gouvernement de trois ordonnances relatives à la médecine de ville, à la réforme de l'hôpital et à la gestion des caisses de Sécurité sociale, en application du plan Juppé présenté le 15 novembre 1995. Le 24 janvier précédent, deux ordonnances avaient déjà été adoptées, l'une créant la CRDS (Contribution au remboursement de la dette sociale), l'autre concernant les honoraires médicaux [*sur le plan Juppé et son application à l'époque, voir édition **96-97**, p. 550 et 551*].

26 avril. Négationnisme. Roger Garaudy, philosophe qui fut stalinien avant de se convertir au christianisme puis à l'islam, est mis en examen pour son livre *Les Mythes fondateurs de la politique israélienne,* considéré comme négationniste. Le soutien moral que lui apporte l'abbé Pierre au nom de leur vieille amitié sème la consternation.

26 avril. Algérie. L'enlèvement de sept moines trappistes français du monastère de Tibéhirine est revendiqué par un communiqué du Groupe islamique armé (GIA). Les moines seront découverts assassinés le 30 mai.

18 mai. Françafrique. A Bangui, en Centrafrique, une nouvelle mutinerie de soldats réclamant leurs soldes a tourné à l'émeute et à l'insurrection. L'armée française intervient. Elle évacue les expatriés, mais se charge aussi de réduire la mutinerie [*sur la Françafrique, voir édition **97-98**, p. 629*].

28 mai. Service national. Jacques Chirac annonce la fin de la conscription dès le 1er janvier 1997 pour les jeunes nés après le 31 décembre 1978. L'armée sera professionnalisée. Le 27 septembre, le Conseil des ministres adopte un projet de loi réformant le Service national et créant le « rendez-vous citoyen » [*sur la réforme militaire, voir édition **98-99**, p. 566, et édition **97-98**, p. 34*].

3 juin. OTAN. A Berlin, les ministres des Affaires étrangères de l'Alliance atlantique aboutissent à un accord sur le projet d'« identité européenne de défense ». La France a modifié depuis quelques mois son attitude vis-à-vis de l'organisation (dont elle s'était éloignée en 1966). Le 5 décembre 1995, elle a annoncé qu'elle participerait désormais au Comité militaire de l'OTAN. A compter du 13 juin 1996, le ministre français participera à nouveau au Conseil des ministres de la Défense de l'Alliance [*sur cet aggiornamento, voir édition **97-98**, p. 622*].

11 juin. Temps de travail. La loi adoptée à l'initiative du député UDF Gilles de Robien allège les cotisations sociales pour les entreprises qui réorganisent et réduisent significativement le temps de travail en créant des emplois [*voir édition **98-99**, p. 518*]. La loi « Robien » sera bientôt considérée comme une référence dans le débat sur la réduction du temps de travail facilitant l'emploi.

21 juin. « Vache folle ». Au Conseil européen de Florence, le Royaume-Uni accepte enfin le plan d'éradication proposé par la Commission de Bruxelles [*sur l'ESB, voir édition **97-98**, p. 21 et 600*].

27 juin. Affaires « Tibéri ». Le directeur de la Police judiciaire Olivier Foll refuse l'assistance de policiers à une perquisition du juge Halphen au domicile du maire de Paris Jean Tibéri (RPR) dans le cadre de l'affaire des fausses factures des HLM de Paris. Toutes tendances confondues, les organisations de magistrats s'émeuvent. Cette perquisition est l'occasion de découvrir que l'épouse du maire a reçu 200 000 FF du conseil général de l'Essonne présidé par le RPR Xavier Dugoin pour une prétendue expertise. Les affaires rattrapent le RPR en Ile-de-France.

28 juin. Sans-papiers. L'église Saint-Bernard de la Chapelle, à Paris, est occupée par 300 immigrés sans titre de séjour, en majorité africains, et des sympathisants. Cette occupation fait suite à celle de l'église Saint-Ambroise le 16 mars précédent, où avait commencé une grève de la faim. Après leur expulsion par la police, les sans-papiers s'étaient installés dans divers lieux avant d'occuper l'église Saint-Bernard [*voir 23 août 1996*].

4 juillet. Affaires. L'ancien P-DG d'Elf Aquitaine Loïk Le Floch-Prigent est mis en examen et incarcéré (affaire « Elf-Biderman »). Il doit démissionner de la présidence de la SNCF. Cette mise en examen s'ajoute à celle de nombreuses autres personnalités du monde des affaires ou du monde politique et à divers jugements relatifs à des scandales qui ont éclaté au cours des dernières années : affaires « Médecin », « Boucheron », « Noir », « Tapie », « Carignon », etc. [*voir aussi notamment : 12 février, 4 mai, 12 octobre 1994 ; 8 février, 3 mai et 16 mai 1995*].

16 juillet. Caisses de la Sécurité sociale. Jean-Marie Spaeth (CFDT) est élu président de la CNAMTS (Caisse nationale d'assurance maladie des travailleurs salariés) où il remplace Jean-Claude Mallet (FO). La CNAMTS était présidée depuis 1967 par Force ouvrière [*sur le partage des présidences des caisses de Sécurité sociale, voir édition* ***97-98****, p. 39*].

17 juillet. Corse. En tournée en Corse, Alain Juppé annonce notamment la création, pour cinq ans, d'une zone franche dans l'île de Beauté. Après plus d'un an de négociations avec certaines factions nationalistes, principalement le FLNC-Canal historique, le gouvernement semble renouer avec la fermeté, après une période de vendetta entre groupes rivaux et une escalade dans la violence assassine [*sur les racines de la situation en Corse, voir édition* ***97-98****, p. 40*].

23 août. Sans-papiers. La police fait évacuer l'église Saint-Bernard occupée par des immigrés sans titre de séjour – dont certains en grève de la faim – et des citoyens solidaires. La compréhension manifestée par l'opinion publique envers les sans-papiers contraste avec le prochain durcissement de la politique du gouvernement à l'égard des immigrés [*voir aussi 19 décembre 1996 et 12 février 1997*].

31 août. Provocation raciste. Lors de l'université d'été du Front national, J.-M. Le Pen affirme être convaincu de l'« inégalité des races ». Le Premier ministre Alain Juppé, le 19 septembre suivant, déclare que le chef de l'extrême droite est « profondément, viscéralement raciste, antisémite et xénophobe ! » [*sur le rapport des Français au racisme, voir édition* ***97-98****, p. 43*].

19-22 septembre. France-Vatican. Le pape Jean-Paul II se rend successivement à Saint-Laurent-sur-Sèvre (Vendée), Sainte-Anne-d'Auray (Morbihan), Tours. Le 22, messe à Reims pour le « 1 500e anniversaire du baptême de Clovis ». Cette initiative suscite en réaction une mobilisation des courants libres-penseurs.

16 octobre. Privatisations. Le groupe Lagardère est choisi par l'État pour le rachat des activités de défense de Thomson et le coréen Daewoo pour les activités d'électronique grand public. A la suite d'un avis défavorable rendu le 28 novembre par la Commission de privatisation, le gouvernement annoncera qu'il renonce au schéma envisagé.

20 octobre. Pédophilie. A Bruxelles, « marche blanche » rassemblant 350 000 personnes à l'appel de parents d'enfants disparus et victimes de pédophiles. Depuis plusieurs semaines, l'émotion suscitée par d'ignobles crimes révélés est immense outre-Quiévrain. Plusieurs affaires de pédophilie vont à leur tour être révélées en France au cours de la période.

31 octobre. Zones franches. Le projet de Pacte de relance pour la ville (PDR) prévoyant, entre autres, des zones franches urbaines dans les « quartiers difficiles » est adopté par le Parlement [*voir édition* ***97-98****, p. 212 et p. 214*].

18 novembre. Conflits sociaux. Les chauffeurs routiers organisent des barrages. Après amplification du mouvement, ils obtiendront la retraite à 55 ans.

7 décembre. Guyane. Affrontement entre policiers et lycéens. Ces derniers protestent contre les mauvaises conditions d'étude dans les établissements et accusent l'Éducation nationale d'incurie. Il s'ensuit une période d'émeutes alimentées par les chômeurs et miséreux : pillages, incendies, échauffourées.

12-14 décembre. Pacte de stabilité. Au Conseil européen de Dublin, les Quinze concluent un « pacte de stabilité » en vue du passage à l'euro. Tandis que planent les interrogations concernant les pays qui seront acceptés pour la monnaie unique (qu'en sera-t-il de l'Italie notamment ?) et que des doutes s'amplifient en Allemagne sur la possibilité de satisfaire aux critères de convergence, la réflexion critique se développe en France. Le Conseil européen d'Amsterdam de juin 1997 devra se prononcer sur la réforme des institutions prévue dans le cadre de la Conférence intergouvernementale (CIG) [*voir à ce sujet édition **97-98**, p. 27, et édition **96-97**, p. 48*].

14-15 décembre. Objectifs socialistes. Le PS adopte son projet économique : mise en avant de la semaine de 35 heures, élargissement du rôle de la CSG, refonte de la fiscalité. Engagement d'offrir un emploi à 700 000 chômeurs de moins de 25 ans.

19 décembre. Loi Debré. L'Assemblée nationale adopte en première lecture le projet de loi sur l'immigration présenté par Jean-Louis Debré. D'inspiration déjà répressive, il a été durci par des amendements. Ainsi, la carte de séjour de 10 ans qui était automatiquement renouvelable pourrait être retirée en cas de « menace pour l'ordre public » (amendement Philibert) et les étrangers en situation irrégulière mais présents depuis plus de 15 ans pourront être expulsés (amendement Sauvaigo). L'article 1 stipule par ailleurs que toute personne ayant accueilli un étranger est tenue de signaler son départ à la police. L'opposition PS-PC a été quasi absente lors des débats [*voir 12 février 1997*].

31 décembre. Conjoncture économique. L'année 1996 s'achève avec une croissance finalement bien faible : + 1,3 % seulement, la reprise de 1994 et du début de 1995 ayant rapidement marqué le pas. A la fin de l'année, le nombre des demandeurs d'emploi était de 3 433 000, soit 12,3 % de la population active [*sur la conjoncture 1996, voir édition **97-98**, p. 394 et suiv.*].

1997

2 février. Vitrolles. Après l'annulation du scrutin de 1995, l'élection municipale dans cette circonscription des Bouches-du-Rhône voit la victoire de la liste conduite par Catherine Mégret, épouse du « numéro deux » du Front national, contre celle du député socialiste sortant. C'est la première fois qu'un candidat du FN l'emporte dans une ville de cette taille sans triangulaire, le candidat de la droite s'étant retiré entre les deux tours. Vitrolles est la quatrième municipalité d'importance contrôlée par l'extrême droite, après Toulon, Orange et Marignane conquises lors des municipales de juin 1995 [*sur l'extrême droite, voir p. 464*].

12 février. Civisme. Appel de plusieurs dizaines de cinéastes à la désobéissance civique en refus de la loi Debré [*voir 19 décembre 1996*] et notamment de son article 1 perçu comme voulant faire des citoyens des auxilliaires de police. A la suite de cet appel, d'innombrables pétitions sont mises en circulation, recueillant des dizaines de milliers de signatures. Les manifestations organisées sont suivies et les médias leur donnent écho. L'opposition de gauche critique vivement le projet de loi qui est adopté après amendement de son article 1. Le 23 avril, le Conseil constitutionnel censure les dispositions qui auraient permis à la police d'accéder au fichier des demandeurs d'asile et rétablit le renouvellement automatique de la carte de séjour de 10 ans.

20 février. Retraites. Adoption d'une loi permettant la création de fonds de pension d'entreprises. Ceux-ci devront être gérés par un organisme financier extérieur. Ils seront alimentés par des versements des salariés et des employeurs, qui seront exonérés d'impôt sur le revenu, mais les rentes servies y seront soumises [*sur les retraites et les fonds de pension, voir p. 513 ; voir aussi édition **1999-2000**, p. 566, et édition **98-99**, p. 533, et édition **97-98**, p. 31 et 479*].

27 février. Vilvorde. Annonce brutale de la fermeture de l'usine Renault de Vilvorde (Belgique) dans laquelle de très importants investissements ont été récemment réalisés. Peu après sera annoncée la suppression de plus de 2 700 postes de travail en France. Le 7 mars aura lieu une « eurogrève » contre ces décisions.

11 mars. Parité. Ouverture d'un débat parlementaire sur la présence des femmes dans la vie publique [*sur la parité hommes/femmes, voir p. 24. Voir aussi édition **97-98**, p. 86*].

19 mars. Françafrique. Mort de Jacques Foccart qui aura été le « Monsieur Afrique » gaulliste de toute la Ve République. Il disparaît au moment où l'un des satrapes de la France, le chef de l'État zaïrois Mobutu Sese Seko, est sur le point de quitter la scène dans un pays qu'une rébellion soutenue par le Rwanda, l'Ouganda et l'Angola conquiert progressivement avec le soutien intéressé des États-Unis [*sur la fin de la Françafrique, voir édition **98-99**, p. 564, et sur la rivalité franco-américaine à propos de l'Afrique, voir édition **97-98**, p. 631*].

1er avril. Déréglementation. Toutes les compagnies aériennes ayant leur siège dans l'UE peuvent désormais assurer toute liaison – y compris intérieure – dans le ciel européen.

3 avril. Grandes oreilles. Le quotidien *Le Monde* dévoile le scandale constitué par le fait que les archives qui ont été saisies au domicile de l'ancien chef de la cellule « antiterroriste » de l'Élysée, Christian Prouteau, établissent l'existence de nombreuses écoutes téléphoniques qui avaient été commandées par François Mitterrand et concernaient des personnalités (journalistes, écrivains, avocats, comédienne...).

11 avril. Capitalisme français. Approbation par leurs conseils d'administration respectifs de la fusion de la Compagnie de Suez et de la Lyonnaise des eaux. Le nouveau groupe Suez-Lyonnaise assurera principalement quatre métiers : eau, énergie, propreté et communication.

21 avril. Autodissolution. Jacques Chirac, élu deux ans plus tôt président de la République et disposant au Parlement d'une majorité écrasante, décide pourtant de dissoudre l'Assemblée nationale et de recourir à des élections législatives anticipées (25 mai et 1er juin). Cette dissolution, outre l'objectif de dissocier les élections d'avec les échéances de l'UEM en 1998, vise à relégitimer la majorité présidentielle, le gouvernement étant fort impopulaire [*voir édition **98-99**, p. 462 et 499*].

1er mai. Voisinage. Les élections générales donnent une victoire retentissante au Parti travailliste de Tony Blair : 45 % des voix et 419 députés sur 659. Ce scrutin, qui modifie l'environnement européen de la France, met fin à dix-huit années de pouvoir du Parti conservateur. La politique que va mettre en œuvre le nouveau Premier ministre (le « blairisme ») apparaîtra en rupture avec les canons sociaux-démocrates.

6 mai. Affaires. Pierre Suard, ancien P-DG d'Alcatel-Alsthom, est condamné à trois ans de prison avec sursis et à 2 millions FF d'amende au motif d'abus de biens sociaux.

12 mai. Capitalisme français. Fusion-absorption de l'UAP par AXA, donnant naissance au premier groupe mondial de l'assurance par le montant des actifs gérés. C'est la plus importante fusion jamais réalisée sur le marché boursier français.

1er juin. Alternance. Au second tour des élections législatives anticipées, la « gauche plurielle » (PS, PCF, Verts, radicaux de gauche, MDC) l'emporte avec 319 sièges sur 577, contre 257 pour la droite. Le Parti socialiste obtient 245 sièges, majorité relative. Pour la première fois, les écologistes font leur entrée au Parlement, avec 8 sièges. 62 femmes sont élues. Du fait du scrutin majoritaire, le FN, bien que crédité de 15 % des voix au premier tour, n'obtient qu'un seul siège. Lionel Jospin, qui a su impulser depuis deux ans une efficace stratégie d'alliance, forme un gouvernement « de gauche et écologiste » comportant des ministres communistes et Verts. Débute ainsi la troisième cohabitation de la Ve République dans un contexte économique favorable de redémarrage de la croissance. Pour la droite, qui s'est en quelque sorte « autodissoute », [*voir 21 avril*] s'ouvre une période de crise traumatique, comparable à celle qu'avait connue le PS à la suite de sa défaite historique lors des législatives de 1993.

5 juin. Environnement. Annonce par Dominique Voynet, ministre (Verts) de l'Environnement, de l'arrêt du surgénérateur Superphénix et de l'abandon du projet de canal à grand gabarit Rhin-Rhône.

10 juin. Sans-papiers. Lionel Jospin annonce à une délégation de sans-papiers ayant occupé l'église Saint-Bernard à Paris qu'une opération de régularisation partielle (sous conditions) « de 20 000 à 40 000 » personnes aura lieu.

16-17 juin. Union européenne. Adoption, par le Conseil européen, du traité d'Amsterdam modifiant le traité de Maastricht et prévoyant notamment de nouveaux transferts de responsabilités à l'UE et l'utilisation potentielle de la majorité qualifiée pour certaines décisions relatives à la Politique étrangère et de sécurité communes (PESC). Deux résolutions sont par ailleurs adoptées. L'une concerne la mise en œuvre du pacte de stabilité budgétaire qui avait été conclu lors du Conseil européen de Dublin les 12-14 décembre précédents et qui oblige les États à limiter le déficit de leurs administrations publiques pendant la troisième phase de l'Union économique et monétaire (UEM). Par la seconde résolution, les États membres s'engagent à placer la croissance et l'emploi au premier plan de leurs préoccupations politiques. La question de la réforme des institutions n'a pu faire l'objet d'un accord et celle de l'élargissement à de nouveaux membres est repoussée à plus tard [*voir 12-13 décembre ; voir aussi édition **98-99**, p. 24, 35, 394*].

24 juin. Droite. Alain Madelin est élu président du Parti républicain en remplacement de François Léotard. Le parti est rebaptisé « Démocratie libérale ».

28 juin. Vie à deux. Annonce par Élisabeth Guigou de l'institution future d'un « contrat d'union sociale ». Le 29 avril 1998 sera rendu public le rapport Hauser qui préconise un statut juridique de la vie à deux (le « pacte d'intérêt commun » – PIC) dans le cas de couples – concubins hétérosexuels comme homosexuels ; frères et sœurs, personnes déjà mariées par ailleurs – qui désirent organiser de manière communautaire leurs relations pécunières et patrimoniales [*sur les droits des homosexuel(le)s, voir édition **1999-2000**, p. 89*].

1er juillet. Affaire « Boucheron ». L'ancien maire (PS) d'Angoulême, Jean-Michel Boucheron, est condamné à quatre ans de prison, dont deux ferme, pour prise illégale d'intérêt. Il avait été extradé d'Argentine le 25 mars.

4 juillet. Affaires « Tapie ». L'affairiste est condamné à trois ans de prison, pour moitié ferme, dans le cadre de l'affaire des comptes de l'Olympique de Marseille. Le 4 juin précédent, il avait vu confirmée sa condamnation à 18 mois de prison (dont 12 avec sursis) dans l'affaire du *Phocea*.

6 juillet. RPR. Réuni en assises extraordinaires, le RPR désigne Philippe Séguin comme président, en remplacement d'Alain Juppé. Le 1er février, lors de nouvelles assises, Nicolas Sarkozy sera nommé secrétaire général.

10 juillet. Justice. Remise au chef de l'État du rapport de la commission présidée par Pierre Truche, premier président de la Cour de cassation, chargé de réfléchir à une réforme du fonctionnement de la Justice. Le 29 octobre, le Conseil des ministres adoptera le projet de loi proposé par le garde des Sceaux, Élisabeth Guigou [*voir édition **1999-2000**, p. 528 ; voir aussi édition **98-99**, p. 503*].

18 juillet. Privatisations. Le gouvernement annonce la privatisation du GAN (assurance), de sa filiale CIC (banque), ainsi que de ses activités immobilières. Le GAN sera la dernière des trois grandes compagnies d'assurance autrefois nationalisées à être cédées au privé : l'UAP a été absorbée par AXA, fin 1996 [*voir 12 mai 1997*] et les AGF sont désormais contrôlées par l'allemand Allianz [*sur les privatisations de cette période, voir édition **98-99**, p. 426*].

28 juillet. Sectes. Le président de la branche lyonnaise de l'Église de scientologie est condamné, à la suite du suicide d'un adepte, à trois ans de prison avec sursis et à 500 000 FF d'amende. L'arrêt ne conteste cependant pas le caractère de « religion » que s'attribue cette secte [*sur les sectes, voir édition **98-99**, p. 201*].

31 juillet. Afrique. Fin d'une tournée au Gabon, au Tchad et en Centrafrique du ministre de la Défense Alain Richard, lequel a annoncé une réduction et un redéploiement du dispositif militaire français en Afrique [*voir édition **1999-2000**, p. 592. Voir aussi édition **98-99**, p. 564*].

31 juillet. Rapports Weil. Le politologue Patrick Weil remet au Premier ministre les deux rapports qu'il lui avait commandés. L'un concerne la définition d'une politique de l'immigration voulue « ferme et digne » par Lionel Jospin ; l'autre, les conditions d'acquisition de la nationalité francaise [*voir 1er décembre*]. Si le rapport sur l'immigration propose des assouplissements en comparaison de la législation très répressive héritée des lois Pasqua (1993) et Debré (1997), il ne suggère pas de rupture de logique. Les associations de défense des droits des immigrés se déclarent déçues. Le 2 octobre, un appel publié par *Le Monde* et signé par 1 300 artistes et intellectuels réclamera la régularisation de tous les sans-papiers qui en ont fait la demande. Le projet de loi Chevènement (qui sera adopté en première lecture par l'Assemblée nationale le 17 décembre suivant), suivra pour l'essentiel les recommandations du rapport Weil.

4 août. **122.** Mort à 122 ans de Jeanne Calment, considérée comme la doyenne de l'humanité [*sur le vieillissement et l'allongement de l'espérance de vie, voir édition **1999-2000**, p. 74*].

19-24 août. **Église catholique.** Les XIIe Journées mondiales de la jeunesse (JMJ) sont organisées à Paris avec la participation du pape Jean-Paul II. La foule participante, très internationale, est estimée à plusieurs centaines de milliers. Le 22, le pape se recueille sur la tombe de Jérome Lejeune qui, de son vivant, avait mené croisade contre le droit à l'avortement.

20 août. **Emplois-jeunes.** Le Conseil des ministres adopte le plan emploi pour les jeunes visant à la création de 350 000 emplois d'utilité sociale (dont 150 000 d'ici fin 1998) dans les établissements publics, les collectivités locales et les associations [*voir p. 99. Voir aussi édition **98-99**, p. 127 et 517*].

31 août. **Lady Diana.** La princesse de Galles Diana Spencer trouve la mort avec son compagnon, le milliardaire égyptien Emad Doddi Al-Fayed, dans un accident automobile à Paris.

8 septembre. **France Telecom.** Le gouvernement annonce la privatisation partielle (30 %) du 4e opérateur mondial de téléphonie. 20 % des actions seront introduites en Bourse.

8 septembre. **Haine raciale.** Catherine Mégret, maire FN de Vitrolles, est condamnée à trois mois de prison avec sursis et à 500 000 FF d'amende pour complicité de provocation à la haine raciale à la suite d'une interview au quotidien allemand *Berliner Zeitung.*

17 septembre. **Allocations familiales.** Ainsi que Lionel Jospin l'avait annoncé le 19 juin lors de son discours de politique générale devant l'Assemblée nationale, le ministère de l'Emploi et de la Solidarité annonce que le bénéfice des allocations familiales sera désormais conditionné par le niveau de ressources de la famille. Réactions hostiles d'associations familiales, des partis de droite et du PCF [*sur les enjeux de la politique familiale, voir édition **1999-2000**, p. 33*].

30 septembre. **Histoire de France.** Dans une cérémonie organisée à Drancy, les évêques font une déclaration de repentance pour l'attitude « passive » de l'Église à l'égard de la politique antijuive du régime de Vichy.

10 octobre. **35 heures.** Réunion de la « Conférence nationale sur l'emploi » à Matignon, en présence des partenaires sociaux. Lionel Jospin annonce la présentation au Parlement, début 1998, d'un projet de loi d'orientation et d'incitation sur le temps de travail fixant la durée légale hebdomadaire à 35 heures au 1er janvier 2000 pour les entreprises de plus de 10 salariés (ce seuil sera quelques jours plus tard porté à 20). Se disant « berné » par le principe contraignant de la loi, le président du CNPF Jean Gandois annonce sa démission [*sur la réduction du temps de travail, voir notamment p. 89, 534, 538. Voir aussi édition **1999-2000**, p. 37, 113, 554, 555, 572 et édition **98-99**, p. 118, 122, 517, 518-519*].

15 octobre. **Nobel.** Claude Cohen-Tannoudji est le dixième physicien français à être distingué par un prix Nobel, qu'il partage avec les Américains Steven Chu et William D. Phillips.

23 octobre. **Crise boursière.** La Bourse de Hong Kong décroche de plus de 16 %, entraînant dans sa chute les autres places financières mondiales – dont Paris. Celles-ci se redressent les 28-29 octobre. Depuis juillet, une grave crise financière et monétaire malmène les pays émergents d'Asie du Sud-Est : Thaïlande d'abord, puis Birmanie, Philippines, Indonésie, Corée du Sud…

30 octobre. **Ariane 5.** Succès du vol inaugural, à partir de la base de Kourou (Guyane), du lanceur lourd européen Ariane 5 (le 4 juin précédent une première tentative avait échoué).

2 novembre. **Routiers.** Barrages de route et blocage de nombreux dépôts d'essence par les chauffeurs routiers. Au bout de 5 jours, un accord est signé par la CFDT, majoritaire sur les barrages, et par les syndicats patronaux Unostra et UFT, qui vise à assainir la profession et l'exercice du métier.

10 novembre. **« Un jour pour l'Algérie ».** Journée de mobilisation en solidarité avec le peuple algérien. Manifestations à Paris et en province. Face au drame que subissent les Algériens et à la poursuite des violences (depuis plusieurs mois se déroulent des massacres collectifs de villageois – les tueries de Sidi Moussa le 29 août et de Bentalha les 22-23 septembre ayant été parmi les plus meurtrières), les intellectuels français, après être restés pour la plupart longtemps muets, s'opposent sur l'attitude politique à adopter. Certains dénoncent unilatéralement les violences islamistes, tandis que d'autres, mettant aussi en cause les crimes perpétrés par l'État algérien et les responsabilités du pouvoir dans l'engrenage sanglant, réclament la constitution d'une Commission internationale d'enquête.

14-16 novembre. **Francophonie.** A Hanoi, le sommet des pays ayant « le français en partage » se termine par la nomination, à l'instigation de Jacques Chirac, de l'Égyptien Boutros Boutros-Ghali, ancien secrétaire général de l'ONU, au poste nouvellement créé de secrétaire général. De nombreux participants africains se déclarent choqués par l'absence de concertation dans ce choix imposé par la France.

16 novembre. **PCF.** Mort de Georges Marchais, ancien secrétaire général du Parti communiste (1972-1994).

21-23 novembre. **PS.** Congrès du Parti socialiste à Brest. François Hollande, choisi par Lionel Jospin, sera élu le 27 par les militants pour le remplacer à la tête du parti.

27 novembre. **OGM.** Autorisation gouvernementale de cultiver en France du maïs transgénique, malgré l'inquiétude manifestée dans certains milieux sur les conséquences possibles pour la santé humaine de la banalisation des OGM (organismes génétiquement modifiés) [*sur la biosécurité, voir p. 126*].

1er décembre. **Code de la nationalité.** L'Assemblée nationale adopte en première lecture le projet de loi sur la nationalité présenté par le garde des Sceaux Élisabeth Guigou [*voir 31 juillet*]. Ce projet, qui corrige sensiblement le dispositif très restrictif adopté en 1993, reste néanmoins moins libéral que celui qui prévalait avant cette date [*voir édition **98-99**, p. 543*].

10 décembre. **Prud'hommes.** Abstention record (65 %) aux élections. La CGT reste en tête (35,1 %), mais la CFDT, au deuxième rang (25,3 %), est la seule organisation à progresser [*voir édition **98-99**, p. 484*].

12-13 décembre. **Union européenne.** Réunion à Luxembourg du Conseil européen. L'Union devrait être élargie dans un premier temps à 6 candidats (Pologne, Hongrie, République tchèque, Estonie, Slovénie, Chypre), mais non à la Turquie (un an plus tard, 10-12 décembre 1999, à Helsinki, le Conseil reviendra sur ces dispositions). Par ailleurs, un « Conseil de l'euro » (sans pouvoir de décision) sera créé. Le 2 mai 1998, réunis à Bruxelles, les chefs d'État et de gouvernement confirmeront que onze pays composeront la zone monétaire de l'euro à compter du 1er janvier 1999. Le Royaume-Uni, le Danemark et la Suède, bien que souscrivant aux conditions de convergence, ont fait le choix politique de ne pas s'associer, tandis que la Grèce ne réunissait pas les conditions requises [*voir édition **98-99**, p. 24, 35 et 394*].

15 décembre. **Mouvement des chômeurs.** Occupation de plusieurs centres d'ASSEDIC par des chômeurs réclamant une hausse des minima sociaux et une prime de Noël. Le mouvement est soutenu par AC !, l'APEIS, le MNCP et les comités de chômeurs de la CGT. Il se poursuivra pendant plusieurs semaines [*sur les minima sociaux, voir p. 523. Voir aussi édition **1999-2000**, p. 588 et édition **98-99**, p. 522-524*].

16 décembre. **Affaire « Urba-SAGES ».** La Cour de cassation rejette le pourvoi de l'ancien trésorier du PS Henri Emmanuelli, condamné le 13 mars 1996 par la cour d'appel de Rennes à 18 mois de prison avec sursis et à deux ans de privation de droits civiques dans le cadre de l'affaire « Urba-SAGES », liée au financement du PS.

31 décembre. **Conjoncture économique.** L'année 1997 s'achève avec une croissance du PIB de 2,4 % (moyenne annuelle) à comparer au taux de 1,5 % de l'année précédente [*sur la conjoncture 1997, voir édition **98-99**, p. 388 et suiv.*].

1998

1er janvier. **CSG.** La Contribution sociale généralisée est portée de 3,4 % à 7,5 %. La cotisation maladie sur les salaires est en revanche diminuée, passant de 5,5 % à 0,75 %, ce qui augmente le pouvoir d'achat des salariés [*voir édition **98-99**, p. 532*].

5 février. **Corse.** Le préfet de la région Corse, Claude Érignac, est assassiné par balles. Les autorités de l'État s'engagent à restaurer l'ordre républicain dans l'île. Six jours plus tard, des dizaines de milliers de Corses défilent en silence contre la violence.

16-17 février. **AMI.** Sommet de l'OCDE consacré à l'Accord multilatéral sur l'investissement contre lequel nombre de personnalités du monde de la création artistique se sont mobilisées les semaines précédentes pour que les productions culturelles ne soient pas livrées au libre-échange. Le sommet constate le désaccord existant entre pays européens et États-Unis.

25 février. **Minima sociaux.** Marie-Thérèse Join-Lambert, à qui avait été confiée une mission relative aux revendications des mouvements des chômeurs, remet un rapport sur les minima sociaux [*sur ce sujet, voir édition **98-99**, p. 522-524*]. Ce rapport inspirera le projet de loi contre les exclusions comportant des dispositions en matière d'emploi, de logement et de santé (dont une « couverture maladie universelle » – CMU).

7 mars. **Affaire « Dumas ».** Le président de la Cour constitutionnelle, Roland Dumas, ancien ministre (PS), confirme avoir reçu une convocation des juges d'instruction enquêtant sur l'affaire Elf, ainsi que sur la commission (2,5 milliards FF) versée à l'occasion de la vente des frégates à Taïwan par le groupe Thomson-CSF en 1991. Le 29 avril 1998, il sera mis en examen pour « complicité et recel d'abus de biens sociaux ».

7 mars. **Alliances.** Jean-François Mancel, secrétaire général du RPR jusqu'à la défaite de la droite aux législatives de mai-juin 1997, appelle le FN à devenir « une partie de la droite de demain ». Il est exclu le 18 mars pour avoir pactisé à l'occasion des régionales.

9 mars. **Capitalisme français.** Havas est absorbé par la Compagnie générale des eaux. En février 1997, celle-ci avait porté sa participation dans Havas à 30 % – devenant son actionnaire de référence –, en échange de sa participation dans *Canal+*. Avec cette fusion, la Générale confirme ses ambitions dans le secteur de la communication. Les activités de Havas sont concentrées dans l'édition, la publicité et le multimédia. La Générale se rebaptisera bientôt « Vivendi ».

11 mars. **Crédit Lyonnais.** Jean-Yves Haberer, ancien président du Crédit Lyonnais, est mis en examen pour complicité de banqueroute [*sur la crise bancaire, voir édition **98-99**, p. 428*].

15 mars. **Régionales.** Aux élections pour renouveler les conseils régionaux, l'abstention atteint 42 %. En métropole, la « gauche plurielle » (PS, PCF, Verts, MDC, PRG), avec 36,6 %, obtient la majorité des sièges dans dix régions. La droite obtient 35,8 %, le FN 15 %, et l'extrême gauche (4,33 %) effectue une percée.
Le Front national est en situation d'arbitrer l'élection à la présidence dans de nombreuses régions. Sa direction propose à la droite un programme minimum auquel souscriront plusieurs candidats de droite. Seront ainsi finalement élus avec l'appui du FN quatre présidents régionaux issus de l'UDF (ils en seront exclus) : Charles Baur (Picardie), Jacques Blanc (Languedoc-Roussillon), Jean-Pierre Soisson (Bourgogne) et Charles Millon (Rhône-Alpes). Ces alliances contribuent à accentuer la crise de la droite. La gauche, quant à elle, qui ne disposait depuis 1992 que d'une présidence sur 22 en métropole, en obtient 7 (dont PACA et Ile-de-France).

22 mars. **Cantonales.** A l'issue du second tour des élections renouvelant partiellement les conseils généraux, la « gauche plurielle » apparaît en nette progression, gagnant une dizaine de présidences qui s'ajoutent à la vingtaine déjà détenue. L'abstention atteint 45 %.

2 avril. **Histoire de France.** Maurice Papon, ancien secrétaire général de la préfecture de Gironde (1942-1944), est condamné par la cour d'assises de Bordeaux à dix ans de réclusion criminelle pour complicité de crime contre l'humanité. Au terme d'un procès ouvert le 8 octobre 1997, il est en effet reconnu coupable d'avoir apporté un concours actif à l'arrestation et à la déportation de plus de 1 500 Juifs vers les camps nazis sous le régime de Vichy. Il se pourvoit en cassation et reste libre, au grand dam des parties civiles.

6 avril. **Mairie de Paris.** L'ancien ministre Jacques Toubon (RPR) forme un groupe municipal dissident de 29 membres au sein du Conseil de Paris. Cette tentative de putsch vise à précipiter la démission du premier magistrat de la capitale, Jean Tibéri (RPR). Elle échouera.

8 avril. **Euro.** L'Assemblée nationale vote par 417 voix (PS, UDF, RPR) contre 29 (PC, MPF, MDC, certains élus PS et RPR), avec abstention des Verts, le transfert de souveraineté monétaire de la France à l'Union européenne, c'est-à-dire de la Banque de France à la Banque centrale européenne (BCE). Le projet de loi sera définitivement adopté le 29 avril suivant.

17 avril. **Droites.** Charles Millon, président du conseil régional de Rhône-Alpes, élu avec les voix des conseillers FN [*voir 15 mars 1998*], lance un nouveau mouvement politique intitulé « La Droite ».

21 avril. **Nouvelle-Calédonie.** Un accord concernant l'avenir statutaire de ce territoire est conclu à Nouméa entre les indépendantistes du FLNKS, les anti-indépendantistes du RPCR et les représentants de l'État français. L'accord stipule qu'un référendum d'autodétermination sera organisé entre 2013 et 2018 et que les compétences de l'État français seront progressivement transférées au Territoire [*voir p. 347. Voir aussi 6 juillet 1998 et édition **1999-2000**, p. 377*].

21 avril. **France/Rwanda.** La Mission d'information parlementaire sur le Rwanda auditionne l'ancien Premier ministre Édouard Balladur, en poste au moment du génocide rwandais (1994), ainsi que plusieurs de ses ministres [*sur les enseignements de cette Mission, voir édition **1999-2000**, p. 48*].

29 avril. **Affaire « Dumas ».** Le président du Conseil constitutionnel Roland Dumas, ancien ministre socialiste très proche de François Mitterrand, est mis en examen pour « recel et complicité d'abus de bien sociaux » et placé sous contrôle judiciaire dans le cadre de l'enquête sur les commissions occultes versées par le groupe Elf à son ancienne amie Christine Deviers-Joncour [*voir aussi 7 mars 1998*].

1er-3 mai. **Euro.** Le Conseil européen réuni à Bruxelles confirme officiellement la liste des onze premiers États parties prenantes de l'Union monétaire. Seuls la Suède, le Danemark, le Royaume-Uni (tous trois par choix politique) et la Grèce (ne satisfaisant pas aux critères) restent à l'écart. Le Néerlandais Wim Duissenberg est nommé à la présidence de la Banque centrale européenne. La France avait tenté d'imposer la candidature de Jean-Claude Trichet [*sur l'euro, voir p. 384 et édition **1999-2000**, p. 27, 409, 412, 436*].

4 mai. **Nouvelle-Calédonie.** Inauguration, en présence du Premier ministre Lionel Jospin, du Centre culturel Jean-Marie Tjibaou, dont l'édification avait été décidée lors des accords de Matignon, en 1988. Le même jour sont signés les accords de Nouméa [*voir 21 avril 1998*].

12 mai. **Affaire « Dugoin ».** Le tribunal correctionnel d'Évry condamne l'ancien président du conseil général de l'Essonne Xavier Dugoin (RPR) à 18 mois de prison avec sursis, 300 000 FF d'amende et deux ans d'inéligibilité pour avoir fait rémunérer son épouse par le conseil général pour un travail fictif (détournement de fonds publics, abus de confiance et faux).

14 mai. **Alliance.** Le président du RPR Philippe Séguin et celui de l'UDF François Léotard annoncent la création d'une confédération, l'Alliance, dotée d'une présidence tournante. Cette tentative vise à anticiper la recomposition de la droite, en proie à un mouvement brownien depuis les élections régionales du 15 mars précédent. L'Alliance se montrera incapable de jouer un quelconque rôle politique.

16 mai. **Droites.** Alain Madelin annonce que

le parti qu'il dirige, Démocratie libérale, quitte l'UDF et choisit d'adhérer directement à l'Alliance. Le 26 mai suivant, à l'Assemblée nationale, ses fidèles forment un groupe parlementaire distinct de l'UDF.

18 mai. Affaires « Tibéri ». L'épouse du maire de Paris Xavière Tibéri est placée en garde à vue dans le cadre de l'enquête sur les 200 000 FF qui lui ont été versés par le conseil général de l'Essonne présidé par Xavier Dugoin (RPR) pour une prétendue expertise.

19 mai. Temps de travail. L'Assemblée nationale adopte définitivement le projet de « loi Aubry » portant réduction de la durée du travail à 35 heures [*voir p. 534 et 538. Voir aussi édition **1999-2000**, p. 37, 113, 554, 555*].

2 juin. Sécurité sociale. La démission du directeur de la CNAM (Caisse nationale de l'assurance maladie), Bertrand Fragonard, illustre les difficultés et contradictions entourant la mise en œuvre de la réforme de la Sécurité sociale [*voir édition **1999-2000**, p. 559*].

4 juin. Affaires « Tapie ». En appel, l'affairiste et ancien ministre Bernard Tapie est condamné à trois ans de prison avec sursis dans l'affaire des comptes de l'Olympique de Marseille [*voir aussi 10 février 1994*].

10 juin. Agriculture. Le Conseil des ministres adopte un projet de loi d'orientation agricole instaurant notamment le Contrat territorial d'exploitation (CTE). Celui-ci peut symboliser un virage dans la politique agricole car il ouvre la possibilité de « relégitimer » une partie des aides publiques accordées à l'agriculture sur le soutien à l'emploi et à des pratiques agronomiques plus respectueuses de l'environnement [*voir p. 509 et édition **1999-2000**, p. 586*].

12 juin. Politique familiale. Lors de la conférence nationale sur la famille réunie à Matignon, Lionel Jospin annonce l'abandon de la mise sous condition de ressources des allocations familiales (disposition qui avait été prise un an plus tôt par son gouvernement) et un abaissement du plafond du quotient familial [*sur la politique familiale, voir édition **1999-2000**, p. 33 ; sur le quotient familial, voir édition **1999-2000**, p. 564*].

15-16 juin. UE. Lors du Conseil européen réur à Cardiff, les chefs d'État et de gouvernemen de l'UE repoussent à plus tard l'examen de la réforme des institutions européennes.

30 juin. BCE. Inauguration à Francfort de la Banque centrale européenne (BCE). Ni Lionel Jospin ni Jacques Chirac ne sont présents La France est représentée par le ministre de l'Économie et des Finances Dominique Strauss-Kahn.

1er juillet. Assurance. Groupama est chois par le gouvernement pour la privatisation de l'assureur GAN (le premier acquerra 87,1 % du second). La nouvelle structure sera le deuxième pôle français dans l'assurance, derrière AXA-UAP.

6 juillet. Nouvelle-Calédonie. Le Parlemen réuni en Congrès à Versailles vote le proje de réforme constitutionnelle relatif à l'évolution du statut de la Nouvelle-Calédonie [*voi 21 avril 1998*]. Le Conseil constitutionnel s'op posera cependant, en mars 1999, aux dispositions relatives au corps électoral.

9 juillet. Exclusions. Adoption définitive pa l'Assemblée nationale du projet de loi relat à la lutte contre les exclusions présenté pa Martine Aubry et concernant notamment l'ac cès aux soins, au logement, à l'emploi, ains que les problèmes de surendettement [*voi édition **1999-2000**, p. 55*].

11 juillet. Tour de France. Début de l « Grande Boucle » qui sera marquée par le affaires de dopage. L'étendue des pratique d'usage de stupéfiants dans la plupart de sports de compétition fait bientôt l'objet d'une attention nouvelle de la part de l'État et de cer taines institutions sportives.

12 juillet. Mondial. L'équipe de France rem porte la finale de la Coupe du monde de football (organisée dans l'Hexagone), disput contre l'équipe brésilienne. Les autorités de l'État soulignent à l'envi le caractère multira cial de cette équipe de France qui gagne.

28 juillet. Temps de travail. Signature dan la métallurgie d'un « accord 35 heures contesté par la CGT et la CFDT (non signa taires). Il prévoit de compenser la réductio du temps de travail légal par une augmenta tion des heures supplémentaires autorisée (de 94 heures à 205 heures), sans création d'emploi. Cette stratégie illustre la tentation du patronat de faire des « 35 heures » une occasion d'augmenter la flexibilisation du travail [*voir p. 538 et édition **1999-2000**, p. 37*].

21 août. Affaires parisiennes. L'ancien Premier ministre Alain Juppé (RPR) et l'ancien ministre de la Coopération Michel Roussin (RPR) sont mis en examen au motif que de nombreux permanents de leur parti auraient bénéficié d'emplois fictifs, notamment de la part de la Ville de Paris lorsque A. Juppé et M. Roussin occupaient des responsabilités en rapport avec ces faits.

2 septembre. J.-P. Chevènement. Le ministre de l'Intérieur Jean-Pierre Chevènement est victime d'un accident opératoire qui le plonge dans le coma. Il survivra et reprendra ses fonctions, Jean-Jack Queyranne (secrétaire d'État) ayant assuré l'intérim.

9 septembre. Affaire de la MNEF. Deux procédures judiciaires sont ouvertes par le parquet de Paris concernant la Mutuelle nationale des étudiants de France. Elles font suite à un rapport de la Cour des comptes. De graves anomalies de gestion ont été mises au jour. De nombreuses passerelles relient l'histoire de la MNEF à divers courants ayant traversé le Parti socialiste et l'extrême gauche. En juin précédent, le directeur tout-puissant de la MNEF, Olivier Spithakis, avait dû démissionner.

16 septembre. UDF. François Bayrou, président de Force démocrate, accède à la présidence de l'UDF. Les différentes composantes vont bientôt se fondre en une seule organisation.

27 septembre. Voisinage. Aux élections législatives allemandes, les sociaux-démocrates conduits par Gerhard Schrœder l'emportent et forment une coalition avec les Verts, mettant fin à seize années de pouvoir d'Helmut Kohl. En cette fin des années quatre-vingt-dix, dans une écrasante majorité, les États membres de l'UE sont dirigés par des gouvernements sociaux-démocrates ou de centre-gauche.

27 septembre. Élections sénatoriales. Sur 104 sièges renouvelés, la droite conserve 69 sièges (contre 71), le PS progresse de 3 sièges. On ne compte que trois femmes sur ces 104 élu(e)s ou réélu(e)s...

1er octobre. Sénat. Au troisième tour de scrutin, Christian Poncelet (RPR) est élu président. Il succède à René Monory (UDF) qui s'était représenté. Cela ajoute au climat déjà tendu entre composantes de l'opposition de droite.

15 octobre. Lycéens. Une journée nationale d'action rassemble de 350 000 à 500 000 lycéens, dans de nombreuses manifestations organisées à travers la France. Le mouvement de protestation contre les mauvaises conditions d'études s'était progressivement étendu depuis le 1er octobre.

27 octobre. Patronat. Le Conseil national du patronat français (CNPF), soucieux de modifier une image qu'il perçoit lui-même comme associée au conservatisme et à l'immobilisme, se rebaptise Mouvement des entreprises de France (Medef).

5 novembre. Histoire de France. Peu avant la célébration du 80e anniversaire de l'armistice de 1918, Lionel Jospin déclare à Craonne (Aisne) qu'il est souhaitable que les mutins fusillés pour l'exemple en 1917 « réintègrent aujourd'hui pleinement notre mémoire nationale ». Il est critiqué par J. Chirac et une polémique entre opposition et majorité s'ensuit.

8 novembre. Nouvelle-Calédonie. Le référendum local relatif au statut du Territoire est approuvé par 72 % des suffrages exprimés.

10 novembre. Aéronautique. L'État annonce qu'il transfère à Aérospatiale les parts (45,8 %) qu'il détient dans Dassault Aviation. Avec le rapprochement d'Aérospatiale et du groupe Lagardère se profile un ensemble susceptible de participer à la constitution d'un grand groupe européen.

14 novembre. « Sans-papiers ». Lors du congrès national des Verts, le parti écologiste exprime ses désaccords avec les positions du ministre de l'Intérieur Jean-Pierre Chevènement — et plus largement avec celles du gouvernement — sur la question des « sans-papiers ». Selon les chiffres du ministère de l'Intérieur, au 31 décembre 1998, 80 000 demandeurs auront été régularisés et 63 000 déboutés [*sur l'attitude des différents gouvernements européens à* *l'égard de cette question, voir édition* ***1999-2000****, p. 44*].

27-28 novembre. **France-Afrique.** Vingtième sommet franco-africain à Paris [*sur la politique africaine et la réforme de la politique de coopération au développement, voir édition* ***1999-2000****, articles p. 592 et p. 589*].

1er décembre. **Pétrole.** Total prend 41 % du capital du belge Petrofina et se hisse au 5e rang mondial.

1er décembre. **Pharmacie.** Rhône-Poulenc et l'allemand Hœchst annoncent leur intention de fusionner leurs activités dans une nouvelle structure, Avantis. Celle-ci, filiale 50/50, occupera le deuxième rang mondial des laboratoires pour les sciences de la vie, derrière le suisse Novartis.

1er décembre. **Traité d'Amsterdam.** L'Assemblée nationale vote (469 voix pour, 66 contre) en faveur du projet de réforme constitutionnelle nécessitée par la ratification du traité d'Amsterdam.

4 décembre. **Rhône-Alpes.** L'élection de Charles Millon, le 7 mars précédent, à la présidence du conseil régional est invalidée par le Conseil d'État. C. Millon avait eu avant le scrutin des échanges oraux avec le leader régional du FN, Bruno Gollnisch, ce que la loi ne permet pas. La nouvelle élection verra l'échec de C. Millon, une division accrue des élus de droite et l'élection, le 9 janvier, de l'UDF Anne-Marie Comparini.

7 décembre. **Syndicalisme.** Ouverture du 44e congrès de la CFDT à Lille (jusqu'au 11). Alors que l'organisation s'est montrée en pointe dans les négociations sur les 35 heures, ce congrès marque un grand succès pour Nicole Notat et la direction sortante. Le quitus est accordé par les trois quarts des délégués. La tendance oppositionnelle « Tous ensemble », constatant son échec, annoncera peu après sa dissolution.

9 décembre. **Extrême droite.** Au Front national, Jean-Marie Le Pen destitue le délégué général (« numéro deux » du FN), Bruno Mégret, favorable à des alliances avec la droite. Ses partisans se considèrent majoritaires parmi les cadres de l'appareil. Le 23 décembre, B. Mégret et six de ses lieutenants sont exclus. Ils décident d'organiser un congrès extraordinaire [*voir 23-24 janvier 1999*].

15 décembre. **France/Rwanda.** Remise du rapport parlementaire sur le rôle joué par la France dans les événements ayant abouti au génocide rwandais de 1994 [*voir édition* ***1999-2000****, p. 48*].

16 décembre. **Parité.** Vote par l'Assemblée nationale, à l'unanimité, d'un projet de loi constitutionnelle portant sur l'égal accès des femmes et des hommes aux mandats électoraux et aux fonctions électives.

31 décembre. **Euro.** La parité officielle de l'euro sera de 6,55957 francs français [*pour la parité avec les autres monnaies, voir tableau p. 387*]. La monnaie unique entre en vigueur le lendemain.
L'année s'achève avec une croissance annuelle moyenne de 3,2 % après 2,3 % en 1997 et 1,6 % en 1996. Le nombre de demandeurs d'emploi est de 3,4 millions soit 11,8 % de la population active [*sur la conjoncture 1998, voir p. 366 et suiv.*].

1999

23-24 janvier. **Extrême droite.** Congrès extraordinaire du Front national, convoqué par les partisans de Bruno Mégret [*voir 9 décembre 1998*]. Jean-Marie Le Pen et ses partisans sont absents. B. Mégret est élu président du parti rebaptisé Front national-Mouvement national. Cette scission devrait modifier le jeu politique.

31 janvier. **Banque.** Les conseils d'administration de la Société générale et de Paribas approuvent la fusion des deux banques par échange d'actions. SG Paribas envisage ainsi d'accéder au quatrième rang mondial [*voir aussi 14 août 1999, p. 17 et suiv.*].

31 janvier. **Pacs.** La manifestation contre le Pacte civil de solidarité organisée à Paris rassemble environ 100 000 participants (les organisateurs en espéraient 200 000). Le caractère jeune, tonique et moderne voulu par les organisateurs masque mal les relents homophobes de certains slogans [*sur les droits des* *homosexuel(le)s, voir* ***édition*** *1999-2000, p. 89*].

31 janvier. **Syndicalisme.** Ouverture du 46e congrès de la CGT, à Strasbourg (jusqu'au 5 février). Bernard Thibault, leader cheminot qui a joué un grand rôle dans les grèves de l'automne 1995, succède à Louis Viannet. Il défend une adaptation des pratiques syndicales faisant une plus large place aux propositions. La CFDT avait amorcé un semblable « recentrage » vingt ans plus tôt. Le chantier des « 35 heures », l'unité d'action avec la CFDT, la resyndicalisation et l'adhésion à la Confédération européenne des syndicats (CES) sont à l'ordre du jour. Des résistances conservatrices se manifestent cependant [*sur les défis des inégalités hommes/femmes, voir p. 24 et édition* ***97-98****, p. 86, 91, 93, 95*].

7 et 14 mars. **Corse.** Les élections territoriales organisées à la suite de l'invalidation par le Conseil d'État du scrutin des 15 et 22 mars 1998 voient une poussée des nationalistes de la liste Corsica Nazione. José Rossi (DL) est élu président de l'Assemblée. Le nationaliste Jean-Guy Talamoni (tête de liste de Corsica Nazione) accepte cependant la présidence de la Commission des affaires européennes.

9 mars. **Sang contaminé.** Trois membres (socialistes) du gouvernement ayant exercé des responsabilités à l'époque de la transmission du virus VIH par voie de transfusion sanguine sont jugés par la Cour de justice de la République. Le déroulement du procès a été vivement critiqué pour ses faux-semblants. L'ancien Premier ministre Laurent Fabius et Georgina Dufoix (ancienne ministre de la Solidarité) sont relaxés, tandis qu'Edmond Hervé (ancien secrétaire d'État à la Santé) est condamné (mais dispensé de peine). Ce jugement est perçu comme un bricolage juridique et politique.

16 mars. **Commission européenne.** Le président Jacques Santer annonce la démission collective de la Commission. Ce geste fait suite à un rapport établissant le non-respect de certaines procédures administratives dans la gestion de la Commission. Des cas de favoritisme dans des recrutements ont été mis au jour et la gestion collégiale de la Commission est gravement critiquée. La commissaire française Édith Cresson (ancien Premier ministre socialiste) a été particulièrement mise en cause. Cet événement considérable pose la question d'une démocratisation et d'une plus grande transparence des institutions communautaires, indissociables d'un élargissement des pouvoirs du Parlement européen. L'Italien Romano Prodi accepte le mandat de président de la future Commission.

20 mars. **Claude Allègre.** Une manifestation réunissant des syndicats d'enseignants et des mouvements universitaires d'obédiences très diverses (de la gauche laïque à la droite) est organisée à Paris contre les réformes défendues par Claude Allègre, le ministre de l'Éducation nationale. Ce dernier, depuis sa nomination en juin 1997, s'est rendu célèbre par ses formules provocatrices.

22 mars. **Eau.** Le groupe Vivendi annonce l'achat de US Filters, « numéro un » américain du traitement de l'eau.

25 mars. **Kosovo.** L'OTAN (Organisation du traité de l'Atlantique nord) engage des frappes aériennes contre la Serbie. La tentative de négociation (à Rambouillet, sous l'égide des ministres des Affaires étrangères français et britannique) d'une issue politique concernant le statut du Kosovo a échoué, aux yeux des organisateurs, du fait de l'attitude des dirigeants serbes. La France participe à l'intervention militaire *Allied Forces*, aux côtés des États-Unis, du Royaume-Uni et de l'Allemagne notamment. Il va s'ensuivre un gigantesque exode des Kosovars, organisé par les autorités de Belgrade.

25 mars. **Retraites.** Présentation du rapport commandé par le Premier ministre au commissaire du Plan Jean-Michel Charpin sur l'avenir des retraites [*sur ce sujet, voir article p. 566*].

26 mars. **Extrême droite.** Jean-Marie Le Chevallier, maire de Toulon, la plus grande ville dirigée par le Front national, démissionne de ce parti.

27 mars. **Automobile.** Renault devient le seul actionnaire de référence du constructeur japonais Nissan en prenant une participation de 36,8 % dans son capital. Le nouvel ensemble industriel sera le quatrième constructeur automobile mondial. - **Serge Cordellier** ■

(*Pour la période 1er avril 1999-31 mars 2000, voir p. 17 et suiv.*)

Index général

Plus de 2 000 entrées permettant une recherche ciblée

LÉGENDE

- **124 et suiv.** : référence d'une *série d'articles* ou d'un *chapitre* relatif au mot clé.
- **326** : référence d'un *article* ou d'un *paragraphe* relatif au mot clé.
- **402** : référence du *mot clé.*
- Pour certains mots clés sont rappelées les références d'articles publiés dans les précédentes éditions de *L'état de la France*, avec précision du millésime correspondant : **1999-2000, 98-99, 97-98, 96-97, 95-96, 94-95, 93-94** ou **1992**.

A

D

E

F

G

H

I

M

N, O

P, Q

R

S

T, U